SCIENCE & CULTURE

科文图书

# 科文（香港）出版公司

## 出版人：李国庆

科 文 健 康 文 库

# 家庭医疗百科

## （修订本）

# The Medical Advisor

美国六十一位医学博士撰写

科文（香港）出版公司供稿

傅贤波　主译

中国人口出版社

著作权合同登记图字：01—98—1473 号

**图书在版编目(CIP)数据**

家庭医疗百科/(美)六十一位医学博士著;傅贤波等译,—北京:中国人口出版社,1998.11
　ISBN 7 – 80079 – 518 – 7

Ⅰ.家…　Ⅱ.①六…　②傅…　Ⅲ.医药学－普及读物　Ⅳ.R – 49

中国版本图书馆 CIP 数据核字(98)第 27313 号

中文简体字版版权　© 科文(香港)出版有限公司
中国人口出版社出版

科文健康文库
**家庭医疗百科(修订本)**
科文(香港)出版有限公司供稿
中国人口出版社
批发:中国人口出版社
北京科文剑桥图书公司
(北京安定门外三利大厦 4 层　　100011)
电话:010 – 64203023　　传真:010 – 64218783
新 华 书 店 经 销
开本:787×1092 毫米　　1/16　　印张:37　　字数:1060 千字
2004 年 1 月修订第 1 版　　2004 年 2 月第 2 次印刷
定价:98. 00 元

普及医学知识

提高全民健康水平

为家庭医疗百科题

吴阶平

# 前　言

随着我国医疗体制改革的深入发展,人们的医疗观念正在发生变化。社会经济的高速发展,使我们的生活节奏迅速加快,人人都感到了时间的紧迫。于是"小病自己看,大病上医院"已经成为越来越多人的就医新观念。为了帮助您及时发现疾患,正确判断病情,选择最佳的治疗方案,我们推出了在当今世界上享有盛誉的《家庭医疗百科》,相信它会成为您的家庭不可缺少的新"成员"。

由 Time Life(时代生活)出版社出版的这本《家庭医疗百科》,是由美国 61 位经验丰富、医术精湛的医学博士编著的,他们对常见的各种疾病的症状以及检查、治疗等做了详细说明。本书是最新版,书中信息都是最新颖最全面的。不仅如此,本书编写者们还敏锐地觉察到当今医疗中的一个新动向——传统西医与各种自然疗法的结合,因此在介绍经典常规治疗的同时,也加入了辅助治疗的内容,包括中医、针灸、瑜伽、草药、水疗法、指压法、家庭治疗及饮食营养等,使疾病治疗的内涵更加丰富,为患者提供了更多的治疗方案,这在类似书中是罕见的,也是本书独有的特色。另外,在介绍每种疾病症状之后,都加上了**"出现以下情况应去就医"**的条款,使患者自己就可判断是在家治疗还是立即去医院。这既满足了"小病自己看"的需要,又为自我诊治设立了警戒线。此外在查寻方法上,也充分考虑到患者医疗知识的局限性,打破以往按专业医学分类法查寻的"老招",而是按照**患者感到不适的部位**,以患者自觉症状为线索去查寻,并将各部位内容以不同色彩分开,这样,在您需要时,就可以方便地找到相应的内容。

本书在充分介绍 1000 多种病症之后,又附加了一些大家都非常关心的内容,如婴幼儿成长发育检测表、食品成分含量表、化验检查说明表等,使该书成为一本名符其实的"医疗百科"。

本书在编辑出版工作中得到了美国医学出版协会主席 Eric Newman 先生、Time Life 出版社 Hans Bergmans 先生及北京大学医学部傅贤波教授的鼎力相助,在此表示衷心的感谢。我们衷心地希望本书能够成为您家庭中得力的"家庭医生"。

科文(香港)出版有限公司同仁

# 再版序

  在经历 SARS 病毒肆虐之后，人们更懂得珍爱健康、预防疾病的重要。值此之际，喜获《家庭医疗百科》修订再版的消息。这是一本由美国专业医师为大众撰写的全面的医疗指导科普书，它不同于市场一般出售的医疗科普书，它不需您知道自己是什么病，疾病是属于人体哪个系统才能翻阅，而是一本真正从病人角度撰写的科普书。它从医生看病第一句话'您哪儿不舒服'开始，引导读者去查找可能是什么问题，如何自己判断，出现什么症状赶紧找医生，有哪些常规的治疗方法，辅助疗法的运用和效果，如何预防等，因而是非常实用的大众医疗百科全书。它是国内至今仅有的一本以这种风格写的医疗科普书，值得一读，经常翻翻将使您了解许多您平常不了解的医学知识和信息，真正会大开眼界，获益匪浅。修订再版后的《家庭医疗百科》是平装密排本，修订了文字和表述错误，保留了首版的全部内容和以颜色区分身体不同部位的风格，便于携带，价格更面向工薪阶层，实现了原全国人大副委员长吴阶平教授和译者的愿望，即此书应更加面向大众。

  感谢科文(香港)出版公司为老百姓做了一件好事。

傅贤波

于再版前

# 六十一位撰稿人简介

**内尔·鲍姆**，MD

　　执教于突兰医学院，并就职于南方浸礼教会医院。泌尿科医生，获专业委员会证书，性功能障碍及男性不育症专家，有多部著作。同时任新奥尔良图罗医院阳痿基金会主任。

**赫伯特·本森**，MD

　　执教于哈佛医学院，迪肯尼斯医院行为医学分院院长。精神与身体医学研究院的首任院长，该院专治与压力有关的疾病。他在放松反应方面进行的开拓性工作使人们对精神与身体医学有了更多的关注。

**祖伊·布莱纳**，Lac，DiplAc(NCCA)，FNAAOM

　　自 1977 年开始使用针灸，1984 年开始中医疗法。在马里兰州伯西斯达市传统针灸研究院教授东方医学和中国医药史、中国医药哲学。

**德怀特·C.拜尔斯**

　　与英格海姆反应疗法的创始人尤尼斯·英格海姆一起开始执教，现任佛罗里达州圣彼得堡市国际反应学研究院院长。

**巴里·R·卡西尔斯**，PhD

　　执教于杜克大学和北卡罗来纳州大学医学院，主要研究癌症患者的替代疗法和心理治疗。国家健康研究所替代疗法计划顾问委员会办公室成员。

**艾菲·周**，PhD，RN，CA

　　旧金山市治疗艺术东西学院院长。注册资格护士及针灸医生，气功师，已修炼并教授气功 30 余年。

**约翰·G·科林斯**，ND，DHANP

　　在俄勒冈州波特兰市国家物理医药学院教授皮肤学、胃肠病学和顺势疗法，并在该州格雷斯海姆市独立行医。

**斯坦法·S·科文顿**，PhD，LCSW

　　心理治疗医生，加利福尼亚州拉卓拉市关系发展研究所所长。研究方向为药物成瘾、性关系、家庭和人际关系。曾执教于南卡罗来纳州大学、圣地亚哥州立大学和加州专业心理学学院，并曾任酗酒与吸毒国际委员会妇女会主席。

**凯勒·H·科罗宁**，ND

　　妇科保健医生，在凤凰城行医。为西南顺势医药和健康科学学院创建人之一，现任该院课程研究系主任。

**蒂莫斯·B·迪灵**，MD

　　认证内科和肠胃科医生，在北卡罗来纳州阿什维肠胃病协会行医。

**巴利·C·德利维特**，PhD

　　弗吉尼亚州立大学癌症中心替代疗法顾问，并在该校医学院执教。哥伦比亚大学、艾默里大学和印地安那大学医学院课程研究顾问。

**詹姆斯·A·杜克**，PhD

　　曾任美国农业部农业研究服务处经济植物学家，为许多组织做顾问，如美国植物委员会和草药研究基金会。

**凯瑟琳·弗莱**，MD，MD(H)

　　妇产科认证医生及传统顺势疗法医生，任职于亚利桑那州苏格兹戴尔妇女保健中心。

**阿德琳·弗格－保曼**，MD

　　华盛顿特区医学研究者，现任职于国家妇女健康网董事会。曾任国家健康研究院替代疗法办公室现场调查组组长及道家健康研究会和绿十字会医院医学主任。

**阿兰·R·加比**，MD

　　美国圣医学协会会长，国家健康研究院替代疗法顾问委员会办公室成员。

**戴维·E·戈兰**，MD，PhD

　　布里海姆医院和波士顿妇科医院看护内科医生，哈佛医学院生物化学和分子药学副教授。认证血液学医生，指导血细胞膜的研究。设计了药物学计算机学习程序。

**康斯坦斯·格罗兹**，RPh

　　注册药剂师，认证草药师，注册营养顾问。作为自然药剂师协会创建人，为生产天然草药和营养产品的公司提供咨询。

**艾略特·格林**，MA

　　美国按摩治疗协会前主席，现在华盛顿特区开私人诊所。国家按摩治疗认证委员会认证医生，从业 22 年。曾为国家健康联合会主任委员会成员。

**凯斯·S·哈切曼**，MD，FAAOS，FAOSSM

执教于佛罗里达州迈阿密大学医学院整形与运动医学系，并任迈阿密大学、佛罗里达国际大学和圣托马斯大学内科医生。戴得镇高中医学主任。

**维克多·赫伯特**，MD，JD，FACP

在纽约西奈山医学中心教医学，并任加强营养委员会主席。曾任美国临床营养学会主席，为许多组织，包括世界健康组织，提供营养咨询。

**戴维·霍夫曼**，MNIMH

英国国家草药师研究院成员，美国草药师行会首任主席。他的有关草药治疗的作品为本书提供大量素材。

**莫莉塔·霍兰**，MALS

在安港市密歇根大学教授信息和图书馆学。她的学生为本书做了许多研究工作。

**托利·哈得森**，ND

独立开业，教授妇科学，并任俄勒冈波特兰市国家顺势疗法学院内科指导医生。妇科专家，国家健康和人类服务部健康改革顾问。

**格雷丝·布鲁克·霍夫曼**，MD

马里兰州初级护理医师，执教于华盛顿特区乔治敦大学医学院。获得家庭医生及老年病医生认证资格。

**斯蒂文·阿戴尔**，MD，PhD，FACP，FACCP

泰勒市得克萨斯大学医学院副院长、肺病部主任，其肺病研究项目由国家健康研究会资助。

**詹尼弗·加克博**，MD，MPH

顺势疗法专家，在华盛顿州爱德蒙市开家庭诊所。在华盛顿大学研究利用顺势疗法进行初级护理。国家健康研究会顺势疗法顾问委员会成员。

**约瑟夫·J·加克博**，MD，MBA

从新墨西哥州盖洛普市印地安健康中心任儿科医生开始行医，一直同美国印地安人工作。1992 年至 1994 年任国家健康研究会顺势疗法办公室主任，美国印地安医生协会前主席。

**乔纳森·M·卡根**，MD

纽约医学院眼科教师，在纽约市独立行医。从事眼科新药临床试验，美国眼科学院教师。

**斯蒂芬·W·凯瑞斯**，MD，MPH，FAAP

达特茅斯医疗中心儿科副主任，负责初级护理和儿童急救项目。新罕布什尔州康科德市新罕布什尔青少年联合会创建人及主席。

**J. 丹尼尔·卡诺夫斯基**，MD，MPH

在纽约市阿尔伯特·爱因斯坦医学院和布朗克斯精神病中心教授精神病学、传染病学和社会医学。认证精神病医生，美国营养学院教授。

**泰德·卡普切克**，OME，CA

波士顿大学公共卫生系和哈佛医学院教授，贝斯·以色列医院研究助理。东方医学专家，采用中医药和针灸治疗。

**罗伯特·B·克莱恩**，MD，FAAP，FAAAI

得克萨斯大学健康中心儿科主任，并专攻过敏症、肺病及免疫学。美国国务院派驻克罗地亚小儿结核及气喘病顾问。

**罗伯特·科特勒**，MD，FACS

加州贝佛利山整容外科医生，加州医学委员会专员、地方顾问。

**杰西·M·克莱默**，MD

加州圣罗萨市皮肤学家。在旧金山市加州大学教授家庭医生。

**戴维·B·拉尔森**，MD，MSPH

婚姻、家庭疗法精神病医生，主要研究宗教信仰对人生理及精神健康的影响。任职于国家健康研究院和美国卫生部。

**丹那·J·劳伦斯**，DC，FICC

伊利诺伊州国家脊柱按摩学院教授及校刊《手法与生理治疗》编辑。

**诺曼·S·列维**，MD，PhD，FAAO，FACS

在佛罗里达州根斯维尔市开业，并在佛罗里达大学任教。曾任根斯维尔市和大湖城退伍军人医院眼科主任。

**菲利普·列维**，MD，FACE

凤凰城内分泌诊所医生，亚利桑那大学医学院教授。美国糖尿病学会和内分泌协会成员。

**约翰·E·朗斯坦**，MD

认证矫形外科医生，脊柱侧凸研究会前主席。在明尼苏达大学和双胞城脊柱外科公司任职，明尼苏达州吉列儿童医院脊柱中心和偏瘫脊柱中心主任。

**戴夫·曼尼诺**，MD，FACCP

亚特兰大市国家环境卫生中心疾病防治中心专家，爱默里公共卫生学校教授。

**罗伊·J·马修**，MD

北卡罗来纳州得海姆市杜科大学医学中心教授，戒酒与戒毒项目主任。该项目为酗酒与吸毒者提供治疗，并为其他医生提供戒毒方面的咨询。主要研究酒精与毒品对大脑及行为的作用。

## 亚历山大·默斯科普,MD,FAAN

纽约头痛中心及非盈利机构纽约头痛基金会主任。纽约州大学临床神经科教授,研究镁对头痛的作用。

## 杰弗里·米格杜,MD

在马萨诸塞州勒诺科斯市克里帕鲁中心指导瑜伽训练导师。练瑜伽长达 20 多年,任教 7 年。指导病人健康的生活方式,并提供顺势疗法、营养疗法等建议。

## 约翰·R·默菲特,PhD

华盛顿特区乔治敦大学生物系研究员,主要研究视觉系统的神经传送和免疫细胞释放的毒素。

## 安·莫尔,MD

康奈尔大学医学院临床医学教授,纽约医院乳腺癌委员会主席。认证内科医生,主治血液学及肿瘤学。纽约医院 – 康奈尔医学中心医生。

## 林·奥奇,PhD

社会心理学家,用 15 年时间研制出计算机化生物反馈装置。纽约生物反馈学会前主席。

## 史蒂芬·奥姆斯泰得,MD

西雅图市内科及心脏病医生,华盛顿大学教授。

## 艾尔莎·兰姆斯登,EdD,PT

认证理疗学家和心理学医生,宾西法尼亚大学、维登纳大学、坦普尔大学及比佛学院教授,并在澳大利亚昆士兰大学和瑞典尤普萨拉大学任教,派驻澳大利亚高级弗伯莱学者。

## 约翰·C·里德,MD,MD(H)

认证家庭医生,在凤凰城亚利桑那卫生医疗中心从业。医学院毕业后,在亚利桑那州南部任印地安人健康官员。其治疗方法包括针灸、顺势疗法和疗骨术。国家卫生研究院替代疗法办公室顾问及该办公室报告《替代医药:扩展医学地平线》的编辑。

## 诺曼·E·罗森索,MD

自 1979 年起,任国家卫生研究院环境精神学部主任。轻松疗法和生物规律协会前任主席。

## 比佛利·卢比克,PhD

费城坦普尔大学前卫科学中心首任主任。主要研究替代疗法中的精神疗法、针灸和顺势疗法。

## 米德里·西里格,MD,MPH

在北卡罗来纳大学教授营养学,在爱默利大学教授预防医学。为美国营养学院院刊退休编辑。

## 维尼弗里德·塞维尔,MS,DSc

医学图书馆协会成员。在马里兰大学药物学院和图书馆及信息服务学院任教。

## J·詹姆森·斯达巴克,JD,ND

蒙大那州密苏拉市家庭医生。曾为从业律师、美国理疗学家学会主席、理疗学顺势疗法研究院成员。

## 詹姆斯·P·斯维尔斯,MA

科学作家、编辑,曾任国家卫生研究院替代疗法办公室报告《替代医药:扩展医学地平线》的编辑。当记者前,他是生物化学及微生物研究人员。

## 迈克尔·A·坦西,PhD

EEG 神经反馈临床医生,曾任国家神经反馈资料档案室执行委员会首任成员。

## 迪克·W·索姆,DDS,ND

在俄勒冈州波特兰市国家理疗医学院教授临床及生理诊断。波特兰理疗院临床顾问,俄勒冈州比佛顿市治疗艺术中心家庭医生。

## 阿列克斯·A·蒂波利,OMD,Lac

圣地亚哥东方医学太平洋学院东方医学系主任。在太平洋健康中心独立开业,主攻运动医学针灸疗法。国家针灸医生认证委员会审核官。

## 安德鲁·J·维克斯

英国补充医学研究委员会信息服务主任,威斯敏斯特大学和伦敦针灸学院方法论教授。

## 罗伯特·C·沃德,DO,FAAO

在密执安州大学疗骨学院教授生物化学和家庭医学。执教前从事 12 年私人家庭医生。

## 卡洛琳·维尔伯利,MD,PhD

华盛顿特区乔治敦大学家庭医学教授,该校林肯医院临床医生。

# 编译审定人员名单

**主译**:傅贤波(北京大学医学部教授)

**译者**(按原书内容顺序)

李学文　王　军　侯纯升　赵红梅　郭长吉

王立新　夏志伟　王爱英　顾　芳　黄雪彪

丁士刚　常　虹　李　渊　徐志洁　姚　伟

张　莉　段晓文　李慧民　孙长庆　李炳庆

钱跃清　常桂民　杨雪松　孙健丽　彭小幸

(以上为北京大学附属医院等单位医师)

**中医审定**:方来秋　刘新桥(北京鼓楼中医医院)

**儿童生长发育及智能检测表审定**:李原(北京教育学院)

**营养成分表审定**:李原(北京教育学院)

**临床化验表审定**:孙卫红(北京红十字朝阳医院)

新版修订:赵伯仁　董绵国

# 怎样使用本书

这本《家庭医疗百科》主体内容共分成八大部分,每一部分以不同的色彩相区分,如急救/急症部分使用的是红色。八个部分是根据患者感到不适或病因的部位而划分的,如胃癌在腹腰部分。这八个部分共包含304种病患,数百幅图表,数千个词条。为了有效地使用本书,查阅方法是十分重要的。我们建议您通过下列的步骤来查阅:

(1)首先判断患者的情况是否属于危急状态,因此要熟悉急救/急症部分的内容,以免耽误诊治。

(2)根据患者不适的部位来判断应在详细目录的那一部分中查询病名,如腹痛时,应到"腹腰"这一部分,再找到与腹痛有关的病名,有些病名可能不易找到,这时还可以使用书中的"疾病名称首字汉语拼音索引"来查询。

(3)对每种疾患的讲述包括如下内容:症状、何时就医、概述、病因、诊断检查、常规西医治疗法、辅助治疗法、饮食、营养和预防。这样您会对所关心的疾患有一个全面了解,并可以按照其中的方法来治疗。

(4)一定要注意"出现如下情况应去就医"这一内容,以免延误了就医的时机。

另外,在书中还介绍了大量的医学知识和参考信息,以使读者能同时提高自身的医学素质。这些内容包括:常规治疗和辅助治疗的介绍,健康问题指南,我国常用的婴幼儿生长发育和智能发育的标准值,常见食品的营养成分表,常用化验正常值及意义。这些都将为您提供有效的帮助。

我们相信,这本《家庭医疗百科》一定能为您及您家人的健康做出贡献。

例:患者感觉腹痛,其查阅方法:

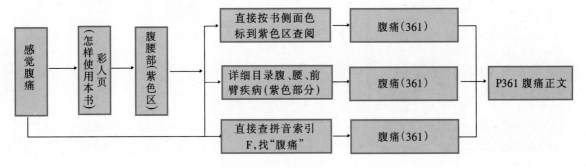

# 怎样使用本书

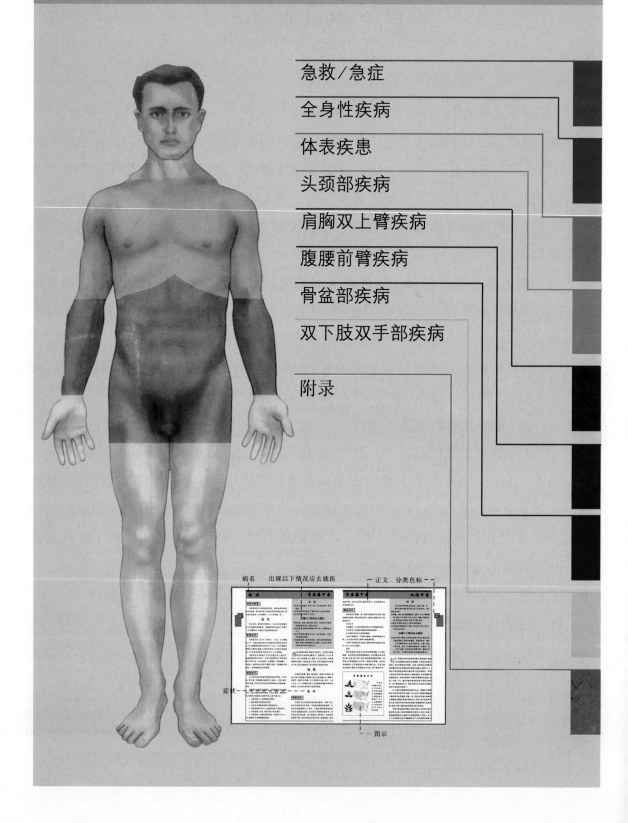

急救/急症

全身性疾病

体表疾患

头颈部疾病

肩胸双上臂疾病

腹腰前臂疾病

骨盆部疾病

双下肢双手部疾病

附录

病名　　出现以下情况应去就医　　　　正文　分类色标

症状

图示

# 总 目 录

# 详细目录

## （按书侧面色彩分类）

# 中医穴位图示

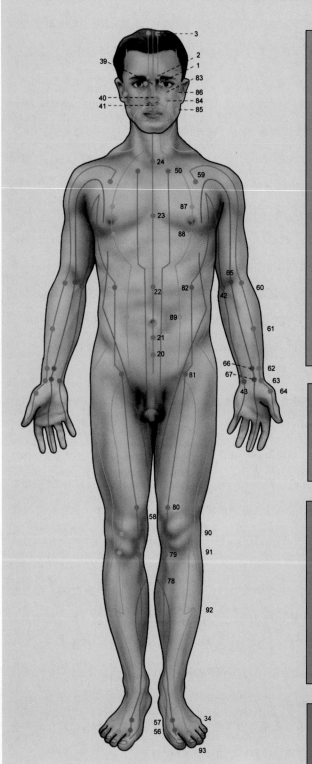

**膀胱经**
1 睛明
2 攒竹
3 通天
4 天柱
5 肺俞
6 肾俞
7 大肠俞
8 小肠俞
9 膀胱俞
10 中膂俞
11 白环俞
12 上髎
13 次髎
14 中髎
15 下髎
16 委中
17 承山
18 飞扬
19 昆仑

**任脉**
20 关元
21 气海
22 中脘
23 膻中
24 天突

**胆经**
25 听会
26 率谷
27 阳白
28 风池
29 肩井
30 环跳
31 阳陵泉
32 悬钟
33 丘墟
34 足临泣

**督脉**
35 命门
36 大椎
37 风府

38 百会
39 神庭
40 素髎
41 人中

**心经**
42 少海
43 神门

**肾经**
44 涌泉
45 然谷
46 太溪
47 水泉
48 照海
49 复溜
50 俞府

**大肠经**
51 合谷
52 手三里
53 曲池
54 肩髎
55 迎香

**肝经**
56 行间
57 太冲
58 曲泉

**肺经**
59 中府
60 尺泽
61 孔最
62 列缺
63 太渊
64 鱼际

**心包经**
65 曲泽
66 内关
67 大陵

**小肠经**
68 后溪
69 腕骨
70 阳谷
71 小海
72 臑俞
73 天宗
74 天窗

**脾经**
75 太白
76 公孙
77 三阴交
78 地机
79 阴陵泉
80 血海
81 冲门
82 腹哀

**胃经**
83 四白
84 巨髎
85 颊车
86 下关
87 膺窗
88 乳根
89 天枢
90 犊鼻
91 足三里
92 丰隆
93 内庭

**三焦经**
94 中渚
95 阳池
96 外关
97 天髎
98 翳风
99 耳门

# 中医穴位图示

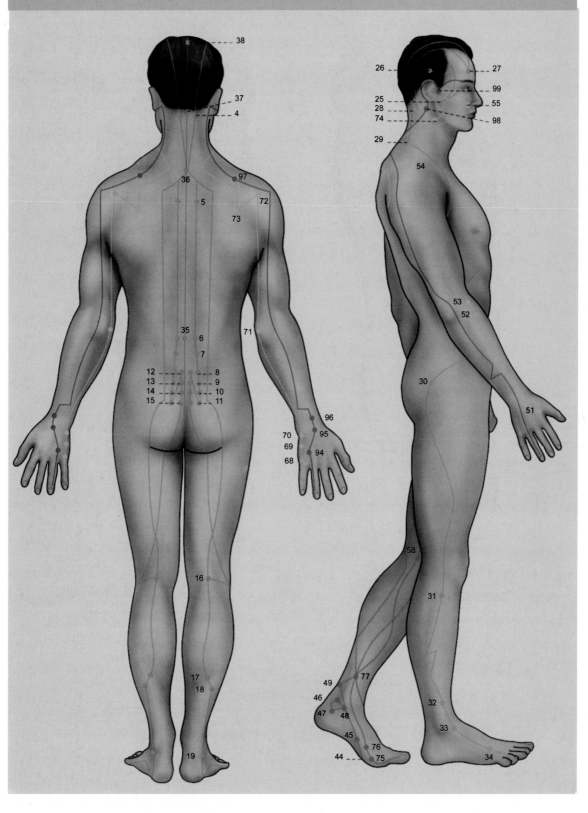

# 足底反射区图

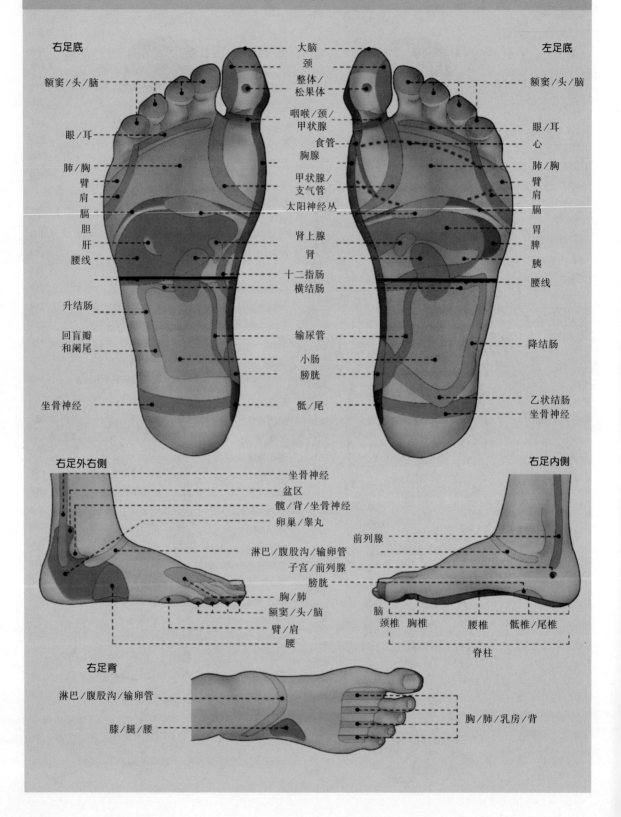

右足底

额窦/头/脑
眼/耳
肺/胸
臂
肩
膈
胆
肝
腰线
升结肠
回盲瓣
和阑尾
坐骨神经

大脑
颈
整体/
松果体
咽喉/颈
甲状腺
食管
胸腺
甲状腺/
支气管
太阳神经丛
肾上腺
肾
十二指肠
横结肠
输尿管
小肠
膀胱
骶/尾

左足底

额窦/头/脑
眼/耳
心
肺/胸
臂
肩
膈
胃
脾
胰
腰线
降结肠
乙状结肠
坐骨神经

右足外右侧

坐骨神经
盆区
髋/背/坐骨神经
卵巢/睾丸
淋巴/腹股沟/输卵管
子宫/前列腺
膀胱
胸/肺
额窦/头/脑
臂/肩
腰

前列腺

右足内侧

脑
颈椎 胸椎 腰椎 骶椎/尾椎
脊柱

右足背

淋巴/腹股沟/输卵管
膝/腿/腰

胸/肺/乳房/背

# 疾病名称首字汉语拼音索引

# 急救/急症

## 遇到急诊时该怎么办

1. 给急救中心打电话或让周围的人去打电话。
2. 检查伤者的基本情况。
3. 控制严重的出血。
4. 防止休克。
5. 找出病因。

对周围环境进行检查以找出线索,比如毒药的药瓶等。

## 恢复体位

将失去神志的伤者置于恢复性体位有助于保持呼吸道的通畅(下图)。

 **注意**

切忌让怀疑有颈背部损伤的病人处于此恢复性体位。

支撑患者的头部并使其处于腹卧位。将靠近你这一侧的上臂及膝关节屈曲,轻轻地将头部后仰以保证呼吸道的通畅。

## 检查患者的步骤

A:气道　　B:呼吸　　C:循环

A—开放气道。
轻轻地将病人头部后仰并将下颏向下拉。
注意:如果怀疑头、颈、背损伤,仅拉下颏而不仰头。

B—看、听并感觉病人的呼吸。看患者胸部起伏。把耳朵靠近患者口部,听并感觉呼出的气体。仅有胸部运动并不意味着呼吸的存在。

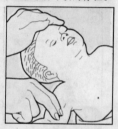

C—检查脉搏。

轻轻地将食、中指压在患者一侧颈部并感觉脉搏的搏动。

检查1岁以内婴儿的脉搏,轻轻将食、中指压在婴儿肘肩之间的上臂内侧以感觉脉搏的存在。如果感觉不到脉搏,应注意听患儿是否有心跳存在。

# 呼吸心跳骤停

## 心肺复苏

对呼吸、心跳停止的治疗叫做心肺复苏。心肺复苏的目的是开放气道、重建呼吸和循环。只有在你曾受过这方面的训练时才能实施心肺复苏。

**重点**

◆如果患者在没有窒息的情况下出现呼吸停止,请拨打相应的急救电话或告诉别人去打电话,然后开始心肺复苏(见后图)。

◆如果患者有呼吸困难,应首先处理呼吸的问题,见呼吸疾病章节。

◆如果患者为心脏病发作,见心脏病突发章节。

**症状**

◆面部苍白或青紫。

◆胸廓无起伏运动。　◆没有心跳或脉搏。

◆意识丧失。　　　　◆没有呼气。

注意:如果怀疑头、颈、背部损伤,请看有关内容。

1. 使病人处于水平仰卧位。

2. 清除口腔异物。注意:如果见到异物卡于患者的喉部,不要试图取出他,以免他更深地嵌入气道。此时应查看窒息一节。

急救急症

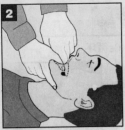

方,把你另一只手的根部靠近食指并放在其上方,移开手指并将这只手放在另一只手上,两手交叉按压胸部。

对成人行胸部按压。将你的手臂重合,使你的肩直处于水平上方,向下按压使胸部下移5~6厘米。放松压力,但不要将手移开,按压15次并用口记数"1、2、3"。

注意:不要上下摇动。

8. 重复第3、4、5步。如果患者为婴儿或8岁以内的儿童,每次仅给一次人工呼吸。

9. 给予胸部按压、人工呼吸并重新检查脉搏。对于成人及8岁以上儿童,每进行15次心脏按压和4次两次的人工呼吸后检查脉搏是否存在。对于婴儿或8岁以内儿童,每5次胸部按压给一次人工呼吸。如此重复10次以后检查脉搏。重复以上胸部按压及人工呼吸直至患者自己有呼吸或有脉搏存在,或医务人员赶到。

10. 如果患者无呼吸但有脉搏,开始人工呼吸。对于成人或8岁以上儿童,每5秒给一次人工呼吸,每12次人工呼吸后检查脉搏。对于1~8岁儿童,每4秒给一次人工呼吸,每15次人工呼吸后检查脉搏。对1岁以内婴儿每3秒给一次人工呼吸,每20次人工呼吸后检查脉搏。持续以上动作直至救援人员到来。

用手指清除成人的口腔异物。压住舌头,下按下颏,用食指伸入口腔清除口腔内的游离物体。

3. 开放患者气道。轻轻后仰患者头部,并牵拉下颏。

4. 看、听并感觉呼吸的存在。一定要把你的耳朵贴近患者的嘴部,单纯有胸部运动并不意味着有呼吸。

5. 如果患者没有呼吸要立即开始人工呼吸。观察每次人工呼吸后胸部的抬高。在胸部下降后再给第二次人工呼吸。如果胸廓无抬高,应轻轻将患者头部再后仰,并给两次较慢的人工呼吸。如果胸廓仍不抬起,应按窒息一章处理。

注意:如果使头部过度后仰或后仰程度不够均将不足以使气道充分开放。对成人进行人工呼吸时,要握紧患者鼻孔,口对口给两次慢的人工呼吸,在两次呼吸中间应将你的嘴移开。

6. 检查脉搏:检查成人的脉搏。轻轻地将食、中指按在喉结旁的颈侧部以感觉脉搏是否存在。

7. 如果没有脉搏,开始胸部按压。如图示。

对成人如何选择好你放手的位置。将你的中指放在肋骨与胸骨底合合的切迹处,食指紧临中指并处于中指的上

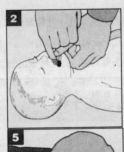
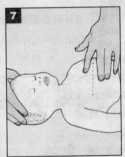

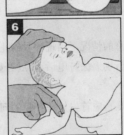
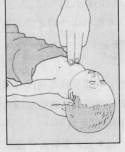

# 呼吸心跳骤停

婴儿(1岁以内)：

清理口腔，人工呼吸，数脉搏。

清理口腔：抓住舌头，下移下颏部。如果你见到异物并认为可以较容易地将其取出，用你的小指伸入口腔内将异物取出。

人工呼吸：用一只手向下牵下颏，用嘴将患儿的口鼻包住，先给两次人工呼吸，然后给下一次。在两次人工呼吸之间应将嘴移开。人工呼吸时应用力，但用力不能太大，以免气体进入患儿的胃里。

检查脉搏：用拇指以外的两个手指轻轻放在颈部侧方喉结旁以感觉是否有脉搏存在。

手的位置：把食指放在乳头连线上方胸上方胸前中央的胸部，将中、环指放在食指下方，然后移开食指，用另一只手帮助患儿头部后仰。

胸部按压：稍屈肘，用手指垂直向下指压，向下按压使患儿胸部下移1～3厘米。去除压力，但勿移开手指。给5次胸部按压同时数"1、2、3"。

注意：不要前后摇动。

儿童(1～8岁)：

清理口腔，人工呼吸，数脉搏。

清理口腔：抓住患者舌头下移下颏部，将食指贴面颊放入口腔将游离异物取出。

人工呼吸：握住患者的鼻腔，用您的唇轻轻包住患者的口腔，给两次缓慢的人工呼吸，然后给下一次。两次人工呼吸之间将嘴移开。

检查脉搏：将食、中指压在患者颈部的一侧喉结管，检查一下脉搏。

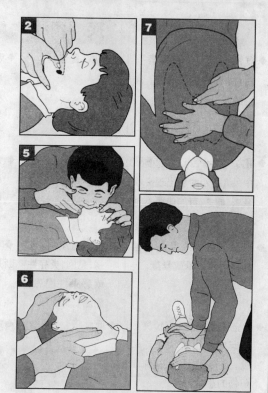

胸部按压：将右手的两个手指放在肋骨与胸骨底会合处。左手掌临近右手食指按在胸骨上。手指应离开胸壁，然后移开左手，用右手放在相应的位置，而左手用来维持其头部后仰。

开始胸部按压。保持双臂垂直，你的眉部位于儿童的上方，下压胸骨3～5厘米。然后放松压力但不要将手移开。给予5次按压，并同时数"1、2、3…"。

注意：不要前后摇动。

# 心脏病发作

**重点**

◆拨打急救电话。

**症状**

◆胸前压迫样疼痛并可能放射到双臂、颈及下颏。

◆心跳不规则。　◆呼吸困难。　◆焦虑，恐惧。

◆眩晕。◆大汗。◆恶心，呕吐。◆皮肤苍白、青紫。

◆口唇、甲床苍白或发绀。　◆意识丧失。

注意：如果怀疑头、颈、背部损伤见27页。

1. 检查呼吸道：呼吸及循环。如果患者没有呼吸或没有脉搏及心跳，应开始心肺复苏(3页)。

2. 保持患者安静、舒适，解开颈、胸、腰部比较紧的衣服。如果患者神志丧失，应把他摆成恢复性体位。保持患者温暖，必要时可用毛毯或衣物盖住其身体。用凉的湿毛巾敷在前额上。注意：不要摇晃病人或用凉水泼洒病人以试图弄醒他。不要让他进食及喝水。

3. 持续监测其呼吸及脉搏，必要时开始心肺复苏。

# 晕 厥

| 症 状 | 疾 病 | 应采取的措施 | 其他信息 |
|---|---|---|---|
| ◆短暂意识丧失，可有苍白、头晕等先兆表现，常持续几分钟。 | ◆晕厥(普通)。 | ◆患者意识丧失持续5分钟以上，或没有脉搏，立刻拨急救电话号码。开始心肺复苏(参见急症或紧急救助：意识丧失)。在意识恢复后，让患者处于舒适位置。 | ◆短暂、偶然晕厥而没有其他症状者可能没有特殊原因，不必担心。 |
| ◆用力或在热空气(常较潮湿)中呆几个小时后出现头晕、晕厥、疲乏，可能伴恶心、呕吐、头痛、乏力、心率增快。 | ◆热消耗或中暑。 | ◆立刻拨打急救电话号码。将患者移至较凉快的地方，饮水，冷敷(参见急症或紧急救助：中暑和热消耗)。 | ◆中暑患者尽管体温达38℃或更高但不出汗，脉率快速、有力。 |
| ◆呕血或血便或黑色柏油样便者伴头晕或晕厥。 | ◆消化道出血(溃疡，息肉，炎症性或感染性疾患，癌症)，低血压。 | ◆马上去看医生，不要耽搁。正确诊断是必需的。 | ◆医生会进行检查并查明出血原因。 |
| ◆从坐位、躺位或蹲位突然站起时，出现头晕或晕厥，尤其是服用抗高血压药物的患者。 | ◆低血压。 | ◆站起时动作要慢。如果站起时频发晕厥，去看医生，检查一下潜在病因。 | ◆如果您服用抗高血压药，医生可能会让你减量。如果头晕再发，应考虑有否其他病因。 |
| ◆糖尿病患者或最近未进食的患者出现头晕或晕厥，可伴乏力、手、足、口唇麻木感、恶心、头痛、心率快。 | ◆低血糖(糖尿病患者，低葡萄糖血症)。 | ◆如晕厥反复发生，去看医生。任何有低血糖的人在感觉头晕时，均应吃一些糖或含蛋白质的零食。 | ◆对糖尿病患者的治疗目的，在于通过饮食，有时用药物控制血糖及胰岛素维持正常水平。 |
| ◆在情绪受打击或其他应激事件后，或患有恐慌症，出现的头晕或晕厥。 | ◆应激，焦虑。 | ◆你可以从忠告或心理治疗中获益(亦可参见恐慌症、惊恐发作、创伤后应激疾患)。 | ◆你可以采取放松治疗，如从生物反馈、媒介疗法或瑜伽功中获益。针灸或按摩亦可以减轻焦虑。 |
| ◆突然出现的头晕或晕厥伴麻木和乏力，可能伴视力模糊、恍惚、语言困难、麻痹瘫痪。 | ◆中风，短暂缺血发作。 | ◆立刻拨打急救电话号码。立即治疗可防止进一步的损害。 | ◆中风的恢复治疗可包括语言和身体治疗，包括轻度有氧锻炼。 |
| ◆脉律不整或有心脏疾患的患者突然晕厥。 | ◆心脏病，心跳骤停。 | ◆请立即去看医生或拨打急救电话，除非患者是慢性、稳定、良性的心律失常(亦参见心脏病和心跳骤停)。 | ◆晕厥可由于泵衰竭、心律失常、瓣膜疾患和其他减慢血流的因素所致。戒烟、合理饮食、锻炼及减少应激均可帮助预防心脏病。 |

# 意识丧失

**重点**

◆拨打急救电话。

注意:如果怀疑有头、颈、背部损伤见 27 页。

◆检查患者的气道、呼吸及循环情况。如果患者没有呼吸或没有脉搏和心跳,应开始心肺复苏。

◆将患者从受伤的地方救出来。

◆松开比较紧的衣服,特别是环绕颈部的衣服。

◆使患者处于恢复性体位。

◆在医务人员到来前应注意患者保暖,可以用大衣或毛毯。但应在其前额敷上凉的湿毛巾。

注意:不要摇晃病人或用凉水泼洒病人,不要给病人枕枕头,防止阻塞气道。

# 窒息

**重点**

◆如果看见患者咽喉内有异物并且不能咳嗽、呼吸、说话和哭泣,请拨打急救电话或告诉周围的人打电话。接下去开始紧急救助。如果您自己是患者,请按图进行自我救助。如果是 1 岁以内的婴儿,见呼吸心脏骤停一章的叙述。

◆如果发现患者咽喉内有异物,但他能咳嗽、呼吸、说话及哭泣,请不要打扰他。但一旦情况恶化要做抢救的准备。

注意:如果怀疑为头、颈或背部损伤,参见头颈肩损伤一节。

1. 不要试图取出患者咽喉内的异物,因为这样做可能使异物更深地嵌入气道。

2. 腹部加压冲击治疗。持续对腹部进行加压冲击,直至吐出异物或患者神志丧失。注意:如果患者为孕妇或非常肥胖,你应双手抱紧患者的胸部中段,而不要抱住肋骨或胸骨下缘。腹部冲击治疗:双臂环抱患者腰部。一只手握拳放在腹部正中脐肋之间,另一只手握住它,并快速而反复地向上冲击。

3. 如果患者意识丧失,请将患者置放于水平仰卧位。

4. 清理口腔。注意:切记不要试图取出嵌入咽喉的物品。

清理口腔,压住患者舌头,向下牵拉下颏,用食指伸入口腔以清理口腔内异物。

5. 开放患者呼吸道,轻轻后仰患者头部并向下 牵下颏。

6. 看、听并感觉呼吸是否存在。一定要把耳朵贴近患者的口部,单纯胸部活动并不意味着存有呼吸。如果患者有呼吸,应首先处理意识丧失。

7. 行口对口人工呼吸两次。每次人工呼吸后观察患者胸部是否抬起。如果胸部不抬高,请轻轻将患者头部进一步后仰,并再进行两次人工呼吸。

口对口人工呼吸。捏紧患者鼻孔,口与口对紧,行两次人工呼吸。两次呼吸之间将您的嘴移开。

8. 如果患者胸部仍未抬起,再给 5 次腹部冲击。注意:冲击时不要按压侧方。腹部冲击:用一只手放在上腹中央脐与肋缘中点处,另一只手按在其上方,向上、向内快速冲击按压。

9. 清理口腔并明确呼吸道已开放,行口对口人工呼吸两次。

10. 如果患者胸部仍未抬起,再给予腹部冲击、清理口腔及人工呼吸。重复以上救助直至异物脱出或医务人员赶到。

# 窒 息

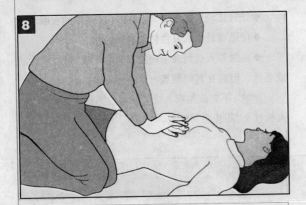

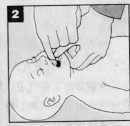

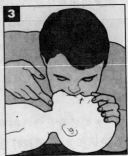

## 自我救助

自我行腹部冲击直至咽喉异物吐出。然后去医院检查是否有因窒息或救助本身所致的问题。

腹部冲击：一手握拳，另一只手放在其上方去在上腹正中脐与肋连线中点处，双肘外展，用拳头向上冲击腹部。

借助其他物品行腹部冲击。双手握拳放在上腹正中脐肋中点处，并用椅子背或其他较硬物品顶住拳头部行腹部冲击。

11. 如果异物已吐出但患者仍无呼吸，开始心肺复苏。

注意：如果你自己发现咽喉部有异物，不要试图取出，以免异物更深地嵌入气道。

婴儿窒息(1 岁以内)：

1. 背部拍击及胸部按压。拍背 4 次，如果异物未吐出，按压胸部 4 次。重复以上过程直至异物吐出或婴儿

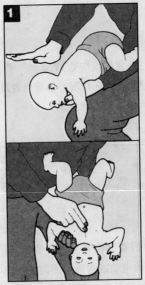

神志丧失。

背部拍击：患者面向下方，用一只手托住患儿头部。用食指及拇指托住患儿下颏。用另一只手的手掌拍击肩背部。胸部按压：使患儿处于仰卧头低位，用食指及中指放在乳头下的胸骨口，快速按压。

2. 如果患儿神志丧失，用小手指清理患儿口腔。注意：不要试图取出嵌入咽喉的物品。清理口腔：抓住患儿舌头，向下牵下颏，如果你看到口腔内异物并认为可以较容易地取出，则把你的小指伸入患儿口腔内将异物清理出来。

3. 人工呼吸：如果患儿没有呼吸，用口对婴儿口鼻实行两次人工呼吸。如果人工呼吸时患儿胸部未抬起，轻轻将患儿头部进一步后仰然后再进行两次人工呼吸。

人工呼吸：用一只手使患儿头部后仰，另一只手向下牵开下颏，用口对患儿口及鼻实行两次人工呼吸，在两次人工呼吸后要把你的嘴移开。人工呼吸时要有力，但也不要用力太大，以免空气进入患儿的胃。

4. 如果患儿胸部在人工呼吸时仍未抬高，继续实行人工呼吸、背部拍击、胸部按压并清理口腔。重新给予两次人工呼吸，4 次背部拍击，4 次胸部按压，然后清理口腔直至异物吐出或医务人员赶到。

# 溺水

**重点**

如果溺水者脸向下漂在水中或在水中挣扎，请拨打急救电话或告诉周围的人去打电话，然后开始紧急救助。

**症状**

◆冷，皮肤苍白。　◆面色青紫。

◆意识丧失。　◆呼吸停止。

注意：如果怀疑头、颈、背部损伤，见23页。

1. 将伤者救至安全地带。注意：当溺水者在水中，你把手或脚伸给他，他可能在无意中把你拉下水去。在将其救上岸的过程中，应尽量保持其头颈背与你形成一条直线。如果可能的话，在其背后放一块板以托着他离开水上岸。

2. 检查气道呼吸及循环情况，见心肺复苏一章。如果他没有呼吸或脉搏，马上开始心肺复苏，见心肺复苏一章。

3. 使患者处于恢复性体位。注意：如果是车祸及溺水等怀疑有头、颈、背部损伤，请不要用此体位。

4. 脱去湿衣服，用干的衣物或毛毯盖住患者。

5. 在等待医务人员到来的过程中要保持患者安静，尽量保持不动。

**水中救助：**

对神志丧失的落水者，如果可能的话，可以游过去，使其面朝上并将其救至岸上。但要小心水流是否太急。如果水很深，请找条船去救落水者。如果此时周围没有船，只有当你的游泳技术很好时才可游过去，把其面朝上救助上岸。

对神志清楚的落水者，用棍子、桨、绳子、毛巾或附近的船将其救上岸。只有在必须游过去才能救助时，才有必要游过去救助。但要注意水流是否过急。注意：只有你受过水中救助训练，才可以下水救助。

**冰上救助：**

对神志丧失的落水者：如果你无法直接拉住落水者时，可在树上绑一条绳子，并把绳子环绕捆绑在腰上，然后趴在冰面上向前移动着接近落水者并将其救起。另外可以几个人相互拉着去救助，而在最前端直接救助者应趴在冰面上。注意应尽可能地远离破冰处。

对神志清楚的落水者，应告诉他抓住冰的边缘浮在那里，不要自己试图爬上来。然后用木棍、绳子、梯子或几个人拉成一队去救其上岸。

# 电击伤

**重点**

◆如果患者靠近高压电，你一定要保持在50米以外。如果患者在汽车内，应告诉他不要动，但汽车如已经燃烧应让他跳出并远离汽车。打电话给电力公司让其关掉电源，然后拨打急救电话。电源一旦关掉，马上开始紧急救助。

◆如果患者是由普通生活用电击伤，应拨打急救电话，然后开始紧急救助。但在被救者未与电源断开时不要触及他。

◆如果怀疑为雷电击伤，应拨打急救电话。你可以马上开始紧急救助。

**症状**

◆嘴或皮肤有烧伤痕迹。　◆刺痛感。

◆眩晕。　　　　◆感觉到剧烈的震动。

◆肌肉疼痛。　　◆出血。

◆头痛。　　　　◆意识丧失。

注意：如果怀疑头、颈、背部损伤，见有关章节。

1. 断开电源：将患者直接触电的电源或房间的主电源断开。如果你不能断开电源时，应将患者与电分开。注意：在其未与电断开时，不要接触他的皮肤，不要接触电线。

使患者与电源断

# 电击伤

开：踩在一套衣服、书、木板块，并明确不是踩在水中，用干燥不导电的物品如木棍或木椅将患者与电源分开。

2. 检查气道、呼吸及循环情况。如果患者呼吸心跳停止，开始心肺复苏。见心肺复苏一节。

3. 检查处理其他严重损伤。处理电烧伤的进出口。

4. 使患者处于舒适的体位，用衣物盖住身体，不要在头下面放枕头，以免阻塞通气道。

# 烧　伤

在以下情况下请拨打相应的急救电话。

◆烧伤范围超出身体的一个部分或脸、手、足及生殖器。

◆烧伤患者有呼吸困难。

◆烧伤患者为小孩或老人。

如果是化学烧伤，请拨打相应的急救电话。

◆如为电击伤，见电击伤一章。

◆如果眼睛被化学物品烧伤，见眼科急症。

◆如果是化学药品所致的皮肤冷凝，先处理化学烧伤然后再处理冻伤。

◆如果化学药品并未烧伤皮肤，而却被皮肤吸收，请看中毒一章。

注意：如果怀疑头、颈、背部外伤，请见相应章节。

1. 将伤者与致烧伤源分开。

2. 去除伤处的衣物及首饰。注意不要将烧焦的干燥衣物或粘附于伤处皮肤的衣物移开。不要对着伤处皮肤呼吸及咳嗽。

3. 用湿布覆盖小的伤口，如果伤口面积小于患者的胸部，可用冷水浸湿的衬衫或毛巾覆盖伤口或将伤口浸泡在流动的水中。

4. 将烧伤的手指或足趾分开。如果手指或足趾烧伤应在其间轻轻地放置干布隔开。注意不要使用棉花或者粘性的绷带。

5. 用洁净干燥的布覆盖伤口，如果伤口渗出液浸透覆盖的布，可用另一件衣物盖在上面。注意不要把任何油膏、润肤霜、黄油、苏打水或冰放在烧伤处。

6. 将烧伤的上肢或下肢抬高，使其高于患者的心脏水平。

## 深度烧伤

对于深度烧伤（表现为皮肤变白或焦痂）应同时检查气道、呼吸及循环情况。

对燃烧衣物的处理：

1. 将病人放在地上并使燃烧的衣物在上面。

2. 用毯子、大衣或其他衣物盖在上方使火熄灭并使火焰离开伤者的面部或告诉伤者慢慢滚动。

## 化学烧伤

**症　状**

◆烧伤标记。　◆皮肤水疱。　◆头痛。　◆眩晕。

◆呼吸困难。　◆癫痫。　◆腹痛。　◆意识丧失。

1. 使患者脱离化学药品。

2. 用水冲洗伤处并脱去污染的衣物。用水冲洗伤处至少15分钟以便稀释化学药品。当冲洗时，应将可能被化学药品污染的衣物及首饰脱去。注意：对于干燥的化学品例如白灰，在冲洗之前应尽量去除这些化学品的颗粒。

3. 检查患者的气道、呼吸及循环。

4. 如果患者没有呼吸、脉搏或心跳，开始实施心肺复苏。

5. 用清洁、干燥的布覆盖伤口。

# 蛇咬伤

◆当你不知道咬伤人的蛇是否有毒时，应按有毒蛇咬伤处理，开始按如下所述紧急救助。

# 蛇咬伤

## 症状

**蛇咬伤处理**

在伤口近心端上方 6~20 厘米处绑一带子，松紧程度应在捆绑后带子下方能伸入一手指，并使其远端有脉搏存在，如果做不到这些的话，请松解带子，直到达到以上要求。

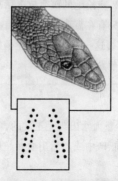 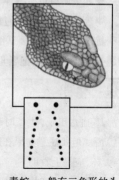

无毒蛇：无毒蛇常留下左示齿痕，标记为双排齿痕。　　毒蛇：一般有三角形的头，咬伤处有两个毒牙齿孔。

响尾蛇、铜斑蛇及损嘴蛇咬伤：

◆咬伤处疼痛加剧。

◆咬伤处很快肿胀并且皮肤颜色改变。

◆皮肤痉挛。

◆眩晕。　◆恶心。

◆出汗。　◆口周麻木。

珊瑚蛇咬伤：

◆伤口疼痛。　◆出汗。　◆困倦。

◆恶心。　◆言语不清。　◆谵妄。

◆复视。　◆抽搐。

1. 保持患者安静并静止不动，如果可能的话，使咬伤处低于心脏水平。

2. 尽量辨认蛇的种类。如果你把蛇杀死了，请不要破坏他的头部。注意，如蛇活着，不要过分靠近，以免自己被咬伤。

3. 拨打急救电话并汇报咬伤人的蛇的种类。

4. 检查患者的气道、呼吸及循环。如果患者没有呼吸或没有脉搏与心跳，请开始心肺复苏，见本书相关内容。

5. 如果是上肢或下肢被咬伤，可以在其上方绑一个带子。每 15~30 分钟放松带子 1~2 分钟。如果肢体肿胀已超过带子，应将带子上移数寸。注意：如果是珊瑚蛇咬伤，请不要用带子。

6. 如果你确信是毒蛇咬伤，且咬伤时间在 5 分钟以内，并且医务人员要 30 分钟以上才能赶到，你应切开伤口并吸出毒液。用消毒的刮胡刀片在伤口上切开，用吸瓶或嘴吸出毒液。注意：沿四肢长轴方向切，不要切开头、颈及躯干部位。不要咽下毒液，应将其吐出。如果口腔内有伤口，请不要吸毒液。如果是珊瑚蛇咬伤，请不要切开。

7. 轻轻地用肥皂和水洗伤口。不要擦伤口，应用布轻拍，以使其干燥。

8. 脱去伤口附近的衣服和首饰。

9. 在伤口上放一块干净的布或绷带。

10. 观察是否有严重的过敏反应，见本书"过敏性休克"。

11. 如果需移动病人，应抬着他，而不要让他自己走动。

# 急诊接生

## 重点

◆如果分娩的速度比预想得快(孕妇觉得宫缩急迫或胎头已经出来)，拨打急救电话，然后按如下所述行紧急救助。尽快请医务人员帮助是必不可少的。因为分娩的并发症可能危及母婴的生命安全。

◆如果子宫收缩规律，每 3~5 分钟一次，应带孕妇去医院。

# 急诊接生

◆如果阴道口有液体流出,应给她的医生打电话。

◆分娩是一个自然过程,只有在需要的时候才有必要干扰这一过程,不要试图延缓这一过程,不要让孕妇两腿交叉,不要试图把婴儿从孕妇阴道内拉出。

## 接生

1. 血水出现,生产时有少量血水出现是正常的,不要惊慌。但要注意如果在产前、产中或产后出血并超过1～2杯,应马上救助。

2. 胎儿出来时应抓住他。胎儿身体很滑,应用干燥、洁净的毛巾去托住他。注意不要向外拉胎儿。

3. 明确脐带是否缠绕胎儿的颈部。如果脐带绕颈,你将手伸至脐带下方,并轻轻地把脐带从胎儿头上拿下来。

4. 胎肩可能堵住不能娩出。如果出现胎肩不易娩出时,应轻轻地压迫阴毛上方或让孕妇把腿抬高并用力。

5. 如果胎儿仍在胎囊内,应把胎囊弄破。

6. 不是胎头先露。当此情况发生时,应轻轻压在阴毛上方,并记录时间。当身体出来时应托住。如果3分钟内胎头仍未娩出,应向上抬起胎儿的身体,从而使他的脸露出并呼吸。告诉孕妇要持续用力。

注意:不要用力向外拉胎儿。

## 分娩后的处理

1. 帮助婴儿呼吸。抱起婴儿身体,使其口、鼻中的液体流出,并用干净的毛巾清理其口腔和鼻腔。如果还没有呼吸,应使其处于头低脚高位,拍打足底,同时拍其背部。如果仍无呼吸,立即开始心肺复苏。

2. 擦干并包裹婴儿身体。用干燥、清洁的毛巾把婴儿包起来。注意不要把体表的白色物擦掉。

托住胎儿:大多数胎儿是头先出来。托住头部及其他部位,他会自然地向一侧转,以便使身体其他部位出来。

让臂位的胎儿能呼吸。向上抬起胎儿身体,直至能看见胎儿的脸。用干燥洁净的毛巾清洁他的口腔和鼻腔。

使婴儿口鼻中的液体流出。让婴儿处于头低脚高位,并使其头偏向一侧。

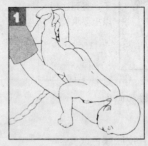

系紧脐带。用绳子或脚带在距婴儿脐部4英寸以上的地方扎紧脐带。注意不要用线系脐带。

3. 用线绳系住脐带。

4. 保持胎盘。母体常在30分钟内娩出胎盘。应将其保存在容器内并交给医务人员。如果30分钟内胎盘未娩出,应立即向医务人员求助,不要向外拉脐带。

5. 按摩母体的下腹部。当胎盘娩出后应按摩母体的下腹部,以控制出血。

6. 在医务人员赶到之前,要注意母婴的保暖。

# 鼻科急症

## 重点

◆如果鼻出血15分钟尚不停止,或鼻腔中流出清亮的或血性的液体,或怀疑头颈部损伤应拨打急救电话。

## 症状

异物:

◆刺激感。　　　　　◆用鼻呼吸困难。

◆鼻腔有臭味的分泌物流出。◆鼻出血。

◆鼻衄。　　　　　　◆鼻腔有血流出。

◆咽喉后方出血。　　◆窒息。

鼻异物:

注意:不要试图用镊子或其他工具取出异物,不要让病人猛烈吸气。

# 鼻科急症

1. 让患者尽量用气把异物吹出来。压住正常一侧的鼻孔，用力吹另一侧，如果异物没能吹出，可以让患者闻胡椒气味并打喷嚏以便将异物吹出来。

2. 如果异物还是出不来，应将患者带到附近的医院。

**鼻出血：**

注意：如果鼻子变形或鼻梁不直或眼睛周围有肿胀、疼痛、瘀血的话，那么你的鼻子可能有骨折。应坐下，并用凉的布塞住鼻腔，并让别人带你去医院。

1. 坐下。

2. 如果鼻腔内有血凝块，应马上用力将其吹出。

3. 捏住鼻子，在鼻梁下方，用拇指和小指捏住两侧的

鼻孔约 10 分钟，并用嘴呼吸。

4. 如果出血不停止，应往出血的鼻孔里填纱条。将一小块干净的布卷起来并塞进出血的鼻孔，用拇指和小指捏住两个鼻孔。注意：应确保你自己能将塞进去的布取出，因此不要填塞过深。

5. 一旦出血停止，应用湿的布盖住脸和鼻子。

6. 30 分钟到 60 分钟应将填塞鼻孔的布取出。取出前最好将布湿润。不要用力吹、挖或用力牵拉鼻子或过度弯曲超过 24 小时。可以往鼻子里上一些油膏，以防鼻腔过干或更多的出血。

# 耳科急症

**重点**

◆ 如果怀疑头颅损伤或头外伤后血或液体从耳道流出时，请拨打急救电话。

**症状**

◆耳朵疼痛。 ◆出血。 ◆听力障碍。
◆眩晕。 ◆耳红肿。 ◆恶心或呕吐。

**耳道异物：**

1. 晃动头部使异物脱出。使患者处于头低位，让他自己用力晃动头部，以便异物脱出。注意：不要去打患者头部。

2. 取出异物。如果异物脱不出，应看耳道内异物的位置。如果你看到较软的异物（昆虫除外）时，可以用镊子将其取出。注意：不要试图刺戳异物，不要取像豆子一类的硬的异物。

3. 如果耳道内的异物为活的昆虫，应先用少量的

油醋或酒精将其杀死，这样可以减轻疼痛，然后将温的油倒进耳朵，使耳道中的昆虫浮出。患耳向上，轻轻向上或向下牵拉外耳，将少量矿泉水、橄榄油倒入耳道，这样就可以使昆虫浮起并脱出耳道。

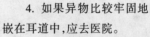

4. 如果异物比较牢固地嵌在耳道中，应去医院。

**耳朵内有血或其他液体：**

1. 用干净的布将耳朵盖住，并固定。注意：不要试图去止血及液体的流出，不要清洁耳道。

2. 使患者背向上平卧。

注意：如果怀疑头、颈背损伤见 27 页。

# 眼科急症

**重点**

◆ 如果怀疑头颅损伤，异物嵌入眼睛或化学药品溅入眼睛，应拨打急救电话。

◆ 如果眼睛内有血，应用干净的布盖住眼睛，并带患者去医院。

◆如果眼睛有活动性出血，应抬高患者头部使其位置高于心脏，用干净的布盖住眼睛并带他去附近的医院。

注意：如果怀疑头、颈、背部损伤，不要移动患者，拨打急救电话。

# 眼科急症

## 症状

◆眼睛损伤或破口。　◆眼睛不能睁开。
◆眼内或眼周围疼痛。◆光过敏。　◆眼睛出血。
◆视力受损。　◆头痛。　◆眼睛干燥、刺痒。
◆流泪。　◆双侧瞳孔不等大。
◆快速频繁地眨眼睛。

**异物:**

注意:不要试图将嵌在眼中的异物取出。如果异物较大,如钢笔,应用一个纸杯并在其底部开一个洞,把他放在眼睛上以托住异物,并固定纸杯。用布盖住另一只眼以避免患眼运动。如果异物较小,用布将双眼盖住并较松地固定。

1. 用肥皂和水洗手。

2. 寻找异物。让患者慢慢地转动眼睛以便你能找到异物。注意:不要让患者擦眼睛。

3. 促使患者流泪。如果你发现异物,应轻轻地向下拉上眼睑以盖住下眼睑。这样会使其流泪,并可能将异物冲洗出来。

4. 取出可见的异物。如果异物不能被泪水冲出,应用流水冲洗或用干净的布将异物取出。也可以让患者在水中眨眼。一旦异物脱出,应让患者摘掉隐形眼镜。注意:不要用棉花等物品去取异物。不要取虹膜或瞳孔口的异物。

5. 取出下眼睑内的异物。如果发现下眼睑内有异物应用净水冲洗或用干净的湿布去取出异物。一旦异物取出,患者应摘掉隐形眼镜。从下眼睑内**取异物**,让患者向上看,然后向下拉开下眼睑用干净的**湿布**取出异物。注意:不要用棉花取异物。

6. 取出上眼睑内的异物。如果在下眼睑内未发现异物,应拉开上眼睑。如果此时发现有异物,用水冲洗或用干净的湿毛巾将其取出。一旦异物取出应将上眼睑复位。并嘱患者摘去隐形眼镜。注意:不要用手或棉花去取异物。

抬起上眼睑的方法:嘱患者向下看,用棉棍、火柴棍等横放在上眼睑上,向上拉上眼睑,使上眼睑在火柴棍上方折叠。

7. 必要时应包扎盖住双眼,并将患者送医院。如果您没能发现异物或未取出异物或患者在取出异物后疼痛明显或视力障碍,应用干净的布覆盖双眼,并包扎固定后送医院治疗。

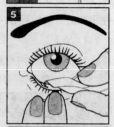

覆盖双眼:用一块干净的布盖住患眼,用另一块布包扎患者头部,使双眼均被覆盖。

**化学药品溅入眼睛:**

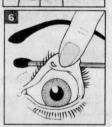

注意:不要浪费任何时间,马上用水冲洗眼睛,并确保双眼睑下方有水进入。不要用水以外的任何东西处理眼睛。不要让患者擦眼睛。

1. 用水冲洗眼睛。如下图所示,如果你找不到水龙头,可以用杯中的水冲洗眼睛15分钟,并确保水进入眼睛的内角。

冲洗眼睛,使患眼睁开并用流动的水冲洗至少15分钟,并使水先进入眼睛,再流出眼睛。如果双眼受损应用水冲洗双眼。

2. 如果患者戴隐形眼镜应让他摘掉。

3. 覆盖患眼。冲洗后用干净的棉布覆盖患眼,并包扎覆盖双眼,以减少患眼的活动。

4. 如果有可能的话,应辨认烧伤眼睛的化学药品,至少应告诉医生化学药品是湿的还是干的。

# 休 克

## 重点

◆拨打急救电话。

## 症状

◆焦虑不安。　◆脉快、微弱。◆呼吸浅、快。
◆皮肤苍白而冷。◆眩晕,衰弱。◆寒战。

# 休克

◆恶心,呕吐。　◆胸痛。　◆神志丧失。

注意：如果你怀疑头、颈、背部损伤,请参见本书相关内容。

1. 检查患者气道、呼吸及循环。如果患者没有呼吸或无脉搏及心跳,开始心肺复苏,见本书相关内容。

2. 把患者摆成舒适的体位。除非患者坐着更舒服,一般应让其仰卧,头低于身体其他部分。在不怀疑下肢骨折的情况下,应将下肢抬高 30 厘米。在摆好体位后重新检查其气道是否通畅。

3. 尽早明确休克的原因,并依据相应的情况给予紧急救助。

4. 使患者温暖而舒适。松开所有比较紧的衣服,并给患者盖上衣服、毯子。不要用电热毯等直接加热。如果患者躺着的话,不要枕枕头,以免阻塞气道。

5. 保持气道通畅。如果患者有呕吐或窒息,应使其头偏向一侧,以免呕吐物阻塞气道。

6. 如果医务人员要 1 小时以上才能赶到,应让神志清楚的病人嘴里咬一块干净的湿布。

## 过敏性休克

点

◆如果患者有严重的过敏反应,可能为过敏性休克。

### 症状

◆瘙痒。　　　◆荨麻疹。
◆面色红。　　◆皮肤湿热。
◆眩晕。　　　◆面部或舌肿胀。
◆恶心,呕吐。　◆腹部绞痛。
◆喘息。　　　◆呼吸困难。　◆意识丧失。

除处理休克外,还应做以下几方面:

◆尽量保持患者安静。

◆如果为昆虫叮刺伤所致,可小心地将昆虫的刺拨掉。注意:不要用镊子,以免将更多毒液挤进皮肤。

◆药物治疗。一些患者是过敏性休克的易患者,他们可能随身带有相应的药物。在这种情况下,可以帮他用药。可按药品说明书给患者用肾上腺素治病。

# 中毒性休克

经期妇女或者经期刚过的妇女、刚生育的妇女以及新近手术或烧伤的病人出现:

◆超过 38.5℃ 的高热。

◆呕吐和/或腹泻。

◆类似日晒引起的皮疹、疱疹,尤其出现在手指和脚趾。

◆眩晕或者神智不清。

◆皮肤苍白,湿冷,预示血压下降迅速。如果该阶段中毒性休克得不到有效治疗,会很快引起神智丧失,心和呼吸功能衰竭,甚至死亡。

◆如出现上述症状,且突然加重,中毒性休克可降低血压,导致危及生命的休克,参见急诊/急救一节。应立即进行治疗。

中毒性休克综合征,是由过度生长的金黄色葡萄球菌释放的毒素引起的突发可致死的状况。大多发生于妇女。大都认为常影响到经期妇女,尤其应用高吸收性能的止血栓的妇女。身体出现的典型的休克症状:血压的急骤下降。该症状可减少生命器官的氧的供应,可致死。

70 年代,在一些妇女由于使用高吸收性能的止血栓而死之后,**该**病方被发现。后来这种止血栓被从市场上撤销。中**毒性**休克综合征仍是使用止血栓尤其高吸收性能止血栓的经期妇女的主要疾病,但与使用经期海棉垫、隔膜和宫颈帽也有关系。刚刚生育过的妇女发生此病症的危险性也极高。当然,并不仅仅局限于这些因素,受害者也包括由于手术、烧伤或者开放性创伤而引起的金黄色葡萄球菌感染的男男女女。

超过三分之一的病人是 19 岁以下的妇女。百分之三十以上罹患此病的妇女易复发。然而,原因尚不清楚,所以,这就意味着必须警惕其初发症状,以便能及时治疗。

病人死于中毒性休克是由于身体对金黄色葡萄球菌释放的毒素的急性反应所引起。病人常因低血压性休克而死,该症是由于心肺负荷过重而停止工作。

如果你是经期妇女,有高热伴呕吐,尤其戴有止血栓,必须立即进行医疗帮助。如果戴有止血栓、经期海棉

# 中毒性休克

栓、隔膜或宫颈帽,应立即去除并找医生。

## 病因

中毒休克综合征的主要症状是由金黄色葡萄球菌产生的毒素引起。该菌常使烧伤和手术后身体虚弱的病人引起皮肤感染。事实上,该菌并不少见,通常是正常的、无害的细菌,存在于阴道中。

金黄色葡萄球菌怎样或为什么引起中毒性休克综合征尚未完全明了。但有两个条件可能是必需的:第一,细菌需要一个能快速生长和释放毒素的环境;第二,毒素必须能进入血流,并在此引发严重的致命的症状。

一种说法认为浸透血液的止血栓作为培养基使细菌快速生长。止血栓大都由聚酯纤维泡沫制成,比棉花和人造纤维更易成为细菌培养基。

在应用经期海棉、阴道隔膜和宫颈帽过程中,这些材料要么在阴道中放置很长时间——超过30小时,要么海棉垫的海棉碎片留在阴道中。两种情况均可为细菌生长提供良好的环境。

细菌毒素进入血流的途径可能与阴道止血栓的应用有关。研究者发现,止血栓滑入阴道内引起阴道壁细微撕裂,穿破血管壁。特别是应用吸收性能高的止血栓,当放置时间过长或在月经量较少时,均可使阴道过干,易于引起阴道壁撕裂。

研究人员已排除了其他一些引起中毒性休克的原因。女性应用除臭剂喷洒和洗浴,清洗内裤和其他衣服也不起作用。另外患者的月经史、药物和酒精的应用、吸烟、游泳或洗澡或性交均与中毒性休克综合征无关。

## 治疗

中毒性休克综合征要立即急诊住院治疗。如果怀疑患此病,应尽早治疗。如果找不到医生,拨打急救电话或立即与医院急救室联系。由于患者很快因颤抖而无法自己开车,所以需要别人护送。

### 常规治疗

对威胁生命的病症治疗应快速有效。医生将应用针对葡萄球菌感染的抗菌素,起杀菌和抑制其毒素释放作用。其他紧急治疗措施包括输血、静注液体和电解质以稳定血压,这对控制机体对毒素的反应,支持机体重要器官的功能是必要的。有的患者需用呼吸机暂时辅助呼吸。在疾病急性期,应持续监护主要生命征象。

预防

应用常规的阴道止血栓比用高吸水性能的止血栓引起的危险性要低得多。因此,最保守的预防措施是改用卫生巾。以下措施也可减少发病率。

◆尽量少用止血栓,你可用卫生巾替代。

◆少用高吸水性止血栓,因减少月经量;每8个小时换止血栓一次,当经期已过,确保去除最后一个止血栓。

◆如果应用经期海绵、阴道隔膜,或者宫颈帽,当不需要时,记住去除它,无论如何不应让这些用品在阴道内超过24小时。每次应用后,用温肥皂水清洗隔膜或者宫颈帽。

# 中　毒

 重点

◆如果化学药品溅入或流入眼睛,请看眼科急症,见本书相关内容。

◆如果化学药品溅上或流到皮肤上,请看烧伤一节,见书相关内容。

◆如果患者吸入有毒气体,应将他带到安全区并呼吸新鲜空气,然后按如下所述开始紧急救助。

◆如果患者的中毒症状没表现出来或出现下列未描述的症状,应仔细检查现场,以寻找中毒的线索。

## 症状

◆头痛。　　◆寒战。　　◆眩晕。
◆困倦。　　◆发热。　　◆皮肤烧伤。
◆腹痛。　　◆恶心,呕吐。　◆视觉障碍。
◆呼吸困难。◆癫痫。　　◆意识丧失。
◆呼出的气体有异味。

注意:如果怀疑头、颈、背部损伤,见本书相关内容。

1. 检查患者气道、呼吸及循环。如果患者没有呼吸或没有脉搏和心跳，应开始心肺复苏，见本书相关内容。

2. 尽量找出中毒的原因。如果可能的话，应询问患者是否吞食或吸入了什么。否则应检查周围是否有装药品的瓶，检查房间里可能被吞食的物品、植物，并注意房间是否有异味。

3. 给地方的毒物品控制中心或急救站打电话。告诉需急救的患者可能吞服的化学药品、植物或装药品的瓶，等待着指导如何处理。

4. 按有毒物品控制中心或急救站提供的建议处理。根据中毒的原因，您可能被告知让病人呕吐、喝水或牛奶、吃一些活性碳等。注意：在没被告知或服用有毒物1小时以上时不要让患者呕吐。在没被告知的情况下不要让病人进食或喝水。不要完全依赖药瓶上所写的。

5. 帮助患者处于恢复性体位，见本书相关内容。

6. 保留一些呕吐物给医务人员。

**在房间内可能找到的中毒线索**

除以下列出的可能的有毒物以外，许多清洁剂、去污剂、除味剂、消毒剂等都可能是有毒物。药品、草药、维生素等，不论是处方药或非处方药，当他们混合起来或加到酒精中或大剂量服用时均可能是有毒物。应将这些线索反映给当地的中毒控制中心。

◆酒精　　◆铁剂　　◆上光剂　　◆防冻剂
◆染料　　◆溶剂　　◆燃料　　　◆卫生球
◆烟草　　◆除草剂　◆油漆　　　◆松节油
◆昆虫杀虫剂　◆害虫杀虫剂　◆防风水

# 食物中毒

通常，食物中毒可同时引起恶心、呕吐和腹泻，可有或无出血，有时伴其他症状。

◆腹绞痛、腹泻和呕吐，在进食污染食物后1小时到4天内出现，持续可达4天,常提示细菌性食物中毒。

◆呕吐、腹泻、腹部绞痛、头痛和发热与寒战等症状，在进食污染食物后12～48小时出现，尤其是食用海产食品时，常提示为病毒性食物中毒。

◆呕吐、腹泻、出汗、头晕、眼睛撕裂感、流涎过多、精神恍惚与胃痛等症状，在进食污染食物后30分钟开始出现，是化学性食物中毒的典型表现。

◆语言或视力的部分丧失，从头到全身的肌肉麻痹和呕吐等症状可能提示为肉毒中毒。这是一种严重的但非常少见的细菌性食物中毒。

◆出现肉毒中毒的症状。你需要立刻进行医疗治疗，以治疗这种威胁生命的疾患。

◆出现化学食物中毒的症状。你需要立刻进行治疗，以避免其对一个或多个重要器官的潜在损伤作用。

◆呕吐、腹泻症状严重，且持续超过2天。你有发生脱水的危险。

在进食被病毒、细菌或化学制剂污染的食物后可出现食物中毒。食物中毒引起轻到急性不适，并可能使你暂时处于脱水状态。轻度病例不适仅持续几个小时，最多1～2天。但有些类型例如肉毒中毒或某些化学中毒是严重的，可能威胁生命，必须进行医治。

很多细菌可引起食物中毒。生病或被感染的人在准备食物时可将葡萄球菌带到食物中去。进食或饮用受污染的食物或水，可发生"旅行者腹泻"。这种腹泻常由大肠杆菌引起。细菌可污染禽类、鸡蛋和肉类，引起沙门氏细菌中毒，尽管其可潜在致死，但多数病例仅为轻度不适。在室温下放置时间过长，有害细菌可在煮熟的生熟肉和鱼、奶制品中生长，用蛋黄酱制备饭菜最容易有细菌生长。

罐制食物尤其是家庭罐制产品可贮留一种不需氧就可以繁殖生长的细菌，并且加热不能使之破坏。这种细菌可引起肉毒中毒，一种罕见但有潜在致命性的食物中毒。婴幼儿可通过吃蜂蜜而发生肉毒中毒，因为他们不成熟的消化系统与成年人不同，不能中和突然出现的细菌。

生的海洋食品尤其是污染的贝类，可引起病毒食物中毒。某些蘑菇、浆果和植物对人类天然有毒，所以绝对不能食用。发芽马铃薯亦含有天然毒素。未正确贮藏的水果、蔬菜、谷类和坚果类可有毒性真菌形成。化学食物中毒可由杀虫剂或将食物放置在不卫生的容器中引起。

# 食物中毒

## 诊断与检查

如果症状较轻，你可能可以不用去看医生。如果症状持续超过 2 天，您可能需要化验大便、血或呕吐物以明确病因。

肉毒中毒是根据症状表现及在血液、大便或可疑食物中检查出细菌而诊断。化学食物中毒则常根据症状表现和化验潜在引起中毒的食物而诊断。

## 治 疗

呕吐和腹泻是机体排泄毒物的途径，所以在出现症状 24 小时内不要用止吐药或止泻药。一旦你可开始喝水而不呕吐出来，那么在 12 小时内喝清水。然后吃一些无刺激的食物，如大米和清汤一整天。

由于反复呕吐或腹泻可将大量水分排出体外，所以脱水是一个潜在的危险的并发症，尤其是儿童及青年患者。一定要注意将丢失的液体迅速并完全地补充上。如果你不能喝水，静脉补液可能是必需的。

## 常规治疗

如果症状严重或持久，医生可能会处方止泻药或止吐药直到病情被控制住。婴幼儿、儿童、老年人以及有糖尿病或其他慢性疾病的患者需要受监控，注意有无脱水或其他可能的并发症。

如果是肉毒中毒，那么应立刻去住院。尽管肉毒中毒可能导致呼吸衰竭，甚至死亡，但及时治疗将大大增加完全康复的机会。如症状提示为化学中毒，应该尽可能早地进行洗胃，否则在接受针对特殊毒素的治疗之前，毒物就可能已影响到其他器官。

## 辅助治疗

在机体自行清除毒物时可试用一种或几种下列其他疗法。

### 指压治疗

为缓解恶心症状，可试压间使穴。在前臂内侧，距手腕褶皱 2 横指处，按压 1 分钟。

### 营养及饮食

在症状消失后，进食食物如白米、无刺激的蔬菜和香蕉以恢复体力。为恢复消化道的正常菌群，可吃无添加剂的酸乳酪及活乳酸杆菌食品或服用乳酸杆菌胶囊。避免未发酵的奶制品，因为这可能不易消化。

### 预防

◆在准备任何食物前先洗手；在使用器具准备肉类或鱼类后用热肥皂水冲洗器具。

◆不要在室温下解冻肉。让肉在冰箱里慢慢解冻，或用微波炉和立刻煮烧使其迅速解冻。

◆避免未煮熟的腌制食物及生肉、生鱼和鸡蛋食用前应将所有这样的食物彻底煮熟。

◆不要吃任何看起来或闻着已坏的食物；也不要吃顶端鼓起来的罐头或破裂的罐头中的任何食物。

◆将冰箱温度设在 2℃～4℃。不要吃从冰箱内取出来放置 2 个小时以上的熟肉或奶制品。

# 酒精中毒

## 症 状

下列症状与酒精中毒有关：
◆暂时的黑视或记忆力丧失。
◆经常与家庭成员或朋友发生争执或打架。
◆为了得到放松、兴奋、入睡、应付问题，或感受到"正常"状态而持续饮酒。
◆当停止饮酒时会出现头痛、焦虑、失眠、恶心或其他不愉快的症状。
◆皮肤潮红、脸上毛细血管破裂，声音嘶哑，双手颤抖，慢性腹泻，以及在早上或暗地里独自饮酒。这些症状与慢性酒精中毒特别有关。

## 出现以下情况应去就医

◆具备上述任何一项症状，而自己又戒不了酒，你需要用药物干预，治疗酒精中毒。你可能易患肝硬化、酒精性肝炎和心脏病等疾病。

◆你经常喝酒，处在慢性或周期性的情绪低落状态，则可能有自杀的危险。

◆你试图想戒酒，但戒酒时的症状如头痛、焦

# 酒精中毒

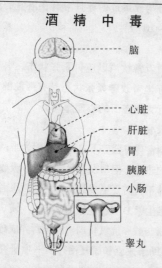

## 酒精中毒

- 脑
- 心脏
- 肝脏
- 胃
- 胰腺
- 小肠
- 睾丸

摄入过多酒精能对机体产生严重后果。酗酒可以引起急性胃炎和胰腺炎。长期不节制饮酒能够造成心肌病、肝硬化和上消化道肿瘤。慢性酒精中毒是脑损害死亡的第二位原因，并能够损害性功能。

虑、失眠、恶心或谵妄等困扰着你，这时你需要看医生或到治疗中心接受治疗。

自从有史以来，人们一直在酿造和生产酒精饮料。适当的喝酒会使人放松，在某些情况下甚至对健康有益（见动脉硬化章节），但过度饮酒，则对人体有害，并且被认为是一种成瘾药物。美国每年几乎有 10 万人死于酗酒，酒精成为这个国家杀人、自杀和超过半数以上交通事故的一个重要元凶。酗酒也在社会和家庭中起着作用，如旷工、对家庭财产的犯罪和虐待儿童等。

饮酒对机体产生的影响，轻者仅有情绪上的改变，严重者则协调性、视觉、平衡和语言等会完全丧失，其中任何一个障碍，都提示人体的暂时中毒，被称作急性酒精中毒或醉酒。这些影响在停止饮酒后几小时内逐渐消失（见宿醉条目）。许多法律执行机构把血液中的酒精浓度超过 0.08% 时看作是中毒的证据。血液中的大量酒精能够损害脑功能，严重者导致意识丧失，极度过量则可使人死亡。

慢性酒精中毒是一种进行性的、潜在的可以致人死亡的疾病，其特征表现为对饮酒的强烈渴望、耐受性增加、依赖性增强和不加以控制。对酒精的依赖，一些人表现明显，而另一些人则可能不明显。当一些慢性嗜酒者醉了的时候，而另一些经过锻炼的人则能

足以控制自己的外表，并以接近正常的状态去处理每天的事物。然而，慢性酒精中毒能够导致许多疾病，包括低血糖、肾脏疾病、脑和心脏损害、皮肤血管扩张、慢性胃炎和胰腺炎，见胰腺疾病条目。

慢性酒精中毒在男性可导致阳痿，怀孕妇女则对胎儿产生损害，并增加患喉、食管、胃、胰腺和上消化道癌的危险性。因为嗜酒者饮食很少正常，他们可能患有营养缺乏症，严重酗酒则损伤肝脏功能，5 个人中至少有 1 个发展成肝硬化。

嗜酒者对饮酒的渴望是强烈的，要他们戒酒（治疗的一个重要目的）是极其困难的。否认酒精的危害性常把这种疾病搞的复杂化，如嗜酒者利用心理学领域的策略来查找他们的问题，而却不去责难他们酗酒本身，从根本上讲这会阻碍恢复阶段的治疗。在历史上，酗酒行为常被指责为品质低劣或意志薄弱，现在许多权威人士认为酒精中毒是令所有人苦恼的一种疾病。

实际上，每一种文化都在警告过度饮酒的危害，有些甚至直接了当地禁止饮酒，但却很少能成功地进行下去。在美国尽管法律和教育宣传都阻止酗酒，但是来自商业和社会上的压力继续使人们处在饮酒的危险中。酒精中毒在年轻人和在年龄较大者中症状常常不明显，部分原因是由于仅仅当嗜酒者真正认识到不能脱离酒精时，有关症状才表露出来。

## 病因

酒精中毒是由遗传、身体状况、心理、环境和社会等诸多因素造成的，但就个体而言差异较大，遗传被认为是起关键作用的因素，如果父母嗜酒，其后代嗜酒的危险性比普通人群高 4～5 倍，但也有绝对戒酒主义者战胜了遗传这种方式。

## 治疗

治疗的目的是戒酒。在嗜酒者中健康状况良好，而又受到社会帮助和鼓励的人，恢复的可能性就大，在经过一年的治疗后有 50%～60% 的人仍在继续禁酒，他们中间大部分人能够永久地把酒戒掉。然而，那些缺乏社会帮助和鼓励的人，或患有精神疾病的人，在接受治疗的几年里则易于反复。对这些人，成功的措施是长期督促戒酒，减少饮酒量，保持良好的

健康状况，及改善社会的职能。

## 常规治疗

只有当嗜酒者认识到该病的危险性并同意戒酒时治疗才能够开始。一定让他们知道酒精中毒是可治愈的，必须树立起战胜疾病的信心。治疗一般分为两个阶段：一是戒酒阶段，有时也称作解毒阶段，另一则是康复治疗阶段。因为戒酒并不能阻止对饮酒的渴望，因而康复阶段也常常难以维持。对酒精中毒早期阶段的患者，戒酒会引起焦虑和失眠；而对长期依赖酒精的患者来说，戒酒则会引起不能控制的颤抖、惊慌和震颤性谵妄(delirum tremens, DT)。患 DT 的病人如果不治疗，死亡率将超过 10%，因此，晚期阶段酒精中毒的患者戒酒，应该住院进行。

治疗可能要应用一种或多种药物。戒酒硫能干扰酒精的代谢过程，喝少量酒就会引起恶心、呕吐、意识模糊和呼吸困难。环丙甲羟二羟吗啡酮能减少对酒精的依赖，但应在医生指导下使用。苯二氮是抗焦虑药物，常用于治疗戒酒症状如焦虑和失眠，也用来预防癫痫发作和谵妄，应用时要小心，因为这类药也有成瘾性。三环类抗抑郁药物可以用来控制任何原因引起的焦虑和抑郁，但是由于这些症状随着戒酒有可能消失，因此直到戒酒后如仍存在这些症状才使用此类药物。

因为嗜酒者有可能再次对酒精产生依赖性，因此康复阶段的关键是彻底戒酒。康复阶段可采取多种治疗措施，包括教育计划、分类治疗、家庭治疗和参加自助小组等。

## 辅助治疗

一旦嗜酒者认识到自己的疾病并要求戒酒，许多其他治疗方法有助于他们的康复。

### 针灸治疗

有行医执照的针灸治疗学者能减轻嗜酒者的戒酒症状，据报道针灸治疗可以预防癫痫发作，并可预防复发，增加病人完成恢复治疗计划的可能性。

### 体疗

按摩是体疗计划的一部分，能够放松身体，易于康复，及减轻戒酒时的焦虑情绪。

### 水疗法

温和的盐水浴对从体内排出药物和毒素是有作用的。将半杯海盐或烘过的苏打溶解在浴盆的温水中，每天浸泡 10～20 分钟。

### 身心医学

因为嗜酒者常饮酒以应付紧张状态，各种放松疗法如按摩和静坐对改善紧张状态是有帮助的。催眠疗法可以解除行为病态下的心理障碍。

### 营养及饮食

严重酗酒常伴有营养不良，这是因为半两酒精相当于 200 多卡的热量，但却没有营养价值，吸收大量的酒精意味着人体不再需要更多的食物。嗜酒患者缺乏维生素 A、复合维生素 B 和维生素 C、肉碱、镁、硒、锌，以及必要的脂肪酸和抗氧化剂。补充营养成分，特别是维生素 $B_1$ 有助于戒酒和康复治疗。一项研究发现当采取营养疗法时，康复治疗的效果将增加一倍。

有些治疗学家认为血糖稳定在一定水平上有助于治疗取得成功。推荐的方法包括避免食用糖，甚至果汁里的糖，果汁可能比完整的水果含有更多的糖；减少单糖含量高的饮食，如白面粉和调制好的马铃薯；增加植物蛋白和多糖的食用，这些物质在谷类、豆类和蔬菜中含量较高。

---

## 对康复阶段的支持疗法

尽管对酒精中毒是一种疾病、还是意志上的脆弱还有争论，但社会对嗜酒者仍报有偏见，特别是对妇女。许多嗜酒者否认饮酒的危害性，家庭和朋友也掩饰嗜酒者的行为，仅仅提供力所能及的帮助，要知道家庭和朋友对了解酒精中毒并激发寻求帮助的爱心对嗜酒者来说是极其重要的。

社会团体的帮助有助于许多嗜酒者恢复正常的生活秩序，并重新燃起他们对生命的热爱。嗜酒者互戒协会 (Alocohoolics Anonymous, AA) 的成员大约有一百万美国人，AA 鼓励着许多人积极向上进取，对他们保持良好的戒酒状态起着至关重要的作用。但是人们对 AA 和其他类似组织的某些方面可能存在有不同的看法，如有些治疗学家担心 AA 不能诊断精神方面的疾病，和对它们做出正确的评估。那些不赞同 AA 在精神上强调 12 步治疗方案的人，可以求助于其他社会团体 (如 Rational Recovery 和 Women for Sobriety) 的帮助。

# 酒精中毒

**家庭治疗**

对康复戒酒最为关键，但可能也是最困难的。要学会不饮酒生活，必须做到以下几点：

◆避免与饮酒的人接触和到饮酒的地方去，要结交不饮酒的朋友。

◆参加自助小组(见后文对恢复期的支持疗法)。

◆取得家庭和朋友的帮助。

◆参加积极向上的活动，如新的爱好，或与教会或与市民一道参加自愿劳动等，以代替对酒精的依赖性。

◆参加锻炼。身体锻炼可以使脑释放化学物质达到"自然高度"。即使饭后散步也可以使人得到平静。

**预防**

影响嗜酒者康复的主要问题是再度饮酒。预防饮酒可能是困难的，这就要求依靠持续治疗、积极的进取心和强有力的社会支持来巩固已取得的疗效。其他预防饮酒的方法还有改变日常习惯，接受新的价值观念，以及避免与有饮酒习惯的人接触或在一起活动。例如，90%的嗜酒者吸烟，戒烟的嗜酒者更有可能达到长期戒酒的目的，对健康也有益处。

**自我检查**

不是单一症状就可以诊断为酒精中毒，但诚实回答下列问题将会帮助你确定是否处在危险中：

◆你的朋友或亲属曾经向你提出喝酒太多。

◆你有过一次或两次酗酒后难以控制的不去饮酒。

◆你曾经记不得在什么场合饮过酒。

◆在酒喝多以后你曾感到身体不适。

◆当你喝酒时曾与他人争辩或打架。

◆由于酗酒你曾被拘留或住院接受治疗。

◆你曾考虑得到他人帮助以控制饮酒或戒酒。

如果你具备上述一个或多个问题，你就可能存在严重的饮酒问题。为了自己健康，有必要去看医生或请教心理卫生专家。

# 中暑

**重点**

◆如果怀疑患者中暑,应拨打急救电话。

**一般中暑：**

◆皮温超过 39℃。

◆脉搏快。

◆皮红、干燥、皮温高。

◆癫痫。

◆瞳孔缩小。

◆意识丧失。

◆精神错乱。

**严重中暑(热衰竭)：**

◆皮肤凉。

◆过度出汗。

◆恶心，呕吐。

◆瞳孔扩大。

◆腹部或肢体痉挛。

◆脉搏快。

◆眩晕。

◆头痛。

◆意识丧失。

**一般中暑：**

给患者降温。应尽快将患者移至清凉的地方。用凉的湿毛巾敷前额和躯干，或用湿的大毛巾床单等将患者包起来。用电风扇、有凉风的电吹风或使用手扇使其降温。注意：不要用酒精擦身体，不要让其进食或喝水。

**严重中暑(热衰竭)：**

1. 将患者移至清凉处。

2. 让患者躺下或坐下，并抬高下肢。

3. 降温。用凉的湿毛巾敷前额和躯干，或用大的湿毛巾、湿的床单等把患者包起来。用电风扇、有凉风的电吹风或手扇促其降温。注意：不要用酒精擦患者的身体。

4. 让神志清楚的患者喝清凉的饮料。如果患者神志清楚，呼吸及吞咽均无困难，可以让他喝盐水(每100毫升加盐 0.9 克)。

注意：不要喝酒或咖啡。

5. 如果患者病情无好转,请拨打急救电话。

# 低温和冻伤

**重点**

◆拨打急救电话。

◆如果患者同时存在体温低和冻伤，应先处理低温。

**症状**

寒战

◆低温

◆运动功能失调

◆意识丧失

◆困倦、虚弱

◆心跳骤停

冻伤

◆麻木，皮温低。

◆发红的皮肤变苍白，然后变黑、变硬并凝固。

◆水疱。

**低温**

注意：如果怀疑头、颈、背损伤，见本书页相关内容。

1. 检查患者气道、呼吸及循环。如果患者无呼吸或没有脉搏和心跳，开始心肺复苏（见本书相关内容）。注意，体温低的病人的脉搏常常慢而微弱，因此要多花一点时间检查患者的脉搏。

2. 轻轻地把患者移至房间里，并给他换上干衣服。

3. 如果找不到医务人员，应慢慢地给患者复温。盖住患者的头颈部，用您的体温或毛毯或用铝箔纸慢慢地使患者温暖。把温热的东西放在患者的颈部、胸部和腹部。如果患者神志清楚，可以让他喝非酒精类的甜的热饮料。注意：不要用电热毯等对患者直接加热升温。

**冻伤**

注意：如果冻凝的皮肤还有机会存活，就不要去解冻他。应把患者从冰冷的环境中救出，并等待急救人员的到来。

1. 把患者搬到附近的房间里，并脱去贴身的衣物及首饰。

2. 如果你能使冻伤的皮肤复温并且急救人员又不能很快到达的话，请慢慢地解冻。把冻伤的手足放进不烫的温水中，复温至少 30 分钟。随着水温的下降逐渐加入热水，并同时搅拌。也可以用棉布浸入热水再放入复温的热水中以维持水温。如果没有水，可以用你的皮肤、毯子或报纸去使皮肤复温。注意：如果加热太快会导致冻结皮肤的不可逆的变化，因此不要用电热毯等直接加热皮肤，不要按摩皮肤。

3. 擦干解冻的皮肤并保持其温暖。一旦解冻的皮肤变软并且感觉功能恢复，应用清洁的干布盖住皮肤，指(趾)间垫上干净的布。用干布将冻伤处包裹起来，并保持其温暖。

4. 等待医务人员到来期间，不要让患者吸烟或饮酒。

# 骨折与脱位

**重点**

◆拨打急救电话。

◆如果您怀疑拉伤部位在颈、背部，应参见头颈背损伤一节。

◆如果怀疑为鼻损伤，参见鼻科急症一节。

**症状**

◆疼痛。

◆部分身体变形。

◆错位。

◆皮肤颜色异常。

◆肿胀。

◆骨头外露。

◆肢体麻木。

◆关节、肢体、指功能丧失。

注意：如果怀疑头、颈、背损伤，请参见有关部分。

◆检查患者的气道、呼吸及循环情况。

如果没有呼吸及脉搏，立即开始心肺复苏。请参见呼吸心跳骤停一节。

◆不要移动患者。注意! 不要移动患者损伤的胳膊、骨盆、大腿，除非有绝对的必要。如果必须把患者移至安全的地

# 骨折与脱位

方,应把他的头固定在你的双臂之间,拉其两肩处的衣服。

◆检查有无其他严重损伤。注意! 如果断骨周围有出血,不要去检查或冲洗伤口,应用干净的布覆盖伤口并用绷带包扎。

固定伤骨或关节。如果手指或足趾骨折,应抬高患肢,用小块的布缚损伤和未损伤的指(趾)分开,并包扎固定。上肢及下肢骨折固定方法见图示。注意:不要试图拉直或改变已变形的骨、关节的位置。当用吊带或夹板固定时,应注意不要影响肢体的血液循环。不要在骨折部位捆绑夹板。

## 上肢(前臂、腕、手)损伤的固定

### 固定上肢

固定上肢,用你的手托住伤骨或腕关节,使前臂与胸垂直,拇指向上,用杂志或报纸内衬,用毛巾将患肢放在其中并包扎固定。

### 上臂、肩或锁骨
### 固定损伤的肩和锁骨

1. 用手托住伤骨或关节。把受伤的上肢横放在胸前,拇指向上,用吊带固定(如图)。

2. 固定吊带的位置。用布将吊带与患肢及患者的胸部固定在一起。

### 用吊带悬吊上肢

1. 用布折成吊带。把一块大的布对折使其成一个三角形,再用如图所示托住患肢。

2. 固定吊带。用吊带的一端从颈后绕过,另一端绕过伤肢,在健侧与吊带的另一端结紧,折叠时多出的布放在肘后用别针固定,使吊带舒适但又不要太紧。

# 骨折与脱位

## 下肢损伤的固定

### 用夹板固定小腿

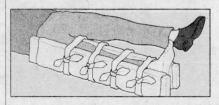

用木板做夹板用。用两块木板,一块应超过髋及足底,木板与患肢接触面要垫上毯子,分别在腹股沟、大腿、膝及踝四个部位固定木板。

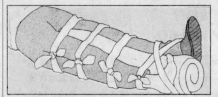

用毯子当夹板。如果找不到木板,可以把地毯卷起来放在两腿之间,并分别在腹股沟、大腿、膝及踝部位固定。

### 大腿或髋关节
### 用夹板固定大腿或髋关节

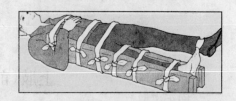

注意:如果不移动患者的话,可以不用夹板固定大腿及髋关节。不要在骨折处捆绑夹板。

用木板做夹板。用两块长木板,一块从腋下至足底,另一块从腹股沟至足底,用毯子包裹木板,分别在胸、腰、腹股沟、大腿、膝及踝部位固定。

# 出血

**重点**

◆如果出血凶猛,请打急救电话。

◆对于特殊部位的出血,见外伤、眼外伤、鼻外伤条目。

注意:如果怀疑头、颈、背部损伤,请看相关内容。

1. 使患者处于水平仰卧位。将患者的脚适当抬高,如果可能的话,使伤口处高于心脏水平。

2. 检查患者的 ABC,见有关部分。如果伤口不出血或没有脉搏及心跳,开始心肺复苏,见有关部分。

3. 将伤口内可以看到的异物取出。

注意不要将已粘附于伤口的衣物取出,不要去探查伤口。

4. 用干净的布或将你的手直接压迫伤口。如果血已渗透纱布,不要将布移开,将另一块布放在其上方并继续压迫止血。如果血持续渗出,你必须持续加压。对于有异物嵌入的伤口,应压迫伤口周围,不要直接压迫嵌入的异物。

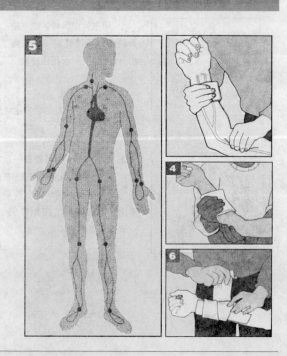

## 出 血

对伤口直接压迫止血:用一块干净的布或你的手直接压迫伤口并尽量使伤口愈合。

5. 如果出血仍未停止,压迫动脉搏动处。当压迫动脉时应同时压迫伤口。除非颈动脉有喷射性出血。不要压迫通向头部或颈部的动脉。

压迫动脉止血:用手指水平按压在心脏与伤口之间的动脉搏动处。

6. 当出血停止后,用绷带包扎伤口。不要将帮助止血的伤口表面的布取出,用一块干净的布放在伤口上。如果有物品嵌入伤口,要在其周围进行包扎。

包扎伤口:用绷带或干净的布包扎伤口,并系紧。

7. 使患者保持镇静并避免活动。

## 抽 搐

◆如果患者是第一次抽搐发作,而且1小时内有1次以上的发作或发作时间持续数分钟以上,应拨打急救电话。

◆抽搐本身并不一定是致命的,因此你应该更注意寻找导致抽搐的原因,并明确患者身上是否带有医疗疾病提示卡或找到患者所受的其他损伤。

### 症 状

◆肌震颤。

◆肌痉挛。

◆身体僵直。

◆流口水。

◆大小便失禁。

◆暂时性呼吸的停止。

◆意识丧失。

注意: 如果怀疑头、颈、背部损伤见头颈损伤章。

◆如果患者自己感觉将要抽搐或者开始失去平衡,应帮他躺在地上。

◆使患者侧卧以防止呕吐物误吸入肺。注意:患者抽搐时要注意不要把你的手靠近患者的嘴。

◆松开患者身上比较紧的衣服。

◆防止患者自伤。摘下他的眼镜,移开可能撞上的物品、家具。注意:除非患者本人要伤害自己,原则上不要限制其活动。

◆抽搐停止后,帮他处于较舒适的侧卧位。患者此时可能很劳累、不清醒,并且可能睡着。

◆检查患者的气道、呼吸及循环,如果患者没有呼吸或无脉搏及心跳,应开始心肺复苏。

高热惊厥:

◆婴幼儿在多发高热时可以出现惊厥,此时应脱去他的衣服,用不太热的温水浸泡身体。不要用凉水。给你的医生打电话以取得更多的建议。

注意:不要给患儿洗澡。

## 头颈背损伤

### 重点

◆拨打急救电话。

◆如果患者头颅外伤,有血从眼、耳或鼻流出,应先按本章描述行紧急救助,再处理耳科、眼科和鼻科问题。

◆尽可能找出损伤的原因。头、颈、背部伤常发生在加速或速伤(车祸)、跳高及跳水运动或枪弹击中头、胸等部位。多处复合性损伤及身体其他部位创伤所致的神志丧失也是可能的原因。

### 症 状

头外伤:

◆头部伤口。

◆头皮挫伤或肿物。

◆非耳、鼻及口腔损伤所致的该部位出血。

◆耳鼻有液体流出。

◆眼睛青紫。

◆耳后挫伤。

◆头痛,恶心,呕吐。

◆精神异常。

# 头颈背损伤

◆视力改变。

◆言语不清。

◆脉搏不规律。

◆意识丧失。

颈、背外伤:

◆颈、背疼痛。

◆上下肢刺痛感。

◆上下肢运动功能丧失。

◆大小便失禁。

◆头、颈、背畸形。

◆意识丧失。

注意:除非有绝对的必要,其他情况下应尽量避免移动病人。

◆保持患者安静并静止不动。

◆检查气道、呼吸及循环情况。如果患者无呼吸或无脉搏及心跳,应开始心肺复苏,见有关章节。

注意:开放气道时只需向下牵下颏。如果你需将患者体位放于仰卧位时,应托住其头、颈、背,并使其保持一条直线。最好有一个人帮你完成此动作。

◆处理明显的外伤。

◆保持患者舒适。在医务人员到来前应注意患者保暖。

注意:不要让伤者枕枕头,以免闭塞气道,不要进食及喝水。

◆保持呼吸道通畅,如果伤者有窒息、呕吐或意识丧失,应将头、颈、背一起托起使身体侧向一方,这时最好要有一个人帮助你。

注意:一定注意将头、颈部和身体其他部位一起移动。

# 炎　症

| 症　状 | 疾　病 | 应采取的措施 | 其他信息 |
|---|---|---|---|
| ◆机体任何部位皮肤的擦伤、刀割伤或裂伤变得疼痛、红肿或流脓，可伴有发热和淋巴结肿大。 | ◆感染，皮肤脓肿。 | ◆见切割伤、擦伤及外伤、感染部分。 | ◆如果手掌或指间部位的外伤受到感染，立即就医。这种感染扩散很快，可能导致残疾。 |
| ◆指甲及其周围表皮肿胀、充血、疼痛，甲周软组织可能有外翻，按压炎症局部可有脓流出。 | ◆甲沟炎。 | ◆见指甲疾病部分，热水浸泡可清洁患处并减轻疼痛。 | ◆感染通常是由甲刺或甲床外伤引起，因此注意指甲清洁、防止外伤、经常修剪可以预防本病。 |
| ◆眼睑的边缘出现炎症，皮肤出现鳞屑，并且伴有瘙痒，常见于头皮屑多的人。 | ◆眼睑炎。 | ◆用温生理盐水清洗眼睑，去除痂皮。医生会给你开抗生素或含磺胺的眼药膏。 | ◆可以导致眼睑外翻及睑板囊肿。 |
| ◆双侧或一侧眼睛红、有烧灼感、瘙痒；你的眼睛可能明显充血，并有粘稠的分泌物。 | ◆结膜炎。 | ◆结膜炎常常可以自愈，虽然有时可能需要用一些抗生素眼药膏。还可使用含硼酸的洗眼液清洗眼睛以减少刺激症状，也可使用草药洗眼药水。 | ◆细菌、病毒过敏、精神紧张及用眼过度和营养不良都可引起结膜炎。 |
| ◆女性外阴充血、肿胀，并有瘙痒，阴道有刺激感，并可有粘稠的不正常白带，有性交痛，可有尿急尿频。 | ◆阴道炎，霉菌感染。 | ◆使用非处方药或处方药，治疗阴道细菌感染。也可见阴道疾病部分。 | ◆糖尿病及 HIV 病毒的感染者都易患阴道炎和细菌感染。 |
| ◆在女方使用避孕凝胶或冲洗剂后，男方在性交后包皮或龟头出现炎症。或女方外阴（阴唇、阴道、阴蒂）在使用避孕泡沫剂或凝胶、冲洗剂喷雾除臭剂以及肥皂等清洗后出现炎症。 | ◆生殖器过敏反应。 | ◆见过敏，阴茎疼痛；阴道疾病部分。 | ◆自己用清水清洗生殖器。任何肥皂或香波都可能有刺激性作用。 |
| ◆包皮出现肿胀疼痛，清洗时疼痛。 | ◆龟头炎（包皮的炎症）。 | ◆见阴茎疼痛部分。 | ◆不恰当的清洗可使小男孩产生龟头炎，如果炎症持续应找你的医生。 |

全身性疾病

# 感 染

身性
疾病

## 症 状

发热、寒战、出汗、头痛、肌痛及乏力是各类感染的共同症状。

◆ 腹泻、呕吐、恶心、腹部绞痛、腹胀及脱水表现可由肠道感染所致。

◆ 咳嗽、打喷嚏、胸痛、咽部充血、疼痛及眼睛充满分泌液说明有呼吸道感染。

◆ 尿频与尿痛，血尿或尿有异味，或有阴道瘙痒，可能有泌尿系感染。

◆ 皮肤出现皮疹、疼痛、炎症、瘙痒、充血、水疱或脓疱，可能为皮肤感染所致。

◆ 局部疼痛、刺激感或压痛，可在耳、眼、口腔、牙或牙龈感染时出现。

◆ 剧烈的肛门瘙痒可能为大肠内寄生虫感染所致。

◆ 常常表现为局限性的关节疼痛、炎症，意味着关节的感染。

## 出现以下情况应去就医

◆ 你或你的孩子体温超过 39℃ 并持续 24 小时，如果呼吸困难，吞咽、看东西、说话或活动肢体都有困难，应马上去看急诊。

◆ 腹泻、呕吐、咽痛或其他症状在数天之内持续或加重，说明病情应得到确诊并进行治疗。

◆ 被动物咬伤或其他利器刺破皮肤都应立即就诊。

人体永远不停地在与致病微生物作战。这些病原体可通过吸入的空气、食入的食物、破损的皮肤、动物或昆虫的咬伤或性接触进入人体，他们一旦落在肌体表面或进入体内就会试图生存下来并进行繁殖。在多数情况下他们不会成功，多死于人体内的温度或化学物质或正常寄生的其他细菌；其他的通过粉液、尿、汗、粪便排出体外。而那些存活下来的微生物则以健康的细胞和组织作为能量和食物来源。有的病原体只能在特定的组织内生存，有的则能扩散到全身。病原体的入侵、生长及肌体对其作出的反应，部分就构成了感染的过程。虽然绝大多数的感染较轻并可自愈，但有的会造成严重后果，甚至可以致命。

一旦病原体入侵，肌体的免疫系统会发起反击，一种称为抗体的蛋白质和特殊白细胞一起会破坏病原体。

免疫系统还会"记忆"他所接触过的某一种微生物，以抑制其再次入侵，有时可以通过疫苗得以加强。

快速的免疫系统反应可以终止或减弱大多数但不是全部的感染。有时免疫细胞不能识别和攻击病原体，特别是那些以前没有接触过的病原体。在其他时候，有时肌体的攻击力量不够强大。免疫系统因为疲劳，营养不良，某些药物治疗或疾病如 AIDS 而受到削弱的人，较健康人更易受到感染。

## 病 因

导致感染的病原体有细菌、真菌、寄生虫和病毒。细菌、真菌和寄生虫常可侵入肌体组织，从健康细胞中窃取营养物质并释放出毒素；有的寄生虫——其大小可以从单细胞的原虫直到肉眼可见的蠕虫——会直接杀灭健康的细胞。病毒其实是一种只能侵入活细胞内并在其中复制才能生存的亚生命形式。

可以认为，最容易让病原体入侵的部位也是最易被感染的部位。病原体容易感染眼睛、耳朵、口腔、生殖器及皮肤本身。皮肤感染非常常见并且可以由任何一类病原体引起，耳的感染通常由细菌引起，眼睛的感染可以由病毒或细菌引起，其他一些病原体可由皮肤破损处进入体内并感染血液。

任何一种病原体都可侵入胃肠道，其途径常常是通过被污染的食物或水。绝大多数食物中毒都是由细菌引起的，而令徒步旅行者畏惧的肠道兰布里贾第鞭毛虫感染则是由于饮用被寄生原虫污染的饮用水所致。

绝大多数呼吸系统的感染，包括普通感冒及一些轻度的肺炎，是由于吸入或摄入病毒所致。而严重的感染常是细菌引起的，如百日咳及链球菌性咽炎。许多不为人们所熟悉的肺部感染是由于真菌所引起的。

泌尿系统通常可将致病微生物排出，但当其受到刺激、水肿或梗阻时则易于感染。其表现可以是从轻度的膀胱炎到严重的细菌性肾脏感染。

虽然许多感染可局限在身体的一部分或某一系统内，但有的感染会扩散到全身。例如：疟疾，一种由蚊子传播的寄生虫疾病；结核病是一种细菌感染；而艾滋病，近年来出现的致死性疾病，是一种由病毒引起的疾病。

## 诊断与检查

许多常见的感染可通过其症状很容易进行诊断,但对于持续性或原因不明、严重性也不明的感染,医生需要进行检查以了解其特殊病因。诊断常需要实验室检查,分析病人的血、尿、粪便或受感染的组织。

## 治　疗

短时间的轻度感染会自行痊愈,但严重的感染性疾病需要药物治疗。

### 常规治疗

细菌所致感染可通过抗生素将其杀死,如青霉素及其衍生药物。许多真菌和寄生虫感染用抗生素或抗微生物剂有效。其副作用是过度使用或误用抗生素会抑制肌体本身自然的免疫反应。

抗生素对于病毒感染无效。虽然有的抗病毒药物会减轻症状,但由于病毒经常会发生突变或改变形态,因此很难或不可能产生更有效的治疗。对绝大多数病毒感染的标准治疗方法只是缓解症状,预防继发性的细菌感染,让肌体自然痊愈。

非处方药及处方药可以缓解症状并加速轻度感染的自愈速度。对于许多病毒感染性疾病来说,预防性抗菌是最好的方法,对许多感染性疾病有效。

### 辅助治疗

增加营养、休息及避免过度紧张可有助于预防和同感染作斗争。各种草药、中药及其他辅助治疗方法可以缓解症状并加速疾病好转的速度。参见各类感染疾病相应的治疗部分以了解更多信息。

预防

◆ 为你及你的孩子进行对感染性疾病的免疫接种,特别是在上学前或出国旅游前。

◆ 为了预防感染,注意将肉类、海鲜食物冰冻保存,生食的水果及蔬菜应彻底洗净。保持厨房清洁,接触食物前后应洗手。

◆ 保持良好的个人卫生习惯:常洗澡,便后洗手,皮肤的破损处用抗菌药皂清洗。

## 症　状

发热

◆ 红色隆起、网络状皮疹,常见于胸部、背部和腹部。

◆ 关节红、肿、热、痛,尤其是膝关节或踝关节。

◆ 在肿胀关节上有结节或小骨性隆起。

◆ 有时伴有乏力和气短。

◆ 有时臂、腿或面肌运动失控。

这些症状常常开始于咽喉部感染痊愈后 1~6 周,然而,有时风湿热患者不能回忆起有咽喉疼痛。

## 出现以下情况应去就医

◆ 出现上述症状,特别是近期有咽喉痛,你可能患风湿热而需接受治疗。

◆ 感到咽痛但没有其他感冒症状,伴随发热高于38℃,你可能是链球菌感染咽痛,需要接受治疗。

◆ 链球菌感染的咽痛痊愈后出现炎性的不明原因的关节痛,感染可能已经播散,需要进行治疗。

作为一种少见但有潜在生命威胁的疾病,风湿热是一种由 A 型链球菌感染的咽喉痛未经治疗而导致的并发症,主要症状为发热、肌肉痛、关节肿胀和疼痛,某些病例有红色网状皮疹。典型病例起病于链球菌感染后 1~6 周,尽管有某些病例感染症状很轻而不易发现。风湿热也可导致暂时神经系统失调曾被认为是舞蹈症,现在被称为舞蹈病。轻症舞蹈病患者难于集中精力或书写,严重病例可导致臂、腿或面部肌肉不自主抽搐。

风湿热最易引起肿胀的关节是膝、踝、肘和腕,疼痛经常从一个关节游走至另一关节,然而,这种疾病的最大危险在于他可损害心脏。在半数以上的病例,风湿热影响心脏瓣膜,导致这种重要器官泵血困难,经过数日甚至数年后,特别是如果再次患这种疾病,这种损害将导致一种严重的疾病即风湿性心脏病,最终可导致心力衰竭(详见心脏疾病部分)。

由于抗生素的应用,风湿热在发达国家已很少见。然而近年来,在美国他有所抬头,特别是在居住于城内贫穷的青少年中。这种疾病在冬季和早春的湿冷天气时,

# 风　湿　热

易发作。在美国,在北部各州最为常见。

## 病　因

风湿热是某种 A 型链球菌所致的炎性反应。肌体产生抗体对抗细菌,但同时抗体也对抗其他靶器官及肌体自身组织,病变开始于关节并向心脏和其他组织移动。因为仅一小部分链球菌感染患者(小于 0.3% )患风湿热,医学专家认为其他因素,例如免疫系统功能减退,也可能与这种疾病的发展有关。

### 诊断与检查

为了证明链球菌的存在,医疗诊断中将做咽拭子培养。这种不舒服但无痛的过程是从咽部粘膜拭抹样品用以试验室分析。通常需要 24 小时的分析培养。

医生将给你进行全面检查,听诊心脏,寻找感染征象,并寻找其他有意义的症状,例如常见于肿胀关节的一个以上的关节肿胀和小骨性突起或结节。

## 治　疗

适当的通常是长时间的常规治疗可以很大程度减轻风湿热所致的心脏疾患和其他健康问题的危险性,其他治疗作为常规治疗的补充,帮助减轻疾病的症状和增强免疫系统,以避免再次发病。

### 常规治疗

医生让你卧床休息并用青霉素杀灭链球菌。为了阻止疾病复发,你需要较长时间使用抗生素。对于发热、炎症、关节疼痛和其他症状,可以服用阿司匹林或阿司匹林替代品,或肾上腺皮质激素,如果你患风湿性心脏病,可能需要外科手术。

### 辅助治疗

辅助治疗医师将和你的医生协商,对风湿热提供抗生素外的辅助治疗,辅助治疗可帮助增强免疫系统并减少再感染机会。

*草药治疗*

为了消除引起风湿的链球菌感染,草药治疗学家推荐使用几种有抗微生物作用的草药,如大蒜被认为是一种特殊有效的天然抗生素,可每天吃 3 瓣。如果不习惯大蒜的味道,你可以试以 3 个大蒜细胶囊替代。

紫锥花泡茶亦可能有效。每天至少饮用 3 次。

泽兰属植物,有时称为 foveraort,有助于缓解发热和其他风湿热的不适感。用这种草药泡茶热饮,并且每半小时饮用 1 次。

作为一种安全的强心药以帮助减少风湿热的长期损害,每日饮用山楂茶,或服用 30 ~ 40 滴山楂酊剂,每日 2 次。

### 注　意

小心咽喉疼痛,特别是在儿童。如果儿童患严重咽喉痛而无其他感冒症状,伴有发热达 38℃以上,或轻度咽喉痛但持续 2 ~ 3 天以上,请看医生。它可能是链球菌感染而需使用抗生素治疗。

# 败血症

## 症 状

在手术后的恢复期间，一种感染或外伤可使患者患败血病或败血症休克。症状如下：

◆高热和寒颤、呼吸急速、头痛和恶心可能提示发生败血病，或称败血症。

◆严重的寒颤、低血压、食欲下降，和可能意识丧失是败血症休克的潜在表现。

◆由一个疖扩散的红肿可能是败血症的征象。

## 出现以下情况应去就医

◆你的症状提示败血病，你应该立刻进行治疗，以阻止感染扩散并预防败血症休克。

◆你感到严重的寒颤、血压显著下降，皮肤变白、凉和湿冷。可能将要得败血症休克，需要急诊治疗。

**败**血病，或称败血症，是一种严重的继发感染，发生于细菌从身体的某个感染部位传入血流时（参看感染），如果你的免疫系统未能阻止细菌的继续繁殖，你就有发生败血症休克的危险，这是一个潜在的威胁生命的疾病。

败血病大多常发生于刚刚行手术或行介入性治疗的人和因急性或慢性疾患使自身免疫系统功能减退的患者中。不论是败血病还是败血症休克都需要立即治疗以阻止感染的扩散直至确实完全恢复。

## 病 因

败血病几乎总是一个感染的并发症，发生于当细菌从原发病灶侵入血流时。导致感染和释放内毒系的细菌都会遭到人体免疫系统的抵抗，阻止经过血液流入人体组织。这样便造成发热和寒颤——急性败血症的特征性表现。如果人体的免疫系统或治疗的介入均未控制住感染，则产生败血症休克。

虽然败血病可来源于手术切口、外伤或烧伤的感染，但其他类型的感染也可释放足量的细菌进入你的血液导致败血病。这种情况包括从泌尿道感染或肺炎到牙或皮肤的疖和脓肿。不幸的是败血病在医院中呈上升趋势。因为接受介入性检查和手术的患者人数增多，导致败血病的细菌继而出现对抗生素耐药的新菌株。

少数病人得败血病是因食用未经消毒的乳制品，包括某种软干酪，其中含有单核细胞增多性李斯细菌。食用生牡蛎或其他海产品，感染孤菌对一定量的高危人群来说可导致致命的败血病，如患肝病、铁剂失衡和免疫系统薄弱的患者。

### 诊断与检查

如果医生认为你患有败血病，则你的症状将得到评估。血液化验可识别感染的细菌。如果症状提示败血症休克，你将住院治疗。你的血液将做细菌检查、血液分析和其他指标。你需做心电图来检查有无心律不齐表现。

## 治 疗

如果你患了败血病或败血症休克，完全治愈需要有经验的医学治疗。替代治疗可帮助加快恢复过程并增强你对细菌感染的抵抗力。

### 常规治疗

一旦确诊为败血病，医生将予以口服或静脉用抗生素来抗感染，并选择引流和消毒感染区域。如果已发展成败血症休克，你则需要急诊治疗和静脉用抗生素，包括青霉素、头孢菌素和氨基甙类药。你将住在医院受到监护，预防并发症直至你完全康复。

### 辅助治疗

虽然你必须立即得到对败血病和败血症休克的医治，然而替代治疗也可帮助你恢复和加强免疫系统以预防复发。

预防：◆如果你出现口腔感染，则请牙科医生和专科

### 指 压 法

按压血海穴位可刺激免疫系统。弯屈你的膝盖，距顶端两个拇指的宽度与髌骨内侧线的交点，在肌肉较厚处，用拇指按压此点1分钟，重复另一条腿。（图1）

图1

# 败血症

图 2

为帮助治疗血液感染，把拇指放在三阴交穴位。右侧踝关节内侧上方 4 指处，靠近胫骨边缘。用拇指轻度按压 1 分钟，然后换另一支腿，妊娠禁压此点。(图 2)

医生进行治疗。为加快牙龈肿胀的恢复，可应用温水敷，吃软的食物，经常用温水漱口。

◆如果你患有疖，可将一块布用温水润湿敷在疖上面 20～30 分钟，每天 3～4 次，直到疖破溃。这个过程可能需要 1 周。应温敷 3 天或直到脓液完全排出为止。

◆如果疖红肿扩展，则应找医生。一个感染的疖可导致败血病，挤压一个感染的疖可能使感染扩散。

# 疼 痛

| 症 状 | 疾 病 | 应采取的措施 | 其他信息 |
|---|---|---|---|
| ◆一个勤于劳作的人的肌肉和关节出现疼痛和肿胀,可能还伴有头痛。 | ◆用力过度。 | ◆可考虑使用抗炎药、热敷或按摩、外用含阿司匹林的乳膏,也可进行适度锻炼,注意你身体疲劳的早期信号。 | ◆可能直到用力过度 2~3 天后才感觉到疼痛。那些以锻炼为乐的人需要特别注意。 |
| ◆疼痛伴流涕、打喷嚏和咳嗽,可能还有咽痛、头痛。 | ◆感冒。 | ◆看感冒一节。休息,大量饮水。如果需要的话,可服用减充血剂。 | ◆普遍认为维生素 C 可减轻感冒症状。 |
| ◆疼痛伴流涕、打喷嚏、咳嗽、头痛、咽痛、虚弱、寒战和发热,可能还有呕吐和(或)腹泻。 | ◆流行性感冒。 | ◆看流感一节。休息,大量饮水。如果需要,服用抗炎药以减轻发热和疼痛。为预防流感,吃一些有益健康的食物以增强你的免疫力。 | ◆对患有慢性疾病和年龄超过 65 岁的人,常推荐注射流感疫苗。可能有病毒感染的 18 岁以下儿童不宜服用阿司匹林或含阿司匹林的药物。因为阿司匹林与年轻人中发生的神经系统疾病——脑病脂肪肝综合征有关。12 岁以下的儿童患病时也不宜服用阿司匹林。 |
| ◆疼痛伴发热、寒战、胸痛、咳嗽、咳痰。 | ◆肺炎。 | ◆马上到医院去看病。为了诊断和治疗,需进行必要的检查。可能需要使用抗生素进行治疗。如果你是老年人,有其他的严重疾病,或通过治疗未能改善时,你可能需住院治疗。看肺炎一节。 | ◆肌肉痛很可能是由"非典型肺炎"引起。本病起病较为缓慢,其致病微生物是病毒或其他微生物而不是细菌。 |
| ◆关节痛、红、热、僵硬和/或肿胀,疼痛在早晨加重。 | ◆炎症性关节炎。 | ◆看关节炎一节。服用抗炎药以缓解疼痛。 | ◆这种疾病通过针刺治疗、顺势疗法、草药和营养改变而使病情得到改善。关节炎也可由非炎症关节炎如骨关节炎引起,但后者不出现关节发红、发热和肿胀 |
| ◆慢性的广泛的肌肉痛和僵硬,特别是在早晨,睡眠障碍和慢性疲劳。 | ◆纤维肌痛。 | ◆常用止痛药、小剂量抗抑郁药和(或)局部注射麻醉药,可能合并使用皮质类固醇,注入身体的痛点内。 | ◆纤维肌痛以前被认为是心因性的(精神性的),但目前认为是伴有相同症状和体征的一个综合征。供氧锻炼、加压处理、按摩和针刺治疗可能有益。 |
| ◆肌肉或关节痛伴头痛、疲劳、不适和发热。数月之前,可能曾在皮肤出现一圆形或卵圆形红色皮疹,直径达 8 厘米或以上,中心发白,是壁虱叮咬所致但可能没有被注意到。 | ◆蜱媒螺旋体关节炎。该病的晚期阶段。 | ◆马上到医院去看病,通常使用抗生素治疗。看蜱传染性螺旋体病。 | ◆蜱媒螺旋体关节炎以背痛和关节痛为其特征,在鹿壁虱叮咬后可能存在数月甚至数年。鹿壁虱叮咬是该病的病因。 |

# 血凝块（血栓）

## 症 状

血凝块一般无明显症状。异常血凝块并发症可导致各种情况和疾患。

◆臂或腿突发的孤立的疼痛，有时伴随皮肤变色、麻刺感、麻木或凉的感觉，提示在疼痛部位下方有大的血凝块阻滞了血液循环。如果不予以治疗，可以导致坏疽（组织坏死）。

◆静脉内存在硬的发蓝的肿块可能是由大血凝块所致。

◆一只眼睛突然部分或全部失明，可能是血凝块阻断了视网膜动脉。

◆剧烈头晕或眩晕，站立或行走能力下降，可能是由于小血凝块阻断脑动脉所致。

### 出现以下情况应去就医

◆你出现心绞痛或有一些与中风相关的症状。病因可能是存在异常血凝块。

◆突发或持续知觉减退。潜在的病因中可能被检查出是血管阻滞。

**动**脉可粗如你的拇指，细到比发丝还细，血液可在其中自由流动。外伤或创伤的第一个表现就是血液变稠或凝结，在受伤的部位自行止血。当血管受损伤时，血液凝结是身体的需要，是非常重要的反应，但若在健康的血管中形成血凝块则是异常的，且可能威胁生命。这种血凝块是心脏病或静脉疾病如静脉炎的常见并发症。

血凝块在心脏或血管中形成并停留称之为血栓。为治愈小的损伤，血管壁上形成微小血栓，然后一般都溶解掉。如果不溶解，他们不仅可减慢血液流动，而且可能脱开血管壁随血液流走。一个在血管中游走然后滞留在血管的某一处的血凝块称为一个栓子。栓子没有血栓常见，但可能更危险。

这种危险性取决于异常血凝块的大小和停留部位。例如阻塞在一条脑动脉中的血凝块可导致中风。血凝块产生在供应心脏的动脉——冠状动脉——是心脏病发作的主要原因。眼动脉的微小血栓可导致失明。肺内栓子阻塞肺动脉可导致严重的呼吸困难，甚至死亡。

## 病 因

如果血管壁受损害或血液循环变得异常缓慢，血液就将在血管内凝结，如动脉粥样硬化（参看循环障碍性疾病）。有些疾患如静脉炎，血管壁发炎促使异常血凝块形成。因血流缓慢导致血凝块形成是卧床的常见并发症，甚而可因长距离的飞行或驾驶所致。盆腔静脉血栓是分娩时偶见的并发症且通常伴随子宫和盆腔感染。

异常血凝块有时与充血性心肌病相关，可阻碍心脏有效地泵血。另外，血液本身的疾患或改变也可导致凝血。例如，血小板增多症时血小板产生增多，促使微小血细胞凝结，从而产生过度凝血。促使血凝块形成的因素包括吸烟、口服避孕药、营养不良、肥胖、静脉曲张和其他许多疾患。

## 治 疗

**常规治疗**

在某些情况下，药物治疗的目的在于降低异常凝血的危险。医生对有栓塞或血栓危险的患者可予以阿司匹林预防。在急性期，可应用链酸酶溶解存在的血凝块如右心或肺中的血块。外科手术后，静脉内应用肝素可预防凝血或阻止深部静脉血栓形成。血凝块可通过心血管外科手术去除，但仅仅为去除血块而施行的手术被证实只适用于急诊病例，如即将发生组织坏死。

**辅助治疗**

如果你服用抗凝药，则应在开始应用任何草药或维生素治疗之前问清医生这些药物的禁忌证。

体疗

如果血凝块起源于你的腿部，由循环不良所致，则按摩治疗可能有益。如果你有静脉炎，则应由一位有经验的治疗家进行按摩从而避免血块在血管中移动。

营养及饮食

如果你想自然地改善血液状况，一些权威建议多食用鱼，他们确认一些鱼油可使血小板粘性下降。一定量的维生素和矿物质也可作为天然抗凝血剂。咨询你的医生或由营养治疗专家提供维生素 E 和镁的摄入以预防异常血凝块形成。

预防

◆平衡膳食，少食饱和脂肪，多食水果、蔬菜和天然

# 血凝块(血栓)

纤维。

◆规律地进行身体锻炼以刺激循环系统并保持体重。

◆一些医生建议有异常凝血危险的病人每月服一定剂量的阿司匹林。但因阿司匹林是一种有效力的药物,故绝不能不由医生开药而服用常规剂量。

◆如果将行手术,咨询你的医生关于手术期间和术后肝素的应用。如果可能,在恢复期间适当地锻炼可促进良好的血液循环。

# 贫 血

## 症 状

◆感觉虚弱、乏力和全身不适,你可能有轻微贫血。

◆你的口唇看上去发蓝,皮肤苍白或发黄,齿龈、甲床、眼睑膜或手掌皱褶处苍白,几乎可确定你患有贫血。

◆感到虚弱,易疲劳,频繁呼气,昏厥和头晕,你可能有严重贫血。

◆你的舌头有烧灼感,可能有维生素 $B_{12}$ 缺乏性贫血。

◆你的舌头异常光滑,感到运动和平衡紊乱、四肢震颤、慌乱、紧张或记忆力下降,你可能有恶性贫血。

◆其他症状可能有:头痛,失眠,食欲减退,注意力不集中和不规律的心跳。

## 出现以下情况应去就医

◆你有恶性贫血症状,这种疾病可能损伤脊髓。

◆你一直在服补铁剂并感到想呕吐,血便,发热,黄疸,嗜睡或有疾病的发作,你可能有铁过多症。这种病可能有生命危险,特别是儿童。

**为**了保持健康,人体的器官和组织需要稳定的氧供应。在贫血时体内组织缺氧,由于循环红细胞数量的减少或由于血红蛋白的数量不足,引起贫血。贫血的严重程度可能从轻微贫血到危及生命。

正常情况下,心脏将低氧的血泵出输送到肺,在肺中红细胞里的血红蛋白与收集的氧结合。然后含氧的血通过血液循环系统运送到身体的其他部位。红细胞的寿命大约只有 120 天,必须经常不断地进行替换。如果大量的红细胞丢失或某些原因妨碍红细胞的生成,或者红细胞加速破坏,都可能发生贫血。血红蛋白是红细胞的主要成分,氧分子的载体,如果血红蛋白供给不足或本身机能障碍,也可能发生贫血。

已经证实共有 400 多种不同形式的贫血,大部分都是罕见的。贫血的病人经常表现为苍白和虚弱,可能感到呼吸困难、昏厥或心脏跳动异常。疾病可能起于大量潜在情况,有些可能是遗传,但许多病人饮食不当是主要原因,虽然有些类型的贫血需要医学监护,这些营养不当造成的贫血,在医师确定病因后,能在家

# 贫 血

中进行治疗。

## 病 因

由胃溃疡、痔疮或胃肠道肿瘤引起的慢性失血，都可能引起贫血，像慢性嗜酒过度可能引起贫血一样。然而，比较常见的原因是饮食不当，实际上在酒精中毒者中有大量贫血的人，这是因为他们喜欢痛饮胜过食物，常很难摄入足量食物。当消化系统失去吸收关键维生素和矿物质的能力的时候，也可导致贫血。

缺铁性贫血，是世界范围贫血的主要形式，当体内没有贮存足够的铁，原发性血红蛋白不成熟，就可发生贫血。缺铁通常是由于饮食不当。在许多伴有其他情况的病例，贫血使疾病变得复杂化，例如，女性由于大量月经血使身体大量失血，可能铁水平低于平均值，妊娠或喂奶的女性也可能由于胎儿发育或奶的生成而使铁的水平降低。缺铁性贫血也使外科手术切除部分胃的病人由于减少吸收铁的能力而感到苦恼。

巨细胞性贫血，红细胞变得异常大，当身体缺少叶酸或维生素 $B_{12}$ 时可以发生，两者都是细胞生成的必需物质。

溶血性贫血，当红细胞有遗传缺陷，也可能通过感染导致红细胞过早破坏，引起溶血性贫血。在一些病例，通过身体自身免疫系统破坏细胞。某些溶血性贫血有遗传性，而另外一些是获得性。地中海贫血是一种遗传性溶血性贫血，起源于人体不能产生足量的血红蛋白。地中海贫血的一种类型常见于地中海、非洲和中东地区的人群，是通过产生比正常小而脆的红细胞产物为标志。这种类型只见于这些人，他们是从父母遗传了有关的基因。

镰状细胞贫血是一种遗传疾病，不均衡地分布于非洲和地中海血统的人，身体产生的红细胞呈新月形或镰状而不是正常的椭圆形。变形的红细胞不能携带足量的血红蛋白，也不容易挤压通过小血管。由于这些异常红细胞可能使毛细血管阻塞，有时导致镰状细胞危象，而发生危及生命的情况。

在巨细胞性贫血中，最常见的是由叶酸缺乏引起的类型。这种贫血的病人通常在他们的饮食中没有足够的叶酸。而一杯菠菜汁正好可以提供足够的叶酸，正如 FDA 推荐的每天补充量。在美国和世界各地这种维生素缺乏症仍然普遍存在。一些人不是由于饮食不足引起疾病，而是由于不能吸收足量的叶酸所致。某些肠道紊乱，例如一些炎症性肠病和克罗恩病，还有某些药物包括柳氮磺胺嘧啶（用于治疗溃疡性结肠炎）能干扰叶酸的代谢。饮入大量酒精也可通过干扰固定的营养和阻碍消化系统吸收维生素的能力而使叶酸水平降低。

因为大部分人，特别是吃肉和蛋的人，可从饮食中得到足量的维生素 $B_{12}$，而与维生素 $B_{12}$ 缺乏有关的贫血常是个别人体不能吸收维生素。这种类型的贫血可能发生在消化道手术后的病人。然而，最常见的维生素 $B_{12}$ 缺乏性贫血也叫恶性贫血，是由于胃不能产生一种在正常情况下与维生素 $B_{12}$ 结合的化学物质，并在小肠增加维生素 $B_{12}$ 的吸收。恶性贫血很少见，最常见于老年人。

### 诊断与检查

在开始治疗以前，需要查明贫血的类型。已知确诊的方法是由医生采集你的血样进行化验。化验结果将会很快显示贫血是由于营养缺乏还是其他什么原因。

## 治 疗

贫血的常规疗法为从单一的饮食改变和维生素补充到激素治疗，在严重病例则需进行手术治疗。替代疗法的医师通过饮食限制进行治疗。另外，强调改善循环和消化。

### 常规治疗

由于血化验显示了问题的基本所在，可很好地选择治疗方法。对于因缺铁或叶酸缺乏而引起的贫血，医生

---

## 关于菠菜含铁的实际情况

长期以来，菠菜被许多母亲认为是大量铁的来源，实际上，菠菜是一种铁阻断剂。菠菜含有大量铁，但他像肾形豆、小扁豆、甜菜和其他阔叶蔬菜一样，也含有一种化学物质植酸盐，阻止铁进入血流。如果你需要增加铁的含量，试着吃一些动物肝脏，因为肝脏含有较高的有效铁。或者用一片橘子作为菠菜色拉的配料，因为柠檬等含有抵抗植酸盐作用的维生素和酸，可促进铁的吸收。

# 贫 血

会推荐改变饮食习惯和尽可能地补充铁和叶酸。因为补充铁使胃不适，你应该从葡萄糖铁中得到补充。葡萄糖铁比硫酸亚铁容易在消化道吸收。一般来讲，溶液不像片剂或颗粒那样引起胃肠道不适。由于你的身体不能有效吸收铁，避免用糖衣补充药丸。

注意：补充大剂量铁是极容易中毒的，过度使用铁补充剂可能因铁过量，导致腹痛、营养失衡、消化不良，甚至死亡，特别是儿童。铁补充剂对患有遗传性血色素沉着的病人可造成特别的危险，因为这些病人的消化道可吸收高于正常剂量的铁。在服用铁剂以前一定要找你的医生或专业营养师进行会诊。

由于维生素 B$_{12}$ 缺乏引起的贫血几乎总是与人体不能通过消化道吸收维生素有关，有规律地注射维生素 B$_{12}$ 是唯一的治疗方法。大部分人应学会在家里自我注射给药。

在一些由过量失血而引起贫血的病人，外科治疗是唯一的治疗办法。医师将进行许多化验确定出血的原因，以决定是否需要外科手术。在某些情况下，例如消化道出血是引起男性缺铁性贫血的常见原因，可以通过手术纠正贫血。医师也可能输入一些血细胞或注射激素以加快红细胞的生成（激素的补充对女性应该是最后采取的办法，因为药物会产生不必要的副作用）。严重的地中海贫血可能需要终生输血治疗，其他溶血性贫血的治疗涉及到外科切除脾脏。

### 辅助治疗

通过促进血液循环的一些方法治疗贫血，或者通过增加铁的吸收刺激消化进行治疗，或者调节饮食，包括进食较多含铁或维生素的食物。

#### 中药治疗

根据中医理论，贫血是一种脾虚的症状。健康的脾可保持血管的完整性和滋养血液本身，而脾虚产生缺血。典型治疗方法涉及刺激脾脏，包括针刺和草药疗法。研究显示亚洲人参作为一般的补药用于抗贫血引起的乏力。当归是另一种医学上已用了几千年的草药，可能用于有严重月经出血的女性病人。对于面色发灰和黄色的病人推荐用当归和毛地黄根结合治疗。对于

面色完全发白的病人，可用人参和黄芪综合治疗。

#### 营养及饮食

调节饮食是治疗与营养缺乏有关的任何贫血最容易、最有帮助和持续时间最长的方法。一系列的食物能够提高你的铁含量，包括富含营养的浓缩面包和谷类食物，稻米、土豆、胡萝卜、花茎、甘蓝、西红柿、干豆、咖啡、瘦肉、肝脏、家禽、干水果、杏仁和水生贝壳动物。研究表明从动物来源的铁比植物铁更容易吸收，许多迹象也表明维生素 C 和铜有助于铁的吸收，所以当进餐时可饮柠檬汁，并确信你每天食用的多种维生素中含铜。避免用咖啡因或碳酸盐饮料、抗酸药、钙补充剂和红茶，所有这些物质含有妨碍铁吸收的成分。

如果你的叶酸水平低，可增加柠檬汁、蘑菇、绿色蔬菜、肝脏、蛋类、牛奶和膨胀剂如麦芽和酿酒的酵母。南瓜富含足量叶酸盐，他是复合维生素 B、叶酸的组成成分。记住叶酸通过热和光破坏，所以应该吃新鲜水果和蔬菜，并尽可能少地进行煮烧。

#### 家庭治疗

◆你的食谱应该包括本页推荐的食物，根据所患贫血类型进行特殊选择。

◆记录你所吃的食物，查明这些食物是否富含铁、叶酸或维生素 B$_{12}$。你会令人吃惊地学到你所吃的一些能够妨碍所需营养物的吸收的食物。

◆进餐时不要饮用含咖啡因的茶、咖啡或可乐；咖啡因妨碍铁的吸收，浓茶中含有的鞣酸具有同样的作用。然而，你可饮用柠檬汁，因为柠檬汁富含维生素 C，维生素 C 可促进铁的吸收。

◆考虑每天服用多种维生素。然而，在服用铁补充剂前应该得到医生的认可。体内过量的铁可能有害。

#### 预防

◆避免过度饮酒。慢性酒精中毒可能消耗相当的营养物质，妨碍消化系统吸收叶酸，叶酸是红细胞产生的必需物质。

◆每天服用多种维生素，保持维生素和矿物质有益于健康的平衡。

# 镰状细胞性贫血

## 症 状

◆原发于关节、腹部或沿臂及腿部的严重疼痛发作。

◆乏力、苍白或黄疸及心动过速，表示贫血存在。

◆易发生感染。

◆患此病的孩子可以延迟生长发育，包括性晚熟。

◆阴茎异常勃起，一种痛性的持续勃起。有些青少年和成年男性患者可有此体验。

## 出现以下情况应去就医

◆你的婴儿手或足部肿胀而且表现有贫血症状。这些症状常常为此病的最先表现。

◆患儿发热达40℃或更高，常表明受一种细菌感染（此感染可很快致命），或有疾病发作，表现为易惊或昏睡等神经疾病症状，这时应立即寻求紧急药物治疗。

◆患儿腹部压按呈板状，并表现有贫血征象。这也许表示脾脏有淤血，为一种威胁生命状态。应寻找紧急药物治疗。

◆疼痛持续发作超过数小时。肌肉或静脉注射止痛剂，住院治疗也许很重要。

镰状细胞性贫血是被叫做镰状细胞病的遗传性血液病中最常见的表现形式。非洲血统人具有最高的危险率。一个人必须被遗传有两个镰状细胞基因才能出现此病。当一个人仅仅接受到一个基因，它能表现为"镰状细胞特征症"的镰状细胞疾病。这种镰状细胞特征症常常无典型症状，只是偶尔处于缺氧状态，比如于潜水或于高空时。具有此病症的人也可能将此种基因或此病传递给他们的孩子。

另外，也可以有贫血症状，患镰状细胞贫血的病人可有危象发作，这些危象影响肌体的各部分。这种危象于病人中非常多见，反复出现危象可导致器官衰竭甚至死亡。

血管闭塞或疼痛是危象中最常见的两种表现。他可以导致缺氧组织、器官或关节产生由轻到重的疼痛。这种疼痛危象可由腹水、感染、应激反应、创伤、X线照射、缺氧或紧张的体力活动所引发。

再生障碍性和溶血性危象可导致重度贫血，在再生障碍危象中，骨髓暂时停止产生红细胞。溶血性危象中，红细胞过快地被破坏以至不能被充分地再分布。第四类型危象，即脾滞留，通常为少年时期的难题，当血液在脾脏内被积聚后，可导致器官肿大，并可能导致死亡。

因为这种病可威胁生命，故早期诊断和治疗非常重要。

## 病 因

镰状细胞病患者从母亲一方获得一个异常血红蛋白（红血球中的携氧蛋白）基因。正常红细胞为圆形且有韧性，而携异常血红蛋白的红细胞则呈新月状并缺乏韧性，以至他们很快地被破坏而形成贫血。病毒感染能诱发再生障碍性和溶血性贫血危象，痛性危象发生于镰状细胞滞留于较小血管中并阻碍氧气到达周围组织时。

### 诊断与检查

作新生儿镰状细胞检查时，需有30个以上此种细胞。血液检查可辨别患特征症或此病的患者。产前测试可发现未出生儿的镰状细胞病。基因检查对将成为父母的夫妇来说非常有意义。

## 治 疗

目前没有很好的治疗方法，但凭借适当的处理手段，病人可延长生存时间。如果你的孩子患镰状细胞性贫血，一定要选择对此病及其并发症非常熟悉的医生诊治。

### 常规治疗

保护患儿避免感染非常重要，感染可致非常危险的并发症，包括死亡。因为他们的脾脏不能正常发挥功能。患镰状细胞性贫血的儿童对诸如脑膜炎、肝炎、腹膜炎、骨髓炎（骨感染）和肺炎等有很大的易感性。为保持免疫平衡，你的孩子也应接受流感和肺炎球菌属的免疫接种。医生也许安排孩子从2个月起直至5岁，接受一项每日口服青霉素的预防措施，你将接受可避免危象的其他预防步骤。另外，你和你的家庭可能还被建议找一位顾问来处理此种病人易形成的脓疮口。

发生危象期间可能需要住院，一种常用来治疗其他血液紊乱的药物叫羟基脲的现正在试用于成人镰状细胞贫血的治疗，他似乎能减轻疼痛危象的程度。

# 镰状细胞性贫血

## 辅助治疗

镰状细胞性贫血的治疗方法多种多样，但没有多少被认为有效。针灸疗法可用来减轻疼痛危象。现在正在寻找专业性治疗方法。

### 生活方式

镰状细胞危象可以扰乱一个人及其家庭的生活，父母希望患儿尽可能正常成长。让教师知晓你孩子的病情，并教他们怎么去处理危象，请他们在孩子呆在家中时给孩子留作业。

### 预防

避免那些可能突发危象的特征症患者产生是一个重要的预防步骤。保持良好饮食，饮用足量饮料，作规律、中等量的锻炼，并且保证充足的睡眠将帮你预防脱水和乏力，并保持身体健壮。为了与感染抗争，小心护理伤口，坚持良好口腔卫生，进行规律性检查。患此病的儿童应该采取所有免疫措施。

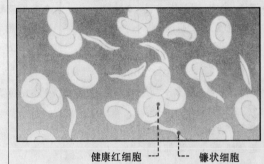

### 异常血细胞

健康红细胞 ----      ---- 镰状细胞

正常状态下，红细胞将氧气运输到身体组织时，很容易通过毛细血管。携带异常血红蛋白的红细胞(血红蛋白为血液中的运氧蛋白)萎陷成新月状或镰刀状，因为狭窄的毛细血管不能容纳这些畸形细胞。血流被削弱，而周围组织正极需氧气。

# 充血

| 症 状 | 疾 病 | 应采取的措施 | 其他信息 |
|---|---|---|---|
| ◆流涕,鼻塞,咽刺痛或咽炎,喷嚏,头、肌肉、骨痛,清涕转为黄脓涕。 | ◆感冒。 | ◆参见感冒一节。维生素可减轻某些患者的症状。感冒的病程一般为一周左右。若症状持续不缓解,则需接受医疗检查。 | ◆有时,感冒的首发症状为易激、不宁。 |
| ◆鼻塞,头痛,眉骨后、眉骨上、眼间、眼上、鼻梁、颊部、上腭和牙齿有压迫感疼痛并持续加重,脓样涕。 | ◆鼻窦感染。 | ◆参见鼻窦炎一节。 | ◆弯腰时鼻窦疼痛加重,轻叩、震动、声音均可使疼痛加重,其他症状包括呼吸困难、高热、blahs窦炎偶由脓肿、龋齿引起。 |
| ◆高热,阵发性寒战,头痛,肌肉关节疼痛,乏力伴流涕、鼻塞、鼻衄、声嘶、干咳、流泪。 | ◆流感。 | ◆参见流感一节。若症状持续不缓解或出现新的症状则需寻求医疗帮助。 | ◆不同株的流感病毒可导致不同的症状,包括腹泻、呕吐、胃肠不适,儿童可诱发颈部淋巴结肿大;呼吸道疾病,如窒息、呼吸困难。 |
| ◆鼻塞,水样涕,频繁喷嚏,眼和上腭痒,头痛,易激乏力,可伴有失眠。 | ◆枯草热。 | ◆参见干草热。尽量减少、消除空气悬浮物,并避免与其接触,如花粉、尘埃、霉、宠物毛屑等一切可能诱发变态反应的物质。 | ◆多种药物可以缓解枯草热症状,但要注意其副作用如嗜睡。 |
| ◆剧烈的干咳,1~2天后出现粘痰、胸闷、胸痛,深呼吸时胸骨后疼痛,低热,寒战,乏力。 | ◆急性支气管炎。 | ◆参见支气管炎一节。特别是那些关于急性型的章节。出现下列情况时应去找医生:痰中带血丝,症状持续1周以上,剧烈咳嗽以至影响正常生活和睡眠。 | ◆环境因素可导致反复感染急性支气管炎,空气污染、寒冷、潮湿均可增加易感性。反复感染可导致慢性支气管炎。 |
| ◆肺中大量粘液分泌导致呼吸困难,持续、长时间的咳嗽伴白粘痰或黄脓痰,可伴哮喘。 | ◆慢性支气管炎。 | ◆参见支气管炎一节。出现慢性支气管炎症状时应去找医生,戒烟,避免情绪激动。 | ◆慢性支气管炎是慢性阻塞性肺病中一种较为严重的病种。 |
| ◆因肺组织炎症所致呼吸困难、发热、寒战、胸痛、肌痛、咽痛、咳嗽、颈部淋巴结肿大。 | ◆肺炎。 | ◆参见肺炎一节。肺炎有几种分型(均很严重)。去医院进行适宜的诊断和治疗。 | ◆尽管大多数病人可完全痊愈。但对于新生儿、老年患者,肺炎可致死。 |
| ◆咳嗽,咯出粘稠的脓样的绿色或带血丝的痰,有恶臭,量约1/2茶杯,发热超过38℃,大汗,寒战,呼吸困难,纳差。 | ◆肺脓肿。 | ◆肺脓肿可由牙病、肺炎或其他感染引起,抗生素治疗有效。需由医生进行诊治。 | ◆适当的治疗可完全治愈急性肺脓肿,而无需手术治疗。若治疗不恰当,可转为慢性肺脓肿。 |

# 吞咽困难

| 症 状 | 疾 病 | 应采取的措施 | 其他信息 |
|---|---|---|---|
| ◆吞咽时感觉食物受阻，多出现于平卧后胸痛及呼吸困难。 | ◆裂孔疝，烧心，焦虑时伴发。 | ◆有裂孔疝时，应该找医生处理。烧心时可用抗酸药，并且防止诱发，例如高脂及辛辣饮食、酒、烟、咖啡因等。减轻焦虑可以采用放松——如瑜伽——感到舒服的方法并经常做。 | ◆裂孔疝可以少食多餐，用每天吃 4~5 顿来代替一日三大餐。 |
| ◆吞咽困难伴嗓子疼。 | ◆一部分是扁桃体炎呼吸道过敏，链球菌感染的咽炎、喉炎声带病变，憩室或咽部脓肿。 | ◆找医生，严重情况需要医疗处理。 | ◆如有细菌感染，应使用抗生素，声带病变包括多发息肉和歌唱家由于声带使用过度引起的病变，最好的方法就是让声带充分休息一段时间。 |
| ◆吃东西时食物阻塞于喉部，通常都有锐痛。 | ◆异物存留于喉部。 | ◆如果是在抽息或不能呼吸时出现，可使用 Heimilich maneuver，如果不能去除异物或异物很难取出，应立即去看医生。 | ◆感觉吞咽伴有锐痛，不要硬咽或用水冲咽，那样做可能会损伤食管或其他组织。 |
| ◆吞咽困难渐重，体重下降 5 千克或时间持续 6 个月以上。 | ◆可能有喉癌。 | ◆及时找医生，准确诊断以便及时治疗。 | ◆喉癌多发于 40 岁以上，尤其是有烟酒嗜好者。 |
| ◆突然的极度吞咽困难，有窒息感，脉快，皮肤潮红发热，可为混合发作。 | ◆过敏，可能有过敏性休克。 | ◆如果可疑为过敏性休克，应立即看急诊，在等候时应注意脉率和呼吸，并禁食、禁水。 | ◆过敏性休克最常见的病因为青霉素过敏。如果本身为过敏体质，应该请医生做好一切抢救措施。 |

# 液体潴留（水肿）

| 症　状 | 疾　病 | 应采取的措施 | 其他信息 |
|---|---|---|---|
| ◆ 脚踝和(或)双足的无痛性水肿。没有其他症状。 | ◆ 水肿（液体蓄积在脚踝和(或)双足)。 | ◆ 抬高双足以利血液循环，避免坐位时间过长。如水肿持续存在，去看医生。 | ◆ 病因可包括下肢静脉功能下降、坐位时间过长和(或)妊娠。 |
| ◆ 下肢和双足出现明显的深蓝色血管走行；下肢疼痛或压痛，并常于长时间站立后出现水肿；可能出现皮肤色素沉着、脱皮，或皮肤溃疡形成。 | ◆ 静脉曲张。 | ◆ 去看医生征求他们的建议。治疗将根据疾病的严重程度确定，并可能会用阿司匹林或布洛芬，以缓解疼痛症状。 | ◆ 特殊弹力支持袜可帮助减轻不适。 |
| ◆ 妇女出现肿胀、头痛、乳痛、肌肉酸痛、易激惹、焦虑、抑郁、易发怒、疲劳、失眠、食量增加。 | ◆ 经前综合征(PMS)，是与月经周期中激素变化相关的一组症状。 | ◆ 去看医生以明确诊断。必要时进行治疗（试用止痛药以治疗疼痛，避免过多食用食盐，少喝水以减轻肿胀)。如PWS症状严重，医生可能建议药物治疗。 | ◆ 如果你缺乏镁、锌或维生素 B₆，那么应补充以改善症状。 |
| ◆ 疲乏和恶心，伴随腹部和下肢水肿、腹痛、尿色加深、大便颜色变浅、皮肤发黄、瘙痒。 | ◆ 严重肝硬化，肝脏实质变性。 | ◆ 需要紧急医疗照顾。你可能需要住院治疗，直到病情稳定。 | ◆ 小量多餐及低盐，无酒精饮食，尽可能少用药以减少肝脏的负担。 |
| ◆ 手足出现水肿，经常起夜小便，顽固疲劳，体重下降，血压升高，苍白，口里有不愉快的味道。 | ◆ 肾脏疾患。 | ◆ 立刻需要医疗照顾。肾脏疾患可威胁患者生命而需要紧急处理。 | ◆ 在服任何药物前先同你的医生商量，包括市售药物如布洛芬和醋氨酚，因这些药均可加重肾脏疾患。 |
| ◆ 双足和下肢水肿，体重迅速增加，头痛，气短，少尿或无尿。 | ◆ 急性肾衰。 | ◆ 立刻需要医疗照顾。如治疗正确，肾脏常可恢复功能。 | ◆ 病因可包括长期肾脏疾患恶化、休克、感染、药物反应。 |
| ◆ 气短，疲乏，咳嗽，腹部下肢和脚踝水肿，脉快或不规则，低血压。 | ◆ 充血性心衰(心脏泵功能减退，造成液体在机体其他部位蓄积)。 | ◆ 需要紧急医疗照顾。可能需要住院治疗以稳定病情。治疗可包括手术、药物、改变饮食及特殊锻炼。参见"心脏病"。 | ◆ 如果你有心脏病，并吸烟或嗜酒，那么出现充血性心衰的危险性是非常高的。 |
| ◆ 妊娠妇女出现手及面部水肿，体重突然增加，可能伴头痛、视力模糊、恍惚，易激惹，和(或)胃痛。 | ◆ 子痫前期，亦称毒血症，表现为高血压，所有妊娠中发生率为5%~10%。 | ◆ 需要紧急医疗照顾。轻症病例对治疗反应好并可能达到预产期分娩；情况严重时可能需要提前生产以挽救孩子和母亲的生命。 | ◆ 子痫前期引起的血压增高常在孩子出生后24小时内降至正常。如果在妊娠前没有慢性高血压，那么在妊娠后也不太可能会出现高血压。 |

# 低血糖

## 症 状

◆虚弱。　◆饥饿感。　◆紧张不安。

◆头晕。　◆震颤。　◆多汗或冷汗。

◆皮肤苍白或灰白。　◆手脚刺麻感。

对于糖尿病病人,症状可能包括:

◆头痛。　◆恶心。　◆心跳快。

◆行动不协调,意识模糊或醉酒。

◆意识丧失、昏迷或抽搐。

### 出现以下情况应去就医

◆糖尿病患者在10天之内出现数次低血糖症状。你的医生需要为你调整胰岛素或口服降糖药的剂量。

◆感到虚弱并认为可能出现意识丧失时,如果你是糖尿病患者,需要立即调整血糖水平;如果你不是糖尿病患者,那么则需要对全身健康状况进行医疗评估,发现导致血糖失衡的潜在病因。接受胰岛素治疗的糖尿病患者出现低血糖,如果不予治疗,可引起昏迷及不可逆转的脑损伤。

多数低血糖病人的血糖降低是逐渐出现的,如果能早期发现症状,可以不经特殊治疗就很容易地纠正过来。尽管低血糖多出现在糖尿病患者中,但在极少数情况下,非糖尿病病人亦可出现低血糖发作。无论你是否是糖尿病患者,如果低血糖症状反复出现,你都应与专科医师讨论如何使你的血糖水平保持稳定。

## 病 因

肌体所需要的能量是由血液循环中的糖,即血糖所提供的。当血糖降至正常水平以下时,肌体的能量需求得不到满足,肌体就动员脂肪和肌肉中的能量进行代偿,此时低血糖的症状和并发症就发生了。

肌体内的葡萄糖在胰腺激素胰岛素的作用下转化为能量。胰岛素水平的升高或降低决定于肌体对能量的需求。如果血液中的胰岛素浓度过高,糖被迅速消耗掉,低血糖就发生了。

进餐后血糖水平突然升高,触发胰腺产生大量胰岛素,使胰岛素水平迅速升高。而误餐或大运动量锻炼后,血糖水平降低。低血糖也可因胃手术、某些类型的肿瘤、肝病、饮酒、高热和对食物、药物发生反应等引起。

一些病例是由于胰腺内出现了过度分泌胰岛素的小肿瘤所致。某些食物,特别是纯糖,也促使胰岛素生成。为了避免低血糖发作,所有接受胰岛素治疗的病人都需要仔细调整用药剂量及饮食。

### 诊断与检查

如果你出现严重的低血糖症状,必须确定糖尿病是否为潜在病因。医生通过糖耐量试验(此为测定肌体处理葡萄糖能力的方法)或者通过测定餐后2小时血糖情况,帮助确定有无糖尿病。如果你是糖尿病患者,医生通过诱发低血糖发作,来帮助你认识症状并学会处理方法。

## 治 疗

治疗主要是调整饮食内容及用餐时间,以确保能及时获取足够的血糖和胰岛素。

### 常规治疗

如果你是糖尿病患者,在低血糖病发作时出现意识丧失,那么必须立即接受治疗。医生会将葡萄糖直接注射到你的血液中。如果不能及时采取这一措施,可让经过训练的家人或朋友给你注射胰高血糖素,这一激素可使你的血糖水平升高。糖尿病患者应该佩带医疗警告腕带或标记,说明自己的病情,这样当出现低血糖诱发的定向力丧失或意识丧失时,医生可以给予适当的治疗。糖尿病患者也应该随身携带些硬糖果,当出现低血糖症状时吃一些。

对于糖尿病患者来说,调整好血糖和胰岛素水平以使两者保持平衡极为重要。许多病人仅通过调节饮食即可获得此平衡。建议少食多餐(每天至少6餐),吃一些由混合碳水化合物(如大豆、糊、面包及土豆)、纤维素(如蔬菜)和脂肪组成的食物。最好限制单糖(如糖果或小甜饼)、酒精及果汁的摄入。

必要时,医生会用链脲霉素或二氮嗪等药物抑制肌体生成胰岛素,提高血糖水平。如果低血糖是由分泌过量胰岛素的胰腺肿瘤引起,医生会建议你把肿瘤切除。

## 辅助治疗

强调营养和饮食结构的调整,补充维生素和微量元素以及应用中药辅助治疗。

营养及饮食

◆少食多餐,谷物、发酵的乳制品(如奶酪)、瘦肉和鱼可刺激血糖水平升高。在低血糖发作时,饮用果汁亦有效。

◆食用含铬饮食有助于改善水平。这种微量元素主要存在于酵母、全谷物面包、谷类、糖蜜、奶酪和瘦肉中。如果你是糖尿病患者,在补充含有酵母的饮食前,需征得保健医生的同意。

◆不要饮酒(此为单糖物质)、喝咖啡或抽烟,因为这样会使你的血糖水平大幅度波动。

家庭治疗

无论你是否有糖尿病,当出现低血糖症状时,都应该立即采取措施,避免病情加重或出现延迟后效应。治疗非常简单,只要吃些含有单糖的食品如软饮料、糖果,甚至方糖即可。与蛋白质如奶酪或牛奶同时服用,有助于葡萄糖缓慢而平稳地吸收入血,以避免出现因血糖水平迅速变化引起的"跷跷板"效应(参见糖尿病)。

## 症　状

◆一般地说,免疫系统疾病的症状主要表现在易患感冒及其他感染性疾病,易疲劳或易过敏。对于免疫系统族内的某些特定的症状,可以参见艾滋病、过敏疾病、关节炎、哮喘、慢性疲劳、糖尿病、枯草热、狼疮及多发性硬化症部分。

## 出现以下情况应去就医

◆当你怀疑有免疫系统疾病时,需要得到专家的正确诊断与治疗。

免疫系统的作用是搜寻、识别并攻击引起疾病的物质或病原体,如细菌或病毒。在与病原体作战过程中,你会有诸如发热及全身不适的症状。

当病原体进入血流后,一种称为吞噬细胞的免疫细胞会吞噬病原体,同时激活另两种免疫细胞,即 B 细胞及 T 细胞。B 细胞通过产生抗体直接与入侵微生物作战,而 T 细胞分为许多类、辅助 T 细胞通过改变入侵者所在的其他免疫系统细胞而激活免疫反应。杀伤 T 细胞直接杀伤入侵者,而抑制 T 细胞可调节和终止免疫反应的过程。免疫反应过后,免疫系统会记住入侵者的化学信号,当其下次再次入侵时,免疫系统会以更快的速度产生出抗体加以攻击。

在大多数人与大多数时间内,免疫系统的工作是很有效的,但有时他也会对正常的环境发起进攻。例如:过激的免疫反应会引起所谓的自体免疫性疾病。在这种病例,由于某些尚不清楚的原因,免疫系统误将正常的健康的肌体组织当作入侵者加以攻击,自体免疫性疾病包括类风湿性关节炎、多发性硬化、狼疮、I 型糖尿病、硬皮病及重症肌无力(肌肉蛋白的破坏)。有的研究人员认为慢性疲劳综合征及 Lou Gehng 病可能也是一种自体免疫性疾病。

另一类免疫疾病是由于免疫系统对一些无害的物质反应过于强烈所致,如过敏疾病。枯草热就是由于免疫系统误将花粉当作危险的入侵者并引发强烈有时是致命的反应。

与上面相反的是有的病例免疫反应过于微弱,表现为免疫缺陷疾病,艾滋病可能是其中人们最熟悉的;另外一种是遗传性免疫缺陷病,是一种少见但可能致命的

# 免疫系统疾病

疾病。

当一个平时正常的人出现以下表现,如感染不易痊愈,并且很容易感染时,可能说明你的免疫系统受到了抑制。

## 病　因

能够暂时抑制免疫系统的因素有环境中的有毒物质、精神紧张、营养不良、缺乏锻炼或睡眠、滥用酒精和吸烟。如果持续时间长,以上因素也可长期抑制免疫系统。研究证实,精神紧张及应激,从日常生活中的事件直到配偶的死亡,都可影响免疫系统的功能。某些药物(特别是糖皮质激素和抗癌药)、放射治疗以及过量的抗生素都会抑制免疫系统。

科学家认为自身免疫性疾病是遗传、分子、细胞及环境因素共同作用的结果。任何慢性病,特别是癌症、糖尿病或肾病,都会减弱免疫系统的功能。

出生时免疫系统遗传缺陷的人,例如淋巴细胞减少(一种可产生抗体的白细胞)就会导致严重的免疫缺陷,他们非常容易感染。免疫功能减弱还可能由于脾脏切除或器官移植后长期使用免疫抑制剂所致。

### 诊断与检查

为了确定免疫系统受损,你的医生可能会进行一些检查,免疫蛋白电泳可发现低于正常的各种抗体的量,而另一种试验即抗原刺激试验,可了解肌体是否能产生某种抗体。另外你的医生还会检查免疫系统功能不正常所产生的影响:甲状腺功能检查可了解是否有甲状腺功能低下,而 X 线检查可发现肺炎或鼻窦炎。

## 治　疗

刺激免疫系统的方法包括改变饮食与运动习惯。你的医生会建议你去营养学家与运动治疗专家处咨询。

### 常规治疗

你的医生会与你讨论有无精神紧张、应激等影响健康的因素,并会建议你改变生活方式。医生建议你做的第一件事是通过疫苗来刺激免疫系统。如果这样做无效,还可以使用 γ 球蛋白,一种血液提取物,可用来加强免疫力。

对于患有严重的遗传性免疫缺陷病人,注射抗体、组织或骨髓移植及长期的抗生素治疗方能有效。

医学工作者对于自身免疫性疾病的明确机制还不清楚。医生可能会建议使用非甾体类消炎药(NSAIDs)治疗自体免疫性疾病,另外还可使用皮质醇激素或其他更强有力的免疫抑制剂。选用何种药物应取决于不同的疾病及疾病的严重性。

如果你过敏,医生会建议你尽量避免接触过敏原。如果这些不足以缓解你的忧虑,可以使用一些抗组胺药、肾上腺素类药及吸入的皮质醇激素。控制过度免疫反应的治疗是脱敏治疗,可以使你的免疫系统做出正常的反应。

### 辅助治疗

一些辅助治疗方法可用于各种自体免疫性疾病的治疗,具体可参见多发性硬化、关节炎、狼疮及糖尿病的治疗部分。另外过敏性疾病及枯草热的辅助治疗也可用于治疗自体免疫性疾病,但在使用这些治疗方法之前应向你的医生咨询,你可以使用以下介绍的针灸、按摩,可能有助治疗你的不适症状。每一种方法最好都在有关专家的指导下使用。

#### 中药治疗

一种由伞形多孔菌(一种蘑菇)泡制的茶可强壮免疫系统,黄芪泡茶或是泡药酒有助于治疗病毒感染或加强免疫细胞的活力,另外柴胡茶或是服用其片剂也有助于通过减少自由基的损伤来增强免疫系统的功能。

#### 身心医学

研究精神对免疫系统影响的学科称为精神神经免疫学。研究发现保持愉快的心情与健康之间有密切的联系。研究也证实精神紧张及应激状态会抑制免疫系统,相反良好的精神状态会增强其功能。最近的研究还意外地发现:良好的心理体验如表达爱心或成就感其作用可持续达 2 天,而不好的心理体验如争吵或紧张只能持续 1 天。这说明幸福对人肌体的影响较不幸的负面影响持久而强烈,其比例大约是 2 比 1。

一些放松治疗技术如暝想、瑜伽功、气功,可以使精神放松。而经常运动是另一种缓解精神压力的方法。

研究人员正在研究如何使用默想的方法来增强因

# 免疫系统疾病

全身性疾病

疾病或紧张造成的免疫系统抑制。运动员经常运用默想去想象他们赢的比赛或完成一困难的动作。下面介绍一种默想技术可以减轻精神压力及提高你精神集中力。闭上你的眼睛，用手覆盖在眼睛上，集中精力，想象心里一片黑暗，然后用一种你认为与紧张有关的颜色出现在心灵中，然后想象用一种与放松相关的颜色将其代替，例如用蓝色代替红色，另外你也可想象一幅紧张的图像如交通阻塞，然后用安静的图像将其代替如湖水或草坪。

### 营养及饮食

营养学家建议食用富含新鲜水果蔬菜、粗粮、脱脂牛奶、鱼、及家禽的饮食，少吃精制糖、白面、腌制食品，牛、羊、猪肉以及含饱和脂肪的食物。另外还可服用一些抗氧化作用的复合维生素，这些药中含有美国推荐的每日饮食允许量的维生素 A、B 族维生素、维生素 C 和 E，锌、硒及其他微量元素，他们在加强免疫力方面有所帮助(见动脉粥样硬化中的抗氧化剂部分)。

有的理论认为果汁或水可促进增强免疫力激素的释放。节食也有助于减少免疫系统的压力，因为这样可减少食物过敏的机会，但节食如何安全地开始和结束，应在医生和营养学家的指导下小心进行，因为他可能带来一些副作用。如果你正在怀孕或患有糖尿病、心脏病或消化性溃疡病，请不要进行节食。

### 家庭治疗

◆上面提到的中药都可以在家庭中进行。

◆找出使你生活紧张的因素并尽量避免。也可运用上面提到的某种放松治疗技术。

### 预防

◆你可以通过改变生活习惯以促进健康。

◆不要吃得过饱并不要过量饮酒及喝咖啡，不要吸烟。应充分休息，经常运动，吃平衡的饮食。

◆除非你的医生认为有必要，不要经常服用抗生素抗感染，因为免疫力在不断锻炼中会不断增强。可以使用一些效力较弱的抗生素药、如止痛剂、维生素及草药。让你的免疫系统将入侵的细菌杀死。

◆尽可能避免接触放射线、有毒化学品及长期使用免疫抑制剂如皮质类固醇，这些都会损伤免疫功能。

## 瑜 伽 功

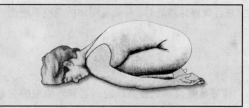

1. 儿童式有助于加强免疫系统。坐在你的足跟上，不想任何事情，慢慢呼气同时向前弯曲上半身直到额头触地，深呼吸 20 秒，然后慢慢吸气同时坐起，再做 1 次。

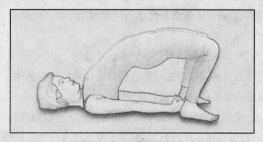

2. 为了增强活力，可采用桥式。仰卧在床上，膝关节弯曲，手掌朝下，然后深吸气绷紧臀部，同时身体向上弓起，双手在身体的下方交叉互握，双肩着地。保持这个姿势 15～20 秒，同时深吸气。然后在深呼气同时放开双手，身体恢复到原状。再做 1 次。

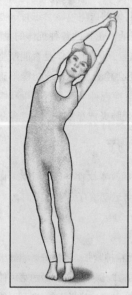

3. 为了持久性。可采用半月式。双臂举过头顶，同时吸气，双手在头上互握，然后髋部向右凸出，身体向左呈弓形，保持 20 秒同时深呼吸。保持髋与肩在一线上然后回到原位深呼气。两侧各做 1 遍。

# 过敏症

过敏是指人体免疫系统对某种本身无害的物质发生异常反应。过敏发生的方式各有不同，严重程度轻重不等。可以很轻微，亦可重至危及生命。据估计西方人群中有五分之一患过敏症。过敏发生的原因尚不清楚。遗传因素可能起重要作用。尽管过敏反应在人的一生当中有时发生，有时消失，但很少有人在40岁以上才对某种物质发生新的过敏现象。

人体免疫系统对作为抗原的外来物质产生抗体或其他化学物质，以使人体免受外来物质的侵害。一般情况下，免疫系统可忽略无害的物质，如食物等，而只对有害物质，如细菌等产生防御反应。如果人体免疫系统不能区分有害的和无害的物质，而是像对待有害物质一样对无害物质进行攻击，那么人体就发生了过敏反应。组织胺可引起多种与过敏有关的症状，激发过敏反应的物质也就是过敏原，有很多种，包括花粉、宠物的毛屑及青霉素等。

大多数情况下过敏反应并不严重，但有时也可发生致命的过敏性休克（见本书有关休克内容）。只有很少的过敏症可以彻底治愈，但有很多种常规的及其他辅助治疗可用于缓解症状。如果你的过敏反应很严重，则可能会危及生命，需要接受医生的常规治疗，立即于急诊就诊并接受急救。

## 病 因

过敏症有多种不同形式，典型者可按照引起过敏的物质类型及过敏反应累及的部位进行分类。

◆皮肤过敏症：接触性皮炎是因皮肤直接接触或暴露于致敏原所引起的。异位性皮炎原因不明，但通常与遗传有关。荨麻疹是一种痒性丘疹，肿胀、充血，可持续存在数分钟至几天不等。血管神经性水肿以眼周及口唇深部的水肿为特点，有时也可发生于手部和脚部。荨麻疹和血管神经性水肿均是人体对某些食物、花粉、昆虫叮咬、寒冷、光线甚至精神刺激所发生的过敏反应。

◆呼吸道过敏症：美国人中约有200万人患有枯草热(花粉症)。典型症状包括眼、鼻及上腭发痒，同时有鼻充血、咳嗽、打喷嚏。如果你(或你的家人)患有皮炎及哮喘等其他过敏症，那么你有可能患有枯草热。过敏性鼻炎或枯草热特指由肠草花粉、草和其他播散于空气中的植物花粉引起的过敏反应。但你所吸入的空气中的其他物质亦可引起同样的症状。这些物质包括霉菌、尘埃和动物毛屑等。如果你在接近猫后出现打喷嚏、喘息、流涕，则是对动物的毛屑过敏。霉菌过敏症是指对空气中的霉菌孢子过敏。户外的霉菌常在温暖季节滋生、繁殖，如链格孢属菌和着色芽生菌；而户内的霉菌如青霉菌属、曲霉菌属、毛霉菌属及酒曲霉菌属则长年生长于潮湿环境中，如地基和浴室等。尘埃引起过敏是因为他载有其他致敏物，如花粉、霉菌孢子及微小的尘螨等。尘埃中也有其他刺激物如纺织物、室内装饰和地毯等脱落的纤维等。

◆哮喘：哮喘有多种病因，其中主要的一种是对花粉、霉菌孢子、动物毛屑及尘螨过敏(见哮喘节)。

◆食物过敏症：食物过敏症患者中约有70%在30岁以下。多为6岁以上的儿童。有时很难找出食物过敏症的特定致敏原，因为过敏反应大多延迟发生，也可能是由食物添加剂甚至饮食习惯引起。然而，90%以上的过敏症是由牛奶、鸡蛋清、花生、小麦或黄豆中的蛋白质引起的。其他常见的食物过敏原包括浆果、贝类、谷类、豆类、5号黄色食用色素和阿拉伯树胶（处理食品时的添加剂）。典型的食物过敏症状有胃痉挛、腹泻和恶心，严重者可有呕吐、面部及舌头肿胀，呼吸道充血，同时觉

# 过敏症

## 食物过敏还是食物不耐受

　　五分之一的美国人认为他们对某种食物过敏，但其中只有不到1%的人为先天性的过敏症。多数为对某种食物不耐受。通常是因为他们体内缺乏适合食物消化的酶。

　　有些人对奶里的乳糖过敏，但仍可以耐受奶制品如酸奶、冰激凌、酸奶酪及硬奶酪等。有些儿童不能耐受谷类中的谷胶。增味剂谷氨酸钠可引起面色潮红、头痛及麻木。也有人对用于多种食品和葡萄酒保鲜用的亚硫酸盐敏感，也可以发生过敏反应。

头晕、出汗，并有可能晕厥。

　　◆药物过敏症：常见的药物过敏症是对青霉素类过敏。其他常见的致敏药物包括磺胺类、巴比妥类、抗惊厥药、胰岛素、局麻药、X－线血管造影剂。有近100万美国人对阿司匹林过敏。但这些反应并非真的过敏，而是敏感。

　　◆昆虫叮咬过敏：有些研究推测，对那些有其他过敏症（如食物、药物或呼吸道过敏症）的人，更易对蚊虫叮咬过敏。人群中约占15%。蜜蜂、胡蜂、大黄蜂、鲜黄色胡蜂及赤蚁叮咬释放的毒液是常见的致敏原（见昆虫及蜘蛛叮咬节）。

### 诊断与检查

　　详细询问个人病史及家族史后，医生可能要求你回答一系列问题，包括对各种致敏原的接触及发生的反应，以排除并证明过敏症的原因。医生要求你记录1周内接触的各种可能的致敏原及过敏反应以帮助诊断。此后，医生可能要求你接受一系列检查。

　　对于呼吸道、青霉素、昆虫叮咬、皮肤及食物过敏来讲，最常用的检查方法为皮肤试验。将小量致敏原贴在皮肤表面或注射于皮下，然后由医生观察过敏症状。过敏的表现如肿胀、瘙痒和充血等通常出现于20分钟以内。皮肤试验并不完全可靠，因为同时接触多种过敏原，受试者可能对本不过敏的物质产生过敏反应。个别敏感者可能在做皮肤试验时出现过敏性休克。呼吸道过敏症的另一项检查方法为RAST，即放射过敏吸收试

验，可以检测血中与过敏有关的抗体的水平。

## 治　疗

　　对过敏症患者的最佳治疗为避免接触可激发过敏反应的致敏原。此外，基本的药物治疗为抗组织胺治疗。这类药物可阻断组织胺引起的过敏反应。症状严重者可用类固醇激素治疗。当有过敏性休克等急诊情况发生时，应立即注射肾上腺素以缓解支气管痉挛。采用脱敏治疗亦可治愈某些过敏症，让过敏者接触小量的致敏原，使人体逐渐适应这类物质。

### 常规治疗

　　皮肤过敏症：异位性皮炎及接触性皮炎可用多种激素类药物治疗。一般可用氢化可的松。荨麻疹和血管神经性水肿通常不需用药。但严重者也需要抗组织胺药物、西咪替丁、普他林或口服激素等。

　　◆呼吸道过敏症：枯草热通常可用非处方用的抗组织胺药治疗。如果你的症状严重，医生也可能建议你使用作用更强的一些药，如色甘酸钠。其他呼吸道过敏症也可使用同样的治疗。如症状严重，则医生有可能建议你经鼻喷雾使用激素或口服激素。脱敏治疗的有效率很高，在呼吸道过敏症中70%～80%可用该法治愈。

　　◆食物过敏：对食物过敏症最佳的治疗是避免再次食用。如果你对某种食物的反应于生命并无危险，而是仅有些不适症状，那么医生亦有可能建议你服用抗组胺药或局部使用药膏以缓解症状。

　　◆药物过敏症：最有效的治疗是避免再次用该药。因药物过敏导致的皮疹通常可用抗组胺药治疗，有时也可用类固醇激素治疗。

## 哪些原因可激发过敏性休克

　　最严重及最危险的过敏反应是过敏性休克。在接触过敏原后数分钟内即可发生并迅速加重。虽然各种过敏原均可激发过敏性休克，但最常见的为昆虫叮咬、某种食物（如贝类和坚果）以及某些药物。标准的急救治疗包括注射肾上腺素以扩张呼吸道及血管；严重病例需要心肺复苏。见急诊／休克章。

# 过敏症

◆昆虫叮咬过敏症：避免蚊虫叮蛟是最佳治疗。免疫治疗也可治愈该症。如果你的过敏反应极其严重，并可能发生过敏性休克。医生也可能建议你随身携带1个急诊药盒以便急救。

## 辅助治疗

由于过敏症不易诊断，且许多患者是不可治愈的。因此一些辅助治疗相当流行。但是，如果你的过敏症很严重，且有急诊指征，那么你应去看医生。

### 指压治疗

为缓解与呼吸道过敏有关的症状，可尝试按压合谷穴位。该穴位于拇指和食指之间的最高点，按摩1分钟，然后按压另1只手的同一穴位。如为孕妇则不可按压此穴。为提高免疫力，可用力按压间使穴，在前臂距手腕2指宽处，前臂两骨之间。

### 芳香疗法

为缓解鼻充血，可将1滴薰衣草油和1匙挥发油，如甜杏仁和向日葵油混合后，涂在鼻窦表面的皮肤。樟脑油、雪松木油及薄荷油也有减轻鼻充血的作用，可涂在手绢上吸入。

### 中药治疗

麻黄有类似肾上腺素的作用而减轻充血，有呼吸困难时可扩张气道，但应注意，大剂量使用时与肾上腺素有同样严重的副作用。高血压及心脏病患者则不宜使用麻黄。将麻黄5克，肉桂4克，甘草1.5克和杏仁5克共同浸入冷水后煮沸，过滤后趁热饮用。

### 营养及饮食

维生素C及生物黄酮（柑橘内的白核提取物）具有类似抗组织胺类药的作用。所以可多食用柑橘，或者服用维生素C500毫克，每日3次。有人认为维生素A及复合维生素B具有较强的刺激免疫系统的作用。一些蜂蜜及蜂皇浆类制品可以缓解甚至消除呼吸道过敏症状，但如对蜜蜂叮咬过敏则不宜使用。食物过敏患者对所进食物的说明应仔细阅读，以免食入致敏的食物。

### 预防

◆呼吸道过敏症：应使用高效的空气净化设备以去除空气中的花粉及霉菌孢子。在温暖季节应在家中及汽车中使用空调。使用漂白粉定期清洁潮湿之处以杀死霉菌。可使用特殊的清洁设备去除家具及室内装饰物上的尘螨。隔离宠物（如有可能则不再饲养宠物），尽可能让宠物在户外饲养，并定期给宠物洗澡以减少脱屑。

◆食物过敏症：可使用发酵奶制品来代替牛奶制品。养成仔细阅读食品标签的习惯，3种食物中是否存在有已知的致敏原，如5号黄色食用色素及阿拉伯树胶等。

# 狼 疮

## 症 状

◆极度疲劳,低烧,肌肉严重疼痛,关节痛。

◆身体或脸上出现皮疹。

◆极易过敏。

◆体重减轻、意识模糊和深呼吸时胸痛。

◆鼻、嘴、喉溃疡。

◆淋巴结增大。

◆手指、脚趾循环不良。

◆出现秃斑。

◆尿液无色,排尿频繁受阻。

## 出现以下情况应去就医

◆如果你有一些上述症状,怀疑自己得了狼疮,请向你的医生咨询。这种疾病具有潜在致命性,需要专业医疗护理,早期诊断及严格治疗可提高预后。

◆如果有狼疮家族史,尤其是你的父母或叔叔、姑姑,有过上述症状的一些表现,请向你的医生咨询。

狼疮是一种慢性自体免疫疾病,可使人体的连接组织紊乱,极易受到外来侵袭。狼疮一般可分为两种,一种是平圆红疮(DLE),仅仅影响裸露阳光的皮肤。另一种是组织狼疮(SLE),是一种比较严重的狼疮,不仅影响皮肤,而且影响其他一些重要器官,通常会在鼻梁、脸颊引起鳞状、蝴蝶形的皮疹,如果不及时加以治疗会留下瘢痕。组织性狼疮会使连接性组织发炎、损坏,还会涉及到关节、肌肉、皮肤以及胸膜、心脏、肾及大脑。血管发炎,特别是手指血管发炎,严重时可导致溃疡和损伤。平圆红疮(红斑狼疮)也可导致肾癌。

狼疮的平缓期及恶化期变化多端,无法预测。疾病的进程也无固定式样可循。美国黑人的狼疮患病率是白人患病率的3倍。多数患者是在20~35岁之间,且90%的患者为女性。

## 病 因

尽管一些研究表明有可能是基因、激素或其他免疫系统的因素导致了狼疮,但目前尚未确定具体是哪种单一因素导致了狼疮。狼疮的发病原因与遗传无多大关系。

一些环境性因素如滤过性病毒、细菌感染和思想压力过重以及过分曝晒于阳光之下,都有可能导致狼疮。

有些药物如青霉素和抗惊厥药都可导致类似狼疮的症状。怀孕导致的体内雌性激素增加和采用雌性激素治疗以及口服避孕药都会使狼疮病情加重。这也许是狼疮和硅树脂乳房种植的一个桥梁。

### 诊断与检查

狼疮的诊断一般比较困难,因其症状与其他疾病类似,且症状因患者不同而变化。医生首先要设法排除是否是慢性衰退综合征、单核细胞增多症或自体免疫紊乱,而最后确诊是否是狼疮。检验包括全部的血细胞数检查、血小板数检查,还要对血清电泳、白细胞量和血浆蛋白含量进行检查。

针对反DNA抗体的血液检测,可查看在某些细胞内是否存在正常遗传物质的抗体,这是检查狼疮的最为有效的途径。

## 治 疗

由于狼疮不可捉摸,所以在疾病的控制上还比较困难,但只要注意自我检查和适当的护理,多数情况下还是有效的。

### 常规治疗

病情较轻的情况下,一些非甾体抗炎药(NSAID)如阿司匹林可用来减轻关节疼痛。对于顽固性皮疹和较为严重的关节疼痛,可适用一些抗疟疾药物如氢氧氯喹。病情加重时,可短期适用皮质类固醇来减轻患者的炎症。抑制免疫类药物可抑制异常自体免疫的活性,从而也可减轻炎症。镇静药和抗焦虑药可在睡眠出现问题时服用。狼疮严重且伴有肾损害时,可适用环磷酰胺。

轻微的皮疹可从药店购买皮质类固醇药膏涂擦。较重的皮疹可适用氟化类固醇药膏或注射氟羟氢化泼尼松。

### 辅助治疗

尽管辅助治疗绝不可能代替常规住院治疗,但多数的辅助治疗对病情都有一定的控制作用。除了以上提到的治疗方法外,还有针灸、中药以及进行不同的体能锻炼。

**营养及饮食**

患有狼疮的病人一般都同时患有食物过敏，这就有可能使其症状更为严重，因此，患者的饮食应加以注意。

改变饮食会减少炎症和减轻疼痛。应减少红肉和乳制品的摄取量，提高脂肪酸 ω-3 含量丰富的鱼类如鲭、沙丁鱼、鲑鱼的摄取量，这对减轻炎症都有一定好处。实验证明，有一种紫花苜蓿中含有一种物质，能加重病情，饮食中应特别加以注意。

**家庭治疗**

穿上能避免阳光照射的保护性服装，如戴上帽子、太阳镜，穿上长袖衫、长裤。放慢生活节奏，保养好身体，每天保证有足够的睡眠。

**预防**

因为导致狼疮的具体原因尚不清楚，所以还没有很好的预防方法。病情的恶化是完全可以控制的，但要避免一些不必要的因素如阳光照射、紧张、睡眠不足等，要注意饮食和锻炼。另外，对病的症状应做一个记录，一旦有新的症状出现，搞清是什么原因导致其出现的以及持续的时间长短等，对自己的病情要做到心中有数。

## 症　状

◆ 突发的关节剧痛，典型的位于大拇趾或踝关节部，有时是膝关节。

◆ 关节红、肿、发热。

◆ 严重的病例可有寒战和发热。

◆ 症状常常突然发作并可以复发，但一般持续不超过 1 周。

### 出现以下情况应去就医

◆ 反复发作的关节痛或持续疼痛数天，特别是疼痛伴有寒战与发热时，你可能正在患类风湿性关节炎。在少见的病例中可能是铅中毒。

◆ 当你正在服用别嘌醇以控制尿酸水平或者使用秋水仙碱缓解症状的过程中，痛风症状仍在发展或有其他副作用，可能是这两种药与其他药物产生副作用。

**全身性疾病**

痛风因某种原因常没有任何先兆，在半夜突然发作，症状表现为关节剧痛，最常见的是大拇指，也可能表现在其他关节，可以是膝关节、肘关节、大拇指或其他指关节。症状发作常常出人意料，并且很痛。经过短期治疗，疼痛和症状会在几天内消失，但仍可能在任何时候复发。

每 10 个患者中就有 9 个是中年男性，并且一半的患者对该病有遗传倾向。痛风在妇女中少见，极少见于儿童。患有高血压或体重超重的男性更易得痛风，特别是当使用噻嗪类利尿剂以降低肌体的水肿时。

痛风实际上是关节炎，它是肌体对在关节内的两骨头间间隙内结晶沉积物刺激作出的反应，虽然发作的时候很痛，但对治疗的反应很好。轻型的病例可单纯通过饮食来控制，慢性的痛风却需要长期使用药物以防止骨和软骨的破坏，以及过量产生的尿酸损害肾脏。

慢性痛风患者经过一定时间积累会发现在手、足或耳廓软组织内有细小而硬的沉积物沉积，这些无害的沉积物被称作痛风石，是尿酸的结晶体，最终可引起关节痛、僵硬及关节变形。类似的沉积物在肾内形成可引起疼痛和有肾结石潜在的危险性。

## 病　因

痛风是由于血中过高的尿酸水平所引起的。尿酸是消化过程所产生的,过量的尿酸可通过肾脏滤过并从尿排出。如果肌体产生过多的尿酸而不能及时排出,尿酸钠结晶就会在关节及肌腱沉积,从而引起炎症、压迫和剧痛。

虽然引起痛风的详细机制还不清楚,但该病多与以下因素有关:外伤或手术,精神紧张和应激状态,或是对酒精和药物包括抗生素的反应。痛风有时也见于癌症和肿瘤患者。研究证实痛风与肾脏病、酶缺陷或铅中毒有关。有时痛风还会伴有牛皮癣。贫血对痛风的易感性可能是遗传。如果体内尿酸水平控制不满意,痛风反复发作很常见。

假性痛风的症状与痛风相似,但是疼痛较轻,他是由于钙盐在关节沉积造成的,在 60 岁以上的男女性中都可见到,可用抗炎药治疗。如果症状严重,也可手术治疗,术后注射皮质醇激素。

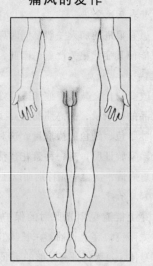

**痛风的发作**

虽然痛风最常见于拇指,但他也可侵犯其他关节如膝、肘及手部关节。痛风可在几个关节同时发作。

## 诊断与检查

由于其他病也可表现有类似痛风的症状,因此对任何关节疼痛,请医生为你作出正确诊断是很重要的。

测定血中的尿酸水平其意义并不一定很大,因为尿酸在较高水平的情况下可不产生痛风。痛风在发作后尿酸也可正常。对于持久病例,为了证实尿酸结晶存在,专家可以拍 X 片或抽取垫关节的滑液囊内液体加以诊断。

## 治 疗

任何有过痛风发作史的病人都会认为首先缓解疼痛是最重要的,任何衣物都只会加重肿胀和敏感的关节的疼痛,因此绝大多数医生都建议尽量让病人受累的肢体保持赤裸,甚至在睡觉时也应这样,其次的治疗是口服止痛药,常用的是非甾体类抗炎药(NSAI-D)。

在疼痛初步缓解之后,控制痛风所要做的就是控制肌体尿酸水平的平衡。

即使不经过常规的或辅助治疗去缓解疼痛和消除炎症,痛风的急性症状也会在几天到 1 周内消失,但所有类似痛风的疼痛发作均应请医生诊断和治疗,如不治疗,尿酸沉积物最终可引起肾和其他组织的不可逆性损害。

## 常规治疗

许多医生都建议口服布洛芬(从处方药房与非处方药房均能购到)或其他抗炎药物。小剂量的阿司匹林(也可能因为其他原因而给病人服用)不应继续使用,因为他延缓尿酸的排泄。

严重病人或慢性病人在受累关节内注射皮质醇激素,在减轻疼痛和炎症方面有所帮助。然而,某些激素如氢化可的松对某些病人会产生副作用,因此必须在专家指导下使用。

许多医生所推荐的治疗急性或慢性痛风发作的标准方法是使用抗炎症药秋水仙碱,这是一种已使用了数个世纪的药物。注意:秋水仙碱可以引起副作用或与一些抗抑郁药、安定及抗组胺类药有相互作用。另外孕妇禁服此药,因为他有可能导致胎儿出生缺陷。

你的医生可能会建议你禁忌吃某些富含蛋白质的饮食,特别是那些含有较高嘌呤的食品,都是体内合成尿酸所必需的化学原料,这些食品包括动物内脏、贝壳类、鱼、芦笋、菠菜和大多数的干豆。你还应该多喝水,但不要喝酒,因为酒能延缓尿酸的排泄,肥胖的病人更应严格限制饮食。

体内的尿酸水平可通过饮食控制,必要时还可使用几种药物如别嘌醇,以减少体内尿酸的生成。别嘌醇的

# 痛 风

副作用有皮疹、嗜睡和定向力障碍，与其他药物特别是抗凝血药和利尿药合用时，还会产生其他不良反应。

为了在长期的治疗过程中促进尿酸的排出，可以使用丙磺舒和磺吡酮。但与其他治疗痛风的药物一样，当与其他药物合用时会有一些不良反应，同时血液病、溃疡病及肾脏病患者均应慎用。

在许多病例，应用合适药物，短期治疗可以永远地解决问题。但由于存在复发可能，所以慢性的痛风患者应长期使用低剂量的药物，有时甚至应终生使用。

## 辅助治疗

辅助治疗可以在急性期缓解疼痛和炎症，然后长期治疗可以控制过多的尿酸产生。

### 指压治疗

在推荐用于缓解痛风疼痛的穴位中，大多数都位于受累的足部附近：足太阴脾经太白穴，位于跖趾关节正在大拇趾的后面；足阳明胃经穴位42，位于足弓顶部的中央；足厥阴肝经行间穴，位于大拇趾与第二足趾中间间隙后部按压每一个穴位60秒钟。如疼痛仍持续，还可以按压大拇趾指甲的两个后角的其他两穴位。

### 针灸治疗

由于针刺疗法可用于肿胀关节以外的部位，因此这种治疗方法比直接治疗如按摩更加易于忍受，特别是在痛风发病的初期。可以让一位这方面的专家为你进行治疗。

### 营养及饮食

一般而言，痛风多见于爱吃肉及动物脂肪的人，而少见于素食者。对于痛风有遗传倾向者，为预防痛风发作，饮食中通常限制红色肉（牛肉、猪肉），及其提取物如肉汁、肉汤；酵母和其他发酵食品；动物内脏如肝胰和肾；贝壳类鱼和一些罐头鱼，如沙丁鱼、鲱鱼和鲲鱼。

可以抑制痛风的急性症状的食品有混合的碳水化合物，如燕麦片、水果及绿叶蔬菜。过于单纯的碳水化合物，如精制糖，可能增加尿酸的生成，应当避免。

许多作者报道吃新鲜的或罐头装的樱桃治疗慢性痛风的疼痛有良好效果，每天225克，也可饮用樱桃汁。另外草莓乌饭树浆果及其他的浆果也有类似的作用。

还有人建议每日3次每次服用1汤勺活性炭可刺激尿酸从尿中排出。

饮用充足的纯净不含酒精的饮料如水果汁、药茶或者是水，有助于稀释尿液和促使尿酸通过持续的冲刷肾脏而排出。

### 反射治疗

反射治疗有助于恢复肾和脾之间的平衡，这两个器官与尿酸的产生有关，反射治疗通过按摩足部中央的适当部位可治疗本病，一些反射治疗的支持者认为这种直接按摩技术有助于使足部沉积的尿酸结晶的分解。

### 家庭治疗

在一次痛风发作中要做的最重要的事是减轻疼痛与炎症，如果你能忍受，可以将放有冰块的冰袋或冷冻蔬菜袋放在疼痛的关节上，这有助于减轻疼痛与肿胀。将冰袋包在柔软的布或毛巾内敷在痛处5分钟，如果需要也可反复进行。

因为即使是床单或毛毯的压迫均能引起痛风关节的疼痛，在床上休息的时候可将痛风的脚放在硬纸盒里或旁边放塑料洗衣用的篮子。

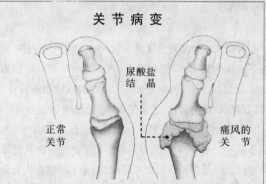

## 关节病变

正常关节　　尿酸盐结晶　　痛风的关节

当肌体不能排除血中过高的尿酸时就会发生痛风，尿酸盐的结晶在某些特定的关节内二骨之间沉积，最常见的是大拇趾关节，这会引起突发的剧烈疼痛、炎症，严重病例可导致关节变形。

### 附：高水平生活的代价

对于痛风患者在一般人心目中是肥胖的、年老的有钱人，他们吃了太多的烤牛排和啤酒。这种印象并不是完全没有道理，但痛风并不是高生活水平的象征，他可以在成人的任何时期出现。我们现在知道丰富的食品与酒精是痛风的真正原因，并在初次发作之后肯定有使痛风加重的作用。

# 艾滋病(AIDS)

## 症 状

下列是艾滋病最常见的症状:

◆不明原因的长期疲乏无力。

◆淋巴结肿大。

◆发热持续超过10天以上。

◆盗汗。

◆不明原因的体重减轻。

◆略呈紫色或颜色改变的皮肤损害或粘膜病变。

◆持续的不明原因的咳嗽或咽喉肿痛。

◆气短。

◆感冒持久不愈。

◆持续严重腹泻。

◆酵母菌感染。

◆不明原因的青肿或出血。

## 出现以下情况应去就医

上述症状超过一项,即便不会是艾滋病,也需要就医治疗。

密切接触病毒是患艾滋病的病因,这是长期不可否认的观点。即便是诊断为艾滋病,也不应该认为是立即被判死刑。如果对艾滋病患者采取适当的治疗,可以延缓病情的恶化,并能使生命延长多年。

艾滋病又称获得性免疫缺陷综合征(AIDS),本身不是一个单一的疾病,而是严重损害免疫系统从而导致对病原体及多种疾病的易感性增加。艾滋病被认为是感染人类免疫缺陷病毒(HIV)引起的,这种病毒通过感染者的精液、阴道分泌液和血液传播。HIV破坏肌体被称作T细胞的白细胞,使他们丧失对入侵细菌或病毒的杀伤能力。

国家与国家之间,甚至危险人群与危险人群之间,感染艾滋病后的症状表现差异很大。在美国和欧洲,艾滋病患者常常患卡波西肉瘤(一种少见的皮肤癌)、肺孢子虫病和结核。在非洲,艾滋病常因发热、腹泻和持续性咳嗽而导致患者消瘦。在美国,与艾滋病有关的疾病和症状出现28天左右,并对HIV抗体的测定呈阳性结果,则几乎可以肯定诊断为艾滋病。

大多数艾滋病患者以流感样的症状开始,类似于单核细胞增多症的症状。在病毒进入人体内,这些症状可能持续2周至几个月。

在上述感染的第一阶段以后,症状消失可达几年,在这段时间里艾滋病患者如何照料自己尤为重要,因为HIV在体内的复制最初是缓慢的,随后复制速度才加快。当病毒破坏全身防御感染的细胞时,免疫系统的功能开始衰退,病人易患各种疾病和肿瘤。这个阶段有时被称作ARC,即艾滋病相关综合征(AIDS-related complex)。艾滋病到了进展阶段常患有严重感染,一般在感染艾滋病后5~10年才出现,死亡通常发生在2~3年后。

美国的医生首先认识艾滋病是在1981年,但在1979年有些不能确诊的病例就已经出现了。在这之前,艾滋病可能已存在于非洲和加勒比海地区的某些国家。

尽管艾滋病能够侵袭任何人,但他主要发生在同性恋和两性恋者中。因为他们中有许多人使用像"poppers"(亚硝酸异戊酯类)这样娱乐性药物,医生最初认为是这种药物引起了艾滋病。但最后,研究者显示了艾滋病是经体液传播的,当静脉注射成瘾药物者、异性恋或有输血史者开始患艾滋病时,这种假设得到了证实。

我们时代最严重的危机是艾滋病已达到流行的程度。就全世界而言,已超过1400万人感染了HIV,在美国也有150万人感染,艾滋病患者的病例数每年成倍增加;在美国的许多城市,艾滋病是25~44岁成年人死亡的主要原因。

对感染艾滋病危险最大的人群是不带避孕套从事性行为的人;母亲感染艾滋病而生下的婴儿;使用同一个注射器注射成瘾药物者;在1977~1985年,在没有建立标准的筛查艾滋病的供血者期间,曾接受过输血或凝血因子者也是易患艾滋病的危险人群。目前,随着艾滋病在异性之间的传播,妇女成为感染HIV最快的一组人群。在美国,15~44岁年龄段的妇女感染HIV的已超过8万人。

艾滋病是可预防的,这无疑是个好消息。假设你静脉使用过药物,而不具备感染HIV的危险,那么你通过单配偶的关系能够避免感染HIV,或重要的是在性行为时使用避孕套等工具,也可以减少感染的危险性。

按照最近的宣传,大多数人正在采取预防措施。

# 艾滋病（AIDS）

在 1995 年美国出版的国家卫生和社会生活调查（The National Health and Social Life Survey）中指出，几乎十分之三的美国成年人显著地改变了他们的性生活方式以降低患艾滋病的危险。这项对成人性生活的里程碑研究共调查约 1.5 亿人的性习惯及其看法，其调查结果包括以下内容：

◆29% 指出最常使用避孕套。

◆26% 说他们是单配偶关系。

◆25% 讲他们选择性伙伴更加小心，或事先要得到较好的了解。

◆11% 指出他们因为担心感染艾滋病，决定避免性行为。

## 病　因

科学家认为至少有两种类型病毒引起艾滋病，即 HIV-1 型和 HIV-2 型。在世界范围，这两种病毒感染相同数量的人群，但在北美则以 HIV-1 型感染为主。

研究者还不十分清楚 HIV 致病的确切机制。由于某些原因，免疫系统不能检测到 HIV，有些人就会问及病毒是否能引起艾滋病，或是仅仅在艾滋病中起辅助作用等这样的问题。事实上，病毒通过口腔、阴道或直肠粘膜的小伤口或破损处进入体内，破坏了 T 细胞，这样免疫功能衰退，病人发生感染，最终导致病人死亡。

艾滋病不是一种具有高度传染性的疾病，只有当与有艾滋病的人滥交而没有采取必要的保护措施，或注射成瘾药物而注射器曾被污染过，或输了感染病毒的血时，你才有可能感染艾滋病。

你不会通过亲吻患艾滋病，这是因为人体唾液中的一种蛋白能使艾滋病病毒不能感染白细胞，这种蛋白吸附在白细胞上，保持白细胞免受 HIV 的感染。这个发现对艾滋病的治疗意义重大，例如通过将这种蛋白直接注射到血液中，使病毒不能攻击血细胞。

如果你与感染过 HIV 的人生活在一起，你不必担心会感染上艾滋病。HIV 不会通过艾滋病患者用过的浴盆或触碰过的物品而传播，如果你与艾滋病患者一起进餐也没有必要担心会得病，因为 HIV 一旦到了体外就会很快死亡。

### 诊断与检查

在感染后的几周里，体内将会产生对 HIV 的抗体，并可在血液里检测出来。然而有时也可长达 35 个月才产生能够检测到的抗体。如果你认为可能感染了病毒，或与高危人群有过密切接触，应该每 6 个月接受一次检查。

你接受的第一项检查是 ELISA，即酶联免疫吸附试验，这项检查一般是可靠的。但是，阳性结果（意味着抗体可以检测到）应该得到进一步证实，这时医生会让你做 Western blot（蛋白免疫印迹）检查，这项血液检查几乎不会得出假阳性结果。

决定做艾滋病检查时，一定去请教心理医生。阳性的艾滋病检查结果常使人精神崩溃，心理医生则能够帮助你解除最初可能遇到的焦虑、悲伤和恐惧心理。

如果检查结果呈阳性，那么医生将会让你做其他有关性传播疾病的检查，例如淋病、生殖器疱疹或梅毒等。

如果你被确诊为艾滋病，通知与你有过性行为的人是极为重要的，他们也必须得到检查和治疗。

## 治　疗

几乎每一个到了艾滋病进展阶段的患者最后都要死亡，但抗生素和抗病毒药物能够使患者生命延长几年。在任何情况下，你对这种威胁生命的疾病不要试图自己治疗，而是要到有行医资格的医生那里接受治疗。但要认识到指望出现治愈的"奇迹"也是不可能的。

最近有几百个研究人员正在研制治疗艾滋病及其有关疾病的药物，这些包括抗病毒药物、改善免疫系统功能的药物和抗感染、抗癌药物。

美国国家变态反应和传染性疾病研究机构（NIAID）的一项研究结果发现，肌体内可以产生一种叫做白介素 II 的蛋白质，能够重建被艾滋病破坏的免疫系统，服用这种蛋白质的病人，10 人中有 6 人显著增加了白细胞的数量，然而他对进展期的艾滋病患者没有疗效，而且具有严重的副作用，如皮疹、恶心、腹泻和抑郁等。有关对这种蛋白质的研究仍在进行中。

在法国，目前正在进行的另一种试验疗法是被动免疫治疗。这种治疗方法虽然不能提高艾滋病患者的寿命,但是却可以使艾滋病患者避免患有其他可能患的疾病。这种治疗方法是把取自感染 HIV 健康者供体的血浆,再回输到进展期的艾滋病患者体内。研究者希望通过这种疗法能够提高进展期艾滋病患者的免疫功能,并帮助他们战胜与艾滋病有关的疾病,初步结果是令人鼓舞的。

尽管有许多预防艾滋病的疫苗在研究中,但科学家还难以找到一种确实有效的疫苗。理论上是把减毒的病毒注射到人的体内,刺激人体的免疫系统以攻击 HIV,并建立对 HIV 的抵抗力。然而,医生们不愿勉强把减毒病毒注射到人体内,担心即使是减毒的病毒也会引起艾滋病。

NIAID 的一个研究小组研制了一种携带"自杀基因"的疫苗,一旦疫菌的任务完成以后,该基因则被杀死。方法是给减毒的病毒携带上一段取自疱疹病毒的基因,感染 HIV 的细胞将选择性地被治疗疱疹的药物丙氧鸟苷(ganciclovir,一种抗病毒药)杀灭。到目前为止,疫苗研究仅是在试管中进行,动物和人体试验正在计划中。

## 常规治疗

目前对艾滋病患者的治疗是选择使用强有力的抗病毒药物,这些药物包括 zidovudine(叠氮胸苷)、didanosine(地达诺新)和 dideoxycytidine(双脱氧胞苷)。这些药物不能治愈艾滋病,但可以延缓病情几年。

Zidovudine 的商业名称是 AZT,他是目前应用最为广泛的一个药物,也可能是医生让你服用的第一个药物。AZT 通过干扰病毒的繁殖方式而降低病毒的数量,但问题是使用 AZT 的几年里,病毒常对他产生耐药性,AZT 也产生副作用,如肌萎缩、严重恶心、急性头痛、失眠、肝炎、痴呆和癌性淋巴瘤等。

### 注 意

如果你认为患有艾滋病,检查 HIV 结果是阳性,请即看医生,并一定要通知与你有过性行为的人,他们也需要检查及采取可能的治疗。在美国的一些州,卫生部门将要求你通知与你有过性接触的人,并向医生咨询。

另一个药物,如 didanosine,有助于暂时缓解病情,但也产生副作用,如腹泻、神经系统疾病和胰腺炎等。药

物联合应用常是治疗最有帮助的方式。

## 辅助治疗

其他治疗方法与药物治疗结合起来,能够延长或改善艾滋病患者的生命和生活质量。研究显示许多艾滋病患者对免疫支持营养疗法反应良好,在采取了减轻病人紧张情绪有关的治疗措施后,患者的病情也明显好转。但是,要当心任何声称"奇迹"般治愈的治疗方法。

### 指压治疗

在生活中如果你能减轻紧张情绪,你的免疫系统的功能可以得到改善。按摩肩井穴位和压位于肩部外端和脊柱之间最上面的天髎穴,可以减轻疲乏和紧张,在家中一天按上述做几次。

### 针灸治疗

与中药、针灸结合起来治疗艾滋病,可以提高患者的免疫功能,并能减轻症状,如盗汗、疲乏和有关消化道的症状。针灸也有助于抵御继发感染并增进伤口愈合。咨询有关获取行医资格者。

### 体疗

几项研究表明,适当的体育锻炼能够增加免疫系统的功能。在一项研究中显示,有氧锻炼能促进艾滋病患者免疫细胞的活性。然而,过度的有氧锻炼则能抑制免疫功能,因此请咨询医生,为你推荐一项锻炼计划。

### 中药治疗

许多中药在治疗艾滋病的症状方面是有效的,例如盗汗、疲乏、神经疾病和腹泻等,中药也可减轻常规治疗药物的副作用。

补药黄芪、灵芝和人参等能增进全身活力,甘草被认为能增强免疫系统的功能和抑制疱疹病毒。

### 身心医学

许多医生和心理学家认为人的情感与免疫系统功能之间有着重要的联系。消极的情感如内疚、失望、抑郁、易怒和恐惧等在艾滋病患者中是常见的,而且也能抑制肌体抗感染的能力。精神和身体治疗的行医者认为,如果保持一种积极乐观的态度,那么你的健康和生命就会延长。暂时的情绪低落是不可避免的,为此你不要责备自己,但是你要避免陷入长久的消极的思虑中。

有些治疗方法如生物反馈、瑜伽、锻炼和静坐能帮你

# 艾滋病（AIDS）

放松自己。按摩疗法能够改善血液循环系统，让你感到舒适和幸福。按摩不要太快及用力过大，否则，肾上腺素系统将对实际已存在的，或可以料想到的应激做出反应，释放强有力的化学物质，从而过度刺激和改变人体的免疫系统。请向有行医资格的按摩师咨询。

另外，你应该参加一个互助小组，这样可以帮助你解除焦虑，并分担你的恐惧以及分享你的胜利，和其他人在一起将获得巨大益处。

### 营养及饮食

一旦被诊断为艾滋病，你将面临的首要问题是你还能生存多久。适当的营养能增强你的体质，并与病毒进行抗争。

应避免那些对免疫系统有损害的食物。例如，有证据表明 100 克的单糖（蜂蜜或精制糖）能减弱白细胞对细菌和病毒的杀伤能力达 5 小时，典型的美国消费者一天食入糖大约 150 克。

避免饮酒和喝咖啡，因为酒和咖啡能耗竭体内的维生素和矿物质。严重吸烟会增加抑制性 T 细胞并减少辅助性 T 细胞（两种类型免疫细胞适当的比例以维持免疫系统的平衡）。

应吃富含 β- 胡萝卜素的食物，如绿色叶状蔬菜和橙黄色蔬菜。如果你得了念珠菌病或艾滋病常见的感染性疾病，你要增加大蒜的摄入量，大蒜中含有抗菌物质茜素(allicin)。

补充维生素 C 可以促进免疫系统的功能，有些自然医术者（naturopaths）和营养医师推荐服用维生素 C 直到出现腹泻为止，然后采用最大可耐受剂量的维生素治疗，其中一种服法是每 2 小时服用一次。注意：在采用这种治疗方法前请接受医生的检查。锌也有刺激免疫系统的功能及抗病毒作用。

### 家庭疗法

如果感染 HIV，请遵照以下内容可延缓症状出现：

◆饮食平衡，注意营养，以提高免疫系统的抗病能力。

◆补充维生素。

◆采用针压疗法放松自己。

◆采用静坐和瑜伽疗法以减轻紧张情绪。

◆保持积极乐观的态度。

◆不吸烟，不饮酒。

◆在医生的指导下适当锻炼。

如果你患有艾滋病：

◆饮食要平衡，注意营养，以增进免疫系统的抗病能力。

◆补充维生素。

◆采用针压疗法以放松自己。

◆采用静坐和瑜伽疗法以减轻紧张情绪。

◆保持积极乐观的态度。

◆在医生的指导下适当锻炼。

◆吸入茶树油和大蒜油的气味，并用他们沐浴。

### 预防

◆避孕套能降低感染 HIV 的危险性。用一种携有杀精子物质的胶乳避孕套在体外已显示能杀死 HIV。

◆不要使用油性润滑剂，因为他们能穿透避孕套。

◆了解对方的性交史，并询问有关 HIV 的检查结果。

◆不要与娼妓发生性关系。

◆如果你需要静脉内注射药物，请不要与他人合用一个针管。针管一定要清洁卫生。

◆当你处在卫生条件差的国家时，请携带一次性无菌注射器，以备你需要注射药物时使用。

◆如果你处在高危人群中，请每 6 个月做一次检查，与你有过性行为的人也要进行检查。

---

## 饮食建议

对艾滋病患者，营养学家特别向你推荐：

◆减少多不饱和及饱和脂肪和油脂的消费。

◆使用单不饱和油（如橄榄油），增加 ω-3 脂肪酸的摄入量，这种物质存在于鱼类中，通过补充获取是有效的。

◆小量多次进食，以便从食物中最多地吸收营养物质。

◆平衡饮食（含 65% 的碳水化合物，15% 的蛋白质和 20% 的脂肪）。

◆保证水果和蔬菜的清洁，在食用之前略煮一下，以杀灭寄生虫和细菌。

◆食用多种多样食物，以避免增加对某一类食物的敏感性。

# 骨质疏松症

## 症 状

骨质疏松症通常直到骨折发生才表现症状。
- ◆背疼。
- ◆逐渐地身高减低伴有驼背姿态。
- ◆脊椎、腕和髋骨的骨折。
- ◆颌骨的骨质丢失。

## 出现以下情况应去就医

- ◆你有进行性背痛或突发严重的背痛，说明可能是由骨质疏松引起的脊椎的压缩性骨折。
- ◆牙齿的X线片表现颌骨骨质丧失，可能是骨质疏松的早期信号。

**骨**质疏松症其意思是"多孔的骨头"，会引起从前壮实的骨头逐渐地变薄变稀疏，使他们处于骨折的敏感状态。在美国每年大约有130万骨折者均归因于骨质疏松症，尽管所有的骨头都可以被疾病攻击，但脊椎、腕骨和髋骨是最易被伤害的。老年人髋骨骨折是极其危险的，因为在要求延长固定时间的治愈过程中，常常引起血栓或肺炎，约有1/3的髋骨骨折的老年妇女死于6个月以内。

估计有240万美国人遭受骨质疏松的折磨，至少有80%为妇女。专家们相信妇女更敏感是因为她们的骨头较薄、较轻，并且她们的身体在绝经后经受了激素的变化而引起骨质的丧失。在男人中骨质疏松不常见，直到70岁以后才发生。

## 病 因

尽管骨质疏松的确切原因还不清楚，但骨头变成多孔的过程是非常清楚的。正常的成年人每年所有骨骼的6%～12%被更换，这个过程称为骨的重建，一般在35岁左右骨骼质量达最高峰后，骨开始失钙，即一种使他们坚硬的矿物质，其失去比恢复的速度快，因此发生了骨质减少并且骨开始变薄。对于妇女，在绝经后开始的3～7年间，骨密度减低是加速的，然后又减慢下来。科学家们认为绝经后的这种骨质减失快速增长是由于肌体产生的雄激素明显下降引起的。此种激素的存在是辅助钙保持在骨骼内。

尽管骨密度减低一些是自然衰退的一部分，但妇女发展为极多孔骨和发生与骨质疏松相关的骨的发病率肯定较其他人高。例如，小骨架、细骨骼的金发妇女是高危人群，因为这些人与普通人比其吸烟、饮酒更多，或者生活中有惯于久坐的生活方式。有骨质疏松的家族史和特别是40岁以前的妇女卵巢被切除的，都更易于发病。白人和亚洲妇女比黑人妇女发病更频繁。在40岁之前，头发有50%以上变灰色的妇女发展成骨质疏松症的是头发无改变的人的4倍。

某些疾病又可以削弱肌体对钙的吸收能力。如库兴综合征、甲状腺功能亢进也能引起骨质疏松症。肾病、部分切除胃或肠或大剂量应用糖皮质激素或其他类固醇，还有使用抗惊厥的药物。因瘫痪或疾病引起的不活动时间延长能引起钙的丢失，甚至有骨质丧失。

### 诊断与检查

如果你的医生怀疑你有骨质疏松症，他可能检查估测你的身高是否减低，脊椎常常是最早受影响引起身高减低，一般减低半寸或更多。

你的医生也可能介绍你去测量骨密度，尽管骨质疏松症有时是因为骨折或其他疾病行X线检查后偶尔诊断的。一个普通的X线检查至少有20%～30%的骨密度减低，就能显示出骨的脱失，这对疾病早期的普查筛选是极有用的。更易诊断早期阶段骨质疏松的诊断工具是一种称为吸收比色法方法，这是特殊设计的测量骨密度的仪器。一个相对新的诊断工具称作定量计算机X线断层照相，也是能精确估测身体任何部位骨密度的方法。但他与其他方法相比要用更高水平的放射线。

除这些骨测量试验之外，你可能要做一个辅助诊断用的血、尿标本的分析，以便排除引起骨质减丢失有关的其他疾病。

## 治 疗

因为逆转骨质疏松是困难的，所以预防是治疗的关键。常规治疗和辅助疗法均对疾病提供了有效的预防。

### 常规治疗

预防骨质疏松或减慢其发展速度。一些医生推荐激

全身性
疾病

# 骨质疏松症

素替代疗法(HRT),对绝经后的妇女单独应用雄激素,也可以用雄激素和雌激素合成品。研究表明在绝经后几年之内长期用 HRT 保持其骨密度,并且用这种治疗与不用这种治疗的妇女相比极少发生腕、髋骨骨折。HRT 不是重建新骨,仅是减慢现存骨的丢失。并且这种作用在 75 岁以后消失,即发生骨折更危险的时间。一旦中断激素治疗,则骨又以绝经期后同样的速度开始变薄。然而,接受 HRT 治疗骨质疏松的妇女,必须无限期地延长用此药的时间以抑制骨的变薄。因为 HRT 与增加严重疾病发病相关,最值得注意的是子宫癌和乳腺癌,一些医生建议仅对骨质疏松症高发病的妇女用此方法治疗。

钙,是一种天然出现的抑制骨丢失的元素。有时为骨质疏松者处方,然而,它非常昂贵且必须通过注射给药(在其他国家有一种有效的鼻喷雾疗法在美国被食药管理机构否定)。因为这种方法管理困难并能引起不受欢迎的副作用,如恶心、皮疹等。钙不是可以广泛应用的。

预防性钙的补充。你的医生可能建议你增加食物中的含钙量,或允许用钙做补充治疗。为了辅助钙的吸收,推荐补充维生素 D,除非你生活在阳光充足的环境中。你的医生也可能鼓励你开始一个正规锻炼项目来保持骨的强壮,并避免骨折(更多的资料看营养与食物及锻炼)。

## 辅助治疗

像常规治疗一样,辅助治疗法的焦点集中在建立和保持骨的强壮。

### 中药治疗

中医师推荐的几种预防骨丢失的中药中,最值得注意的是冬青和亚洲人参。人参在人体内可以出现类雄激素样作用。应与有经验的中医师协商中药的合适剂量。

### 锻炼

研究显示"负重"锻炼,即给骨骼施加压力的锻炼,如跑步、散步、网球、芭蕾舞、持续地爬山、增氧健身法和举重,可减少骨的丢失并预防骨质疏松症。锻炼有益于人体。你必须至少每周做 3 次,每次 30～45 分钟,尽管游泳和骑自行车对于心血管是好的锻炼,但不能预防骨质疏松症,因为做这些不能给骨以足够的压力。

### 营养及饮食

为保证妇女摄入足够的钙以建立和保持强壮的骨骼,常规治疗和辅助疗法的医师均推荐吃大量富含钙的食物,如:脱脂牛奶、低脂酸奶、花椰菜、硬花甘蓝、菜花、鲑鱼、豆腐、绿叶蔬菜。根据国家卫生协会召集的一个专人小组指出:处于行经期的妇女或绝经期的妇女应用激素辅助疗法者,每日可消耗 1000 毫克钙,绝经期未用雄激素治疗的妇女应每日摄取 1500 毫克的钙(一杯脱脂牛奶只提供 300 毫克的钙)。

因为更多的妇女通过食物摄取钙的量只是她们需要量的一半或 1/3,一些医生推荐制作不同的辅助钙剂。钙的辅助剂有许多种构成形式,但螯合物,如枸橼酸钙、葡萄糖酸钙,看来在减低钙的丢失中更有效,避免使用骨粗粉类钙辅助剂或标记有"牡蛎壳"的碳酸钙类附加剂,因为他们可能含有其他引起中毒的物质。

帮助肌体对钙的吸收,一些医生建议摄取维生素 D400～800 国际单位和镁 250～350 毫克的辅助剂,也有处方能提供钙和微量矿物质其他辅助剂。

除吃富含钙的食物外,你也应该避免吃富含磷的食物,磷能促进骨的丢失,高磷的食物包括红肉、软饮料、含磷酸盐的食物添加剂。过多的酒精和咖啡也被认为可减少肌体对钙的吸收并应避免用。要控制绝经后急转直下的雄激素的下降速度,这样可以预防骨质疏松症发生,一些辅助疗法的医生建议,绝经后的妇女应消费更多含植物雄激素的食物,特别是豆腐、豆奶及其他豆制品。

### 家庭治疗

这里有两种容易提高你的食物中钙含量的方法:

一是在你每天的食物和饮料中包括汤、炖食物和红烧蔬菜炖肉中加脱脂干奶粉,每一茶匙干奶粉等于在你的食物中加入约 20 毫克的钙。

二是在炖骨汤前,先在水里加点醋,醋可将骨中的一些钙分离出来,制成一个高钙的汤。

---

**警告!**

钙的辅助剂能影响水杨酸盐、四环素和其他药物的吸收,开始使用一种辅助剂型前需经你的医生检查。

# 骨质疏松症

预防

◆吃富含钙的食物,如脱脂牛奶、低脂酸奶、菜花、硬花甘蓝、花椰菜、鲑鱼、豆腐、芝麻籽、杏仁和宽叶绿色蔬菜。

◆吃含植物雄激素的食物,特别是豆腐和其他豆制品。

◆避开能干扰你机体对钙的吸收的食物,如红肉、软饮料、过量的酒精和咖啡。

◆做负重锻炼每周至少3次,每次30～45分钟。

◆不吸烟。研究表明,吸烟提高50%的绝经后妇女的发病。

◆避开含铝的解酸药,因为他能阻止钙的吸收,通过在小肠内结合磷。

评价你的发病危险性:

帮你决定是否患有骨质疏松症的危险,询问自己以下一些问题,"是"多的回答就有很大危险。

◆是否有骨质疏松和髋骨折的家族史?

◆你有无两个卵巢的切除情况?特别是在40岁之前。

◆你是小骨架还是细长型骨架?

◆你是浅色的面容吗?

◆你是否在40岁以前有50%或更多的头发变灰色?

◆你是否有不健康的生活方式?

◆你吸烟吗?

◆你的食谱是否有较少富含钙的食物?

◆你一天是喝2次或更多次的烈性酒吗?

◆你是否每天喝650毫升或更多的碳的软饮料?

◆你是否每天喝2杯或更多含咖啡因的咖啡?

◆你是否常常吃红肉和其他高蛋白食物?

◆你是否用皮质类固醇?

◆你是否长期用甲状腺药物?

## 家庭钙吸收试验

证明你的含钙的辅助片剂是否易被机体吸收,试做这个试验:放一片在半杯的醋中,在室温下,每2～3分钟搅拌一次,药片应在30分钟内溶解,如果无此现象,试用其他的辅助剂。

# 结 核 病

## 症 状

◆首先,仅有轻微咳嗽或无任何症状。

◆疲劳,体重减轻。

◆咳嗽或痰中带血。

◆低热,盗汗。

◆胸痛,后背或肾区疼痛,或三者均有。

## 出现以下情况应去就医

◆如果有以上症状,尤其是居住于拥挤地带且有营养不良或感染。艾滋病毒(注:肺结核症状可与其他疾病混淆,如血痰可见于肺炎等)。

◆与有活动性结核病人密切接触。

**结**核病在英文中,通常缩写为TB,是一种通过血行或淋巴传播至全身各处的慢性细菌感染性疾病,通常发生于肺。在活动期,结核杆菌能破坏所侵犯组织,最终导致死亡。一般情况下,结核杆菌侵入机体后处于抑制状态,被感染者经适当治疗,大多数并不发展为活动期。

结核杆菌通常为空气传播,所以TB有传染性。不过,在大街上碰到一位患者而被感染的机率不大。与患者密切接触,如在工作或生活上超过3个月者,则有极大的危险性。正因为结核杆菌侵入人体后大多处于潜伏期,所以只有10%的被感染者表现出活动期症状,90%的则无症状,也不会传染给其他人。潜伏感染最后可转变为活动期,所以,即使无症状的病人也应治疗。

自从50年代抗结核药出现后,结核病的危害已相对减少,然而今天,一种新的高耐药菌株的出现,在世界范围内对公众健康产生极大危害。

## 病 因

结核病通常由于接触空气中含结核杆菌的微粒而发病。一般不经衣物、被褥或其他个人物品传播。由于结核病患者每次呼气仅呼出很少量细菌,所以只有长期接触病人的人才可能感染。如果同活动性TB病人接触,每天8小时,接触6个月,或者每天24小时2个月,有50%的被感染可能性。

营养不良或密切接触的人更易患结核。所以,尽管贫穷不是TB的病因,但某种程度上有助于结核杆菌传播。医护人员、长期住院病人、囚犯及监狱工作人员都比正常人患病机率高。

## 诊断与检查

刚患病者可能并无症状,但皮肤结核菌素试验即可证实是否患有结核。结核菌素试验是可信的诊断,该试验是在上臂皮下注射少量结核菌素液,如果一天或更长时间,注射处出现红肿,很可能你已感染结核病,不一定是活动期。胸部 X 线片能揭示病灶是否扩散。

# 治 疗

## 常规治疗

对感染结核杆菌但不是活动期的病人,医生通常实行预防治疗。该方案通常包括每天应用异烟肼,并进行周期性体检。如果处于活动期,医生经常监视治疗效果是必不可少的。你应用几种抗结核病药联合治疗,主要包括异烟肼、利福平、吡嗪酰胺或者乙胺丁醇。

## 辅助治疗

如果患 TB,你应接受常规治疗。其他疗法有助于减轻疾病的症状,但不能替代药物治疗。

营养及饮食

由于营养不良可引起 TB 杆菌活化,故对 TB 患者应用平衡膳食。许多营养学家也建议应用维生素 A、C 和 E 及矿物质锌,这些营养因子可帮助粘膜保持健康。

### 耐药的威胁

20 年前,美国外科医生宣布结核病已成过去的疾病。他言之过早。结核杆菌以一种新的形式成为危害公众健康的疾病再次卷土重来。这种叫做多药抵抗的结核杆菌,是由于结核杆菌突变所致,对一种或多种抗生素耐药。尽管全力治疗,半数的抗药结核病人死亡。这一死亡率与未来治疗的普通结核病人死亡率相同。

## 症 状

经过 1~3 个月典型潜伏期后出现:
◆被咬部位疼痛、麻刺感。
◆皮肤敏感。

上述症状出现后 10 天,出现:
◆流涎。
◆不能吞咽液体。
◆暴怒,间断出现平静期。
◆惊厥。
◆麻痹。

## 出现以下情况应去就医

◆你被野生或未经免疫的动物或免疫状况不详的动物咬后,立即通知或去医院治疗很重要。
◆你被咬过并且出现上述所列症状,立即通知或去医院。
◆你计划去狂犬病流行的国家旅行,请求你的医生给你注射狂犬病疫苗。

狂犬病是一种病毒性脑病,如果不予及时治疗而任其发展,则多数可致命。如果你被已感染的动物咬伤则可能发病。狂犬病毒携带者包括狗、猫、蝙蝠、臭鼬、浣熊和狐狸,啮齿动物不易被感染。大约 70% 的狂犬病是被野生动物咬伤致皮肤破损而患病的。

这种疾病又称为恐水病(意为怕水),因为一说喝水就可导致喉头肌肉痉挛以致吞咽困难。实际上,在未经治疗的患者中,这正是致死的原因:受害者脱水而死亡。

潜伏期从 10 天至 2 年不等,但是典型者从被咬伤到最初出现症状的时间为 1~3 个月。初发症状包括刺痛感、瘙痒或被咬部位发冷、低热和全身不适感。随之出现寒战、饮水困难、不安、暴怒发作、极度兴奋、肌肉痉挛和流涎。

被患狂犬病动物咬伤后并不一定发病,仅 50% 未经治疗的人患病。但是不要存侥幸心理,如果你被咬伤或暴露于可能患病的动物前,则立即去医院,有效的治疗可确保你不被感染。但是任何延误都可能减低治疗的有效性。

# 病 因

狂犬病是病毒所致的中枢神经系统——脑和脊髓

的疾病。病毒通过皮肤或粘膜进入肌体,上行至脑,在脑组织增殖并通过神经移行至其他组织。

## 诊断与检查

如果你被咬伤,你的医生需要知道在何种情况下、被何种动物咬伤,如果这个动物被证实是健康的或他的主人可以证明他已注射过狂犬疫苗,那么你可能无需治疗,而仅需清洗伤口。如果你不能确定这个动物的健康状况,则不必等待证实这个动物是否被感染,而应立即治疗。

## 治 疗

一旦你被咬伤,则尽快用肥皂和清水全面清洗伤口;然后用抗菌剂如过氧化氢溶液(双氧水)擦洗。如果伤口表浅同时已知动物是被接种过的,则如上处理即可。否则,通知并立即去最近的医院治疗。

## 常规治疗

过去对被动物咬伤的病人常需在腹部注射25次狂犬病疫苗。现在的治疗包括单一剂量的狂犬病免疫球蛋白和28天内注射5次人二倍体细胞狂犬病疫苗。你还需要防止破伤风的发生。

## 辅助治疗

如果你被可能有狂犬病的动物咬伤,注射狂犬病疫苗是绝对必要的。你可以在进行常规治疗的同时试用其他方法,以促进痊愈和减轻不适。

芳香疗法

没药树油(Commiphora molmol)是抗菌剂和收敛剂,芳香治疗学家建议可直接用于伤口,以帮助伤口清洁。

家庭治疗
◆用肥皂和清水冲洗伤口,然后用双氧水。
◆大量饮用果汁和蔬菜汁,以促进毒素排泄。
预防
◆避开行为奇特的狗等动物。
◆要求邻居遵守束缚动物法规。
◆如果你计划去狂犬病流行的国家(印度,南美的一部分),则通过注射人二倍体细胞狂犬病疫苗来增强对病毒的免疫力。详细情况请向你的医生咨询。

## 症 状

如果在刀伤或其他损伤后出现下列症状时,应怀疑破伤风。
◆颈、下颌和其他肌肉强直,并常伴有独特的"苦笑"表情。
◆易激惹。
◆下颌和颈部肌肉不可控制地痉挛抽搐。
◆其他肌肉疼痛和不自主的收缩。
◆此外,病人还可有焦躁不安、食欲不振和流涎。

### 出现以下情况应去就医

◆被动物咬伤或者被脏东西、粪便、灰尘污染的物体碰伤,在过去10年内没有免疫接种过破伤风疫苗或者辅助免疫增强剂,破伤风感染死亡率高,应尽快治疗。

破伤风是由一种很常见的细菌(破伤风杆菌)引起的危险的神经系统疾病。细菌的孢子常在土壤中发现——最常见在肥沃的土壤中,贫瘠的土壤中少见。破伤风杆菌也存在于动物排泄物、房屋灰尘、手术室、污染的海洛因和人的结肠等多种环境中。如果孢子进入破损的伤口中,即可穿透皮肤,达到比氧气所能到达的更深的部位,它们就能产生一种进入血流的毒素。

这种毒素(破伤风痉挛毒素)是一种目前已知的微生物毒物中毒性最强的毒素,传出神经从血液中摄取毒素,以每天大约10英寸的速度向脊髓侵犯,7～21天后阻断神经信号而引起肌肉松弛功能障碍,导致持续性肌肉收缩,主要是牙关紧闭,为破伤风所特有。

咀嚼肌和面部肌肉的痉挛接踵而来,随后波及到手、臂、腿、背部和呼吸肌。这种痉挛常被噪声和触摸而引发,一旦破伤风播散,即使在现代化的医院中,死亡率大约在40%。

在发展中国家,由于卫生条件差,每年大约100万儿童死于破伤风。在美国,70年代由于通过了儿童免疫法,每年仅50例破伤风出现,大约3/4的病人是老年人或者是从没有免疫接种过的人。

## 病 因

细菌孢子通过动物咬伤、手术伤口、注射部位、烧

# 破伤风

伤、溃疡和感染的脐带进入人体。特别应注意的是被室外，或者和土壤接触过的脏东西引起的伤口。

## 诊断与检查

某些感染破伤风的人，可能仅感觉伤口部位疼痛和刺痒，或者附近肌肉抽搐，但是大多数都会出现咀嚼肌和颈部肌肉强直、易激惹和吞咽困难。如果肌肉抽搐出现早，则预后差。

在怀疑为破伤风的病人中，找到其细菌或毒素的机会很少，所以诊断仅根据临床表现和结合有无破伤风免疫接种史。

# 治疗

如果发现破伤风，应立即到医院治疗，主要包括抗生素和破伤风抗毒素的应用。另外，还可应用镇静药物，如氯丙嗪或者地西泮，或者短效的巴比妥类药。在几周疾病发展过程中，可能还需要辅助人工呼吸或其他生命支持措施。

### 预防

破伤风几乎无一例外地发生在没有进行免疫接种或免疫不充分的人。被动物咬伤或脏物体损伤而污染破伤风孢子的人，并不一定发病，很大程度上依赖于伤口深度和清创的程度。产毒细菌仅在由皮肤或组织保护并将空气隔绝的伤口内繁殖，因为这些细菌在有氧情况下不繁殖。通常情况下如有可能，应让暴露创口，不缝合和仅用一薄层纱布覆盖，以使整个创面暴露。

大多数破伤风病例发生在认为创口太小而不介意的病人中（看刀伤、擦伤和创伤一章），甚至仅有少量出血的刺伤也是很危险的，因为伤口很深，为细菌提供良好的繁殖环境。用肥皂水和大量清水彻底清洗伤口，应用消毒液和消毒过的纱布垫包扎，不要包扎过紧，不要应用抗生素乳膏，因为两者都可使空气与循环隔绝。

如果你的伤口是由于接触到土壤的物体引起的，尤其是伤口已经坏死、溃烂，或者有感染组织，应于24小时内尽快看医生。医生会清洗伤口、切除所有损伤的组织，该过程又叫清创术。

如果你在最近5年内没有进行过破伤风强化注射，医生将对你进行一次强化注射。如果你从没进行免疫接种，医生将很快给你注射破伤风免疫球蛋白，该药能立即发挥保护作用，且可持续几周。然而即使是注射免疫球蛋白和增强剂，都不能带来持久的免疫力，如果你幼时没进行免疫接种，则仍需要全疗程的免疫注射。

健康官员建议婴儿和儿童应用白百破（DPT）进行免疫接种，其接种时间为2个月、4个月、6个月、15个月和大约5年时，此后大多数健康专家建议每10年进行一次免疫强化接种。

如果家人没有进行过破伤风免疫接种，则应鼓励他们进行接种。应该记录破伤风疫苗接种时间，因为太频繁的接种可引起过敏反应。

有证据表明，破伤风免疫接种能保持10年以上的有效性，一些专家建议在高中进行一次强化接种和60岁进行第二次强化接种，可确保一生具有保护作用。

最重要的预防措施是早期进行预防接种，没有接种的任何成人都应去看病。

# 猩 红 热

全身性
疾病

## 症 状

猩红热最常发生于儿童,其症状包括:

◆鲜红或猩红色皮疹,常由颈、胸部开始。

◆高热。

◆咽痛。

◆舌面被覆红斑。

◆咽部扁桃体肿大。

◆呕吐。

## 出现以下情况应去就医

◆你的孩子有猩红热症状,特别是近来患链球菌咽喉炎。如果不予治疗,猩红热会有严重的并发症,可影响心脏、肾脏及其他器官。

**猩**红热是一种已经被抗生素控制的小儿疾病,曾经是一种常见而且危险的疾病,今天却已罕见并很容易治疗。

该病最常发生于2~10岁的儿童,在2~5天的潜伏期后,其典型症状由高达40℃的高热开始,其后12~48小时,出现典型的猩红色皮疹,首先在颈、胸部,然后遍及全身。皮疹看上去像砂纸,在四肢凹部上方及腹股沟处相对较多,舌也变得肿起来,呈现鲜红色,3天后,皮疹和发热消失,但舌仍持续肿胀数天。

不像其他儿童疾病,如风疹和麻疹,猩红热不能随其病程自然缓解,必须加以治疗,否则可能导致关节炎、黄疸、肾脏问题以及风湿热。

## 病 因

猩红热是由链球菌引起的传染性疾病,通过与被感染者接触或吸入细菌而传播。一旦细菌侵入咽喉,就会繁殖并产生毒素,毒素进入血液循环引起症状。

### 诊断与检查

儿科医生将检查小儿的喉部,涂片以检查链球菌的存在。

## 治 疗

如果不以抗生素治疗,猩红热会有很严重的并发症,如果你认为孩子患了该病,立即打电话给儿科医生,

除了服用抗生素外,患儿应充分卧床休息,喝大量果汁,以减轻症状。冷水浴可以退热,醋氨酚可缓解疼痛。注意:不要用阿司匹林,因为他与一种有时是致命的原因不明的脑病——脑病脂肪肝综合征有关。

### 常规治疗

儿科医生会开出一些抗生素,如青霉素。如果患儿对青霉素过敏,则要换诸如红霉素等其他抗生素。即使症状会很快消失,抗生素也要至少连用10天。如果需要的话,其他家庭成员也要接受检查和治疗。在人类发现抗生素之前,猩红热病人的家属也要受到隔离,当然现在已不必要。

### 辅助治疗

猩红热患儿必须使用抗生素,以消除感染。其他治疗是辅助性的,用以促进恢复。

#### 针灸治疗

可请教合格的针刺专家。针刺法可提高抗感染的免疫功能。

#### 芳香疗法

芳香疗法专家推荐。桉树油蒸汽吸入可辅助抗生素,消除猩红热患儿的感染。滴儿滴桉树油在手帕上,用鼻子吸入。

#### 中药治疗

中医大夫会给开一个饮片处方以消除毒素,并提高患儿的抗病能力。

#### 草药疗法

樟脑草被认为含有可退热的物质,草药专家推荐,每天饮3次滴有两三滴樟脑草提取物的水,每次一杯。

紫锥花有助于抗菌、消除皮疹和清肺。当患儿退热后,可以每日喝三次紫锥花茶。做法是:一杯水中加入二茶匙紫锥花根粉,加热15分钟。

#### 营养及饮食

合理营养搭配,可提高患儿的免疫力,对抗感染。一定要让患儿喝大量果汁以清除毒素,并预防脱水。橘汁或橙汁是很有益处的。

#### 预防

◆与猩红热患者隔离。

◆平衡膳食,充足睡眠和锻炼。

# 斑疹伤寒

## 症 状

- ◆使寒战的中高度发热。 ◆突发的严重头痛。
- ◆粉红色斑疹 3 厘米。内腕、踝部开始,扩展至躯干,在发热 4 天左右出现。
- ◆恶心。 ◆呕吐。 ◆食欲减退。
- ◆乏力。 ◆腹痛。 ◆对光高度敏感。

### 出现以下情况应去就医

- ◆有上述症状,怀疑被虱子叮咬过。斑疹伤寒有潜在的生命危险,必须及早用抗生素治疗,如果耽搁 3天以上,疗效大大降低。

尽管斑疹伤寒在西部被命名,但这种虱生性疾病却发生于东南和南中部大多数州,斑疹伤寒的多数病人症状较轻,在两周内消失,20 岁以上未治疗的病人中,该病具有致命性。老年人易感,在症状出现 1~2 天内诊断的病人,抗生素治疗有效。

斑疹伤寒由细菌引起,该菌由东部的棕色狗蚤或虱传播,也由西部的 Rocky Monnfain 虱和西南部的 Lone Sfar 虱传播,仅仅成虱将该病传给人,大多数虱群中,1%~5% 的虱寄生有该病。

虱子于叮咬前在衣服上可存活 24 小时,在产卵前,需吸养数日,因为虱子将类似于利多卡因的麻药注入皮肤,在叮咬时很少有感觉。

症状开始于叮咬后的 3~10 天,由非常小的粉红色压后褪色的斑疹开始。后来,在皮疹中央形成压后不褪色的小红点,开始的斑疹可以消失,并加深呈紫红色。如果未予治疗,可能有寒战、腹病、恶心、剧烈头痛、精神错乱,最后坏死(组织坏死)。

当症状出现后治疗耽误 3 天时,死亡率达 6% 以上;在 3 天内开始治疗时,死亡率是 1.3%。深色皮肤病人,由于皮疹不易发现,死亡率高,最危险人群是露营者、养狗者、森林工人、户外玩耍的小孩及其他户外活动的人。几乎所有病例都在春季或初夏发生。每年发病约 1500 人,该病不在人与人之间传染。

## 病 因

引起斑疹伤寒的微生物(斑疹伤寒菌)是在虱子叮咬后 6~10 小时由虱子的唾液胞释放,然后细菌侵入血细胞,干扰全身血液凝固。

同样损害器官和组织的皮疹由血液内血管内漏出所致,不可避免的部位包括肺、胃肠道、心、脑、眼及肾。

### 诊断与检查

若没有虱子叮咬,诊断斑疹伤寒是困难的,多达一半的病人想不起被虱子咬过。皮疹有助于辨别该病,但皮疹不是立即出现的,最终检测抗体的血试验能确立诊断,但对早期诊断没有帮助,因为在 10~14 天内很少能测到抗体。

在最早期时,皮疹可错误地被当作麻疹,但不像麻疹,因为皮疹在面部罕见。

## 治 疗

该病的早期识别是关键,诊断愈晚感染愈难控制。

### 常规治疗

可口服四环素或强力霉素治疗。由于四环素可使牙齿着色,对孕妇和 8 岁前儿童可口服氯霉素,但可造成贫血、骨髓抑制。在 36~48 小时内症状通常开始减轻。

预防

避免或及早除去虱子是预防斑疹伤寒的最佳方法。如果露营、收割庄稼、种花,在生长有虱子的野地或树林中散步都要当心,大多数虱子生活在接近地面的地方,所以要穿鞋、将裤脚塞进袜子里,在衣服上喷驱虫剂,频繁地扫除有助于抑制虱子的繁殖生长,每天上床时彻底检查腕、踝和头发数遍。虽然白色、热及汗味可吸引虱子,但他们在浅色衣服上可很好地显现出来,用一个围脖拴住狗或猫。

### 携带细菌的虱子

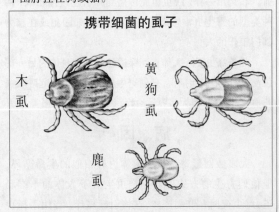

木虱
黄狗虱
鹿虱

# 寄生虫症

## 症状

◆夜间肛门处严重瘙痒，致不能休息、难以入眠，可提示蛲虫症。

◆足底发痒提示钩虫症。某些病例可伴有疹、咳血痰和发热，随后可伴有无食欲、腹泻、心悸、贫血和消瘦。

◆恶心、呕吐、腹痛、眩晕、食欲改变和消瘦提示大绦虫。可能与食用牛肉，猪肉和鱼有关。

◆食欲不振、体重减轻、易激动、腹泻、腹痛和呕吐是小绦虫感染的症状，由狗和啮齿动物传染。

◆腹泻和持续1周以上的痛性痉挛，随后有发热、肌肉疼痛、结膜炎和眼周的面部肿胀，可能是旋毛虫病。

◆喘鸣、咳嗽或呼吸困难，随后有呕吐、胃痛和肿胀，提示蛔虫症。

◆可能有发痒的小红损伤，随后出现咳嗽、喘鸣或支气管炎、腹泻、腹痛和肠胀气，提示有线虫病。

## 出现以下情况应去就医

◆有上述症状，需进一步诊断是否患有蠕虫病。

寄生性的蛔虫和绦虫可通过卫生状况差和食品不卫生而感染人体。虫的大小不等，从1厘米的蛲虫到超过30米长的绦虫。在美国，蛔虫、蛲虫是影响儿童最常见的寄生虫。旋毛虫病是由很小的圆形虫引起的疾病。如不治疗，虫卵能引起肌肉损伤和心脏或神经系统并发症。钩虫是靠血液、葡萄糖和氧生存的圆形虫，而这些营养物是从肠道壁吸吮而来，因此常引起贫血。和钩虫一样，线虫也能传播到肺引起慢性咳嗽，两种类型的寄生虫常感染共用物品的人，如因犯或在脑力部门工作的人。

几条绦虫侵入人体直到穿透肠壁移到身体的另一部位前，一般不引起损害，任何寄生虫感染均可引起呼吸或心血管并发症，但大多容易治疗，并不引起长期损害。

## 病因

大多数圆形寄生虫在人体内有相似的生命循环，但他们寄生的方式不同。蛲虫生活于人体的下端肠道，雌虫夜间在肛周产卵，这将引起瘙痒。当用手抓挠时，卵会转移至手指上。所以虫卵会因人们接触污染物品而转移到另外一宿主。不经意吃下污染物，虫卵会在肠内孵化并开始循环。蛔虫会通过沾有虫卵的未清洗或生冷的食品而进入人体，也可接触含有虫卵的土壤而进入人体。钩虫和线虫常由污染的饮水或光脚活动而进入人体。虫卵移到小肠，在那里从肠壁中汲取营养可存活很多年。虫卵可在粪便中排出，如果病人的粪便污染土壤，循环可重新开始。旋毛虫病可由于吃生的或未烤熟的猪肉或猎物而引发。这些食物中可含有包在一个囊中的活虫卵。当消化液溶解包囊后，在进入肌肉和形成新的虫卵囊前，虫卵通过血和淋巴系统循环。

绦虫也是由吃生的或未煮熟的牛肉或猪肉进入人体。在很少情况下，儿童可误吞食绦虫寄生的跳蚤或以虫子或家中宠物为宿主的虱子而发病。

### 诊断与检查

医生可用一条粘板挑取肛周虫卵而诊断蛲虫病。在显微镜下可见虫卵，虫子本身有时在大便样本或肛周也可见到。蛔虫、钩虫、线虫、绦虫也可用大便标本诊断，有时在床上用品或衣服上可发现绦虫结节。为诊断旋毛虫病，应检查血标本或肌肉。

## 治疗

### 常规治疗

大多数蠕虫对特异药品有反应。钩虫和线虫用噻嘧啶(抗虫灵)或甲苯咪唑治疗。医生常用3次口服剂量的甲苯咪唑治疗蛲虫，间隔两星期。因虫卵能传播，所以家庭成员均应接受治疗。清洗所有衣物和被褥，对根除蛲虫卵是必不可少的。可用矿物油凝胶涂于肛周减轻瘙痒。

多数旋毛虫病病情较轻不需治疗，如症状严重，应选用甲苯咪唑。旋毛虫播及到呼吸道、心血管或中枢神经系统者非常少见，可用皮质类固醇治疗消除炎症。

经一个疗程治疗后，医生将检查是否虫已消失。如没有，必须再行另一疗程治疗。绦虫在五个月内不会在体内消失。

# 寄生虫症

**辅助治疗**

一旦确诊,替代疗法也可用助于排除体内寄生虫。

营养及饮食

菠萝、番桃汁和南瓜子对虫都有作用。

预防

◆饭前便后洗手。

◆剪短指甲,减少感染蛲虫的机会。

◆检查家中所有四条腿的宠物,在春秋两季为他们治虫。

◆彻底煮熟猪肉避免旋毛虫病。

◆对接触生肉的工具和盆子,都用热肥皂水彻底清洗。

◆在接触有钩虫和线虫的土壤时要穿鞋。

## 症 状

◆头痛,疲劳,低热,恶心。

◆突然寒战,而且有时剧烈地颤抖。

◆发热可达 41℃,并伴随呼吸急促。

◆满身大汗。

### 出现以下情况应去就医

◆你去过世界某一地区,疟疾正在那里传播或恢复前的几个月。

◆你如果去疟疾多发区旅行,你的医生可给你开防治疟疾的药物。疟疾是一种由蚊子传播的传染病,在世界范围内,每年大约有 3 亿~5 亿人患此病(美国有 1000 人患此病,尽管是很少一部分,也是在国外传染的),差不多所有热带和亚热带地区的国家都有携带疟原虫的蚊子。

疟疾的早期症状包括头痛、疲劳、低热和恶心,在不到 24 小时内,此病将发展为三个不同阶段。第一阶段是寒战期,特征是突然地寒战,而且有时剧烈地颤抖,将持续 1~2 小时。第二阶段高热期,标志是发热,可热到 41℃,有时伴随呼吸急促,将持续 3~4 小时。紧接着大汗期,2~4 小时,浑身大汗。

## 病 因

疟疾是雌性疟蚊叮咬传染病,也就是通过叮咬将疟原虫注入人的血管。引起人类疟疾的疟原虫有四种:间日疟原虫、卵形疟原虫、三日疟原虫、恶性疟原虫。在血管中,疟原虫到达肝脏,在那里成倍增长。一周左右,大约 4 万个将流回血管中,然后再继续成倍增长,并开始破坏红细胞。这样便出现了疟疾症状。

尽管四种类型均不好对付,其中恶性疟特别危险而且可能致命,因为他繁殖的速度比其他三种快得多,可破坏更多的红细胞,他对抗疟注射有抗药性。

间日疟原虫和卵形疟原虫可潜伏在肝脏中不发生变化达一个月甚至一年之久。然后,某天连科学家也不知的原因,它们离开肝脏回到血液中,突发疟疾。所以当你在任何时候旅行到正流行疟疾的世界某地,如果你患上一种伴有发热而不能解释原因的疾病,应真实地向医生报告你的情况。

**全身性疾病**

## 诊断与检查

如果你的医生怀疑你患有疟疾，则采血样检查是否有疟原虫，如开始时涂片呈阴性而仍怀疑是疟疾，那么就应连续在3天内每隔12～14小时验血1次。

## 治　疗

如不治疗，恶性疟可导致死亡，及时适当的常规治疗可以快速并彻底恢复，其他种类的疟疾很少引起死亡，但仍需治疗，以避免并发症和恢复过慢。

### 常规治疗

如果你传染上间日疟、卵形疟、三日疟，应口服氯喹三天。为避免潜伏的间日疟和卵形疟两种疟原虫复发，应口服磷酸伯氨喹（抗疟药）14天以上。因为磷酸伯氨喹可以破坏红细胞（少数特异质者）并对胎儿构成威胁，不可以给孕妇服用，如果你怀孕，可以用氯喹。

如果你在未对氯喹产生抗药性地区染上恶性疟，你将被用这种针剂治疗。否则，你将服用奎宁四环素或奎宁及奎宁和一种合成制品（乙胺嘧啶，周效碘胺）一段时间。如果你呕吐或有严重的并发症，只能静脉注射奎尼丁，直到能够使用其他药物。

### 辅助治疗

可以治疗疟疾并帮助身体恢复的防疟药物，也可引起一些不适，尽管是暂时的副作用，如恶心、发困、腹泻、耳鸣、皮疹。所有的方法应结合常用药物治疗或遵医嘱。

### 预防

当你要去疟疾流行的地方，几周前就应告诉你的医生，医生会教你使用甲氟喹、长效土霉素、氯喹的方法；如果你去的地方疟疾很严重，注意下面几点。

1. 在旅行前、中、后使用防疟药物。
2. 睡在蚊帐里并使用杀虫剂。
3. 住在有空调的有玻璃门窗的建筑内。
4. 黄昏和清晨不出门，上述时间是蚊子觅食时间。
5. 如果你晚上外出，要穿长裤子和长袖衫。
6. 防蚊措施：用防蚊剂喷衣服，用浓度为30%～40%的驱蚊剂；喷洒暴露的皮肤。

## 症　状

◆红斑、皮肤瘙痒，常有小疱、内有清亮液体，最终破裂。
◆发热患者常有肿胀，严重疼痛部位有液体潴留。
◆在足底或手掌有少许皮疹。

### 出现以下情况应去就医

◆如皮疹、红肿、瘙痒超过两周。可能患有其他类型的接触性皮炎、湿疹或红斑。
◆如皮疹靠近眼部或覆盖身体大部，则需要医生介入。
◆如有严重的过敏性并发症，如全身水肿、头痛、发热或继发感染。
◆如接触或吸入毒性常春藤、橡树或漆树燃烧的烟雾，毒物不能被燃烧完全清除，而引起严重的内源性或外源性过敏反应。

**毒**性常春藤、橡树、漆树可引起死亡，尤其是以接触性皮炎为表现的过敏形式。皮疹多在2天内、最多在5天后开始消退，约1周到10天左右消失。对接触毒物而发病者，靠免疫是不行的，因为可能在某时某地有气疫，但在其他情况下则可能是由受损而发病。

## 病　因

有毒的常春藤、橡树、漆树的叶、茎根中有树脂、漆酚，皮肤只要接触少量漆酚，就会引起过敏反应。漆酚可被指甲、动物毛发传播，且可以保留在衣物、鞋子、工具上长达1个月，抓破的皮疹不会把毒物传播到身体的其他部位，但可延长病程和引起继发感染。

## 治　疗

### 常规治疗

可用炉甘石洗剂或用如抗组织胺药，苯唑卡因，氢化可的松来治疗皮疹。可的松药膏能减轻瘙痒，尤其是在接触毒物20小时内，口服皮质类固醇或抗组织胺药也能减轻症状。但这两个药物都有副作用。如果用抗组织胺洗液，则不能同时口服该药，否则常使病情更严重。如因发热而出现并发症，则要就医。如果

# 常春藤中毒

病情严重，医生可采用注射泼尼松龙，或其他类型皮质类固醇治疗。

## 辅助治疗

和常规治疗措施一样，各种可选择治疗也有助于减轻瘙痒和肿胀，除特异性治疗外，据说注射维生素C能减轻症状。

### 家庭治疗

◆接触后15分钟内用肥皂和水冲洗接触的皮肤。

◆用炉甘石洗剂或其他常用药减轻瘙痒。

◆无菌纱布包扎水泡预防感染。

◆用水和燕麦片、中烤苏打制成一种糊状物涂在皮疹上，也可用中烤苏打和榛子制成糊状物。

◆用尽可能热的水洗皮疹，瘙痒将很快加重然后减轻，在几小时内无瘙痒。

### 预防

最好的预防办法是认识这些有毒的植物，不与他们接触。如怀疑和有毒的植物接触过，立即用肥皂和水清洗衣物、皮肤、鞋子和工具等，把有毒的树脂冲洗掉。如果将去有毒植物的乡村可带一种保护性溶液。吃有毒常春藤的叶可以增加免疫力纯属无稽之谈。永远不能吃这些野生植物，许多植物可以引起人体严重的反应。

## 有 毒 植 物 识 别

有毒的常春藤有光亮，叶子有时是红色、黄麦色或橙色。他和毒橡树有共同的特点即都有三片叶子。有毒漆树的叶子是成对的尖叶子，有时有绿白色膜。

# 环境中毒

## 症 状

有关急性环境中毒，参见急症/急救：中毒一节。

慢性环境中毒症状多样且常不具特异性。其中最常见的有：

◆咳嗽，头痛，鼻及眼刺激症状，腹泻，头晕，视物模糊，焦虑，行为轻率，记忆力丧失，嗜睡，四肢麻木感，肌肉和关节疼痛，注意力分散，疲劳。

◆重症者抑郁、极度乏力感及呼吸困难。

◆当脱离有毒制剂时（例如，周末你不到工作室工作时）症状消失。

## 出现以下情况应去就医

◆症状持续不缓解，没有明显诱因，但你有理由怀疑可能是接触了某种有毒物质。你需要检查、测试一下以明确你实际上是否环境中毒。注意：急性环境中毒，常由于灾难性的事故或一次事件，如一个孩子误服一种有毒化学物质所致，需要立刻给予治疗。立刻拨打急救电话或毒品控制中心。

有时人体抵抗有害环境侵害的能力是很强的。他能中和或清除很多潜在有害物质，不管是有机微生物或工业化学物质或矿物质。但是，如果肌体长期吸收低剂量的某些化学物质或矿物质达到数月或数年之久，则有可能发展成为慢性环境中毒（环境中毒的另一种形式是急性环境中毒，他是由于接触或摄入有害剂量的有毒物质所致。如何处理急性中毒的详情请参见急症/急救：中毒一节）。慢性环境中毒的症状常不明显无特异性，且严重程度差异大，因此本病有时会误诊为其他疾病或不被查觉而忽视了。

由于遗传功能障碍影响肌体合成一些酶来代谢毒素并中和其有害作用，使得一些人甚至不能耐受接触很小量的某些化学物质。其他一些人则仅对环境中的毒素比较敏感。敏感性增加可能是由于年龄（很年轻的和年龄大的人都对环境中毒比较易感）和健康因素（包括吸烟、饮酒、饮食、锻炼和患有慢性疾患）等所致。

环境中毒包括很多情况。例如，某些人对环境中毒可能表现为过敏，出现对某物质的生理反应，而对大多数人都是能够耐受的。在通风不良的建筑物里工作的人，由于空气中的毒素达到不利健康的水平，而出现现在通称为

"病态建筑物综合征"的症状；而农业工作者，由于日复一日地使用杀虫剂，则有出现杀虫剂中毒的危险。尽管医学界普遍未接受其为生理性疾患，但多化学物质敏感症——在本症中，肌体对广泛物质，从塑料到香料，均出现不良反应，而通常对多数人并无危害——仍是由于慢性接触潜在环境毒素所引起的另一种情况。

研究提示，一旦蓄积在体内，有毒物质常可引起很多疾患和表现，可能从表面上看与环境中毒并无直接联系。这些疾患包括生育畸形、子宫内膜异位症、不孕症、其他生殖和发育问题、冠心病、呼吸疾患和很多类型的癌症，尤其是肺癌、皮肤癌和乳腺癌等。

在日常生活中，接触小剂量的环境毒素太多，因此明确是哪种毒素或哪几种毒素引起环境中毒症状可能是很困难的。最常见的和危险的一些毒素有铅、石棉、汽油和其他石油馏出物、氢、一氧化碳、有机磷酸盐、甲醛和污染的饮用水。

苯是一种有害物质，可以以多种形式存在。它被用于制造除臭剂、炉灶清洁剂、肥皂和香料，他也是涂料、杀虫剂、沥青和汽油及喷气机燃料中的组成成分。他可以污染地下水源和表面水源，并通过自行挥发、制造过程和香烟烟雾污染空气。尽管其广泛存在于环境中并在美国被认为是一种致癌物质（致癌物），但通常认为苯仅对大约200万左右工作接触高浓度的苯的工业工人是有危险的。

另一种常见的工业化学物质是甲醛，亦广泛存在于各种产品中，包括塑料、纸张、美容剂和毛毯。建筑材料，如颗粒板、建筑绝缘物和合成板，在制造安装后几年仍可散发甲醛气体。自20世纪80年代以来，几项研究已显示长期接触甲醛危害健康。尽管被认为只对工业工人有危险，环境保护组织（EPA）仍将这个化学物质定为可能致癌物。一些研究人员声称，极低剂量的接触可刺激眼睛和呼吸道，但很多人常规接触这个水平的甲醛，并没有出现甚至是轻微的中毒症状。

得到公众注意作为致癌物的两种物质是石棉和氢。石棉是一种细小的纤维样矿物质，直到最近才被用于建筑业。存在于地壳中的氢及其分解产物，通过放射活性衰减而自然地发散到空气中。氢和石棉均是室内空气污染源，与肺癌的发生有着显著关联。但是，并不是所有建筑物都含石棉，在美国也仅某些区域发散的氢达到威胁健康的水平。

一氧化碳是常见的有毒气体，在燃料、木头或烟草产品燃烧时即可释放到空气中。交通繁忙时可产生大量一氧化碳，而在通气不良的车库或屋子里，由有缺陷的加热设施释放残气在室内蓄积，有时也可能达到危险的程度甚至是致命的水平。当一氧化碳进入血流时，他可阻碍肌体运输和吸收氧气的正常机制。轻度一氧化碳中毒病人可引起头痛、恶心或头晕，重症病人可导致呼吸衰竭和死亡。

矿物质铅是空气、水、土壤和食物的另一污染源。铅即使在很低的水平就具有毒性。已知铅对生殖系统、肾脏、神经系统和造血系统有损伤作用。由于无铅汽油的广泛使用，空气中的铅浓度已明显下降。EPA组织对饮用水中的含铅量作了限制。但是，儿童仍可能因为摄入含铅的涂料而有发生铅中毒的危险。含铅涂料曾用于大多数家庭装修和建筑中，直到1978年才被停止使用。

对于农场工作者、园丁、兽医和其他工作中接触害虫杀虫剂或杀虫剂的人，有机磷酸盐是一种潜在的有毒的危险因子。这种化学物质常通过皮肤吸收，喷洒田间谷物几天内仍可保持其效力。其毒性影响可包括极度疲乏、皮肤刺激症状和恶心以及抑郁、呼吸困难、抽搐或昏迷等表现。农业工作者由于常规接触高浓度的杀虫剂，因此被认为处在发生严重副作用的高度危险中。但一些研究人员认为，那些在家里或花园里经常使用这些产品的人亦有此种危险。

采取预防措施，从检查家里的氢放射性到在工作中接触危险的化学物质时穿戴防护衣，是同各类环境中毒作战的关键。对于有关的特殊危险性你知道得越多，在其成为问题前，就能更好地避免有毒物质。

## 病　因

有毒的化学物质可以通过吸入（如一氧化碳）、穿过皮肤（杀虫剂）、或摄入（铅）等途径进入肌体。一些物质可通过胎盘而影响到胎儿；还有一些物质可污染母乳而可能被正在授乳的婴儿摄入。

一旦进入肌体，毒素可以以很多方式起作用。不管毒素是如何或从哪儿进入肌体的，受其影响最大的常常是某些特定的靶器官。肝脏和肾脏，由于杂质常通过肝脏和肾脏滤出排出肌体，因此对毒素最敏感，尤其是吸入性工业溶剂。肌体脂肪或骨骼可蓄积一些化学物质和矿物质并可以在以后释放出来。举例说：铅，可贮藏在骨骼中，当妇女妊娠、肌体需要其贮藏的骨骼钙时，铅就可能被释放出来。一旦进入肌体，一些有害物质经代谢过程后可被有效地降解，但还有一些物质经过代谢后危害性可能会更大。

## 诊断与检查

医生会对你进行全面体格检查并询问和记录详细病史。医生可能会要求你记录每日的饮食和其他行为。可能检查你的血、尿、毛发和脂肪组织的化学成分，还可能化验肝功能，检查肝脏对某些化学物质的反应。

现在一些医生正在研究"环境控制单元"的可行性，在一间特殊化学物质缺乏的屋子里，怀疑患多化学物质敏感症的患者接触各种物质，直到与其疾病相关的那些特殊物质被确认。

# 治 疗

## 常规治疗

接受何种治疗依赖于确认作为病因的毒性物质的种类。例如，铅中毒常采用螯合疗法进行治疗，即注射化学物质结合血中的铅，然后以尿中排除铅。但是，大多数治疗环境中毒的方法都集中在控制症状，从患者生活的环境中识别并清除可疑物质。

## 辅助治疗

有规律地锻炼、平衡饮食和减轻紧张情绪的方法，如瑜伽和冥想疗法，可帮助加强免疫系统功能，使得肌体更好地耐受环境中的有害物质。

### 预防

注意你周围的环境，提出问题。密切注意你的饮食和周围的空气。最近一项研究——就烟囱和汽车尾气排放的空气播散的颗粒对健康的影响所作的规模最大的一项研究——发现居住在美国污染最严重的城市中的人，与居住在空气最干净的城市中的人相比，其在未成年前死亡的可能性要高15%。

下列是你可采取的一些特殊预防步骤：

◆向政府环境办公室了解一下你的居所在的地区是否有氡污染，如果有则测试一下。

◆如果要去掉居室的涂料，检测一下其铅含量。在旧的涂料上重新刷涂料可能是阻断铅污染的较好办法，因为磨光可将铅颗粒释放到空气中。一些社区对去掉铅涂料有规定，在开始这项工作前先同当地环境或健康部门协商。

◆当使用有危险的产品时，请按说明操作，并穿戴防护衣和眼罩。

◆让你的孩子和宠物远离最近用过杀虫剂的草地（一些社区要求户主在使用化学物品后须置一个布告说明）。如果邻居正在向树木喷洒化学品，你最好好在室内关上窗户。

◆在居所附近使用无毒的清洁产品和杀虫剂。现在很多这些产品，均可在商店买到或通过目录找到。

◆在建筑物里，警惕那些明显的——或过于浓烈的——化学气味，可能是涂料、杀虫剂、新地毯、办公设施或其他使人不快的东西散发出来的。确保你办公室的通气设施达到或超过标准。

◆一些研究显示某种居室植物可帮助清除空气中的杂质。告诉你当地的园艺部门或花园中心。

◆为帮助避免杀虫剂，彻底冲洗水果和蔬菜，削皮并考虑有计划地购买。

◆避免在机动车辆拥挤的街道附近走或跑步，因为呼吸加快可增加吸入一氧化碳和其他毒素的剂量。

◆在你的家里安装一个一氧化碳监测器。如果不监测，你可能不能够意识到这种气体的蓄积，因为它是无色、无味道、无气味的，并可能不引起任何生理刺激性。

◆平衡饮食将会帮助你的肌体保持抵抗毒素的能力。维生素缺乏可增加一些物质的毒性作用。例如，如果肌体缺乏钙、磷、铜、镁、铁、维生素或维生素E，肌体对铅中毒敏感性增加。但是，一些维生素和矿物质剂量大时亦具有毒性，因此在没有与营养专家协商前，不要服用超过标签注明的每日需要量。

◆减肥饮食时，使肌体代谢掉现有的脂肪转化为能量，亦可以引起贮藏在这些脂肪细胞中的任何化学物质释放出来。如果你想减肥，速度要慢，这样可以避免这些物质突然释放入血流而进入肌体器官系统。

---

### 清除干净你的机体

为清除干净肌体，可进食高纤维饮食，这将有助于胃肠道排出毒素而不被吸收入血流或贮存于肌体的其他部位。同样，为帮助肾脏从系统里排出毒素，每天至少饮用2升纯净水。

# 肿　块

| 症　状 | 疾　病 | 应采取的措施 | 其他信息 |
|---|---|---|---|
| ◆与你的医生一起检查任何无法解释的、新出现的或不寻常的肿块，因为这些肿块可能是癌症的表现。 | | | |
| ◆在颜面、臀部、颈部或腋窝出现一个或多个红色、含脓结节，直径在 1~3 厘米，可持续 2 周，有时更长。 | ◆疖肿。 | ◆应用热敷法使疖肿尽快长出脓头。清除与包扎破损的疖肿直至愈合，不要自己挤压或割破疖肿。 | ◆疖肿是葡萄球菌感染的结果，草药治疗如紫锥花与北美黄连可帮助治疗感染。 |
| ◆一个无痛或痛性肿块，经常出现在乳房的外上象限区域。 | ◆良性囊肿（可以随激素水平波动而发生变化，比如在月经周期），可能为癌性肿块（可引起肿块上的皮肤变浅及皱缩，或引起乳头内陷或瘙痒）。 | ◆参考乳腺癌、乳腺疾病，经常让你的医生检查新出现的、不寻常的肿块。 | ◆乳腺导管会在月经期间肿胀引起囊肿，咖啡因会加重这种情况。 |
| ◆皮下肿块，尤其是在腹股沟或腹部，可有压痛，当你坐下时可以感到疼痛，沉重的感觉。 | ◆疝。 | ◆向你的医生咨询，你可能需要外科手术修复缺损。 | ◆不应以大小误导，一个小缺损更易于切断突出组织的血液循环——这是一种严重情况。 |
| ◆一个或更多的无痛性肿块大多发生在颈部、腋窝或腹股沟。 | ◆可能是由于肌体内某部位感染引起的肿胀的淋巴结。亦可能为何杰金或其他淋巴瘤的表现。 | ◆向你的医生咨询，避免延误诊断。感染需要抗生素治疗。 | ◆淋巴癌伴随的症状包括发热、食欲下降、盗汗、健康状况不良的一般表现，有时伴瘙痒。 |
| ◆肿胀，尤其在颈部、腋窝或腹股沟，伴有乏力、发热及声嘶。 | ◆单核细胞增多症。 | ◆向你的医生询问以明确诊断，卧床休息，逐渐恢复正常活动。 | ◆一定量的维生素及一些草药，顺势治疗可以加速恢复，可能与加强免疫系统有关。 |
| ◆腮腺无痛性肿大（位于耳朵与下颏之间），伴寒战、头痛、乏力与发热。 | ◆流行性腮腺炎。 | ◆儿童腮腺炎需卧床休息及乙酰水杨酸止痛。青少年或成年男性腮腺炎需请医生检查，因为有引起不育的危险性。 | ◆青少年或成年腮腺炎患者睾丸可以肿胀。 |
| ◆一个小的、颜色新鲜或白色肿块伴有扩张血管，或者一个坚硬的、疣状肿块逐渐增大，尤其在阳光暴露部位。 | ◆可能仅仅是疣，也可能是基底细胞癌或鳞状细胞癌。 | ◆参看皮肤癌。 | ◆几乎所有皮肤癌均与日光照射有关，所以需限制日光照射，戴遮阳镜。 |
| ◆一侧睾丸的无痛性肿块，年轻与中年男性最常见。 | ◆可能为良性肿瘤，也可能为癌性肿块。 | ◆参看睾丸疾病：睾丸癌。 | ◆男性应通过运用自己的手指轻柔地滚动皮肤来进行睾丸的常规检查以检测出肿块，睾丸癌如果及时发现有很高的治愈率。良性囊肿可因附睾（精子通过的管道）阻塞而形成。 |

# 癌症

## 症 状

癌症早期通常没有症状,但最终恶性肿瘤会增大到足以被觉察到。随着癌症的进展,他不仅侵犯神经引起疼痛,侵犯血管导致出血,还干扰一个器官或系统的功能。下述症状可能是某种癌症的信号。

◆溃疡形状、颜色、大小或厚度变化。

◆持续不愈合的溃疡。

◆持续的咳嗽、声嘶及喉头疼痛。

◆乳房、睾丸或别的体表处增厚或出现肿块。

◆排便或排尿习惯改变。

◆任何异常的出血或排便。

◆慢性消化不良及吞咽困难。

◆持续头痛。

◆不可解释的体重及食欲的下降。

◆慢性疼痛。

◆持续乏力,恶心,呕吐。

◆持续低热,无论是间断性还是持续性。

◆反复感染。

### 出现以下情况应去就医

◆你产生了提示癌症的一些症状,并与其他病因无明确联系,而且持续两周以上,那么该安排一次医学检查。如果你这些症状的原因是由于癌症,那么早期诊断和早期处理会为治疗提供很好的选择。

在我们一生当中,体内的健康细胞以一种受控形式分裂和自我复制。当细胞因某种原因发生改变,导致失控增殖,就会产生癌症。肿瘤是一簇异常的细胞,大多数癌症形成肿瘤,但并非所有肿瘤都是恶性的。良性或非恶性的肿瘤比如斑片及痣会停止生长,不会播散到身体其他地方,也不会产生新的肿瘤。恶性的癌性的肿瘤排挤健康细胞,干扰肌体功能,夺走组织的营养。癌症继续进展,在转移中播散,在体内其他地方形成新的肿瘤。

"癌症"这个名词包括了几乎影响身体内每一部分的一百多种疾病。所有这些疾病都对生命有潜在的威胁。四种主要类型是癌、肉瘤、淋巴瘤和白血病。癌,最常见的被诊断的癌症起源于皮肤、肺、乳腺、胰腺和其他器官和腺体。淋巴瘤是淋巴系统的癌症,白血病是血液的癌症,不形成实体瘤。肉瘤发生于骨、肌肉或软骨,相

对少见。

癌症被当作人的疾病已经历时几千年了,然而仅仅在本世纪医学科学才弄明白癌症真正是什么及他是如何进展的。癌症学的专家即肿瘤学家,在癌症的诊断、预防、治疗方面已经做了大量的研究工作。现在,很多诊断为癌症的患者被治愈。但一些类型的癌治疗效果仍令人沮丧。对那些不能被治愈的人,可以设法显著提高生活质量,并可以延长生存时间。

全身性
疾病

## 病 因

所有癌症的基本病因是由于细胞核的改变或称突变。若一个健康细胞要恶变,他的基因序列必须重新编码,才能导致持续的不可控制的细胞分裂,能开始或促进这一过程的物质称为致癌物,且有许多种。科学家们认为理论上人体内细胞中每秒钟约有一千万个死亡并被取代。随着这么多的细胞变迁的比率,偶然发生恶性细胞突变的潜在危险性也很高。在健康人中,来源于体内免疫系统的细胞通过某种方式识别出这些突变细胞,并在他们增强之前将其消灭掉。然而,一些突变细胞偶尔会逃脱这些监视而存活下来,引起肿瘤。

因此肿瘤的病因是复杂的。专家将他们定义为好发因素。任何习惯、行为方式、使用某物质并由此增加肿瘤的发病率,都可称为一个好发因素。几乎所有肿瘤的风险均随年龄增长而增长。遗传家族的诱因是一个好发因素,尽管他的影响随每一种疾病而各有不同。研究人员继续进行基因的识别,这些基因学上的诱因,目前认为是一个影响发病的因素。

环境因素与我们生活的地区及生活方式有关。与大多数常见肿瘤相关的三种环境因素是:吸烟、日光及饮食。吸烟与肺、头颈部、膀胱、肾、胃、宫颈、胰腺的癌及一些白血病有关。

饮食因素与消化道的一些癌症有关,并可能与乳腺、前列腺、子宫的癌症有关,促进癌症形成的饮食习惯包括食用熏、烤、腌、烧焦食物。食物中缺乏纤维与抗氧化维生素、微量元素也是好发因素。

现已确定环境中许多物质是致癌物,但多数情况下,只有大量接触才会导致癌症。环境致癌物包括各种化学药品、气体和其他一些来自空气、水、食物、杀虫剂、

# 癌 症

烟草、清洁剂、油漆和许多工业环境的物质;过度的电离辐射——如 X 线、核辐射、放射活性废料;某些病毒如 HIV、乙肝病毒、乳头瘤病毒、EB 病毒。尽管有人提出应激和某些特定的人格类型是癌的好发因素,但没有可靠的科学证据来证实这些提法。以上所有因素都可能是肿瘤的诱因,但任何一个单独因素都不会导致癌症。癌症是年龄、遗传、诱因、平时健康状况和接触到癌物质等多因素作用的结果。例如:一些接触特殊致癌物的人会患癌症,但其他一些接触同一致癌物的人并没有发病。就目前所知,绝大多数患某一特定类型癌症的病人并没有强烈的遗传倾向。因此,每个癌症患者的风险因素的情形既复杂又独特。

## 诊断与检查

癌症诊断和处理越早,预后越好。一些种类的癌症——如皮肤、乳腺、口腔、阴茎、前列腺及直肠癌,可能在日常自我检查或照镜子中先于症状恶化之前被发现。大多数癌症是已经能感觉到或产生其他症状之后,才被发现并诊断,少数癌症是进行其他疾病的诊断和治疗过程中偶然被诊断的。

从彻底的体格检查及完整的病史开始诊断。血、尿、便的实验室检查能发现提示癌症的异常变化。当怀疑肿瘤时,影像学检查法如 X 线、CT、磁共振、超声、纤维内镜能帮助医生确定肿瘤位置。为进一步证实肿瘤诊断,可进行活检即从怀疑的恶性肿瘤上切取组织标本,进行显微镜下观察,以检查癌细胞。

如果诊断为阳性结果(即存在癌症),需要进行其他检查,以提供癌症的信息。这些重要的进一步诊断称为分期。医生需要了解的最重要的事情是癌症是否已经从身体的一个部位转移到其他部位。如果最初的诊断是由一个年轻的医师做出的,或尽管你被告知未患癌症,但症状持续存在,请进一步咨询。在开始实际治疗前的任何情况下,得到一位癌症治疗专家的肯定意见至关重要。

## 治 疗

一个综合的癌症处理方案包括:治疗性及支持性的处理。治疗性处理是尽量根治或延缓肿瘤的进程包括

手术、放疗、化疗及可能的激素治疗及免疫治疗。当癌症找不到时,则病人进入缓解期。通常,患者脱离癌症 5 年或 5 年以上时被认为治愈。一些癌症无法治愈,但都能被治疗,且绝大多数病情会改善。

支持处理由护士及其他职业人员进行,与癌症的治疗相伴随,目的是为了减轻疼痛及其他症状,保持良好的一般状况,为患者及其家庭提供情绪、心理的支持。支持性处理用于治疗性处理后病人身体的恢复。支持性治疗包括癌症病人的临终关怀,为他们减轻疼痛及其他不可逆转的症状。

## 常规治疗

肿瘤的治疗目的,根据癌症进展的情况和他是否能治愈而变化。如果治愈是可能的,病人会得到积极处理以期得到长期缓解和治愈。当认为癌症不能治愈时,仍可能加以处理以延长生命及减少痛苦。

三种标准的癌症处理手段是手术、放疗及化疗。每一种治疗方案都是为了去除或杀死恶性细胞,以达到治愈或减轻严重症状的目的。手术及放疗破坏局部肿瘤,而化疗用药可杀死扩散到全身的肿瘤细胞,手术可成功地去除局限的肿瘤,但无法治愈转移癌。放疗、化疗主要用于术前缩小肿瘤体积,降低术后复发机会及对付转移癌。

因为化疗及放疗在破坏病变细胞的同时健康细胞也受累,他们将导致特征性的副作用。对于化疗,副作用包括恶心、呕吐、疲劳、暂时性脱发、口腔溃疡、干燥、吞咽困难、腹泻、容易感染。放疗可以有相同的副作用,取决于身体放疗的区域。药疗及其他辅助治疗,能控制治疗中的副作用,大多数副作用随治疗的结束而消失。

激素治疗对于某些依赖特殊激素的存在生长的肿瘤,比如乳腺、前列腺或子宫的癌症是标准处理方式。通过阻断激素的生成及作用,这种治疗可延缓肿瘤的生长,几个月甚至几年地延长寿命。

尽管尚处于大范围试验中,但已显示出免疫治疗是癌症的另一种处理方式,可达到破坏癌症细胞而不影响健康细胞的目的。他不直接攻击癌细胞,而是用各种技术操纵体内免疫系统来主动攻击癌症。基因治疗是免疫治疗中一项很有希望的方法,它通过操纵癌

细胞及攻击癌细胞内的基因物质，使癌细胞更易成为靶细胞。免疫治疗和其他实际性处理对于那些患有代谢性复发性疾病，且对治疗反应不好的病人通常不采用。

实际营养状况好的病人对处理反应较好，且副作用较少。因为体重减轻及营养不良对癌症病人来说是个问题。因此临床营养计划是基本的治疗。大多数医院还提供支持小组或个人进行咨询，帮助病人解决心理及情绪障碍。

随着癌症的进展，疼痛变成重要问题。庆幸的是药物可以对付中到重度癌症疼痛，比如可待因及吗啡。正确地使用这些药物，不会导致成瘾。研究证实，减轻疼痛之后，人们对治疗反应更好，生命质量提高。

### 辅助治疗

癌症的替代及非传统治疗五花八门。尽管一些合理的治疗能够起到支持作用，但许多有问题的治疗并无益处，而且可能有危险，并可能耽搁合理治疗而危害病人。即使最有希望的非传统治疗也无法治愈癌症，也不应取代标准处理。辅助治疗只能补充常规治疗。

合适的补充治疗能提高生活质量，减轻体力及精神压力。寻找辅助治疗的本身也会有好处，他给予病人对自己疾病的控制感和自我照顾的机会。在尝试任何辅助治疗之前，应细致地研究它确保其有利及绝对安全。然后与你的医生商讨保证其不会损害常规处理。

**针灸治疗**

针灸已被证实能减轻许多重要疾病的疼痛，尽管科学研究并未完全证实他在治疗癌症疼痛及副作用如恶心、呕吐方面的有效性，他仍是一项安全治疗，且许多肿瘤病人发现他有好处。

**体疗**

肌体治疗包括按摩、气功、放松功，通过促进放松达到松弛肌肉，减轻如恶心、慢性疼痛等其他症状的效果。因为许多肌体治疗能提供舒适的肌体接触，他们能减轻焦虑、压抑、孤独等癌症病人经常存在的情绪。

**中药治疗**

一些癌症患者使用传统中药后疼痛、恶心、呕吐减轻，大多数医生称草药不能治愈癌症，但能减少常规治疗的副作用。研究者正在对药用植物进行研究以分辨出其中可能直接或间接能抵抗癌细胞的成分。

**运动治疗**

运动能有助于控制疲劳、肌肉紧张及焦虑。病人在运动如步行或游泳之后感觉舒服，这些能平和心境，并强壮身体。

**草药治疗**

遍布世界数以千计的草药被民间使用来治疗癌症。尽管据称可以治癌，但并非都如此。一些无毒性草药可用来减轻症状，支持健康，但由于一些草药含毒性成分，在服用任何草药减轻症状之前，应接受医生的检查。

**身心医学**

一些治疗通过改变行为方式来提高生活质量，另外一些则通过情绪表达来起作用。行为治疗比如诱导想象，促进肌肉放松。催眠治疗用于在肿瘤治疗过程中或之后减轻疼痛、恶心、呕吐，个人或群体咨询及艺术、音乐治疗使病人能正视癌症带来的困难及情绪，从病友那里得到支持，进行这种治疗的病人会少一些孤独感及对死的焦虑，对恢复更加乐观。

---

**当心!**

小心庸医误诊癌症。

可惜的是，对那些脆弱的癌症病人，一年中无效治疗的花费可达数百美元。为防止庸医治疗癌症，你需要有一定的知识。对未证明的治疗应批判地、细致地、带着问题去研究。不要承认那些未经科学证明的轶闻及证明材料。同时向支持者及批判者咨询。评价一项治疗时应提出下列问题，并得到满意答复。

◆ 在权威的科学文献中，是否客观地显示了他的安全性及有效性？

◆ 他潜在的益处是否超过潜在的危害？

◆ 他是否合乎逻辑，并容易理解？如果他依赖于一种秘密的公式或技术，则应避免使用。

◆ 如果操作者声称该治疗只处于实验阶段，但仍然要你付钱，那有可能是个骗局。

◆ 操作者是否有可信用部门的合法职称或证书？

◆ 你存在疑问吗？如果有，你在开始治疗之前就应解决他。

### 营养及饮食

有科学证据表明营养在癌症预防中起作用。但没有一种饮食显示可以延缓或治疗癌症,没有什么食物能治愈癌症。维生素、矿物质和其他营养物质可能通过消除致癌物,保证正常的免疫功能,防止组织和细胞损伤来抑制癌症。研究者对抗氧化剂有特殊的兴趣,如维生素 A、B、胡萝卜素、C 及 E、硒、叶酸、维生素 $B_6$、镁、锌、辅酶 $Q_{10}$ 及其他。

因为一些维生素服用过量是有害的,所以专家要求饮食辅助治疗千万小心。他们转而寻求多样的食物包括大量新鲜的水果、蔬菜和所有谷物,避免食用熏、烤、烧烤和油炸食物,减少糖、脂肪和酒精。

许多癌症病人的习惯饮食强调多种蔬菜,食用含营养丰富的蔬菜的病人会感到更舒服。遗憾的是,许多抗癌食谱提倡节食,纯净食物和服用辅助性具有提高免疫力的维生素、矿物质,这些组合无法治疗肿瘤,且许多既有害又很贵,病人应该避免食用任何被称为能治疗癌症的食物,这些食物提倡放弃常规治疗,结果导致病人严重消瘦虚弱,且严格限制食物并花费大量钱财。

### 存在矛盾的癌症治疗

寻求新的癌症治疗方法是医学研究中一项充满活力又矛盾重重的领域。所有治疗在被授权应用之前,必须经过彻底的考核和验证。一些试验治疗的支持者声称可以达到明显的恢复。但评论家坚持客观的试验而不是传闻,是其价值真正的衡量标准。

下列治疗手段虽然也各有其支持者,但在独立的试验及临床试验中被认为无效或尚未被证明;如从 20 年代起由 Joseph Gold 开始作为治疗癌症的水杨酸药,Stuels Loio Bwynn 同抗新生物的治疗,这种物质是由人尿中合成,随后 Lolorence Burton 进行的 "免疫增强治疗",Ememeel Revicis 的 "生物引异化疗",Gaston Naessen 的 "T14Y"治疗及鲨鱼软骨辅助治疗。

### 家庭治疗

减少治疗的副作用:

◆ 放疗之后,应细心护理皮肤,别搔抓或在日光下晒或穿紧身衣服,芦荟软膏可柔和止痒,你可以向你的放疗医生咨询其他非刺激的洗液。

◆ 少食多餐,而不是一日三顿主食。

◆ 如果你的治疗可能降低白细胞数,应避免接触别的病人,如果发热或有异样感觉,应告诉你的医生。

减轻疼痛:

除了服用开的药之外,试一试放松功,由一个朋友或一群人帮助下进行瑜伽静思或按摩。

其他要点:

◆ 加入一个癌症互助团体。

◆ 保证充足的休息。

◆ 保持 "稳定心态",而不是感觉被动,诚实地表达你的情感。如果你有时感到压抑或恐惧,不必焦虑,这些是正常合理的反应,不会使癌症恶化。

◆ 做你喜欢的活动会充实你的每一天,读一本好书,听音乐,与朋友们交谈都是简单的娱乐,但有惊人的治疗效果。

### 预防

◆ 不要吸烟及使用嚼碎的烟草。

◆ 隔离日光,在野外使用墨镜,使你的皮肤免受紫外线侵害。

◆ 按照 "营养及饮食"的要求进食。

◆ 少饮酒。

◆ 经常运动,保持肌体活力。

◆ 在每年的体检中作常规的癌症检查。

◆ 如果接触已知致癌物,应保证遵从安全规程。

◆ 在家里限制与致癌的化学物质接触,使用完清洁剂后应清除残液和洗手,使用杀虫剂时戴手套。在家使用化学物质、涂料及油漆时应打开门窗让气体释放出去。

# 白血病

## 症  状

白血病患者的早期症状不太明显，最后的症状主要表现在以下几点：

◆ 贫血及一些相关症状如：虚弱，面色苍白，有一种生病感。

◆ 容易擦伤或出血，如：牙床出血，流鼻血或大小便中带血。

◆ 极易感染，如出现嗓子痛、支气管炎并伴有头疼、低热、嘴痛及皮疹等。

◆ 淋巴结肿大，特别在喉部、腋部及腹股沟。

◆ 食欲减退，体重下降。

◆ 左肋骨下感觉不适，由于脾脏肿大造成。

病情严重时，突发高热，意识混乱，无力讲话和移动四肢。

## 出现以下情况应去就医

◆ 以上任何症状发生并不易解释原因，你应检查血细胞计数。

◆ 难以解释的出血、高热或癫痫发作，你可能因急性白血病而需看急诊。

◆ 白血病缓解后注意复发迹象，如感染或易出血，应复查。

白血病也就是血癌。与其他的癌症不同，白血病病人不会长出肿瘤之类的东西，但却产出过量的白细胞。通常认为只有小孩才会患白血病，而实际上成年人也可能患此病。男性比女性患病率高。在美国，白种人的患病率比非洲裔美国人患病率高。每年有数万人确诊为患有此病。

把血液比喻成"生命之本"是一点也不夸张的。血浆中有抵御疾病的白细胞，有止血的血小板以及负责身体每个部位氧气供应的红细胞。每天骨髓能产生上百亿个新的血细胞，大多数为红细胞。而患有白血病的人体内产出的白细胞比实际需要的多，且多数白细胞是不成熟的，存活期比正常情况下长。尽管这种白细胞数量很大，然而却不能像正常白细胞那样抗感染。体内这种白细胞的增多，会直接影响一些重要器官的功能，影响正常健康血细胞的产量。最终，由于体内没有足够的红

细胞运输氧气，没有足够的血小板止血，甚至没有足够的正常白细胞抗感染，使人患上白细胞过多性贫血症，就容易受擦伤、出血、感染。

白血病有急性与慢性之分。急性白血病的癌细胞在其未成熟时就已经开始繁殖。慢性白血病发展缓慢，要等癌细胞完全成熟。根据细胞的类型，白血病还可进行更深层次的划分。显微镜下可以清楚地观察到两种不同的白细胞：骨髓白细胞和淋巴细胞。前者包含细小的颗粒和微粒，而后者则没有。

急性淋巴细胞白血病（ALL）在婴幼儿中最为常见，所以有时也叫婴幼儿白血病；成人中最为常见的是急性粒细胞白血病（AML）。急性白血病若不加以治疗，几个月内就有致命的危险。疗效根据类型和发现的时期不同而不同。患者越年轻缓愈率也就越高。这里的缓愈指的是患者体内不再有癌细胞，骨髓表现正常。对于成人的急性淋巴细胞白血病（ALL），其缓愈率在 80% ~ 90% 之间，若完全治愈的话，有 40% 的患者还可再多存活 5 年；对于急性粒细胞白血病（AML），其缓愈率在 60% ~ 70% 之间，若完全治愈，有 20% 的患者至少还可存活 3 年。

成年人较多患有慢性白血病。慢性淋巴细胞白血病（CLL）最为良性，属缓慢发展型，通过用药可有效地得到控制，早期发现甚至无需用药治疗。慢性粒细胞白血病（CML）是较为棘手的一种，因为此病发展起来无法控制，一般仅能存活 4 年。以上 4 种还可继续细分，其他一些很少见的包括：多毛细胞白血病、巨核细胞白血病、嗜碱粒细胞白血病以及嗜酸粒细胞白血病等。

## 病  因

白血病的具体病因还无人知晓，但有些人患有此病与遗传有很大关系。染色体变异与白血病有着直接的关系。慢性粒细胞白血病（CML）患者中，9/10 在血细胞中有一个叫做费城染色体的变异染色体。这种染色体出生时就有，既不是从父辈那儿遗传下来，也不会遗传给子辈。这种染色体变异与遗传失常有关，如衰败综合征就与白血病有着直接关系，至少其中一种病毒和人类免疫缺陷病毒（HIV）如出一辙。

环境因素对白血病的发展有影响。调查表明，吸烟者比不吸烟者更容易患有某种白血病。研究表明，长时

# 白血病

间置身于辐射、多种化学气味以及低频电磁场中都可能导致白血病。

## 诊断与检查

由于多种白血病在早期都没有明显的症状，大多在进行内科检查或例行的血液检查中无意发现的。如果患者淋巴结增大、牙床肿大、肝脏和脾脏增大、易擦伤或出现皮疹就应怀疑是否患有白血病。血液检查中发现不正常的白细胞就应进行进一步诊断。为确诊，还需用从骨盆处取样对骨髓进行活检，以确定癌细胞类型。在 CML 情况下，还要进行 DNA 检测，看是否有费城染色体。

# 治 疗

自 20 世纪 50 年代起，由于化学疗法取得重大进展，更多的人存活时间更长。尤其是婴幼儿白血病（ALL）在治疗上取得戏剧性的进展，约有 90% 的患者得到缓解，有近一半的患者得以痊愈。所有 ALL 患者 5 年存活率由 60 年代的 4% 增长到 90 年代的 50%。

## 婴幼儿血癌

不管是婴幼儿或成人，患有白血病或其他癌症，对患者来说都是令人提心吊胆的，但并不是所有的癌症都不可救治。所有的癌病患者都有权圆满、幸福地生活。若你的孩子患有癌病，你必须提醒自己，首先他是个孩子，其次才是个癌病患者。

对待癌症的态度必须正确，不要装出什么疾病也不存在的样子，这无法隐瞒你自己和孩子，而且也不利于解决由于癌症而引起的情绪和问题。多一点乐观主义和幽默感。鼓励朋友和家庭成员，正确处理对待孩子的态度，让他过正常的生活。教养之而不溺爱之；把感情投入之而不过分纵容之。如果你的家庭需要帮助对付肿瘤，看附录与列举组织联系。

同时你要照顾这个特殊的孩子，不要忘记他的同胞——他们也需要你。当你感到被困难淹没时，要牢记你的孩子会恢复得更好。

## 血细胞计数

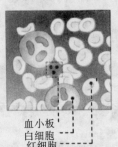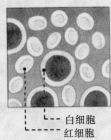

血小板
白细胞
红细胞

白细胞
红细胞

正常血像（上图左）含有大量红细胞和较少比例白细胞，慢性淋巴细胞白血病病人的血像（上图右）白细胞数目异常增高。这些白血病细胞存活得比正常白细胞长久，所以随着新细胞不断产生，老细胞仍存活并累积。白血病细胞还可以阻碍抗感染作用的正常白细胞产生。

## 常规治疗

对于急性白血病患者，最紧要的是先控制住病情。患者必须住院进行化学治疗，进行无菌隔离，定期处理以防感染。因为白血病患者的健康血细胞数量很少，通常要进行血液和血小板输送，以增强自然免疫功能和止血能力。患者还要接受输一些其他药品以防化学治疗过程中出现的一些负面反应如恶心、呕吐等。

ALL 型患者在医院进行几个星期的治疗便可等到满意的缓解。要控制病情，患者还要继续接受 1 个月或更多时间的低剂量的化学治疗和辐射治疗，以彻底清除癌细胞。对于急性粒细胞白血病（AML）最好的办法是延长其缓解期，能否痊愈取决于骨髓移植的成功与否，骨髓移植必须组织类型相容，遗传特点近似，通常选其家庭成员作为骨髓捐献者。

骨髓移植分三个时期：准备期、手术期、恢复期。首先控制患者的癌变白细胞，通常采取化学疗法，有可能的话用机械方式把癌细胞从血液中分离出来。手术期内，通过化学方式把骨髓清洗干净，以避免与新注入的骨髓相排斥，然后接受捐献者大约一汤匙的骨髓。恢复期是最为危险的时期，新植入的骨髓还没有开始生产白细胞，病人随时都有可能因感染而致死。直至 2～6 个星

# 白血病

期之后，新骨髓才开始有效地生产血细胞。骨髓移植非常昂贵并且危险性极大，但他给 AML 型患者以及 ALL 型复发患者一个很好的生存机遇。

由于慢性淋巴细胞白血病（CLL）进程缓慢且通常为老年人患有，一般趋向于保守治疗。随着症状消失，该种病也就无需治疗。如果淋巴结或其他器官出现肿胀，可通过一些口服化学性药品加以控制，所有 CLL 型患者都能过正常人的生活，即使死亡也与该病无关。

在没有发展为急性血癌之前，口服药可有效地控制 CML 型患者的症状达好几年，CML 型患者若摄取干扰素，还可把生命延长得更长，干扰素可产生一种能杀死癌细胞或延缓癌细胞生长的蛋白质。因为不管如何治疗，所有的 CML 型白血病最终都要发展为急性白血病，所以医生一般建议患者进行骨髓移植。

一些研究人员目前正进行在免疫学方面的尝试，以期通过一种干扰素或其他所谓的生物反应修正方法，或者将白血病细胞杀死，或者将病变的癌细胞恢复为正常细胞。科学家们正在研究其他方法，想既能杀死癌细胞又不会对正常细胞产生影响。目前正在使用一种试验性药物，通过注射或辐射，能确认具体的抗体蛋白，找到目标癌细胞并破坏。

### 化疗对症治疗

接受化学治疗的病人都经历了副作用的不适，这在白血病患者尤其多见。因为化疗对于白血病患者是基本的治疗。幸运的是，许多医学或辅助治疗都可以缓解副作用并且结果令人鼓舞。

只要能缓解症状，手段并不重要，针灸很早以来就用来缓解许多疾病，包括癌症的疼痛和不适。许多放松疗法包括按摩、瑜伽、气功、药物或程序肌肉松弛可帮助减轻化疗引起的疼痛及恶心。有些人可在个人爱好中找到解脱，如听音乐或仅仅是读本好书。

要防止化疗前出现恶心，成人可接受生物反馈训练，而儿童用各种娱乐活动或催眠疗法常有效。

更多的有关化学疗法、辐射及其他疗法内容见癌症一章。

### 辅助治疗

实际上，还没有一种可接受的药物来治疗一般的癌症。其他附加治疗也许能改变癌病病者的生活质量，充其量只能看做是常规治疗的补充，而不能代替之。

最好的补充治疗就是帮助患者控制痛疼和不安，强化一些分解性锻炼，同时注意摄取一些能增强免疫能力的维生素、营养物质和其他草药。

### 家庭治疗

◆为减轻化学治疗中的恶心、呕吐，可进食一些小吃之类。

◆预防感染，避免接触明显生病的人，饭前便后要洗手，每天洗个热水浴。

◆若不小心擦伤或刮伤，严格按杀菌程序进行消毒，若出现发热、寒冷、嗓子痛、咳嗽、皮肤微红等感染症状，立即进行治疗。

◆由于白血病人血小板含量本来就少，不要服用含有会阻止凝结的阿司匹林之类药物。

全身性
疾病

# 淋巴疾病

## 症 状

◆出现圆形牛眼皮疹，通常带有一个明显的中心，逐渐扩展，持续 2～4 周。

◆有时出现头痛、体虚、发热、寒冷、喉咙痛、肌肉痛或关节痛。

◆若不加以治疗，数周后便发展为一般性关节炎，或两膝肿胀。

◆出现麻痹，通常在脸部。记忆受损，局部出现刺痛或麻木。

◆皮肤过敏。

◆脖颈生硬。

◆对光线过敏。

◆心律不齐，胸痛，头昏眼花。

◆心理上出现变化，包括心情压抑。

## 出现以下情况应去就医

◆你认为可能感染莱姆病，尤其当你发现"牛眼"皮疹或无任何损伤及关节炎情况下出现膝痛和肿胀。延误治疗会导致更严重的神经症状，将难于治疗，甚至有时不能治愈。

诊断扩大化。一些专家警告：由于公众对莱姆病危险性的关注已导致诊断的扩大化。在 1975 年第一个命名这种疾病的 Tufts 大学的专家指出，在 788 名求助于他的莱姆病门诊患者中，只有 180 名患有莱姆病。经常与莱姆病混淆的疾病包括慢性疲乏综合征、纤维肌痛、非莱姆关节炎及其他功能障碍。

淋巴疾病是由一种极小的壁虱传播的，每年约有上万人患有此病。该病最早发现于美国康涅狄格州，现已在全美及其他 18 个国家发现此病。

首先出现的症状是牛眼皮疹，其直径扩至几寸后，几星期便消失。但在某些病例中，其表现形式各不相同，或无任何症状。其他的早期症状，有的有皮疹而有的没有，有的会出现类似感冒的虚弱、头痛、高热、喉咙痛、发寒或身体疼痛。

有的会出现莫明其妙的关节痛而不肿胀，若不加以治疗约有近半的患者 6 个月后会转为关节炎，并带有肿胀，通常只累及一条腿。约有 10% 的这种患者，其淋巴性关节炎会转为慢性关节炎。还有些病人会表现出其他的症状，如颈僵硬、头痛、对光线过敏、记忆丧失、情绪改变、皮疹复发、面部一侧或两边麻痹、心律不齐或局部刺痛、麻木。

由于淋巴疾病的症状随机变化且含糊不清，所以很难诊断。然而不幸的是，即使及时治疗，一般也很难治愈。这就是为什么生活在淋巴疾病多发区的人们很为此病担心，也是为什么对待淋巴病必须耐心治疗的原因。

好在正在研制一种能预防淋巴疾病的疫苗。然而最好的预防还是必须具备警惕心，因为只有壁虱叮咬 36～48 小时后才会出现感染，所以做好预防壁虱是第一道防线。注意，尽管壁虱在吸食血液时显得比较大，而其实际上仅和罂粟籽一样大小。

## 病 因

淋巴疾病是由波状菌传播的，通常是被西部小鹿壁虱或远东黑腿壁虱叮咬所致。这种微小而又很难去除的害虫一生只有 3 餐，每次间隔好几天，经过幼虫、蛹和成熟期。幼虫靠人血为食，幼虫期通常在夏季和 10 月之间。

波状菌在人体内会引起类似感冒的一些症状，入侵许多组织，包括心脏和神经系统，引起免疫反应，导致淋巴性关节炎。

### 诊断与检查

牛眼皮疹在其外形上非常明显，淋巴性疾病一般很难确诊，与其他一些病症如感冒和关节炎相类似，需要相当长一段时间才能分辨出来。如有流感样症状，医生将检查并采血标本化验是否有高的此病抗体。而一旦决定治疗时，在最初几个星期的感染期内，进行的血液检测是完全不可信而且是没有用的。而且对一些已经治愈多年血液检测呈阳性的患者，容易导致误诊。

## 治 疗

早期淋巴病患者，口服抗生素 10 天，通常可杀死一些感染性生物，预防晚期出现症状。治疗得越早，专患慢性淋巴病的危险性就越小。

若病情继续发展，可继续延长使用抗生素的时间，或者口服或者静脉内注射。而对某些病症，抗生素是不起作用的。患有此种持续性淋巴病的患者应尽早到医院就医。

有时人们怀疑自己患有淋巴性疾病，或担心被壁虱叮咬而服用抗生素加以预防，在这一点上还存在许多争议，因为抗生素至少有负面影响，且还没有证据说明服用抗生素到底能起多大作用，更何况被壁虱叮咬而患上淋巴性疾病的可能性仅为1%。所以建议不要服用抗生素。

### 预防

户外运动要穿鞋、长裤，并将长裤塞进袜子，穿长袖衫等。若漫步或就在多草和灌木的地带工作，可做一个壁虱的例行检查。壁虱在亮色为底色的衣服上极易被发现。在家中，容易出现壁虱的地方是腋窝、腹股沟、头皮等地方，同时也要对宠物加以检查。

若确实发现皮肤上有壁虱，要立即除去。用带手套的手指尽可能地接近皮肤把它抓住，轻柔而镇定地拉开去。注意壁虱分泌一种特殊的物质，该物质会"植"进你的皮肤。如有可能，为了去除壁虱，用肥皂和水清洗壁虱的部位。若壁虱的嘴部分嵌入你的皮肤，要将其移出，以减少感染的可能性，细菌有远离嘴的肠分泌液脲，若壁虱停留地方的周围发红，请看医生。

## 症　状

霍奇金病是一种典型的淋巴瘤，无任何症状，多发于年轻人。出现症状包括：

◆颈部、腋窝或腹股沟出现无痛的肿块，是由于淋巴结肿大造成。

◆全身瘙痒严重。

◆发热、寒冷、盗汗、体重减轻、食欲下降、全身虚弱。

◆持续性咳嗽，气短，胸部不适。

非霍奇金病的症状除以上列出的一些症状外，还表现在：

◆因脾脏肿大而出现腹胀。

◆腹股沟的淋巴结增大。

◆若入侵至肠胃则大便习惯改变。

### 出现以下情况应去就医

◆鼻腔堵塞，喉咙疼痛，吞咽困难。

全身性疾病

**虽**然任何可疑症状持续时间大于2周需进行诊断，但最可能的警告信号是颈部、腋窝或腹股沟淋巴结肿大。

淋巴是一种遍布全身的网状精细组织，担负着一种无色液体的运输功能。悬浮于液体中的是淋巴细胞和抵抗疾病和感染的白细胞。与网状组织相连接的是豌豆状的叫做淋巴结的器官。淋巴结主要集中在腋窝、颈部、腹股沟、胸部和腹部，他过滤着这种无色液体，控制着人体的免疫系统。淋巴系统包括脾、胸腺、扁桃体以及骨髓，不断地保卫人体抵抗各种外来入侵的攻击。

然而，在某些条件下，淋巴细胞会变成癌变细胞，并失控地繁殖。一般的淋巴瘤一开始在淋巴结中便是恶性肿瘤，淋巴细胞所到之处都能转移上癌症，他能通过淋巴和血液传至淋巴系统之外的组织和器官。若未能检查出来，癌细胞开始繁殖并最终代替健康的淋巴结，抑制免疫系统的功能。

淋巴瘤包括各种的疾病群，类型从缓慢型到快速增长型以及急症都有。霍奇金病是因英国内科医生霍奇金在1832年对该病的记录而命名的，而他只对其中的一种症状作了描述。淋巴瘤变化多端，不管其他情况怎么样，除以上霍奇金病外都称之为非霍奇金病。

霍奇金病与其他的淋巴瘤不同之处在于变异里德—斯得博哥细胞（Reed－Sternberg），是因首先发现该种

# 淋巴瘤

全身性
疾病

细胞的病理学家里德—斯得博哥而命名的。这种细胞可在显微镜下明显地观察到。霍奇金病是从一个淋巴结族系统地传至另一个族，是可以治疗的。他通常起源于颈部锁骨下的淋巴结，传至胸部，然后腹部、盆腔最终入侵到脾、肺以及骨及骨髓。

在美国，淋巴瘤占所有癌症的 5%，每年约有 50000个病例，其中，15% 是霍奇金病。非霍奇金病约有 10 种，根据不同的症病，每种都可有慢、中、快之分。低度的通常病情发展缓慢，趋向于向淋巴系统以外传播。高度的可在短短几个月内传至远离的其他器官。淋巴瘤在白种人中最为常见。霍奇金病通常在 15～30 岁之间，或 50 岁之后发病，而非霍奇金病很少在 45 岁之下发病。

霍奇金病是在所有癌症中最为容易治疗的一种癌病。其治愈后的 5 年生存率也在 80% 左右。若早期发现并及时治疗，生存率可升至 90%。尽管非霍奇金病是典型的不治之症，其 5 年存活率在最近几十年也从过去的30% 增至 50%。低度淋巴瘤经过治疗可控制数年，但完全清除病根还存在一定困难。高度淋巴瘤虽更具即时威胁性，但通过强化治疗还是可以治愈的。

## 病　因

导致霍奇金病的病因还不清楚。大多数确诊为这种淋巴瘤的患者平时的健康状况都非常良好。这也许与遗传有关系，霍奇金病患者家属的患病率比非家属的患病率高 7 倍之多。

导致非霍奇金病的病因同样大多不清楚。有种叫做伯基特的淋巴瘤是由一种叫做 EB 的病毒引起的，这种疱疹性病毒在非洲最为常见。还有另外一种淋巴瘤是由 HIV（导致艾滋病的病毒）或 HTLV（是 HIV 家族的另一成员）病毒引起的。自从 80 年代初期着手艾滋病的研究以来，非霍奇金病的发病率增长了 65%，而霍奇金病却有所下降。其他一些对人体的免疫系统功能能造成危害的如器官移植、放射或化学治疗，或者自体免疫疾病如狼疮和风湿性关节炎等都有可能提高非霍奇金病的发病率。

### 诊断与检查

目前，在淋巴瘤发病之前，临床上尚还不能检查出

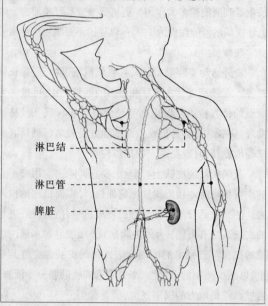

## 淋巴系统

淋巴液通过循环的淋巴细胞（一种攻击感染有机体的白细胞）保护机体抵抗感染。这个系统最主要器官是脾，它通过淋巴管网络连接全身淋巴结。经过机体组织的淋巴细胞在进入血流之前消灭了大多感染。

淋巴结

淋巴管

脾脏

来。在颈部、腋窝或腹股沟的淋巴结出现了肿胀是第一线索。病人可以发现肿胀，也有可能在例行检查中发现。只要淋巴结出现了肿胀，或疲劳、寒冷、盗汗等症状，就可怀疑患有淋巴瘤。

血液和尿样测试结合一些图像研究就可在淋巴瘤的早期发现一些症状。但要确诊必须通过活组织检查，通常病理学家通过外科手术取样淋巴结或感染的皮肤或肺组织进行研究。通过显微镜就可以确定细胞的大小、形状以及其类型。

若发现为癌症，还要进一步检测其扩散程度。可通过 CT 或 X 线检查淋巴系统，叫做淋巴管造影照片。造影过程中，患者被注射一种染剂，可使患者的淋巴系统在 X 射线下发亮。还要对骨髓进行活检，以确定癌细胞在骨髓内的发展情况。还要进行探究性外科手术对所有感染的淋巴结进行检查。

## 治　疗

淋巴瘤是所有癌症中通过辐射治疗和化学治疗最为

有效的一种。随着在这方面治疗的日益复杂化,淋巴瘤的治愈率也在很快提高。通过常规治疗,多数患者都可生存至少5年。尤其是在霍奇金病治疗上,75%的患者都可治愈。

## 常规治疗

具体的治疗根据病情不同而不同,这与患者的淋巴瘤类型、病症、年龄以及综合健康状况都有很大关系。当霍奇金病仅限存在一个或一族淋巴结上时,放疗最为有效。若霍奇金病已经扩散或治疗较大的肿瘤时,采取化学治疗,有时结合放射治疗是比较有效的,这几乎对40%的重病患者都起作用。

大剂量的用药和放射治疗效果明显,然而却会产生负面影响,如脱发。用药同时再进行附加治疗可以减轻一些负面影响。男性患者在治疗前会要求贮存其精液。月经前的妇女通常在治疗过程中会停经,治疗结束后会恢复。

治疗非霍奇金病取决于该病的分级。低度的患者尽管化学治疗也很有效,但通常采取缓慢治疗的办法,且容易复发。为使患者不经受不必要的治疗,要有专门的医生监视病情。与低度相反,高度的患者应立即进行强化放射治疗或化学治疗,或者两者结合。

研究人员正继续努力寻找新的治疗办法,以期能提高重病患者和易复发患者的治愈率。其内在机制都是既要杀死癌细胞而又不损害健康细胞。免疫治疗专家们正在对某种生物媒介进行实验,如采用干扰素刺激免疫细胞使之能更为有效地杀死癌细胞。其他的研究人员把一些特殊的蛋白质综合起来,叫做单克隆抗体来专门攻击癌细胞,当其与毒性化学物质融合或在辐射性物质帮助下,这些抗体就会对癌细胞致命的打击而不伤害周围的健康细胞。抗癌方面还有如使癌细胞对化学药品和辐射治疗变得敏感。在某些病例中,还采取骨髓移植以适用大剂量的药物治疗。

对淋巴瘤缓愈的患者应定期进行癌检查,因其2～3年内的复发率是非常高的。霍奇金病治愈的患者,5年后再恶化的病例是很少的。

## 辅助治疗

淋巴瘤以及常规治疗中采取放射治疗和使用有毒药品都会使免疫系统功能减弱。研究人员认为,在进行治疗中加强人体的免疫功能或安全地完成常规治疗,也有助于治愈疾病。另外,充足的休息和适当的营养对恢复健康都有很大帮助作用。患者也可加入一些抗癌组织以减轻紧张的情绪。

### 家庭治疗

化学治疗和放射治疗都会产生一些不愉快的负面影响,如恶心、呕吐、疲劳以及容易感染等。医生会针对这些症状开出专门的药品,患者本人也可采取一些措施以减轻症状,如食用少量的肉,避免食用乳制品、甜食、烧烤食品及多脂肪食品,饭前饭后要大量饮水,穿宽松合适的衣服,保持皮肤干净不瘙痒,避免和一些明显患病的人接触。感觉需要休息时便休息,或者使自己忙于一些活动而忘却当前的不舒服。

### 预防

由于目前对淋巴瘤的发病原因还不太清楚,医生是不会提出预防的建议的。尽可能保持健康可减少患有一般癌症的危险。一般的建议是注意饮食平衡,定期锻炼,做体重检查,保证充足睡眠,所有这些措施都有保障免疫系统健康的作用。在没有确定你的性伙伴是 HIV 阴性时,确保性交过程中带上避孕套以避免感染。

### 骨髓移植

几十年前,肿瘤学家面对一个非常棘手的问题。他们知道大剂量的化学治疗及放射治疗能使某些癌肿进入缓解状态,也知道这样的治疗能不可逆地损伤骨髓,一个人没有骨髓将无法生存。但如果以牺牲骨髓来消除癌症,然后再补充骨髓会怎样?因此骨髓移植作为一种潜在可能的方法出现了。今天,骨髓移植作为一种冒险但恰当的治疗已被部分接受,治疗用大量其他方法不能治疗的患者。

淋巴瘤的骨髓移植要依靠患者自身的骨髓。取出少量骨髓,用化疗药物处理来消除癌细胞,然后置于冷冻下保存。同时患者接受化学治疗——有时为放射治疗。在癌细胞被清除的同时,剩余骨髓细胞也被破坏。然后通过静脉把贮存的去除了癌细胞的骨髓输回至患者体内。

在替代骨髓中未成熟血细胞逐渐开始增殖之前,患者免疫系统受到严重抑制,感染的可能性被广泛关注。为了缩短危险期,医生们应用生长因子来加速健康骨髓的生长。像这样及其他的改良方法保证骨髓移植成为十分安全及有效的癌症治疗手段。

# 骨 刺

## 症 状

◆颈或背部僵硬或疼痛。

◆颈、臂或手"如坐针毡"似的刺痛。

◆眩晕,头痛,很难保持平衡。

◆当双脚或一只脚支持体重时出现锐痛。

### 出现以下情况应去就医

◆在服用买来的止痛药并休息后,背部仍持续疼痛超过 2～3 小时,你可能患有椎间盘退行性变。

◆你感到颈部或背部强烈的放射性痛,甚至在轻度活动时也痛,你可能患有骨刺并压迫了神经。

几乎每个人都曾经在某时被颈部僵硬或背痛骚扰过,尤其在受伤或剧烈运动后。然而有时,你可能感到突发地放射性痛而无相关的理由。像这样症状通常可自行消退,但有时这些是更严重疾患的表现,例如关节炎。

这些疼痛的潜在原因可能是骨刺,骨的末端异常增生的出现,尤其在脊柱和下肢。骨刺可导致剧痛,在正常活动时当骨刺影响到神经和肌肉。

## 病 因

骨刺是与关节相接处的骨的末端过度变化的结果,尤其是构成脊柱的椎骨。纤维垫,或称椎间盘,在椎骨之间使之强壮并随年龄的增加而缩小(参看椎间盘问题)。同时,骨的末端坚固的软骨逐渐变硬。

当椎骨间的空间变狭窄时,骨趋于补偿损失,结性凸起过度生长,通常称为骨刺。这种骨瘤经常见于有椎间盘问题的老年人,但他们也可发生于年轻人,尤其是运动员、舞蹈家或劳动者,通常在肌肉、韧带和肌腱上施加压力。

与正常关节圆钝的骨缘不同,骨刺没有生成一层保护性软骨。在有些病例中,新生骨表面通过正常活动最终使自己光滑。但如果反之,骨刺可摩擦骨表面、神经或血管,导致疼痛和发炎。当这种骨瘤出现在上段颈部椎骨,这种疾患被称为颈骨关节炎。骨刺也可是坐骨神经痛的原因。当骨刺长在脚上(右),会产生非常麻烦的情况,当站立或行走时导致疼痛。

### 诊断与检查

虽然背痛的原因多种多样,但通常检查椎骨刺的方法是脊椎受累区的 X 线和 CT 检查。MRI 或 EMG 常用来检查神经或肌肉的损害。

## 治 疗

由骨刺导致的不适可通过休息、适当的背部支撑和药物治疗缓解。

### 常规治疗

医生可能开阿司匹林、布洛芬,或其他抗炎镇痛药。为限制活动并去掉被挤压的神经的压迫,你可以带上矫正颈圈或背托。只有严重的病例才有手术切除骨刺的必要性。但即使是通过手术缓解也是暂时的,因为骨刺可再生长。

如果骨刺长在承受重力的脚骨上,医生可能建议在你的鞋内放一个泡沫橡胶垫,在骨刺正对着的地方挖个洞以解除压迫。

### 辅助治疗

治疗重点在于缓解疼痛和改善活动范围的人体治疗。

**按摩**

按摩处理可帮助缓解因椎骨退行性变所致的疼痛。按摩士也可用物理疗法足跟骨刺带来的痛苦。

**家庭治疗**

当有轻度的背部疼痛时,可用止痛药。在炎症消退后,可用热垫子或热水瓶包在毛巾里热敷。睡在有木板的硬床垫上或地板上,在头下和小腿肚下放上垫子。

**预防**

◆恰当地使用你的关节。

◆做适当的全身锻炼如散步、骑车、游泳和网球。

◆减轻多余的体重。

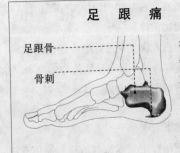

### 足 跟 痛

足跟骨

骨刺

骨刺多发生在足跟的基底部,每次走步时都可刺激神经或组织导致疼痛。足部的骨刺通常是异常压力所致,使正常的光滑足跟骨长出结性突起。

# 骨 癌

## 症 状

◆ 在骨的表面可触及一个硬的肿块，痛或不痛。
◆ 骨和关节疼痛或肿胀，经常在夜间更重，且不一定与活动有关；疼痛可以是持续钝痛，或只在受压时感到疼痛。
◆ 自发性骨折。
◆ 发热，体重下降，疲劳和活动能力下降，有时发生于晚期骨癌。良性骨瘤通常无疼痛。

## 出现以下情况应去就医

◆ 你具有上述的任何症状，尤其是在骨上的不能解释的肿块或骨或关节的慢性疼痛。你应该被检查有无骨癌。
◆ 你有持续的不好解释的背痛。你可能只是患背部疾病或背痛；但如果治疗对疼痛无效，你应该让医生检查你的脊柱有无肿瘤。
◆ 你有一处或多处骨折，无明显原因。在骨折被治疗后，你应让医生为你检查有无骨肉瘤或骨质疏松症。

大多数原发性骨肿瘤起源于骨、软骨或其他骨组织，多是良性的，不是癌。原发性骨癌很少见，在美国百年占所有确诊癌症的不到1%。由身体的其他部位转移至骨的继发性癌症则常见。

原发性骨癌通常侵犯年轻人，尤其是那些比他们的同年龄人长得更高的人。其中主要类型，骨肉瘤大约占所有原发性骨癌的近60%；他易侵犯青少年，他们的骨正处于快速的发育阶段。尤因肉瘤起源于骨髓，而且多发生于5～9岁的儿童和20～30岁的青壮年。软骨肉瘤起源于软骨且易于侵犯中年人；其他的少见类型的骨癌发生于成年人，包括纤维肉瘤、恶性巨细胞瘤和有毒瘤。

原发性骨癌可能是一种致命的疾病，但先进的检测和治疗方法，已经将5年生存率提高到超过70%。治愈的可能性大部分取决于肿瘤发现的早晚及肿瘤转移的速度。继发性骨癌的生存率各不相同。良性肿瘤通常成为长期健康的危险信号。

## 病 因

在大多数原发性骨癌的病例中，不能明确病因，但有些病例可能有遗传性。某些染色体异常和少数少见的与遗传相关的疾病与骨癌有关。过去癌多可能发生在骨折或感染的部位。暴露于特殊的致癌物下，如某种染料或涂料等化学物质，可能会增加患骨癌的危险性。高剂量的放射线和某些化学治疗药物，尤其是称做烷基化学物质的制剂，可能与某些种类的骨癌发生有关。

### 诊断与检查

如症状提示为骨癌，医生将行血检查以排除其他可能的病因。X线和其他影像学检查用来鉴别骨瘤，活检提供确切诊断。如果肿瘤是癌，应检查转移情况，即癌细胞从身体的一处向另一处的扩散。

## 治 疗

一旦确诊癌症，没有可接受的替代常规治疗的方法。辅助治疗可以作为补充，但不能取代常规疗法。

### 常规治疗

如果可能，骨瘤可经手术切除。如果癌位于胳膊或腿，90%的病例肿瘤可被切除而不需截肢，然后外科医师用金属假体重建术。如果截肢不可避免，则患者通常被安上人造肢体。

已经做完骨癌手术的患者被鼓励尽可能早日开始身体锻炼，为了恢复僵直和低下的活动力，如果必要，应学习怎样使用人造肢体。

手术前行放疗和化疗可缩小肿瘤的大小，术后放疗可杀死扩散的癌细胞。放疗和化疗均可用于治疗不能手术的骨癌。它们均可控制癌症的扩散，但基本不能完全治愈。一些医生尝试附加免疫治疗，这样可以降低放射线和化疗药的剂量，而不致于影响整个治疗的疗效。为获得进一步的关于治疗的资料，可参看癌症一节。

### 辅助治疗

许多辅助疗法已显示可减轻与癌症和其治疗相关的压力。一些躯体治疗，如 Feldenkrais 和 Aston Patterning 方法，尤其可对使用人造肢体的人调整身心状态有益。为获得更多的关于辅助治疗癌症的资料，可参看癌症一节。

全身性疾病

# 骨　癌

## 单核细胞增多症

### 预防

在使用涂料、溶剂、农药、家庭清洁剂和其他包含致癌化学物质的产品时应经常注意安全告诫。如果你过去曾接受过放疗，则要警惕骨癌的症状，并在发作时立即找医生。

### 骨瘤

骨瘤是一种异常增生，可发生于骨的任何部分，即骨髓、软骨或硬骨，他利用营养其他健康骨组织的血。在原发性骨癌(见下图)中，恶性细胞取代了硬骨组织中的正常细胞。削弱骨的过程并导致疼痛和肿块——通常是骨癌的最初表现。

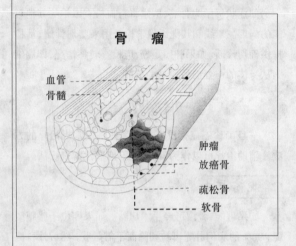

**骨　瘤**

- 血管
- 骨髓
- 肿瘤
- 放癌骨
- 疏松骨
- 软骨

## 症　状

单核细胞增多症的早期症状与流感相似，包括：

◆ 严重的疲劳。

◆ 头痛。

◆ 咽痛，有时还十分严重。

◆ 发烧后的畏寒。

◆ 肌肉疼痛。

一两天后还可能发生的症状：

◆ 淋巴结肿大，特别是颈部、腋窝和腹股沟。

◆ 黄疸(皮肤和眼睛的发黄)。

◆ 脸或身体的各处出现麻疹样皮疹，有时在咽痛服用阿莫西林后突然出现皮疹。

◆ 口腔内部区域出现青肿。

◆ 左上腹部肿块(来自扩大的脾脏)。

### 出现以下情况应去就医

◆ 如果你有上述症状，特别是病程超过 10 天，或者是有严重的咽痛超过 1 天或 2 天，应该由医生检查，以便按标准排除其他疾病，如脓毒性咽喉炎，或排除白血病或者是感染性肝炎。

◆ 全身淋巴结肿大可以是结核、癌症、人体免疫缺陷病毒感染(见于艾滋病一节)。

◆ 腹痛，有脾破裂可能。立即给予急诊治疗。

**单**核细胞增多症是一种十分常见的病毒性疾病。大约 90% 的超过 35 岁的成人血液中有单核细胞抗体，也就是说他们在儿童早期已经感染过。当单核细胞病毒感染幼儿，疾病很轻，就像一次普通感冒或者是流感。当感染发生于青春期或成人，这种疾病就可以变得十分严重。

单核细胞增多症的病情发展是循序渐进的，开始症状像流感，如发热、头痛和一般不适、嗜睡。几天后，淋巴结特别是颈部、腋窝和腹股沟淋巴结开始增大，大部分人将发展有咽痛，引起扁桃体炎的将十分严重。发热通常不超过(40℃)，可能持续发生 3 周以上，约 10% 的单核细胞增多症患者全身将出现红疹或口腔内出现类似擦伤的黑色区域，大约半数病人脾脏可以增大，以致可以在左上腹触到。

# 单核细胞增多症

约95%的病例，疾病可以影响肝脏，只有5%单核细胞增生症患者发展成黄疸，由血液中胆红素增加导致皮肤和眼呈黄色，在罕见单核细胞增多症病例肝脏功能破坏。单核细胞增多症的另一些严重并发症是脾破裂、脑膜炎、大脑感染造成的脑炎，但这些是极其少见的。

虽然疲劳可以持续2个月或更长时间，但是大部分单核细胞增多症者2~3周后感觉好多了，有时再次复发者疾病可以持续1年左右，但病情较前者轻。过去的研究表明，由病毒引起的单核细胞增多症与一种叫做疲劳综合征的持续性疲劳相关。慢性疲劳综合征可持续数年。最近的大部分研究表明无此种关联，慢性疲劳综合征的病因还是不清楚。

## 病　因

单核细胞增多症是由EB病毒（非洲淋巴细胞病毒）引起，虽然这种疾病很多年前即被认识，但是到1964年才被英国研究者定义并命名，在疱疹病毒家庭的普通成员中，EB病毒的传播首先是通过唾液交换而实现的，这就是有时单核细胞增多症被叫做"接吻疾病"的原因。但是咳嗽或与感染者的唾液密切接触也可以从一个人传给另一个人。

虽然感染者的症状完全消失，但是单核细胞增多症病毒仍可以在这个人身上保持从数周到数月的活力。所以与这些没有症状的患者密切接触可以使一个人处于危险之中。另一方面，并不是每一个与患过单核细胞增多症的人密切接触的人都被感染此病。科学家们相信，健康的免疫系统可以战胜病毒而使人不得病。

### 诊断与检查

与单核细胞增多症相关的诸多症状使诊断较为困难，医生将给予系统的检查。应用咽拭子培养以排除咽部链球菌感染。医生将取一份血标本，检查有无异常的白血病细胞存在。检查单核细胞增多症特异抗体，单点试验也常被应用。这些结果通常不十分清楚，所以一些附加的试验也常常是必需的。

## 治　疗

单核细胞增多症常常是自限性疾病，许多人能在2周内靠其自身免疫力，不用任何治疗而康复。因此，医生开据的单核细胞增多症的最初处方是完全卧床休息并逐渐恢复正常活动。这可以是常规的也可以是因人而异的。

### 常规治疗

除卧床休息外，为解决发热造成的咽痛和其他不适，可给予阿司匹林或扑热息痛。如果咽痛十分严重，影响呼吸和进食，可给予泼尼松。泼尼松是一种类固醇药物。

### 辅助治疗

医生无论是选择常规治疗还是休息和各种药物治疗，均是帮助减轻单核细胞增多症的症状。还可给予增强肌体免疫系统机能的治疗以便使肌体更快、更完全地康复。

中药治疗

据介绍一天喝三次由亚洲或美国人参制成的汤药，可以帮助减轻单核细胞相关性疲劳。

> **警　告**
> 在尚未完全康复之前，为了保护您的脾脏不破裂，不要参加任何剧烈活动。

身心医学

精神紧张可以使单核细胞增多症的相关疲劳更加严重，还可以使你的免疫系统更加虚弱，这样你从疾病中康复会更加困难。各种放松技术如：默念，生物反馈以及指导下想象对减轻这种精神压力均有利。

营养饮食

为了增强免疫系统机能和加速康复速度，你可以进食充足的保留全部营养成分而不是经过加工的食物，特别是新鲜水果和蔬菜。避免那些饱含脂肪、动物蛋白和糖的食物，因为难以消化，会加重肌体负担。

为了保持一个好的血糖平衡和更高能量水平，一天吃4~6餐小量食物，避免任何一餐吃得过饱。有人发现在早晨醒来或晚上睡觉时立即进食一小部分低脂蛋白的食物能够帮助提高能量水平。建议选择好的蛋白质，包括低脂奶酪、豆腐、小扁豆和其他豆制品。

增加维生素也可以提高肌体免疫力，服用维生素 A（2500～10000 国际单位/日），维生素 C（500～2000 毫克/日）和复合维生素 B（50 毫克，3 次/日）。同时希望您每天补镁（200～700 毫克）和天冬氨酸钾（50～200 毫克）。研究表明，补充这些物质 6 周后能够显著地提高能量水平。

### 瑜伽

瑜伽可以帮助减少单核细胞增多症相关性疲劳。这项活动对于一些患有此病的人来说已经足够。其推荐姿势是弓形。

### 家庭治疗

◆休息，至少 1 个月运动量不要达到正常水平。

◆喝足够的液体，防止脱水。

◆注意饮食，保留全部营养成分的食物应更加丰富，特别是新鲜水果和蔬菜。避免富含脂肪、糖、咖啡因和酒精的食物，这些能够减少能量储备并削弱免疫系统功能。少食多餐，保持每天血糖能量水平稳定。

◆服用阿司匹林或阿司匹林代用品治疗头痛或咽痛。

◆治疗咽痛，可以用盐水漱口，即用半匙盐溶于一杯温水中。

◆为了使单核细胞增多症相关性疲劳减缓，可以每天按摩肾脏，放松拳头按摩下背部 3～5 分钟。温水浸过您的背部时是做这一工作的最佳时机。

### 减少疲劳，增强免疫力。

早在 20 世纪初，科学家即开始研究人类为什么能够适应疲劳。不久他们发现人类对战争或者是飞行等危险活动，发生一种生物化学反应应答。当人们在经历害怕或危险感觉时，大脑就释放激素，其中的一种就是肾上腺素，它的释放导致心跳加快、血压升高并且因为血管高度紧张血流从身体末端改流到肌肉。进一步研究发现肌体的能量储备均被调动参与到战争或接触危险情况中去。最近的研究进一步发现，前列腺素干扰消化系统和免疫系统。特别是这种压力降低了干扰素的提供和同疾病作斗争所必需的天然杀伤细胞的功能。这种战争飞行危险反应能够使我们的祖先适应在恶劣环境中突然遇到的自然危险。现今社会，这种压力更多地由自然危险延伸到情绪上来，而且持续发生的时间一般较长。因此，我们的免疫系统经常遭受慢性抑制，使免疫系统在与疾病斗争中更难以康复。

经研究，减轻数种压力的技术包括：生物反馈、睡眠治疗、默念和指导下想象，这些可以减少战争—飞行反应的影响和恢复肌体免疫系统功能。因此，应用这些技术可以帮助患者从单核细胞增多症中尽快康复。研究表明，这些技术还可以保护你不发生其他疾病，包括心脏病、糖尿病和癌症。

## 指压治疗

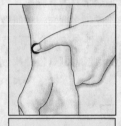

按压列缺穴可以增强免疫力及肺功能。这一点局限在前臂桡侧腕部皱痕上两横指宽，紧紧压住并持续 1 分钟，然后在另一侧胳膊上重复一次。

为减轻肌肉疼痛，可以用右手的拇指和食指按压左手指合谷 1 分钟。它局限于左手拇指和食指之间。然后在右手上重复。如果怀孕就不要应用。

按压足三里可以增强免疫力和增加全身活力。这一点可以在髌骨下 4 指宽骨外侧发现，你以通过屈足有一块肌肉隆起来核实该点。用拇指按压一分钟。

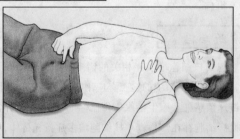

按压气海穴可以增加肌体能量储备，这一点在脐下三横指；耻骨中间。用你的食指逐渐深压，直至有抵抗感。并持续 1 分钟。

# 震颤

| 症 状 | 疾 病 | 应采取的措施 | 其他信息 |
|---|---|---|---|
| ◆手颤动。经常饮咖啡、可乐或者茶。 | ◆咖啡因的作用。 | ◆减少咖啡因的摄入量。如果有头痛、恶心、易怒或其他戒断症状，看医生。 | ◆一些实践者认为如果你每天饮两杯，有可能成瘾。 |
| ◆震颤(抖动不能控制)，尤其在服用新药后。 | ◆药物副作用。 | ◆许多药物，无论单用或者联用都可引起抽搐或者其他副作用。改用药物并进一步检查。 | ◆确保你服用的药物，医生或药师都清楚，以便寻找病因。 |
| ◆震颤伴紧张、恐惧或愤怒。 | ◆由于心理紧张或者其他强情感刺激而引发的抽搐，具有遗传倾向 | ◆需进一步诊断看医生或参见焦虑、惊慌、恐怖症、紧张等章节。 | ◆进行呼吸锻炼、瑜伽功和(或)有氧锻炼帮助放松紧张心情。 |
| ◆震颤，饥饿虚弱，出汗过多，神经质，意识模糊，头晕，或者可能头痛，不规则心跳。 | ◆低血糖症 | ◆吃些甜食可在5～20分钟内提高血糖。 | ◆少量多次，吃富含复合碳水化合物但低糖的食品可避免低血糖症发作。 |
| ◆尽管食欲增加但体重下降，神经质，抽搐，出汗过多，不规则心跳，消瘦，眼球突出，手指可感觉到的肿大的甲状腺。 | ◆甲状腺功能亢进症。 | ◆看医生以做进一步诊断和治疗。 | ◆甲亢病常发生于30～40岁间的人。 |
| ◆虚弱和疲劳，震颤体重减轻，不规则心跳，食欲缺乏。 | ◆甲状腺功能亢进症中的某一类型。 | ◆需进一步诊断和治疗看医生，可参见甲状腺疾病一节。 | ◆治疗后，大多数患甲亢的人生活恢复正常。 |
| ◆由于疲劳或激动引起手、手指、头或者声音的震颤，逐渐恶化。 | ◆自发性震颤，无害但让人烦心的抖动。 | ◆看医生寻求治疗。 | ◆在美国最常见的运动紊乱。自发性震颤不引起更严重的疾病。 |
| ◆大量饮酒后震颤，面部毛细血管破裂，面部潮红，慢性腹泻。 | ◆长期饮酒过度的影响。 | ◆减少酒精用量，参见酒精滥用一节。 | |
| ◆伴缓慢、反射性的震颤，体态不稳，说语不清，吞咽困难，年龄大于50岁。 | ◆帕金森病。 | ◆需进一步诊断和治疗看医生。 | ◆药物可以明显减缓帕金森病的进展。 |
| ◆伴麻木、刺痛感的震颤，复视或视力模糊，乏力，肌肉抽搐或者麻痹，感情冲动。 | ◆多发性硬化。 | ◆为确诊看医生。 | ◆多发性硬化可影响身体的每一部位，可尝试各种治疗以寻找更有效的方法。 |

# 震颤和抽搐

## 症　状

◆ 局限于身体某一小部位如眼睑的短暂的抽动，通常预示是一无损伤的不自主的肌肉收缩。一种重复而不能控制的无目的的单个肌肉或一组肌肉收缩，一般出现在面部、手臂或者肩膀，可能是与震颤有关的一种征象，通常与精神疾患、脑部疾病或者三叉神经痛有关。

◆ 身体的一部分或整个身体强烈的持续时间很长的抽搐或抖动，亦可是咖啡因中毒、酒精戒断和甲状腺功能过强（看甲状腺病一章），或者是帕金森病。

## 出现以下情况应去就医

◆ 在休息时突然发生无法预测的震颤，需进一步检查是否有可能是帕金森病。

◆ 痉挛或抽搐持续时间长或者经常复发，可能患有癫痫小发作，或者有神经系统疾病或其他疾病。

**痉**挛和抽搐是指一块肌肉或一组肌肉的不自主收缩。他可表现为多种形式，有多种原因。痉挛和抽搐有一些是轻微的，有一些是严重的。

## 病　因

耸肩、咋嘴、频繁挤眼是轻度精神失常的表现，最常发生于 7～14 岁的儿童，这是焦虑的结果，常常于 1 年内停止，有的可持续至成年。该病可发生于 25% 以上的儿童，男孩的发病率是女孩的 3 倍。

儿童抽动秽语综合征

本综合征或许是最为大家熟知的不自主的运动紊乱。以 Tourette 的名字命名，他是法国神经病学家，于 1885 年首次描述了本病，它通常发病于童年，持续终生。这是一种原因未明的神经异常，男性发病率较女性高 4 倍。

Tourette 综合征可能是轻微的，仅有轻轻的不自主抽搐，但也可能是较严重和进展性的。症状可以包括持续的出怪相和头颈的剧烈收缩，上肢和腿亦可发生。随着 Tourette 综合征的进展可以发生如咕噜声、咳嗽和犬吠等不自主噪声，50% 的病人偶尔大呼小叫。

目前对 Tourette 病尚无良方治疗，但某些形式的疾病可成功地得到控制。抗精神病药物如氟哌啶醇可以使抽搐和异常声音叫喊得到暂时的缓解。

咖啡因中毒（可以由于在 12 小时内饮用 5 杯或更多杯的咖啡而引起）和酒精戒断也可引起不自主运动，包括震颤和抽动（参见酒精滥用一节）。

痉挛或抽搐有时是由神经疾病引起，又称运动障碍（参见帕金森病一节）。这些症状在出生时可因脑损伤引起，亦可由于头部外伤，或者应用止吐药甲氧氯普胺（又称胃复安），或服用抗精神病药引起。运动障碍包括肌肉抽搐、烦躁、抽搐或者以上症状混合发生。

其他治疗如应用吩噻嗪和中枢神经系统刺激剂亦可引起暂时抽搐、疲劳和焦虑。另外，亦可由遗传引起。

## 治　疗

### 常规治疗

痉挛和抽搐常常自行消失，尤其在逐渐减轻心理压力后可自行消失。由药物引起的运动障碍可停用该药物。由其他原因引起的则无好的疗法。

如果痉挛较严重或持续时间长，且无明显原因，医生可应用抗焦虑药物地西泮或者抗精神病药。咖啡因是否是你的痉挛和抽搐的原因，可几小时内停饮含咖啡因的饮料看症状是否消失。应减少咖啡因的摄入量。

### 辅助治疗

对各种各样的痉挛和抽搐的其他治疗措施可以减轻症状，或者作为医生治疗的一种补充。除了下面列出的治疗方法外，针刺按压(上图)和按摩也可以缓解症状。

中药治疗

服 1 毫升剂量的蛇麻草一日 3 次，可以减轻面部痉挛和抽搐。

营养及饮食

如果存在酒精滥用问题，应立即停止，停止饮酒维持健康的饮食非常重要。为了减轻戒酒引起的症状，可补充高剂量多种维生素和矿物质。

家庭治疗

避免疲劳、紧张和饮咖啡，因为这些可加重小的痉

# 震颤和抽搐

挛和抽搐。如果你的眼睑抽搐,轻轻地按摩该部位。如果咖啡是主要原因,用果汁取代含咖啡因的饮料。中药茶,用烤的谷物和蒲公英根制的咖啡和用角豆树取代饮料中的巧克力和糖都是可以应用的替代品。

## 按 压

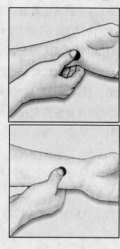

1. 焦虑引发的睡眠问题可以压心经神门穴,位于腕内侧的尺侧,与小指在一条线上将其紧紧置于大拇指和食指之间用力挤压1分钟,然后在另一侧重复操作。

2. 为了帮助镇静,压心包经间使穴,放大拇指在你的腕内侧中部,从腕尺侧和前臂两骨之间二指宽处,用力按压,1分钟;3~5次,然后在另一手臂重复按压。

# 神 经 痛

## 症 状

◆神经痛,可表现为多种形式。疼痛可以突然发生,呈放射性、尖锐的、烧灼感或针刺样疼痛,有时还伴有一种不适,如烧灼感、瘙痒、疼痛或触觉过敏,常发生于身体的某一部分,典型者在身体一侧,疼痛可为阵发的或持续的,可持续几秒或几分钟,可以在几天或几周内反复发生。

### 出现以下情况应去就医

◆你怀疑疼痛是因为脊柱疾病、椎间盘突出或神经受压。

◆症状包括大小便失控或不能抬脚,提示有神经损伤,立即请你的医生看病。

◆疱疹发作后的面部神经痛并放射到眼部,如不处理,这可能致盲。

◆疼痛剧烈难忍,这可能因为神经损伤。

神经痛如其名称所示,为神经疼痛,发生于神经受刺激或发炎,疼痛沿神经走行分布,可以是瞬间即逝,也可以是慢性的,可以很轻微,也可能剧烈而不能忍受。

只有几种神经痛是较常见的。一种情况是以脸部闪烁疼痛为特点,叫做三叉神经痛,累及三叉神经这种为分支的颅神经,这种情况多发生于50岁以上的人,男女发病率为1:3。臀部和腿部的神经也是易受伤的,例如坐骨神经受激惹造成的神经痛,叫坐骨神经痛。另一种相对常见的类型是麻疹后的神经痛,发生于麻疹过后,被称为带状疱疹,其典型表现是持续烧灼感。

## 病 因

一般来说,神经痛最常见原因是神经受刺激或炎症,或骨、结缔组织压迫神经。这种压迫可由于肌肉或脊柱损伤、脱出的椎间盘,或多年的不正确姿势。三叉神经痛可因血管压迫了神经。麻疹后的神经痛则是因为病毒感染神经发炎。但是许多神经痛,神经受激惹的原因尚不清楚。

# 神经痛

## 治疗

### 常规治疗

内科医生经常用处方镇痛药处理较轻的神经痛，而用阿片类镇痛剂对付严重病例。抗惊厥药卡马西平和苯妥英钠对三叉神经痛有效。Capsaicin 膏剂（辣椒的有效成分）对麻疹后神经痛很有效，而且是非处方药。皮质类固醇可以抗炎，而镇静药间接地对疼痛有效。

#### 疼痛部位

神经痛，受刺激或损伤的神经所致疼痛，可以多种形式发生于身体不同部位，例如，三叉神经痛累及脸部，肋间神经痛引起肋骨间疼痛，而坐骨神经痛累及下脊部及腿部，这些部位并非独有的。神经痛可发生于身体的任一部位，当该处神经损伤时。

### 辅助治疗

除了以下几种治疗方法外，你可考虑去看按摩师或按骨术医生。脊柱和软组织的推拿术，已证明对缓解多种神经痛有效。

#### 针灸治疗

在治疗神经痛时，针灸是很有效的。如果疼痛剧烈，5 到 10 个针灸疗程可能有效。

#### 中药治疗

一杯沸水冲入 2 茶匙贯叶连翘并浸泡 10 分钟，可用于止痛，一天应喝 3 次。近期试验提示黑升麻的提取物有抗炎作用。

#### 营养及饮食

当发作开始时，不超过 50 毫克的维生素 $B_6$，每天 3 次，及复合维生素 $B_1$ 每天 1 次可能有效，只持续 1 周。对于麻疹后的神经痛，加用 400 单位维生素 E 每天 2 次。

经常食用燕麦可改善神经的总体状况。切碎的燕麦草在温水中冲泡 2 分钟并过滤后就是一种补品，一天喝 1~4 克，若要减轻皮肤瘙痒，用细棉布包燕麦片挂在喷头下，用冲过燕麦片的水洗澡。

#### 家庭治疗

◆ 苦于三叉神经痛的男士可以留胡须把脸挡起来以免受凉，寒冷有时诱发疼痛。

◆ 一个古老的偏方讲将烤土豆切成两半，放凉后将其敷于患处即可驱除疼痛。

#### 预防

学会怎样坐、站和正确地背东西，是预防各种神经痛的最好办法。一些不同的理疗方法（见上）可以教你怎样正确地活动以防止疼痛发作，可以与有训练的治疗者商量治疗方法。

#### 附：疼痛部位

神经痛，受刺激或损伤的神经所致疼痛，可以多种形式发生于身体不同部位。例如，三叉神经痛累及脸部，肋间神经痛引起肋骨间疼痛，而坐骨神经痛累及下背部及腿部。这些部位并非独有的，神经痛可发生于身体任一部位，当该处神经被损伤时。

# 慢性疼痛

## 症 状

◆任何超过 6 个月的持续疼痛称为慢性疼痛，可以有乏力、麻木或其他感觉，常伴有睡眠困难、无力和抑郁。常见的慢性痛包括：①持续性肌痛，伴痉挛、肿胀和肌肉抽搐、强直。②背痛，性质为锐痛或钝痛，持续性、间断性、局限性、放射性或弥漫性。③关节痛为局限压痛、放射痛，活动受限。

## 出现以下情况应去就医

◆疼痛持续几周，经休息并应用止痛药后不见好转，应尽早就医，可以防止疼痛转为慢性。

◆如疼痛持续不断且对药物治疗无反应，医生可能需作些检查除外癌或其他疾患。

◆如疼痛性质改变，可能出现了并发症或者已发展成为另一疾病。

**在**美国约有十万分之一的人患有慢性疼痛。超过 6 个月的持续疼痛为慢性疼痛，疼痛可以很轻，也可很重，可以是持续性的，也可以是阵发性的，但很少使生活不便或致残。最常见的慢性疼痛有：头痛、关节痛、外伤痛、背痛。其他慢性痛有跟踵炎、鼻窦炎、非炎症性关节病改变、腕关节综合征及肩、颈、骨盆感染所致的疼痛。全身性肌肉或神经性疼痛可以发展为慢性疾患。

在某些情况下慢性痛是自身延续性的，例如，按摩疼痛部位可以暂时病轻，但可以妨碍痊愈，同样，增强肌骨骼应力有利于创伤上肢的愈合，但也可出现新的问题。由慢性痛导致的情绪低落可使疾病加重，这是因为焦虑、抑郁、愤怒、乏力和慢性痛相互作用，可以减少肌体内抑痛物质的产生和增加痛炎物质产生。有足够的证据说明，持续性疼痛抑制免疫系统，使人体最基本的防御功能受损。

因为慢性痛与身心健康有关，有效治疗都要考虑到心理和肌体两个方面。

## 病 因

慢性痛的病因是多种多样的，最常见的是随年龄增长，骨和关节引起的慢性痛。神经损伤没有完全治愈也

引起持续性疼痛。一些疼痛有多种原因，如背痛、长期不良姿势、过分持重、先天性脊柱弯曲、外伤、穿高跟鞋、睡在不适当的床垫上等，或没有明显的物理因素。

疾病也是引起疼痛的基本原因，如风湿性关节炎、骨关节炎，是最常见病因。持续性疼痛也可能是癌症、多发性硬化、胃溃疡、艾滋病、胆结石等疾病的表现。

然而在许多情况下，慢性痛的病因是非常复杂的，甚至是一个有待解决的神秘问题。慢性病可以从外伤疾病开始，但是肌体疾病得到治愈后，持续疼痛则转变成心理学的问题。这个事实说明单一方法治疗是不可行的，这就是医生和理疗师采用不同治疗方法的原因所在。

## 治 疗

患有慢性疼痛的许多病人，可以在自己身上练习一些保健技术，学会一些治疗疼痛的方法。而另外一些人则需要专业医务人员的帮助，特设的治疗中心有助于难治性疼痛的治疗。这些诊所有医院设立的，也有私人的，无论哪一种，住院和门诊病人都可以得到帮助。而疗程的长短则不同，几周到数周不等。

疼痛诊所通常包括多种学科：内科及心理医生、体疗医师和保健医生，而病人在他（她）们的治疗中也起着积极作用。在许多情况下，治疗的目的不仅要减轻疼痛，而且要告诉病人如何与疼痛作斗争和保持器官的功能。第一点就是要病人放弃对止痛的依赖。治疗疼痛，专业医师可采用其他方法，包括生物反馈和松弛技术控制脑电波流动。行为疗法可以纠正引起疼痛的生活方式，还有针刺、催眠治疗、沉思和学习等疗法。以及由病人操作的高科技的小型仪器或者通过小电流对神经的电刺激而阻断疼痛信号的方法。

各种研究表明，在疼痛诊所有 50% 以上的患者疼痛得到缓解。并且许多人学会如何更好地处理疼痛和重新开始正常的生活。

**常规治疗**

常用的止痛药如阿司匹林、布洛芬，能控制由骨、肌肉引起的疼痛和减轻炎症。医生也可以用较强的止痛药，如肌肉松弛剂、抗焦虑药，控抑郁药、非甾体类抗炎药或临时应用更强止痛剂如阿片类药，在受损部位注射

## 肢体上部按压

1. 按压位于拇指和食指指蹼之间的大肠经合谷穴,可以减轻面部疼痛,用右手的拇指或食指去压左手的穴位1分钟,然后再压右手,如果已怀孕不要用这个穴位。

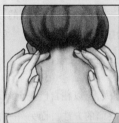

2. 为了减轻可引起头痛、背痛的颈肌肉紧张,可按压膀胱经,位于脊柱两侧距头颈约6厘米处,用中指末端压迫1分钟。

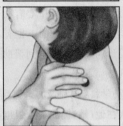

3. 按压膀胱经穴位,可减轻肩部胀痛,把右中指放于左肩肌肉最高点,距颈部约3~6厘米处,按2~3次,再重复按压另一侧。

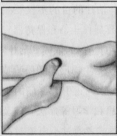

4. 为减轻胸上腹部疼痛可按压心包经间使穴,把拇指放于手腕内侧中心距手腕约2指宽上肢两骨之间,用力压1分钟3~5次,然后再重复按压另一侧。

5. 按压外关穴有助减轻上半身内的疼痛,把拇指放于距腕关节2拇指宽上肢前端中部,按压1分钟,然后重复按压另一侧,每次压2~3次。

## 肢体下部按压

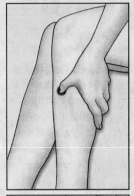

1. 按压胃经足三里穴可减轻腹痛,该穴位于胫骨外侧距髌骨约四指宽,压1分钟。

2. 按压脾经三阴交穴可减轻腹部痉挛,该穴位于近胫骨处距踝骨约四指宽,按压1分钟再压另一侧,如已怀孕不能按压该穴位。

3. 肾经照海穴,位于内踝,跟腱和踝骨之间,用食指压1~2分钟,然后再在另一侧,怀孕3个月后忌用此穴。

4. 按压胃经内庭穴可以减轻踝和足的疼痛,该穴位于足趾跟部,第二三趾蹼间,用两食指压1分钟,2~3次。

小剂量皮质类固醇可以减轻肿胀和类症。口服氨酸D-苯丙氨酸可引起内源性止痛物质——内啡呔的释放,减轻各种类型疼痛。对外伤引起的疼痛则需要用固定方法去治疗。医生可建议用支架、夹板或外科胸衣暂时限制躯干活动,特殊的外伤则需要牵引或手术。

# 慢性疼痛

## 辅助治疗

有多种止痛法供你选择，一些侧重于肌体情况，另一些则注重心理因素，还有一些为生理和心理因素的结合。

### 指压治疗

针压法的原理是，在手、脚和肢体上，有对痛觉反应的特定穴位，自我治疗方法是用弯曲的拇指或食指(但不是指甲)按压约1分钟后移开，然后再用力按压，方法如图示(见上页)。

### 针灸治疗

针灸疗法常用于减轻和疼痛有关的肿胀和炎症，这种方法是用针刺大肠经络，或认为能有效减轻疼痛的穴位，机制是针灸能刺激内源性止痛物质的内腓肽释放。这种方法被认为有累积效应，所以定期针灸一定有益。为了得到最好的疗效，应咨询有经验的止痛针灸专家。

### 芳香疗法

方法是把下面的一些必要油脂和载体油如杏仁油(jojoboil)混在一起，把这种混合物涂在疼痛部位的皮肤上按摩。薰衣草油可以减轻炎症和松弛肌肉，桉树油可以减轻肿胀，加快愈合，并可以减轻关节炎和进行性关节病的疼痛和僵硬。

### 身心医学

亚力山大方法再次教会你避免增加不必要的肌肉紧张，消除颈和背部疼痛，已表明这种方法特别有助于纠正引起背部疼痛的不良姿势。

按摩能暂时缓解肌肉紧张、强硬和痉挛。肌肉推拿通过减轻肌紧张可以打破多种慢性疼痛引起的疼痛—痉挛—疼痛之恶性循环。这种恶性循环可以突发不自主的肌肉挛缩，而导致更严重的疼痛。

用冰袋按摩可以中断信号沿神经通路传导，被温度信号取代，这样就可缓解疼痛。

### 按摩疗法

一旦患有滑囊炎和网球肘时，按摩推拿可以修复关节活动功能，也可以作为一种减轻背部、颈部疼痛和肌痉挛的方法。

### 中药治疗

辣椒，有效成分为辣椒素，可以增加关节血流量，减轻炎症。用辣椒粉制作的药膏可以暂时减轻骨性或风湿性关节炎。这种药膏很热，仅能短期使用。里升麻素草药浸液或樱草花冲胶囊(500毫克)6粒，每天使用也可减轻炎症，在感染部位涂用薄荷油稀释液有暂时麻木作用。

应用含有甲基水杨酸的鹿蹄草油稀释液，有止痛作用，天竺葵和白柳树皮也是此类药物。注意在进行大量补充时，要与营养师的意见相同，富含钙、镁的食物可以放松肌肉，有助于减轻肌肉性疼痛。

对风湿性关节炎和其他肌骨骼疼痛，要尽量避免摄入奶制品、肉类和其他富含饱和脂肪酸的食物。这些食物可以增加体内前列腺素激素样脂肪酸的含量，后者可加重炎症。

食物有时也会成为慢性疼痛的原因，这些不能耐受的食物会表现为一种疾病的症状，如对小麦、生物、柠檬水果、土豆过敏，可以表现为中饱性关节炎症状，应向医生、营养专家咨询，解决这些问题，如果食物是病因，禁止食用含这类食物的饮食。

### 其他治疗方法

◆电神经刺激：是以电池为能源的仪器，把电极放于病变部位，可作用于神经阻断疼痛信号向大脑传递，通过学习可以自我治疗。

◆热和冷敷疗法：能缓解疼痛。把热水放在一个容器内，把冷水放在另一个容器内，在热水中浸湿毛巾，拧干，把他放在疼痛部位，3分钟后，再用冷毛巾敷1分

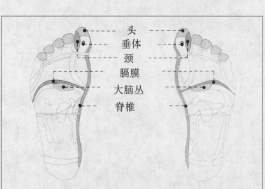

用拇指由里向外太阳经按摩可以减轻慢性痛症状，然后，再用拇指按摩大脚趾上相应的颈、垂体丛和足趾支部大脑丛，在足的内侧上下刺激脊椎区。

钟，重复 20 分钟，每天 3 次。

**全身性疾病**

### 家庭治疗

◆对由于肌肉、韧带、软骨损伤引起的急性疼痛应采用休息、冷敷、抬高方法，或称 RICE。使受伤部位休息、用冰（菜式冰袋）交替冷敷 20 分钟，用弹性绷带加压扎紧，使受伤处抬高减轻肿胀，一旦肿胀消退，再热敷（用热水袋或热垫）。最后用含有阿司匹林的药膏，有助于减轻疼痛和炎症，在疼痛转为慢性前，治疗急性疼痛是很重要的。

◆服用中药胶囊，应中医指导下服用中药，有助于疼痛好转。

◆参加瑜伽功锻炼或参加俱乐部有利于刺激的内源性止痛物质内腓肽的释放。

## 症　状

◆身体某一部位有压痛、刺痛或麻木，常在肢体。

◆在神经受刺激的地方出现皮肤刺痛、烧灼样痛和撕裂痛，且沿神经放射样钝痛。

◆病变区域有软弱无力、肌肉萎缩，出现于一个上肢或下肢，该上肢或下肢较另一侧的变细。可以参见腕管综合征、椎间盘疾病、坐骨神经痛部分。

### 出现以下情况应去就医

◆疼痛持续数天且对常用止痛药无反应，医生可以给你开一些抗炎药或给予物理疗法。

**这**种疼痛严重得使你活动受限，医生要做一些检查以排除其他疾病。

神经受到周围组织压迫都会受到刺激、破坏、功能受损，其结果都会导致疼痛，甚至感觉丧失或肌无力。有许多原因会导致神经受压，如怀孕、外伤、重复运动、关节疾病等。也可以发生于大脑、脊髓外的任何周围神经部位，神经通过脊髓那样强硬的隆凸时，特别易受损害。

最常见的受挤压的神经是尺骨中部放射状的神经，这条神经一直从肩伸到手，其他常见的有股神经，他从盆腔伸到膝部，还有足底神经、椎间盘间的神经以及沿下肢一侧走向的腓神经，坐骨神经是脊椎到足底支配下肢的一条长的神经。经过治疗，受挤压的神经能在几天或几周内康复。慢性患者由于神经持续性的受刺激，有些病例的受损神经呈永久性病变。

## 病　因

组织对周围神经挤压能引起神经症状，对神经的挤压是由外伤、疾病，甚至是遗传性疾病引起的。有时是由持久的上肢或下肢反复活动引起，如操作键盘、流水线作业（见腕管综合征）。另外一个刺激神经的常见病是椎间盘损伤，椎间盘是垫在椎骨之间的组织，如果椎间盘损伤或变性而撕裂，会使软的胶冻样中心物膨出，压迫邻近的神经。这种情况，通常称为椎间盘突出（见椎间盘疾病），多发于常活动的脊椎部位，如腰椎和颈椎。持重、肥胖、接触性体育运动都可导致这种疾病。

# 神经压迫症

## 诊断与检查

医生可以检查你的各种神经反射，找到限制你活动的问题。肌电图（EMG）检查能明确上下肢运动神经传导的速度。

## 治疗

### 常规治疗

医生要指导你调查或停止引起神经挤压的活动，并建议你带上夹板、支架或其他支持物。理疗能锻炼病变的肌肉。抗炎药及短期使用皮质醇能加速康复，小剂量应用阿米替林或另外一种抗抑郁药，有助于减轻疼痛，特别是慢性病例。

### 辅助治疗

#### 按摩

按摩护士用 X 线测量你背部病变变态程度，按摩脊椎减轻神经的压迫疼痛。肌肉内注射维生素 $B_{12}$ 有助于急性病例。

#### 营养及饮食

每天摄入含 1000 毫克磷脂的食物有助于神经再生，每次摄入 2000 毫克的钙、螯合物有利于神经信号的传导。

#### 预防

尽量避免用手、臂、肩活动的工作，如果不能避免应缩短活动时间，经休息一段时间后再进行工作（见腕管综合征）。如果症状刚出现，应请教理疗士，学会工作时如何治疗并减轻症状。

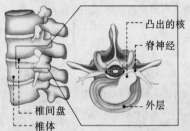

## 椎间盘突出压迫神经

凸出的核
脊神经
外层
椎间盘
椎体

椎体被椎间盘一个一个分开，椎间盘外层是坚固、柔韧的胶冻样核。当外层由于挤压、外伤受损时——称为椎间盘突出——内核突出，压迫脊椎神经，导致神经痛。

# 麻木与麻刺感

| 症　状 | 疾　病 | 应采取的措施 | 其他信息 |
|---|---|---|---|
| ◆麻木感或麻刺感发生于身体一侧,并伴有一种或几种以下症状:手足乏力、头晕、意识障碍、视力模糊、言语困难。 | ◆中风或短暂性缺血发作。 | ◆马上叫你的医生立即治疗,可以阻止中风的进一步发展和脑组织的损伤 (参见心绞痛、心脏病发作各节)。 | ◆可以通过降血压来防止中风发展,用阿司匹林或其他药物阻止血凝块形成,或手术治疗。 |
| ◆一个肢体的麻木、麻刺感或疼痛,并伴有同侧乏力。 | ◆可能是椎间盘突出、脱出。 | ◆去看病,躺卧时疼痛可能缓解(参见椎间盘疾病一节)。 | ◆许多脱出或破裂的椎间盘可经卧床休息治疗,有时外科手术是必需的。 |
| ◆手指、手或腕麻木、麻刺感或疼痛,疼痛可由手腕放射到手指。 | ◆腕管综合征。 | ◆去看病,症状较轻时,腕部夹板可能有所帮助,也可以手术治疗,且长期疗效很好。 | ◆这种症状,可由反复手部劳累工作引起,经常休息并活动手腕可阻止发生。 |
| ◆身体任一部分的麻木,有可能伴有视力障碍、一只手的震颤及失协调、行走困难或小便失禁。 | ◆多发硬化症或其他神经系统疾病。 | ◆去看病,症状可能开始时反复发作而难以诊断。 | ◆多发硬化症损伤神经纤维周围的髓鞘,因为几乎神经系统的任一部分可被累及,所以症状可能多种多样。 |
| ◆手、脚麻木或麻刺感,可能伴有恶心、头痛或头晕,而无基础疾病。 | ◆环境中毒或疾病。 | ◆去看病,医生可能会建议你去检查神经系统损伤(参见环境中毒一节)。 | ◆易发生此病的人群包括农民、环境或化学工作者、农药制造者和工厂附近的居民。 |
| ◆身体某部分的麻木或麻刺感,发生在吃某些药或维生素时。 | ◆药物不良反应。 | ◆和医生讨论你的药物治疗,他可能建议你换药。 | ◆此症状可能因应用以下药物引起:氟化物、麻醉药、烟酸、一氧化氮、抗癌药紧格酚和维生素 $B_6$。 |
| ◆一个或几个手指、脚趾的麻木及发蓝色,经常因寒冷诱发。 | ◆雷诺综合征。 | ◆热敷或摩擦可缓解这种麻木,而且常自行缓解而无严重后果。 | ◆雷诺综合征经常发生于用手工作、暴露在寒冷中的人,其发病并无明确病因。 |
| ◆手或脸的麻木或麻刺感,尤其在唇周,可合并震颤、恐惧或心悸。 | ◆惊恐打击。 | ◆实施放松疗法,向你的医生或心理医生咨询防止长期受惊的方法。 | ◆惊恐打击的躯体反应多,由快速呼吸触发,可在一刻钟左右缓解。 |
| ◆一个肢体在一个姿势睡觉后发生麻木或麻刺感。 | ◆伸拉或压迫神经或神经血供减少。 | ◆活动肢体或站起来,几分钟后感觉就会恢复正常。 | ◆这种短暂的针刺样感觉是正常的,且不表示有潜在疾病存在。 |

全身性疾病

# 肌 肉 痛

| 症 状 | 疾 病 | 应采取的措施 | 其他信息 |
|---|---|---|---|
| ◆过度或紧张的运动后引起肌肉和关节疼痛。 | ◆用力过度。 | ◆局部肿胀时可用冰袋冷敷,当局部肿胀消退后建议使用热按摩、热水浴、热垫或按摩,口服抗炎止痛药如布洛芬。 | ◆一种包括阿司匹林在内的乳剂可能帮助你减轻疼痛,因为肌肉由用力至恢复需要48小时,所以每隔1天要锻炼1次。 |
| ◆痉挛性肌痛常位于小腿部,可将你从睡眠中痛醒。 | ◆肌肉痉挛。 | ◆自下向上、向中心部位按摩。对于常发生的痉挛,注意避免睡眠时重压并且穿宽松的睡衣、睡裤。 | ◆夜间加服钙剂、镇痛剂或维生素E,或者饮用一杯滋补品(含奎宁)可减少痉挛发作次数。 |
| ◆发生于剧烈运动或损伤后的肌肉疼痛,可能伴有肿胀。 | ◆肌肉或肌群扭伤。 | ◆试用休息、冰块(细布包裹)冷却、压迫(用弹力绑带),并抬高受伤部位,口服一种抗炎止痛药如布洛芬(参看"扭伤和劳损一节")。 | |
| ◆猛烈冲击后的颈肌疼痛。 | ◆鞭式损伤。 | ◆躺在无枕的硬板床上,口服一种抗炎止痛药如布洛芬,如果24小时内未见好转,则请教你的医生诊治。 | ◆你的医生可能建议使用支撑颈圈。 |
| ◆肌肉及关节疼痛、发热、寒战、头痛、乏力、流鼻涕、咳嗽、咽喉炎,可能还有呕吐或腹泻。 | ◆流感。 | ◆休息,口服足够的饮料,如果需要,口服像布洛芬这样的一种抗炎止痛药。 | ◆流感疫苗注射常被建议作为45岁以上老人和患有慢性病的人的预防手段。 |
| ◆药物引起的头痛。 | ◆药物反应。 | ◆如果此种药物为遵处方使用,则要请教你的医生,如果此种药物为非处方使用,则停药并请医生来处理。 | ◆氯贝丁酯是一种降脂药,常可致肌痛,皮质类固醇可以通过排钾间接作用引起,同样的疼痛。 |
| ◆慢性烧灼或放射性肌痛,尤其位于肩部、颈部和臀部。乏力,常发生像失眠症这样的睡眠紊乱时,当50岁或更年期长时可有典型发作。 | ◆肌纤维痛。 | ◆找你的医生,使用医生建议的疼痛减轻方法,他可能建议你使用一种肌肉松弛剂或一种小剂量抗抑郁药,以减轻疼痛或改善睡眠。 | ◆女性患有此病的人数要比男性多10倍,物理疗法、有氧训练、生物反馈训练、针刺疗法、改善睡眠习惯对此病的治疗非常有效。 |
| ◆发生在颈、肩或下背部,或大腿和臀部的肌肉痛和肌肉僵直。 | ◆风湿性多肌痛。 | ◆请教你的医生,常规的处理方法是使用皮质类固醇或者加用抗炎药。 | ◆这种病的典型发作常见于50岁以上的病人,而且女性较男性更为常见。 |

# 肌 无 力

| 症 状 | 疾 病 | 应采取的措施 | 其他信息 |
|---|---|---|---|
| ◆过度或超强度运动锻炼后引起的肌无力（不能用力或支撑过多压力、重量，不能抓紧、拉住物体或抵御外力，缺乏精力。无力很明显，可用肉眼看见）。 | ◆用力过度。 | ◆休息几天，仍可作一些轻度活动。 | ◆过度用力可导致因无力或体液丢失形成的乏力。 |
| ◆肌肉无力或疼痛，发热，寒战，头痛，身体不适，流鼻涕，咳嗽，咽喉炎等均可能有呕吐或腹泻。 | ◆病毒性感冒或其他感染。 | ◆休息，饮用足够的液体，必要时可口服一种抗炎止痛药，如布洛芬。 | ◆流感病毒可导致肌纤维感染，干扰其收缩功能，最好的方法是慢慢恢复锻炼。 |
| ◆发生于出汗、呕吐或腹泻后的肌肉无力或出汗，或有肌肉痉挛。 | ◆脱水和（或）电解质紊乱。 | ◆饮用饮料，特别是饮用碳水化合盐类饮料（运动饮料），如果症状持续不缓解则应请教医生。 | ◆电解质中无机物失调，向肌肉传递一种信息可引起肌肉收缩，这种电解质失调可由体液丢失或其他原因引起，比如药物、过量饮酒，或各种疾病。 |
| ◆疲劳后肌肉无力，唇发绀，皮肤苍白，滑舌，气短，虚弱，晕厥。 | ◆贫血。 | ◆如果病因为缺乏铁、叶酸或维生素 $B_{12}$，你需要改变食谱或增加营养。 | ◆无力的发生是由于组织从血液中摄取氧气减少，或因血细胞减少而致组织缺氧。 |
| ◆肌肉无力，手颤，神经质，食欲增加但体重减轻，心率快，血压高，过多出汗。 | ◆甲状腺功能亢进。 | ◆诊治甲状腺疾病，你的医生可能建议使用抗甲状腺药、外科治疗或其他处理方法。 | ◆肌肉无力也可由亢进的甲状腺（甲亢）或另一种内分泌腺即肾上腺功能减退引起。 |
| ◆肌肉无力及疼痛，关节痛，疲乏无力，低热，皮疹，对光过敏，体重下降，意识模糊，深呼吸时胸痛，指或趾部位循环减少。 | ◆狼疮。 | ◆找你的医生治疗，可以用抗炎、镇痛药和（或）抗抑郁药，或轻抗焦虑药。 | ◆在这些自身免疫性疾病中，免疫系统像对待机体外来组织一样，损伤机体自身的有关组织。 |
| ◆不能解释的遍布全身的肌肉无力，也许为麻刺感、麻木感或麻痹。 | ◆神经系统疾病诸如：Guillain Bare综合征、Lou Gehrig病、多发性硬化症或重症肌无力。 | ◆找你的医生，他可能建议你去神经病学专家那里接受检查和治疗，治疗方案由确定的疾病来决定。 | ◆物理治疗是提高这些失去能力的病人的功能的常用方法。 |
| ◆臂部或肩部肌肉无力，小关节红、肿、热、痛。 | ◆多肌炎或皮肌炎，免疫系统功能紊乱引起的肌肉炎症。 | ◆找你的医生，常规治疗是使用皮质类固醇强的松。 | ◆尽管这些功能紊乱可以在几个月内消失，但如果肺部疾患发展，则这些功能紊乱可加重。 |
| ◆进行性严重肌无力，身体协调性差及步态艰难。患者均为男性，且通常在5岁以下发作。 | ◆肌肉营养障碍。 | ◆找你的医生，仅有的治疗方法是通过物理锻炼减少畸形。 | ◆患有这种罕见的、遗传性疾病的患者缺少正常肌肉功能所需的蛋白质。 |

# 肌萎缩(路·基苛洛基肌萎缩症)

## 症 状

◆早期四肢中有一肢变得虚弱,尤其是手上。

◆行走困难,手指笨拙,说话不清。

◆随着病情发展,其他三个肢体也虚弱无力,伴随
抽搐、肌肉抽筋等症状。

◆咀嚼、吞咽、呼吸出现困难,有时流口水。

◆皮肤下的肌纤维起微波。

◆最终将瘫痪。

### 出现以下情况应去就医

◆有上述症状的任何一项,该病需要专科医生诊
治。

路 ·基苛洛基肌萎缩症是以 1941 年死于肌萎缩性
单侧硬化症(ALS)的路·基苛洛基命名。该病是由
退化性神经失调造成的,一般不可医治。因一些不知名
的原因,大脑和脊柱中控制肌肉运动的神经细胞逐渐恶
化,通常导致肌肉废弃,2~5 年内瘫痪和死亡。受其影响
的主要是运动神经元(motor meurons),而感觉和理智思维
的神经完全正常。在患病的任何时期都无疼痛感。

肌萎缩性单侧硬化症,以下称 ALS,相对发病率较
少,在美国每年仅 5000 多新增病例。一般年过 40 岁较
易患有此病,且男性发病率高于女性。

## 病 因

尽管导致 ALS 的原因还不清楚,至少有 5% ~
10% 的病例是与基因遗传有关。研究人员发现,家族
性 ALS,也称遗传性 ALS,是因基因病变,导致体内
无法正常产生定量的超氧化物歧化酶(superoxide dis-
mutase, SOD)。这种酶有助于中和新陈代谢过程中活性
的氧分子所产生的游离病原(free radicals),而这种病
原有可能破坏身体组织。研究人员推断,导致非遗传
性 ALS 的保护性酶的病变,就有可能是周围环境中的
毒素所致。

一些病例表明,长期接触某些重金属、动物的皮
毛或肥料,就导致这种病变。另外,滤过性病毒感染
和过度体育训练造成的损伤都是造成病变的原因。有

些人把 ALS 与一种叫做 excitotoxicity(一种社团类似宗
教的活动)的现象联系起来,此时,控制运动的神经细胞
残酷地被谷氨酸盐刺激,而神经传输组织
(neurotrasmitter)最终都会死去。

### 诊断与检查

神经科医生一般根据患者的电神经肌肉表来检测
神经的损伤程度。其他的辅助测试是排除是否是肌肉
营养失调、多种硬化症、脊髓肿瘤或其他疾病。

## 治 疗

尽管目前还无法终止或减缓 ALS 患者病情的发
展,但可以通过不同的药物和设备帮助控制症状,让患
者生活得较轻松。

### 常规治疗

ALS 早期,通过外科治疗可以改善肌肉运动和延
长肌肉使用期。随着病情的发展可适当用药。巴氯芬可
减轻四肢和喉咙的僵硬程度。肌肉衰弱和体重损失可
通过补充营养来弥补。如用 branched chain amino 酸
(BCAAs)、奎宁和苯妥英钠可减轻抽筋。tricyclicantide-
pressants 且可有助于控制唾液的产量过多。

一个有争议的实验性治疗:人为合成一种叫做细胞
派生趋神经组织要素的类胰岛素神经生长因子,可以保
护运动神经元,刺激受损细胞的再生。

### 辅助治疗

针灸治疗

针灸可临时性解决吞咽的痛苦,也可减轻由 ALS
带来的其他一系列衰退。

指压治疗

ALS 患者由于长时间保持坐姿,通过脊椎指压治疗
可以减轻脊椎、背、肩的痛苦。

营养及饮食

由于吞咽存在困难,ALS 患者经常营养不良,这时
可补充些维生素,液体的维生素比固体的更为方便。

实验表明,对于神经肌肉症状可每天摄取 200 至
1200 国际单位的维生素 E 和维生素 $B_1$。一些病例表

# 肌萎缩

明，摄取辅酶 Q₁₀，一种蛋白触酶剂，可减轻 ALS 的神经组织萎缩。另外，亮氨酸、异亮氨酸和缬氨酸可能帮助 ALS 患者维持肌力，延长行走能力。

**家庭治疗**

随着病情的恶化，ALS 患者需要专门护理，同时一些机械装置和电子设备可在运动等方面提供方便。便携式电脑和声音调协器可给患者在通讯方面提供方便。可把食物加工成蛋白质丰富便于吞咽的形式。人工呼吸装置可减轻患者呼吸困难。自我呼吸装置可帮助患者对付唾液增多、吞咽等困难。

## 被切断的联系

一个健康的神经元或神经细胞从大脑向骨骼肌传递电信号，引起肌肉收缩导致肌体运动，被 Lou Gehrig 病损伤的神经元萎缩及死亡，必然使肌肉在无运动刺激情况下绞成一股。

一旦出现上述任何症状，Lou Gehrig 病需要专业医生医治服务。

# 多发性硬化症

## 症　状

最早的损伤是轻微的，持续仅仅数天，以后是一段很长时间的缓解期（也许数年），直至下一次发作。症状非常多样化，他们包括：

◆疲乏无力，僵直（痉挛状态）或一处或多处肢体麻木。

◆发生于 1 个或多个肢体周围或躯干部位的麻刺感、针刺感、重压感，一种像被箍住样的绷紧感。

◆震颤，不稳定或缺乏协调性。

◆视力模糊或复视，或不自主的眼球运动。

◆大、小便失禁。

◆乏力，表现为轻度疲劳感或非常严重的筋疲力尽感。

## 出现以下情况应去就医

◆你本人或你认识的人出现与多发性硬化有关的症状。因为其他疾病也有与此病相似的表现，故一个准确的诊断对你的治疗非常重要。

◆当你受到急性损伤时，类固醇类药物注射可帮助减少疼痛。

多发性硬化症是一种中枢神经系统疾病，典型发展过程呈慢性或间歇性，对肌体的影响可由有关的较小的躯体烦恼发展至较大的主要功能的丧失。病的根源在于电生理问题。通常，肌体内的神经被一种称作髓鞘的脂质包裹绝缘，只允许"神经信号"这种电冲动通过。多发性硬化（MS），发生于这种保护鞘的炎症，或于某处的环形破坏使电流回路损坏时。这种髓鞘破裂的结果可能导致肌肉协调性丧失，视力减弱，功能失控。

初始损害——最早可发生于青少年，可以表现有简单、轻微的症状，甚至不被发觉。症状可不明原因地暂时减轻或消失，但复发很常见。尽管通常经过较长的潜伏期，常见的典型发作持续数周或数月。病多发生在 20～40 岁年龄段，进一步损伤发生在随后的不定的间歇期内。再次发作的神经炎症可产生瘢痕（硬化）。并且虽然髓鞘可以自然修复，但是瘢痕形成太快以致使髓鞘不能痊愈，这种损伤的影响呈持久性。作为这种持久损害的结果，77% 的多发性硬化病人的活

全身性疾病

# 多发性硬化症

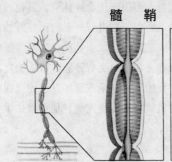

**髓鞘**

髓鞘：是一种包裹和保护中枢神经系统的纤维轴突的脂质。当电信号通过神经通路时，髓鞘也可以快速传递电信号使之维持活力并完成其他生命过程。多发性硬化症使髓鞘彼此隔离，因而阻止信息流动并且渐进性地导致运动神经协调性和其他功能的丧失。

动能力受限，大约有25%的病人则只能靠轮椅生活。

医师们认为多发性硬化症可分四种类型：

◆温和型：此类病例常局限于一次典型发作，并且没有持续性功能丧失。最常见症状为肢体麻木和因视神经感染引起的暂时性视力障碍，大约20%的多发性硬化病人属这种温和型。

◆复发——缓解型：此型及下一型均源于有再发作、再缓解的发作缓解周期，这种类型病例包括突然的具有很强破坏力的发作，紧接着几乎是完全缓解的时期，大约25%多发性硬化病人属于此种类型。

◆复发——渐进型：这种类型的病人，发作不太严重，但亦不能完全康复，许多的周期性发作累积效应可慢慢导致某种程度的功能不全，这是多发性硬化中最常见类型，数量约占全部病人的40%。

◆慢性——渐进型：这种多发性硬化症类型病人很快被致残而且没有缓解期。此类病人数量占全部病例的15%。

多发性硬化症不仅有无法预见的再发作——再缓解模式和他的许多的症状，而且有使人迷惑的不均衡表现形式，从而给人留下较深的印象，女性的发病人数是男性的2倍，高加索地区的发病率为非洲、美洲的2倍，而且，北部地区发病率较高，加拿大的多发性硬化病人数为美国的2倍。

## 病 因

没有人知道多发性硬化症的病因，大多数研究者认为免疫系统在其中充当了重要角色，也许这种疾病来源于免疫系统的遗传问题。也许一种病毒刺激肌体产生主动免疫反应——此过程中免疫系统对自身组织形成伤害，因为他错误地认为自身组织为异己成分。也有人曾设想某种影响免疫系统的极度的情绪波动或物理创伤可以引发多发性硬化症。

也有人认为饮食因素可能是致病原因。有些学者对北部地区多发性硬化症高发原因的解释中记载了那里的人们喜食烤肉、奶制品和高饱和脂肪食品。多发性硬化症病人吸收不饱和脂肪酸的能力低于常人，不饱和脂肪酸在肌体加工处理所有食物，特别是饱和类脂肪中起重要作用。其结果是在他们系统中饱和类脂肪过剩。已经设计出许多治疗饮食来纠正这种失衡，而且有些饮食方案已获得成功，但尚没有一种饮食可被当作治疗的手段(参见营养及饮食部分)。

一些学者怀疑环境因素是致病的原因。列举出的致病因素包括有矿脉、杀虫剂、柴油机的气体、自来水中的化学物质、化学溶剂、家庭用燃气、热水器发出的气体以及一氧化碳的污染。

### 诊断与检查

多发性硬化症常用的一种检查方法是视觉反应检查。此检查中，电极贴于头的后部，当视野模型变化时对视野轨迹反应过程中的电活动情况产生感觉。其他检查包括磁共振(MRI)和腰部穿刺。

## 治 疗

多发性硬化症处理非常困难，并且研究也很困难，有两个原因：一个是症状非常复杂，一个是发作和缓解的周期，这使疾病的观察追踪和治疗药物的疗效评价发生困难，例如一次缓解，可能归功于药物，也可能为自然缓解。

通常，药物只能控制多发性硬化症的症状，且控制的程度有限，因而多发性硬化病人应尽可能地探索和尝试更大范围的可供选择的治疗方案。

# 多发性硬化症

## 常规治疗

虽然多发性硬化性质不明而给疗效评价带来很大困难，但仍然有一些有效的药物。这些药物有干扰素，它可阻止频繁的复发，并可减轻病情；皮质类固醇可缩短发作时间并减轻炎症；巴氯芬和丹曲林钠可用来抑制痉挛；肌肉松弛剂，可缓解强直和疼痛；皮质类固醇常常被建议用来治疗视神经炎症，视神经是引起多发性硬化症病人伴发的复视和眼球不自主震颤的原因。金刚烷是一种抗病毒药，可增加耐受力。

有一些药物专门用来治疗肌肉强直、大小便失禁、震颤、乏力和针刺感。其他一些药物则可直接作用于免疫系统。1994 年，一种治疗白血病的药物 Cladribine 开始用于改善多发性硬化病人的一般状态，他的作用是杀死淋巴细胞，故有可能损伤中枢神经系统。

学者们正在探索其他一些方法。在一项研究中，从母牛身上移植来的髓鞘，似乎可轻度减少发作次数。物理疗法也被证实在松弛强直肢体方面有效，可维持关节的运动，并改善血循环，物理治疗学家也制订了一个专为某种肢体活动障碍而做的训练方案。

## 辅助治疗

你需要对下述的一些可选择方案接受专业性指导，但你也可以学到一些自己在家中就能完成的方法：

### 针刺疗法

多发性硬化症病人针刺的目的是减轻肢体强直和放松肌肉，针刺可刺激神经通路，使信号能够通过损伤的神经纤维。

### 蜜蜂疗法

利用蜜蜂蜇叮来治疗关节炎，已经几个世纪了，最近发现用蜂疗法可缓解多发性硬化症患者的病情，命名为蜂毒疗法（BVT）。建议治疗方法包括：每 3 个星期汇集一次蜂毒（从一只活蜂身上得到）进行蜂毒治疗，需 6 个月。蜂毒疗法可刺激免疫系统，一个发炎区域被蜂蜇后该区域肿胀起来，人体的自然抗炎机制可使肿胀缩小，并减轻此过程中最初产生的炎症。

蜜蜂毒素：也可以用其他方式使病人受益，蜂毒中富含多发性硬化病人缺乏的不饱和脂肪酸。

蜂毒疗法有短期的副作用：发痒、肿胀和皮肤发红，已知在一些人身上可引起致命性休克，其他一些人可产生过敏反应。所以，在进行一系列治疗开始前一定要有医师对病人进行检查。一些医生亲自实施蜂蜇过程，或者建议你去找一位更有经验的医生治疗，你可以与美国蜂疗社团取得联系或到多发性硬化症基金会在本地的分支机构寻找专业人员，他可教你学会怎么进行自我治疗。

### 体疗

虽然多发性硬化症用物理运动和锻炼的治疗，但常规活动你的肌肉仍被医生认为是预防肌肉萎缩的一种方法。

Feldenkrais 法：他是一系列为保持神经肌肉系统功能和伸展运动区域功能而设计的课程。此课程包括一千余种训练方案，你可以从一组授课时间或与专家的一次次会面中获得的一种治疗方法，此项运动是在不会扭伤的情况下轻柔、缓慢地进行的。

本体感觉神经肌肉强化治疗或称 RNF 舒展治疗，是另一种旨在训练肌体再运动能力的程序。本体感受器是感觉性感受器，它集中在关节周围的肌肉组织内，感受物理运动，并使大脑能协调肌体运动。在本体感受神经肌肉强化伸展运动时，治疗前使身体处于伸展状态，推动躯体活动时使躯体保持相对静止；当你尽力作出反应时，肌肉更加伸展。重复这个动作，可使肌肉的柔韧性增强。

### 生活方式

对于多发性硬化症病人来说，训练有较高的要求，尽管在发作期应停止实施，而且非发作期也不能训练强度过大，因为用力过度会招致损伤。肌肉收缩由神经冲动刺激产生，所以神经破损处的肌肉训练可能很困难。但是游泳、伸展和肌肉活动均在许多多发性硬化症病人的能力范围之内，甚至轮椅上的病人也可以作一定程度的训练。

有痉挛状态、步态僵直和有脚、趾等伴发症的病人作常规伸展运动非常有帮助，在温水中作常规伸展动作称水疗，也能帮助放松痉挛的肢体。

研究证实，常规的瑜伽功训练可增强肾上腺髓质的分泌功能，肾上腺髓质分泌物为神经——肌肉刺激物，他能帮助你减慢功能退化的速度。

**营养及饮食**

某些食品可引起多发性硬化症发作，这些有害食品包括牛奶、奶制品、咖啡因、酵母和麸麦（可在小麦、大麦、燕麦和黑麦中发现）、蕃茄酱、醋、酒和谷物也被证实有害，最好的办法是与敏感的特定的食品隔离，停食此食物1个月，然后再重新食用他，去观察此食物是否刺激肌体产生反应。

一些特殊食品被尝试用来改善多发性硬化病人的脂质失衡，两种方法（有时两种方法一起用）已逐渐显示其效果：一种是增加脂肪酸的摄入，另一种方法是减少饱和脂肪酸的摄入，以后者更为常用。尽管许多推荐食品中饱和脂肪酸很难达到被减少或清除的目标。例如：无过敏原饮食，严禁食用已知可引起过敏反应，如枯草热、气喘发作的食物。麦麸定为隔离食物时，禁食小麦、黑麦、大麦和燕麦食品及果糖，而且包括大剂量维生素的食品。剑桥液体食品系列为一种平衡的低热卡的食物，通常用于过度肥胖的多发性硬化病人。

最有名的用于多发性硬化病人的食品称 Swank 食品，由俄勒冈健康科技大学的 Roy Swank 教授提出，在许多情况下，他有很明显的减短病程、减少发作的作用，此食品含有饱和脂肪含量极低的物质：如向日葵、红花油、橄榄和芝麻油，称作特殊数量的不饱和脂肪油，例如含有像蚕豆油、阔叶的绿色蔬菜、菠菜和羽衣甘蓝及大多数的鱼类。此种食品也包括蛋白质，增补鱼肝油，和大剂量维生素。严格禁食黄油、人造黄油、氢化类油（如可可油、棕榈油）。第一年里，你需按医嘱彻底禁食红肉、花生油、干酪、发酵的冰淇淋、酱油、肉汁、糕点、全牛奶和快餐——所有这些食品中含饱和脂质很高。

许多食品被列入多发性硬化病人的增补表格中。亚油酸，他在向日葵油中发现并已知其在调节免疫系统功能中发挥作用。据说可以减轻多发性硬化的严重程度和延长缓解期，晚报春油（Oenothera bienrns）因其特有的脂肪酸成分而大有用途。没有一种鞘类每日可被5克的卵磷脂强化（保持被冷却状态）。辅酶Q或辅酶$Q_{10}$每日30毫克，分两次或3次口服，可以帮助细胞利用氧气。烟酸可以帮助减轻麻刺感和针刺感。

## 症　状

如果食用乳制品出现以下症状便是乳糖反应。

◆腹部绞痛。

◆肿胀。

◆多泡和痢疾。

◆呕吐。

◆胃气胀。

### 出现以下情况应去就医

◆你甚至对微量高乳糖食物如牛奶、冰激淋或干酪有上述反应症状，这表明可能是原发的乳糖不适症。

◆在一次疾病或服药后发生症状，这表明可能是后天性的乳糖不适症。

◆婴儿出生即有症状，这表明可能是先天性的乳糖不适症。

对上述三种病例，你应向医生询问评价和治疗。

乳糖是在哺乳动物的奶中发现的基糖。乳糖的消化需要一种产生于小肠的乳糖分解酶，称之为乳酸酶，他可把乳糖分解为两个简单的糖。小肠产生的乳酸酶不足或产生不出乳酸酶，乳糖就无法消化，就会进一步移至结肠，在细菌的发酵作用下，产生氢气、二氧化碳及有机酸。正是因为这种发酵，产生了痢疾、胃气胀和腹部不适。

新生儿由于要生存，小肠乳酸酶的产量很大。在以后的生活中，约有三分之二的人失去生产乳酸酶的能力。在南部和中部欧洲后裔中，由于其祖先有过上千年饮用哺乳动物乳汁的历史，所以他们中大多数在成年期也能产生乳酸酶。而其他一些人中，如地中海人、非洲人、亚洲人以及美国本土人中，约有75%～100%都对乳糖不适应。数字表明有很多美国人有不同程度的乳糖不适应症。

通常的乳糖不适症什么时候都可能出现，一般出现于3～13岁，然后延至终身。另外一种叫做次乳糖不适症，是指小肠的内衬层因痢疾而突然被破坏或因服用非甾体抗炎药（NSAID）、阿司匹林或抗菌药等，使小肠几周之内突然失去制造乳酸酶的功能。

先天乳糖不适症很少见。在该种情况下，小肠没有

# 乳糖反应（乳糖不适症）

生产乳酸酶的功能。摄入任意量的乳糖都会出现不适反应，尤其是婴儿，会出现痢疾并导致脱水。这种不适症会在其出生后的第 1 周出现，此时必须用不含乳糖的食品喂养。

然而，临床上有时把婴儿的乳糖不适症诊断为婴儿的疝气过程，这显然是不恰当的。通常婴儿时期的乳糖不适症不会影响将来，到 10～12 岁，对一些乳制品的消化是不成问题的。

一般的乳糖不适症者，从儿童时期至青少年时期，其乳酸酶的生产量一直在下降，直至下降为不足其出生时的 10%。这在亚洲、非洲以及一些亚热带地区的国家是极为普遍的，这些人都是婴儿期过后就很少或几乎不饮用奶了。

次乳糖不适症是由于疾病、用药的负影响以及其他环境的变化，短时期内造成的乳糖反应。

先天乳糖不适症是一经出生就具有的，是由于生产乳酸酶的基因错误造成的。

## 诊断与检查

一般诊断乳糖不适症只要将其症状与平时的健康情况进行比较就知道了。还有一种诊断方法是进行一个简单的呼吸测试。乳酸进入大肠后，在结肠中细菌的作用下产生大量的氢，这些氢是由呼吸系统排除。因此，医生通过呼吸测试便可探知是否乳糖反应。

如果你本人有以上一些症状，可进行一些自我测试，首先放弃食用所有乳制品，坚持两周，如果症状消失，再次食用又出现症状，则表明你本人就有乳糖不适症。

即便如此，你还是可以饮食少量的含乳糖食品，对身体并无害处。（见家庭治疗）

## 治 疗

乳糖不适者的内在机制是无法治疗的。对于一般乳

糖不适者，建议减少或杜绝含乳糖的食物，而通常少量的乳糖及其症状是完全可以接受的。另一种是食用除去乳糖的乳制品或在食用含乳糖的食品后即服用乳酸酶片；对于次乳糖不适者，成人可杜绝食用乳产品，婴儿可采用豆制配方，直至病症消失。

### 家庭治疗

◆如果你本人是严重的乳糖不适者，在饮食中一定要注意阅读说明，避免含有乳糖的食品，特别是牛奶（包括无脂奶）、软质奶油和冰激淋。食用除去乳糖的食品、美式奶油。硬质奶油如干酪、白脱牛奶以及酸奶，通常乳糖的含量都很低。

◆细菌活法培养的酸奶酪对乳糖不适者可以补充丰富的钙和蛋白质。其中的细菌可以帮助消化分解酸奶酪。

◆尝试慢慢增加食物中的乳糖含量，症状也许会消失。或者在食用牛奶或冰激凌后再食用此酸奶酪。

◆对多数人来说此反应与过敏不同，即使是乳糖不适者也可以饮用一杯牛奶，特别是与高脂肪含量食物一起进食。

◆食用含有 betagalactosidaes（β- 半乳糖苷酸）的乳制品，此种去除乳糖的奶容易消化。

◆大豆蛋白配方可作为不适症婴儿奶的替代品，也可作为成人饮食的替代品。

◆嗜酸菌奶含有乳酸杆菌嗜酸菌（酸奶酪中含有），可帮助分解乳糖，通常对消化有利。

◆如果已杜绝食用乳制品，应确保能从其他食品中获得足够的钙，如多食用菜叶呈墨绿色的蔬菜、罐装鱼、豆腐、大豆、杏及芝麻。

全身性
疾病

# 衣原体病

## 症 状

男性：
◆阴茎分泌黄白色分泌物。◆尿频及排尿烧灼感。
◆阴茎头发红。

女性：
◆无症状或轻微不适。可能误以为阴道炎或月经痛。

## 出现以下情况应去就医

◆如果你产生上述症状中任何一条，应去看医生。衣原体病需要立即治疗以避免严重的并发症，对男性及女性可引起不孕。

◆如果是女性产生高热及其他流感样症状，比如发冷、头痛、体重下降、腹泻及严重的骨盆疼痛、性交后出血、严重恶心、复发性后背痛，你可能患上盆腔炎性疾病，是衣原体病严重的合并症，可致不孕。

衣原体病，每年大约300~500万美国人患此病，是美国最常见的性传播疾病。流行病学家认为衣原体病的发病率为淋病的2倍，6倍于生殖器疱疹，30倍于梅毒。

值得庆幸的是运用抗生素，衣原体病很易治愈。不幸的是约有80%接触到此病的妇女直到产生严重的并发症，比如盆腔炎前，并不知道她们感染了此病。每年大约有50万妇女患此病并可能导致不孕。

如果性生活频繁，不只有一个性伴侣，每年体检时应要求医生检查衣原体，对于怀孕及有此打算者更为重要。衣原体与宫外孕及早产有关。在美国每年大约有18万由感染此病的母亲生下的婴儿患结膜炎——眼结膜的炎症或肺炎。

## 病 因

衣原体病是由于衣原体感染引起的，显微镜下发现他兼具细菌及病毒的特征。此病通过阴道或肛门传播。如果用污染的手触摸眼睛，你可能患上结膜炎。

注意

正在怀孕或有此计划的妇女，即便毫无症状，也应接受衣原体检查。感染的婴儿会产生结膜炎，是一种可导致失明的严重疾病。

### 诊断与检查

如果怀疑患上衣原体病，医生会检查子宫液体及阴茎分泌物，用特殊培养基，在显微镜下观察。医生还会化验其中的抗体。

## 治 疗

对于不复杂的衣原体病，治愈率是95%。但由于绝大多数妇女直到产生严重并发症，如盆腔炎等性疾病后，才知道患了此病。故性生活频繁的妇女每年应检查有否衣原体病。

### 常规治疗

如果你经诊断患有衣原体病，医生会建议你服用抗生素如四环素、土霉素、红霉素或磺胺类药物如磺胺甲基异噁唑。如果患有盆腔炎症性疾病，需服用大剂量土霉素、头孢噻吩及青霉素族药物。

### 辅助治疗

不要试图自己治疗衣原体病，应服用医生开出的抗生素，但下面这些补充疗法能减轻症状，加速痊愈。

针刺疗法

中医认为性传播疾病是由于毒性内蕴，他们会建议你调整肝经上亢或能量流动，可针刺太冲穴（足顶端大拇指及二指之间）、曲泉穴（在膝上端大腿内侧），可能还会刺太溪穴（大腿内侧膝盖骨及跟腱之间）。

中药

中医大夫会开出一剂中药，仅适合你的症状及体内状态。一个典型处方含10~20味中药，如地黄、当归等。

营养及饮食

对于患有任何生殖器炎症的患者，营养对增强其抗炎能力十分有益。除服用医生开出的抗生素之外，还可以考虑节食1~3天，在节食前务必向医生咨询。

果汁可以通过刺激尿液流动来去除体内毒素，为增强抵抗衣原体感染能力，每日饮食中应补充维生素E200IU及锌15毫克。

在服用抗生素后，为保存肠道内正常健康菌群，每天三次服用含活乳酸菌培养物的乳酪或食用乳酸菌粉、双歧杆菌粉。

预防

为防止衣原体传播，可使用避孕套。性伴侣有衣原体病症状的也应检查。

# 疲乏

| 症　状 | 疾　病 | 应采取的措施 | 其他信息 |
| --- | --- | --- | --- |
| ◆在近期旅行之后，出现持续疲乏、少眠，好象在不正常的时候出现饥饿。 | ◆时滞（机体正常的睡眠和饮食节律受到扰乱）。 | ◆保证机体充分供水。多喝水并避免酒精性饮料。到达目的地后，强迫机体迅速适应当地的时区。 | ◆N—乙酰–5—甲氧基色胺激素被认为可帮助调整机体节律，因此补充 N—乙酰—5—甲氧基色胺，在健康食品商店中有售，可帮助对付时滞现象。 |
| ◆终日处于昏睡状态，在一定程度上限制了日常活动，可伴肥胖，易于感到紧张。 | ◆你的生活方式不适合您，需要改变一下。 | ◆明确何种生活方式模式（过度工作、锻炼不够）导致疲乏，然后改变一下。开始控制饮食以减轻体重。采取一种减轻紧张状态的锻炼方法—如瑜伽—使您感到舒适，并乐意规律地做下去。 | ◆芳香疗法可帮助减轻紧张，在手帕上滴 2 滴胡椒薄荷香精油然后吸入。 |
| ◆开始使用某种新药时出现疲乏。 | ◆为处方或市售药物的副作用，如催眠丸、感冒药和血压药物等。 | ◆把你用的任何药物的副作用告诉你的医生或药剂师。 | |
| ◆白天觉得疲乏，入睡困难和/或夜间睡眠困难。 | ◆失眠。 | ◆如果失眠持续 1 个月以上，去看医生；你可能患有一些潜在疾患，如甲状腺功能减退。在妊娠期间，出现轻度失眠是正常的。 | ◆采用不同的方法帮助您自己睡眠。在睡觉前，洗热水澡，读娱乐书，做深呼吸练习，或喝一杯春黄菊茶。 |
| ◆持续的情绪低落、疲乏和悲观，食欲突然改变，睡眠困难或过度睡眠倾向，有时想到死亡或自杀。 | ◆抑郁症。 | ◆传统和其他治疗方法常常均可对抑郁症有效。与你的医生、心理治疗专家或劝告者如牧师进行商量。 | ◆规律锻炼可显著帮助抑郁患者恢复。 |
| ◆夜间睡眠时常突然醒来，感觉窒息。随之嗜睡，并且睡得更多，白天觉得疲劳。 | ◆睡眠呼吸暂停（睡眠时出现呼吸停止——每次发作持续可达 1~2 分钟）。 | ◆去看医生以正确诊断。药物治疗可适用于轻度病例（参见打鼾），但为保持气道通畅，手术开放气道有时是必要的。 | ◆其他可类似睡眠呼吸暂停表现的疾患包括哮喘和轻度心衰。 |
| ◆严重疲乏持续 6 个月或更久，疲乏不是由活动引起，休息后亦无缓解，持续低热，肌肉疼痛、乏力，淋巴结肿大，关节疼痛，头痛，恍惚，嗓子酸痛。 | ◆慢性疲乏综合征。 | ◆去看医生，这种情况容易与AIDS、单核细胞增多症和其他疾患混淆。 | ◆引起本综合征的病因不清楚，病毒感染、过敏和激素失衡等均有可能。 |
| ◆无力和疲劳，头晕，晕厥，皮肤苍白，心悸，食欲下降。 | ◆贫血。 | ◆去看医生不要耽搁。贫血可有严重的合并症。 | ◆根据贫血的原因及程度制定治疗方案，可包括改变饮食、补充营养和/或外科手术。 |

# 疲乏

| 症 状 | 疾 病 | 应采取的措施 | 其他信息 |
|---|---|---|---|
| ◆极度疲乏，发热，咽酸痛，寒颤，头痛，全身疼痛，鼻充血，咳嗽。 | ◆流感。 | ◆尽可能休息并喝足够的水。如必要，服用消炎止痛药如布洛芬。 | ◆每年注射某些类型的流感疫苗，并建议65岁以上者，以及其他有发生严重并发症的高危人群使用。 |
| ◆严重疲乏，头痛，咽部酸痛，并可表现严重，寒颤，肌肉疼痛，发热，咳嗽，可能伴随淋巴结肿大、皮肤黄染、类似麻疹的皮疹、左上腹疼痛。 | ◆单核细胞增多症。 | ◆去看医生。必须完全卧床休息，然后逐渐恢复正常活动，通常不再给予其他治疗。 | ◆大多数人在2或3周内感觉好转，但疲乏可能会持续数月。 |
| ◆食欲不振，疲乏，轻度发热，肌肉或关节疼痛，恶心和呕吐，腹痛，可能伴尿色加深、大便颜色变浅、皮肤黄染、瘙痒。 | ◆肝炎或变性肝硬化。 | ◆去看医生不要迟疑。治疗将根据疾患的类型和严重程度。参见肝炎和肝硬化各节。 | ◆肝炎可由几种病毒之一，酒精或药物过量，或摄入很多毒素中的一种引起。 |
| ◆疲乏，体重下降，双手麻木和针刺感，便秘，皮肤、毛发干燥，对冷刺激敏感增加，持续低体温。 | ◆甲状腺功能减退（机体不能产生足够的甲状腺激素）。 | ◆你可能需要激素替代疗法，同你的医生协商。参见甲状腺疾患。 | ◆避免可干扰甲状腺激素合成的食物，包括卷心菜、桃子、菠菜和花生。 |
| ◆疲乏，极度口渴和尿频，食欲增加，体重下降，反复真菌感染。 | ◆糖尿病。 | ◆去看医生进行饮食和药物治疗，以避免发生严重（可能是致命）的并发症。 | ◆I型糖尿病需要注射胰岛素治疗；而II型患者不需胰岛素，可能只通过饮食和锻炼就能控制。 |
| ◆无力，疲乏，体重下降，嗜盐，色深，毛发脱落。 | ◆艾迪生病（当肾上腺不能合成适量皮质醇激素时出现的潜在致命性疾病）。 | ◆立刻去看医生。你将需要定期补充皮质醇以避免发生肾上腺危象。 | ◆一旦出现艾迪生病，这是一种终生性疾患，需要定期补充皮质醇类药物。 |
| ◆夜间频繁起夜小便，持续疲乏，体重下降，皮肤干燥、瘙痒，苍白，气短，四肢水肿，口腔味觉不适。 | ◆肾脏疾患。 | ◆立刻进行医疗救治。肾脏疾患是一种威胁生命的疾患，常需要紧急救护。 | ◆询问医生或营养专家，了解有关饮食注意事项，以缩小对肾脏的负担。 |
| ◆气短，疲乏和无力，咳嗽，腹部或下肢水肿，心率增快。 | ◆充血性心衰（心脏泵功能下降，引起体液在机体的其他区域沉积）。 | ◆需要紧急医疗救护。你可能会收住院以稳定病情。治疗可包括手术、药物、改变饮食和特殊锻炼等。 | |

# 慢性疲劳综合征

## 症状

- ◆最近出现虚弱疲乏感。
- ◆疲劳不是由运动引起,休息后不能缓解。
- ◆持续低热。
- ◆肌肉酸痛虚弱。
- ◆睡眠障碍(失眠或睡眠过度)。
- ◆淋巴结肿胀、压痛。
- ◆不伴肿胀及发红的游走性关节痛。
- ◆健忘,意识模糊,无法集中注意力。
- ◆喉部反复疼痛。
- ◆头痛。
- ◆体育运动后持续不适。
- ◆症状持续 6 个月导致运动明显减少。

## 出现以下情况应去就医

- ◆你产生无法抗拒的疲乏,却没有明确可解释的原因,医生需排除其他能产生慢性疲劳综合征的疾病,如抑郁、甲状腺疾病、传染性单核细胞增多症、关节炎、红斑狼疮及肿瘤。

慢性疲劳综合征或 CFS,也称为慢性疲劳、免疫功能障碍综合征、CCFIDS、慢性艾博斯坦—巴病毒(CEBV)及肌痛性脑脊髓炎(ME)。20 世纪 80 年代中期他首次引起公众注意,主要攻击城市年轻上班族,在堪萨斯州有 80% 的 45 岁以下妇女患有此病。但人群中所有成员,包括儿童都可怀疑患上此病。

CFS 的特点是不可抗拒的疲劳及流感样症状,但他无传染性。典型的开始是突然的虚弱。CFS 患者的这种消耗症状不是由过度劳累所致,不能被休息或药物减轻,实际上,随时间推移而逐渐恶化。

CFS 并非进行性退化或致命性疾病,但可持续一年甚至几年。症状好好坏坏,在改善之前,经常变为功能障碍,但大多数患者最终会治愈。

## 病因

CFS 的病因尚未明了,但研究者正在调查许多可能性。例如 CFS 可能是一种自身免疫疾病,由病毒、过敏原及激素不平衡联合导致。一个观点认为过度依赖杀虫剂及长期接触杀虫药及化学毒素可能有害(参阅环境毒害),研究也认为免疫系统功能异常。除此之外,一些科学家还研究肠病毒,例如脊髓灰质炎病毒,人类孢疹病毒及最近发现的逆转录病毒如 HIV,尽管 CFS 与 HIV 及 AIDS 并无联系。另一些科学家发现 CFS 与慢性酵母菌感染有联系(参阅酵母菌感染)。

目前认为产生 CFS 的原因是机会病毒及致病因子在免疫功能抑制的情况下偶然侵入。造成这种情况的因素包括体力、情绪及环境的紧张,或三者联合作用。

尽管许多人包括一些医生表示怀疑,并认为 CFS 是心理性的而不是体力性的,但有研究显示,CFS 患者存在免疫功能障碍,不能将侵入体内的病毒清除出去,并防止原先系统内静止的病毒复活。

EB 病毒可致传染性单核细胞增多症,一度被认为是 CFS 的病因,但目前认为并无联系。

### 诊断与检查

医生会参照你的病史,进行体格检查,完善血液计数检查,以排除其他与 CFS 症状类似的疾病如 HIV、传染性单核细胞增多症,多发性硬化,纤维性肌病(一种引起肌肉疼痛的疾病)、淋巴疾病及抑郁。为排除关节炎、狼疮及其他结缔组织病,你可能还需抗原抗体检查。为检查有无甲状腺功能减退,你还需检查甲状腺功能,如果你体内有炎症,血沉(ESR)值会升高。

一旦其他可能被除外,医生会提供专门的准则,由疾病控制及预防中心来决定你是否患有 CFS。你的症状需持续 6 个月,且与这些原则吻合,诊断是确定的。

## 治疗

综上所述,CFS 病因不明,故治疗仅限于减轻症状。大量传统及替代疗法可协助你度过疾病的进程。

### 常规治疗

患 CFS 的病人首要一步是提倡保持良好的健康状况,避免体力及心理上的紧张状态,保证合理的休息及不过度的运动。

CFS 的流感样症状可被许多药物减轻。医生可能会开出短期的非甾体抗炎药(NSAIDS)或阿司匹林对抗低

# 慢性疲劳综合征

## 瑜伽

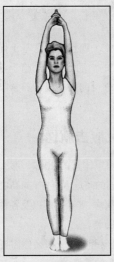

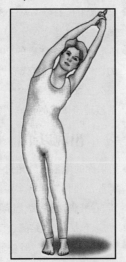

1. 进行减少紧张的活动可以减轻慢性疲劳症状。做"山"时将你的双足合拢，吸气并且将两臂从体侧垂直上举，在头顶汇合。坚持20秒钟同时深呼吸，然后呼气并双臂下垂，一天做一至两次。

2. 做"半月"时，吸气并将两手紧握置于头顶。呼气并向右牵拉，将左髋突出。深呼吸，将肩及髋保持同一姿势，吸气后向中心还原。向左边重复，同一动作，一天做一至两次。

3. 做"石棉瓦玩具"，将双手置于体侧直立，然后呼气向前弯腰，将头顶向地面下垂（不要用力牵拉）将双臂环抱放松，深吸气。保持20秒钟，然后深吸气缓慢起立，一天做一至两次。

热、头痛、肌肉及关节疼痛。低剂量的单胺氧化酶抑制剂及三环类抗抑郁药能提高睡眠质量，减轻疼痛。研究显示用静注 γ 球蛋白（一种古老的血液制品）来治疗 CFS 的其他症状均有不同疗效。一些医生正试图用组胺肌受

体阻断剂（一种抗湿病药的亚类）来调节免疫系统，例如西咪替丁及雷尼替丁，但这种治疗仍处于实验阶段。

对化学物质、杀虫剂、家庭空气清新剂产品或其他潜在的环境毒物敏感也可导致 CFS。先清除可疑的种类，再一种一种地介绍他们，来分辨是哪种引起你的症状。如果你发现某种是你的病因，可能需要询问药师准备服用任何药物时使用保护性溶剂。

### 辅助治疗

许多替代疗法可控制 CFS 各种症状，但在开始治疗之前应让医生确诊。

#### 指压疗法

轻压胆囊点可以减轻疲劳及抑郁，并同时加强你的免疫系统。参阅前文来帮助定位肩及颈部的风池穴位及肩井穴位，可每天重复一次或更多次，或只要 CFS 症状产生，孕妇按压肩井穴位时应注意轻柔。

#### 身心疗法

深思、积极放松、诱导性联想、气功及瑜伽能减轻 CFS 症状而不引起疲劳。实际上，由于这些方法能减少紧张，故能为你提供额外能量。

#### 营养及饮食

一种理论认为营养缺乏是导致 CFS 的一个因素，故保持健康饮食十分重要。避免咖啡因、酒精、精制糖及高脂肪饮食而多食完全谷类、豆类、米、蛋、新鲜蔬菜及水果。饮食中增加可食海藻、番茄及甘草，每天食用二瓣大蒜可以提高你抗病毒及抗细菌的免疫活力。当大蒜切成片或压碎之后，一种磺酸类化合物 allin 转变为 allicin，会让一些人难以忍受。如果你无法生食大蒜，可用陈旧的大蒜提取物制成的药片，供买卖的一种也是可以用的。

辅酶 $Q_{10}$ 及维生素 $B_{10}$ 是营养性辅助用药，可以减少症状。一些证据表明苹果酸及镁联合起来能减轻疲劳及肌肉疼痛，用肉类提取出的卵磷酯能增强免疫及提供能量。其他可增强免疫的维生素包括维生素 C 及 β 胡萝卜素（维生素 A），同时也是自然的抗氧化剂、维生素 $B_5$ 及 $B_6$，锌、硒、镁及铬在增强免疫系统中起一定作用。

氨基酸色氨酸可在不同食物中发现，可能对一些症状有帮助。他可以帮助肌体产生 5- 羟色胺，一种天然镇静剂，可以帮助睡眠，如果你患有高血压或正在服用抗

抑郁药,不要补充色氨酸。

患有 CFS 的病人对食物过敏或儿时对食物过敏并非少见。这些敏感性可能证明他们自己对一特定食物或几种不同食物有过敏效应或其他不耐受。

当一种你对之过敏的食物进入你的身体,你的免疫系统会把他视为入侵者。如同一种病毒或细菌,用血液中的抗体来攻击他。这些抗体的过度增加,加之组胺的释放及其他体内化合物,导致下列症状如精液生成增加、组织肿胀、头痛,咽喉疼痛,有时意识障碍。

识别哪种食物或哪些食物有害最简单的方法是清除。停止食用你认为可能导致过敏反应的食物 1～2 周,典型有害的食物包括奶制品、坚果、鸡蛋、贝类及食物中的防腐剂。如果你的症状消失了,再试验所有食物,一次只试验一种,看你身体的反应。如果你的症状重现,你就至少可以决定其中一种食物对你是致敏的,并将他的各种变化类型清除出去。

### 家庭治疗

确保你每日活动量不超过你能控制的范围。充分休息,注意饮食,在通常基础上轻微活动。

### 预防

因为无人知晓 CFS 的病因,因此无法预防。但你可以通过维生素增强免疫系统,合理进食(避免过敏原),轻度活动,避免环境中毒及避免各种可控制的过敏原来防止症状恶化。你可以实验一下各种替代疗法来决定何者对你最合适。

## 症　状

◆妇女肥胖的百分率超过 30%,男人超过25%(你的医生会估计这个百分率)。

◆体重超过理想体重的 20%。理想体重是基于你的性别、年龄、有代表性的活动水平(是趋于习惯久坐而不积极活动),你可向医生或营养学家请教理想体重的精确测定方法。

## 出现以下情况应去就医

◆如果你的体重已经超过理想体重的 20%,那么肥胖已将你置于许多疾病的高危人群中,如高血压、心脏病、糖尿病、胆囊疾病、呼吸疾病以及各种癌症,包括乳腺、结肠、直肠癌。

◆你已经多次减肥,但总是反弹回来,那么你需要专业指导并进行长期持久的减肥治疗。

◆你身体超重,并因性别原因做过咨询,发现有某些问题或出现明显的多毛,你可能患有激素本身疾病或隐秘的激素分泌腺体的肿瘤。

**如**果你摄入的能量比消耗的多,那么你的体重将会增加。有些人的食物代谢与其他人不同,这是一个复杂的问题,对于研究者来说,这种问题发生的原因是复杂的,而且是不完全清楚的。最近的研究结论是高体重者比低体重者能量消耗快,因为他们代谢快,能量摄入多,所以体重增加迅速,而他们企图去掉他则是很慢的。肥胖综合定义为体重超过标准体重的 20% 或称"国值",一般水平的饮食不能满足他们的需要,他们的脂肪细胞越多,需要的食物越多,而且代谢得快,产生的热量也很多。

尽管有很多的困难,但如果你是肥胖者,你就应该为减肥做巨大的努力,如果不能控制,肥胖将把你置于许多疾病之中,并发展成为各种各样极为严重的疾病,使你的生活经常处于被威胁的状况下,如从癌到心脏病。有特殊相关的是男性脂肪蓄积偏重于腰部,与之不同的是脂肪蓄积偏重于大腿部的肥胖则多见于女性,并有能量贮库的作用。腹部沉积的脂肪被分解为脂肪酸直接入血,立刻成为短期能量,医生们认为这就是为什么能对你的健康造成危害的原因。

# 肥　胖

令人遗憾的是，人们从来也不曾减掉其多余的体重。根据主要城市居民生活保险公司的图表看，肥胖者较50年前有很大的增加，当今的一些医生认为，在美国任何地方都有四分之三的人超重，这太应该被重视了。

"肌体总指标"（BMI）是一个更可靠的测量方法，测定肥胖是基于脂肪多而不是重量大，测量肌体脂肪水平是评价体重情况的最好办法，例如，你又高又重，则有些人认为你是肥胖者，但如果你有大的骨架和更多的肌肉，而只有很少的脂肪，你却被诊断为肥胖是不应该的。

如果你是超体重者，体重需要保持在一个基本的状态，即不但要求特殊的食谱和锻炼，而且还需要一些可能的告诫和药物疗法以使其得到控制。控制肥胖还要求你保持警醒。因为在美国这样一个高脂肪、高糖、高维生素营养的环境中，减肥并不是一件容易的事。

## 病　因

一个人变得肥胖有多种原因，包括糖尿病、甲状腺疾病、糟糕的食谱、不适当的锻炼、遗传，人们体重增加并常常使之加重的因素，包括吸烟、饮酒、惯于久坐的生活方式。另外，看电视是肥胖症最强的诱发因素之一。如果你是肥胖者，关键是认识到你是患有一种疾病，并要避免使之加重。

然而，肥胖症更多的原因是与家族史、社会环境、饮食和其他的生活方式、习惯有关。有一些极少的特殊例子，如甲状腺疾病是一个原因，一定的药物、普通的雄激素和孕酮、胰岛素和类固醇都能引起体重增加。

除所有以上因素之外，最近的研究显示，肌肉边缘的脂肪细胞同样在肥胖中起作用。医生们在很长的时间内认为：你的体重增加，是你体内的脂肪细胞的大小和数量的增长。他们刚刚学到的是：当你减肥时，你的肌肉变得更直接生效而代谢很少的热卡，这就帮助解释了代谢慢的原因。

## 治　疗

减肥项目在美国是亿万美元的生意，因为每天都有更多的超体重者报名参加减肥（只是随后又恢复）。不幸的是，一些商业计划推崇肥胖是精神匮乏结果的文化观点，即如果肥胖的人们立即做一些意志力量的锻炼即

能减肥。但是调查表明，事情远不是那么简单，任何一个人在任何时候接近一盘食物，强大的生化和遗传力量便开始起作用。可怜的意志力量已不能起什么作用，有的只是你的肌体，最终的过程是你吃什么，当你吃饱时它将怎样反射。

随着对肥胖原因认识的改变，更多的人认为要进行治疗，现在一般传统的治疗方法集中于节食、锻炼和对并发症及可能的心理学问题的治疗。

### 常规治疗

当你变成肥胖者时，唯一使任何人都可达成一致的一件事情，就是锻炼，但这也是一些减肥项目中最困难的。一项研究表明95%的病人，如果他们不将锻炼作为减肥项目中的一部分，而仅有一个减肥食谱，他们的体重将回复到原来的水平。其他因素，如食谱中的脂肪与纤维素的含量也起着重要的作用，但没有任何事情像锻炼那样重要。

另外，你能谨慎避开热卡，但永远不能去掉脂肪，关键的原因在于这是一场艰难的战斗。因为你要减少你所需要的一定数量的热卡，肌体在这些方面做出反应是肌体成百上千年来防御机能进化的结果。假设你以节食治疗，随之而来的是肌体一整套防护体重丢失的屏障的建立，包括减慢代谢和有效的能量贮存。如果你试图减少体重，那么你的肌体所能做的全部工作是使体重保持不变。

如果你是肥胖者，你必须考虑长期的改变而不做短期的节食，因为你有一个永久的课题，你的医生会为你推荐一个好的关于能量摄取的综合指标，当然包括其水平，结果是一个低脂、低糖、高纤维的食谱将帮你达到最终目标，再加上每周1次的常规锻炼项目：如午餐后散步30分钟，这既简单而又非常有效。有证据表明，一个长期严格的生活制度，如有规律的锻炼和有节制的低脂肪饮食，能永久降低"国值"。这更容易使你维持一个较低的体重。

你的医生可能建议你使用抑制食欲的药物来改变你的进食，并改变你的生活方式。很多人选择麻黄碱，通过其刺激神经系统而影响代谢。芬氟拉明起抑制作用，摄入少量热卡和蛋白质便有饱胀感。另外，抗抑郁药也

被发现有抑制食欲的作用。

极度渴望减肥的人很容易成为满腹"治疗方法"的游方郎中的目标。从安非他明和甲状腺增补剂到表皮的药物都可以溶解掉脂肪细胞。就安全而言，当你进行任何直接治疗或选购减肥药之前要与你的医生协商。

在极少的情况下医生可能会建议你，通过手术，即从根本上将胃缩小而进行减肥。只有劝说健康的患者，使其从这种治疗中得到益处。因为有一些吹毛求疵者认为这种切除是一种抑制食欲的需要，但调查已显示：患者是否能长期保持已减掉的体重尚不能肯定。

两种非常简单的技术，脂肪抽吸术和颌骨线缝法，也有一些不利的情况，但是极少发生。脂肪抽吸术的步骤：外科医生在脂肪沉积部位附近做一个极小的切口，然后将脂肪吸引出来，然而，非常少的一点脂肪被切除都有损伤血管和神经的可能性。

颌骨线缝法能伤及舌头、牙齿，并引起颌骨连接与肌肉痉挛，这类病人必须进流食，其结果是体重减轻。但是当缝线一解除，几乎大多数病人又长回了原本丢失的体重。

最好的治疗是避免极端接近肥胖和过度攻击肥胖的方法，包括心理学治疗，学会控制吃东西，怎样对食物做综合反射和在你的空余时间做什么（看电视或散步）。这样做比任何外科医生的"刀"要好得多。如果你确认你对食物有不健康的态度，应考虑去看专业营养学家、运动治疗学家，并尽可能成为你的顾问。

### 辅助治疗

当你习惯于适当的食物和锻炼作为综合的生活项目（方法）时，另一个补充治疗方法就是努力地工作。

#### 指压治疗

一些嗜食成瘾者发现用针刺压迫法或成形物压在耳上的针压点上，可以减轻食瘾的痛苦。向通晓此法的医生咨询可以治疗嗜食疾病的方法。

#### 中药治疗

中草药中麻黄属类药包含有麻黄素，他可以增加脂肪组织的代谢率。这种治疗被认为有很强的副作用，包括失眠、焦虑、心律失常、高血压。如果你患有糖尿病、甲状腺疾病或心脏病，请不要用这类药，最好的方法是看中

药医师，对你的全身器官进行调整，特别是脾。

#### 生活方式

吸烟可以使具有肥胖因素的人进入不健康的生活方式。研究表明，18岁的超重女孩多数有吸烟倾向，她们对帮助摆脱吸烟的治疗项目很少有反应，因为她们认为吸烟可以使体重下降。吸烟虽然可以抑制食欲，但他相反地影响脂肪储存，引导其沉积于腰部区域。超体重者更多趋向于饮酒，饮酒增加热卡摄入。酒精在体内的过程更像高脂肪食物。

#### 身心医学

催眠疗法：引导想象和瑜伽功，可能通过改变你的饮食方法帮助你减轻体重，治疗需依靠具有这些技术的专科医生。

#### 营养及饮食

一种如马铃薯和面食的碳水化合物饮食和鸡、鱼、大量蔬菜，可能使你长高但不使你发胖。

你可以考虑在一天的中间进食主餐，即延长燃烧摄入的热卡的时间，一顿犬餐在晚上吃，即使你有更多静坐的时间，也很不容易被消化和吸收。

每日以6～8杯水代替每日消耗的软饮料如果汁和牛奶。

避开有热卡的食物。严格的常规食谱可引发疾病并发展成为进食不正常。象神经性厌食或贪食。

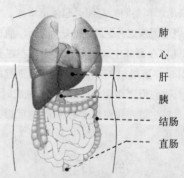

### 肌体高脂肪的危险性

- 肺
- 心
- 肝
- 胰
- 结肠
- 直肠

事实上超量的机体脂肪可以引起各种各样健康问题，极高的体重对心血管系统增加上极大压力，可引起高血压和心脏病，高脂肪聚集可以使肝脏增大，甚至中等度体重就能引起Ⅱ型糖尿病，机体组织对抗胰腺产生的胰岛素。肥胖使结肠、直肠癌的危险性升高。

永远保持正确的生活方式。除非你代谢掉的能量超过摄入的能量,否则不能将重量减轻。

**家庭治疗**

一般的家庭治疗对改善与肥胖有关的副反应有帮助,如便秘。

◆每天用1~2茶匙啤酒酵母或一些蒲公英,将减低你对甜食的嗜好。蜂蜜或一盘辣椒可以加快你的排泄。

◆由大黄根制成的茶可以缓解便秘。

**预防**

如果你有严格的、有节制的低脂肪饮食和常规的锻炼,几年后你可能确实降到了你的"国值"。一旦肌体接受低体重像接受天生的状态一样,那么不用节食而永久保持他对于你来说就是非常容易的事。

一些避开肥胖有帮助的要点:

◆每天3~4次有节制的饮食并把你的主餐放在中午吃。

◆吃高纤维低脂肪饮食。

◆避免久坐的活动,象看电视。参加常规锻炼并坚持。

◆不要致力于计算食物热卡和食物。要节制饮食或取消一份正常食物以延长代谢时间周期。

◆避免用食物犒劳自己。

## 症　状

◆外表及行为改变,影响到人际关系及工作表现。

◆在儿童出现情绪或态度突然改变,学习成绩下降,脾气暴躁或行为诡秘。

**各种药物出现的相应特殊症状:**

◆精力极度旺盛、体重下降、瞳孔扩大、失眠及震颤等症状,提示可能为滥用"刺激剂"或兴奋剂。

◆嗜睡、语言含混不清、平衡失调、瞳孔缩小、及睡眠过度,则提示可能为滥用"镇静剂"或抑制剂。

◆情绪不稳、眼睛发红、瞳孔扩大、感觉及反射时间延长、头晕及嗜睡,提示服用"大麻"。

◆鼻孔溃疡是鼻吸入"可卡因"的典型表现,流鼻涕或抽鼻子是吸可卡因烟的典型表现,而手臂上的针眼则提示静注可卡因。

◆体重下降、嗜睡、情绪不稳、过度出汗、语言模糊、瞳孔缩小及食欲不振等提示滥用"阿片"制剂。

◆出现幻觉、瞳孔扩大、发抖及出汗,表明滥用"致幻剂"。

## 出现以下情况应去就医

◆你发现家庭中某个成员,尤其是儿童或青少年,出现上述症状中的任何一组表现并怀疑其为药物滥用所致。吸毒者常常否认这个问题,因此需要请专家鉴定并处理。

**药**物滥用是指使用精神行为药物——合法或非法的——达到足够量而对滥用者生理、精神、情绪和社会造成危害。成瘾性或依赖性是指人们必需持续用药(亦可参见"酒精中毒及尼古丁戒断")。尽管提到"药物滥用",人们常常会联想到非法毒品市场上的暴力场面,但实际上,合法药物滥用是一个更为严重的健康问题。有200万~300万美国人对处方药物成瘾,而医院报道由于滥用合法药物引起的急症同滥用非法药物引起的一样多。同酒精滥用者一样,药物滥用者也常常否认这个问题,他们常缩小使用药物的危害程度或夸大外界因素例如工作或家庭压力引起的危害。有些家庭错误地认为否认这个问题可以保护滥用者不受伤害,而实际上对治疗和恢复造成了很大障碍。

# 药物滥用

通常药物滥用大致可以分为下面几类：

中枢神经系统（CNS）抑制剂：在美国，最常见的处方用药中有催眠丸及抗焦虑药。有大约7百万人服用某类CNS抑制剂至少1周1次。巴比妥酸盐可产生类似酒精引起的效果：小剂量时有松弛作用，大剂量时则对精神和躯体均造成损害。与酒精同时服用，巴比妥酸盐可以致命。成瘾及过量所致的危险性已被人们所知，因此医生在开巴比妥酸盐时是非常小心的。

安定类药物：比巴比妥酸盐要安全些，但在使用几周后，患者对药物产生耐受而发生对药物的依赖性。这类药物包括常用的抗焦虑药：地西泮、苯二氮䓬及三唑仑。滥用这些药物可引起嗜睡、语言不清、协调不稳、发抖及妄想等症状。药物滥用者使用安定类药物治疗戒断期间的焦虑症状时极可能开始滥用一种安定药。

兴奋剂：成瘾性兴奋剂可引起语速加快、易激惹、随高峰之后出现虚脱的衰弱模式表现。对苯丙胺药物即兴奋剂成瘾的人常试图使用CNS镇静剂即抑制剂来使自己安静下来，结果导致兴奋和抑制的恶性循环。作用及成瘾性更强的兴奋剂是可卡因，其吸烟制品称Crack具有非常高的成瘾性。在美国，估计大约有200万人对可卡因成瘾。

阿片制剂：在美国大约50万人对阿片、吗啡或海洛因成瘾。典型成瘾表现为抑郁、焦虑、自我评价低、重复能力下降。静脉注射用药造成了传播肝炎、艾滋病及其他传染病的危险。

大麻：抽大麻烟可抑制短期记忆力、活动能力及精力水平。长期慢性使用可增加心率、视力障碍、肺功能下降、性激素水平改变，并增加发生肺癌的危险。大麻及大麻制品如"印度大麻"成瘾性并不高，但是重要的是抽大麻者使用可卡因的可能性较非大麻使用者显著增加。

其他常用的滥用药物：包括从烟草、酒精到致幻剂例如LSD（二乙麦角酰胺）。服用合成代谢类固醇以增加肌肉的运动员可能会出现暴力行为、心脏疾患及严重肝脏和激素损害。妊娠妇女滥用合法或非法药物会面对一些特殊危险，从早产和营养不良到威胁胎儿生命的畸形等。很多青少年试图试验一下用药的感觉，结果很容易成瘾，尤其那些贫困或没有援助的家庭中的孩子。

## 病　因

造成药物滥用的确切原因尚未达成一致意见，但专家们更倾向于认为这是一种疾病而不是意志薄弱的结果。慢性酒精及药物滥用者，可能对成瘾性具有遗传素质，但环境及社会因素如贫穷、家庭不睦及社会压力等亦起着非常重要的作用。当然，社会因素是非常重要的，如果没有开始使用药物，一个人是不会对药物成瘾的。

许多人认为，产生药物依赖性是源于人对改变知觉的自然欲望或追求完美感的努力。成瘾性药物很危险的一个原因是大多数使用该药的人并不认为他们会对药物产生成瘾性。一旦发生药物依赖性，想要打破这种状态是很难的，无论成瘾者是否意识到这一点。随使用时间延长，患者对阿片类和兴奋剂类的耐受性增加，这样慢性用药者不得不增加用药量以达到同等效果。最易成瘾的药物，如海洛因和可卡因，为避免停药引起的疼痛症状，继续用药的欲望得到了强化。

## 治　疗

治疗分两阶段。戒断过程可能仅需要几天或几周，但如没有专业照顾，这个过程相当痛苦，甚至会发生危险。恢复过程是指维持停药的漫长阶段。

**常规治疗**

治疗药物成瘾的第一步是让患者意识到这一点。一些成瘾者可能并不知道他们对药物发生了依赖性，而有些人则会否认这一点。在这一阶段，家庭、朋友或可以信赖的专家必须向患者讲清楚节制及治疗的必要性。

没有单一一种疗法可以适用于所有成瘾者。正确的疗法取决于成瘾的类型及严重程度。从院外维持计划、心理疗法、自我疗法到住院治疗计划等，各种方法可能需要几周至几个月的时间。成瘾者不仅需要药物治疗，还需要其他医疗照顾、福利支持和心理精神或社会的帮助。成功的康复计划应可以建立社会支持、提高自我评估及责任感，并帮助成瘾者避开可引起复发的状态。对于很多成瘾者，成功的关键可能在于工作稳定、居住处没有药物，并且同不用药的人们建立朋友关系。

CNS 镇静剂或抑制剂引起的戒断表现可能是痛苦的，甚至可能威胁到生命。长期使用巴比妥酸盐及某些安定类药物，停药后可出现谵妄、脉速、乏力、惊厥及幻觉等症状。由于惊厥发生的危险性，用药 4～6 周以上时停药必须在医生的指导下进行。

停用刺激剂或兴奋剂可产生嗜睡、焦虑、疲乏、幻觉及抑郁等症状。由于多数兴奋剂引起的生理成瘾性不象巴比妥酸盐或海洛因引起的那样强烈，所以戒断症状可能不会很严重。但可卡因属于例外，这种药是非常难以被放弃的。慢性可卡因成瘾者停药后的治疗需要广泛帮助，包括社会及家庭支持。对于安非他明成瘾者，停药后患者可出现抑郁甚至自杀念头，因此治疗及周围人群社会的支持是同等重要的。

阿片成瘾出现的戒断表现——身体摇晃、大汗、发抖及迫切要用药的情形——已广泛出现在银幕上。同症状不一致的是，它并不像酒精或巴比妥酸盐成瘾后出现的戒断症状那么危险。尽管人们一度认为阿片成瘾后停用阿片几乎是不可能的，但是在越南战争中，很多越南人在返回家园后自愿放弃用药习惯的经验说明，自我开始的治愈方法是可能的。停用海洛因或吗啡后，在医生的指导下，一些成瘾者常常需要用一定剂量的美沙酮，一种成瘾性较弱的麻醉药以维持停药状态。尽管有争议，维持用美沙酮仍是一种习惯做法，因为即便停用药物若干年之后，精神压力或抑郁仍可能很容易地诱发恢复使用危害更大的药物。

恢复期是指停药戒断期后，患者必须维持住不用药的阶段。这个阶段常常是非常困难的，因为这需要成瘾者改变习惯及生活方式，终生都必须控制使用潜在成瘾性物质。家庭、朋友及上司的支持，还有提供药品的群体的支持，可能是成瘾者康复过程中的有力的——常常是关键的——部分。对于青少年，群体疗法常常比个人疗法更加有效。由于儿童成瘾常常是家庭问题中的一部分，所以治疗应涉及所有家庭成员。由于同辈人压力的强大，青少年可能比成年人需要更

多的强化手段以维持恢复过程。

## 辅助治疗

很多辅助疗法可有助于减轻伴随或药物成瘾引起的紧张压力，增强体格，减轻用药欲望。

**针灸治疗**

针灸专家们报道了治疗海洛因、可卡因和其他药物成瘾的成功例子。尤其是，有报道说针灸耳朵上的几个穴位可以减轻戒断症状及用药欲望，预防复发，并增加康复比率。

**水疗法**

一些治疗学家认为清除体内药物需要数个月。每天沐浴 10～20 分钟，水中加入半杯食用苏打或海盐可有力地帮助解毒。

**身心医学**

生物反馈法、冥想法、放松反应法及暗示想象疗法等方法可有助于减轻精神紧张，并可改变行为方式以帮助康复。

**营养及饮食**

药物成瘾者倾向于饮食不良并可能过度嗜糖。为维持康复过程，至少每日规律三餐，蛋白质、蔬菜及复合碳水化合物比例适当。如果您对甜食有难以抗拒的欲望，那么以大麦麦芽及大米糖浆代替糖，并每日服用吡啶铬盐胶囊 250 毫克以帮助稳定波动的血糖水平。询问您的医生补充维生素 C 和 E、泛酸钙(维生素 $B_5$)、肾上腺提取物、镁、钙、钾、胆碱及叶酸的潜在好处。

**预防**

制止非法药物流通的努力已证明收效甚微，但治疗和公共教育则不同。一项研究发现，在减少可卡因消费中，用于治疗可卡因成瘾者花费的 1 美元其作用 7 倍于用于加强法制而花费的 1 美元。

父母教育、社区努力、公共教育及预防计划、没有药物的工作环境及有力的国家领导均可以对减少非法药物滥用起到一定作用。父母可能不能够阻止他们的孩子试图体验用药的行为，但他们可以告诉孩子关于药物成瘾的正确知识——尤其是对于他们自己未出生的孩子的遗传危险。讲课及恐吓手段是很少有效

的，但青少年应理解使得人们开始用药的内在和外在压力、听一听关于用药前争论的反证，并学会抵抗来自同辈人压力的方法。但是，如果您不希望您的孩子滥用药物——包括酒精和烟草——最好的第一个步骤就是树立一个正确的榜样。

### 不滥用合法药物

成千上百万的美国人滥用合法的处方及非处方药物。甚至温和地"每日"用药，例如咳嗽药及饮食丸等均可滥用到产生依赖性和生理损害的程度。阿司匹林和布洛芬可引起出血性胃溃疡，长期应用缓泻剂损伤肠道，喷鼻用药可增加充血而产生依赖性。所有用药均应照医嘱使用；如果某药物未达到预期效果，则应在增加用量前先同您的医生商量。

### 药物和老年人

老年人常常出现药物副作用或成为无意的成瘾者有几个原因。随年龄增长，代谢和清除药物的速度逐渐减慢，这样就容易出现用药过量。很多人甚至并没有意识到咳嗽药、催眠药、食丸和缓泻剂等药物。因有不同的疾患而同时服用几种处方药物或在没有医生的指导下联合使用处方和非处方药物时，老年人出现危险的药物间相互作用及副作用的风险常常会增加。

对于老年人，药物中毒症状很容易被误诊为精神疾患或其他疾患。药物成瘾的合并症状在老年人中更为常见，而解毒过程更加复杂。某些药物尤其应引起注意。利尿剂，通常用于降低血压，可减少体内钾和其他元素贮备从而引起乏力和食欲下降等症状。有一些抗高血压药物可引起抑郁、疲乏或虚弱等表现。抗焦虑药如使用过量可引起嗜睡、身体摇晃、疑惑及健忘等。任何人用药均应仔细注意剂量，而对于老年人尤其重要。应该把他们的所有用药告诉给他们的医生。监督或帮助老年人用药不仅是善意之举——这可能可以挽救生命。

# 体 臭

## 症 状

◆ 一种特有的汗臭味，尤其来自腋窝、腹股沟和脚。通常被认为难闻。

◆ 从肌体组织散发出的异常气味，与汗臭不同，但不一定难闻。

## 出现以下情况应去就医

◆ 在应用除臭剂、洗清或其他治疗后，气味仍持续存在。体臭与很易识别的汗臭不同，可能是系统性疾病的征象。例如，一种象指甲油或涂料剂的味道可能提示糖尿病，而氨味则可能是肝病的表现。

**美**国人很讨厌体臭。他是更多的自我意识的根源和衣柜幽默。他也支持了一个巨大的工业的发展，增加了对自愿的消费者销售肥皂、香味剂、除臭剂和抑汗剂等产品。然而，许多习俗文化不明白这是怎么回事，因为他们认为体臭是很自然的，是可接受的，甚至认为是性感的。

体臭是一般术语，指汗液和其他皮肤分泌物被自然的细菌作用后产生的气味。有两种腺体产生汗液，外分泌腺和汗泌腺。外分泌腺散布在身体的各个部位，但主要集中在腋窝、手掌、足底和前额。当身体过热如天气热、锻炼或发热——外分泌腺排出水分和蒸发盐调节体温从而使肌体降温。

汗腺集中于腋窝和腹股沟周围。这些腺体在青春期形成，不能调节体温；然而，他们的作用是导致性感应、神经质和愤怒，同样可造成发热和劳累。它们分泌的汗液富含有机物质，诱发细菌并产生强烈的味道。科学家确信这种气味被我们古老的祖先认定为性信号，在大多数动物也同样如此。

## 病 因

汗液本身没有气味。只有在汗液被皮肤自然产生的细菌作用后，才会出现我们都认为的汗臭。这种气味在脚、腋窝和腹股沟处尤其明显，因为那些区域高度集中汗腺。而且，鞋和衣服诱发出汗，增加了细菌的活力。

食用某些食物和服用某些药物也可造成独特的气味；例如，抗癌药 tfamoxifen，就可产生独特的气味。食物中的蛋白和油脂如洋葱和某些香料，可导致你呼出特殊性气味。某些营养缺乏，如锌，也可造成体臭。女性有时产生与月经有关的气味，但大多数可通过良好的个人卫生来预防。

体臭，腐败的臭味——或像指甲油、涂料剂、氨味或槭树味——可能提示存在疾病或代谢问题。那些存在非汗臭气味的人应经医生检查，诊治潜在的疾病。

## 治 疗

最有效的去除体臭的方法就是用肥皂和水清洗，有时一天不只一次。为控制产生汗臭的细菌的活性，可用抗菌肥皂清洗。芳香剂含有轻度抗菌成分，可帮助阻碍细菌的功效并掩盖腋下的气味，但不能阻止出汗。为阻止出汗，你只能用抑汗剂来抑制外分泌腺的分泌和功能。如果你是患者，选择了一种抑汗剂，就必须每天使用，连续一周以达到最大功效。

你应该认识到有些抑汗剂含有金属盐并可被皮肤吸收而刺激皮肤。如果这样，则应停止使用，另选一种产品，更适用的是含有不同的活性成份的抑汗剂。许多权威人士基本怀疑抑汗剂的使用功效。他们主张人们一定不要试图预防或减少出汗，因为出汗是肌体的一个自然过程。

### 常规治疗

为控制异常持续的过度出汗(这是一种称为多汗症的疾患)，医生可开一个抑汗药的处方包含有高浓度的一种成分叫氯化铁。必须在看护下使用这些药品，因为他们可导致皮肤刺激作用。

### 辅助治疗

一种含天然植物产品叶绿素的药片，作为芳香剂销售，并可口服。将碱撒在腋窝和足趾上，是一种天然的芳香剂，而且可吸收气味。结晶的矿物质盐可控制体臭，在卫生和化妆品商店有售。

营养及饮食：

过度出汗可能与锌缺乏相关。每日服用 30～60 毫克的锌剂可帮助解决问题。

# 体 臭

## 葡萄球菌感染

家庭治疗

◆每日洗浴，淋浴或清洗你的全身。如果愿意，可使用一种柔和的芳香剂或抑汗剂，或在腋下和趾间擦干后喷撒碱。

◆经常清洗晾干你的衣服，尤其是内衣、短袜或长筒袜以及所有穿在身上贴到皮肤的东西。在炎热的天气，避免穿紧身衣，可穿凉鞋，或不穿短袜。

◆棉衣和皮鞋比化学物质能使汗液蒸发更快。

◆过长的体毛使汗液和细菌存留，所以减轻体臭的一个方法就是刮掉腋下的毛发。

## 症 状

◆皮肤损伤处疼痛和肿胀。

◆在毛囊周围的疖或白头丘疹。

◆新生儿和小儿起的水疱和皮肤脱皮。

◆颈部、腋窝及腹股沟的淋巴结肿大。

### 出现以下情况应去就医

◆有损伤的局部的皮肤出现疼痛、肿胀或化脓，感染可能已经播散入血。

◆如颈部、腋窝或腹股沟的淋巴结肿大，可能是其他不同种类疾病的症状，包括单核细胞增多症、结核以及肿瘤。

◆疖子非常痛，特别是当疖肿四周有红线出现，或有发热和寒颤，这时感染可能已经扩散。

◆当你的嘴唇、鼻子、面颊、额部或脊柱周围有疖或痈，感染可能已经播散到脑或脊髓。

◆你反复发生疖肿，这可能是糖尿病的信号。

葡萄球菌感染可以侵入和攻击身体的任何部位，从你的皮肤、眼睛、指甲到深处内部的心脏。症状各异，取决于感染从何处发生。葡萄球菌感染通常由开放的伤口进入体内。这种感染可以由邻近组织或经过血流播散到远处内脏器官，如心脏或肾脏，这可能成为致命的疾病。患有如糖尿病、肿瘤或慢性肝肾疾病等慢性病的患者，应特别注意有严重的葡萄球菌感染。

葡萄球菌感染有着各种名称，其中的许多名称也被用来描述链球菌。毛囊炎是一种毛囊的表面感染，起小白头脓疱。搔刮皮肤和衣服摩擦皮肤可以损伤毛囊导致突发感染。在脓疱出现前一两天，在原处可有瘙痒。

有时，葡萄球菌感染可以侵犯毛囊的最深部，其结果是脓肿，一种疼痛较剧烈和充有脓液的炎症。虽然脓肿可以在身体的各个部位产生，但最常见于面部、颈部、臂部以及腋窝。若出现在眼睑上，叫做睑腺炎。当身体体表同时发生许多单独的疖，这种情况称为疖病。

痈是深入皮下的一串相连的疖。痈常发生于上背部或颈背部，通常男性多于女性。

另一种常见的皮肤葡萄球菌感染是脓肿病，特征为小块的微小水疱及脓疱，在皮肤划破后出现外壳。较少

# 葡萄球菌感染

见的，但更有潜在危险的是蜂窝组织炎，发生于皮肤的更深层。蜂窝组织炎通常开始于伤痛处的柔软的红肿，然后扩散到周围组织。从感染的局部到邻近淋巴结出现放射状的红线，邻近淋巴结也可以发生感染而大小超过正常的两三倍，这是一种严重感染称为淋巴结炎。

新生儿和小儿有时会患上烫伤皮肤综合症，一种特征为水疱、脱皮皮疹的特殊葡萄球菌感染。另一种特殊的葡萄球菌感染是结膜炎，可以传染大多数儿童，通常引起眼睛发红，流黄色水样脓液，经过一夜睡眠后可以结痂。睑腺炎，是一种累及眼睑边缘的葡萄球菌感染，可以导致眼睛发红和结痂。当葡萄球菌感染发生于指甲周缘，引起肿胀并充有脓液时，称为甲沟炎。

乳腺炎是葡萄球菌感染通过乳头破损处进入哺乳期母亲的体内，而引起疼痛的乳腺脓肿。使用棉栓的月经期妇女有发生中毒休克综合征这种有潜在致命危险的葡萄球菌感染。

葡萄球菌有时通过血流播散到骨和关节——特别是四肢和脊柱的骨骼——那里易形成脓肿。感染的关节变得肿胀和积脓。若不治疗，可进展为动脉炎和永久性僵硬。

若葡萄球菌感染播散到肺，可以发生葡萄球菌肺炎；若播散到肾，肾脏感染也可发生。两种情况都可致命。一种播散性葡萄球菌感染也可侵犯心内膜或心脏内层，结果造成细菌性心内膜炎，这是一种可以导致心脏永久损害的严重情况（这种状况首先发生于静脉内用药者）。结肠也可以成为葡萄球菌的攻击对象，特别是因为其他疾病而使用抗生素的病人。这种药可以杀灭结肠中的其他种类的细菌，使葡萄球菌可以自由繁殖。

## 院内葡萄菌感染

尽管医护人员作出最大努力以保持医院无菌环境，但是在外科手术后的院内葡萄球菌感染仍有发生。由此，在手术后的 24 小时内经常给患者使用抗生素。当病人作小肠手术后而患此感染的危险特别高，为防止此病发生，在术前同术后一样也需使用抗生素。

## 瑜伽

**1** 为提高免疫系统的能力，试用"半莲花"式：弯曲你的左腿，使左脚尽量靠近身体。弯曲右腿，把右脚放在大腿上面。把你的 膝盖接触到地面则更为理想。（要是"全莲花"，双脚都要放到相同高度上。）保持此姿势 5 分钟，并深吸气。

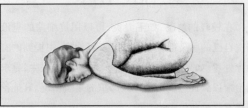

**2** "儿童"势可以通过放松身体而促进免疫系统。坐在你的脚跟上，大腿并齐。当你以臀部为轴向前弯曲时， 慢慢呼气。把前额慢慢靠向地板。深呼吸 20 秒钟，然后抬起身子的时候呼气。再做一次。

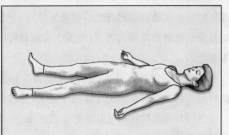

**3** 另外一种放松身体的方法叫"僵尸"式。面朝上躺下，双脚分开 45 厘米宽，轻松外 展。手离臀部 20 厘米，手心向上，深呼吸 8～10 分钟。

## 病　因

葡萄球菌感染由金黄色葡萄球菌引起，一种常见于鼻、口、直肠或生殖道的细菌。事实上，在任何时候，大约都有 30%～40% 的人在鼻部带有葡萄球菌而无任何病

# 葡萄球菌感染

症，直至这种细菌通过切伤、擦伤或其他皮肤破损而进入人体后才对肌体有害。葡萄球菌一旦侵入肌体，就容易形成含脓的脓肿。

通过污染的食物而进入肌体的细菌可导致食物中毒。

## 诊断与检查

你的医生可以检查感染灶，并取一些脓液样本来进行实验室检查以确定病因是否为葡萄球菌或其他类型的细菌。如果怀疑感染已经播散到身体的其他部位，可进行进一步检查，如血象分析或淋巴结培养。如果反复得疖肿或睑腺炎，可以进行鼻拭子培养以确定鼻腔是否有葡萄球菌驻留。

# 治 疗

在较轻的情况，如毛囊炎，可以用抗细菌的皂液来清洗自己的感染部位，并按照"家庭治疗"中提到的有关治疗处置。如果感染持续并加重，你应该看医生，寻求抗菌治疗以保证感染不会导致严重的复杂情况。其他治疗可提高你的肌体免疫功能，有助于防止复发。

## 常规治疗

你的医生可能会给你口服抗生素，如红霉素或青霉素，以清除感染。如果有皮肤感染，开一些用以涂抹感染部位的抗生素软膏。当疖或睑腺炎复发时，并且鼻拭子培养提示有葡萄球菌出现，有种抗生素软膏可以直接涂入鼻腔内。

有些脓肿必需进行外科引流才能痊愈。你的医生可能会给你约一位外科大夫来作这个手术，通常就在外科门诊室用局部麻醉进行。如果感染很严重，你可能需要住院用静注抗生素治疗。

## 辅助治疗

辅助治疗医师可以提供对抗葡萄球菌感染的综合治疗。替代治疗可有助于加强免疫系统以防再度感染。然而，如果感染对此治疗没有反应，甚至加重或扩散，你就应该寻求常规治疗，用抗生素等药物。

### 针灸治疗

中医认为，任何一个疖都是由体内过多的热导致。因此治疗涉及身体可以驱散热的穴位。征询专业针灸师的意见。

### 家庭治疗

◆为加速痊愈，用一块热湿毛巾放在疖或睑腺炎部位持续 20~30 分钟，每日 3~4 次。在疖或睑腺炎破溃后脓液排出，用温水、柠檬汁或泻盐清洁该区域。在完全愈合前一直保持其清洁。注意：不要挤或刺疖和睑腺炎，如果这样做，你可能会留下永久瘢痕或引起感染扩散。

◆猪秧秧可抗葡萄球菌感染，砍下一些新鲜叶子，然后短暂地在温水中浸泡一下，挤掉多数水分然后用纱布将叶子包起来。把他放在感染皮肤部位。

◆用白毛莨软膏治疗感染。用足量的水混合根粉制成软膏，把他直接涂于局部皮肤感染处，然后盖上一层洁净的非渗透的绷带或纱布。把软膏保留一夜。

◆为预防葡萄球菌感染不在治疗时扩散，洗淋浴比盆浴好。

◆如果你在胡须部位有毛囊炎，在治疗感染过程中每日刮胡须时应更换新刀片。

◆如果你的指甲周缘有葡萄球菌感染，用纯茶树油(Melaleucespp)浸泡指甲，每日两次，每次 5 分钟，直至感染清除。可以直接用一滴茶树油涂于疖肿患处。

◆在治疗葡萄球菌感染之后，必须彻底地洗手。

### 预防

◆用抗感染的肥皂清洗切伤、刮伤等外伤，在愈合前保持洁净。

◆为了防止把你的葡萄球菌感染传染给你的家属，不用公用毛巾、浴巾和床单。每日更换这些用品，用热水洗涤并加以漂白。

◆如果你有毛囊炎的倾向，在你刮脸后用抗菌香皂清洗皮肤。在用完后，把刮刀刀片放在酒精中浸泡，并不使任何其他人使用。

◆为防止葡萄球菌引起的食物中毒，在准备食物前充分清洗双手。如果你已感染葡萄球菌，应让别人替你准备食物，以防止把感染传染给他人。

# 皮 炎

## 症 状

皮肤干燥、发红以及瘙痒均提示某种皮炎或皮肤炎症,他有很多类型。

◆局限于暴露在某刺激物的皮肤区域内的红斑可能是接触性皮炎,一种皮肤过敏反应。

◆红色、瘙痒性环状皮损、有渗液、鳞状脱屑或结痂,这是钱币样皮炎的表现,常见于皮肤干燥或居住环境干燥的老年人患者。

◆头皮、眉毛、耳后以及鼻周出现的油脂样黄色脱屑提示脂溢性皮炎;在婴幼儿患者称为"摇篮帽"。

◆出现在下肢内侧及足踝附近的脱屑、脂样外观,有时形成溃疡的皮损提示郁滞性皮炎。

◆极度顽固的瘙痒可能是萎缩性皮炎或湿疹的表现。

## 出现以下情况应去就医

◆皮肤出现溃烂、渗出或其他感染表现。你可能需要抗生素或其他药物治疗。

◆用市售霜剂或含药物洗剂治疗皮损无反应,您应该到医院去确诊并进行相应治疗。

◆湿疹发作加剧期间,你接触到患有病毒性皮肤病例如冷疮或疣的患者,使你感染病毒疾患的危险性增高。

**简**单地说,皮炎就是指皮肤的炎症,实际上包括一组疾病。其早期阶段大多数病例特点为皮肤发干、发红以及瘙痒,但急性发作时则表现为结痂脱屑或渗出液体形成水疱。由于许多因素可以刺激皮肤,所以尽管对于大多数刺激性和炎症性皮肤病,其治疗是类似的,医生还是应该尽可能明确皮炎的具体类型。

## 病 因

下面是通常最常见的皮炎类型及其病因:

◆接触性皮炎:典型表现为皮肤呈粉红或红色、皮疹,可伴有或不伴有瘙痒。明确接触性皮炎的具体原因可能是比较困难的。植物中,罪魁祸首有毒性常青藤、毒橡树和美国毒漆。但在部分人群中,接触某些花草、水果和蔬菜也会引起接触性皮炎。常见致敏化学物质

包括去污剂、肥皂、氯、某些合成纤维、指甲油清洗剂、抗出汗剂和甲醛(存在于耐拉织物、光亮剂、人造指甲粘附剂、颗粒板以及泡沫绝缘剂中)。戴橡胶手套、穿未洗过的新衣服或戴金属手饰也可能引起接触性皮炎。美容及护肤产品亦常常会引起这种皮炎。

◆钱币形皮炎:特征性钱币形的红色皮损,较常见于 55 岁或 55 岁以上的老年患者的下肢、臀部、双手及手臂。居住环境干燥或洗澡水过烫可以导致这种皮炎,同时精神压力和其他皮肤功能失调也可以引起。

◆脂溢性皮炎:表现为头皮或其他有毛发的皮肤区域内的油脂样黄色脱屑,还可出现在脸部或外阴以及沿鼻部、乳下的皮肤皱折处和其他一些部位。这种疾患在婴幼儿患者——又称为"摇篮帽"——可能与缺乏维生素有关;而对于成年患者,则可能是由于脂腺分泌过盛及排泄不畅有关。精神压力可加重本病,而且本病在AIDS 患者中亦较常见。

◆郁滞性皮炎:由于血循环不畅所致。下肢静脉回血减少而引起血液及液体郁滞。这将导致皮肤不健康生长和刺激,尤其是在足踝附近。

◆萎缩性皮炎:即湿疹,导致皮肤瘙痒、脱屑、水肿,有时形成水疱。湿疹常有家族性,并常与过敏体质、哮喘和精神压力等因素相关。

其他皮肤疾病有关常识可参见"尿布疹"、"荨麻疹"、"脓疱病"、"牛皮癣"、"皮疹"、"疥疮"和"带状疱疹"等节。

### 诊断与检查

医生通过检查皮损形态及部位即可对大多数皮炎作出诊断。有时需要皮肤刮片在显微镜下进行分析。为明确接触性皮炎的致敏物,医生可能会采用斑片试验,将一些可疑致敏物贴在后背皮肤上。若在 2～4 天后没有炎症形成,那么医生会试用其他可能致敏物,直至找到此病因。

## 治 疗

治疗皮炎的第一步是找到并去除病因。温水洗浴,然后涂抹凡士林或市售氢化可的松霜剂,对于多数轻症皮炎治疗效果较好。用含有煤焦油的洗发水洗头可用于

体表
疾患

治疗脂溢性皮炎，但在用后几小时内应避免阳光照射，因为他可以增加头皮被阳光烧伤的危险性。一旦明确引起接触性皮炎的致敏原，那么治疗主要是避免接触致敏原、抗过敏治疗或其他处理方法。对于钱币形皮炎，为促使溃疡干燥，可用盐水浸湿后，再涂抹类固醇激素霜剂。如果您患有郁滞性皮炎，那么穿弹力袜并且经常在休息时抬高患肢将可以改善血循环。

## 常规治疗

对于多数类型的皮炎，为减轻炎症、缓解刺激，医生常给予市售或处方皮质类固醇激素霜剂；给予口服抗组胺药物以减轻严重瘙痒，如果继发感染则给予抗生素治疗。某些重症脂溢性皮炎可能需要注射皮质类固醇激素进行治疗。治疗郁血性皮炎需要用焦油或锌糊剂，要让药物在溃疡处至少保留 2 周，因此需要经过训练的行家进行包扎。

## 辅助治疗

因为很多皮炎都是慢性的，所以很多辅助治疗仅仅是改善症状：瘙痒、烧灼感和水肿。

### 光疗法

当某些慢性皮炎对传统皮质类固醇激素或煤焦油治疗无反应时，许多医生建议使用人造光源产生的紫外线进行治疗。使用光疗时，患者将受累皮损处暴露在太阳灯下，太阳灯发射紫外线，暴露时间预先设定。几乎所有病例几周之后皮损均会显著改善。

尽管其疗效显著，光疗还是存在不足之处。每日从 4 点到 8 点，治疗一个月，因此对患者而言是比较耗时而且费用较高。光疗还可能引起皮肤老化并增加患者发生皮肤癌的危险性。在一些病例中，皮炎可以在 1 年之内复发。

在重症或顽固病例，本疗法可辅以药物治疗。光疗辅以口服补骨脂素长期疗效较好，但带来一些其他危险。在部分患者，口服补骨脂素可以引起肝脏问题，因此在内科医生的密切监测下是必要的。妊娠妇女应避免药物辅助光疗，因为补骨脂素可以导致胎儿畸形。接受本疗法的妇女应在治疗停止数月之后再开始妊娠。

有一些患者有意避开医生办公室或医院而把晒黑沙龙作为紫外线放疗源。但是，他们不能找到他们所需要的治疗光线。由于考虑到致癌危险，所以晒黑沙龙在采用的

光疗中已将紫外线部分过滤掉了。即使患者自己有太阳灯或购买到其他紫外线放射光源，仍应在医生的指导下进行治疗。只有专业医生才能告诉你多大剂量的紫外线照射是你可以耐受而对你的皮肤没有远期损伤的危险性的。

### 身心医学

既然在某些病例中，皮炎可能与精神压力有关，所以放松疗法例如瑜伽有可能起效，尤其适用于萎缩性和脂溢性皮炎。暗示想象疗法也可以起作用：你可以创造并控制想象与皮损自然表现相反的情景。例如，如果你患有干燥的红色皮疹，那么想象用蓝色的润滑软膏涂抹在受累皮肤区域。如果闭上眼睛，捂住耳朵，避免外界一切刺激，将所有感觉都集中在你脑海中想象的画面上，那么其疗效可以达到最佳。你需要闻到软膏的气味，看到皮损愈合并且感觉到症状消失。

### 营养及饮食

部分患脂溢性皮炎的患者被认为促进肌体抗炎症反应必需的脂肪酸代谢有障碍，因此医生建议服用维生素 B 复合物 50 毫克，每日 2 次。维生素 A（25000 单位／日）和锌（50～100 毫克／日）可有助于皮损愈合，而维生素 E 软膏或胶囊（200～400 单位／日）可有助于缓解瘙痒及干燥症状。为避免过量危险，尤其是脂溶性维生素，应让你的医生仔细检查剂量并对服药过程进行监测；而给儿童补充任何维生素都必须通过儿科大夫决定。

### 家庭疗法

◆温水浴时加入市售的燕麦片或玉蜀黍淀粉产品可以润滑皮肤、缓解瘙痒症状。注意在浴盆里不要呆得时间过长，因为长时间的浸泡可洗掉敏感肌肤的必需油脂。

◆治疗皮肤干燥，可在淋浴后，在受损皮肤区域涂擦凡士林或植物松酥油脂，或者使用现在时兴的含

---

### 男性不会患上的几种皮疹：

同妇女相比，男性配戴穿耳耳环或其他首饰、由于接触金属首饰中的镍元素而引起接触性皮炎的可能性明显要小。科学家们在研究中发现，15 岁女孩有 12% 的人对镍敏感。而在随后的研究中，年轻男子不到 2% 的人出现类似的问题。而其中配戴手饰类型不同可能会造成一定差异，但研究人员仍怀疑：女性和男性激素可能起着真正但尚未明确的作用。

芦荟(Aloe barbadensis)或锌的软膏。

◆避免食用可能致敏的食物，例如牛奶、蛋和小麦。而补充维生素 A、B 复合物和 E 以及锌元素则是有益的。

◆如果你怀疑对一种化学品或美容产品过敏，那么你可以在家里进行斑片试验。将少量可疑致敏物涂一点在手臂或后背上观察 7 天。如果出现反应，那么你就可以知道他是一种潜在致敏物。

预防

预防由于接触有毒植物例如有毒常青藤而引起的皮疹的最好方法是接触后尽快用肥皂和清水清洗暴露的皮肤。对于敏感肌肤的人出现的大多数其他皮炎病例，只要通过避免接触那些致敏物就可以预防皮炎发生。如果患有萎缩性或脂溢性皮炎，举例说，你就比一般人更容易对首饰中的镍元素过敏或者容易在冬季出现皮肤干燥。皮肤白晰的人似乎更容易出现皮肤问题。如果你觉得皮肤要出问题，可考虑下列预防措施：

◆在家或办公室用加湿器以免空气过于干燥。

◆穿宽松、天然纤维的衣服。未经处理的棉制品是比较理想的。

◆避免金属首饰，尤其是耳朵上的首饰，可以预防镍金属引起的皮诊。配戴外科金属或 14K 黄金制成的耳环是比较安全的选择。

◆配戴表带压迫皮肤时间不要过长。磨擦和淤滞的汗液可以引起皮疹。

◆饮食中补充维生素 A、B 复合物和 E 及锌元素。

◆沐浴后用无味、不含防腐剂的洗剂或软膏涂擦滋润肌肤。

**注意与美容相关**

如果皮疹出现在面部、颈部、嘴唇、头皮和发际，那么首先应怀疑原因出在你的美容或其他护肤产品中，包括香水、除臭剂、防汗剂、洗发水、牙膏、漱口液和修面后洗剂等。这些美容护肤产品中致敏成分常常是香剂或防腐剂，但还是应警惕那些"无味"产品，他们可能含有一些天然无味的化学物质，亦可以刺激皮肤。

有些美容或护肤产品标明："低过敏"、"有机的"或"无过敏"等，这是误导，因为没有一个产品会对每一个人都没有危险性。如果你属于敏感皮肤，那么你的美容护肤产品应尽可能简单并且应以无味产品为主。

## 症　状

患有风疹的儿童可能不会表现出明显的精神萎靡不振，但会出现以下症状：

◆低热，颈部及耳后两侧和后部的淋巴腺肿大。

◆食欲低下，易激惹，不爱活动。

◆年长的儿童可有关节痛。风疹患者只有约一半会出现皮疹，先在面部和躯干，然后再播散到四肢。全过程大约为 4 天，然后皮疹消退。详见视诊指导部分。

## 出现以下情况应去就医

◆你正在怀孕并且你认为自己可能接触过风疹，这种病毒可通过脐带传染胎儿，可引起胎儿先天缺陷。

◆你的孩子患有风疹，并且很难叫醒或处于嗜睡状态，这可能说明他可能并发了脑炎——一种少见的并发症。

◆你的孩子患有风疹，同时有腹痛和呕吐，这可能是胰腺或肝脏炎症的表现。

风疹并不严重，在多数情况下给孩子带来的不适并不比感冒更重，一旦得过本病，就可获得终生免疫。

风疹真正的危险在于其对未出生的胎儿，尤其是妊娠前 3 个月的胎儿。与风疹有过接触的孕妇 20% ~ 50% 胎儿会在出生时有先天缺陷，包括失明、耳聋或先天性心脏病。因此，妇女在怀孕前应确信她已经对此病有免疫力(见预防)。

◆美国许多州，儿童入学前都要进行免疫接种。

## 病　因

风疹是由一种病毒通过咳嗽或喷嚏的飞沫传播。该病的潜伏期——此期间病毒在体内繁殖，患儿并没有传染性——约从接触后 14 ~ 21 天，该病患儿在出皮疹前的 2 天及出皮疹后 7 天的都具有传染性。

## 治　疗

患儿应呆在家中一直到皮疹消失后 1 周。

# 风疹

体表疾患

## 常规治疗

患有风疹的儿童无需治疗。而如果你正在怀孕，并接触过风疹患儿，应马上与你的医生联系。怀孕期间接触风疹的时间越早，生出有先天缺陷患儿的危险越大。在某些情况下，你的医生可能会建议你考虑治疗性人工终止妊娠。然而怀孕 20 周后，接触风疹导致新生儿先天缺陷的可能几乎为零。

## 辅助治疗

许多替代疗法的专家认为让健康儿童患上一次风疹比较疫苗注射还要好，因为这种情况下的免疫力更长久。然而由于患儿可将此病传染给高危人群，尤其是孕妇，因此你需要认真考虑作免疫。

有节奏地轻柔地按压脾脏，该法称之为脾泵。可以促进白细胞释放入血液，你可向这方面专家请教。

### 家庭治疗

◆ 保持你的孩子安静，特别是当她有发热时。但不必完全卧床，患儿必须呆在家中，直到皮疹完全消失后 7 天。

◆ 冷海绵可减轻发热及皮疹带来不适，以酯氨酚为主要成分的止痛药可用于缓解症状。

### 预防

绝大多数医生都强烈建议儿童应用免疫接种的方法防止患上本病。但是必须清楚的是，疫苗不能提供终生的免疫力。

MMR 疫苗（麻疹、流行性腮腺炎及风疹疫苗）目前给予 12 或 15 个月的儿童注射，并在 4～6 岁或 10～12 岁时加强 1 次。如果家中有孕妇，医生可能会建议推迟注射以防止疫苗中活的虽然是毒性较弱的病毒影响到孕妇。

至少在怀孕前 3 个月，妇女应查血以了解是否有风疹抗体，如果不存在抗体，就应进行疫苗注射或再次接种。

如果你已怀孕，但并不清楚自己对风疹是否有免疫力，或是怀疑自己可能已接触过该病，马上与医生联系。因为该病病毒可传给你未出生的孩子。如果孩子患上了该病，通知在发病期间直到症状消失后 10 天内与你孩子有接触的高危人群，以便使他们能及时就医。

## 风疹病

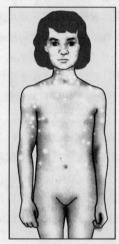

风疹最初的诊断性皮疹是发热及颈部淋巴腺的肿大。大约一半的病人，在 2～3 天之后就会在面部和全身出现细小的玫瑰色皮疹。与麻疹不同的是皮疹融合。

面部皮疹出现后几天，就会扩散到四肢，并可持续 5 天且不伴有瘙痒。

## 警告

不要给你的孩子服用阿司匹林——即使是婴儿用阿司匹林或任何含有称为水杨酸盐的药物进行退热或止痛治疗。阿司匹林可引起瑞氏综合征——一种少见但十分危险的疾病，可引起脑与肝脏的炎症。

# 湿 疹

## 症 状

◆ 片状皮损慢性瘙痒、干燥及增厚，常出现于手腕、面部及膝肘关节内侧皱褶处。

◆ 皮肤损害、红斑、脱屑，深色皮肤的患者出现皮肤颜色改变，有时出现一些小的皮肤肿块或水疱分泌液体。

## 出现以下情况应去就医

◆ 出现其他不能解释的皮疹并有家族湿疹或哮喘病史。你应该去医院确诊病变。

◆ 用市售木炭－焦油制剂或含激素的霜剂治疗1周，炎症无明显改善。您需要医生给予进一步积极治疗的建议。

◆ 在现有的湿疹皮损处出现黄色或浅褐色硬痂或充满脓液的水疱，这可能提示合并葡萄球菌或其他细菌感染，应该用抗生素治疗。

◆ 在湿疹发作期间，与患有病毒性皮肤疾病如冷溃疡、生殖器疣或生殖器疱疹的人接触，湿疹患者发生病毒疾患的危险性增加。

◆ 出现多数脓性小水疱。你可能患有疱疹性湿疹，一种由单纯疱疹病毒Ⅱ引起的很少见但可能很严重的并发症。

严格地说，湿疹是皮疹的一种形态，以慢性瘙痒性炎症皮损为特征。受累皮损区典型表现为干燥、皮肤脱落，偶尔形成水疱。肤色浅的湿疹患者，皮损典型者呈浅褐色；对于肤色深的患者，由于他常改变其自然色素形成而使得受累皮损颜色变浅或加深。湿疹最常见于面部、手腕、肘及膝关节附近，但并不限于上述部位。

湿疹亦称为萎缩性皮炎，发病率大致3%~7%，其中70%以上的患者有家族史。湿疹在婴幼儿中最常见，常在2岁以内发病。如果皮疹持续下去，那么这个孩子极可能成为慢性患者，皮损区显著增厚，呈浅褐色，并经常发作。湿疹常合并哮喘，因此患哮喘的孩子发生皮肤病的危险增加。既然湿疹可能是部分因为对某种外界刺激的内在反应，因此初步治疗应着重于明确并减少可能的病因。

## 病 因

很多湿疹病例均与过敏有关。对于易感人群，发病常常由于食用某些食品，例如牛奶、鸡蛋、小麦和坚果以及吸入一些空气传播的刺激物如尘螨和花粉等而诱发。湿疹亦可能由于接触普通物品中的刺激物诱发，例如羊毛制品、合成纤维、树胶橡胶、某些去污剂、含氯制品、金属耳环及其他首饰中的矿物质镍及化学品如甲醛，可存在于耐牵拉纤维制品、上光剂、地毯、消泡剂及颗粒板中。

对于容易患湿疹的人，医生们认为发作可能是由于肌体免疫系统对某种生理性、化学性或精神性刺激的反应方式的改变所致，除接触潜在致敏物质，任何影响情绪的事件——从搬家到更换新工作——都有可能诱发本病。

### 诊断与检查

为明确过敏是否为炎症的根本原因，可找医生做一下放射过敏吸附试验（RAST）。

## 治 疗

由于湿疹通常是一种良性疾患，并且其根本病因在不同的个体是不同的，因此基本治疗目的放在减轻症状方面。家庭疗法和市售药物通常就足够用。对于慢性湿疹，医生会着重于明确致敏原，加强免疫系统功能，或让患者放松。有关治疗湿疹的基本方法知识，请参见"皮炎"一节。

### 常规治疗

为改善瘙痒症状，大多数医生会采用下列基本方法：温水浴洗去结痂的皮肤，继而立刻涂上凡士林或植物油，这样有助于保留皮肤自然湿度。外用木炭－焦油制剂亦可起到同样效果，但显得比较脏、有味。应避免将其用于妊娠妇女，并且长期使用有增加发生皮肤癌的危险。

如症状持续不缓解，医生可能会建议用一些市售的含甾体类激素的氢化可的松霜剂。多虑平霜，亦可对由于湿疹引起的瘙痒症状有效。每日涂抹软膏形成一层

# 湿疹

薄膜4次，用到8天。多数患者未诉任何副作用，但部分病例应用霜剂诉有烧灼感。

如湿疹与过敏有关，那么口服一些抗组胺药可能会起作用。对于严重病例，医生可能会给予口服皮质类固醇激素药物进行治疗。记住使用激素一定要非常小心，并且一定要在医疗监测下使用。

对于极重的湿疹病例，尤其是儿童患者，采用湿婴儿包裹可有效地使水分回到肌肤内。患者穿湿睡衣睡觉，盖以干衣服或尼龙汗衫。一些医生建议用湿纱布裹以弹性绷带盖住面部，穿一双湿的、然后一双干的长筒袜裹住手和脚。患者的房间必须保证温暖。

## 辅助治疗

其他疗法可用于治疗湿疹症状及去除部分根本原因。但是，患者应知道，有些草药疗法有可能引起过敏反应，而且某些中药可能对肝脏、免疫系统有毒性。采用草药的长期治疗只有在对其潜在作用的全面了解之后、并在受训草药专家的指导下进行。在给儿童、孕妇及老年人草药治疗时应非常小心。

### 指压治疗

指压并不能治愈湿疹，但是采用一周深压几次足尖的太冲穴位、膝下的足三里穴位的方法可能可以缓解精神紧张，从而避免炎症发作(参见其体穴位位置)。

### 芳香疗法

含薰衣草、麝香草、茉莉和春黄菊等成分的香精油可有效地缓解由过敏引起的湿疹。在一碗热水中加入几滴上述油中的一种，使整个房间充满香气。

### 体疗

在众多缓解精神紧张的辅助疗法中，反射疗法是应用最广的躯体机制疗法。同持证专业人员商量寻找适合于你情况的合适疗法。

### 营养及饮食

既然很多湿疹患者都患有过敏性疾患，因此他们应该非常注意他们的饮食。除避免进食常见的可疑致敏物——牛奶、鸡蛋、小麦粉和坚果——患者还应该注意不要吃过多的红肉，因为含有脂肪酸的动物脂肪有加重肌体炎症反应的作用。

青花鱼、鲱鱼和鲑鱼油含二十碳五烯酸（EPA）丰富，可减轻皮肤炎症和瘙痒。既然每日必需吃至少2磅的新鲜鱼肉才能获得足够的EPA，那么每日服用鳕鱼肝油或4粒1000毫克的鱼油胶囊可能更为方便一些。

每日补充50毫克锌可使患者受益，因为很多湿疹患者常有锌缺乏，而且锌有助于肌体脂肪酸的代谢。你的医生可能建议服用维生素A，在鳕鱼肝油中亦含有此成分，对于皮肤修复及更新是必需成分。你服用的剂量可达每日2500lu。为避免过量危险，尤其对于脂溶性维生素，您可让主管医生监测您的用药过程。

### 身心医学

在引起湿疹的所有可能病因中，很多患者忽视了其中关键的一个即情绪或生理应激。瑞典一项对成人湿疹患者的研究发现，那些在使用规律外用药物疗法同时配合以放松疗法的患者，其病情改善明显快于那些仅接受外用药物疗法的患者。

### 家庭治疗

◆对于轻症湿疹，为缓解瘙痒、帮助皮肤保持湿度，可在温水浴后涂抹一种外用软膏。使用简单的、不含药物成分的软膏，如凡士林或植物油或氧化锌软膏、春黄菊软膏或金盏花软膏——而不含添加剂、防腐剂、油脂或香料。

◆放松。为改善应激状态，促血液循环，可采用规律的快步走或锻炼等方法。回到家中，用酒和几滴薰衣草香精油，调温水进行沐浴。

◆为滋润及恢复皮肤水分，可在晚上睡觉时穿湿睡衣，盖以尼龙汗衣或雨披。注意保持室内温暖。

◆少食或不食红肉。注意不要吃高致敏性食物如牛奶、小麦和鸡蛋。每日补充鱼油、维生素A和锌。

◆如果你的孩子患有湿疹，为避免孩子搔抓可在上床睡觉前给孩子的手上戴上2指手套。为避免手套内的松线缠绕住孩子的手腕或手指而阻碍了血液循环的可能性，常需反戴手套。

### 预防

既然湿疹常具有家族性，所以父母由此可以判定他们自己的孩子是否有患本病的危险性。但是，即使你的孩子遗传有这种易患因素，你仍可以降低其发展成为慢性患者的机会。一项研究提示，4个月内断母奶喂养的孩子出现反复发作的湿疹的可能性3倍于4个月以后断奶的孩子。如可能，在头 3 个月内，应尽可能单用母乳喂养孩子，并且医生们建议在给孩子喂养固态食品的同时尽可能继续母乳喂养至少 6 个月。为避免诱发食物过敏而引起湿疹发病，至少在孩子满 1 周岁之前不要给他吃鸡蛋或鱼。还应注意保护孩子不要接触到下列潜在致敏原：烟草烟雾和宠物的毛发，及空气传播的刺激物如小虫子和尘土。

## 注意事项

尽管激素霜剂或口服激素可适用于治疗湿疹急性发作或严重发作，但长期使用是不可取的，因为激素所具有的副作用存在着巨大的危险性。外用激素霜剂可引起皮肤变薄、留下斑点、形成痤疮及永久的皮肤张力记号。如在眼周使用表面激素药物，在少数病例中可引起青光眼。服用口服激素超过常规 2 周疗程以上的湿疹患者在停药后有复发加重的危险性。由于上述原因，仅建议在医生的指导下使用激素疗法。

## 注　意

注意继发感染：

湿疹溃疡可在皮肤形成小的开口引起水分丢失并使细菌和病毒侵入机体。搔抓受累皮损处可造成更多的开口。对于婴儿患者尤其如此。婴儿患者多倾向于在两颊和前额出现湿疹。如果你的孩子患有湿疹，注意把孩子的指甲剪短并——如果孩子倾向于搔抓溃疡处——在她的手上反戴连指手套，尤其是在睡觉的时候。

开放性湿疹溃疡使得患者比一般人更容易接触传染病毒性皮肤疾患。任何湿疹患者均应避免接触患有冷溃疡、疣或其他由病毒引起的疾患的人。尤其注意，单纯疱疹病毒Ⅱ可引起疱疹性湿疹，一种很少见但却是有潜在严重合并症的成人型或婴儿型湿疹。其特点为多数小的脓性水疱，需要马上给予药物治疗。

## 症　状

◆苍白隆起形状各异的皮疹，周围可被红疹包绕，通常较痒(参见视诊指导)。

◆皮肤表层下方的组织肿胀，非常刺痒，常出现在眼和口唇周围，较少出现在手和脚上，极少情况下可发生于咽喉内侧、粘膜或生殖器上。这些症状是血管神经性水肿的表现。

### 出现以下情况应去就医

◆喉部感到烧灼或刺痒，有发生窒息的危险。

◆当被蜜蜂螫伤或昆虫叮咬后出现荨麻疹，并伴有喉部干燥、咳嗽、冷汗、恶心、头晕、呼吸困难或血压急剧下降时，提示发生严重的过敏反应，称为过敏症(参见急救：休克一节)。

◆荨麻疹反复发作，持续 1 个月或 1 个月以上。你可能存在需要专业治疗的慢性病。

◆出现血管神经性水肿症状，特别是有头面部和颈部症状时，必须在病变发展到咽喉或舌部肿胀妨碍空气进入肺之前，进行救治。

◆输血后出现荨麻疹，可能是对所输血液产生的过敏反应。

荨麻疹是以皮疹为表现的常见过敏反应。通常很痒，可持续数分钟或数天。可是偶尔这些讨厌的皮肤疹是发生更严重疾病的信号，特别是伴随出现呼吸困难等症状时。

血管神经性水肿发生于皮肤下层组织，可引起内部脏器肿胀、呼吸道梗阻以及严重而不可控制的肠痉挛。如果水肿发生在喉部，可引起窒息。慢性荨麻疹病例不痒，但常伴有腹痛和腹泻症状，这可能是遗传性血管水肿的表现。蜜蜂螫伤、昆虫叮咬或注射药物后立即出现荨麻疹，并伴有发热、恶心、腹部痉挛及呼吸短促等症状可能是发生了过敏症。此病引起患者免疫系统功能严重紊乱，必需立即救治。极少数未得到及时抢救的病人，会发生死亡。

## 病　因

当过敏原入侵或刺激你的肌体内，肌体释放一种叫做组织胺的化学物质（参见过敏一节）。高组织胺水平使一些人产生皮疹反应，即我们所说的荨麻疹。常见的

# 荨麻疹

能诱发荨麻疹的过敏原包括：某些乳制品、鱼和坚果；药物如青霉素和阿司匹林；各种食物添加剂、乳化剂、调味品及防腐剂。过热、过冷应激及向皮肤施加压力也可诱发荨麻疹发作。昆虫叮咬、儿童链球菌咽炎、成人乙型肝炎感染以及极少数的输血病例，也会引发荨麻疹。

## 治疗

控制荨麻疹的第一步是尽可能确定病因。一旦找到问题的根源，你就应该在未来的生活中尽量避免接触这些过敏原。用炉甘石洗液冷敷局部，可减轻瘙痒。

轻度荨麻疹常可在几小时内自行消失。长时间不消退的荨麻疹可用厂商推荐剂量的非处方抗组织胺药治疗。如果皮疹在几天内仍不消失，应去找医生。如果你出现血管神经性水肿或过敏症症状，必要立即请求救治(参见急救：休克一节)。

### 常规治疗

对慢性或特别令人刺痒难忍的荨麻疹，医生将使用抗组织胺药治疗。口服皮质类固醇激素可迅速减轻水肿，多用于出现窒息或其他严重并发症时，寒冷诱发的荨麻疹可用紫外光治疗。如果出现血管神经性水肿，则需要住院治疗。

### 辅助治疗

放松疗法和饮食调节为由压力及过敏引起的慢性病例提供解决办法。

### 指压治疗

治疗荨麻疹的穴位在风池穴位(头的枕后部脊柱两侧)以及合谷穴位(拇指和食指间的蹼部)。紧按这些穴位60秒钟，一天数次。注意：不要在妊娠时压迫合谷穴位(参见本书有关穴位的知识)。

### 身心医学

对某些人来说，压力如同被蜂螫一样可以使肌体内的组织胺水平升高。一些放松疗法如催眠疗法、指导想象及气功对缓解慢性荨麻疹有帮助。

### 营养及饮食

食品添加剂就像某些食物中的天然毒物一样，可引起轻或中度荨麻疹。常见的食品中的致敏物质主要存在于乳制品、坚果、鱼、蛋、面粉、大豆、巧克力、草莓和马铃薯中。可以用排除方法确定引起荨麻疹的食物：吃几天你认为不会引起发病的食物，然后逐渐开始吃你认为可疑的食物，仔细记录身体对每一种食物的反应。如果荨麻疹持续出现，请过敏专家会诊进行更多的强化试验。

### 家庭治疗

治疗荨麻疹的良方是进行药浴。在洗澡水中加入6匙燕麦粉、3匙玉米粉或炭酸钠及强力繁缕草洗液。如果您是因蜂螫或其他昆虫叮咬后过敏，告诉医生使用含有肾上腺素的急救药。肾上腺素具有明显的支气管扩张作用。

体表
疾患

# 麻疹

## 症 状

如果你的孩子患了麻疹，他会很难受。出现下列症状：

◆ 第1～3天：轻度到高度发热，刺耳的咳嗽，流鼻涕，眼红而且打喷嚏，上磨牙的牙龈有小白点或双颊内侧出现白点。

◆ 第4～8天：高热，特异性的皮疹从脸部向躯干及四肢扩散，在2～3天内脱皮。皮疹在到达四肢后，脸部疹消失。有可能发展为眼的炎症（结膜炎），将使眼对光敏感。（看视力检查指南）

## 出现以下情况应去就医

◆ 你认为孩子患麻疹，你的医生可能会从麻疹流行中得到提示，并通过电话来证实你的诊断。

◆ 孩子已患麻疹而且咳嗽很厉害，这表明可能患病毒性肺炎。

◆ 孩子已患麻疹而且伴有失眠，或昏睡不醒，或过于兴奋，出现定向力障碍等麻烦，或者在疹出现一周内抽搐，这证明已有脑炎发生。

◆ 你的孩子已患麻疹，若出现听力下降或耳朵内部疼痛，表明耳部已感染。

麻疹是一种很严重的接触性传染的病毒感染，并伴有耳炎、肺炎、脑炎（出现机率为千分之一的一种大脑炎症）。麻疹很易在学校流行。经常采用免疫接种防治，如果没接种就应履行国家法律。

成人如果未患麻疹或未免疫接种，也会感染麻疹。患过一次麻疹，身体内产生自然抗体，就不会再感染。

## 病 因

麻疹病毒是因直接接触或被打喷嚏、咳嗽的飞沫感染的。潜伏期8～12天，病毒在体内成倍增长时和幼稚病毒不传染。孩子最具传染性是在出现症状时及出现症状前2天，出疹后4天仍传染。

## 治 疗

如果怀疑你的孩子患麻疹，应与孩子的儿科医生保持经常联系。应通知学校并监视孩子病情发展，预防并

发症的发生。病儿在出疹后1周内不应上学。

**注意事项：**

不许给病儿服用阿司匹林（哪怕是儿童用的）或别的退热止痛药品。阿司匹林可能引起Reye综合征，一种少见和非常危险的疾病，可引起肝炎和脑炎。

**识别皮疹：**

最初24小时，小暗红斑沿着头发边际及耳后出现，然后扩散到脸及全身，以后出现在胳膊、腿上，红斑明显地呈现不规则状。

3天时间，皮疹变得更多更明显。皮疹消退时，他可变为微带棕色的鳞屑状。皮疹通常持续一周。

### 常规治疗

儿科医生会建议你的孩子卧床休息，并开流食食谱以增加液体的摄取。医生还会为你家庭成员中没有出过麻疹和没有接受过免疫接种的人注射一支丙种球蛋白，这样虽然不能阻止麻疹蔓延，但可以使麻疹的危险程度降低。

### 辅助治疗

不要独自在家治疗，应找儿童疾病健康专家会诊。

*生物反馈治疗*

对儿童采取此疗法考虑剂量应合适。生物反馈药物中，乌头素被认为可帮助突然发热、眼红、不安、焦虑、害怕和对光过敏的儿童。当儿童突然皮肤发红，头、面部发热但手脚发凉和高热时建议用颠茄。如果有低热、流泪，但不口渴，眼或鼻有黄油状物排出等症状，可以用白洋头翁。

*整骨术*

有节奏地轻按脾部，脾部受按压后可以增加白细胞向血液中释放。找一个接骨术医生帮忙。

*家庭治疗*

◆ 儿童在传染期需隔离。光线暗一点的房间有助于缓解对光过敏。此时，禁止看电视或阅读。

◆ 炉甘石洗液、欧洲山榆蒸馏水或玉米或小苏打洗浴可止痒。退热净（醋氨酚、对乙酰氨基酚，是解热镇痛药）可使发热减轻。

◆ 加湿器可以减轻严重的咳嗽。确信用一个带有湿

度调节器的,以使空气中的湿度恰好。要经常清洗加湿器,用前及用后都应擦洗干净。

预防

许多医生觉得让一个身体在其他方面健康的儿童感染麻疹比接种疫苗好。因为与疾病斗争可增强免疫系统的免疫力。尽管如此,接种疫苗通常被规定为国家法律,因为麻疹可在学校引发流行。MMR(麻疹、腮腺炎和风疹疫苗)在 12～15 个月时接种,也可在 4～6 岁或10～12 岁时接种。生物反馈术免疫疗法不是一种可接受相当量,而且也不能提供充足的保护,但一些生物反馈疗法对减轻使用 MMR 疫苗潜在的副作用有疗效。

## 麻疹病人的皮疹

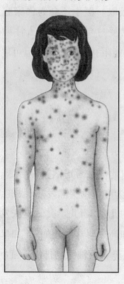

## 症 状

◆一种特殊的痒疹从躯干向颈、面及四肢扩散,皮疹持续 7～10 天,由红色斑发展成为含水小疱(疱疹),引流后结痂,然后脱落,水疱可在口腔、眼周、生殖器上出现,可以很疼。

### 出现以下情况应去就医

◆你认为自己的孩子得了水痘,可请医生证实。
◆水痘伴随严重的皮肤疼痛,及皮疹产生绿色的分泌物,看起来发炎了。这是继发皮肤细菌感染的表现。
◆水痘伴发颈强直、持续昏睡、淡漠,为急性脑炎表现,是严重疾病,马上服药治疗。
◆你的孩子患水痘恢复后,开始发热、呕吐、惊厥或昏睡,这些是瑞氏综合征的表现,是一种危险的、潜在致死的疾病。可能有时伴病毒感染,尤其在使用阿司匹林治疗后应马上治疗。
◆成人患水痘后,可能出现并发症如肺炎,应马上就诊。
◆如果你在怀孕,并从未患过水痘,现在接触此病,将来你的小孩可能出现先天性缺损,应马上就诊。

水痘,一种病毒感染的特征性红色疱疹疾病,是儿童最常见的传染病。儿童发病通常很轻,而成人则会发生严重并发症,如细菌性肺炎。

患有水痘的病人会产生终生免疫,但病毒在体内处于休眠状态,如果你儿时患过水痘,你可能以后会产生带状疱疹,因为水痘可垂直传播,并可导致先天性缺损。医生们经常建议,应该对怀孕妇女做血的免疫学检查。

## 病 因

水痘是由于水痘—带状疱疹病毒也称水痘病毒引起的,他是由喷嚏或咳嗽产生的飞沫传播,或通过接触感染病人的衣物、床单、水痘渗出物传播。潜伏期 7～21天,疾病最易感染的时间是产生皮疹之前 2 天直至出疹7 天之后,或直至皮疹形成痂壳。

# 水 痘

## 治 疗

水痘极具传染性，应将你的孩子隔离在家，直到水疱干燥、痂壳全部脱落为止。

### 常规治疗

你的医生可能会给你开抗组胺药，如盐酸苯海拉明以减少疼痛及肿胀。如果发生皮肤的二重细菌感染或成人发生疱疹接触性细菌性肺炎，提倡使用抗生素。对严重病例有时使用抗病毒药阿糖胞苷，但有些医生对该药的有效性表示怀疑。

### 辅助治疗

家庭疗法

◆修剪孩子的指甲，并用袜子或连指手套包住手，以免搔抓后引起感染或瘢痕。

◆为减轻瘙痒，用苏打加入浴液中，使用凉的潮湿毛巾覆盖皮肤，并让它们干燥。

◆用炉甘石洗剂涂抹溃疡以减轻疼痛，不要使用可引起抗组胺敏感性的含苯海拉明的洗剂。

◆及时更换孩子的尿布，使水疱干燥结痂。

◆将盐溶入一杯温水中漱口，以减轻口腔溃疡。

预防

1995 年，一种防止水痘的疫苗获得 FDA 通过，许多医生建议，通常在孩子 1 岁之后或保护孕妇等易感人群应进行免疫，可向你的医生咨询。

孕妇须知：

如果你未患过水痘，在孕期接触了该病毒，应尽快与医生联系，在接触 72 小时之内注射水痘—带状疱疹免疫球蛋白，可以减轻疾病的严重性。病毒仍会通过脐带传至胎儿，但可能的并发症如胎儿畸形及生长延迟发生机会较少，如果你怀孕期患过水痘，胎儿也需注射免疫球蛋白。

---

### 皮 疹 的 识 别

在胸部及背部出现红色小丘疹，逐渐形成痒疹，并出现充满水的小疱，水疱破裂形成痂。几天内皮疹播散到面部、手臂及腿部（右图）。痂干燥后大约 1 周后脱落，但皮疹会持续 2 周。避免搔抓皮疹，否则会引起感染甚至会遗留瘢痕。

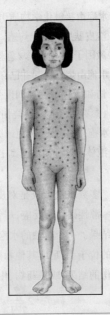

---

### 注 意

勿让患儿服用阿司匹林，甚至是小儿用阿司匹林或其他含有水杨酸盐的产物。阿司匹林与脑病脂肪肝综合征有关。这种病少见，但相当危险，可引起肝脏及大脑的炎症。

# 水 疱

## 症 状

◆一个或多个充满清澈液体的皮肤水疱，直径从针尖大小到半英寸。依据病因不同，水疱可伴随疼痛、发炎和瘙痒。

## 出现以下情况应去就医

◆水疱由接触化学物质引起，且在用清水或盐水冲洗皮肤后仍有烧灼感。你需要医生治疗以中和刺激因子(参看急诊/急救:烧伤)。

◆水疱由烧伤引起并已穿透皮肤表层。一些二度烧伤和所有三度和四度烧伤都属于医院急诊范畴(参看急诊/急救:烧伤，和烧伤急诊)。

◆水疱排出白色、黄色或绿色的脓液，而不是清亮的液体。这种渗出基本上确认是感染的结果。

大多数水疱形成是对皮肤受刺激或其他损伤的外源性因素的反应，尽管有些可能是疾病或其他病患的结果。一个单独的水疱常由摩擦或轻度烧伤所致，典型的位于手、足或其他暴露部位。一串水疱可能是严重烧伤的结果，或是药物、化学反应，或自身免疫疾病。

## 病 因

摩擦:水疱可由于暴露的皮肤过度摩擦所致，如工具手柄接触手的地方或一双新鞋接触脚踝的地方。与钉胼和胼胝不同，后者是在长期摩擦后形成，摩擦产生的水疱来自于短暂而又强烈的接触。

烧伤:火焰烧灼、蒸煮或与热的表面接触可形成水疱。过度晒伤或在其他辐射线下暴露。

接触性皮炎:接触化学刺激物、美容剂和许多动植物毒素可产生水疱(参看皮炎、昆虫和蜘蛛叮咬、蜜蜂和黄蜂螫伤)。

药物反应:许多人产生水疱是对一些口服用药和皮肤表面外用药的反应。最常见的制剂是青霉素和ACE(肾上腺皮质浸膏)卡托普利抑制剂。在开用药处方之前，医生都应问你过去有无药物反应史。

自身免疫疾病:各种自身免疫疾病均可导致水疱产生。这里提到的是最常见的。寻常天疱疮，一种潜在的致命的皮肤病，在嘴上产生水疱，有时可播散至头部或身体的其他部位。疼痛的水疱在破裂前可发炎红肿和结痂。大疱性天疱疮导致的皮疹不那么严重，可很快愈合且无生命危险，这种疾患主要见于老年人。疱疹样皮炎产生小的、瘙痒的水疱，这是一种慢性疾病，通常在成年早期始发。

感染:水疱是许多感染疾病的常见症状，包括水痘、唇疱疹、单纯疱疹、带状疱疹和脓疱病。

## 治 疗

大多数因摩擦或轻度烧伤导致的水疱不需医生治疗。新生皮肤在受伤的区域下形成，液体可完全吸收。普通的烧伤水疱可用VCE软膏或以芦荟为主要成分的乳剂减轻疼痛。不要刺破水疱除非水疱很大、疼痛或可能造成更进一步的刺激。如果你必须弄破水疱，就用一根消毒的针或刀片，将针尖或刀口放在火上烧至红热，或浸在酒精中。彻底清洁此区域，然后刺一个小洞，轻轻挤压出清亮的液体，用过氧化氢的敷料敷上可帮助预防感染。如果液体是白色或黄色的，则水疱已经感染需要医生治疗。不要切除破裂水疱的皮肤;新生皮肤可在水疱的保护覆盖下生长。对于化学接触、疾病或自身免疫疾病所导致的水疱需找医生。

### 常规治疗

大多数水疱可自行愈合，有些类型需要特殊治疗。因毒素或疾病导致的水疱不仅要马上解除病痛而且同时要治疗基础病。比如，一些天疱疮的病例，在门诊的病人可口服皮质类固醇。同时需要皮质类固醇和抗生素治疗的则应在医院受监护。

### 辅助治疗

如果水疱完全与压破或烧伤有关，不同的软膏或清洗剂对解除轻度不适有效。为了更有利于治疗，必须先弄清导致水疱的基础病变。

家庭治疗

◆因摩擦或轻度烧伤产生的水疱，可应用油性凝胶使皮肤变软。常用的粘性绷带可用于小水疱。在大水疱上覆盖一个纱布垫，贴上粘性胶带。

◆水疱破裂，应用肥皂和水清洗该区域，然后应用

# 水 疱

温和的抗菌剂如过氧化氢。白天包上绷带以预防新生皮肤受到摩擦和污染，夜间可拆掉绷带将新生皮肤暴露在空气中使之更快地变坚固。

◆如果皮肤水疱是由化学物质接触所致，立即用大量清水或盐水冲洗。如果疼痛或瘙痒持续存在，或长成大的水疱，则要找医生。

◆忘记那些古老的常用方法，如将奶油涂在烧伤处，醋涂在水疱上，这些都可能加重损伤并可导致感染。

预防

◆你偶然参加劳动时，如铲雪或扫树叶，很可能产生1~2个水疱；一定要戴上劳动手套。

◆因新鞋磨脚，可涂上石油凝胶或缠上粘性绷带在摩擦的区域——出现水疱前。

◆穿有脚后跟的短袜，不要穿直筒袜，他可导致水疱形成。丙稀酸和其他化学合成纤维短袜摩擦小是较好的选择，但因为他们不如天然纤维透气，穿后你应该清洗并擦干脚，以免成为运动脚。

# 日光灼伤

## 症 状

◆轻度皮疹至严重的红色或粉红色皮肤褪色，皮肤发热、敏感。日光灼伤在暴露日光后1~16小时出现，24小时达高峰，然后，褪为褐色或棕色。

◆小而充满液体的水疱可瘙痒，最后破裂，剥去皮肤显露出嫩而发红的皮肤下层。

◆发红、水疱皮肤伴有寒战、发热、恶心或脱水。这一日光灼伤的严重阶段被认为是一度烧伤。

如眼睛疼痛、刺激与过分暴露于阳光或其他来源的紫外线有关。

## 出现以下情况应去就医

◆有灼伤水疱，伴有寒战、发热或恶心。严重灼伤需专业护理以限制感染的危险，预防脱水。

◆你的眼睛感到特别疼和发湿，应由眼科医生检查，以确定是否角膜受损。

既使浅肤色的人也有被日光灼伤的高度危险，任何肤色的皮肤都可被太阳射线损伤，日光灼伤很像其他烧伤，发红、摸起来发热的皮肤可自愈或在几天内痊愈。出现肿胀、水疱，引起局部疼痛和过度不适的日光灼伤被认为是Ⅰ度烧伤，导致肿胀和广泛水疱的日光灼伤可伴有发热、恶心、脱水。

中度暴露于日光仅使皮肤颜色加深，但规律地暴露多年，可加速以皮革样皮肤、黑斑、过度皱缩为特征的皮肤病。长期暴露，特别是40岁以上的高加索人，与一种癌前皮肤病变有关。在孩童时严重的日光灼伤，数年后有患恶性黑色素病的危险。这是一种皮肤癌。

## 病 因

在穿透地球大气层的太阳紫外线辐射中，紫外线A一般仅仅使皮肤晒黑，也引起皮肤皱缩，紫外线B引起灼伤和潜在的皮肤癌。由沙滩、水或雪反射的阳光与直射的阳光一样强烈。阴影、云、衣服、太阳镜和太阳伞并不提供完全的防护。一些药物能加强紫外线辐射的有害影响。如果你对潜在的危险关注，向医生请教光敏特性。

# 日光灼伤

## 治疗

家庭护理会减轻许多日光灼伤的症状，但没有任何治疗能消除长期暴露于日光所造成的损害。

### 常规治疗

日光灼伤的病人很少需要医疗护理，如果灼伤经常疼痛而广泛，医生会给予一些口服皮质激素以减轻不适。对极其严重的日光灼伤病人，如有广泛的水疱、脱水或发热，通常需卧床休息并住院治疗。

给予口服皮质类固醇激素以减轻症状。对于严重的烫、晒伤，包括有水疱、脱水及发热，这时多需卧床休息，可能的情况下应住院治疗。

水疗法

冷水浴，并在水中加入几匙苏打液或醋酸类液体，对于轻度烫伤的止痛、止痒、消炎有效。

家庭治疗

用冷敷或药膏以止痒，止痛可用阿司匹林，冷水浴也可减轻症状。应多喝水，不嗜酒，应该使皮肤保持干燥，不要将水疱挤破，否则使感染的机会增大。当皮肤有破损或水疱破裂，轻轻地去除表面的干燥部分，然后敷以抗生素软膏或氢化可的松霜。如果感到发热或恶心、呕吐，应该立即去看医生。

预防

最有效的预防办法就是减少直接暴露于日光下的时间，尤其是在上午10点到下午3点，参考下面所列内容，你应该引起注意：

◆ 如果您必须在中午外出，请注意最好穿着宽松的衣服，帽子的帽沿应该大一些，鞋子应注意保护好足部以及踝部。

◆ 注意在纬度偏低及地势较高的地区光线辐射强度要大。

◆ 所有的液面都有反射阳光的能力，可以使光照量增加一倍。保护皮肤应选择防水的防晒霜。

◆ 保护好婴儿的皮肤，避免强烈的阳光照射，并且注意提醒大孩子，避免暴晒。

◆ 带墨镜可以减少紫外线辐射，作用最强的是灰色，以下依次是棕色、绿色。

# 烧 伤

## 症 状

◆ 发红、触痛和可能肿胀和起水疱，这可能是I度烧伤(包括晒伤)。

◆ 发红、疼痛、起水疱，这可能是II度烧伤(包括严重的晒伤)。

◆ 剧烈疼痛，烧伤皮肤看起来发白或烧焦，且血管暴露，或神经受损非常严重以至不感觉疼痛，这可能是III度烧伤。

◆ 具有I度烧伤的特点，合并肌肉或骨头露出，是I度烧伤。

## 出现以下情况应去就医

◆ 你患大面积I度烧伤。

◆ 你的手、面、脚、腹股沟、臂、或主要关节II度烧伤，或烧伤直径大于10厘米；或你有III度或IV度烧伤。你可能出现休克、低血压和脉搏快，且烧伤区域可能感染。立即求得医治。

◆ 你患有化学烧伤。这种烧伤可导致严重的继发症状如癫痫发作和意识丧失。立即求得医治。

◆ 你患有电烧伤，这种烧伤也可导致损害，可能不显示出来。所以电烧伤都应该由医生检查。

皮肤是敏感的生命组织，包括三个基本层次：表皮、真皮和皮下组织。任何暴露于超过50℃的热源下都将损害皮肤细胞并导致一定程度的烧伤。在美国每年都有200万人被烧伤：30万严重病例，7万需要住院，和6千人死亡。儿童和老年人易导致更严重的烧伤，因为他们的皮肤更薄。

轻度烧伤包括I度烧伤、局限性II度烧伤和晒伤(依据严重程度可分为I度或II度烧伤)。I度烧伤累及皮肤的最上一层，表皮。这种烧伤通常不严重且可很快愈合。在两天之内损伤的皮肤将脱掉。II度烧伤累及表皮和一部分下面的真皮层。除非II度烧伤覆盖很大的面积或发生继发性感染(可通过恰当的治疗避免)，他是不严重的且可在短期内愈合。

重度烧伤包括广泛的II度烧伤和所有的III和IV度烧伤。III度和IV度烧伤总是很严重且累及所有皮肤三层，受累区域皮肤发白或发黑且烧焦。这种严重的烧伤累及脂肪组织和神经。IV度烧伤穿透肌肉

体表
疾患

# 烧 伤

和骨。

电烧伤可被隐藏。虽然皮肤的烧伤可能很小，但内部损伤可能很广泛，可包括心脏受伤，高电压的电击可导致心脏骤停(参看急诊/急救:心脏和呼吸骤停和电击)。

# 治 疗

对于任何形式的烧伤，快速积极的治疗，不论是常规还是替代疗法对加快恢复和痊愈的速度都很必要。

## 常规治疗

在对轻度烧伤进行家庭急救治疗后，应用阿司匹林或对乙酰氨基酚可缓解疾病的疼痛，如果烧伤需医治，医生会将一块抗菌敷布盖在烧伤区域或暴露他以促进愈合(这种病例烧伤必须保持清洁)，避免水疱破裂；下层皮肤组织的暴露增加感染的可能性。可能会给予止痛药，若有感染迹象可能给予抗生素。由严重烧伤所致的任何休克将予以静脉补液治疗。更严重的烧伤可能需要皮肤移植或整形手术修复，并去除广泛的瘢痕。

## 辅助治疗

所有严重烧伤都必须由专业医师治疗。附加疗法如下所述，中草药、顺势疗法、芳香疗法和印度药草治疗也可帮助治疗轻度烧伤。

### 草药治疗

芦荟植物的汁液可减轻疼痛，促进愈合并预防轻度烧伤处的感染，草本植物学家认为蜂蜜是一种有效的治愈药。在你的轻度烧伤上涂一薄层蜂蜜，覆盖一块松散的敷料，每日换一次直至愈合。

### 身心医学

在一些严重烧伤病例，充满治愈的想法和对治愈积极的态度可减轻症状如疼痛。当这种技术使用后几个小时后会出现极富戏剧性的效果。

### 家庭治疗

用流动水冲洗轻度烧伤的伤口，然后冷敷。当你的烧伤开始治疗时，刺破一粒维生素 E 胶囊，将油涂在受累区域帮助预防瘢痕形成。如果烧伤严重，饮用大量的水；这种烧伤导致大量体液丢失。

### 预防

烧伤多由于家中本可预防的事故所致。楼房每层都应有烟雾探测器，且厨房中应有灭火器。所有探测器和灭火器每年都应检测。烹调时，将锅把手放在火炉的内侧，且如果你家中有小孩，用盖子覆盖住所有可能的电开口。

体表疾患

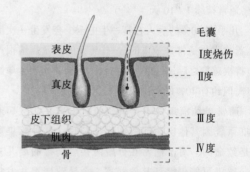

**皮肤损伤的程度**

毛囊 — I度烧伤 — II度
表皮
真皮
皮下组织 — III度
肌肉
骨 — IV度

I度烧伤损害薄的表皮层且通常很快治愈。II度烧伤损害一些真皮，但没有完全损害毛囊，细胞增长可形成新的皮肤。III度烧伤伤及皮下组织，通常需要皮肤移植。IV度烧伤，最严重的深度损伤，损害到肌肉和骨头。

# 单纯性疱疹

## 症 状

◆口周、手指附近的含水小疱或发红疼痛的溃疡；

◆牙龈肿胀、过敏、颜色发红；

◆发热，流感样症状，颈部淋巴结肿大，通常首发时出现上述症状，复发性溃疡通常无上述症状。

### 出现以下情况应去就医

◆有高热或寒战，高热可能有危险性。

◆溃疡很疼，可以用药减轻疼痛。

单纯性疱疹亦称为发热性水疱，是由单纯疱疹病毒所致的疼痛性感染，他可以在全身出现，但最常见于牙龈上、口腔外侧、嘴舌外侧、鼻子、颊或手指上。水疱形成后，破损产生渗出液，其后产生黄白色的痂壳最终脱落。在痂壳的下面产生新的皮肤。溃疡通常持续 7～10 天。

几乎有 90% 的病人在其一生中至少会发生一次溃疡。首次发作通常是最重的。一些感染的儿童病情很严重。首次感染之后，许多人产生抗体，不会再次产生单纯疱疹。但约有 40% 的美国成年人会重复发作。

通常单纯疱疹并不严重，但对于患有艾滋病或免疫系统因其他疾病或药物受抑制时，这种感染可能是致命的。对于通常在分娩时接触病毒的婴儿来说，感染可能传播到其他器官，会导致严重并发症甚至死亡。

如果传播到眼睛，单纯疱疹感染会导致失明。单纯疱疹是感染性失明的常见病因。

## 病 因

单纯疱疹是由单纯疱疹病毒引起，可以通过与感染病人接吻或共用食用器皿、毛巾、剃须刀等接触形成传播。患有单纯疱疹的人与他人口交时可以使该人患上生殖器疱疹。

疱疹可在接触病毒 20 年后产生。一旦病毒侵入体内，经数年后可能在最终侵入部位或附近产生症状。在发病之前，你可能会感到该处瘙痒或过敏。病毒可能被特定食物、应激、发热、寒冷、过敏、日晒及月经时激发。

## 诊断与检查

医生会从溃疡处采取培养物，或在检查之前来发现是否感染病毒。

## 治 疗

单纯性疱疹无法治愈，但可以使用冰块及使用对症药物来减轻疼痛。找一些含有麻醉因子的药物如酚及润滑剂来减少破溃、软化瘢痕。为加速愈合，只要溃疡引起疼痛，就可以使用水合的锌软膏。

### 常规治疗

如果疱疹特别疼痛或刺激，医生会开出麻醉凝胶来减轻疼痛。

### 辅助治疗

几种辅助疗法会加速溃疡愈合，防止复发。

*芳香疗法*

使用牦牛儿醇及桉树属油，每小时来治疗溃疡、减少疼痛及加速溃疡愈合。香味疗法学家认为茶树油有抗菌特性。

*身心医学*

单纯疱疹经常被应激诱发，使用肌肉深度放松、生物反馈、诱导想象及深思。别忘记运动，活动能激发免疫系统来抵御病毒。

*营养及饮食*

疱疹病毒在精氨酸中繁殖很快。避免食用坚果、巧克力及种子，而应食用富含赖氨酸的食物如肾脏、豆类、干燥后裂开的豌豆及谷物。

如果每年发作 3 次以上单纯疱疹，每天食用 500 毫克赖氨酸作为补充。当你感觉又会产生疱疹时，将上述剂量加倍。

*家庭疗法*

◆使用冰块冷敷 15 分钟减轻疼痛。

◆使用维生素 E 油促进溃疡愈合。

◆使用香味唇膏。

◆用凡士林涂抹疱疹。

# 单纯性疱疹

## 带状疱疹

### 预防

◆不要同患有单纯疱疹的病人接吻或共用器皿、毛巾及剃须刀。

◆触摸单纯性疱疹后应洗手。

◆触摸单纯性疱疹后不应揉眼睛,如果你产生角膜疱疹后,未经治疗可致失明。

◆触摸单纯性疱疹后勿触摸生殖器,否则可能产生生殖器疱疹。

◆更换牙刷。

◆避免含有精氨酸食物。

◆食用富含赖氨酸食物或直接补充赖氨酸。

### 症 状

◆低热,不适,畏寒,胃部不适。

◆擦伤感,通常在身体或颜面一侧。

◆疼痛(经常在胸部),几天后出现皮肤麻刺感、灼烧感、刺痛感及炎性红色皮疹。

◆成串,充满液体的疱疹。

◆深部烧灼痛、刺痛,持续或间断出现。

### 出现以下情况应去就医

◆你怀疑暴发正在开始,早期服用抗病毒药可缩短感染病程。

◆你颜面上的带状疱疹发展到眼睛附近,应尽快治疗以避免损伤角膜。

◆感染部位继发细菌感染(红肿扩展,高热及化脓可提示),抗生素能帮助阻止扩散。

◆皮疹持续时间超过10天没有好转,需治疗以避免可能的神经损害。

◆疼痛剧烈难以忍受,医生可给予更强的镇痛剂或神经阻滞治疗。

带状疱疹是带状疱疹病毒复活引起身体或颜面一侧皮肤痛性水疱疹暴发,典型带状疱疹以不适感觉开始伴有低热和肌体一侧麻木感或疼痛。几天之内同一部位出现皮疹沿受损神经呈线状分布,及一簇小水疱疹长出来,一般来说出现在胸部、腹部、背部或颜面,但也可累及颈部、四肢或下背部,这些部位会有剧烈的疼痛、瘙痒及压痛,一至两周后尽管疼痛仍持续存在,但疱疹愈合并形成疱痕。

### 病 因

带状疱疹由引起水痘的同一种病毒——带状疱疹病毒引发水痘发作后,病毒在脊髓神经细胞中潜伏下来,但当肌体免疫系统受损抑制时,如肌体或情感创伤或严重疾病,病毒会复活,医学界现在还不明白病毒为何在一些人中复活而在另一些人中不能复活。

### 治 疗

尽管可采取方法缩短病程,但还没有发现哪种治疗方法可以预防或阻止带状疱疹。病毒总是按自己的程序发展。因为由带状疱疹引起的疼痛难以控制且持续时间长——数月，罕有数年病例——所以最好的方法是早期及时的治疗，同样早期医疗重视可以预防或减少带状疱疹引起的瘢痕。

## 常规治疗

医生会建议药物治疗以减轻炎症及帮你对付疼痛，止痛剂如阿司匹林或对乙酰氨基酚，能减轻缓解轻度疼痛，口服、局部静脉应用抗病毒药无环鸟苷可帮助阻止皮疹的进展，糖皮质激素口服短程治疗或冲剂应用能减轻炎症，阿糖胞苷是另一种可以阻止水疱发展的处方用药，它同时可减轻疼痛和加速愈合，安息香可在商店柜台买到，用在未破溃的病灶可保护发炎的皮肤，如果局部继发细菌感染，抗生素可使感染得到控制，如果病灶愈合疼痛仍存在，医生可给予三环类抗抑郁药，小剂量应用可缓解疼痛。

## 辅助治疗

除了以下介绍的治疗，你还可以求助于针灸师或顺势治疗以加速愈合，缩短病程。

### 中草药治疗

在患处涂抹或擦拭柠檬香膏液或金盏花可以减轻炎症，把酊剂与煮沸后冷却的水混合成一般的液体，你也可以每日3次试用较经济的甘草提取物制备的凝胶，似乎可干扰病毒生长。一种商店柜台出售的由辣椒制成的乳剂可减轻带状疱疹的疼痛，但他极具刺激，只能在疱疹愈合后应用，而不能在溃破皮肤上应用。

### 营养及饮食

为了缓解治疗后疼痛，每日口服1200~1600单位维生素E，但不要超过2周，且必须征得医生同意，患者不患高血压。为了减轻疾病开始的症状，每日1~3次口服500毫克左旋赖氨酸，只服一周。研究表明如果避免食物中含有精氨酸，比如巧克力、谷类、坚果和种子会有益处。

### 家庭治疗

◆保持感染部位清洁、干燥，尽可能暴露于空气(不要有衣物覆盖)中，不要搔抓或挤破疱疹，如疼痛影响睡眠，用弹性运动绷带包扎局部。

◆在最初3~4天，试用冰块每隔5分钟，冰冻10分钟，然后，应用冷却的温的在乙酰化铝中浸泡过的绷带，乙酰化铝可在柜台上以收缩液、粉袋或片剂形式购得。

◆为使神经末梢失敏，将研碎的2片阿司匹林与2大匙酒精混合在一起，每日3次涂于患处。为了消除瘙痒，可让药剂师将78的炉甘石洗液70的酒精、1的酚及1的甲醇配制在一起，你可以外用这种混合液直至疱疹结疤，其他止痒的治疗方法包括频繁使用维生素E膏，从芦荟提取的凝胶，或由食物处理机切出的鲜韭，将燕麦粉撒在贴平衣服上可减轻疼痛。

### 预防

因为带状疱疹起病突然，无任何征兆，所以没有什么预防方法，但医生会警惕随之而来的疼痛。一些疼痛专家在疾病急性期成功应用神经阻滞术，在医院里对院外患者实施神经阻滞以消除神经根的疼痛，减少炎症，而且证明可以明显地对抗治疗后神经痛的发生。

# 银屑病(牛皮癣)

## 症 状

◆ 深粉红色，有白色鳞片且高出皮肤，常发于头皮、膝肘部及上身，有轻到重度瘙痒。

◆ 指甲、趾甲凹陷、变色、变厚。如银屑病发生在指甲，指甲会脱离皮肤。

◆ 手掌有红色、鳞片样的开裂现象时，则有手掌银屑病。足底有此种现象则有足底银屑病。这种类型的银屑病只影响到局部。有时出现炎症、渗出、活动时疼痛。

## 出现以下情况应去就医

◆ 如果停服大剂量皮质类固醇激素后银屑病加重，则需要不同方式治疗。

◆ 如果皮肤炎症对任何治疗无效，则需要考虑有无其他严重的疾病。

银屑病是皮肤的最常见顽症。特征是常发于膝、肘和头皮部位。皮肤细胞成倍增加，是正常的10余倍。因下面的细胞到达皮肤表面死亡，就产生多层鳞片的斑片。手掌或足底银屑病仅影响到手或足，有时非常痛，并常有水疱和渗出。

虽然银屑病没有传染性，但有家族倾向，和患者有血缘关系的人特别易患此病。银屑病在黑皮肤的人群中极为少见。由于免疫系统而引发的银屑病，会影响到身体的其他部位，特别是关节。这种情况则称为银屑病性关节炎。虽然银屑病使人感到紧张和窘迫，但大部分是相对表性，经适当的治疗，症状多在几周内消退。

## 病 因

从精神紧张到链球菌感染，多种因素参与银屑病发生。大约有80%的患者发病在近期有情感创伤，如新工作或亲人去世。许多医生认为，内在因素在皮肤细胞缺陷起着启动子的作用。

皮肤创伤、过度肥胖、药物——止痛药布洛芬、抗疟药氯喹、都能加重银屑病。疾病常感染如链球菌喉炎2~3周后发病，酒精可使疾病加重，高蛋白低纤维的饮食也同样如此。

## 治 疗

尽管银屑病是不能治愈的，但对许多皮炎治疗方法有良好反应。除了如下的一些传统的治疗，光照法治疗也被医生们采用。

### 常规治疗

许多医生认为标准的治疗是：把病变处浸泡热水中10~15分钟后，立即涂上软膏如石油胶冻。有助于皮肤保持潮湿。有时医生用水杨酸软膏，把他涂在皮肤上。

注意！许多银屑病患者选择可的松治疗，以避免煤焦油制品带来的肮脏及潜在皮肤损伤。要记住，类固醇类药物可导致严重而广泛的副作用。过量或长期应用类固醇制剂，可使皮肤变薄及白斑、痤疮和永久的皮肤伸展癖。类固醇类制剂在眼周应用，虽极少见，但有导致青光眼的报道。口服可的松治疗，停药后可能导致银屑病症状反弹。

对传统治疗顽固无效的银屑病患者，应该知道突然的银屑病发作可能提示人类免疫缺陷病毒（HIV）的感染，艾滋病的先兆。

类固醇炎的软膏是有效的，然而因有副作用，所以在使用时要特别小心，不要过量。

用辣椒来治疗，也是有效的。常用的药膏治疗带状疱疹有效，他可以引起肌体在病变部位阻断炎性介质产生和酶生成，从而制止银屑病的异常生长。因为辣椒如使用不正确，会引起皮肤烧伤和严重的损伤，一定要在医生的指导下使用。

一种常用含有维生素 D 的药膏证明和可的松软膏有同样的疗效，且很少有副作用。煤焦油和洗头剂也可以减轻症状，但对毛囊炎病人有些副作用。一些研究表明，长期使用煤焦油可以增加患皮肤癌危险。

恩地酚通常用来治疗严重的银屑病患者。把恩地酚药膏小心地用在病变处，30~60分钟后清除。所有白色磷片都将去除，露出正常皮肤。如果没有正确使用，恩地酚会使正常皮肤留下一些斑点。这些斑点可连续数周。对难治疗的银屑病，医生也可应用光照疗法。

体表疾患

# 银屑病(牛皮癣)

## 银屑病好发位置

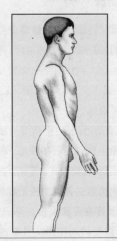

银屑病导致的干燥、增厚、多鳞屑样皮肤病变可以是很大片，并可累及身体各部位。较多发生于头皮，肘部及膝部，如图所示。

### 辅助治疗

如果这些传统的治疗无效，那么如下治疗可能有些帮助：

**芳香疗法**

把煤焦油洗发剂和4滴雪松油，2滴杜松油混在一起，把混合剂涂在头皮，然后带上淋浴帽过夜。每周3次，直到症状消失。因为有些人对一些油质很敏感，所以在使用前滴一滴在皮肤，30分钟后，观察有无副作用。

**气候疗法**

气候疗法的原理是特殊气候能有助于某些病治疗，甚至可治疗某些疾病。对银屑病，在太阳下晒上一定时间，有助于治疗。在以色列死海或其他胜地都有一些特殊设施为银屑或其他皮肤病患治疗。光照、放松、矿水浴似乎对许多人有效。

**光照疗法**

像其他严重或慢性皮肤病一样，银屑病对光照治疗，或称光线治疗有良好反应。某些病例服用制斑来后，病人接受定时紫外线照射，每周数次。虽然许多医生和患者认为有效，但这种治疗有严重的近期或远期副作用。制斑来这种药孕妇忌用，因他对胎儿的发育有潜在危险。光照治疗并非适合每一位患者，值得和医生商讨。

**身心医学**

皮肤是肌体最大的器官，常能反射内在骚动。所以当患者出现焦虑、自卑、紧张时并不奇怪。心身治疗是通过让病人了解疾病结果、心理障碍根源，给病人帮助。特别是催眠治疗、引导想象，放松治疗、生物反馈心理治疗都是有效的。可以定每天半小时愉快的散步到自我催眠来使自己放松。这样可以集中精力，阻止一些刺激。如果觉得紧张加重了疾病，那么可制定一个每天放松时间表。

**营养及饮食**

大马哈鱼、鲐鱼、鲱鱼鱼油富含二十五碳五稀酸，可以减轻炎症和瘙痒。因为你每天必须吃两磅的鱼才能摄取足够的二十五碳五稀酸(EPA)，服1000毫克鱼油胶囊含EPA是每天的4倍。或用1tbsp鳕肝油，也富含维生素A。

维生素A在皮肤再生和修复中起着重要作用。有银屑病时在医生的指导下每天服用到10万单位1个月，恢复到修复水平。这时继续每天服用，不超过5万单位。每天400~1000单位维生素D也有助于疾病的治疗。注意药物不要过量，特别是那些脂溶性的维生素。在医生监控下用药。在以百万单位剂量给孩子补充时，应仔细检查药量。

复合维生素B含有$B_1$。$B_1$能增强皮肤健康，去对抗银屑病。建议用量为每天3次，每次50毫克。用浓缩维生素E软膏每天在头皮上擦3次，可减轻皮肤损害。

一些研究表明，过多食用柠檬类水果可加重银屑病。像湿疹一样，银屑病患者不能代谢脂肪酸。为了预防发作，可多食鱼和蔬菜类，少用多脂肪肉和酸性水果。

**家庭治疗**

◆对较轻病人，用药膏后再热水浴，有助保持皮水分和减轻炎症。可用石油胶冻皮质类固醇软膏，或水杨酸软膏。但一定不能含有成癌的、防腐的成伤和香料。

◆对头皮银屑病，可用煤焦油汽液或雪松和杠松油混合物洗头。由鼠尾和月参制染发液也有帮助。

◆太阳浴，暴露炎症皮肤。但要遮盖好身体的其他部位。

◆开始定期锻练或放松练习，每天15分钟，每周要锻炼4~5天，如此有助减轻紧张。

# 疥 疮

## 症 状

◆伴红斑的剧痒皮疹，一般位于指间、腕周和肘、脐、乳头、下腹部和生殖器。面部和头皮极少受累。

◆笔尖样细小病变即为疥螨进入皮肤处；这仅见于大约25个病例。

◆夜间瘙痒严重。

◆抓痕处易形成瘢痕。

## 出现以下情况应去就医

◆怀疑自己患疥疮，你以及与你有直接身体接触的任何人均需给予灭虱药（一种可以杀灭疥螨和虱子的杀虫剂）治疗。

◆病变皮肤出现渗出或其他感染迹象。疥疮的主要并发症是继发细菌感染，主要是链球菌和葡萄球菌感染。

◆皮疹继续发展，或在应用微量六氯化苯(通常称为林丹)治疗后出现其他副作用。在极少数情况下，这种灭虱药可损害中枢神经系统甚至导致死亡，尤其是在滥用时更易发生，这一点已被证实。

疥疮是一种传染性皮肤病，来源于微小的疥螨的危险活动，当雌虫钻入皮肤并产卵、排便时出现初发症状——充血发红的瘙痒病变。长期以来，这被认为仅是不卫生和贫穷的一个问题，而实际上疥疮在各种社会经济状况下都是很常见的。育婴室和幼儿园等封闭环境，为这种生存需要人类宿主的寄生虫提供了理想的繁殖场所。据估计，每年全世界有3亿例新发病例。在美国，患病人数一直在增长，这可能是因为大多数5岁以下儿童均在幼儿园生活的缘故。

## 病 因

如果没有人类宿主，疥螨仅能存活2~3天，但如果你已受感染，再除掉他们是很困难的。疥螨几乎总是通过人与人的直接接触传播，最早出现的充血发红、瘙痒、针尖样细小的病变，通常在感染后2~3周出现；病痛由肌体对螨虫及粪便产生的变态反应所致。

由于特征的钻入线仅见于大约25个病例，你可依靠其他征象判断你是否已感染了螨虫。如果你迫不急

待地抓挠身体某一固定部位，尤其在夜晚明显，那么需要请医生检查。对于有湿疹和牛皮癣等脱屑性皮肤病的人，应特别注意，因为其易于出现瘙痒、皮肤发红，在感染扩散之前不出现明显的症状。

与通常想象的相反，不会从你的宠物那儿感染疥疮。人的皮肤的确不能忍受犬螨的刺激，但犬螨引起的瘙痒较强，而且很容易清除。

## 治 疗

为了清除疥螨，感染者和每一位与其接触的人必须同时得到治疗。螨几乎可以在任何表面上存活2~3天，包括桌面和柜台上、玩具表面和床单上，所有地方必须用吸尘器彻底吸尘和清洗，一些很难彻底清洗的东西，如带毛的动物玩具，应该装到袋子里存放一个星期。

关于某些灭虱药的不良反应仍有争议，这些药可杀死螨和虱。几种选择，包括草药疗法可用于那些想得到较少副反应疗法的患者(尽管存在潜在的较差的疗效)。

> **常规治疗**

用肥皂和热水洗浴可清洗掉一些疥疮及其碎屑，但单靠这一步不能清除全部寄生虫。多数医生会开出一种灭虱药，从头到脚涂在皮肤上。这种治疗可能需要别人帮助，以确保涂遍全身各部位。药液要在皮肤上保留8~12小时，然后洗掉。若再次用药，需经医生同意。

R—六氯化苯是目前最常用的灭虱药。但是，如果使用不当，就会对中枢神经系统产生影响或造成永久性损害。大量用药，尤其儿童，可以导致脑损伤，麻痹和癫痫发作。1990年FDA批准使用permeFhrh，是一种对疥疮非常有效而无明显副作用的软膏，其很快便成为皮肤科医师选择的治疗用药。

清除皮肤的疥螨后，可用抗组胺药治疗瘙痒(治疗后瘙痒仍将存在数天，因为螨的粪便仍留在皮下通道内)。

> **辅助治疗**

象常规疗法那样，许多可替代的疗法在清除疥螨方面有效，如果内服，甚至有毒。但许多草药可安全地缓解瘙痒和炎症，如果试用草药杀虫剂后疥螨复现，你会要求应用更多的常规疗法，寄生虫在皮肤中存活越长你感

体表疾患

染的危险越大。

### 草药疗法

飞燕草子,一种最有效的草药杀虫剂。但长期使用,有毒性作用,用其治疗需向草药师咨询。

### 家庭治疗

为减轻瘙痒,可试用硫磺,每8小时1次,连用3天。

为减轻瘙痒,加一杯燕麦片或玉蜀黍淀粉到浴盆中,将肥皂放于热水中,用肥皂擦洗。但避免过度擦洗,以免导致一种叫湿疹性疥疮的皮肤病。

用薰衣草药的油涂入创面有助于减轻瘙痒。

### 预防

预防疥疮最好的方法是避免与螨接触,对某些人,特别是那些在医院、日托托儿站及人群拥挤环境中工作的人来说,避免与螨接触是很困难的。如果你接触了这种寄生虫,为避免再感染或感染其他人,采取如下基本步骤:

◆从头到脚涂抹灭虱药,至少保留8小时,保证使任何与你有过身体接触的人也这样做。

◆用热水洗所用的床单、毛巾和衣服,把带毛的动物关起来,其他难洗的东西放进袋子里至少1周。

◆擦洗所有的桌子、椅子和地板,并用吸尘器吸净地毯的所有地方。

## 症 状

绝大多数昆虫叮咬后只有轻度的刺激症状,这些症状是:

◆咬伤处肿胀。

◆瘙痒或烧灼感。

◆局部麻木或刺痛。

被毒蜘蛛咬伤或蝎子螫伤会有的症状:

◆剧烈的疼痛。

◆关节僵硬、疼痛。

◆肌肉痉挛。

◆腹痛。

◆发热或寒战。

◆呼吸或吞咽困难。

◆伤口部位破溃蔓延。

◆不能说话,喉部痉挛。

有时,昆虫或蜘蛛的叮咬会引起严重的致命性过敏反应称为过敏性休克,他包括以下症状:

◆眼、唇、舌或喉部的迅速肿胀。

◆呼吸困难。

◆喘息或声音嘶哑。

◆严重的瘙痒或痉挛或麻木。

◆神志不清。

◆全身红斑,荨麻疹。

◆胃部痉挛。

◆神志丧失(失去知觉)。

### 出现以下情况应去就医

◆当你认为自己被有毒的蜘蛛或蝎子叮咬之后。

◆你出现过敏性休克的任何症状。病情严重,可能威胁生命,请立刻拨打急救电话。

可见紧急情况/急救的休克一节。

绝大多数蜘蛛和昆虫的叮咬,包括蚊子、苍蝇、跳蚤、虱子、臭虫等,其表现都是相似的,不会对病人造成危险。一般情况下,这些昆虫的唾液与分泌物进入皮肤后只会引起局部瘙痒与肿胀,并持续几个小时或几天,很少造成危险。然而,某些地区的蚊子也会传播如疟疾及脑炎等一些疾病。

# 昆虫及蜘蛛咬伤

对昆虫或蜘蛛叮咬过敏的人，这种叮咬能够引起严重创伤和甚至是致命的过敏性休克。另外，某些蜘蛛、蜱及昆虫的叮咬可能会引起中毒及其他特殊疾病。

◆蜱(壁虱)。绝大多数的蜱是无害的，但几种蜱也可引起致命的疾病。蜱还传播兔热病(土拉菌病)及回归热，以及一种新近发现的致命疾病称 ehrlichilsis。罕见情况下，有时蜱还会引起蜱瘫，这种疾病先表现为腿的麻木与疼痛，最终可引起呼吸衰竭。

◆蜘蛛。蜘蛛叮咬很少致命。但婴儿、老年人及过敏体质的人会有一定的危险。最毒的一种蜘蛛称为黑寡妇蜘蛛，他在全美国都可见到，特别在较暖和的地区。叮咬本身常常不会被注意，但数小时内就会开始出现剧烈的疼痛和僵木，偶然接着出现肌肉痉挛、腹痛、寒战与发热，及吞咽或呼吸困难。大约有 4% 的叮咬会致人死亡。

棕色隐士蜘蛛的叮咬是不痛的，但可造成皮肤广泛的破溃。不太常见的反应还会伴有发热、寒战、关节痛及痉挛，死亡少见。

◆蝎子。蝎子会引起剧烈的、烧灼样疼痛，然后局部会出现麻木。很少情况下蝎子的神经毒素会引起休克，或是威胁生命的综合征包括呼吸过速、发音困难及肌肉痉挛。只有不到 1% 的情况下可能会致命，常见于婴幼儿及老人。

◆火蚁。火蚁是最近由墨西哥进入的，被叮咬后可引起小的、伴有小水疱的伤口，并可以破溃。火蚁的毒液可以引起严重的反应，甚至死亡。

## 治 疗

对于不严重的昆虫咬伤，治疗的目的简单，主要是消除症状。对于少见的有严重反应的叮咬，立即到医院就诊。

### 常规治疗

很多由昆虫咬伤引起的不适可使用冰块、冷敷、炉甘石洗剂、小苏打糊或一种非处方药的氢化可的松软膏以缓解症状。

如果觉得咬你的是黑寡妇蜘蛛，就应当去就医。医生会给你冷敷，并用葡萄糖酸钙缓解肌肉疼痛，用抗焦虑药以解除痉挛。由棕色隐士蜘蛛造成的皮肤广泛破溃可使用外科手术方法清理创面和修复，皮质类固醇注射

可以减轻疼痛，不要使用冰块。对于任何一种蜘蛛咬伤，你必须确信你的破伤风的免疫力没有问题。

如果你发现有蜱附在你的皮肤上，小心地将其弄走，不要把他弄破。仔细地用镊子或戴上手套的手指在蜱的头部附近将其夹住并把他轻轻地稳稳地拉出。如果你怀疑自己可能感染，请注意被咬伤处附近有无皮疹，他可能意味着兔热病、回归热、ehrlicliosis 或其他疾病的感染。

对于蝎子的蜇伤，如果症状很重，应去就诊。使用抗毒剂以中和毒素，或应用葡萄糖酸钙及苯巴比妥以缓解肌肉痉挛。

由火蚁引起的瘙痒可使用常用的止痒霜止痒。

对于蚊子及其他小昆虫的咬伤，可使用炉甘石洗剂。

### 辅助治疗

对于较轻微的咬伤，有的医生建议用水调和研碎的阿司匹林粉末涂于患处。其他的建议有使用金盏花药膏每 4～6 小时涂 1 次。

**营养及饮食**

大剂量的复合维生素 B，包括 50 毫克维生素 $B_1$，每日口服有驱散昆虫的作用。但应注意的是，有些人会出现瘙痒及皮疹副作用。锌每日 60 毫克，也据说有天然驱虫的作用，因为锌是铜的拮抗剂，所以除非同时补充铜，否则服用不要超过 1 个月。大蒜也可驱虫，可每日 3 次每次服用 1 个 400 毫克的胶囊。

**预防**

桉树油是一种天然的驱虫剂。将 5 滴油溶在 1 杯水中，抹在皮肤上。香茅油抹在暴露的皮肤上会使昆虫不愿意落在上面。金盏花的软膏用于面部、臂及腿上会使昆虫避让。

**毒 蜘 蛛**

棕色隐士(背面观)

黑寡妇(腹面观)

两种蜘蛛的实际大小约为 1.5 厘米

# 蜂螫伤

## 症 状

大多数病例，蜜蜂或黄蜂螫伤只引起轻度的螫伤症状，包括：

◆痉挛

◆肿胀

◆充血

◆瘙痒或烧灼感

变态反应可导致广泛的肿胀。变应性也是一种更严重的潜在的反应，常可致命，为过敏性休克的原因(参看急症/急救：休克)。多数的螫伤都能产生一种毒性反应，表现相同的症状：

◆在眼、唇、舌、或咽周围快速出现肿胀。

◆呼吸困难。　　◆喘息或声音嘶哑。

◆瘙痒，疼痛痉挛，或较严重的麻木感。

◆头晕。　　　◆红疹，或荨麻疹。

◆腹部痉挛。　◆意识丧失。

## 出现以下情况应去就医

◆你被螫伤并出现上述过敏性休克症状的任何一种表现。

◆你对蜜蜂或黄蜂螫伤过敏，但被螫伤。你有过敏性休克的危险因素，即使你对螫伤的反应很轻，你也需要就医治疗(请你的医生判断你是否过敏)。

蜜蜂或黄蜂刺的毒液导致局部肿胀、痉挛和充血，一般几小时后消退。有些人对毒液过敏，产生强烈的局部反应，表现为广泛的肿胀。

有大约3%的人，螫伤可能导致一个威胁生命的过敏反应称为过敏症。较痛苦的荨麻疹和肿胀可很快发展而阻塞呼吸道，导致循环衰竭，且有时导致死亡。在美国，每年大约有50人死于螫伤引发的过敏性休克。大约40%的人基本上都存在心脏病，如果你被一大群约50～100只蜜蜂螫伤，其结果和过敏性休克可能是一样的。

唯一拥有真正螫汁(刺)的昆虫属于膜翅目，包括蜜蜂、野蜂、黄蜂、鲜黄色胡蜂、白脸大黄蜂和大黄蜂等。螫伤的机制，是位于雄蜂的腹部有一条翅膀粘着一个充满毒液的囊组成。蜜蜂刺上有许多倒刺，故通常使他在伤处存留，导致蜜蜂死亡。胡蜂的刺上没有倒刺，故可以不止一次地螫人。

## 病 因

膜翅目昆虫的毒液含有毒性和炎性因子，可造成局部疼痛和肿胀，几小时后消退。有些人对毒液中的成分过敏并产生更严重的反应，从扩大的肿胀到潜在的致命的过敏性休克。对螫伤导致的过敏反应的过程了解得很少。像其他过敏反应一样，螫伤过敏显示有遗传性。但科学家仍不明白为什么只有6%的过敏性的成年人和8%的过敏性儿童在被螫伤时出现休克。

人可以被螫许多次而只有一般的反应。而一次突然的螫伤会产生一个强烈的过敏反应。医生不明白为什么人会突发如此严重的过敏性，或为什么这种过敏性最短可持续3个月以内、长则至25年以上。

### 诊断与检查

你的医生可以通过一个简单的皮肤试验来确定你是否对蜜蜂和黄蜂刺螫过敏。应用提纯的、冷冻、干燥的毒液作试验，然而皮肤试验阳性的人只有20%被螫伤时出现严重的反应。

## 治 疗

大多数螫伤，最基本的治疗，如冷敷或冰裹法就足

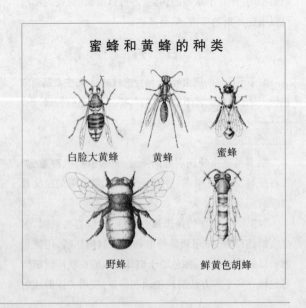

### 蜜蜂和黄蜂的种类

白脸大黄蜂　　黄蜂　　蜜蜂

野蜂　　鲜黄色胡蜂

够了。如果你有多处螫伤或出现严重的过敏反应则立即需要医生的帮助。

### 常规治疗

对于疼痛，可以应用阿司匹林或对乙酰氨基酚。对于强烈的过敏反应，可用盐酸苯海拉明或其他非处方的抗组胺药。对于儿童，使用咳嗽药包括抗组胺药（禁用阿司匹林，因为有发生脑病脂肪肝综合征的危险）。

对于过敏性休克，通常的治疗是应用支气管扩张药肾上腺素。你可以从一个蜂螫急救箱中给自己打一针，但注射后需立即找医生进行进一步的治疗（注意：蜜蜂螫急救箱是为成人设计的。对于儿童，需读使用说明）。

#### 家庭治疗

如果螫人的昆虫的器官仍留在皮肤内，应用小刀或指甲将他刮除。如果用镊子，可挤压出皮肤中更多的毒液。对于蜜蜂螫伤，用烤制的苏打膏可减轻瘙痒。黄蜂刺是碱性的，可被醋或柠檬汁中和。如果你离家很远，就用泥，当泥干燥后，可将部分毒素吸出。

#### 预防

如果你存在过敏性，想避免螫伤导致休克，可随身携带一个蜂螫急救箱（你必须懂得怎样应用自我注射）。你也应该系一副医用报警护腕或颈圈来测绘出你的过敏反应。

如果你曾经对螫伤产生过严重的反应，且毒液皮肤试验阳性，则应进行毒液免疫治疗——对预防过敏症非常有效。

要想减少被螫的机会，就应避免穿明亮色色鲜的——白色的或粉色的衣服。不要用化妆品或有花香的香水。食物的气味也会吸引昆虫，尤其是鲜黄色胡蜂，所以当你在野外吃饭或烹调时一定要警惕。

## 症　状

◆寻常疣是小、硬、圆形或隆起的粗糙肿块，常出现在手和指头上。可呈肉色、白色、粉红或呈颗粒状。

◆指状疣是羊角状和指头状，带有盘形基部。常出现在头皮或发际附近。

◆线状疣是薄的，线状，常出现在颈部和面部。

◆扁平疣常分组出现，甚至超过几百个。常出现在面、颈、胸、膝、手、腕和前臂。轻微隆起和有一平滑扁平或圆型顶。

◆甲周疣表面粗糙、不规则和隆起，出现于指或趾甲边缘，也可蔓延到指甲下引起疼痛。

可参见生殖器疣、足底疣和可视性诊断手册的有关章节。

## 出现以下情况应去就医

◆非处方药治疗无效。

◆妇女出现生殖器疣，很少情况下预示宫颈癌。

◆年龄超过45岁，发现有很像疣的物体出现，可能是更为严重的皮肤病的一个症状，皮肤癌。

◆疣多发和传播，引起不适。

◆发现疣的颜色或大小变化，可预示皮肤癌。

**痤** 疮后，疣是最常见的皮肤并发症。四分之三的人会在人生中的某时发生疣。疣具有轻微的传染性，也可由触摸或刮疣周边部位后传染到身体的其他部位。儿童和青年人由于身体抵抗机制尚未发育健全，容易患疣，但任何年龄都有可能患疣。

## 病　因

疣是由人乳头状病毒引起，主要是通过刀伤或擦伤进入皮肤和引起细胞快速增殖。通常，疣是通过直接接触而传播，但可能由于潮湿的环境而受病毒感染，如淋浴或衣帽房。

### 诊断与检查

在大多数情况下，患疣并不需要检查。但如年龄超过45岁，医生会检查其生长状况，也可能在切除后检查，以确保疣是良性的。

## 治疗

几乎每个医生都说最好的治疣方法是不需治疗。大多数人由于免疫反应而自身消除疣。五分之一的疣在 6 个月内消失，三分之二是在 2 年内消失。然而，如果疣未消失或感到不适，可自我治疗或找医生。

**常规治疗**

如果你决定自己治疗，首选的是以液体、胶垫或膏剂形式的非处方药物。其中大多含有水杨酸，主要是阿司匹林，其可软化异常皮肤细胞和溶解他们。

首先，浸疣于温水中 5 分钟以帮助药物浸入皮肤，再轻轻用毛巾或浮石擦去死亡皮肤细胞。用药前用矿油凝胶覆盖疣周皮肤以防药物浸及正常或敏感皮肤。

如果非处方药治疗失败，医生可通过下列方法去除疣：

◆液氮冻结。◆用电或激光烧灼。

◆切除。◆用含水杨酸的石膏板包裹并溶解疣。

任何治疗方法都可引起瘢痕。所以，可用连续给药的方法去除疣。

**辅助治疗**

中药治疗

中医师常把姜条放在疣上，上覆闷烧的中药，燃烧的中药可使姜释放抗病毒成分，这一过程叫间接灸疗法。

营养及饮食

为了增强免疫力，多吃蔬菜、洋葱、大蒜、卷心菜和花椰菜。帮助抵抗疣的营养补充剂包括 β－胡萝卜素、L－胱氨酸、锌和维生素 B 复合物、维生素 C 和 E。

家庭治疗

用生土豆片或香焦皮的内面擦拭疣，可将其消除，因两者均含有溶解疣的化学成分。你也可试用下列方法：

◆维生素 A 和 E，对皮肤有保护作用。

◆维生素 C 和水制成的膏剂。

◆非处方药或阿司匹林软膏，两者均含有溶疣的水杨酸。

◆芦荟、蒲公英或乳草汁。

◆浸有新鲜菠萝汁的棉花，其中含有溶解酶。

预防

良好的卫生习惯，吃富含维生素 A、C 和 E 的平衡膳食，以增强身体免疫力。避免精神紧张，学会放松自己。

---

## 症状

◆身体双侧对称性皮肤白斑；不规则形斑点周边隆起。

◆随时均可出现斑块，尽管可能与情绪紧张有关。

◆斑块通常出现于面部、颈、手等暴露部位，但也出现于其他任何部位。

◆头发灰白，眼白可能会变色。

### 出现以下情况应去就医

◆皮肤脱色很严重，以致影响到你的自信心和社交活动。许多治疗方法可用于解除白癜风的影响。

在美国，约二百万人患有白癜风。有时，斑块对称性出现，例如你的左右食指可出现同样大小的斑块。

20 岁以前，通常首先出现色素缺失，开始可能出现环形的皮肤颜色快速缺失，随后很少或几乎不变。这一潜伏期可持续数年。

该病的病程各不相同。一些病人可首先发生几个斑点，随后几年什么也不发生，而另一些人在 6 个月内可丢失所有的皮肤色素，精神和身体紧张是其主要原因。

白癜风本身并不危及健康，但有时与甲状腺病、恶性贫血、艾迪生病(肾上腺功能减退症)和斑秃(头发斑块状脱落)有关。对多数病人，最大的危害是自信心的丧失。

## 病因

尽管该病倾向于家庭发病，但引起白癜风的具体原因尚不清楚。三分之一以上的病人亲属中有人罹患此病。一些化学剂如酚(常用于防腐剂)和儿茶酚(常用于染料和褐染)，以及精神和心理紧张均可引发白癜风。

存在的问题是：能产生黑色素的细胞停止产生黑色素，而黑色素正是产生皮肤颜色的主要物质。在为什么会产生白癜风的问题上，有三种主要理论：异常的神经细胞可能损伤附近的色素细胞；由于自身免疫反应，自身识别色素细胞为异源性从而损坏自身组织；或者，产生色素的细胞可自身破坏(自身毒性反应)，残留的毒物可进一步破坏新的色素细胞。无论何种病因，都不是危及生命或健康的。

## 治疗

治疗白癜风的方法包括抽取较多的色素细胞至皮

# 白癜风　　　　　　　　　　　　脓疱病

肤表面。一种方法叫补骨脂素紫外 A(PUUA)，是联合一种口服药和紫外线的方法，证明是十分有效的，尤其对进展期病人。

其他替代药物很少用于白癜风，因为其仅有途径是改变身体产生黑色素的过程或转移健康细胞至受影响细胞，然而，如果发现心理紧张可触发皮肤脱色素，一些放松措施也是很有用的。

## 常规治疗

有两种基本方法治疗白癜风：试图恢复正常色素或者把其余正常皮肤脱色素，该法可使皮肤很苍白但色泽不均一。对轻微病人，医生常用类皮质激素，可以治疗小斑片状脱色素。在色素脱去面积超过人体总面积的20%时，常用 PUUA 法，至少一半的白癜风病人可以在大部分部位恢复色素。

由于 PUUA 法有许多副作用，如肝损害、白内障或其他眼病、光毒性反应如皮肤起疱和恶心，所以研究人员正在寻求其他替代疗法。凯啉——一种来自于植物根的药证明是一种有效的药物，尽管高剂量时可引起恶心、眩晕、失眠和肝酶水平增加，但并不引起光毒性反应。

如果白癜风在超过一半皮肤引起白斑，可以考虑把其余皮肤脱色。行该疗法前应考虑到他需数月至数年方能完成，且是不可逆转的。潜在的副作用包括接触性皮炎、严重瘙痒、异常皮肤干燥、角膜色素沉淀和头发灰白等。

## 辅助治疗

为减少精神压力引起的白癜风恶化，试用心身松弛疗法，如引导臆想法、瑜伽功或者潜意识疗法。

### 家庭治疗

为正确治疗白癜风，你必须就医。晒太阳可以帮助受损皮肤的恢复而健康皮肤则要用太阳罩遮住。太阳光中的紫外光可以促进色素沉着。

不规则的皮肤白斑提示白癜风。在这一疾病中，身体停止产生黑色素，而这一物质使浅色或深色皮肤的人色素沉着。白癜风无种族偏差，但浅肤色人很少。

### 识别白癜风

色素脱失区
正常色素沉着

## 症　状

◆开始是一小片小水疱，数小时后破裂，表皮脱落，形成红色不断有渗出液流出的创面。主要出现在面部，也可见于手、足暴露的部位。

◆数日后，局部可形成金黄色或棕黄色的痂，但感染仍可向四周扩散。

## 出现以下情况应去就医

◆开始治疗后48小时，面部疼痛仍未消失。脓疱病的感染需要马上进行治疗。

◆如果出现很痒的、小的、含有脓液的溃疡，上面覆有棕黑色痂，这可能是另一种脓疱病的溃疡型——深脓疱（臁疮），他会向皮肤深部穿透。不及时治疗，可能形成瘢痕和皮肤色素沉着。

◆脓疱病的症状在婴儿身上出现。婴儿任何持续的皮肤病变均需马上就诊。

◆患有脓疱病的儿童出现恶心、头痛、尿少、面部及四肢浮肿。这些是肾小球肾炎的征象，一种由细菌毒素引起的肾病。

◆注意：由脓疱病导致的脓疱可能会被误诊为一种由病毒感染导致的疱疹。脓疱病发展较快，但决不在口腔内造成病损，并且很少局限在身体的一个部位。如果有疑问，可以让专门的医生作出准确诊断。

脓疱病是一种高度传染性的细菌性皮肤感染，他可以出现在身体的任何部位，但常常攻击身体暴露部位。儿童易在面部患此病，特别是口鼻周围，有时也可以在臂或腿部。受累部位呈小片状，约有硬币大小，开始时是小水疱然后水疱破裂，露出红色、潮湿的创面，数天后感染部位被颗粒状、金黄色的痂覆盖，并不断向周围蔓延。

在严重病例，感染会向皮肤深部发展并形成深脓疱——该病的溃疡型。深脓疱形成小的含有脓液的溃疱，上面有比一般脓疱症颜色深得多、厚得多的痂。深脓疱很痒，而不停地搔抓会促进感染迅速扩散。如果不治疗，溃疡会导致永久性的瘢痕和色素改变。

脓疱病最严重的潜在并发症是肾小球肾炎，大约只

# 脓 疱 病

见于1%的病例,是一种严重的肾病,主要见于儿童。经过抗生素治疗及限制饮食,绝大多数病人都会痊愈,不留后遗症。

## 病 因

脓疱病是由链球菌或金黄色葡萄球菌引起的感染。这些细菌到处存在——在不干净的浴室内,变质的食物中,甚至在我们的体内。皮肤有伤口的儿童,在不干净的浴缸或浴盆内洗澡,就有可能患上脓疱病。使用脓疱病人用过的毛巾或肥皂,也会感染此病。其他与皮肤有关疾病,如体虱、真菌或链球菌感染、烫伤或各种皮炎,也容易合并脓疱病。

绝大多数病人是通过身体接触或共用毛巾、衣服、床及其他用品传染此病的。由于儿童活动时会有大量身体的接触,所以儿童很易患此病,并且成为传播者。大量出汗、营养不良及不良卫生习惯,会加重脓疱病病情。

## 治 疗

治疗及预防的关键是保持良好的卫生习惯及周围环境的清洁。一旦发生感染,及时治疗,可以控制病情并防止扩散。

### 常规治疗

即使家庭中只有一位成员患有脓疱病,所有的人也都应注意环境卫生。经常用毛巾和肥皂清洗,可治疗轻型患者。如果脓疱在48小时内不缓解,或者病人是儿童,应去看医生。为了防止传染,打破传染环节,医生会给全家人包括患者在内开抗菌浴液。

治疗普通脓疱病,局部应用百多邦软膏,非常有效,这是一种处方药。不要使用那些非处方抗菌软膏,他们效力太弱,以致不能杀死葡萄球菌和链球菌,如不认真

使用,会促进脓疱病的扩散。如果百多邦在48小时内无效,可向你的医生要求开一些口服抗生素,如青毒素或红霉素。青霉素注射可以预防严重的感染并发症,缩短愈合时间,并减少复发的机会。

### 辅助治疗

作为一种浅表的细菌感染,脓疱病各种辅助治疗方法有效,特别是各种草药软膏。但使用时应小心,注意可能出现的各种刺激症状,如果脓疱在12~24小时内仍未缓解,应去医生处就诊。

#### 草药治疗

建议使用白毛茛根治疗葡萄球菌感染。将1勺白毛茛根粉末与足量的水或蛋清混合成糊状;将其用于患处,患处将在2~3天内愈合。白毛茛根有时会使皮肤着色从而可能使脓疱疮看上去比原来加重。

另一建议使用的草药是没药。将5~10滴酊剂滴于患处,每日3次。茶树油已经证实具有抗微生物的作用,将其涂于患处,可缓解瘙痒并且可促进愈合。

#### 营养及饮食

因为维生素A对于皮肤生长是必需的,所以脓疱病患者应食用充足的黄色及绿叶蔬菜,或者每天饮食中补充5万单位维生素A。据说锌可以增强免疫系统的活性,可每天服用45毫克。不要超量补充,或者在没有医生监护的情况下给儿童使用。

#### 家庭治疗

◆如果你仅是有几个小的脓疱,可以简单地通过经常使用肥皂和温水清洗治疗,也可使用以上治疗方法,并且将患处暴露在空气中,可减轻疮痒。严重病例可用药皂清洗感染部位,并且用适当的药物进行治疗。

◆家庭中如果有脓疱病患者,每个家庭成员都应各自使用干净的毛巾洗澡,避免交叉感染。

# 割伤、擦伤和创伤

## 症　状

在大多数刀割伤、擦伤中，最常见的危险是感染，尤其是动物将人咬伤，伤口深而不规则，不能彻底清创伤口。感染的征象有：

◆疼痛，红肿加重、伤口有渗出液
◆发热，淋巴结肿大。
◆从伤口向心脏方向延伸的红线。

## 出现以下情况应去就医

◆压迫伤口也不能止血，应在数小时内缝合或包扎伤口。
◆怀疑内出血，包括乏力、大汗、伤口以外部位的疼痛。详见急救第一步。
◆伤员有骨折或穿通伤，尤其是腹部穿通伤。
◆头部损伤。
◆损伤影响关节、手指功能。
◆面部或其他部位的损伤，愈合后的瘢痕将影响美观。
◆伤员在5年内未注射破伤风疫苗。
◆出现感染征象：肿胀、疼痛加剧、渗出物增多或有异味。

切伤、擦伤、小的创伤在日常生活中是不可避免的。立即清创、止血，可促进伤口愈合。(持续性大量出血的处理参见急救第一步)

损伤有下列几种类型：

刀割伤：通常由刀切割引起，伤口边缘整齐。如果伤口很深，可造成大量出血、损伤肌肉、肌腱、神经。伤口污染可导致感染。敞开的伤口可能会形成瘢痕。

撕裂伤：多为碎玻璃、金属锋利的边缘造成，边缘不规则，较刀割伤更易造成深部组织的损伤。感染、瘢痕形成的危险性亦较刀割伤大。

擦伤：即皮肤在硬物表面摩擦造成的损伤。皮肤浅层的小血管破裂造成渗血。由于创面较大，易被污物、细菌等污染。

刺伤：是由钉、牙齿或其他可造成穿透伤的物体形成的窄而深的伤口。刺伤很少造成大量出血，但易并发内部损伤和破伤风感染。

## 治　疗

在治疗前，首先用肥皂和温水洗手。因为即使看上去干净的手也会有能造成感染的细菌存在。

很少需要用金创药来治疗外伤。对于擦伤患者有必要使用抗生素软膏。但许多非处方药，包括碘酊，都可以延迟愈合。

### 常规治疗

◆割伤和撕裂伤：少量的出血可以将伤口中的污物冲出。然后用温和的肥皂和小毛巾在流水中清洗伤口。用无菌纱布擦洗伤口表面。每次清洁，都要用一块无菌的纱布。

清创后，用无菌纱布或干净的布将伤口印干。在伤口上覆盖一块无菌的涂有收敛剂的敷料，轻轻加压。当出血停止后，用绷带包扎好。包扎除可以防止伤口污染外，还有保湿的作用。在湿润的环境中细胞分裂加快，形成的瘢痕较小。

◆擦伤：处理清创的步骤同上。但由于擦伤极易合并感染，彻底清创十分必要。注意清创时要轻柔而彻底。还应使用抗生素软膏预防感染。

◆刺伤：用肥皂和大量的水冲洗伤口。经过抗菌处理后，用无菌纱布轻轻包扎伤口。不要包扎过紧，也不要使用抗生素软膏。密封伤口可增加感染的危险性。

在处理更为严重的创伤时，最重要的事情是止血。加压是最有效的办法，具体操作请遵循下列原则：

◆如果可能的话，将手洗净。用无菌纱布、几层衣物或保鲜膜隔开伤口。

◆尽量安慰、鼓励受害者。让受害者平卧，头略低于躯干，或将脚抬高，以减少晕厥的发生。

◆抬高出血部位，使之超过心脏水平，可减少出血量。

◆在伤口敷上无菌纱布或干净的衣物、布料，加压直至血止。加压的目的是为了阻断血流直至凝血块形成。当血止住后，用胶带或其他粘着物固定敷料。

### 辅助治疗

在小的伤口上涂上蜂蜜和砂糖有助于伤口愈合。这些物质可抑制细菌生长从而避免感染。

# 割伤、擦伤和创伤

## 褥疮

### 芳香疗法

茶树油可杀菌,其功效与双氧水相似。用兑入茶树油的水冲洗伤口即可。

### 营养及饮食

对于小的伤口或严重创伤开始愈合时,口服维生素E或将维生素E油涂在皮肤表面可促进愈合。维生素A、C、B复合物和精氨酸、甘氨酸(在两餐中间服用)亦有效。菠萝酶(从菠萝中提取出的物质)可减轻炎症反应。

体表疾患

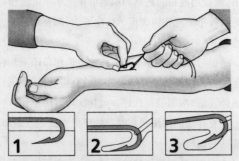

### 如何取出鱼钩

用下面的方法通常可以取出刺入皮肤浅层的鱼钩,而无需求助于医生。将一根细绳套在鱼钩弯曲部,一手拉住绳,另一手轻轻向下按钩体,使倒钩与周围组织松解开。当感到鱼钩已完全松解后,迅速拉出鱼钩。

## 症 状

◆ 发炎、疼痛、皮肤红斑,尤其易出现在卧床或被束缚在轮椅上的人的肩胛骨、脊背、下背部、髋关节、膝、踝或踵部。

◆ 在上述任何部位出现擦伤、开放的溃病是由于皮肤的表层破损和溃落。开放的褥疮可能很快溃烂。

### 出现以下情况应去就医

◆ 某人将要卧床不起或长期不动,不能活动或非常虚弱,那么褥疮将开始形成。此人可能需要护士或其他受过训练的健康护理人员的常规看护。

◆ 溃疡可产生一些分泌物,可含有脓或变得恶臭。如果溃疡变黑,这表明存在感染或组织坏死,应立即引起重视。

任何人家护理过不能活动的病人,都懂得褥疮的祸因。即使是医院或护理疗养所的护理人员,也不能使病人避免发生这种令人气恼的脆弱皮肤的损伤。每年都有超过100万的美国人患上褥疮,其中2/3是70岁以上卧床不起的老年人。

## 病 因

褥疮开始是一处敏感的发炎的区域,是由于骨头上不缓解的压力和身体承受体重而产生。炎症可很快转变为疼痛的皮肤溃疡,通常恢复较慢。最可能的受压力点是踝、膝、踵、肩胛骨、和——尤其坐轮椅的人——脊柱、髋、和下背部。这种压力不需存在很长时间就可导致炎症。在一些病例中,褥疮形成是在几小时之内。糖尿病或其他疾患是使皮肤溃破和感染的危险因素,同样的危险因素还有体重不足、瘫痪、循环障碍、心脏问题、脊髓损伤或动脉硬化症。

## 治 疗

### 常规治疗

在大多数医院和护理疗养所,褥疮的一般疗法是用盐水或过氧化氢水清洁创面,清除坏死的皮肤,然后将敷料覆在上面而不粘上受损的皮肤。坏死组织需用小刀

# 褥疮

刮掉。有一些病例，溃烂的褥疮较深，很难固定，则可能需行整形手术或皮肤移植以恢复受损的部分。

不幸的是，有些损伤和病情使得卧床的病人一点不能活动。即使那些可经常被移动的病人如果他们在换床单时也有被撕裂脆弱皮肤的危险。对这些病人有一种方法可改善他们的血液循环，按摩或罗塔的低水平的电刺激。

## 辅助治疗

有各种各样的方法可缓和炎症和止痛，但他们不能取代必要的步骤，即经常挪动卧床的病人和改善个人饮食。

### 草药疗法

草药治疗可缓解褥疮造成的不适，并可控制感染。为减轻炎症，可应用沼泽里绵葵属植物的根茎做成的药膏；或用由榆树皮、绵葵植物根和紫锥花各相等量的粉末成分混合少量的热水制成的糊剂。两滴重要的茶树油放入一杯水中可制成抗感染的清洗剂。

### 营养及饮食

患褥疮的病人需饮用大量的水以防止他们的皮肤变干和脆弱不能抵抗压力。一定量的维生素和矿物质，尤其是维生素 A、C、E、复合 B 和锌，可促进皮肤的生长和修复。维生素 C 尤其对褥疮的愈合起作用。但一些维生素剂量过大可有毒性，尤其对那些因为疾病或伤病身体虚弱的人，服用维生素或矿物质的剂量必须由主管的医生决定。

### 家庭治疗

在家中护理病人，尤其是老年的伴侣，可能是一项艰难的工作。下面有一些告诫可使每天过得轻松一些：

◆被限制在床上或轮椅上的病人醒着的时候，一定要经常地尽可能地挪动身体，至少两小时 1 次。如果他自己不能移动，应由别人帮他移动。

◆在病人的脚、膝、脊背和肩的部位，用软垫或布缝制的泡沫垫垫上，并经常调整他们使之置于舒适的位置。

◆不要拉或抽动病人的床上用品，因为摩擦将导致皮肤损伤。一般应用双人搬动技术。

### 预防

当褥疮已形成，预防看来明显地比任何治疗都有价值。被束缚在轮椅或卧床的人应该经常移动他们的位置。他们应该经常洗澡并完全擦干，皮肤应用轻柔的不刺激的洗剂润滑。应该穿干净的、干燥的、结实合适的、不浆硬的棉鞋；宽松合适的衣服；空气流通好，健康的食谱，和一些常规的锻炼——即便是由看护者来挪动他的四肢。

为垫起敏感的部位，可做一个泡沫床垫、水床或羊皮垫垫在床单上。有不同压力的床垫分为隔开的两部分可以独立地充气或放气来调整施加在病人身体上的压力。

## 移动卧床的病人

为防止卧床的病人出现溃疡，在病人醒着的时候需两个人每两小时移动他 1 次。首先让病人腿部弯曲坐起来。移动者面对床头坐在患者的两侧，一条腿坐在床上。一支手臂放在患者腿下并抓到另一人的前臂。（上图）用他们内侧的肩膀放在患者的腋窝下，移动者的另一支手臂放在床上支撑用（下图），同时用力将病人抬起并轻柔地移动他到新的位置，更换被褥一样很重要。

# 皮 肤 癌

## 症 状

皮肤癌的常见警告信号包括：
◆ 痣或其他皮肤生长物的任何大小、颜色、形状、质地的变化。
◆ 不能愈合的开放或感染的皮肤损伤。黑色素瘤，皮肤癌中最危险的一种可在以下情况出现：
◆ 在已存在的痣上又有变化
◆ 形状小、黑色、多彩的斑点。有无规则的边界，可以是凸起或平坦的，可以出血或形成痂。
◆ 表现为发亮、坚硬，黑色肿块的基底细胞癌(BCC)可以出现在暴露于阳光下的部位。
◆ 一块发亮或色彩鲜艳的肿块，边界不清可以发展到出血性溃疡。
◆ 中心凹陷的光滑红色斑点。
◆ 红棕色或蓝黑色的颊部或背部皮肤斑点。
鳞状细胞癌(SCC)出现在以下阳光 暴露部位：
◆ 坚硬、色红、疣状肿物逐渐生长
◆ 平坦的斑点出现出血、疼痛不愈合。

## 出现以下情况应去就医

◆ 已存在的肿块的大小、形状、颜色或质地发生改变，或者你作为成年人又新长出了非常引人注意的表皮肿物。
◆ 皮肤新生物或开放性伤口在几周内总不愈合。

所有皮肤癌都原发于被称为上皮的皮肤外层。在普通的皮肤修复过程中，位于上皮基底部的基底细胞不断向上移动代替已死去的细胞并形成皮肤表面脱落。在此过程中，圆形的基底细胞变形成扁平的鳞状上皮细胞。在上皮中遍布着黑色素细胞，可产生一种保护性的色素称为黑色素。

皮肤癌可划分为两个主要类型：

黑色素瘤和非黑色素瘤，黑色素瘤是黑色素细胞的肿瘤，发生于1/10的皮肤癌患者。他可以发生于深色组织，比如痣或者胎记，同样也可于正常有色素的皮肤。黑色素瘤可以首发于躯干，也可以在手掌、脚底、在指甲 /趾甲下面，在口腔、阴道、肛门甚至眼睛的粘膜首发。黑色素瘤是极度恶性、致命的肿瘤，并易被发现，早

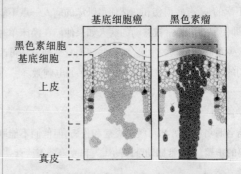

### 两 种 皮 肤 癌

基底细胞癌　　黑色素瘤

黑色素细胞
基底细胞
上皮
真皮

发现在皮肤表面的粉色突起，基底细胞癌发生于上皮细胞的基底部，皮肤顶层(如左上)。黑色素瘤，由可以产生黑色素的黑色素细胞形成，也在上皮中(如右下)。因为他们经常扩散到身体其他部分的真皮层，黑色素瘤认为是极恶的。

期治疗效果较好。但比其他皮肤肿瘤进展更快，更倾向向远处皮肤扩散，一旦扩散将变得非常难以治疗和处理。

两种最通常的皮肤癌，基底细胞癌(BCC)和鳞状细胞癌(SCC)是非黑色素瘤，很少致命。病程进展缓慢，很少向远处皮肤扩散，通常可以治愈。BCC占皮肤癌的将近3/4，生长缓慢；SCC比之更加具侵袭性，更倾向于扩散。补充一下，有很不常见的非黑色素瘤，比如卡波西肉瘤，是一种潜在致命的疾病，长成紫色，经常伴有艾滋病。

一些非肿瘤性皮肤增生有变为癌性的倾向，最通常的是生化性角化病——硬化的红色病变，可被切除但又再生，常发生在暴露于阳光的皮肤。另一种癌前皮肤增生、皮肤角化，表现为漏斗状生长在皮肤的红色基底上扩张生长。

每种恶性皮肤肿瘤，总在皮肤的表面出现，可以在早期被发现并可被治愈。早期发现、治疗的皮肤癌可被治愈。

皮肤癌是世界上最最普遍的肿瘤之一。多种情况可被治愈，但因为他发生于如此多的人的身上，故他成为主要的健康问题。每年超20万例非黑色素瘤的皮肤癌在美国被诊断，同时大约有32000例黑色素瘤。每年在美国有超过9000人死于皮肤癌，其中7000例是黑色素瘤。皮肤癌倾向于发生在浅肤色人群，深肤色人群中

# 皮肤癌

很少发生，也仅发生于足底指甲/趾甲下面这些浅色区域。大约40%～50%活到65岁的白种人将最少患有一种皮肤癌。皮肤癌高发于阳光充足的地方，如亚历桑那和夏威夷，常见于澳大利亚，大量存在于爱尔兰和英格兰等白色人种的家族中。

## 病　因

过多暴露于阳光下是最主要的皮肤癌致病病因。阳光中包括紫外线（UV），可以改变皮肤细胞中的遗传物质并引起癌变。日光灯、灼烧光束、X-线都包含可以损伤皮肤引起细胞恶性增生的紫外线。BCC和SCC和长期慢性阳光暴露，典型的为长期户外工作的白种人。黑色素瘤和非长期大量日光浴引起的日光烧伤有关。儿童时期的一次阳光暴晒，会使其后发生黑色素瘤的机会加倍。

白种人最易受累，是因为他们出生时黑色素含量最少。红发、蓝眼睛及亚麻色头发和色素异常如白化病的人最为危险。许多有看上去非正常的斑和痣的人，患黑色素瘤的可能性较大。经常接触加热沥青、镭、无机砷化物的杀虫剂和有其他原发癌的患者，其发生非黑色素瘤的可能性稍高于普通性。

皮肤癌的发生年年在上升，皮肤癌的发生率，男性比女性高3倍。诊断为皮肤癌的人常为40～60岁。许多类型的疾病，他们都比其他人易患。如果近亲中有人患过皮肤癌，你将更可能患此病。

### 诊断与检查

如果你是皮肤癌的高发人群组或已因患过皮肤癌的一种类型而得到治疗，你就应该熟悉皮肤癌的外观经常从头到脚地检查你的皮肤，几月一次，使用全高的镜子和手持镜来检查你的口腔、鼻子、头皮、手掌、足底、耳背、阴部、臀部。检查每处皮肤，特别注意痣和原发皮肤癌的部位。如果你发现可疑的增生，应让你的医生或皮肤科医生检查。

所有潜在癌性皮肤增生都肯定可以通过病理检查而确诊。依所怀疑皮肤癌的种类不同，病理检查有些许差别，但都是决定性的。任何潜在黑色素瘤都需要临床病理检查确认。用解剖刀将增生整体切除，病理专家在

显微镜下研究同样的东西以决定是否发现肿瘤细胞。如果肿瘤存在并且是黑色素瘤，黑色素晶体可在肿瘤细胞中出现。可能为黑色瘤的皮肤增生不能刮除、烧灼或冷冻，因为这些技术不能提供皮肤增生物的病理检查标本。眼部黑色素瘤不能靠病检，因为一个有经验的眼科医生事实上不能失误。如果黑色素瘤一旦诊断，其他检查可以检查皮肤癌的扩散分级。皮肤增生，最多为BCC、SCC，或其他非黑色素瘤，可以用各种病理方法检查。部分或全部的增生物用解剖刀切除，切下一薄层用显微镜检查。

## 治　疗

多数皮肤癌可在扩散前被发现和治愈。黑色素瘤转移至其他器官最难治疗。

### 常规治疗

局限的基底细胞癌和鳞状细胞癌的基础治疗安全而有效，少有副作用。小的肿瘤可以通过电流、液氮冷冻、低浓底射线等方法去除。应用含有5-氟尿嘧啶这种化疗药物的软膏在癌肿表皮上，持续几周也可有效。大的肿瘤可以手术切除。

BCC或SCC很少早期向远处扩散，这种肿瘤也可以手术切除，或通过化疗、放疗、免疫治疗。一些进展期的SCC患者对维生素A酸（一种维生素A的衍生物）和干扰素（一种实验室合成的肿瘤免疫治疗药物，抗病性的蛋白）敏感。

黑色素瘤必须通过外科手术切除，最好在转移到远

我们每个人都被免疫细胞组成的军队保护着，可阻止身体受侵袭。一些免疫细胞针对如同细菌和病毒之类的入侵对象，其他——包括杀伤性T细胞——针对肿瘤。T细胞易于发现和中和单个的偶然出现于体内的肿瘤细胞。但是如果肿瘤增殖得比T细胞杀伤他们的速度还快，那么T细胞也无能为力，余下的肿瘤细胞继续增殖，发展为肿物。

体表疾患

处皮肤或其他器官或腺体之前进行。外科手术切除整个肿瘤，包括周围组织的安全边缘并包括临近的淋巴结。无论放疗还是化疗都不能治疗进展期的黑色素瘤，但两者都可以延缓疾病发展并减轻症状。化疗有时合用免疫疗法，得到普遍推荐，如果黑色素瘤转移到脑部，化疗可以减缓生长和控制症状。

经隔离研究这些单独的特质的杀伤T细胞，研究者希望能够发现一种可用于人体的黑色素瘤治疗方法。

免疫疗法是肿瘤治疗中一种相对较新的领域，目的在于通过调节肌体免疫系统识别并杀死肿瘤细胞。在免疫疗法中最有前途的发展领域是治疗进展期黑色素瘤。一些研究者通过接种来治疗进展期肿瘤，而其他人用例如白介素－Ⅱ，干扰素等以期刺激免疫细胞来更有效地攻击黑色素瘤细胞。黑色素瘤的遗传控制使其更易受免疫系统的攻击。

已患过皮肤癌的人有再患的危险。每个曾经被诊为任何一种皮肤癌的病人每年至少检查一次。大约20%的皮肤癌患者都有复发，通常在确诊后的头两年。

参见癌症，可得到更多有关放疗、化疗等治疗方法。

## 辅助治疗

一旦皮肤癌确诊，最可靠的治疗就是药物治疗。变换方法可以在肿瘤防治和预防并发恶心呕吐、乏力、头痛等方面有用。这些副作用常在治疗进展期皮肤癌而用的化疗、放疗、免疫疗法而产生的。

### 营养及饮食

皮肤专家认为矿物质锌、抗氧化剂维生素 A（β－胡萝卜素）维生素 C 和 E 能够促进受损肌体组织修复，保护健康皮肤。现在研究者试图确定这些营养物质或其他的营养物质可以保护皮肤不受阳光的有害影响。为验证此理论，给予某些皮肤癌患者以这些维生素等实验

性治疗，以期预防肿瘤复发。

### 草药疗法

下面是草药学家的建议，一些浅肤色的赞比亚人用从非洲香肠树（Kigelia pinncta）的树根、树皮中提取的天然软膏来治疗皮肤癌。最初的研究提示这种软膏极有可能杀死黑色素瘤细胞，进一步的研究需确定基于香肠树的药物是否对治疗人类黑色素瘤有效。

### 预防

若你怀疑皮肤癌，应无论何时采取以下措施。

◆避免大量阳光暴露或外出或从早到晚在户外活动。

◆外出时戴帽子、穿长袜、长裤，戴太阳镜可以滤过紫外线。

◆认真使用 B 族维生素，使用防晒膏，具有 15 或更高太阳防护因子，无论你何时外出维生素 B 含有称为PABA 的化合物，许多防晒膏中最有效的一种。

◆把可疑的皮肤损害立刻告诉医生，特别是当你有非正常外观的痣或有黑色素瘤的家族史。

◆让皮肤医生检查你的皮肤药物，他们可能提高皮肤对阳光的敏感度。

---

**警　告！**

儿童与皮肤癌

要随时保护新生儿不受阳光直射，早期开始教他们知道夏日阳光的潜在危险和阳光防护的重要性。阳光对皮肤的影响将累积终生，儿童时间的一次严重阳光烧伤将明显提高黑色素瘤的危险性。诊断为黑色素瘤的妇女应在完全治愈后，才可以怀孕。黑色素瘤细胞有时可以从母体内转移到未出生的婴儿体内。

体表
疾患

# 疖

## 症　状

◆疖的初期是皮下的一个炎性的、疼痛的、有时搏动的结节。大多数常出现于面、颈、臀、腋窝，或一些少见于女性的乳头。

◆几天后，疖渐隆起，红肿疼痛，中心发白或黄。因为脓液在皮下积聚，而可能极其疼痛。

◆一堆疖称为痈，眼睑的疖称为睑腺炎。　有下述情况要通知你的医生：

◆疖引起过度疼痛。你可让医生将其切开或引流。

◆炎症合并发热，或疖出现在唇、鼻、面颊、前额或脊背。这些部位的任何感染都可使你有继发感染的危险，细菌可通过血流在体内播散到脊柱或脑。

◆你觉得自己长了痈。这是一种严重的疾病，必须用抗生素治疗。

◆你长了一个疖，很软，尤其从此处有放射状红肿，或伴有发热和寒颤。感染可能已经扩散。

### 出现以下情况应去就医

◆疖肿非常大

◆伴有淋巴结肿大

◆出现局部广泛疼痛。

◆疖肿处已变软，表明有化脓。

疖，或称疖肿，看起来象一个严重的小脓疱，但实际上是感染侵入堵塞的毛囊，有时是堵塞油脂腺的结果。(参看痤疮)，开始，疖发红柔软，一周到10天后脓液积聚，导致疖的中心呈白色。脓液实际上是一个白细胞团，是肌体的免疫系统调动他们对抗感染，并混合有细菌和坏死的皮肤细胞。疖在皮肤破裂前可非常肿胀和疼痛，一旦脓汁流出，疼痛即可缓解。痈是疖的集合。在本世纪初抗生素未发明前，痈是一种潜在的威胁生命的疾患。

## 病　因

导致疖的细菌，典型的是通过刀伤口、抓伤和其他皮肤破损进入人体。有各种因素可使人们更易患疖，包括免疫疾患、糖尿病、暴露在某些工业化学物下、肾上腺皮质激素的过度使用、用石油成分的制剂对皮肤病的治疗，和较差的健康状况、卫生或营养。

## 治　疗

大多数疖可在家中治疗。用抗菌皂清洗感染区域，并使用热敷，可使疖出脓头。皮肤表面用抗生素也对限制细菌感染的扩散有效。自己不要挤压或切开疖，大多数疖在约4周后可自行破裂。当疖破裂后，轻轻冲洗此区域直至没有脓液出现，然后覆盖上粘性绷带以避免再感染，预防流出的脓液污染别处的皮肤使感染扩散。一定要用消毒的毛巾彻底清洁你的手。

### 常规治疗

如果疼痛剧烈，疖尚未破裂，医生可在无菌环境下切开引流。治疗严重的病例，医生可能开口服抗生素如红霉素，氨青霉素。

### 辅助治疗

疖已经烦扰人类几个世纪，且人类也已经试用各种治疗方式对付他。在应用替代疗法时应小心，因为错误的治疗确可促进感染。

#### 中药治疗

中草药主要在于去"火"，"火"被认为可导致疖。可饮用由蒲公英、菊花或紫罗兰制成的茶。

#### 草药疗法

草药治疗疖肿是抗炎，你可选择用由药蜀葵制成的软膏、由滑榆树叶制成的泥毡剂，和由没药制成的酊剂。

抗感染，可将茶树油涂在疖上，每天4～6次。佛手柑、熏衣草花和洋苏草的精油有抗菌的功用。白毛茛包含一种生物碱——称为小檗碱，他的抗菌功能值得注意，混合蒸馏的棒可用做洗剂。

#### 营养与饮食

不好的膳食和某些营养物质缺乏可抑制肌体免疫系统。推荐饮食富含新鲜水果和蔬菜。营养学家建议多食大蒜，因为他有抗菌功能，多吃富含锌的食物可增强免疫系统。或可每天服用3个大蒜瓣和45毫克锌剂。

#### 家庭治疗

◆温敷温热的硫酸镁盐可促进疖的脓汁排出。

◆男性脸上长疖应该在刮脸前用抗菌肥皂洗脸，刮洗后应用抗菌乳剂。

◆抑制住自己切开或弄破疖的欲望。其结果可能是严重的继发感染。大多数疖可自行破裂，有些病例疖未经破裂而在皮下消散。

预防

皮肤破损使人易受感染而导致疖。刮脸的刀口可导致疖，也可能与运动、劳动、昆虫叮咬，及其他日常活动有关。一些忠告：

◆经常清洁自己皮肤，小的皮肤损伤应马上处理。

◆不要与患疖或其他感染的人共用毛巾、床单、衣服或运动用品。这些病人的衣服、床单和毛巾应每日在热水中用清洗剂或漂白剂清洗。

◆不要挤压疖。脓液可能使感染扩散并导致并发症，例如继发性感染或痈。

## 症　状

◆皮肤上持续、反复出现的红斑或肿胀，通常称为丘疹。这些小丘疹可发炎或充满脓汁，典型者发生于面部、胸部、肩部、颈部或后背上部，在青少年特别易于发生。

◆在中心部为暗斑伴有开口称为黑头粉刺。

◆皮下膨起的斑点称为粟粒疹。

◆红色肿胀或肿块，有时可见充满脓汁，称为脓疱，他可由黑头粉刺和粟粒疹发展而来。

◆发炎、充满液体的皮下肿块，可变为3厘米大小，称为结节或囊肿。

◆面颊和鼻异常发红为酒渣鼻（红斑痤疮）的征象。

### 出现以下情况应去就医

◆经使用非处方药治疗2～3个月后，痤疮不见好转，你可能需要内科治疗。

◆你还有严重的痤疮，他可能在皮下产生囊肿和永久性丘疹并可能感染。皮肤科医师可能推荐处方药以控制这种情况并预防永久性瘢痕形成。

◆如果你的面颊和鼻周围的皮肤变得异常发红，你可能患有酒渣鼻。如适当使用抗生素治疗，可使该病变得到控制。

几乎每一个人在一生中的某一时刻都曾患过丘疹，产生痤疮——一种最常见的皮肤病之一。当微小的毛囊充满皮脂腺分泌的油性分泌物时，痤疮开始发生。黑头粉刺表现为小的、通常不高出皮肤的斑点，中心发暗，与外界相通；粟粒疹为相似的损害但无色素沉着。两种类型的丘疹都可发炎，局部产生肿胀和触痛。囊肿或结节为皮肤表层下方的硬包块，常发生于严重痤疮病人，可发炎或感染。

痤疮主要发生于青少年，但全部病例中有20%为成年人。痤疮通常在青春期发生，在油性皮肤的人更加严重。男女两性均可发病，但最严重的病例则常见于男性青少年。在30～30岁以上的人群中，轻至中度病例在女性中可能较为多见，但女性对酒渣鼻较男性稍微易感。

# 痤 疮

有害饮食和性欲过度引起痤疮的学说已成为历史。目前认为遗传和激素与大多数病例的发生有关。发誓不吃巧克力或用力擦洗面部，每日10次，也不能改变你易于发生这种不体面的、稍微疼痛的和常常令人难堪的皮肤病。

## 病 因

痤疮的病因尚未完全弄清楚。不良的卫生习惯、粗劣的食物和紧张可使痤疮加重，但这些因素不会引起这种疾病。在十几岁的少年，伴激素分泌增加，普通的寻常粉刺开始发生。在青春期，无论男孩还是女孩都产生高水平的雄性激素——含有睾丸酮的男性激素。雄性激素可使皮脂和角蛋白的生成增加；皮脂可润滑皮肤，使皮肤保持湿润，而角蛋白是毛发的主要组成部分。微小毛囊，特别是那些位于面、颈、胸和背部的毛囊可被皮脂和角蛋白形成的栓子栓塞。当这些小囊被填满和细菌增多时，黑头粉刺或粟粒疹在皮肤表面形成，这是一种称为非炎症性痤疮的病症。如果这些小囊在压力下破裂，皮脂漏入邻近组织，这种结果称为脓疱，或炎症性痤疮。如果脓疱感染，问题将进一步复杂化：感染可向下渗入皮肤和产生囊肿，囊肿可破裂并遗留暂时性或永久性瘢痕。

### 酒渣鼻

W. C. Fields 先生有一个球形鼻子和发红的肤色，他可能是最著名的酒渣鼻受害者。但30岁以上有漂亮皮肤的妇女实际上最易发生这种疾患。最初，酒渣鼻表现为面颊和鼻子持续、异常发红，食用辛辣食物、热饮料或饮酒可使其变得更为明显。酒渣鼻的炎症可以扩散，一些病人，通常为男性，病情严重——表现鼻子变红、增厚和有触痛。

对轻症病例，医生可能给予一种口服抗生素如灭滴灵或皮质类固醇进行治疗。也可使用含有硫磺作为一种活性成分的外用药水或凝胶。由于很多酒渣鼻病人也患有偏头痛，一些研究者怀疑对某种类型食物的不耐受可能是一个因素。一些病例对大剂量维生素B的反应特别好，特别是维生素B$_2$（核黄素）。对严重酒渣鼻病例可采用外科手术或激光治疗以减轻炎症和肿胀。

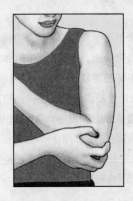

### 指 压 法

1. 穴位按压有助于恢复激素平衡，减轻炎症和减少痤疮带来的不愉快感。将你的拇指放在大肠经曲池穴位上（位于肘皱摺的外末端部位）用力按压1分钟，然后在另一侧上肢重复进行。

2. 为帮助减轻皮肤的不适感，将你右手食指放在大肠经合谷穴位上（位于你的左手拇指和食指之间的部位），向左手食指上方的掌骨方向按压1分钟，然后在另一只手重复进行。如果你是个孕妇，请不要使用这种方法。

很多因素如本病的家族史、紧张和使用避孕药或皮质类固醇，被认为与某些人易于发生痤疮有关。口服避孕药在某些妇女可促发痤疮形成，但在另外一些人实际上抑制痤疮形成，主要与服用的药丸的类型有关。

痤疮有很多类型。有些类型——新生儿痤疮和婴儿痤疮——偶然情况下累及新生儿和婴儿，通常为男孩。脓疱疹在面部出现，但通常在几周后消失，没有持久作用。成年人通常为女性，在经历10余年几乎没有丘疹的时期后，当她们变老时可持续发生成年人型痤疮。在某些病例，痤疮发作是由对化妆品或食物的过敏反应引起；而另外一些人则与月经有关。月经前和月经后痤疮，两者都较化妆品有关的痤疮发作为轻。尽管青春期雄性激素水平正常增加，一些研究者仍认为，与个体雄性激素水平的关系相比，痤疮发作与个体皮肤对皮脂生成增加的反应关系更为密切。在健康的毛囊中，天然存在着痤疮丙酸杆菌属和表皮葡萄球菌。如果在栓塞的毛囊中这些细菌蓄积过多，他们可分泌分解脂肪的酶，促进局部炎症形成。一些人对这种反应较其他人敏感，以致于在一个人可能引起1~2个丘疹的皮脂水平而在另一个

# 痤 疮

人可导致广泛发作，甚至急性囊肿性痤疮。

## 治 疗

偶然出现 1～2 个丘疹不需治疗。非处方的护肤乳膏或化妆品即有效，如果经常使用，则应用水质的和低过敏原的。即使痤疮发作不能被清除，传统的和替代的治疗方法可使其缓解。传统医术提倡使用药物抑制皮脂和角蛋白的生成，抑制细菌繁殖，促进阻塞毛孔的皮肤细胞脱落。由于很多治疗都可能有潜在的副作用，所以任何有皮肤病的病人在试用新的治疗时都应特别小心。那些痤疮严重且持续不消退的病人，需要看皮肤科医生。

### 常规治疗

对轻症痤疮，皮肤科医生可能推荐使用含有过氧苯甲酰的非处方药或使用处方抗痤疮药维甲酸(维生素A酸，一种维生素 A 的衍生物)，进行治疗。在使用外用药物之前，先用温和的不含油质和无香剂的肥皂清洗病变区域。当充满脓汁的小脓疱将要破溃时，用热毛巾在局部热敷几分钟可促进这一过程。感染的小脓疱仅能由护士或医生进行切开，然后使用抗菌药物。你自己挤压小脓疱可导致感染加重，并可能遗留永久性瘢痕。

对中至重度病例，主要使用四环素(一种通常口服的抗生素)治疗；有时联合使用维生素 A 酸外敷。其他有治疗作用的抗生素是(口服)红霉素和氯林可霉素。

对慢性炎症性囊肿，医生可能给予使用异维生素 A 酸。由于本药有潜在的严重副作用，所以治疗期间必须密切监测，特别是生育年龄的妇女更应注意。一种不常用的治疗药物是曲安西龙(氟羟氢化泼尼松丸)，这是一种皮质类固醇药，可将本药直接注入囊肿内。这种治疗可使某些病人的病变周围暂时遗留色素沉着。很多痤疮患者经过夏天阳光的照射可使病变好转，所以皮肤科医师可能推荐适度暴露在紫外光下以减少痤疮发生。

服用抗痤疮药物的病人对可能出现的副作用和药物间的相互作用应有所警惕。药物维生素 A 酸和过氧化苯甲酰均可使皮肤变红、干燥和对阳光过敏；过氧化苯甲酰可抑制维生素 A 酸的治疗作用，所以两药绝对不要同时使用。连续服用抗菌素数周的妇女容易发生真菌感染。

由于囊肿或深部丘疹被抓伤或严重感染，一些成年人的皮肤遗留瘢痕或麻点。两种相对积极的手术方法可使这种皮肤的外观得到改善：手术整平法——在该手术中皮肤科医师实质上是用砂纸擦平冻结的皮肤，和化学方法蜕皮。两种方法均可除去瘢痕表层和暴露未受损的皮肤层。然而，在考虑进行这样的治疗前至少要同两个皮肤科医师一起讨论手术的步骤、必要的预防措施和可能出现的结果。

### 辅助治疗

对痤疮进行一些辅助治疗，目的在于减轻炎症和抗感染。其他的治疗方法是使用草药或饮食措施以控制那些可能使痤疮加重的因素，如紧张。对轻至中度痤疮，这些治疗方法效果较好，但寻常痤疮和酒渣鼻对各种治疗的反应，较大多数其他类型的病变要慢得多。耐心点儿：很多痤疮的治疗需要历时 1 年以上才能产生效果。

#### 中药治疗

对痤疮，中草药可除皮肤的湿气和暑气。据说这两种因素与痤疮发病有关。有上述作用且经常使用的药物有蛇床的种子和金银花。关于药物的方剂和剂量请向中医师请教。

#### 营养及饮食

目前，大多数医生认为痤疮与食物无关。因此极少有人把要求病人改变他们的饮食来作为一个减少发作的措施。然而，一些替代治疗学家把改变饮食作为基础治疗措施。虽然持两种看法的专家都承认巧克力、脂肪和其他可疑的食物不会引起痤疮，但在他们是否使痤疮加重上仍存在争论。

在维生素和矿物质的补充剂中，营养学家通常推崇锌，因为锌在肌体合成激素的过程中起着一定作用。每日补充 30～50 毫克锌可有助于减轻炎症和治愈损伤的皮肤。据说补充铬可提高肌体分解葡萄糖的能力。大剂量维生素 A 可减少皮脂和角蛋白的合成；但大量应用可引起头痛、疲劳、肌肉和关节痛以及其他副作用，所以，除非有医生或其他医务人员对你进行仔细的监测，否则补充的剂量不宜过大。维生素 E，一种抗氧化剂，可能也被列为天然的抗痤疮药物，剂量为每日 200～400IU。维生素 $B_6$ 帮助激素代谢，他对经前痤疮特别有效，通常每日 50 毫克。

# 痤 疮

家庭治疗

◆ 使用无香味的、无油的肥皂或药皂轻轻地清洗面部有助于保持你的皮肤清洁，但用力擦洗已发炎的皮肤反而使痤疮加重。

◆ 抑制欲弄破丘疹的冲动，让他们自然破裂，然后轻轻地进行清洗。

◆ 对轻到中度痤疮，可试用含有过氧化苯甲酰的非处方药进行治疗。

◆ 将你的痤疮适度地暴露在阳光下，但应小心，避免过度暴露。

◆ 有中到重度痤疮的男子每次刮脸时应使用一个新的刮胡子刀片，以降低感染的风险。应试用熏衣草、甘菊或茶树精油等草药制剂来代替含有酒精的剃须后的搽面香液。

预防

由于痤疮可能与先天性因素及激素水平波动有关，所以很多医生认为尚无有效办法来预防他的发生。虽然大家都认为既无好的保健法也无食物能预防发作，但进行营养和饮食调节可能有益。

良好的非专业性的保健法和对皮肤进行精心照料在青春期特别重要。应该做到每日淋浴，用无香味的或柔和的抗菌皂清洗面部和手。13 ~ 19 岁的女孩最好不要经常使用化妆品。尽管存在争议，但市售的护肤品没有几个对痤疮有任何有益的作用。

# 头 痛

## 症 状

如果你有如下头痛表现：

◆钝的不变的疼痛，就像一根带子紧紧地箍在头上，称做张力性头痛。

◆搏动性疼痛，出现在头部一侧，可引起恶心，称做偏头痛。

◆视觉异常，如有光点闪显，可能出现在头痛前。

◆眼睛发红流液，周围出现搏动性疼痛，伴有同侧鼻充血，称为丛集性头痛。

◆当你向前弯腰时，面部后方不变的疼痛加剧，并伴有充血，称为窦性头痛。

## 出现以下情况应去就医

◆严重的头痛伴有呕吐、肢体无力、复视、说话含糊、吞咽困难，你可能出现了脑出血或动脉瘤，请立即寻求医疗救助。

◆既往你从未有过头痛，此为第一次发作。清晨时开始，持续存在，可引起呕吐，但在一天内程度逐渐减轻，提示你可能患有高血压或者极为少见的脑瘤。应立即去看医生，不要耽误。

◆如果你出现高热、眼部轻刺痛、严重头痛，以及恶心和颈部僵硬，提示你可能患了脑膜炎，应立即寻求医疗救助。

◆脑外伤后，你感到倦睡、头晕、眩晕、恶心、呕吐，提示你出现了脑震荡，应立即去看医生，不要耽误。

尽管头痛很痛苦，但很少引人注意，并且用阿司匹林或其他止痛剂即可轻易治疗。可是如果程度很重，反复出现或伴有其他症状，你需采取另外的措施，包括请医生会诊。

根据原发病因将头痛分为以下几类。肌肉收缩或紧张引起的头痛最为常见。血管性头痛位于第二位，包括偏头痛和丛集性头痛。第三类是由于鼻窦疾病引起的头痛(参见鼻窦炎一节)。

◆张力性头痛：几乎每个人都会发生。这是一种混钝、持续、非搏动性疼痛，就好像头部被一根带子紧紧地箍住。颈部肌肉收缩成结，头颈部的某些皮肤对触摸非常敏感。疼痛的主要原因是由于紧张的肌肉

不断地刺激头颈部。张力性头痛可以是短暂的、稀发的，也可以是持久的、经常的。

◆偏头痛：是最令人苦恼的头痛，可使人完全不能工作。少数人在偏头痛发作前有一些警报征象，称为先兆，包括视觉障碍，如出现亮点闪显、盲点或锯齿形线状物，及少见的肢端麻木感或异味感。无论先兆出现与否，偏头痛的初始表现都为头部一侧的逐渐加重的搏动性疼痛。这一疼痛可向周围扩散，并常伴有恶心和呕吐。偏头痛可持续几小时到3天，并可使病人对光、气味和声音刺激异常敏感。

所有偏头痛症状似乎都与颅内血管直径的变化相关：起始阶段颅内血管收缩，头痛开始后血管扩张。

### 头痛的常见原因

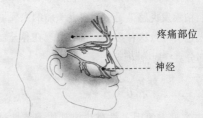

疼痛部位 —— 
神经 —— 

**丛集性头痛**

尽管原因不明，但压迫眼周围的神经可引起丛集性头痛发作。肿胀的窦组织可能使部分神经受压，在局部形成神经通路的短回路，产生疼痛感觉。

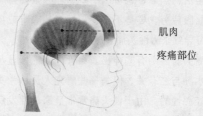

—— 肌肉
—— 疼痛部位

**张力性头痛**

头颈部肌肉的病变可能与各种张力性头痛有关。疼痛可位于这些肌肉的周围，也可扩散至大部分头部。

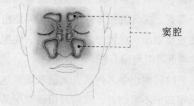

—— 窦腔

**窦性头痛**

窦性头痛时，窦腔粘膜充血、肿胀，压迫周围组织和神经，引起疼痛，并可放射到面部。

# 头 痛

这些血管变化与颅内与羟色胺代谢失衡有关，激素也起了明显作用。雌激素水平的变化与偏头痛发作有明显的相关性。

◆ 丛集性头痛：之所以这样命名是由于头痛经常成群出现。一般在入睡后的几小时内发作，有时发作前会有一侧轻微的头痛。丛集性头痛的程度非常剧烈、尖锐，位于发红流泪的眼睛周围，常伴鼻充血和面色潮红。症状持续30分钟到2个小时，然后程度逐渐减轻至完全消失。这种头痛可能在一天后复发。丛集性头痛也可在一天中接二连三地发作4次以上，并且在长时间缓解之前的几周或几个月内天天发作。

◆ 窦性头痛：疼痛部位主要在前额、鼻区、眼睛，有时位于头顶。病人可有一种面部后方压迫性感觉。窦腔粘膜发炎感染是引起窦性头痛的主要原因。窦壁吸入也会导致这种疼痛，他常出现在鼻充血窦腔内产生部分真空时。

## 病 因

头痛有许多原因。枯草热或其他季节性过敏反应、感冒或流感是引起窦性头痛的主要原因。压力是导致张力性头痛的触发因素，压力主要来自病人对工作和家庭生活的焦虑，也可因一些物理因素如持续的噪音引起。眼疲劳、姿势不良、喝过多的咖啡或夜间磨牙也都可导致张力性头痛。

偏头痛的病因则有些神秘。尽管许多证据显示血管收缩及水肿与之有关，但是一些研究人员认为头痛主要是神经源性的。由于偏头痛常常呈家族性发病，故遗传因素也起了一定作用。无论如何许多因素可以引发偏头痛，如饮用过多的咖啡、吃大量食物、特殊气味、干燥的风、海拔高度、季节变化、激素波动或使用避孕药、误餐、房间拥挤等。偏头痛也可能出现在强烈的情绪变化如激动或愤怒之后。运动、性生活或非常冷的食物也可引发偏头痛。

丛集性头痛的病因也令人迷惑。大量吸烟者丛集性头痛的发生率高于不吸烟者，酒精滥用或使用某些药物也可引起发病，但是根本原因尚不清楚。

## 诊断与检查

为了排除引发头痛的可能的器质性疾病，例如动脉瘤、肿瘤或头颅畸形，医生有时会为你进行视力检查、X线CT扫描、腰椎穿刺或脑电图检查。

## 治 疗

常规治疗与辅助治疗对头痛皆有效，而且两种措施可以联用。几乎所有医生都认为放松疗法对张力性头痛及偏头痛病人有益。

### 常规治疗

止痛剂如阿司匹林、醋氨酚或布洛芬有助于缓解多数张力性头痛。窦性头痛可用抗生素及抗充血剂治疗。

治疗偏头痛的药物较多。如果你每日出现3次或3次以上严重的长时间的偏头痛，那么建议使用作用持久的预防性药物如心保安（此为减轻血管收缩的 $\beta$ 肾上腺素阻滞剂）、钙通道阻滞剂如维拉帕米或抗抑郁药。如果你的症状较轻，每日的发作次数少于3次，那么建议您用含有渥克丁的合剂或麦角胺宁。如果你在偏头痛时伴有呕吐，你可以用麦角胺宁栓剂预防发作。sumatriptan 片或注射液可使偏头痛症状显著缓解。以 5-羟色胺抑制剂二氢麦角胺（DHE45）为主要成分的鼻喷雾剂可迅速收缩血管，减轻炎症反应。如果在偏头痛的首发症状刚出现时即用阿司匹林气雾剂，也可有效止痛。应在服用灭吐灵10分钟后再用阿司匹林，因为灭吐灵可以减轻恶心，促进阿司匹林吸收，缩短偏头痛发作时间。

单一止痛剂对丛集性头痛的疗效甚微，因为他们的作用缓慢。医生们发现吸入纯氧可明显改善症状（参见家庭治疗）。短期使用皮质类固醇激素、羟甲丙基甲基麦角酰胺及碳酸锂可减轻丛集性头痛症状。一些用于治疗偏头痛的钙通道阻滞剂和血管收缩剂也有效。

### 辅助治疗

多数辅助治疗是针对引起头痛的基础病因进行治疗。由于压力和紧张经常引起头痛，故放松疗法是主要的治疗手段。

# 头 痛

## 指 压 法

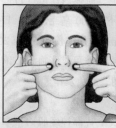

1. 按压巨髎穴有助于缓解窦性头痛。面对镜子将两手食指放在颧骨底部,指尖位于眼睛瞳仁的正下方。紧压1分钟,重复3遍。

2. 按压督脉经印堂、素髎穴有助于减轻头痛。将中指指尖置于鼻梁顶部两眉中尖,轻压2分钟同时进行深呼吸,重复3~5遍,每天至少做2次。

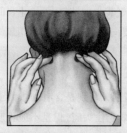

3. 按压胆经风池穴有助于缓解颈肌紧张相关性张力性头痛。用中指指尖压迫颅骨底部的凹陷处,即距脊柱两侧各约6厘米的位置,紧压1分钟。

4. 压迫大肠经合谷穴有助于缓解窦性头痛。用右手的拇指和食指压迫左手的蹼部1分钟,再同样压迫右手穴位。妊娠妇女不要压迫此穴位。

5. 按压太冲穴有助于缓解头痛。将食指置于两脚前端,指尖邻近大拇指的大指节,位于大脚趾与第二脚趾之间。压迫1分钟,然后放松,重复2~3遍,一日2次。

**指压治疗**

按照上边图示按压穴位可使头痛症状缓解。这一方法单与芳香疗法合用。

**芳香疗法**

下述草药油有助于放松肌体,尤其是对张力性头痛及偏头痛病人。用您的指尖蘸一两滴与载体油如葵花油混合的熏衣草精华油,在颈部进行环形按摩,然后对眼睛旁边的凹陷处、耳后以及颈部进行重复按摩。可用胺树油或各绿树油按摩治疗窦性头痛。吸入由熏衣草迷迭花和薄荷制成的混合制剂对任何类型的头痛皆有效。在前述部位进行药敷,或者进行药浴有助于放松肌肉,缓解疼痛。

**按摩疗法**

一些头痛是因为不良姿势造成肌肉劳损而引起的。按摩或活动脊柱和颈部,有助于去除劳损。一些研究显示:脊柱按摩较常规药物治疗的副作用更少,且疗效维持时间更长。

**生活方式**

经常运动可以促进肌体天然止痛剂——内啡肽的释放。运动也有助于扩张血管、促进血液流动,并且拮抗偏头痛初始阶段的血管收缩效应。

做下列练习可以将张力性头痛消灭于萌芽状态:深呼吸,想象一些平静的事物;坐稳,吸气,将头部轻轻地向后仰,直到你能看到天花板(注意不要仰头过快,以免压迫颈柱);然后呼气并向前低头,直到下颏抵到胸部。重复2遍。

坚持记录头痛发作的情况,有助于确定引发你头痛的因素。记录应包括以下10方面内容:

1. 第一次头痛出现是在什么时候?

2. 头痛间隔多长时间出现一次?

3. 头痛前您有先兆症状吗?

4. 疼痛的确切部位在哪里?

5. 疼痛持续多长时间?

6. 头痛在每天什么时间出现?

7. 头痛前你吃了某种食物吗?

8. 如果你是女性,头痛在月经周期的什么阶段出现?

9. 头痛是否会因一些物理或环境因素如气味、噪音或某种天气而引发?

10. 最能精确描述你头痛性质的词汇是什么:搏动性痛、刺痛、令人眩目的痛、穿孔样痛。

# 头 痛

### 按摩疗法

按摩有助于减轻头痛引起的头、颈、肩膀及面部肌肉的紧张性。可试着进行10分钟头皮自我按摩：将双手中指放在前额发际处；轻压并逐渐向右移动至头顶部，再沿着发际重复这一动作，每次向两侧移动1厘米直到颞部；然后在头部两侧进行几分钟的环形按摩，最后将两个拇指置于颅底部发际边缘，按摩颅底两侧，直到您感到头部完全放松。

### 将疼痛赶走

你的想象有时是治疗头痛的良方。这是靠你思想的自身力量去战胜疼痛。在一开始进行这一练习时可找一个同伴与你交谈，帮助你进入练习。但随着反复实践，你可以自己做这一切。

闭眼，想象你的头痛是充满在一定体积容器中的水，疼痛的程度越重，容器的体积越大。然后想象将你的头痛注入到一个体积略小一点的容器中，但不能让丝毫液体溢出。将液体注入越来越小的容器中；渐渐地你会感到疼痛在消失。

### 身心医学

沉思和渐进放松疗法能有效缓解引起张力性头痛的压力。生物反馈练习也有助于消失压力。可通过所谓的热量生物反馈法治疗偏头痛。这一方法是教你学会如何使手脚的温度升高，肢端温暖时血管扩张，更好地将血液带入肢体，同时也缓解异常的颅内血管收缩，减少偏头痛发作的频率、强度及持续时间。

### 营养及饮食

与偏头痛有关的食物有巧克力、陈旧的奶酪、柑橘类水果。含有硝酸盐或食品添加剂 MSG 的加工肉类以及红酒。记录所吃食物的情况，有助于你确定应该排除的食物。

镁可使收缩的血管松弛，肌体内镁浓度过低可引起偏头痛和丛集性头痛。补充200毫克镁剂1日3次可预防头痛发作。在头痛先兆阶段，使用50至200微克尼克酸(维生素 $B_3$)和尼克酰胺可扩张血管，缩短偏头痛起始阶段的血管收缩期，避免发作。

### 按骨术

按骨术通过对头颈部及上背部神经肌肉推拿及软组织按摩，减轻因神经和血管受压引起的头痛。

### 家庭治疗

◆在偏头痛开始发作时立即将冰块或一袋冰冻蔬菜放在前额上，同时将脚浸泡在热水中。

◆在刚出现头痛征象时，喝杯冷水，然后在黑暗安静的屋子内冷敷，去枕睡觉。

◆吸入床边放置的氧气袋中的钝氧，可终止夜间发作的丛集性头痛。但一定要向医生问清如何使用氧气。

## 注 意

尽管临时使用止痛剂，特别是含有咖啡因或可待因的止痛剂，可有效止住头痛，但是不应长期应用。研究显示长期使用止痛剂，可使症状出现"反跳"，实际上就是引起头痛；也会干扰其他药物的疗效，如你用来预防偏头痛而定期服用的药物。止痛剂依赖会阻碍机体天然止痛剂——内啡肽的作用。止痛剂依赖似乎会造成脑及脊髓内痛觉控制通路的永久改变。

头颈部疾病

# 头 晕

| 症 状 | 疾 病 | 应采取的措施 | 其他信息 |
|---|---|---|---|
| ◆头晕（你的头或周围的东西似乎在旋转）不伴有明显相关症状。 | ◆头晕(普遍)。 | ◆坐下，闭上双眼，低头，然后深吸气。如发作严重,叫你的医生检查可以治疗的可能病因；你可能需要换用一种治疗。 | ◆许多药物可引起头晕,例如非甾体类消炎药(NSAID)、抗生素及抗高血压药。 |
| ◆头晕，伴上肢或下肢的无力。瘫痪或麻木感,可能伴视力模糊或暂时失明或说话困难。 | ◆缺暂性脑缺血发作或中风。 | ◆立刻拨急救电话号码。通常需住院进行检查、治疗以防止进一步中风并可能外科手术治疗（参见中风一节）。 | ◆中风是指由于供应大脑的血管堵塞或损伤而引起的脑功能突然丧失。对于缺暂性脑缺血发作,血供受阻是暂时性的，症状可以消失。 |
| ◆头晕伴持续性或反复头痛，较少见者有恶心、呕吐、惊厥、人格改变、视力丧失、语言障碍、乏力或瘫痪、记忆力减退、协调或平衡障碍。 | ◆脑肿瘤或出血。 | ◆请找你的医生、拨打电话120，或你的急救号码。脑肿瘤可能需要手术切除、放疗和(或)化疗。颅内出血是急症，可能需要手术治疗。(参见脑癌一节)。 | ◆肿瘤发展较慢，需经历一段时间，而出血则可能由于外伤或血管畸形而突然发生。 |
| ◆转头时出现头晕，伴关节疼痛及僵硬，患者年龄在50岁以上。 | ◆颈部骨关节炎。 | ◆找你的医生,他可能会给你戴一个颈圈或消炎药以缓解疼痛(参见关节炎一节)。 | ◆头晕可能是由于骨质增生、颈关节炎症压迫神经及血管所致。 |
| ◆持续性剧烈头晕，活动时加重，听力丧失，耳鸣；可能伴有恶心、呕吐；之前有病毒感染。 | ◆内耳和(或)神经感染(迷路炎)。 | ◆常用疗法是卧床休息，给抗组胺药盐酸氨苯甲嗪并可能用抗焦虑药治疗。 | ◆治疗或未予治疗，恢复常需几天至3周。认为本病的病因是病毒。 |
| ◆头晕间断发作；听力丧失，耳鸣；可伴有头痛、恶心及呕吐,面色苍白或虚脱。 | ◆梅尼埃病。 | ◆找你的医生。常用疗法为卧床休息，服用抗组胺药盐酸氨苯甲嗪，以缓解眩晕。 | ◆有时插一根管子以平衡耳鼓膜两边的气压。服用维生素 $B_6$(50毫克1日3次)可对本病有帮助。 |
| ◆当改变头部位置时出现头晕。 | ◆姿势性头晕（良性治疗性眩晕）。 | ◆如症状严重，请找你的医生。转头锻炼可诱发眩晕而后逐渐适应。 | ◆姿势性眩晕不治疗常在几秒钟内自行缓解。 |

头颈部疾病

# 帕金森病

## 症  状

这种疾病发病缓慢，开始常有无力感，头或手轻微震颤，逐渐发展为全身性症状，他们包括：

◆慢反射运动，慌张步态，驼背。

◆平衡失调，坐位时难于站起。

◆持续搓药丸样运动。

◆言语不清，声音无力、单调。

◆晚期出现吞咽困难。

◆严重病例有肢体僵硬，面无表情，不肯眨眼。

### 出现以下情况应去就医

据以上症状你可以推测是否有帕金森病。在疾病早期，药物治疗是有效的。

头颈部疾病

帕金森病大部分为老年人，由于支配肌体运动的中脑部分神经细胞逐渐退行性变性引起，首发症状是乏力、肢体僵硬或手指细颤，活动时消失，最后震颤加重而遍及全身，肌肉逐渐僵硬，平衡和协调能力将会恶化，而抑郁，甚至精神疾患或情感障碍是常见的。通常疾病发生于50～65岁之间，约1%患者在这个年龄组中，男性比女性多见。这种疾病不会直接危及生命。药物可以治疗有关症状。在发病10年后，用药物治疗的人中约一半病人不会有明显残疾。

## 病  因

肌体运动受称之为基底神经节细胞调节，这种神经细胞需要多巴、乙酰胆碱这两种物来调节平衡。他们与神经信号的传导有关。帕金森病患者产生多巴的细胞发生退行性变，使这两种物质转递失去平衡。研究人员认为遗传在细胞功能障碍和少数病例中起着一定的作用。帕金森病可能由于病毒感染或接触环境中毒素，如农药、一氧化碳、金属锰引起，但在大多数帕金森病患者中病因是不清楚的。

### 诊断与检查

实际上，帕金森病的外表症状是非常独特的，据此可以做出诊断，大脑中物质代谢变化可以通过影像学检查发现，如PET——正电子发射照像术。

## 治  疗

大部治疗的目的在于通过增加多巴胺水平来恢复乙酰胆碱和多巴胺神经转递的平衡。用药是达到此目的最佳方法，但神经外科医生也有一些成功经验，包括手术方法。

### 常规治疗

症状可以通过药物治疗长年得到控制。最常用的药物是左旋多巴——肌体通过代谢转变为多巴胺（直接应用多巴胺是无效的，大脑屏障阻止对药的摄取），由于左旋多巴有抑制恶心和其他可能副作用，常与相关药物卡比多巴联合使用，但有一些病人不能耐受卡比多巴，所以只能单独应用左旋多巴。如只用左旋多巴，则不能和食物或含有维生素 B6 同时服用是很重要的，否则就影响他的疗效。

许多医生在努力尽可能延长病人开始 用药时间，因为长时应用会逐渐失去疗效，然而因为左旋多巴是如此有效，让病人等待用多巴治疗有一些矛盾。研究人员一直在寻找一种方法可补偿疗效丧失。一些研究已经发现，联合应用左旋多巴和卡比多巴，抗氧化剂盐的司来吉兰可以减少汗多与长期药物使用有关的副作用。

一种新的多巴胺样药物可以效仿多巴胺作用，而不是增加他在大脑中水平。这种药有两种，即溴隐亭和麦角林，他们是一种有前景药物。其他治疗帕金森病药包括阿朴吗啡、金刚烷胺、苯扎托品，都有助控制各种症状，在一些病例中是通过神经细胞释放多巴胺，在另一部是通过降低乙酰胆碱作用而不是增加多巴胺水平。

神经外科医生在探索各种方法，目的是在大脑中移置能产生多巴胺的细胞，而不是尽力用药去改善神经递质的不平衡，一种有前途的方法是重要组织灌注，他可能使一些症状改善，但是细胞的来源技术仍有争论。另外一个实验性技术，即立体定向外科手术，在丘脑脑室产生一种损伤。有研究表明，这种技术可使50%的病人震颤得到改善，大部分病人僵硬得到减轻。一种与外科相似方式——即用电刺激替代损伤，也是有前途的。

科学家们正在研究应用神经胶质细胞产生的神经生长因子治疗帕金森病和其他神经退行性变疾病。这

# 帕金森病

种物质在全身的组织都可以自然产生，一些实验表明，这种神经因子注射有助于保护和修复大脑和脊髓中神经细胞，使他能产生多巴胺和收缩肌肉。

一些治疗是对症处理，而不是治疗病因。医生可能向你介绍一种物理疗法去恢复正常肌体调协功能。加强平衡和反应能力，改善你活动的能力。这种物理疗法也可以增强肌力，有助讲话和吞咽。

许多帕金森病患者，因为体力障碍、社交活动差，会导致抑郁症。抗抑郁治疗是有帮助的。除此之外，美国帕金森病协会可以向你提供一些有价值的信息。

## 辅助治疗

像应用左旋多巴治疗帕金森病的常用方法是众所周知的最佳方法，下面所提示的一些其他方法也非常有助于减轻症状或减轻紧张肌肉。一些中药和饮食疗法可以和常规治疗联合应用。但必须向医生咨询有否不利的相互作用。

### 针灸治疗

据一些针灸专家研究发现，帕金森病可能伴有一个或更多经络紊乱。肌肉僵硬、疼痛以及不平衡，通过一系列中医治疗可能得到减轻。

### 体疗

肌肉按摩可以伸展僵硬肌肉之间粘连组织，解除肌肉痉挛，使活动更加自如。按摩也能改善关节运动，使变硬肌肉组织松软、刺激淋巴循环。

反射疗法专家们说大脑、脊髓对按摩都有反应的反射治疗方法，可以帮助一些患者缓解症状。

一种中国式的深呼吸锻炼，可以增加血液中氧的供给，减轻抑郁。靠椅背坐下，把脚平放在地板上，双臂伸向天花板，通过鼻子做深吸气、挫掌、屏住呼吸，握紧臂部肌肉，放松臂肌做 6 次慢呼气，双臂交叉放在胸前心脏部位，让下巴靠近胸壁，然后做 4 次快吸气，使肺完全充盈，感到膨胀感，屏住呼吸几秒钟，然后慢呼气。每天重复练习几次，要注意每次上呼吸节律和深度，如果震颤阻碍你手臂和头部活动，全身贯注呼吸，每分钟只呼吸 4～5 次，每天练习限制在 5 分钟以内。

瑜伽功也是帕金森病患者一种理想锻炼形式。主要因为他是一种慢活动，规律练习对避免肌肉挛缩和组

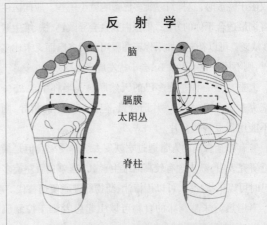

**反射学**

脑

膈膜
太阳丛

脊柱

为了减轻帕金森病震颤，可以用拇指按摩膈和太阳经相应区域，按摩脑和脊髓区有助稳定神经系统。

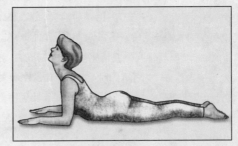

**瑜伽**

按图姿势锻练可控制肌颤，把双上肢前臂放于地板上，手掌向下，肘部位于肩上，深吸气，使胸部尽可能远离地板，屏位呼吸，然后再放松呼气。

织废用是很重要的。

### 身心医学

Felelenkais 方法：许多锻炼方法组成，可以成组锻炼，也可以和医生单独锻炼，目的在于改善原来的自主反应能力，当你躺下后可以进行一系列的轻微、缓慢锻炼，去锻炼你的神经肌肉系统和改变你习惯性活动方式。

### 营养及饮食

帕金森病患者应密切注意体重和饮食下降，这可能是由于持续不自主运动引起的一个普遍问题。

一种称为 7∶1 饮食计划，一是碳水化合物与蛋白比例为 7∶1，这是为服用左旋多巴患者使用的一种食谱(蛋白可以降低药物疗效)。研究人员不同意全天都摄入蛋白，而

仅限于晚饭时，这样对左旋多巴影响就小一些。应向医生咨询最适合于你的方法。低蛋白饮食会导致钙、铁、维生素 B 缺乏，可以补充（如果你正在服用左旋多巴而无卡比多巴，则不用补充维生素 $B_6$，会干扰左旋多巴疗效）。

蚕豆是一种左旋多巴的天然原料，半杯中含 25% 毫克左旋多巴，相当一片药含量，但没有医生的指导，则不能用蚕豆替代药片。

有帕金森病的人常通过吃麸皮去缓解便秘，但是最近研究表明，麸皮含有较高的维生素 $B_6$，当单独服左旋多巴时可以干扰疗效，可以用梅汁、药物纤维通便剂替代。

用热调味品调味的食物可以引起患者难于控制肌体运动，应尽量避免这类食物。

## 症　状

◆发热。

◆严重头痛。

◆脖子、肩膀或后背僵硬。

◆当你向前弯脖子时，脖子后面有严重的刺痛有时顺着脊柱向下放射。

◆不能忍受强光（畏光）。

◆体表出现不规则的淤点样的暗红色或略呈紫色的淤斑。

◆瞌睡而且心情混乱。

◆呕吐。

◆病发作时昏迷。

◆婴儿囟门凸出，头骨上出现未长严的地方。

◆婴儿还会突然暴发尖锐的哭声。

### 出现以下情况应去就医

◆你发现上面症状后，特别是严重头疼、脖子僵硬、怕光，应马上去急诊。

◆你发现婴儿有上述症状，亦应立即急诊。

脑膜炎是一种娇嫩的脑膜或脑脊膜（头骨与大脑之间的一层膜）被感染的疾病。此病通常伴有细菌或病毒感染身体任何一部分的并发症，比如耳部、窦或上呼吸道感染。细菌型脑膜炎是一种特别严重的疾病，需及时治疗。如果治疗不及时，可能会在数小时内死亡或造成永久性的精神损伤。病毒型脑膜炎则比较严重，但大多数人能完全恢复，没有后遗症。

脑膜炎比较罕见，在美国，每年发病少于 3000 例，大多数为两岁以下的婴儿。开始的症状类似感冒，如发热、头痛和呕吐，接下来嗜睡和脖子痛，特别是向前伸脖子时痛。小孩子经常因弓后背时感到疼痛。有一类大脑炎会有暗红色或浅紫色淤点布满全身。儿童会因大脑炎导致囟门突出（婴儿头顶骨未合缝的柔软的地方）。

脑膜炎可在居住一起的人中传染，比如在学生宿舍内。脑膜炎，特别是细菌型脑膜炎很少暴发。尽管从1991 年后暴发增加，但至今弄不清原因。

# 脑 膜 炎

## 病 因

细菌性脑膜炎是因某种细菌传染造成。分 3 种类型，即流感嗜血杆菌 B 型、脑膜炎奈瑟菌（双球菌）和肺炎链球菌（肺炎双球菌）。美国大约 80% 是细菌性脑膜炎。通常一小部分健康人鼻内或体表携带这些病菌并不侵害人体，他通过咳嗽或打喷嚏传播。一些研究指出人们最易在患感冒时被病菌传染，因为鼻子发炎使细菌进入身体变得极为容易。

病毒性脑膜炎可由几种病毒引起，包括几种与腹泻有关的病毒，其中之一可能是被大田鼠等咬后感染。还可由真菌引起。最为常见的一种是隐球菌，可在鸽子类中找到。健康人不易患与真菌有关的脑膜炎，但对那些 HIV 病毒感染的人则不一样，这是一种可以引起艾滋病的人类免疫缺陷性病毒。

### 诊断与检查

确诊脑膜炎应做腰穿术，或脊柱穿刺。为使这种操作引起的疼痛缓和些，应在医院内麻醉后进行。用一根针沿脊柱上的两块骨头之间刺入取一点骨髓样品。本来清的脑脊液液体变混浊或出现化脓的细胞，就应怀疑患脑膜炎，此时将需做特别的肌体检查。

血样、尿样和眼、鼻分泌物体将被采集。因为此病发展迅速，治疗应立即进行，甚至应在检查结果出来之前进行。

## 治 疗

细菌性脑膜炎是一种有生命危险的疾病，应立即治疗。症状出现就应马上去急诊。

### 常规治疗

如果患上脑膜炎，你应到医院就医直至感染完全被根除，大约需 2 周时间。如果你感染上细菌型脑膜炎，将会使用大剂量抗菌药物，可能用静脉注射。一种叫做先锋 II 的抗生素被广泛采用治疗细菌性脑膜炎。因为抗生素对病毒性脑膜炎不起作用。还经常采用输液和休息疗法。

因为脑膜炎是传染性的，所以你将会被放到隔离房间至少 48 小时。如果因为脑膜炎使你对光敏感，住的房间将被弄暗。你应摄取大量液体并服用阿司匹林以减轻发热和头痛。

医生可能需要给病人感染的鼻窦部和乳突导流（耳朵后的骨头处）以防止再感染。

如果你患的是肺炎双球菌性脑膜炎，医生可能会为较多和你接触的人进行预防性抗生素注射。当一次小的流行脑膜炎发生时部分人将会注射用来对付双球菌脑膜炎的疫苗，同样私人海外旅行到一个脑膜炎流行危险区，比如非洲撒哈拉沙漠边。进一步说，用疫苗对付 6 型流感嗜血杆菌是现在儿童时代免疫的固定措施。

### 辅助治疗

因为脑膜炎发病快且有生命危险，所以在采用选择疗法前应接受急诊治疗。选择疗法的意图是帮你恢复身体和重建免疫系统以防复发。进行生物反馈疗法，进行全身治疗或看中医。中医可能建议你针刺和针压法，或结合中草药疗法以增加免疫力。按摩师或按骨术师也可以帮你恢复体力。

#### 营养及饮食

保持健康的免疫系统和防止再次感染脑膜炎，应食用低脂肪、高纤维有营养的食谱，尽量避免吃糖和加工食物，维生素也很有作用。维生素 A（每天 2500～10000 国际单位）维生素 B（复方）（500 毫克一天 3 次服用），维生素 C（每天 500～2000 毫克）。

# 阿尔茨海默病

## 症    状

◆ 情绪发生改变，如抑制、妄想、易激惹、焦虑、自私和行为幼稚。

◆ 定向力障碍，意识混乱，注意力涣散，近期记忆丧失，不能记住新的信息。

◆ 经常将东西放错地方。

◆ 眩晕或平衡能力差。

## 出现以下情况应去就医

◆ 朋友或家庭成员中有人在一段时间内有阿尔茨海默病的表现。因患者通常对自己的疾病并无意识，需他人帮助就医。

阿尔茨海默病是大脑组织的进行性变性。患病者多为 65 岁以上。以明显的精神方面的衰退为主要表现。智力功能如记忆、理解及语言表达能力等下降。注意力不集中，不能进行简单的计算，普通的日常生活有困难。意识混乱不知所措，夜间更加严重。情绪可有戏剧化的变化，突然发怒、恐惧、周期性的抑郁。患者定向力明显减退，易出走并走失。也有躯体方面的异常，如步态异常及共济能力丧失，症状可逐渐加重。严重者完全不能与人交流，无法自理和自我控制。因此该病可导致死亡。

阿尔茨海默病从发病到死之间有数年时间。有的可长达 20 年。平均约 7 年左右。在美国成人的死亡原因中占第 4 位(居心脏病、癌症和中风之后)。在 80 岁的人群中，1/3 可患此病。女性的发病率是男性的 2 倍。高加索人种的发病率是非洲美国人的 4 倍。

## 病    因

尽管多数人是在年龄大了之后患阿尔茨海默病，但该病并非年龄增长的自然结局。这是一种病理现象，需不断进行研究。

阿尔茨海默病以大脑功能逐渐丧失为特点。其原因可归结为两种主要类型的神经病变：一是受累部位大脑的神经纤维卷曲、缠结，另外蛋白质沉积形成老年斑。研究者尚不能肯定为什么会发生这种变性。但有些研究认为可能与血中的载脂蛋白 E(ApoE)有关，ApoE 是正常情况下人体内脂肪转换的必需成分。与所有的蛋白质一样，ApoE 的形式是由基因决定的。现已证实 ApoE 有数种不同类型。而其中某些类型可能与阿尔茨海默病有关。可能是某种类型的 ApoE 导致的大脑神经细胞的破坏。另一种可能性认为，这种蛋白质与其他物质共同作用的结果，这种蛋白质参与脑内老年斑的形成。不管 ApoE 是否在阿尔茨海默病中起作用，其基因肯定在该病的发病中起重要的作用。父母双方中如有一方患阿尔茨海默病，则其子女的发病危险性较大。

也有可能有其他的病因。一种理论认为：铝微粒的摄入(例如使用铝制餐具)可导致阿尔茨海默病。也有人认为，老年斑的形成与自由基有关。这种自由基为游离的不稳定的分子，他具有破坏性的化学作用。这两种理论相互矛盾。而目前许多研究者确实对铝和阿尔茨海默病的关系表示怀疑。

另外的矛盾焦点是锌。锌在人的记忆功能中起重要作用，因为曾有研究提示：锌可以改善老年人的精神状态。1991 年，在某一研究中给阿尔茨海默病患者补充锌治疗，然而仅 2 天之后，患者的大脑功能迅速下降，甚至使人怀疑该项研究可能对患者有害，因此立即终止了该项研究。3 年之后的实验室研究表明：锌可以使蛋白质在大脑中形成类似老年斑的病变，与阿尔茨海默病患者的病变类似。但锌和阿尔茨海默病之间的关系尚不明确。科学家们尚不清楚到底是老年斑引起了阿尔茨海默病，还是老年斑是阿尔茨海默病的后果。如果是后者的话，锌导致的老年斑形就可能与阿尔茨海默病无关。

在少数患者中，创伤可能起一定作用，15% 的患者有头颅外伤史。

### 诊断与检查

诊断需由专业医务人员确定。因为其他一些疾病也可能有与阿尔茨海默病同样的症状，而其他疾病有的是可以治愈的。其中包括呼吸道感染、营养不均衡、维生素 $B_{12}$ 缺乏、贫血、低血糖、抑郁、脑供血不足(由于脑动脉狭窄导致血流下降)、药物引发的副作用或联合用药不当时，也可以出现类似阿尔茨海默病样症状。易与阿尔茨海默病混淆的其他疾病还有帕

# 阿尔茨海默病

金森病、中风、甲状腺病、脑肿瘤、晚期梅毒、舞蹈病(一种遗传性的神经变性病)。

为检查阿尔茨海默病，医生可能选用某些躯体方面和精神方面的检查，以除外可能引起精神异常的疾病。然后进行的是语言测试和家庭成员情况的调查。然而仍不能确定诊断。死亡后脑组织活检可使该病的诊断确定无疑，活检可见到神经缠结、老年斑形成及脑细胞的普遍皱缩变性。

简单来讲，也有可能做出相对准确的诊断。新近发展的一项检查方法只是使用眼药水即可。阿尔茨海默病患者对托品酰胺类药极度敏感，该药在眼科用于散瞳。阿尔茨海默病患者的散瞳时间较正常人长 3 倍，这一现象甚至在症状出现之前就已存在。

## 治 疗

阿尔茨海默病是不可治愈的，亦无法阻止病程的进展或使其恢复正常。然而，有些药物在疾病早期时可减慢其发展的速度，并可能对精神方面的改变及特殊的行为异常有所帮助。

对于阿尔茨海默病患者的家庭成员来说，护理工作是极为繁重的。有一些社会组织可对这些问题提供一些帮助，有些患者需要全日制的护理人员。有些家庭可在家中作全日制护理，也可送至专业护理机构。

### 常规治疗

◆1993 年，盐酸泰拉明成为 FDA 批准的第一个用于治疗阿尔茨海默病的药物。有试验表明，他可将阿尔茨海默病的病程延长 6 个月。对有些病情不太严重的患者，可改善大脑的功能，但必须每周监测肝功能，了解有无肝损害的副作用。

◆研究显示：试验药物乙酰化肉毒碱可使阿尔茨海默病患者的大脑功能，如记忆力、记意力和其他精神改变有暂时的改善。

◆有一项研究显示：给女性患者使用雌激素替代治疗后，40% 可延缓记忆和推理能力缺陷的进展。

◆对某些特定的症状也可用一些药物来控制。氟哌啶醇和甲硫哒嗪可用于攻击行为和易激惹的治疗。舍曲林可用于治疗抑郁。唑吡坦和苯海拉明可治疗失眠。

### 辅助治疗

与常规治疗一样，对于阿尔茨海默病来讲，辅助治疗也不能将其治愈。但对某些患者来讲，有可能减慢病情的发展，并可改善某些症状。

#### 指压治疗

阿尔茨海默病患者常出现抑郁和焦虑，为减轻这些症状，可采用穴位按压法，使其放松，并可增加肌体的抵抗力。

#### 家庭治疗

◆帮助阿尔茨海默病患者处理定向力下降和精神衰退的问题。尽可能以各种方式增加患者的安全感。保持稳定的生活环境，生活应形成规律。如果你不能在家时，可留言做出简单的指令。

◆出走和走失是阿尔茨海默病患者的常见问题。应将电话号码等做成卡片戴在患者手腕上。

◆经常外出散步，促进患者与人交谈。研究显示步行可刺激大脑内与语言有关的区域。

◆为增强患者对前途的乐观性。应利用其剩余的脑功能。疾病早期时，远期记忆通常不受损害。这些回忆十分美好，可增加患者的幸福感，使其愉快。多人在一起交谈效果更佳。一些旧杂志、相册或家庭趣事均可有效地渲染怀旧情绪。切勿强迫患者回忆。一、两个小问题可能是打开记忆的钥匙。

◆向附录所列的职业机构咨询以帮助你和患者解决问题。

#### 预防

无人知道阿尔茨海默病的确切病因。因此任何的预防措施均属推测。但应记住。尽管你的家中有人患病，但是你不见得患病。如果你特别关注你患病的可能性，最佳的选择也只是：保持健康的生活方式，饮食得当、规律地锻炼以保持整个身体(特别是大脑细胞)处于良好状态。特别应避免吸烟，尽可能远离污染的环境，这可能会减少你体内自由基形成。而有些研究表明自由基可能参与大脑内老年斑的形成。

尽管有研究提示阿尔茨海默病与锌之间存在关系。但医生并不建议你限制锌的摄入量。锌是一种必需的微量金属，虽然不可摄入过量的锌，但如果将锌的摄入量限在日需要量(男性为15毫克,女性为12毫克)以下的话,也是弊大于利。

## 指压法

1. 按压肾经太溪穴,位于内踝骨与跟腱之间,有助于改善精神状态。持续用力按压1~2分钟,然后在另一只脚上按压同一穴位。

2. 按压肝经行间穴,在第一足趾与第二足趾之间的最高点。对缓解易激惹状态可有所帮助。持续按压1分钟。

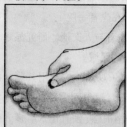

3. 按压脾经太白穴有助于记忆。该穴点位于脚内侧,第一踇趾关节突起后侧。持续用力压1分钟,然后重复按压另一脚的同一穴位。

4. 按压心包经内关穴有助于改善睡眠习惯。穴点位于手腕内侧皱褶线。

## 螯合物治疗

螯合物治疗是采用非手术疗法去除体内蓄积的金属,所针对的是白蛋白。某些研究者认为白蛋白在阿尔茨海默病中起重要作用。白蛋白颗粒可能和钙分子结合并沉积形成老年斑。螯合物治疗包括静脉输注氨基酸乙二胺回乙酸(EDTA)。认为EDTA可以松解钙和白蛋白的结合,并将白蛋白排出体外。已有研究显示这一治疗可延缓疾病的进展。但也有不同意见,且该治疗可能产生危险的副作用。因此不管怎样,在接受治疗前应请教医生。

## 症　状

癫痫发作:即异常精神或肌肉活性发作,是癫痫的基本表现。它们的差异很大。

◆ 直视前方,完全不能活动持续几秒钟,是癫痫小发作的特点。

◆ 意识丧失、有节律地抽动,及失禁是癫痫大发作的表现,可以持续至30分钟。

◆ 反复出现的嘴里异味、无目的的小动作及与外界感觉脱离等可能提示为颞叶癫痫。

◆ 手、足或面部的有节律的抽搐,常随之以一段乏力或麻痹期,提示为Jacksonian癫痫。

◆ 年龄在3个月至3岁的患病小孩,发热体温突然升高期出现的惊厥提示为高热惊厥。参见74页有关如何帮助癫痫发作者指南:

### 出现以下情况应去就医

◆ 你个人既往无癫痫病史而第一次出现惊厥时。你需要请医生进行诊断,病因也可能是中毒、中风或药物过量。对于发热的婴幼儿,惊厥可能是脑膜炎的一个表现;立刻寻求医疗帮助。

◆ 惊厥一次接一次发作而意识没有恢复清醒,这样可导致大脑缺氧,应立刻拨打急救电话或你的急救号码。

癫痫是一种令人难以捉摸的神经系统疾患,临床表现多样,而严重程度差异很大,关于其为什么会发生则还非常神秘。但是,所有病例均是由于大脑电刺激引起的——是由神经元释放的游走不定的脑细胞异常电释放而引起癫痫特征性的惊厥抽搐表现,偶尔也可频繁发作。

尽管每一个癫痫病例都有其特殊性,现在已制定出一个标准分类方案来描述癫痫。发作分为两个主要类型:全身性发作(涉及整个大脑)和部分发作(起源于大脑一个区域的异常电释放)。在这个分类中,又根据发作形式将癫痫进一步分类。癫痫最常见的两型均属于全身性发作。癫痫小发作,可包括如咀嚼运动或凝视等症状,而且可以1天之内反复出现多次;癫痫大发作,可能有大喊一声,意识丧失、摔倒,继而强直,然后抽搐运动,进入意识模糊期,有时是深睡眠。部分发作中包括颞叶癫痫,可能开始有叙述不清的腹部不适感,感觉性知觉和变态知觉例如 déjàvu 和 Jacksonian 癫痫,局限性肌肉抽搐,有时可扩散至全身。

癫痫首次症状常出现于儿童或青少年期。患高热的很小的小孩可发生惊厥,但可能并不是真的癫痫,而且这种惊厥通常在 3 岁以后消失不再出现。

## 病 因

大多数癫痫病例原因不明。但是,有时认为遗传可能是一个基础,其他病例则可能追溯到有产外伤、铅中毒、先天性脑感染、头外伤、酒精或药物成瘾,或器质疾病的影响。发作的诱因也非常广泛。可诱发发作的因素中有某些化学物质或食物、睡眠剥夺、应激、光电、月经、一些处方或市售药品及可能口服避孕药。

### 诊断与检查

睡眠时给患者检查脑电图 (EEG1 可呈现癫痫特征性的异常脑电波,影像学检查如 MRI 或 CT 扫描可识别可能引起癫痫的生理性创伤。

## 治 疗

通过治疗常能很好控制癫痫发作。对于癫痫患者的防范措施建议是配带"医疗警告手环",这样在癫痫发作时其他人可以迅速识别原因并给予有效帮助。

### 常规治疗

对于绝大多数癫痫病人,规律服药可减轻癫痫发作的频率和严重性,或完全控制不发作。副作用各异,但多数很轻。常用的抗惊厥药物包括苯妥英钠、苯巴比妥、丙戊酸钠、卡马西平。

### 辅助治疗

自我疗法是不能够取代医生的指导的,而医生应注意到所有不同的疗法以避免任何药物配伍禁忌。没有方法可以取代处方药物治疗所带来的疗效。

脑电图生物反馈法可能有效地帮助癫痫患者改变其脑电波而预防癫痫发作。在指导下,他们学会通过的计算机屏幕观察脑电波而控制自己的脑电波。

整骨疗法

当癫痫是由于生理外伤所致时,颅骨整骨术或颅骶治疗可能有助。同整骨专家协商。

家庭治疗

◆向受训者学习,定期进行生物反馈锻炼以避免癫痫发作。

◆确保有足够的睡眠。睡眠太少可增加癫痫发作的可能性。

预防

识别并注意发作前的一些特殊食物、环境因素或生理和情绪的变化。例如,在癫痫大发作前几个小时出现不一般的感觉,如烦躁或兴奋,而在立刻发作前出现一些警告"先兆可能是一种味道或气味,出现这种先兆时你可以及时地躺倒以免摔伤。在先兆是一种气味的病例中,一些患者可以通过吸入一种强烈气味而制止癫痫发作,例如大蒜或玫瑰。如果开始表现为抑郁、易激惹或头痛,那么增加药量(在医生许可下)可能可以帮助预防发作。在 Jacksonian 癫痫病例,紧紧抓住抽搐周围的肌肉有时可以制止发作。

# 脑 肿 瘤

## 症 状

大多数脑肿瘤只有达到一定的大小才会出现症状。

因肿瘤对大脑的压力的增加而产生的症状包括有：

◆持续头痛，在几周内逐渐加重，且通常在平卧时更剧烈。

◆呕吐，有时但不常合并恶心。

◆突发癫痫发作。

◆个性和精神状态不好解释的变化

可提示肿瘤类型和部位的症状包括：

◆突然视力丧失、言语出现问题或感觉的其他变化。

◆局部的衰弱或麻痹，尤其在四肢。

◆记忆力下降。

◆丧失协调或平衡能力。

## 出现以下情况应去就医

◆上述的任何症状，其他疾患也可导致，但持续的头痛，呕吐时产生惊厥，或言语、视力、听力、感觉或肢体功能的渐进性丧失，可能提示脑部肿瘤。

**原**发性脑癌(起源于脑)很少见，统计只占所有癌症的 1% 和所有癌症死亡病例的 2.5%。然而，有 1/4 的身体其他部位患癌的病人最终发展成轻微的继发性脑癌，脑癌可发生于任何年龄，但最常侵犯年轻儿童和中年成人。

脑瘤，肿瘤细胞不扩散被认为是良性的，与恶性肿瘤或癌相比，癌细胞的繁殖不受控制且可扩散至整个身体。但没有任何脑瘤是无害的，任何占据颅骨内位置，即使是非癌性肿瘤，也可对脑组织直接施加压力，产生严重的疼痛，导致不可逆的神经损害，并威胁生命。症状和病康复的诊断取决于肿瘤的部位和累及脑细胞的种类。

## 病 因

原发性脑癌的病因尚不了解。有时他发生在家族中，暗示与遗传相关。其他研究表明与化学品如乙烯氯化物，有些除莠剂和杀虫剂，或过度暴露在电磁场中有

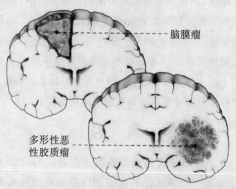

### 脑中的肿瘤

脑膜瘤

多形性恶
性胶质瘤

脑中可产生几种类型的肿瘤。脑膜瘤发生于覆盖在脑上的保护膜上，不位于脑组织中。他们通常是良性的可通过手术切除。多形性恶性胶质瘤是恶性肿瘤，他直接在大脑组织形成。他们通常不能手术。

关。一些少见疾病，如结节性硬化症和多发性肠道息肉病，也与脑癌有关(参看直肠癌)。

### 诊断与检查

脑瘤的诊断开始于全面的体检和神经学检查。CT和 MRI 影像将辨认是否是肿瘤和肿瘤的部位。如果可做活组织检查，就可确诊或排除癌细胞的存在。X 线和其他检查确定身体其他部位是否有癌的存在。

## 治 疗

关于治疗的研究正在继续，尚没有可接受的替代癌症常规治疗的方法。虽然许多辅助疗法可提高常规疗法的疗效，但没有一个被证实是治愈癌症的方法。辅助的癌症疗法应被视为是可能的辅助治疗，不能代替常规治疗。

### 常规治疗

脑癌的治疗取决于肿瘤的部位以及恶性细胞扩散的程度。目前改进的由计算机帮助的手术使外科大夫可以对曾经被认为不能手术的癌症进行治疗。只要有可能，脑肿瘤就应该手术治疗。如果肿瘤被切除，则病人可完全康复。手术后，放疗或有时化疗用来将遗留下的癌细胞确实杀死。但有些脑瘤部位太深以致于若不导致严重的脑损害就不能切除。在这些病例，治疗仅限于化疗

和精细的放疗,即将激光束对准肿瘤。没有任何一种可能提供治愈的方法,但他们可减慢肿瘤细胞的增长速度,控制症状及延长病人的生命。

当治愈已成为不可能时,则治疗的主要目的在于提供安慰和保护神经功能,各种药物,包括止痛药、抗惊厥药和皮质类固醇可缓解疼痛、控制癫痫发作和减轻脑水肿。因为肿瘤常导致剩余的脑组织损伤,故患者可能需要身心的康复治疗。

为获得更多的关于做化疗和其他治疗的资料,可参看癌症章。

### 辅助治疗

即便对许多脑癌患者可自理每日的活动,但疾病导致的损伤和放疗、化疗的副作用最终可使他衰弱。一些辅助疗法可缓解由这些所造成的压力,其中水疗法、治疗性接触、瑜伽、诱导意象活动、静思和生物反馈。不同形式的人体治疗,包括按摩和反射治疗,也可有帮助。

### 基因治疗

异体基因治疗,既不是手术刀也不是激光束治疗,他是对抗脑癌的最后的手段。

有可能被进一步证实是一种成功的试验方法,即国家健康研究中心的科学家们已经精心研制出一种基因疗法,通过改变他们的遗传学特性来杀死脑癌细胞。这种有创造性的疗法是设计使癌细胞对细胞杀伤药物更显脆弱,而剩下的健康脑细胞不受损。当此治疗在小鼠身上做试验时,14 只动物中的 11 只肿瘤确实消失。在最初的人体试验中,8 例病人中有 5 例肿瘤明显缩小,而所有这些人先前的常规治疗均告失败。然而需要更进一步的试验和改进。这种新的基因治疗法将在未来拥有巨大的希望。

在渡过婴儿期之后,人的自然规律就同大自然一样,是 24 小时重复 1 次。在这种生物节律中,绝大多数的成年人每晚均连续地睡眠 6 到 8 个小时。几个晚上睡得不好没有什么危害,但长期失眠会引起严重的后果。失眠是最常见的健康问题,每年均有 1% ～3% 的人受失眠困扰。妇女的发病率是男性的 2 倍。因为睡眠模式是随年龄而变化的,所以绝大多数睡眠疾病随年龄增大而出现。

失眠包括症状的严重性与持续性两方面的问题。暂时失眠是指短时间的失眠,常因为旅行或更换住处引起,持续不超过几个晚上。短期失眠,常持续 2 ~3 周,多由于紧张及应激引起,随诱因的消失症状也会消失。慢性失眠是较为复杂的疾病,伴有潜在的严重影响,包括免疫系统异常。当病人长期得不到充足的睡眠时,肌体所产生的自然杀伤细胞——免疫系统重要的组成部分——就会受到抑制,从而潜在地减弱对疾病的抵抗力。

有一种少见的疾病称为嗜眠症,病人整天昏昏沉沉总是要入睡,从而影响正常的生活和工作。这种病人夜里不一定睡得好,但白天却总是要睡,甚至在谈话、工作及开车的过程中也是要睡,这可能会对病人的生命造成威胁。

# 失 眠

## 病 因

失眠可由于躯体疾病、过度紧张的生活方式、过量的咖啡因摄入、慢性疼痛，或是不良的睡眠习惯如白天睡得过多或入睡的时间不固定所引起。失眠还可能与酒精或麻醉品滥用及某些药物使用不当有关。精神因素与一半的失眠有关。例如：不合谐的婚姻、调皮的孩子，及不称心的工作都会引起精神紧张并导致失眠。那些患有焦虑、精神分裂症及其他精神疾病的病人也可伴有睡眠障碍。

某些躯体病变也可影响睡眠，特别是心脏、肺、肾、肝、胰以及消化系统的病变。其他重要的躯体原因包括烧心、慢性疼痛及呼吸系统病变，如睡眠呼吸暂停综合征（见打鼾部分）。失眠还可伴有绝经，此时睡眠常常会被潮热、盗汗所打断。异常的血糖水平可使糖尿病患者引起夜间低血糖导致失眠。病人的睡眠习惯及生活方式也会影响睡眠。久坐工作及生活不规律也会加重失眠。另外，过量饮酒、喝咖啡和其他刺激剂也不利于睡眠。一些非处方药及处方药的使用——从β肾上腺素受体阻断剂到甲状腺制剂均会影响睡眠。偶尔或长期不合理使用安眠药也加重失眠，更不用说毒品（见药物滥用部分）。一些证据还证实电热毯会破坏正常睡眠。

许多疾病对肌体的影响之大足以导致失眠。其中有一种神秘的疾病称为不安腿综合征（RLS），病人感觉当他躺下时双腿有一些很不舒服的虫爬感，导致病人不断地移动双腿，甚至睡觉时也是如此。

还有一类是由于生理节奏被打乱所引起的失眠，他包括坐飞机引起的时差问题及经常值夜班所引起的失眠。坐跨越数个时区的飞机旅行会打乱人体的生物钟，但肌体几天之后就会恢复正常。经常变动的工作时间或由白天工作转为夜班时会引起失眠，直到你对新的睡眠摸式习惯为止。但有的人总是不能完全习惯过来。环境因素如噪音、灯光及不流通的空气也会导致失眠或降低睡眠的质量，虽然可能不会把你吵醒。

一过性的失眠不会造成危害，但有时会变成习惯并且很难解决。嗜眠症的病因目前还不清楚。他可能是由头部或颅脑的外伤所引起，但绝大多数病大并没有其他

症状。这种疾病，可能是由于大脑中使人保持清醒的机制发生了障碍。

## 治 疗

暂时的失眠常在旅行中出现，通常当睡眠恢复正常规律时，症状就会自行消失。短时间的失眠，常由家庭问题或工作紧张引起，可以通过一些自然的促进睡眠的方法（见营养与饮食部分）解决。某些病例可使用药物治疗。慢性失眠会在很长的时间内影响睡眠，需要进行彻底的体格检查，改变某些生活习惯，甚至进行心理治疗以确定隐含的病因。

因为不了解嗜眠症的病因，其治疗受到一定的限制。医生建议病人感到困倦时就小睡10分钟，这样需要叫醒时就会感到已经充分地休息。适量应用咖啡因可能对本病有帮助，有时还可以使用安非他明。对于生物节律被扰乱所引起的失眠，大多数人根据新的时间，在几天的调整之后都会适应。如果你要在白天睡觉，应尽量把卧室弄得安静且暗。如果失眠是由躯体疾病如糖尿病或绝经引起的，治疗这些原发病可治疗失眠。

### 常规治疗

如果有严重或持续的失眠，应当与你的医生讨论病情以排除可能存在的其他疾病，并得到恰当的治疗。如果认为你的失眠是由于抑郁、焦虑或紧张所引起的，你的医生会建议你去看精神病大夫或心理大夫，你还可以在睡眠评价中心就诊，那里的专家会进行全面的心理及躯体检查，并对睡眠过程进行监控以了解你的睡眠深度。

每年约有5百万人使用安眠药，但目前医生不再像过去那样随便开这类药了。特别是巴比妥类药物应尽量避免使用，因为他有成瘾性，过量时会有危险，并且与酒精合用时会有毒性作用。如果你服用巴比妥类药，请尽量只使用1～2天，并且只在治疗某一特定疾病时使用（见药物滥用部分）。苯二氮䓬类药物如三唑仑及地西泮的安全性比苯巴比妥类要高，但也有依赖性，并且当其与酒精或其他中枢神经抑制剂合用时可能有致命危险。苯二氮䓬类药物长期服用，病人会产生耐药，此时药物

# 失眠

对失眠治疗无效,甚至会恶化病情。另外,马上想停药是很困难的,因为突然撤药会引起痛苦的症状,包括失眠加重在内。有一种治疗失眠的新药唑拉西泮据说比苯二氮䓬类有较少的成瘾性。

## 辅助治疗

许多睡眠不好的人所需要的仅仅是尽量放松,如果你长期失眠,并且越是想睡越是难以入睡,以下的辅助治疗方法有助于放松你的精神及躯体,同时可以减少睡不着给你带来的精神压力。如果失眠的根本原因是紧张,任何治疗必须解除紧张才能奏效。

### 芳香疗法

洋甘菊、熏衣草、橙花油、玫瑰及印度大麻的香味都有使人放松的作用。将几滴这类香油滴在浴盆内或是滴在手绢上吸入,都有助于改善症状。

### 按摩

按摩有助于促进肌体放松和较好入睡。虽然每天按摩不太现实,但在全身运动之后,按摩有助于预防肌肉紧张、僵硬。

### 生活方式

适量的运动,1次20~30分钟,每周3~4次,有助于睡眠,并可使你精力充沛。根据你的身体状况制定运动计划,在清晨或下午进行运动,而不要在睡前运动。呼吸运动有助于放松。以下的运动可以在任何时候,任何地点进行:

◆完全用口深呼气。
◆通过鼻子深吸气同时数到4。
◆屏气的同时从1数到7。
◆用嘴呼气同时从1数到8,然后重复以上过程3次。

### 身心医学

沉思、瑜伽及生物反馈可减轻紧张并促进睡眠质量的提高。沉思是一种有效的放松手段,在入睡前心中默想一幅轻松平和的景象,你可以从有关的书籍与录像带中学习该技术。

### 营养及饮食

褪黑激素,一种由大脑松果体分泌的激素,据说可以促进睡眠而不会有其他副作用。可以每晚服用5毫克

连服2周。但因为该药物的疗效还未得到广泛的实验肯定,可向你的医生咨询是否可以服用此药。

在入睡前45分钟服用钙及镁有镇静的作用。你可以按2:1的比例服用,如500毫克钙和250毫克镁剂同时服用。

过高或过低的血糖也会影响睡眠。为了有助稳定血糖水平,避免甜食及水果汁。为了激励大脑能正常分泌镇静性的神经递质,吃一些淀粉类的食物如土豆饼、一片面包,或一只苹果。在上床前半小时服用。

温牛奶,一种传统认为可有助睡眠的饮食,实际其心理作用要大于生理作用。牛奶含有色氨酸,一种有助于睡眠的氨基酸,但同时他也含有许多其他竞争进入大脑的氨基酸。

### 家庭治疗

入睡的环境一定要又暗又安静,耳塞和眼罩可能有所帮助。因为光线甚至能透过眼皮进入眼睛。

无论儿童还是成人上床前过于激动或是看电视太多都会影响入睡。但如果再进行15分钟轻松的谈话、阅读或听轻音乐都会使情况大为改观。

如果半夜醒来无法再次入睡,不要着急,保持安静与放松。睡眠有周期性,有时会伴有睡不着的情况,要有耐心,通常会再次入睡。

要记住,几晚睡不好不会引起大的损害。即使你认

---

## 如何睡个好觉

◆困了再上床。

◆无论你何时上床都应在每天早晨同一时间起床。

◆在入睡前尽量放松。洗一个放有硫酸镁的热水澡,可以使肌肉放松。

◆睡前少量进食,一片烤面包或一只苹果或在关灯前阅读10分钟。

◆经常锻炼,如果可能,在一天中最有利于睡眠的时候锻炼。对于大多数人,应在清晨或下午锻炼而不是临睡前。

◆入睡前几小时不要饮酒或喝咖啡。记住咖啡因不仅存在于咖啡中,巧克力、茶及许多软饮料中都含有咖啡因。

◆对于儿童,应避免睡前玩得太兴奋或看过于刺激的电视节目。

为自己睡得不好,但实际上睡眠时间一点儿也不少。

预防

如果卧室过于吵闹或明亮,尽你所能创造一个安静、黑暗的环境,并且有合适的通风和湿度。过于干燥的空气会使鼻道收缩从而导致很不舒服。戴眼罩、塞耳塞能减少外界的干扰。

如果在夜里上班,而白天不易入睡,可以向你的老板要求改回白天时间工作。如果必须上夜班,你可以上夜班时将灯光开大,而白天回家睡觉时戴眼罩,这样就可以调节生物节律,使白天睡得更好而夜晚更清醒。

不要对何时睡觉及睡了多少时间过于计较,担心过重反而会使入睡更加困难。如果你中午小睡一会儿而夜里睡得较短,也可以满足肌体需要,重要的是在 24 小时内总共睡了多久。

## 症 状

重度抑郁症可以有下列 4 项或 4 项以上表现:

◆ 持久的悲伤,悲观。

◆ 负罪感,无价值感,无助或无望感。

◆ 对通常活动包括性交等失去兴趣或快感。

◆ 注意力涣散,难以集中。

◆ 失眠或嗜睡。

◆ 体重增加或减轻。

◆ 疲乏,无力。

◆ 焦虑不安,易激惹。

◆ 想自杀或死亡。

◆ 语言缓慢,行动迟缓。

对于儿童及青少年:

◆ 失眠,疲劳,头痛,胃痛,头晕。

◆ 淡漠,自我封闭,体重下降。

◆ 药物或酒精滥用,在学校表现能力下降,注意力集中困难。

◆ 同家人及朋友疏远。

对于精神抑郁症(轻度但慢性抑郁),其症状程度较重,表现方面数量较少,但持续时间较长。

## 出现以下情况应去就医

◆ 你和你的孩子有自杀的想法,或其他重度或精神抑郁症表现,帮助是有必要的。

注意:感觉抑郁与抑郁性疾病是存在着根本区别的。如果你有一阵子情绪低落,不必太在意。但是,如果你感到你自己无法从不幸中摆脱出来,应该寻求帮助。

几乎我们所有的人,常常因为生活中一些不如意的事情,在某个时候觉得情绪低落。但是持续性的抑郁——受影响的这段时期称之为重度抑郁——则是另外一回事。在全世界,受某种形式的抑郁影响的人数占全部妇女的 25%,全部男性的 10%,以及全部青少年的 5%。在美国,这是最常见的心理问题,每年大约有一亿七百六十万人因此而苦恼。

抑郁反应(轻度并常常为短期抑郁)包括由于特定生活环境而引起的普通抑郁感受。症状可能很严重,

头颈部疾病

# 抑郁症

但通常不需治疗，并且随时间而逐渐淡化——持续时间可以达 2 周至 6 个月。

精神抑郁症（轻度、慢性抑郁），在表现和症状严重程度上类似抑郁反应，但持续时间长——至少 2 年。

重度抑郁或抑郁性疾病，指的是症状严重，有可能导致不能正常工作、生活，甚至引起自杀。患者不仅情绪低落，并且有其他一些危险表现，包括对通常从事的活动失去兴趣，极度疲乏，睡眠受影响，或有负罪感及无助感。他们很有可能失去与现实联系的能力，有时会产生错觉或幻觉。抑郁性疾病需给予治疗，但常常由于与抑郁反应混淆而未予诊断。这是一种周期性发作的疾病，所以尽管大多数患者在第一次抑郁发作后缓解，其复发率是相当高的，可能高达 2 年内 60% 和 10 年内 75%。重度抑郁常常自行出现，而似乎没有诱因，并且常于 6~12 个月后可以自行缓解。由于严重影响患者的生活能力或有可能导致自杀，所以重度抑郁是需要治疗的。

抑郁，在任何年龄阶段均可出现，包括儿童。美国有研究显示：1.8% 的青春期前儿童和 4.7% 的 14~17 岁少年出现有某种形式的抑郁。尽管如此，其常见出现年龄在中年早期，而且抑郁在上了年纪的人群中尤其普遍。这大概是由于对慢慢变老而出现的一些因素的反应结果，例如配偶或朋友的去世、由于年老而出现的体力衰退、以及逐渐濒临的死神等。上了年纪的鳏夫尤其易于出现自杀。

## 病 因

抑郁这种疾病似乎有着各种不同的病因。抑郁反应或"普遍抑郁"，常由某个特殊事件引起。抑郁情绪亦可能是由于药物副作用、激素水平变化（例如月经期前或分娩后）、或躯体疾病，例如流感或病毒感染等作用的结果。

尽管引起重度抑郁和精神抑郁症的确切病因还不清楚，但目前研究者们认为两者均是由于大脑中的神经递质，即调节情绪的化学物质（尤其是 5-羟色胺）的功能障碍所致。该功能障碍似乎有很高的遗传倾向，在一项研究中，27% 的抑郁儿童的近亲患有情绪障碍。

## 诊断与检查

尽管非常常见，抑郁常常被忽视或误诊而未予处理。这样的忽视是会危及患者生命的，重度抑郁尤其有高度自杀率。

研究显示 74% 的人群因为抑郁而向他们的初步保健医生寻求帮助，而其中 50% 的病例被误诊。而由全科医生正确诊断的病例中，80% 用药太少而且疗程太短。造成上述诊疗失误部分是因为患者向医生寻求帮助——以及医生开处方时——根据的躯体症状，例如睡眠障碍、疲乏或体重下降等，并没有意识到抑郁可能是导致上述症状的根本病因。所以应该制定一些测试方法来排除其他器质性因素——例如营养不良、甲状腺功能减退（参见"甲状腺疾患"一节）、药物反应（治疗或保健用药）——他们均可引起类似症状。

老年患者尤其易被忽视或误诊。通常，初步保健医生以及老年患者自己，把抑郁症状误认为是由于年龄增大所致，或误诊为青年性痴呆，一种引起记忆力和注意力丧失的不可逆性疾病。这种不幸是因为抑郁症与老年性痴呆不同，是可逆的，而且是能够治愈的。

由于上述原因，你应该与精神科医生或精神药理学家（专长于药物治疗精神疾患的精神科医生）协商以及时诊断和治疗。

## 治 疗

许多治疗措施，传统的和其他疗法均可用于治疗抑郁。根据引起抑郁的病因和症状严重程度，治疗方法是不同的。传统方法包括心理疗法、抗抑郁药物和电惊厥疗法（ECT）。

### 常规治疗

重度抑郁和精神抑郁症通常采用心理治疗和抗抑郁药相结合的方法进行治疗。心理治疗的目的在于教会患者如何克服负性态度和情绪，并鼓励他们恢复正常活动。药物治疗则目的在于调整或纠正影响情绪的神经化学物质平衡紊乱。

目前最常用的一类抗抑郁药物是作用于调整神经化学物质 5-羟色胺。选择性 5-羟色胺再摄取抑制

# 抑郁症

物(SSRIs)，这类药物包括氟西汀，帕罗西汀，舍曲林，丁氨苯丙酮来自另一类药物，亦可以用于调整神经递质。对于儿童和青少年，可以选择帕罗西汀。

四环类，自20世纪50年代起用于治疗抑郁症，是另一类抗抑郁药，尽管较SSRIs易于产生不愉快的副作用。青少年对该药副作用耐受性不好而易致停药，所以不宜用四环类抗抑郁药。三环类抗抑郁药包括丙咪嗪、阿米替林，其他还有去甲替林、多虑平和去甲丙咪嗪。

第三类抗抑郁药，单胺氧化酶(MAO)抑制物，亦被证明有效。与三环类抗抑郁药相比，MAO抑制物起效快，但副作用大，需要改变饮食结构；如果服用MAO抑制物的患者食用含酪胺的食物，例如奶酪、多种豆类及各种酒精性饮料，那么就可能出现严重高血压。通常，只有在SSRIs和三环类药物无效时才使用MAO抑制物。

碳酸锂通常作为治疗躁郁症用药，亦可以用于治疗抑郁。

电惊厥疗法(ECT)是指将电极接于头上，给予大约80伏特的电刺激而引起电休克。患者处于麻醉下，因此对休克没有感觉。尽管医生们对于ECT起作用的确切机制还不是十分肯定，在过去的20年里，这项有争议的技术疗法不断被改进，而且有人认为此疗法同药物治疗一样安全，在部分病例中更加有效。不过，由于需要住院及全麻，所以ECT仍是应该在试过其他所有方法无效后，或者在紧急情况下即可能马上发生致命结果时，如自杀患者或那些拒绝吃喝的患者，才予考虑应用。通常每周给予3次治疗，2周为一个疗程；治疗不超过6~10个疗程。

## 辅助治疗

其他许多方法亦可起效，尤其适用于轻度抑郁。但是，对于比较严重的抑郁患者，他们只能作为辅助治疗，而不能替代传统疗法。对于重度或慢性抑郁患者应向精神科医生求治。

除下述疗法，你还可以考虑针压或针刺疗法，这将有助于改善部分症状；但就诊医生需合格且有经验。按摩，作为同时起到使肌体镇静、增加能量及活力等作用的方法，同样是有效的。如果可能，可每周作1次。

### 芳香疗法

芳香疗法可缓解精神疲劳而有助于睡眠。可能有益于抑郁症状改善的香精油有罗勒属植物、鼠尾草植物、茉莉、玫瑰和春黄菊。可把香精油放置于一碗蒸馏水中(2或3滴)、浴缸中(5或6滴)、或在枕边(1或2滴)。

### 生物反馈

Anecdotal证据表明EEG(脑电图)生物反馈法(亦称为神经疗法)对缓解各种类型抑郁患者的精神紧张是有效的。神经疗法是试图通过训练的方法来改变脑电图模式——这样就起到了药物通过化学方法所起到的作用。治疗疗程数目须根据抑郁症状的严重程度。抑郁反应状态仅需要6个疗程，而精神抑郁症平均要20个疗程，重度抑郁症可能需要30~60个疗程。由于该方法是通过自我训练而起作用，所以生物反馈法具有使抑郁患者自己控制治疗的优点，患者可根据需要随时接受治疗。

### 中药治疗

吸入剂是几种中、西草药的复方制剂，被认为可以改善抑郁症状。该配方除可改善心理精神症状，同时亦可用于改善某些躯体症状，包括：食欲下降、胸部紧窄感及便秘等。如果配合以规律的有氧锻炼、每日放松法练习及合理饮食(详见营养和饮食章节)，则效果更佳。另一中草药配方，"聚集活力素"可有助于改善失眠或过度嗜睡、四肢酸痛及疲乏无力等症状。

### 锻炼

锻炼应作为治疗抑郁症的任何方法中的一个组成部分。他可以增加脑供血，提高情绪和缓解精神压力。甚至有时单独使用即可能产生意外效果。有研究表明，在治疗抑郁症时，慢走30分钟，每周3次，可以起到与心理疗法同样的治疗效果。尽可能选择一项你喜欢的锻炼项目并每天坚持。任何锻炼形式都可以，越是高能的、有氧的锻炼，效果越佳。

### 身心医学

许多精神／躯体锻炼有助于改善抑郁症状。听音乐和跳舞可提高情绪，增加肌体活力。参加一些沉思

# 抑 郁 症

和放松练习，例如渐进性肌肉放松法，兼有刺激和放松作用。其他选择包括超常冥想和东方锻炼法，如瑜伽、太极拳和气功。选择适宜于你的一种或两种锻炼法，每天坚持下去。

### 营养和饮食

由于营养不良可加重抑郁症状，因此改善营养是很重要的。增加摄入营养食品，例如各种谷类、瘦肉、水果和蔬菜、鱼以及低脂奶制品。避免饮酒也是非常重要的，同时避免零食、糖、糖精和咖啡因，因为这会导致突然摄入大量热卡或产生快感而后又回到低落状态。

最近临床研究明显提示：维生素B复合物、叶酸(400mcg／日)、S-腺苷甲硫氨酸(800毫克／次,2次／日)对于治疗抑郁症是有效的。在一些食物中缺硒的地区，补充抗氧化剂硒(100mlq／日)可有提高情绪的作用。

在欧洲，许多研究表明补充氨基酸：L-色氨酸，已知可以增加5-羟色胺的合成，对于缓解抑郁症状是有一定价值的。但是，在美国，由于人工合成产品中的微量污染，所以合成型色氨酸已被禁止生产销售。在某些食物中含有较丰富的色氨酸，例如火鸡肉、鸡肉、鱼肉、煮熟的干扁豆和豌豆、药用酵母、花生黄油、坚果以及大豆。充分食用上述食品以及碳水化合物(土豆、面食、大米)，这样便于大脑摄取色氨酸。

### 预防

既然目前理论上认为可能是由于大脑神经化学物质功能紊乱所致发病，所以某些形式的抑郁症可能是难以预防的。但是，有证据表明良好而健康的生活习惯常常可以减轻或预防抑郁。合理饮食、锻炼、适当休息、避免超负荷工作，并抽出部分时间做自己喜欢做的事情等都将有利于防患于未燃。

**注意!**

抑郁症并不是情感脆弱的表现，他是一种由生理和心理精神因素所致的疾患。大部分抑郁症被误诊而没有及时治疗，常常是因为患者描述的仅是部分症状而初步保健医生未能把抑郁症作为可能病因加以考虑。如果您的症状持续不缓解，请立刻向精神科医生或精神药理专家咨询寻求帮助，以尽快正确诊断并及时给予治疗。

## 指 压 法

按压曲泉穴位可有助于改善抑郁症状。方法如下：屈曲右膝关节，将拇指置于膝内侧皱折处，正好在膝关节下方(大腿屈伸几次以打到该点)。按压1分钟，2~3次，然后重复左腿。

# 季节性情绪失调

## 症 状

在秋冬两季会出现一些或全部以下症状，季节性情绪失调偶尔发生在夏天，但伴随食量及睡眠减少无更多的症状。

◆ 抑郁，不能享受生活，对未来充满悲观。

◆ 活力丧失，懒惰(无力)，淡漠。

◆ 睡眠增加，早晨起床困难。

◆ 功能受损，不能按时完成工作，平时容易的任务不能完成。

◆ 食欲增加，体重增长。

◆ 喜好甜食(碳水化合物)

◆ 希望回避。

◆ 易激，哭喊呼号。

◆ 性欲减退。

◆ 自杀想法或感觉无聊。

对于儿童及青少年

◆ 感到疲乏及烦躁。

◆ 易发怒、发脾气。

◆ 精力集中困难(不能集中注意力)。

◆ 昏昏沉沉，不易陈述清楚的身体不适。

◆ 明显喜食大块肥腻食物。

## 出现以下情况应去就医

◆ 你和你的小孩在秋冬季到来时患有上述某些症状并且在春夏季到来时症状减少或消失。

季节性情绪失调 (SAD) 是"冬天忧郁"的一种极端形式，引起嗜睡及正常功能衰退。SAD 只是最近才被认作是一种特异性功能紊乱，但自 1982 年起对 SAD 有了很多了解，并且知道怎样治疗。患有 SAD 的人可在情绪方面随季节表现截然不同，似乎他们可分为"夏季人格"及"冬季人格"。

尽管 SAD 的一种类型可发生在夏季，但最常见类型是从 8 月底或 9 月初渐起，一直持续到 3 月或 4 月初，之后症状开始消失。SAD 患者每夜睡眠时间增加 4 小时，体重增加超过 20 磅以上。

研究表明在美国每年有 1100 万人患有 SAD，另外有 2500 百万人患有症状较轻类型，叫作"冬季抑郁"。SAD 女性患者是男性的 4 倍，且有家族倾向。

正如所料，地理位置对于 SAD 易感性起着很大作用，离地球两极居住越近，发生率越高，居住在加拿大或美国北部的人群比居住在阳光充足的南部，如佛罗里达、墨西哥的人群成为 SAD 受害者的可能性大 8 倍。

## 病 因

研究人员对于 SAD 的确切原因还未达成一致意见，表明 SAD 可能有多个病因。目前，最可能的解释涉及神经递质—血清素。血清素在冬季白昼较短条件下，在大脑关键部位的浓度降至最低水平，继而导致抑郁，无论是何种化学成分，SAD 是由于户外阳光不充足而触发紧张后加重的。

对于儿童，秋季起病的 SAD 与学校开学的时间一同到来，很难把引起情绪变化的其他原因与 SAD 划分开。医生及家长们经常忽略 SAD 应是一种可能造成儿童情绪变化的原因。

### 诊断与检查

因没有 SAD 的实验室检测方法，诊断是根据患者病史作出的，而且应由对这种疾病有经验的精神科医生作出，具有相似症状必需除外的疾病包括甲状腺功能不活跃、慢性病毒感染及慢性疲乏综合征，对于儿童需考虑广泛及孤立焦虑症，对于青少年需考虑药物滥用及焦虑症。

## 治 疗

SAD 最有效的治疗是光疗，有时可联合抗抑郁药物或精神疗法或二者都用。

### 常规治疗

光疗可用于各种形式，可利用不同类型的光箱、光板、光灯。所有这些都设计成可以带来更多的光线，但必须检查以保证光箱可以滤过有害的紫外光线。

最普通的光疗形式是你坐在强荧光光箱前（10000 勒克斯 – 大约比普通户内光线强 10 至 20 倍）每天 15 分钟至半小时，你可以把光箱放桌子上那样就能同时做

# 季节性情绪失调

# 恐惧症

作业、读书或打电话。

其他光源包括立在地板上的更大的光箱。

光箱可在专卖店花几百美元买到，专家警告不要自己制造光箱，因为可能受到紫外线的伤害。

既然 SAD 是抑郁症的一种形式，许多抗抑郁药可以应用。目前受推崇的药是选择性血清素摄取抑制剂（SSRIS），因为他调节大脑血清素水平，而比其他许多抗抑郁药副反应少。

## 辅助治疗

锻炼及许多抑郁症的身心疗法也对 SAD 有帮助，按摩也是其他疗法中有用的补充。试用 3 或 4 个按摩疗程来看他的功效，一个疗程不足以判断。

几世纪来，医疗人员相信大气中某一种电辐射——负离子——能改善人的情绪及健康。近 30 年来，科学家已开展了能把负离子在屋内发射的小装置，这种负离子器似乎对 SAD 患者有特别的帮助。一项研究显示可减少 58% 的抑郁症，也是对光疗及药物治疗的很好补充。

### 营养及饮食

SAD 患者在冬季有多食倾向，尤其是对甜食及淀粉类食物的渴望，SAD 专家提醒患者避免对富含碳水化合物的食品过分嗜好，建议以恰当的有限制的碳水化合物食品（平衡碳水化合物）替代单一平衡的饮食。

### 家庭治疗

◆ 在阳光充足的中午去散步，尽可能经常去户外活动

◆ 尽你可能去锻炼

◆ 去白天长的地方冬季旅游

◆ 修剪靠近房屋的低矮树枝和环绕窗外的蔷薇，以提高室内自然光线

◆ 用亮色调颜色粉刷墙壁

◆ 保温及充分享受冬季的乐趣——比如炉火、书本、音乐。

◆ 如果所有其他方法都失败了，你可以试着搬到一个阳光更加充足的地方。

## 症 状

恐惧症是焦虑症，主要有 3 种：

◆ 如果你经常地无理性地对一些事情、事物恐惧，如蛇、蜘蛛、血、电梯，你则有特殊的恐惧症。

◆ 如果你经常地无理性地对别人的批评、查问感到恐惧，则有社会恐惧症。

◆ 如果你对离开家庭，一个人生活而恐惧，感觉孤独无助或感觉有人在陷害自己，则有恐惧症。

## 出现以下情况应去就医

◆ 你患有恐惧症，经常扰乱你的生活和工作，治疗可以减轻焦虑症状，且有可能减轻甚至治愈恐惧症。

恐惧症是一种无理性的和无能为力的恐惧，可以产生一种被迫欲望去避开那些可怕的事物或地方。有恐惧症的患者明白恐惧是过分的和没有道理的，但是尽力阻止这种恐惧，常能带来更严重的焦虑。大约有 7% 的人受到恐惧症影响，常在儿童时期就开始了。

特定的恐惧症是最常见的。包括对学校、牙医、开车、水、蛇、肥胖、年龄高、幽居的恐惧，常常不是恐惧事物本身，而恐惧那些可怕的后果，如恐惧从飞机上掉下来。

恐惧症有多方面的恐惧，主要集中在 3 个方面：恐惧离开家，恐惧孤独，恐惧住在无人帮助的地方。如果恐惧症进行性加重，患者可能长时间不离开家。

社会恐惧症常影响青春期的人，主要恐惧在公共场所出丑。这种患者可以在饮食时突然停止进餐，尽量避免到公共场所讲话、参加公共舞会或到公共场所去。这些地方常使他们脸红、出汗、发抖、口吃和头晕。约 25% 的专业演员对于能否终身演出而焦虑。有恐惧症的人不进行治疗会变得退缩不前、抑郁和丧失社会能力。

## 病 因

一些特定恐惧症是由于以前有过创伤，如被狗咬，但多数没有明显的原因。大多数人认为把原来的恐惧转移到了不相关情事上，就产生了恐惧症。恐惧症可能是在反复焦虑的影响下发展而来。社会恐惧症先兆在童年就可以观察到，但真正的原因还不清楚。

头颈部疾病

# 恐惧症

## 治疗

治疗效果视病情的严重程度而定。大部分的人都能得到有效治疗，特别是参加一些恐惧症者俱乐部和从已康复的患者那里得到支持和信心。

### 常规治疗

对特定恐惧症患者通过系统的日光敏感治疗有很高的疗效。例如，对恐惧坐飞机的患者可通过如下一系列步骤治疗，首先在医生办公室里看一些飞机的图画，然后再想象坐飞机旅行和参观飞机场，最后再真的坐飞机。每一步都应是轻松的，并得到可信赖人的帮助。

患有社会恐惧症的人，通常是逐渐让他们参加一些社会活动，告诉他们如何减轻焦虑，鼓励他们减少自卑，从而学会适当的待人接物。药物治疗也可以应用，许多音乐人、演员、文学家应用 β 肾上腺素阻滞剂以减轻症状。

对恐惧症，最好的治疗方法是：逐渐把他们带到触发恐惧的地方去。在他可信赖人的指导下，每天走一小步，最后他们就学会了处理曾经引起他们恐惧的事情。抗抑郁药(丙米嗪)，可以减轻恐惧症状。抗焦虑药也可以使用，但因为有依赖性，要小心应用。放松也是一种方便的治疗。

### 辅助治疗

恐惧症只靠你一个人治疗是很困难的。一些自助治疗可能有助于病情好转，但要在专业人员的指导下进行。

芳香疗法研究表明，应用必要的熏衣草油能减轻焦虑，随身携带一小瓶。紧张时洒在手帕上吸入。

中药拔地麻茶可以减轻焦虑症，用热水冲服。

催眠疗法可能帮助减轻症状，有时能揭露病因。

身心医学的沉思、生物反馈、瑜伽有助于减轻焦虑。

预防

◆做规律的深呼吸和放松锻炼，特别是当焦虑开始出现时。

◆焦虑发作时，规律的锻炼有助减少肾上腺素释放。

◆尽可能避免饮酒、服巴比妥酸盐和抗焦虑药，药物仅仅是掩饰症状。也要避免应用咖啡因，因其能引起一些焦虑症状。

# 焦虑症

## 症状

◆心悸。

◆濒死感。

◆不能集中精力。

◆肌肉紧张、肌痛。

◆腹泻。

◆胸痛。

◆口干。

◆多汗。

◆少食或多食。

◆失眠。

◆易激。

◆憋气、过度换气。

◆性欲减退(见阳痿)。

对学龄儿童：

◆害怕离开家。

◆拒绝上学。

◆害怕陌生人。

◆不必要的担心。

## 出现以下情况应去就医

◆相对处境而言，你的焦虑不合理或过度。

◆焦虑干扰日常活动。

◆轻度焦虑状态持续存在达数周。

◆症状突然加重或不能控制。你也许正在经历惊恐发作。

◆焦虑伴有体重减轻或失眠，你可能患甲状腺疾患。

几乎所有的人不时会感到焦虑。当存在某种威胁时，焦虑是正常的，是肌体面对危险采取准备的方式：血中肾上腺素和糖皮质激素释放，心率增快，呼吸变得浅而快；肌肉紧张，肝糖元释放，同时精神高度警觉。但是当不存在某种特定的威胁而出现焦虑或焦虑过度及持续时间过长，则是一种病态，可使人衰弱、健康受损。

已有许多焦虑症被认识，其中有恐怖症(对特定的环境如封闭区域或特定的物品如对昆虫表现出恐惧)；

# 焦虑症

惊恐发作(突发的无明显理由的极度恐惧或紧张);强迫症(持久、不合理的想法,例如害怕感染或重复行为,如反复检查已锁好的门);外伤后的紧张状态(外伤后的长时间焦虑);和广泛性或"自由漂浮"焦虑(一种持续数目的不可表达的恐慌感)。

焦虑症的严重程度可有很大不同;他们可以很轻或固定存在。不同类型的焦虑症的发生率也不同:例如恐怖症、惊恐发作和强迫症发生率低于广泛性焦虑症(女性发病是男性的两倍)。这种异常通常在青少年或成年初期更为显著,在成人比儿童更常见。

某些焦虑症患者很难治疗,而另外一些患者对药物治疗、心理治疗和其他疗法的反应良好。自行服用酒精或消遣药物以缓解症状是无效的。许多患者采用这种方法,但最终可能使病情更加严重。

## 病　因

焦虑可以由一些已知的应激因素所引起,例如事故、家庭成员的死亡或失业。在这些情况下,随着不断调整及时间的推移,焦虑可以得到改善。在另外一些情况下,应激因素并不明显,埋藏在记忆中的儿童期的不愉快或惊恐场面,隐藏在自我意识之下,在焦虑时得以表现。

某些个体具有遗传易感性。对同卵双胞胎的研究表明,如果其中一个人患有焦虑症,则另一个有至少50%患病的可能。食物过敏可能导致焦虑,但二者之间的联系需进一步研究证实。

### 诊断与检查

首先必须排除这些症状是由器质性疾病所致。可产生焦虑类似症状的疾病有:甲状腺功能亢进症(见甲状腺疾病),高钙血症或低钙血症(钙过多或过少),冠状动脉性疾病(见心脏病),心动过速(心率增状,见心律失常),其他心脏疾患。医生的全面检查将确定上述的疾病是否为导致焦虑症的病因。

如果未发现器质性疾病并且这些症状相对于处境而言不成比例,则应视为焦虑症。

## 治　疗

焦虑症的治疗可采用常规药物治疗、心理治疗和许多其他方法。常规方法和其他方法相结合常常有效。

### 常规治疗

心理治疗和心理分析的目的均在于找出可能导致焦虑症的矛盾冲突和其他应激因素。行为改进,一种重点在于改变行为方式的疗法,如同重点在于改变思维方式的认知治疗一样,可以帮助患者更好地应付焦虑。

药物治疗对减轻焦虑的症状有益,常和其他方法同时应用。最重要的抗焦虑药为苯二氮䓬类,包括劳拉西泮、地西泮、阿普唑仑和氯硝西泮。缺点为有时可导致困倦、易激、头晕和依赖。虽然如此,近些年来他们已广泛取代了巴比妥酸盐。巴比妥酸盐不仅明确有成瘾的危险,而且对有自杀倾向的患者是一个威胁。另一类抗焦虑药是丁螺环酮,其副作用比苯二氮䓬类小,但有肝肾疾患者禁用。妊娠或哺乳期患者在使用前应向医生咨询。

### 辅助治疗

许多其他的治疗方法可以减轻焦虑症状:沉思、锻炼(特别是有氧运动)和放松休息最有效。然而其效果因人而异。例如,有躯体症状,如胃痛或多汗的患者采用锻炼效果更佳,而有精神症状的患者则沉思或其他精神放松的方法更有效。

中医和印度草药治疗,运用多种草药对整个肌体进行调整并消除紧张情绪。

轻柔按摩可以帮助几乎所有人放松。

指压治疗

据说指压许多穴位有助于镇静肌体和平静思维。可请教职业指压医师。对特殊部位进行指压的有效性取决于焦虑的潜在原因。

针灸治疗

每周进行的针刺疗法同样需针对焦虑的原因,对病人可能有益。请向具有治疗精神病患经验的针刺医师请教。

芳香疗法

芳香疗法被认为对治疗焦虑症很有效。可试用熏衣草油、茉莉或蓝菊,在织物上滴上 1～2 滴,然后吸入或将这些油放入蒸气吸入器或蒸气浴缸中。也可以涂一滴在太阳穴处。

# 焦虑症

## 身心医学

多种精神/躯体治疗和措施可以减轻焦虑。关键在于寻找一种或两种你较喜爱的方式并坚持不懈。这些有益的思考和放松方法包括进行性肌肉放松、自然练习、放松反应、先验思考(TM)和东方锻炼方法如瑜伽、太极和气功。思考和放松锻炼应每日 1 次或每日 2 次，以取得最佳效果。

由于焦虑多伴有呼吸变浅，因此深呼吸练习非常有益。当进行深慢呼吸时不可能产生焦虑。试用下列瑜伽呼吸方式：仰卧于一舒适地方，用鼻缓慢吸气，利用膈肌使空气吸入肺内同时使腹部隆起(将手放于脐下方以确认腹部被膈肌推起)。腹部隆起后，继续尽可能深吸气。当呼气时，作相反动作，当缓慢完全呼出气时，收缩腹部。重复上述过程数次。

治疗性接触（不包括直接接触）。对卧床患者和伴有慢性疾病或损伤而对直接接触过分敏感的病人特别有益，除了可减轻焦虑外，治疗性接触还可以减轻疼痛。向医院询问有关护士的姓名。

脑电图主物反馈，用于再训练思维方式，对那些同时有躯体和精神症状的患者有帮助。在治疗师的一系列治疗过程中，病人观看自己的脑电图的波形并逐渐学会控制波形。医师预计经过 12 次练习后，病人可以在没有治疗师或监测仪器的情况下控制自己的精神活动。

催眠疗法推荐用于特殊的恐惧症如飞行恐惧、舞台恐惧或考试和体育竞赛恐惧症。对广泛性焦虑症亦有帮助。儿童和青少年学习自我催眠较成年人快得多，可能是因为他们更习惯于发挥想象力。催眠状态并不是在催眠师控制下进行的一种施巫术或邪恶的过程，相反，他是一种集中注意力的过程。所有的催眠都是自我进行催眠，催眠师仅仅是教你如何运用技巧以达到最佳效果。与生物反馈疗法合作常可加强催眠疗法的作用。

## 家庭治疗

◆每日锻炼是治疗焦虑症状最有效的方法之一。如果锻炼对你有效，则进行快步走或参加你喜爱的运动。

◆补充镁剂有益，特别当你有肌肉痉挛时。剂量不要超过 300 毫克，每日 3 次。剂量过多可导致腹泻。

◆戒酒，减少或停止糖和咖啡因的摄入。

◆调整消耗体能的计划，采纳最必要的锻炼项目，并尽可能避免参加你不能感到放松的活动。

◆如果你存在过度通气，将气呼入一个纸袋，然后吸入纸袋内的空气。这样将增加你吸入气中的二氧化碳含量，可以减少过度通气。从纸袋中吸气可以缓解头晕或刺痛感。

### 指 压 法

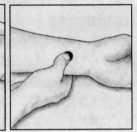
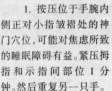

1. 按压位于手腕内侧正对小指皱褶处的神门穴位，可能对焦虑所致的睡眠障碍有益。紧压拇指和示指间部位 1 分钟。然后重复另一只手。

2. 按压间使穴位，有助于镇静和减少忧虑。将拇指放在你的手腕内侧，距腕皱褶 2 指宽的前臂两骨中间处。紧压 1 分钟，重复 3~5 次，然后重复另一臂。

# 焦虑发作

## 症　状

如果你有 4 个或更多的下列症状,你就有焦虑发作:

◆心悸。

◆大汗。

◆发抖。

◆窒息感。

◆气阻感。

◆胸痛或不适。

◆恶心。

◆头晕或晕厥。

◆发痛的恐惧。

◆死亡的恐惧。

◆麻木或麻刺。

◆寒战。如果你对焦虑发作复发和对后来发作持续恐惧,或因为发作而改变你行为,你患有焦虑症。

### 出现以下情况应去就医

◆如你患有焦虑症,单有焦虑,那是很不愉快的,但是常见的,不会危及生命。

◆你认为你可能有心脏病发作,症状同心脏病相似,大部有焦虑症的患者都有相似感觉。有焦虑症的胸痛常位于胸中部(心脏发作疼痛向左上肢放散),和伴有呼吸加快、心悸和恐惧。

**你**常注意生活中一些平常事情,你的心脏突然心跳加速,过度通气,出汗,烦燥,你会担心有心脏病发作、发病或要死亡。而大约 10 分钟左右就消失,这种感觉从何而来呢?

很遗憾,没有明确答案。对少数有焦虑发作的患者,有相同方式一次次发作,称为焦虑症。在发作之间,患者恐惧下次发作。对许多焦症患者来说,当焦虑发作时常和他们在做的事情有关,假如他们在饭店、电梯、教室中引起发炸,那就要避免到这些地方。在这种情况下,焦虑症可致恐惧症——恐惧到公共场所或离开房间,然而两者间关系还不清楚。

焦虑是相当常见的,平约有 35% 的人为之痛苦,约 1% ~ 2% 的人发展为焦虑症。多在 15 ~ 25 岁开始发作。

## 病　因

焦虑症的病因还不清楚,有一些遗传和生物化学方面证据,也和恐怖症如学校恐怖症、恐惧症及抑郁、嗜酒、季节性传染病有关。突然感到恐惧、孤独,常引起过度通气——难以控制的、快速的浅呼吸,这样影响血液中氧和二氧化碳平衡,而引起许多其他症状。

焦虑症可以在重病或事故、亲密朋友去世、离开家庭出走后出现,也可以在使用调节精神药物后发作。然而,焦虑发作常突然出现,甚至可以在睡眠中发作。一些药物也可以引起焦虑发作,包括大剂量抗抑郁药。

## 治　疗

因为大部焦虑发作病因不清楚,治疗主要对个别病例,包括心理治疗、认知性行为治疗,和药物治疗。另外还有抗焦虑和放松治疗。

### 常规治疗

心理治疗有助于减轻恐惧症状,这对疾病治疗是有效的,频繁再发则需有特殊措施。认知行为治疗,把病人焦虑的具体体觉置于安全环境中,常常是有益的。这种感觉可以变到快速呼吸、头转动、蹬楼梯影响。可以告诉病人处理如肌肉放松、呼吸方法。这种治疗也可以帮助病人认识焦虑不会导致他们新恐惧的灾难性事情,如心脏病发作。

抗抑郁药物,如丙米嗪,有助于减轻焦虑,减少发作频率和减轻焦虑发作的严重性。抗焦虑药,如阿普唑仑,比抗抑郁药作用快,但会出现药物依赖的危险。停药常常会导致疾病恶化。在认知行为治疗时,应用药物治疗最佳。

### 辅助治疗

一些治疗方法可有助于减轻患者焦虑。

**芳香疗法**

研究表明:熏衣草油能减轻焦虑和紧张。随身携带一小瓶,在紧张时,洒几滴在手帕上吸入。

**体疗**

瑜伽能放松肌体,有助于缓解焦虑。这种方法可以向老师学,在家中练习。

**中药治疗**

一些中草药具有松弛药、镇静剂作用，可以减轻焦虑。可以改用一些有黄芩、拔地麻、柠檬芳香油质做的茶。

**催眠疗法**

催眠对患有焦虑、恐怖症的许多病人是有效的，因为催眠可能使你完全放松。这种方法和其他治疗相联合可以使病人找到和克服焦虑的原因。

**身心医学**

因为过度通气是焦虑发作的重要特征。作慢而深的呼吸有助于减轻焦虑严重程度和发作频率。深思和其他放松练习，如每小时做两分钟缓慢呼吸，有助于平静呼吸节率和减轻焦虑。

**营养及饮食**

镁有镇静作用，每天服两次 250 毫克，避免饮用咖啡、酒和糖。

**预防**

◆要去认识焦虑发作。当有第一个症状，要知道其他症状将随之而来。做缓慢的深呼吸。

◆不要希望立即就治愈，治疗需要时间，症状是一步一步改善的。

◆要宽容自己，有焦虑的人总是对自己过分的苛刻。

## 症 状

你可能有强迫观念或强迫行为,或两者兼有。

强迫观念:

◆偶尔或持续地出现毫无意义的想法如：不可抑制地害怕污物，对已过去的事件持续焦虑。

◆企图抑制这种想法。

◆认为这些想法来自于自己的幻想而不是外界因素。

强迫行为:

◆重复的行为如洗手、一再检查锁、整洁、不断重复单词。

◆认为这种重复行为是极度的、非理智的。

◆思想或行为的兴奋状态。

◆因为应付这种强迫行为失败而抑郁、痛苦。

对于孩子:

◆焦虑不安、抑郁的个人行为。

◆伴随妄想的社会孤立和退缩行为。

◆来自于焦虑的悬挂的心情到绝望。

◆在报告或作业中，典型行为伴有强迫观念与行为疾病。

## 出现以下情况应去就医

◆如果你和你的孩子出现以上所列的症状。

◆你的孩子有焦虑或压抑并有可怕的攻击行为、异性行为、玷污或骚动。

**强**迫观念与强迫行为的疾病 (OCD) 不是普通的如我们平时所做的"反复检查"以确认门锁是否锁上或烘箱是否关掉。对于 OCD 病人来说，这些行为被如此扩大以致于妨碍日常工作、上班和与家人的关系。患者被认为 8 小时连续洗手或整日待在家里。强迫行为与强迫观念疾病是一种慢性的、不能被随意控制的、甚至在相对正常很长一个周期之后，患者在没有明显的原因下可能遭受另外的打击。

因为强迫观念是逐步地极慢地从简单的观注移为冥思苦想到完全的"偏执"。人们不能认识到他们正患一种疾病，甚至当 OCD 产生症状妨碍每天的生活。病人可能试图从其他方面掩盖他们的强迫行为并企图用意

# 强 迫 症

志力量来处理他们。

尽管 OCD 出现在青少年时期，攻击行为多数发生在青春期，有半数的成年患者都是在 13 岁开始表现症状的。在美国有 2% ~3% 的人在他们的生活中都体验一些 OCD 的成分。强迫观念与行为的特点被发现在图雷特综合征、抑郁症与精神分裂症中。

## 病 因

在一段时间内，强迫观念与强迫行为被认为他表明人们被病狂占有，驱邪法术是最早的治疗形式之一。关于强迫观念与行为疾病的病因有 20 余种不同的理论存在。来自于弗洛伊德思想的传统假说，持强迫观念是来自早期的欲望发展为潜意识的反射学说，尽管一些心理学专家一直支持弗洛伊德的理论，但当今更广泛的理论建议是 OCD 有遗传因素，并且是被一种低水平大脑神经介质的一种叫 5 - 羟色胺触发的。

### 诊断与检查

患者对自己行为的描述常常提供最好的线索。一个人的家族史对于评价是否有遗传因素也是很重要的。你的医生也将排除其他的心理疾病，如精神分裂症，此病能产生同样的行为模式。

## 治 疗

治疗的目标是减轻焦虑、解决内心斗争，并帮助学习处理焦虑的有效方法。一般治疗可以包括心理疗法或行为疗法。抗抑郁药减轻压力的技巧（方法）。药物与行为治疗似乎取得最好的结果。

### 常规治疗

流行中最有效的抗强迫症的药是三环类抗抑郁药的氯米帕明。研究显示氯米帕明可以提高大脑中 5 - 羟色胺的水平。成年人 30% ~60% 可以减轻症状，在孩子有 70% ~80% 减轻。其他抗抑郁药物被证明也有好的效果，是选择性 5- 羟色胺再吸收抑制剂如 氟西汀、帕罗西汀和舍曲林对于适应的药物和剂量的选择与在治疗焦虑患者有经验的医师商量。

行为疗法着重改变一种特殊行为，如强迫学习，通过停止触发他的原因或通过一个更合乎需要的反应，根据一些逸事趣文的证据，60% ~70% OCD 病人在简单的行为疗法治疗之后，是"非常先进的"，对于孩子，家庭治疗更重要。

### 辅助治疗

辅助疗法对于缓解 OCD 的焦虑和减轻他们自身强迫行为两者都有帮助。按摩、推拿对于减轻一些颈部、肩部及背部物理性强直到 OCD 病人的痛苦是有效的，通过放松肌肉的方法缓解焦虑和减轻强迫症的急症，所有这些训练，尤其是那些如"瑜伽功"之类的反复做同样的动作以伸展和放松身体的一些肌肉。

*生物反馈*

因为强迫观念和行为常常是受一些感情控制的思想方法，这些感情如焦虑、生气、悲哀等。帮助大脑减轻这些感情的强度，也就减轻了 OCD 本身。研究已经显示，脑电波生物反馈（又称神经病疗法）对于减价妄想感情是一个好的工具。有效地治疗 OCD，一学期 30 ~60 次脑电波生物反馈训练是必要的。但这一学期可能会带来持久的改变，并且这项技术有全部控制病人的治疗的有利条件。

*身心医学*

一些身心训练可以帮助缓解 OCD 的焦虑沉思和其他放松技术，如进行性的肌肉放松、瑜伽功、太极和气功都可能有帮助，可找一种或两种你更喜欢并能每天坚持做的项目。

因为焦虑几乎总是伴随有浅的呼吸，所以深呼吸的练习是非常有益的。交替鼻孔呼吸、特殊的思想刺激大脑的不同的区域，对缓解焦虑也有好处。

# 易 激 惹

| 症 状 | 疾 病 | 应采取的措施 | 其他信息 |
|---|---|---|---|
| ◆持续的易激惹伴有以下症状或现象: | | | |
| ◆悲观厌世,缺乏成就感,无欲,嗜眠症,失眠,对于正常活动无兴趣,包括性活动在内。 | ◆抑郁症。 | ◆见抑郁症部分,你也可以与医生、精神病医生、牧师或你的朋友交谈,让他们来帮助你。如果你想自杀,请马上去找你的医生。 | ◆因为症状因人而异,所以对抑郁作诊断不是很容易。例如:有的病人患抑郁时可表现为睡得时间较长或吃得较别人多。 |
| ◆抑郁与兴奋,过度活动或言语过多交替出现。 | ◆躁狂抑郁性精神病。 | ◆见躁狂抑郁性精神病部分。运动或放松活动有助于减轻症状。 | ◆症状交替可以很快或是持续数年。治疗的过程应由家庭成员或配偶共同参与。 |
| ◆不能入睡,或睡觉的时候不断醒来。 | ◆失眠。 | ◆见失眠部分。你应尽量找到引起失眠的明确因素,适当的运动和放松活动可能对改善症状有所帮助。 | ◆由于旅行或更换住处所致的失眠常只会持续数晚。 |
| ◆女性在月经来潮前10天内出现行为改变——伴有乏力和焦虑,并且症状在来月经后几个小时内消失。 | ◆经前期综合征。 | ◆见经前期综合征部分。当出现症状时,你应尽量避免应激与易激惹对你生活和工作的影响。 | ◆经前期紧张综合征可伴有抑郁,但症状并不完全相同。其真正的病因还不明确,但有人认为是激素失衡。 |
| ◆女性在50岁左右出现显著的行为变化。 | ◆更年期综合征。 | ◆见绝经部分。可以要求你的医生给予激素替代治疗。 | ◆男性随着年龄增大也会有易激惹的现象,如果情况较严重,或是有其他持续性症状,可与你的医生联系了解有无其他疾病。 |
| ◆你正在戒烟、戒酒、戒咖啡或是停用某种药物。 | ◆戒断反应。 | ◆见酒精滥用、药物滥用及尼古丁戒断反应部分。 | ◆戒断症状的严重性与药物滥用的时间有关,在戒断期间应与你的医生密切联系。 |
| ◆家庭、工作,或其他日常生活方式发生变故。 | ◆应激。 | ◆见应激反应部分。可试用运动及放松治疗、家庭治疗,这是治疗家庭所引起疾病的最佳方法。 | ◆长期与父母之间的冲突会导致儿童类似的表现与精神症状。 |
| ◆头晕,头痛,乏力,焦虑,恶心及气短,同时没有其他疾病可解释以上症状。 | ◆环境中毒。 | ◆见环境中毒部分。与你的医生和老板讨论引起疾病的真正病因。 | ◆如果你认为化学物质、持续的噪音或其他环境因素是导致你患病的病因,可以改变环境或减少与其接触。 |
| ◆症状在冬季出现,伴有抑郁。 | ◆季节所致的疾病。 | ◆见季节所致疾病部分。可以多晒晒太阳及其他含有全部光谱的光线。 | ◆季节所致疾病常与白昼时间短及缺乏日照有关。 |

# 注意缺陷疾病

## 症　状

◆习惯性注意力不能集中。◆在学校表现不佳。

◆注意力过度分散。◆缺乏组织观念，即使是自己喜欢的活动也如此。◆情绪易激动。

◆活动过多，坐立不安或无目的地跑动。

◆言语过多且经常中断。

### 出现以下情况应去就医

◆出现注意缺陷障碍的症状即应就诊。鉴于这种疾病难以诊断，应多与几位专家探讨。这一点很重要，因为有些诊断为该病的儿童，实际上并未患病。因此，与有经验的专家探讨是十分重要的。

**注**意缺陷疾病常被误诊，因为许多症状与儿童生长发育阶段有关。这些表现在某个年龄段是正常的，而在另一个年龄段则不是；对一个儿童来说，表现是正常的，而对另一个同龄儿童来说可能就不是。尽管如此，注意缺陷疾病可以诊断，也可以治疗。在许多病例中，儿童年龄很小甚至在婴儿时即可以表现出症状，但可能要到上小学 1～2 年级才被确诊，这是因为学校生活才使这些症状表现更为突出。

注意力集中困难——注意缺陷疾病的典型表现，是儿童期最常见的疾病。某些报告估计大约 20% 的学龄儿童患有此病（另一些学者则估计发病率在 5%～7%）。男孩患病人数是女孩的 5 倍。注意缺陷疾病可累及整个青春期。某些症状甚至在成人期也不消失。近几十年来在治疗方面取得重大进展。与此同时，还存在着许多关于本病的模糊认识和错误观念，因此导致该名词的滥用：有人报道在青少年和他们的家长中，ADD 成为一个流行的词，用来责备那些本来可忽视的表现。

绝大多数 ADD 患者智力正常或极高，他们的活动量可正常、少于正常或增多（又称为注意缺陷活动过多疾病）。ADD 患者可能存在特殊的学习困难，他们不能像其他同龄儿童那样获取和吸收知识。他们的大脑不能接受耳、眼、肌肉传递过来的信息。

## 病　因

尽管 ADD 的病因不清，许多病例显示生物遗传因素可能在本病发生中起重要作用，即该病发生有家族性。还有一些非遗传因素可能与本病发生有关，包括药物或酒精滥用，或孕期出现的其他疾病、产褥热、疟疾、意外事故导致脑损伤、脑膜炎、脑炎、低水平的铅中毒（见《环境中毒》）和精神疾患。

### 诊断与检查

◆患儿和其家族的病史、社会史。

◆物理诊断和神经检查，包括视力、听力、言语表达、运动能力检查、血铅水平（一种与动作过多有关的矿物质）。

◆智力测验、天资、人格特点、进取力的评定。

当怀疑有过敏存在时，应请变态反应专家会诊。

## 治　疗

最好的治疗方法为药物、心理综合疗法。医生、心理学家、教师、家长的密切合作十分重要。通常还需要群体研究治疗方法。

### 常规治疗

尽管目前对于兴奋剂可能存在滥用问题争论较大，但这类药物如苯丙胺或哌甲酯仍是治疗 ADD 的常用药物（令人奇怪的是兴奋剂可减少患儿活动量）。服药期间应注意调整用药剂量（至少 1 月两次），目的是为了保持适当的血药浓度，同时监测副作用。由于哌甲酯在体内的有效浓度只能维持 4 小时，因此 1 天需服药 2～3 次。

在精神疗法中，最有效的是行为纠正法，尤其是当家长掌握了某些行为纠正法的技巧后效果更佳。此外，在治疗期间可同时进行特殊教育，以使患儿掌握学习方法。精神疗法是相当有效的治疗方法，尤其适于那些自制力差的患儿。

### 辅助治疗

许多方法可能对治疗 ADD 有效。脑电图生物反馈疗法是纠正行为的有效方法。

# 注意缺陷疾病

### 营养及饮食

限制患者的饮食是否有利于 ADD 缓解，目前争论较大，但一些医生建议患儿膳食应为高蛋白、低碳水化合物，禁糖。维生素 B 族复合物包括维生素 $B_3$、$B_6$、$B_1$ 可能对某些患儿有效。每天摄入 150～300 毫克咖啡因有利于缓解病情。若患儿血铅浓度超过正常水平，则需治疗铅中毒。

### 家庭治疗

◆通常周围的人用一种错误的方式来纠正患儿的行为，患儿已习惯于这种轰炸式的提醒，而没有考虑到其自身的控制力。正确的做法是尽量提高患儿的自制力。

◆及时表扬、鼓励患儿正确的行为。

◆注意对患儿要求的一致，尤其是要确定保姆对患儿的要求与家长相同。

◆对患儿提要求时要简单、明确（如"请刷牙，然后穿衣服"），而不要用笼统的提法（如：准备上学）。

◆对患儿表现出的天分要鼓励其发展，尤其是运动方面和其他校外活动。

◆生活要有规律。规定吃饭、睡觉、活动、看电视的时间。

◆校外时间的安排不要单调地做作业，活动、锻炼也很重要。

◆保持患儿房间内物品的简洁，将玩具放在患儿看不到的地方。

头颈部疾病

# 躁狂抑郁性精神病

## 症 状

夸张地表现情感或性格和不可预测的情绪变化是此病的最初迹象。本病有两个对比强烈的阶段。

躁狂期：

◆兴高采烈或急躁、易怒。

◆言语过多，思维奔逸。

◆自我膨胀。

◆精力过盛，失眠。

◆冲动地、不顾一切地追求喜悦、满足，诸如疯狂购物、冲动地旅行、性滥交或乱交、高风险的生意邀请、开快车。

抑郁期：

◆情绪低落，自卑。

◆极度地呆滞和淡漠。

◆忧伤，孤独，无助，有负罪感。

◆讲话慢吞吞，疲乏，不协调。

◆失眠。

◆有自杀想法和感觉。

◆使用安非他命类的寻求精神欣快的药物。

## 出现以下情况应去就医

◆你发现家庭成员中有上述症状。注意，患者经常拒绝认错，特别是躁狂型的，你如果为你的家庭成员或亲近的朋友担心，医生能提供如何控制局势的建议。

◆你发现自己出现一些上述症状。

躁郁症在精神健康专业中表现为两极紊乱，是一种严重的、双重性精神疾病。当然是与表现冷漠的一般性抑郁症比较而言（专业上形容为单极紊乱）。躁郁症的特点是在得意洋洋与绝望之间呈周期性运动。典型是病人的情绪交替广泛。一些病例中，持续几年的一般症状分裂为躁狂型和抑郁型。另外一些类型变换频繁，一年出现 3～4 次，其间有时清醒。一些患者，抑郁和躁狂症状更换频繁而剧烈，有极少数躁郁症一生中只出现过一次（如果出现两次，通常会出现其他类型）。通常抑

# 躁狂抑郁性精神病

郁期要比躁狂期持续时间长,其发作也趋于更频繁,此周期是动态的。

大约美国总人口中百分之一受此病折磨,尽管这一数字可能还会更高,因为75%的病人未接受治疗。男人和女人一样敏感。大量证据表明此病的一般原因,但是病因仍不清楚。症状显然是大脑内部化学物质不平衡造成的,存在于意志控制的范围之外。紊乱不仅造成生活分裂而且还有危险。大约20%的患者自杀,通常发生在一个症状向另一个症状过渡的患者感到迷惘时,11%的患者在确诊后的头十年中采取这种强烈的行动。

幸运的是治疗这种疾病,现在已取得巨大的进步。大多数病例,症状可以利用药物或其他方法有效地控制。

紊乱的发生有两种形式:两极Ⅰ型和两极Ⅱ型。此病可能有单性遗传的原因。在两极Ⅰ型中,此病的两种症状是确切而非常明显的。在两极Ⅱ型中,躁狂也表现为中性。抑郁性有时即不柔和也不剧烈,两极Ⅱ型更难诊断且经常误诊为一般的抑郁症,他比两极Ⅰ型缓和期少更短。可由家庭成员照顾,因为该症状对治疗不易起反应。这可能是躁郁病中最普通的一种。

此病有时与季节变化相联系。抑郁症多发于深秋或冬季,缓和期一般出现在春天,在夏天发展或为躁狂和轻度躁狂。

大约每一个躁郁症病例有5种成因,童年和青春期,青春期很像成年人患身心疾病上的一些症状,比如出现幻觉或患上幻想症。大多情况下被误诊。通常该病发生在25~35岁的青壮年中,男人首先表现出的是躁狂型,女人首先表现为抑郁型。而且一个女人通常在躁狂型出现前会有好几种抑郁型表现。病人年龄越大两极Ⅰ型和两极Ⅱ型重复出现的越频繁,持续时间也越长。

## 病 因

此症是大脑中化学物质不平衡造成的结果。由于基因或基因组不完善引起神经传感器中可能相关的血清素和去甲肾上腺素的改变。但躁郁症中神经化学的相互作用复杂,至今没有被完全弄清楚。事实上有一些精神病、抑郁症及自杀现象的病例的家族史,支持了基因起重要作用的可能性。

### 诊断与检查

因为躁郁症总有附属的特点(与一般病相比较而言),病人通常不愿让人知道有任何不适,内科医生经常发现不了病情。还有一点,症状有时只是比正常情况稍微夸大一点的表现。任何情况下,研究表明75%的病人未得到治疗或治疗的不恰当。

美国神经医学会发表了一个长篇的检查此病的特别规范。检查鉴定包括检查病人的家族病史,就是家族中是否有人患病或自杀。排除其他疾病。例如:特别是一些儿童问题,比如学校恐惧症和注意力不集中;像精神错乱、精神分裂症和酗酒吸毒引起的孤独状态的精神病,这些在躁狂抑郁症中很平常以至于掩盖了症状,使诊断与治疗很难进行(见药物滥用)。发现和治疗这些是应优先考虑的事,因为这是强烈的自杀前兆,特别是男子。

在治疗开始以前,病人先做一次仔细的体检,验血和尿可以在治疗时选择用药范围。甲状腺分析特别重要,因为甲亢(见甲状腺疾病)看起来很像躁郁症。锂——一种治疗躁郁症的针剂——可降低甲状腺功能。治疗过程中,经常验血十分必要,这样可以查出用药是否达到治疗目的或早期发现副作用。

## 治 疗

现在,对躁狂抑郁精神病大多采用注射碳酸锂和精神治疗联合治疗。以注射为主。进行精神治疗,重要的是帮助病人知道并接受自己既往发作分裂的一面和可治愈的一面。需要补充说明的是病人拒绝是经常遇到的一个难题。常规的精神治疗可以帮助病人继续药物治疗

---

**重 点**

◆注意有自杀倾向的患者,特别是当患者的症状在过渡时——迷失方向。

◆做为父母或配偶,确信你能知道你家庭成员有两极紊乱和其他的特别表现。

◆如果发现你自己或家中成员不断服用安非他命类药物来振作精神,可以考虑是否患上此症。两极紊乱不治疗后果是严重的,早期治疗可把他的影响减少到最小。

---

# 躁狂抑郁性精神病

（成年病人的顺从是一种欺骗）。几乎所有可被用来精神治疗的形式包括：识别、行为的或精神动力学的、个体的、家庭的、群体的。

家庭成员或配偶患有此病时，你应参与各种治疗手段。掌握有关疾病的信息和表现对病人的爱很重要。

## 常规治疗

碳酸锂是用来治疗躁郁症的主要药物，可以有效地减轻躁狂。锂还可以防止抑郁病反复，但经常在几种抗抑郁药物配合下使用。最近发现使用血清素可重新恢复抑制（SSR1s）——特别是精神传导血清素——经常选用于抗抑郁症，是因为他的副作用比以前的药小。在SSRIs中有氟西汀、舍曲林和帕罗西汀。另外一些抗抑郁药物包括三环类——比如像去甲丙咪嗪、丙咪嗪和阿米替林。这些药物虽各不相同但都与SSR1s相似。

有时有些病人不适于用锂，可用氟哌啶醇，对急性躁狂的患者在使用锂治疗起效之前也可使用该药（5～7天）。一小部分患者对锂没有反应，使用另一些药物诸如卡马西平或氟哌啶醇（单独或与锂共用），应遵医嘱。

这些药物中许多可以引起中毒，所以要验血，检验是否达到正常水平或对早期的不利反应做检查。治疗开始时，精神病医生需要做药理实验。因为对患者来说采用什么药物和用多大剂量是不可能预测的。

电惊厥疗法，有时用来治疗严重的躁狂症和抑郁症患者，当这些患者拒绝药物治疗时。因为此法见效快，可帮助那些被认为将实施犯罪的患者。该疗法在60年代很受偏爱，到现在程序已大大改进可谓精益求精。首先病人先被麻醉，然后一股电流穿过颞叶引起主要症状短期发作——最长不过几秒钟。通常在电惊厥疗法2～3周过程中，停用碳酸锂可避免神经性中毒的并发症发生。

光疗法被证实有效，因为两极混乱与冬季抑郁症有关系。因为那些患者在冬季总表现抑郁症状，每天坐在特制光箱前20～30分钟照射全光谱光1万勒（克司）可以有效治疗抑郁症（看季节性混乱）。

## 辅助治疗

对严重的躁狂抑郁症（两极混乱I），选择药物和其他办法医治不会有什么疗效。抑郁症患者情绪太低落以致于不能进行任何练习和活动；而躁狂症则机能太过亢进而不能放松精神。尽管这样，选择性疗法对症状的某些方面取得的进步或减轻症状，是有一定疗效的（两极混乱II）。

一项调查研究指出，镁可能代替锂，用以对付关于该病状连续变换的情况。镁有无毒副作用以及很容易在健康食品店买到的优势，但仍需要继续研究。研究者相信，镁的使用有美好的前景。可与你的医生或精神病专家讨论这个观点。

中草药可延缓情绪变化周期，可使躁狂症放松并使抑郁症减轻压抑。但你必须确信应找一个具有治疗抑郁症经验且知道怎样使用草药的中医（因为并不是每一个中医都会熟练治疗精神病及使用草药）。

低钒（一种可在肉食及其他食品中含有的矿物质）和高维生素C的食谱也同样有帮助。但是食谱应经过营养专家或正规医师的检验。熟练的顺势疗法也可以改变强烈的精神变化。

针刺疗法可以增强活力或放松身体，主要靠针刺穴位掌握。涂油按摩也可以放松或增强活力。

### 生物反馈

医生认为脑电图生物反馈对治疗此症有效，是因为通过脑电图可掌握一些脑电波的情况，如过于兴奋、出现幻觉、易怒、缺少睡眠和不能自制等，也能检查出脑电波活跃与精力低、没有自尊和运动不协调有联系。

如果躁狂抑郁症是轻度的，这种生物反馈形式可代替锂及其他药物，尽管他可以与锂一起安全使用。因为脑电图生物反馈疗法比较新，在美国只有一千多医生掌握该技术。从附件中的健康协会和组织中可获得详细信息。

### 家庭治疗

保持安静的环境，特别是对有躁狂症的患者。保持日常生活规律——睡眠、吃饭和锻炼。充足的睡眠十分重要，可防止此病发作。避免过度刺激、聚会、有敌意的谈话，长时间看电视或电影可加重躁狂症状。

躁狂症患者喜欢冒险活动，比如超速驾车和真正的体育运动，他们应接受检查并不给其机会——特别是在小汽车中。应严格限制饮料及食品中含有咖啡因、茶、咖啡、可乐和巧克力。禁止饮酒。

## 指压治疗

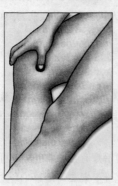

按压曲泉穴位可以帮助减轻躁狂抑郁症的症状。弯右膝、大拇指放在膝内侧起皱处上部，刚好在膝连接处下面（可摇摆你的腿寻找到他）。按压1分钟2～3次，然后开始做左腿。

## 瑜伽

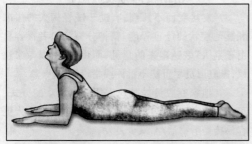

像斯芬克斯像一样，前臂放在地板上，手心向下，肘部在肩的正下方。吸气并使用你胸部尽可能舒服的抬高且越远越好。支住做几次深呼吸，然后放松并呼气。

## 症　状

凡符合下列症状中的两条或两条以上者，可诊断精神分裂症：

◆妄想。

◆幻觉。

◆乱语。

◆非理性或紧张性行为，如：昏迷，僵直手足徐动。

◆消极症状：迟钝，沉默，无欲。

这些症状常伴随人际交往能力的大幅度降低。

## 出现以下情况应去就医

◆当你或你认识的人有以上症状时。精神分裂症可以是破坏性的，医护是绝对必需的。记住，要使精神障碍患者认识自己的症状并去看医生是不容易的。

虽然从字面上称"精神分裂症"，但不能认为他是"分裂了的"或多重人格(性格)的。确切地讲，这是一种精神病，是一些打乱了正常思维、语言和行为的长期的和严重的精神障碍。

精神分裂症的发作常以上述症状或怪异的行为为标志，但也有很多病人表现为"消极"症状，如情感、思维和社会活动的降低。

将精神分裂症分亚型，如妄想型和紧张型等基本上是无用的，因为不同的病人，其表现的症状各异，医生也就做出不同的诊断。但是大多数患者确有相似的症状。例如，他们常诉说自己奇怪的、混乱的知觉来源。他们感到极大的孤独、焦虑和与世隔绝。

精神分裂症患者常按自己的标准思考和表达，思维跳跃，使用含混和或重复的词语，造新词或将一些词语混合乱用。精神分裂症病人常多疑和愤怒。他们会感到有一些想控制他们行为的人将他们的思想偷去了、传播了或改头换面了。他们会描述一些批评他们行为的声音或他们讲话的声音。

精神分裂症常见于十几岁的男子和20几岁的女子，但男女发病率相差不大。大约有8%的人将因精神分裂症接受治疗。有些病人只发作一次，以后完全正常。而更常见的是间歇发作几十年，而且每次发作都会加重。

# 精神分裂症

## 病　因

绝大多数专家认为,这些症状是由于脑内某种化学物质紊乱而引起的脑功能紊乱,但具体机制不清楚。

精神分裂症更像一个由多种原因引起的综合征。遗传可能有关系,但尚未发现精神分裂症的单个基因。虽然家庭的支持确能预防其复发,但专家们也认为家庭不和并不是本病的病因。

## 治　疗

常规治疗的目的是帮助病人恢复正常的人际关系,提高他们的社会生活能力,并以尽可能小的有效剂量的药物控制疾病。通常要联合应用药物治疗和心理治疗。

### 常规治疗

现代精神病的治疗始于 1952 年氯丙嗪的应用。氯丙嗪(以及与其相关的氟哌啶醇)是一个能控制急性发作的药物,可将患者住院期从几年缩短到数日,并复发率降至 50% 以下。但此药并不是对所有病人均有效,而且长期应用不比短期应用疗效好,长期应用还会引起有害的副作用,尤其是一种神经性肌肉运动障碍——迟发性随意运动障碍(TD)。TD 表现为不随意的面部动作,如吸吮动作和"作鬼脸"。

一种叫氯氮平的药于 1990 年被美国批准用于临床,可帮助许多使用其他抗精神病药无效的患者,并且不引起 TD。但氯氮平能使 1% 的病人白细胞减少,所以,使用此药时,每周要检测一次白细胞。另一种叫利司培酮的新药可缓解症状,并不减少病人的白细胞。对

于大多数病人来说,要终生使用抗焦虑药,以防复发。对于药物副作用引起的僵硬、震颤、抑郁等症状,可使用抗抑郁药。

如果没有药物治疗,单独使用心理疗法是无效的。但心理治疗对于帮助病人认识自己的疾病,并重新开始社会生活与家庭生活是必要的。

### 辅助治疗

由于精神分裂症非常严重、复杂,所以,有效的治疗方法很少。但近几年对其研究越来越多。

#### 营养及饮食

有证据表明,叶酸对治疗有益。维生素 C 可加强氟哌啶醇的抗精神病作用。维生素 E 可缓解 TD,尤其在早期。对于锌、锰以及烟酸是否有益还在争论。

---

### 帮助精神分裂症患者

亲友接受而不评判,有助于减轻病人的焦虑和其他症状的严重程度。精神分裂症患者很容易由于别人"表达出来的意见"而焦虑。所以专家建议,家庭成员尽可能不批评或指责病人。

其他家庭成员鼓励病人用自己喜欢的方式,可减少其无助感。在这样支持性的环境中,病人更容易接受药物治疗,减少复发。

有些病人对个别药物反应良好,或只是因为喜欢这个药的感觉。对这种偏好应及早尽快加强病人的独立性。

# 神经性厌食症

## 症 状

◆体重显著下降。

◆害怕发胖，即便在消瘦情况下。

◆过度节食和运动。

◆对形体的扭曲认识。

◆对食物过分关注，如精确计算食物的热量或详
细研究烹调书籍。

◆便秘。

◆皮肤干燥呈灰黄色。

◆面部和体毛增多而头发脱落和减少。

◆停经。

◆性欲减退。

◆正常室温时感手脚发凉。

◆慢性失眠，不明原因的体力增长和下降。

### 出现以下情况应去就医

◆你的孩子或青少年通常在体重明显下降后仍沉
迷于节食并总感服胖。

◆你的孩子长期使用轻泻药、利尿药、催吐药或节
食药物。

**你**的孩子过度运动以减轻体重。

你的孩子过分关注食品、热量及食物制作。

神经性厌食症是对肥胖的过度恐惧而导致的一种
摄食行为异常。这种没有理由的恐惧导致自我节食和
体重明显下降，除消瘦外，营养不良可引起激素失衡、贫
血、心律失常、骨质疏松和其他问题。

通常这种情况发生于青少年及成年初期，但也可能
更晚。90%患者为女性，大约1%的美国妇女患病。厌食
症很危险，需要早期进行专业治疗。及时的治疗常可阻
止疾病的进展，但是某些病人对治疗的反应很差，可能
需要住院治疗。15%的厌食症患者死于并发症。

尽管厌食症集中表现在对食物的异常关注，但实
际上是一种心理疾病。通常他起始于想减轻几磅体重
的相对正常的愿望，但是由于节食只能暂时缓解潜在
的心理疾病，很快便成为强制性的行为，食物摄入逐
渐减少直至几乎不进食。患者对自己的形体过度重视

并经常认为自己过胖，尽管事实正相反。具有讽刺意
义的是，患者对食物的制作和消耗过程很严格，对食
谱和烹调充满兴趣，尽管她自己并不食用这些食品，
当其他人在场时更是如此。在禁食过程中，可能间断
出现暴饮暴食及服用泻药（见多食症），特别是当她试
图恢复正常饮食时。大约半数的厌食症患者在某些时
候存在多食。

厌食症患者多来自社会地位高的家庭，同时他们多
为完美主义者，在他们生活的某些方面有强制性行为，
尤其在上学期间。他们否认自己过度注意体型，厌食症
患者拒绝承认有病，他们对其他人所表现出的关心很愤
怒或抵触。

## 病 因

一些研究表明，基因在厌食症发病中为一个易患因
素。大多数学者认为心理因素是致病的关键。厌食症患
者缺乏自尊心并感到不应获得爱。在青少年期，性发
育、社会推崇苗条体型的观念和来自家庭的压力或紧张
可使这种感觉加重。极度的禁食可能是厌食症者试图
控制个人的生活的方法——不仅可控制自己的外形，也
可减缓发育和性成熟。

### 诊断与检查

尽管一些筛选试验，例如进食态度试验（EAT），能
够帮助识别潜在的厌食症患者，但主要的指标是没有明
显生理原因的消瘦而非禁食。应全面检查血和尿以除
外其他各种导致体重下降的可能原因，更重要的是查明
有无激素失衡和一些重要营养物质如钾、锌和脂肪酸的
缺乏。锌缺乏常见于厌食症患者，特别是素食患者，可
能影响肌体的许多生化反应，延缓生长和性发育，并最
终导致厌食症。严重的激素和营养物质的失衡可导致
该病。

## 治 疗

心理治疗、定期监测和营养指导是厌食症治疗
的一部分。所有专业医护人员间的密切合作很重
要。所有专业医护人员应在治疗饮食失衡方面具有
丰富经验。

# 神经性厌食症

## 常规治疗

厌食症的治疗，因发现时所处的病期和病人是否愿意合作而有所不同。如果病人体重下降超过正常体重的25%时，常需住院治疗。

治疗的重点在于针对个体进行心理治疗以发现导致这种疾病的情绪问题和人们之间的矛盾。如果患者住在家中则家庭治疗也很重要。行为治疗有助于改正不良习惯。此外，应制定一个体重的目标，不断进行营养教育和医学监测也很重要。

补充硫酸锌可纠正锌缺乏。其他营养补充剂、食欲增强剂、抗抑郁药和抗焦虑药也常应用。

## 辅助治疗

其他治疗可能对改善厌食症症状有益，并可作为营养和情绪治疗的有益辅助手段。

### 中药治疗

见焦虑症有镇静作用的草药。松弛胃部肌肉可试用龙胆(藤黄)或其他助消化的苦味药。用开水冲泡1～3茶匙干草药或少量新鲜草药10～15分钟，每日饮用3～4次，每次1小杯。

### 身心医学

瑜伽、太极、舞蹈和游泳等锻炼或放松的方法可减轻焦虑并提高自我的认知能力。

脑电图生物反馈可有助于控制焦虑和饮食习惯，催眠疗法可能有助于发现潜在的情绪问题。

### 提示!

作为厌食症患者的家长或朋友，应避免谈论饮食、体重、服饰或学习成绩，除非你被问及。表现出你尊重她或其他内在品质，例如善于思考和观察。

# 眼部疾患

| 症　状 | 疾　病 | 应采取的措施 | 其他信息 |
|---|---|---|---|
| ◆特别与视力有关的眼部疾患，详情请参见视力障碍一节。 | | | |
| ◆眼发红、疼痛，上下眼睑可能肿胀。 | ◆角膜擦伤或其他角膜损伤。 | ◆去看医生，他会给您开一种抗生素和止痛药，去除任何异物，并在眼睛盖一块敷料。如果出现视力下降，请立刻去看医生，这些症状可能表明有各种眼部疾患，其中一些可能非常严重。 | ◆为避免抓伤角膜，当您觉得眼睛有什么东西时，不要去擦眼睛。参见急症/紧急救助：眼部急症，关于如何去除眼部异物。如果患有眼部损伤，请记住去看医生。 |
| ◆眼疲乏感，可烧灼流泪，干眼症常出现于老年患者及接触镜配戴者；更多见于妇女。 | ◆干眼症。 | ◆可试用人造眼泪，可在市售滴眼液中找到。避免使用血管收缩剂，因为他将收缩眼部组织的血管。 | ◆在冬天使用加湿器避免过于干热。配戴宽边太阳镜保护眼睛不受阳光和风的刺激。 |
| ◆双眼均朝内视（crossed eyes）；一只眼朝外视（wall eye）；一只眼注视某物，而另一只眼游走不定。 | ◆斜视（双眼不能在同时朝向同一个物体；常由于支配眼运动的6条肌肉中的1条乏力或缺陷所致）。 | ◆去看医生或眼科医生。治疗目的是纠正不平衡的眼肌，可使用滴眼液、矫正镜或外科手术治疗。眼部锻炼可帮助平衡肌肉。 | ◆眼肌疾患常是先天的，但任何原因引起的一只眼视力丧失亦可以造成眼肌疾患。对幼儿的治疗效果最好。 |
| ◆沿眼睑边缘某点出现的炎症，常在眼睫毛基部；病变处发红疼痛，可能形成小脓点，小脓点可能分泌脓液。 | ◆睑腺炎。 | ◆多数病例，睑腺炎可自行消失。如炎症反复出现应去看医生，您可能需要抗生素治疗。 | ◆周期性地敷病变处可帮助睑腺炎出头（亦可参见视觉诊断指南）。 |

# 视力问题

## 症 状

◆ 当看远处物体时视力模糊提示你是近视眼。

◆ 当看近处物体时视力不清，可能患远视眼。

◆ 垂直线或水平线模糊不清或不规则可能是散光。

◆ 眼中闪光感或小物体浮动，或突然的中心或周边视力丧失，可能是视网膜脱落。

◆ 在暗光下难于辨认红和绿的区别，是色盲的症状之一。

◆ 在暗光中难以辨认物体，是夜盲的一个症状。

对其他视力疾病的症状参见白内障、眼部疾病、青光眼，和黄斑退行性变等章节。

## 出现以下情况应去就医

◆ 你有视网膜脱落症状，应需立即治疗，预防潜在的致盲性。

◆ 你对亮光不太敏感，你可能有虹膜感染。

◆ 眼中有异物，用水不能冲去，你将会冒眼部感染和结痂的危险。

◆ 你戴隐形眼镜出现不舒适的感觉，可能有眼部感染、磨擦剂或异物。

◆ 刀伤或外击伤及眼睛时影响视力，你可能有眼周的内出血或者骨折。

眼睛是身体发育最好的感觉器官。事实上，大脑的大部分是致力于视觉功能，而对听觉、味觉、触觉或者嗅觉的功能相对较小。我们都认为视觉是最重要的，当视觉疾病出现时，大多数人都尽力使我们的视觉恢复正常。

视觉偏差的最常见形式是折射错误——即光线通路在眼内弯曲，所以影像传播至脑部。近视、远视和散光都是折射错误引起的。视网膜脱落、色盲和夜盲是眼睛的系统性疾病，可导致扭曲或不正常的视力。白内障、结膜炎、青光眼和黄斑退行性病变是眼部的其他疾病，治疗有不同程度的效果。

## 病 因

近视和远视与眼睛把影像映射到眼球后部的焦点的通路有关，眼球后部是由 10 层光敏神经组织组成的

视网膜。近视眼在人群中的发病率大约占 20%，由于影像聚焦于视网膜前而非视网膜上，所以远处物体模糊不清。近视眼患者当阅读时常把书本靠近眼睛，或不得不坐在教室或剧场前排，为的是看得更清。近视眼男女患病率相同，通常出现在儿童，在 20 岁左右稳定下来。

远视眼与近视眼相反，眼睛的晶状体把影像聚焦于视网膜后，所以看近物时模糊。儿童通常通过调节这一过程克服轻微远视。随着眼睛生长发育，眼肌收缩，焦点正好聚焦于视网膜上。随着年龄增大，眼睛调节的自然能力趋于减小。

散光，通常与近视或远视有关，当聚焦点不是单一点时就发生散光。这是由于角膜的曲度不均或在某些病人是由于晶状体的不正常引起。散光病人的视觉是随机、不连续的、看物体时某些清楚而另一些则模糊不清。散光通常出生时出现，长期既不消失也不恶化。

老视，是在正常阅读距离出现模糊视力，典型病人在 40 岁开始出现，也是许多老人戴眼镜的原因。

视网膜脱落，是当部分视网膜层剥离或有孔洞和撕裂发生时引起。尽管脱落的视网膜不痛，也属医疗急症。如果视网膜不及时回复到其原来位置，细胞死亡可致盲。视网膜剥离发生的危险因素包括近视眼、以前眼科手术或损伤，或视网膜先天性变薄。

色盲，是视网膜光敏锥体细胞的一种病变。大多数色盲病人在强光看颜色正常但在暗光下不能分辨红绿色。色盲大都发生于男性，占男性人群的 8%，完全色盲的人很少发生，这种病人仅能看到灰白斑片。

夜盲，即在暗处视物困难，主要是负责从暗处分辨物体的视网膜杆状细胞开始退化引起。确切的病因尚不清楚，但与肝病、维生素 A 缺乏或视网膜疾病有关。如色素沉着性视网膜炎，这是一种遗传性疾病。

眼疲劳并不影响视力，但常伴有视力障碍和头痛。通常由于看同一东西时间过长引起眼肌疲劳而发生。如果你戴眼镜时出现眼疲劳说明你需更换一副新的不同度数的眼镜。眼部锻炼或休息 30 分钟可减轻眼疲劳，尤其你用计算机工作时间过长时。

### 诊断与检查

每年 1 次的眼科检查对监测眼睛健康和诊断可疑

的疾病是必不可少的。检查眼的内外部和眼的运动功能，可查出对眼或其他形式的斜视(参见眼病一节)。

一种 Shellen 检查是应用逐渐降低字母的大小图表来确定是否你的视力下降或是否患有近视、远视及散光。眼科用裂隙灯检查角膜看是否眼晶状体有混浊出现，即白内障。眼底镜检查能查到是否有视网膜、视乳头和视神经的病变。

# 治 疗

如果常规检查，查出你的视力不正常，常规治疗是戴矫正眼镜或隐形眼镜，注意眼部护理，某些病例需实行矫正手术。几乎 60% 的人带眼镜，而 65 岁以后这一数字明显增加。视力疾病只有很少一部分需外科手术，但可从复杂特别成功的手术中获益匪浅。

## 常规治疗

对近视、远视和散光的常规治疗主要依靠矫正镜片。白内障、青光眼和视网膜剥离则需手术治疗。

治疗近视眼主要用镜片使视图像正好聚焦于视网膜。通常你可有普通眼镜和隐形眼镜两种选择。作为戴眼镜的替代疗法或者在某些病例，外科手术也可用于治疗近视眼。辐射状角膜切除术在角膜上切去小块条状带，使角膜中心变平影像正聚焦到视网膜。每只眼睛分别检查和单独手术，效果会更好。四分之三以上的接受手术的病人均完全或部分矫正了视力。然而，该手术也有其并发症：视力可能不稳定，角膜可能会感染，也有角膜破裂的危险。

远视如不能自行调节至正常，或一直持续至成年，可戴眼镜或隐形眼镜，但 40 岁以后或老年人才有必要戴眼镜。大多远视患者只有在感眼疲劳尤其在夜晚时才寻求治疗。

散光一般要戴能矫正或集中不平角膜引起的影像偏差的透镜。也可选择玻璃眼镜和隐形眼镜。

视网膜剥脱可用激光手术治疗，成功率也很高。如果视网膜剥脱和撕裂广泛，则需另一种矫正术治疗。

## 辅助治疗

其他疗法大都依靠纠正维生素和矿物质缺乏或者

放松过度疲劳的眼睛。眼科医生也可用一些药物治疗特殊的视力疾病。

### 指压治疗

传统的中国放松治疗可提高肌体潜能，放松过度劳累的眼睛，减轻头痛或由于长期使用计算机引起的眼疲劳。

如果你是近视眼或远视散光，试着练习中国儿童在学龄开始时进行的锻炼方法：

◆放两大拇指于上眼窝接近鼻梁处，用力按摩。
◆用大拇指和食指夹住鼻梁，然后重复挤压。
◆用食指、按压和搓按眼睛下部接近鼻部的骨头。
◆放两食指于两侧太阳穴上，按摩。

### 营养及饮食

为了帮助增强视网膜的功能，夜盲病人每日服含 25000IU 的维生素 A 的鱼肝油。牡蛎中富含锌，对夜盲患者也很有好处，同时也可增强视网膜功能。补充硒、镁和维生素 C 这类抗氧化剂也可预防视网膜病变，尤其适于糖尿病人。

### 家庭治疗

当眼睛疲劳或劳累过度时，抽时间休息以恢复其功能，最好的办法是罩上眼睛躺在黑暗的屋里或静静地坐着。为了减轻酸痛的眼睛或恢复红肿的眼睛，试用以下古老的方法：放一厚片黄瓜于双侧紧闭的眼睑上，放松 15～30 分钟。

眼睛发痒和刺痛，试用新鲜的草药水冲洗。浸泡 2～3 茶匙的洋甘菊或 1 茶匙的干决明子在 1 品脱的开水中。放凉后过滤去渣。放 1/2 茶匙于眼科专用杯中，1 天几次冲眼。

### 预防

预防视力疾病，首要的是当眼过度劳累时应休息。眼部锻炼和平衡的有营养饮食可以帮助眼睛保持健康和视力敏锐。

维系视力健康主要依赖摄取充足的维生素 A，其在眼部适应不同强度的光线时起着很重要的作用。为了有助于预防或中止视力疾病，应减少精砂糖的摄入。如果吸烟应立即戒掉。应尽可能远离烟草烟雾、排放气和其他污染空气的环境。最后，不要过度劳累。当休息时，循环增加，眼睛也得到充足的自身需

## 正常和不正常视力

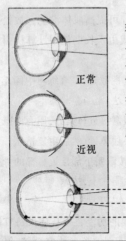

当眼球使影像正好聚焦于视网膜时，视力正常。远视是眼球比正常缩短的结果，使影像聚焦于视网膜之外。近视则是眼球拉长，影像聚焦于眼视网膜前面引起。

正常

近视

—— 角膜
—— 晶状体
—— 视网膜

要的氧分。眼部锻炼减轻眼疲劳。

◆当使用计算机或做精力集中的活时，如缝衣或阅读，每隔30分钟休息5分钟。眺望远方、闭目养神或目不转睛地盯着天空均可。

◆经常眨眼。这一动作可帮助预防泪膜蒸发保护角膜。当你长时间坐在计算机前或阅读时，眨眼可打断连续的聚中一处，增加精力从事主要工作。

◆如果长途开车，不断凝望路标或远处物体，不断变动所视物体，可放松眼部肌肉，预防眼疲劳。

◆用手掌盖眼。安逸坐着，深呼吸，以手掌盖住眼睛。

◆深呼吸几分钟。环形摇动头部同时伸层颈肩部，然后上下左右转动头部，重复几次。

◆当打呵欠时，伸展和按摩面部肌肉减轻面部绷紧的肌肉。

### 眼睛的普通秘密

与公众的观点相反，下列活动可能暂时使眼疲劳，但却不危及视力：
◆在暗光下阅读
◆不带眼镜读书
◆带不适合自己的眼镜读书
◆长时间在计算机前工作
◆坐在离电视机屏幕或计算机显示器很近位置

### 症　状

◆眼灼热感、瘙痒，分泌大量粘稠液体，提示细菌性结膜炎。

◆病毒性结膜炎：大量流泪，淋巴结肿大，单眼有少量粘液分泌。

◆变态反应性结膜炎：结膜充血，痒，流泪。

### 出现以下情况应去就医

◆眼外伤：眼外伤可引起感染，从而导致角膜溃疡，后者可影响视力。

◆佩戴接触镜（隐形眼镜）时出现眼部充血。立即取下接触镜并去看眼科大夫，你可能患有角膜感染。

◆眼部充血影响视力，伴有剧烈疼痛，大量黄绿色分泌物。葡萄球菌、链球菌感染可能性大。

◆结膜炎反复发作或经过1周的家庭治疗症状反而加重，可能存在细菌或病毒感染。

◆新生儿眼部出现炎症、无泪，提示新生儿眼炎，需立即治疗以避免永久性视力损害。

结膜——覆盖在眼球和眼睑表面的透明的膜可由各种原因引起炎症。多数结膜炎的病程可以预见，在几天之内炎症即可消退。尽管结膜炎有很强的传染性，但很少是严重的，及时诊治就不会影响视力。

细菌性结膜炎：俗称"红眼病"，通常累及双眼，伴有大量粘液分泌。

病毒性结膜炎：通常局限于单眼，伴大量流泪和少量分泌物。

变态反应性结膜炎：流泪、眼部发痒、充血，偶伴鼻痒、流涕。

新生儿眼炎：包涵体结膜炎是新生儿的一种急症。必须由专业人员及时治疗，以免造成永久性视力损伤甚至失明。

### 病　因

结膜炎的病因包括：细菌或病毒感染、花粉、烟雾或其他物质刺激引起的变态反应。儿童可在患感冒

头颈部疾病

# 结 膜 炎

## 眼的保护层

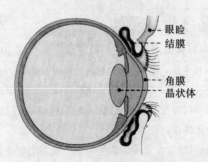

眼睑
结膜
角膜
晶状体

结膜是覆盖在暴露的眼白和眼睑内面的一层菲薄而透明的膜。细菌性结膜炎，有时又称红眼病，是感染导致的结膜充血、流泪伴粘稠脓样分泌物。而变态反应引起的结膜炎分泌物是清亮的水样物。

或咽炎后出现结膜炎。用眼过度、紧张、营养不良亦可导致眼部充血和炎症。

新生儿眼炎：与下列因素有关：①婴儿泪管尚未完全通畅；②新生儿在分娩通过产妇产道时感染细菌包括淋病、衣原体。视疹病毒亦可引起结膜炎、角膜感染。

## 治 疗

传统的家庭治疗足以缓解结膜炎。方法有：治疗感冒，减轻感染、变态反应，还包括清洁眼部、防止传染。

### 常规治疗

若结膜炎并非感冒或变态反应所致，应请专业人士检查并做出诊断。细菌性结膜炎可用抗生素眼药水或药膏治疗。变态反应性结膜炎则需使用抗泪胺或类固醇激素类眼药水。切记在患细菌性或病毒性结膜炎时不可使用激素类眼药水。

### 辅助治疗

可用天然药物来缓解瘙痒和炎症。

中药治疗

可用一些中药溶液每天洗眼数次。每次洗眼前应将毛巾拧干、冷却。

家庭治疗

用硼酸液或上述中草药液洗眼可缓解症状。细菌性或病毒性结膜炎热敷 5～10 分钟每次，每天 3～4 次可缓解症状。而对于变态反应性结膜炎可用冷敷或将潮湿冷却的茶覆在眼上。若 5 天内症状不缓解，则需请专业人员检查。

预防

细菌性和病毒性结膜炎均具高度传染性。一般情况下极易感染对侧眼或他人，应该采取下列措施：

◆经常、彻底洗手。

◆不用手擦患眼。

◆不与其他家庭成员共用毛巾、枕巾、手帕等。

◆每次使用后均应更换浴巾、毛巾、枕巾等，并彻底清洗。

◆不用他人的眼部化妆品，尤其是眉笔、睫毛膏。

若儿童患有红眼病，可在家休息几天。一旦班上有 1 名学生患结膜炎从而累及全班的例子并非罕见。

# 睑腺炎

## 症 状

◆睑腺炎是眼睑边缘出现红、热、硬、不舒服甚至有时有痛感的硬肿
◆睑板腺囊肿：相对较痛，光滑、实性圆团状硬肿，发生于皮肤腺。

## 出现以下情况应去就医

◆两周内不缓解。
◆影响到你的视力。
◆出现眼疼。
◆由于你身体的其他病症或皮肤疾患而导致的睑腺炎。

睑腺炎是上或下眼睑边缘的脓疮或脓肿，表明眼睑腺感染，尽管睑腺炎通常长在眼睑的外侧，但他们也可长在眼睑的内侧。

外睑腺炎由二个邻近睫毛的脓疮开始，在破裂和愈合前，它变得红肿、疼痛，通常持续几天，大多数外睑腺炎生命期短。

内睑腺炎(在眼睑的内侧)边引起红肿疼痛，但其位置防止脓液，在眼睑出现，一旦感染进去成睑腺炎可完全消失，也可留下充满液体的囊肿或结节并持久存在，可能不得不切开。

睑板腺囊肿也是眼睑腺感染的现象，但不像睑腺炎，他是实性、光滑、无痛的团块。通常距眼睑边缘较远。

睑腺炎和睑板腺囊肿通常是无害的，很少影响眼睛和视力，此病可发生于任何年龄，并且趋于在眼睑的其他地方复发。

## 病 因

睑腺炎常由寄生于鼻孔内的葡萄球菌引起，你通过擦鼻子然后擦眼睛把细菌带到眼睑。

睑板腺囊肿是由于帮助润滑眼睑的小腺管阻塞所致，细菌可在阻塞腺体内生长，所致的引起坚硬团块的形成。

## 治 疗

在仅感觉疼痛，但看不见时，多数睑腺炎在几天内自愈或在简单的治疗后痊愈，睑板腺囊肿也常常自行消失，但可能持续一个多月。

### 常规治疗

睑腺炎典型的治疗包括温敷患眼两次 10~15 分钟，每日 4 次，连续几天，不仅可消炎止痛，而且促使睑腺炎较快成熟，当采用温敷时要确保紧贴眼部，当睑腺炎出头时，继续采用温敷，以减轻加速破裂，不要挤捏睑腺炎，让其自行破裂。

如果睑腺炎复发，医生可处方抗菌类软膏或溶液，直接涂于眼睑(眼睛闭合时)。

有时，如要身体其他部位也有葡萄球菌感染，医师会处方口服抗菌类如红霉素，如果这些保守治疗失败，就需要外科手术切除睑腺炎。

在少数情况下为去除内侧睑腺炎所致的囊肿，也需要行外科手术，在麻醉后，眼科医生切开囊肿，去除其内容物，眼睑通常迅速愈合。

尽管睑板腺囊肿常常自动消失，加压温敷和使用皮质激素软膏将加速痊愈的过程，睑板腺囊肿也可以在局麻下通过简单的外科手术去除，然后用敷料敷盖眼部 8~24 小时，以控制出血和肿胀。

### 辅助治疗

尽管某些可选择的疗法在缓解和预防眼睑感染是有帮助，除非由医师直接应用，决不可自行在眼部涂抹任何制剂。眼睛表面易受抗菌药物和其他药物的损害，当使用任何洗剂或在眼部加压时，都要闭合眼睛。

#### 针灸治疗

在传统的中医中，相信所有类型的瘤子，包括睑腺炎，都是由热的入侵引起的，为了驱热，受过训练的针灸师可能在血海和曲池上扎针。

#### 草药疗法

为帮助减轻睑腺炎的疼痛和炎症，草药师职业地推荐由小米草制成滴眼液，他们也可能处方 burdock 制剂。

#### 营养及饮食

如果你正患睑腺炎或睑板腺囊肿，营养师可能推荐你补充维生素 A 和 C，他们似乎有益于皮肤健康。你也

可要求进食清淡饮食,仅吃水果蔬菜,饮奶酪、草本植物的茶、果汁和矿泉水共计 1 周,营养病理专家认为,以规律的间隔重复进食这种膳食可防止睑腺炎进展。

### 家庭治疗

用加压温敷法,每日 4 次,每次 10～15 分钟,连续几天,对睑腺炎和睑板腺囊肿均有效。睑腺炎出头的同时破裂,你可以用 1 个温水浸湿的茶袋加压并放在眼部,闭上眼每天 3～4 次,每次 5 分钟。

### 预防

如果睑腺炎复发,你有必要每日清洗眼睑内侧,在 1 茶杯温水中放几滴非常浓的儿童香波,搅匀,用 1 个棉签,轻轻涂抹眼睑,每日 1 次同时闭上眼睛,避免眼睛接触化妆品、脏毛巾或污染的手是非常重要的。

频繁使用加压温敷治疗感染的第一个征象将防止睑腺的进一步阻塞,为防止污染在家庭成员中传播,保证使用清洁加压处置的衣服,不共用浴衣和毛巾。

## 症　状

◆ 流泪、眼痛、视力模糊、阵发性头痛、进行性周边视野的缺失,是慢性青光眼的信号。

◆ 严重的搏动性眼痛、头痛、视力模糊以及注视光源时光源周边出现彩虹样光环(虹视)、眼睛充血、瞳孔扩大和有时出现恶心与呕吐,是急性青光眼的信号。

◆ 继发于眼外伤的头痛、视力模糊及虹视,是继发性青光眼的信号。

◆ 婴儿出现流泪、角膜混浊、对光异常敏感、角膜扩大,说明可能有先天性青光眼。

## 出现以下情况应去就医

◆ 当有急性青光眼症状时,你应当马上就医,以预防潜在性永久性视力损害或失明。

◆ 当你使用含 $\beta$-受体阻断剂的滴眼剂如噻吗洛尔、倍他洛尔后出现嗜睡、乏力或气短时,说明药物可能正在加重你的原有心肺疾病。

◆ 如果你因其他疾病用药,特别是治疗胃和肠道疾病的药时,这些药有可能会加重你的青光眼。

2 百多万美国成人患有青光眼,这是致盲的主要病因之一。在美国,慢性青光眼占 90%,常在中年发病并且与遗传有关。每 5 例患者中就有 1 例其亲属中也有本病。医生常把慢性青光眼称为"夜间偷偷摸摸的贼",因为此病能在不知不觉间破坏病人的视力。在你出现前兆症状之前本病就已经存在,这些前兆症状有:头痛,需要重新配眼镜,周边视野的缺失,最终可产生什么也看不见的盲区。

还有一种情况较少见,但同样严重。如果你突发严重眼部疼痛、视力模糊、瞳孔扩大、有时还伴有恶心或呕吐,可能是一次急性或闭角型青光眼的发作。这一类型占不到报告病例的 10%,但病情需紧急处理,如果治疗不及时,可导致视神经不可逆的损害,即损害将视觉信息由眼传递给大脑神经,有时仅在数天之内可引起失明。

继发性青光眼常与另一种眼病相联系,如白内障膨胀期、葡萄膜炎(一种眼球内部炎症)、眼部肿瘤或眼外

# 青光眼

伤。糖尿病患者也易患血管增生性青光眼，一种特别严重的青光眼。先天性青光眼是一种极为少见的侵犯婴儿的先天性疾病，80%在1岁左右发病。

## 病因

眼睛的虹膜、晶状体及角膜，都一直浸浴在一种称为房水的液体中，并由其提供营养。当眼内细胞不断产生的新液体超过正常时，多余的房水则通过前房角复杂的网状结构排出。房水产生与排出的速度不平衡就会引起慢性或开角型青光眼。有的病人明显是因遗传异常导致虹膜阻塞正常的房水引流通道。此时，房水不能迅速通过这些结构引流，房水聚集的压力突然上升可导致急性青光眼。在新生儿，房角的先天缺陷是导致先天性青光眼的病因。以上两种情况需要紧急处理以防止视力的损伤。

根据每个人的不同情况，青光眼发作与前房角的组织逐渐改变、房水的产生增加或先天性缺陷有关。但无论是什么特殊病因，其结果是一致的，即过多的液体引起的房水的压力增加会损害视神经，影响将视觉信息传送到大脑。当视神经受损伤，您的视野就会变窄，看两侧的景象就很困难。如果神经损伤继续下去，中心视野就会受到影响，最终完全失明。

现仍不能肯定是何种病因引起如上所述的异常，但目前已知几种原因可引起或加重本病。使用一些抗抑郁药、降血压药和长期应用激素，可能会增加眼压。肌体胶原代谢的变化也可诱发青光眼。胶原，是肌体最丰富的蛋白质之一，对于保持眼球组织的强度和功能起重要的作用。因其他眼病而长期使用皮质醇激素滴眼液，被认为可以在某种情况下破坏胶原代谢的平衡（见眼病与视力疾病部分），应激及过敏可加重慢性青光眼症状。

### 诊断与检查

筛查青光眼的方法是简单而无痛苦的。医生会常规使用眼压计测量眼压。但是眼压高于正常并不等同于患有青光眼。轻度的眼压升高而不伴有视神经的受损称之为高眼压。在大多数情况下，需要定期检查以检查出视神经损伤的早期信号。

如果怀疑有青光眼，医生会给你散瞳并通过眼底镜检查视神经。另外还应进行视野检查，以了解周边视野是否受到损害。

先天性青光眼较难诊断，这是因为1周岁以下的儿童不能描述他们的症状。如果你孩子的角膜显得有些混浊，那可能有某种先天疾病，婴儿出生时会常规进行这方面的检查，但如果你怀疑孩子患有先天性青光眼可以找一位儿童眼科专家就诊。

## 治疗

青光眼的治疗目的是调控眼内房水的流动与排出，从而恢复眼内压的平稳。慢性青光眼常常发展到相对晚期阶段才引起注意，但通常能够得到控制。无论是药物还是手术，治疗慢性青光眼都有较高的成功率，但是心情放松和维持胶原代谢平衡也可对病情有所帮助。急性青光眼则不同，如果淤积房水导致的眼压过高不能迅速缓解，其结果是失明。

### 常规治疗

适宜的治疗应取决青光眼的类型和发展阶段。如果你只有轻度的高眼压，医生不会给你任何治疗。严密观察周边视野和视神经是评估病变发展程度的重要手段。

慢性青光眼可用滴眼药加以控制。这些药物中含有肾上腺素或毛果芸香碱，可以促进房水的外流，但却有一些不合需要的副作用：毛果芸香碱可引起头痛及视力模糊，肾上腺素可引起眼睛充血流泪，少数病人还可加重心脏病。含有 $\beta$ – 肾上腺素阻断剂的眼药水如：噻吗洛尔、倍他洛尔、布诺洛尔可有心肺方面的副作用。口服的碳酸酐酶抑制剂可减少房水的产生，但可引起恶心和手足麻木。由于某些潜在的药物相互作用，在开眼药之前，告诉眼科医生你正在服用的药物。

如果慢性青光眼经以上治疗无效，或是你不能耐受药物的副作用，你的医生可能会建议你施行外科手术治疗。

◆小梁成形术是通过激光在前房角——即角膜与虹膜相连结处，——作50到100个烧灼孔，这样可增加房水的流出量。手术相对简单，可在眼科医生办公室中进行。

◆小梁切除术是在眼压升高及视神经持续受损的

头颈部疾病

# 青光眼

晚期病例通过作人工的通道而使房水流出。手术效果因人而异，一般来说成功率还是相当高的。

如果青光眼手术治疗效果也不理想或手术的风险过大，还可用其他方法来破坏产生过量房水的细胞：超声治疗使用高频超声波，热透法使用热能，而冷冻法则使用冷冻治疗。

许多药物，特别是治疗胃肠疾病的药物可通过增加眼压而加重青光眼。因此当医生给你开药时应详细告知其他医生给你开的药。

## 辅助治疗

辅助治疗主要着眼于预防和对好眼的保持，天然药物可有助处于绝境的青光眼。如果你已在医生指导下用药，辅助治疗还可用作补充。有的治疗方法为控制眼内压。设法让病人放松紧张心情。草药和饮食治疗企图保持胶原代谢的平衡并补充缺乏的营养。

### 针灸治疗

与草药及营养饮食治疗相结合，针刺疗法可缓解压力并降低眼内压。针灸师所选的穴位集中于足太阳膀胱经、足少阳胆经、足厥阴肝经及足少阴肾经。

### 按摩

根据反射学理论，脚趾与足相联部位的神经末梢会影响到视觉系统的神经，按摩这个部位可放松紧张心情，有助降低眼内压。

### 身心医学

眼部运动可以缓解紧张并缓解过度用眼及多种眼病，包括青光眼在内导致的眼睛疲劳（见视力疾病部分）。

液体疗法可以刺激眼睛的房水循环。将热毛巾敷在眼睛上3分钟，然后再用冷毛巾同样敷3分钟，轮流使用以上方法共3次。

### 营养及饮食

研究认为维生素C可降低眼压并恢复胶原代谢平衡。特别是当其他口服药或眼药水治疗无效时，维生素C可能特别有效。富含维生素C的食物有：菜花、卷心菜、萝卜、草莓、葡萄和柑橘类。也可每日补充3000毫克维生素C。铬和锌也可阻止青光眼的发展，本病患者常常表现有以上两种矿物质和维生素B₁的缺乏。

当与传统药物治疗联合使用时，芦荟也被认为可减小眼压并恢复胶原代谢平衡。芦荟可以以添加剂的形式在保健食品店中买到，可根据说明书或医生意见服用该药的合适剂量。

重要的是确定和避免任何可引起你过敏的食物和物质，因为一个过敏反应可引起眼压的上升。

### 家庭治疗

早期诊断本病较困难，只有眼科专家才能诊断本病，但你必须了解一些危险的征兆，如你感到自己视力不断恶化，特别是当你年龄超过40岁，必须进行完善的眼科检查。

如果你已患有近视或远视，平衡的饮食和眼球运动对于预防青光眼是有效措施，如果你有糖尿病或高血压，就应当积极治疗原发病以降低产生青光眼的内在危险。一旦你已经诊断为青光眼，就应定期进行检查。虽然你可能在今后的余生中将必须一直使用滴眼药，但我们以上提到的辅助治疗仍可作为补充疗法。

房水通常通过前房角排出，前房角就是角膜与虹膜相连接处，然后房水再进入细小的schlemm's管。慢性或开角型青光眼（插图左），是由于房水产生速度大于排出速度所致，急性或闭角型青光眼（插图右），是由于虹膜阻塞了前房角所致。

### 危险因素

以下因素可增加患青光眼的危险性，如果你有以下的1条或几条，请每年进行1次眼科检查。

◆慢性青光眼通常发生于40岁以后。

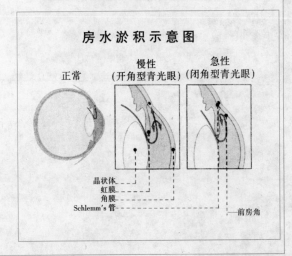

**房水淤积示意图**

正常　　慢性（开角型青光眼）　急性（闭角型青光眼）

晶状体
虹膜
角膜
Schlemm's管
　　　　　　前房角

# 青 光 眼　　　　　　　　　白 内 障

◆糖尿病患者患青光眼的概率是无糖尿病者的3倍。糖尿病可以引起血管增生性青光眼,一种很严重的青光眼。

◆高血压、周期性偏头痛及周边视野的缺失与青光眼的发生有关。

◆青光眼有时是遗传的,但是有遗传缺陷的人也不一定最后都产生青光眼。

◆非洲裔美国人中,致盲的青光眼发生率是美国高加索人的数倍,科学家尚未发现在一种民族中青光眼有较高发生率的原因。

头颈部
疾病

## 症　状

因为每人的视力到上了年纪时均有变化且白内障进展缓慢,因此你的首发症状可能是更换驾驶执照或进行眼部常规检查时,无法通过视力检查。身体上的症状包括

◆雾视、在强光下加重。

◆夜视损伤,识别运动、细节及视物困难。

◆对来自机械、灯光及日光看不清或不舒服。

◆出现光晕。

◆近视力意外提高。

◆用一只眼看东西时出现重影或三重影。

◆在眼睛正常的晶状体上出现乳白色斑或不透明斑(进展期病历)

◆炎症性痛和眼内压力(进展更快的病历)

### 出现以下情况应去就医

◆如果你出现上述任何症状或你的视力变差或以任何方式开始变差。白内障直到发展到很严重时,一个普通观察者才能发现,所以去眼科医生处评价是至关重要的。

眼睛内的晶状体汇聚光线,我们才能看清不同距离的物体。晶状体必须保持透明,视力才能清晰。晶状体上的云雾称为白内障。白内障的形成阻碍弯曲了进入眼内的光线,你的视力会逐渐、持续、无痛性模糊,就像隔着云雾看东西。

白内障是失明的重要原因,据报道,全世界有2000万人,美国有4万病人因此病失明。尽管数字惊人,但实际上白内障并不是一种严重的眼病,因为大多数病人可以通过手术恢复视力。然而仅在美国,大约每年有5000病人因为不在意、害怕或拒绝实施相对无痛性的手术而失明。

## 病　因

白内障是晶状体细胞中蛋白的化学结构发生变化所致。通常清晰的蛋白质变得混浊,主要是由于蛋白质的生命时间结束;大约7%的白内障是由自然老化引

# 白内障

起,称为老年性白内障,百岁以上的人中最为常见。

许多普通的损伤也可形成白内障。一个主要的因素是日光暴晒,尤其是紫外光 B(UVB)辐射,他可与晶状体蛋白发生反应,一些专家认为风险因素包括吸烟、空气污染、维生素缺乏,嗜酒。

老年性白内障最常见的类型是常有惊人副作用类型,即所知的核硬化,晶状体的核心发生白内障。白内障形成早期,晶状体轻度肿胀,这可增加聚光能力,提高近视力,一些人会突然发现他们能不带眼镜进行阅读,但这种一定范围内的视力改善持续时间不长,当云雾增加时,视力再次恶化。

白内障可以继发于其他眼病,如青光眼的反应,或继发于一些系统性疾病如糖尿病的反应。其他病因包括晶状体外伤、大量辐射、化学及药物损伤、遗传性疾病。

## 诊断与检查

医生用小手电照射虹膜就能发现白内障,运用特殊仪

### 黑暗下通过晶状体

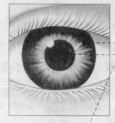

虹膜
瞳孔
白内障

正常眼睛,晶状体是透明的,在瞳孔正中(顶部)呈黑色。当一个人上了年纪时,晶状体纤维发生自然变化,导致晶状体产生云雾,即白内障,严重时,瞳孔可以变得不透明。进行性的云雾状改变可以使视力模糊、昏瞳及朦胧。幸运的是,绝大多数白内障可以通过手术纠正并保持正常视力。

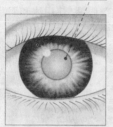

白内障的眼睛

器及技术,医生还能精确地确定他的类型、部位及范围。

# 治 疗

目前白内障形成后唯一正确的治疗是手术,但传统及辅助疗法都在寻求防止白内障形成的方法。

## 常规治疗

白内障手术是所有手术中最为成功的,在美国每年大约有 50 万以上的白内障手术。据报道,患者中约有95% 提高了视力。

这种可在门诊实施的局麻手术是快捷、安全及几乎无痛苦的。手术是在角膜外缘切个小口或运用超声针头的晶状体针吸术,运用一种技术减小切口的大小,可以不必缝合,下一步经常是移植一个透明的玻璃制的替代晶体,如果去除晶体后不移植人工晶体,就必须用纠正加厚镜片的眼镜或用接触性晶体。

手术后,通常在白天你应佩戴保护性的眼罩或眼镜,夜间佩戴眼罩。为防止感染及减轻炎症,医生会建议你使用抗生素或激素软膏及滴眼液。

一段时间之后,约 20% ~ 50% 的病人视力会再度模糊,这是由于有时在人工移植晶体之后,会产生透明纸一样薄的膜,用激光很容易去除这层膜。

### 预防

为防止发生白内障,你唯一可行而重要的措施是佩戴可滤去紫外光 B 的太阳镜,以避免强光。墨镜不能滤去紫外光 B,实际上增加了风险。因为光线变弱之后,你的瞳孔可能散大,有危险的紫外光辐射更多地暴晒你的眼睛。

一些眼科学家认为,抗氧化剂会减少自由基(不稳定的化学性复合物,对晶状体蛋白的损伤。可通过减少或延迟环境因素对晶状体蛋白的破坏来防止白内障的形成。自然,医生提倡富含 β-胡萝卜素(维生素 A)、硒、维生素 C 和 E 的蔬菜及水果饮食,包括橘类、菠菜、甜的蕃茄,胡萝卜及甘蓝。

# 黑 眼 圈

## 症 状

◆眼睛周围软组织和眼睑青紫肿胀,有时伴有眼白处血管破裂。颜色开始变为紫色或蓝色;在青肿愈合时,可变为绿色或黄色,完全消散约需1周。

### 出现以下情况应去就医

◆如果一双眼圈同时发黑,你应该找医生检查看有无软骨骨折的可能。

下述的任何一种症状都可能提示眼球受损,应由医生或眼科医生判定和治疗。

◆你的眼球刺痛。

◆眼睛周围有开放的伤口。

◆视力模糊,有多个影像,或有漂浮的斑点。

◆在眼睛的虹膜前可看到血或其他液体。

◆你对光或其他视觉变化异常地敏感。

和许多青肿一样,不用耽心"黑眼圈",因可在几天后自然愈合。然而在有些病例,黑眼圈是严重的眼球或颅骨损伤的征象。任何眼球损伤导致红肿都必须由眼科或其他内科医生诊断。眼睛的一次受伤即可能单独累及视网膜或可导致青光眼。眼周围环骨的骨折可陷入肌肉或软组织并可损害视力。外科手术可修复并修正这种情况(参看眼的问题,视力问题)。

## 病 因

大多数黑眼圈是打击的结果,导致皮下出血,产生典型的青紫颜色。颅骨骨折导致黑眼圈,通常两只眼睛均受累。变态反应有时也出现"变应性黑眼圈"——由于发炎和血管充血导致眼睛下方发黑。

## 治 疗

对黑眼圈施行冷敷有两个作用:可帮助减轻水肿和收缩血管。这样可进一步制止内出血。没有必要在黑眼圈上放一块冷冻的牛排,这种选择花费较多;你完全可以省下钱来,用冰袋或一包冷冻的蔬菜就可以做得恰到好处。

除了冷却治疗,没有更多的方法治疗黑眼圈,但要避免使眼睛进一步受损,如在肿胀的眼睛上施加压力或试图强迫他睁开。如你需要止痛药,可以服用如阿司匹林或布洛芬,这些药同时也可帮助减轻炎症。

### 常规治疗

医生建议使用冰袋或浸泡在冰水中后拧干的衣服。将冰袋或冰敷布握紧贴住眼睛10分钟以上,小心不要用力。你可以将碎冰放进一个塑料包中并扎紧安放在前额。每小时重复冷却治疗5~10分钟,持续24小时或直到水肿消退。

如果眼球本身受损或视力受到影响,你的医生或眼科医生将判定受伤的性质和程度,并给予适当的治疗。如果眼睛从眼窝中突出,则有必要做外科手术。

### 辅助治疗

直到本世纪初,医生们才开始习惯施行黑眼圈周围血液吸除。这种治疗实际上是缓解压力,但在过去这是一个有效的方法。今天其他非医学治疗可能更为有效。

**营养与饮食**

一个好的平衡膳食包含大量蛋白质、维生素和矿物质对于任何伤口的愈合都是重要的。尤其是生的凤梨中的酶,可能帮助减轻青肿。新鲜的凤梨或菠萝蛋白酶胶囊,可以进入健康食谱。

**家庭治疗**

对于不严重伤害造成的黑眼圈,使用冰和服用止痛药都是很必要的。拳击教练减轻面部水肿是用一个冷的像小金属铁的装置。你可以用一个苏打冷罐头或

---

### 告诫:不要擤鼻子

如果你有黑眼圈,擤鼻子会使受伤的面部组织周围更多的血管破裂出血。如果损伤不仅导致黑眼圈,也使眼窝处骨折,则擤鼻子产生压力可对已经不稳定的眼球加大损伤。而且不要试图睁开因肿胀而闭合的眼睑,这样会进一步损伤皮肤或眼睛。

# 黑 眼 圈

一包冷冻的蔬菜达到同样的效果。苏打罐头或蔬菜也应是干净的,轻轻地将其贴在脸上或前额,而不是眼睛上。

注意冷却治疗不要过度。即便肿胀可能很痛苦,但也是身体愈合的一种反应。你想控制过度的肿胀但不能抑制修复的过程。自己的感觉会告诉你多冷是过冷。大多数轻度损伤的肿胀反应只持续几小时,所以过了第 1 天你就不需要用冰包了。如果在间断冷敷后 1 ~ 2 小时后仍存在疼痛和肿胀,则这种损伤意义重大,应该看医生。

# 黄斑退行性变

## 症 状

◆视物模糊、扭曲,特别在阅读时。
◆逐渐无痛地视物不准确。
◆视野中出现空白点,直线变为曲线。

### 出现以下情况应去就医

◆你如表现有上述症状且从未做过眼科检查,应让你的医生提供一个治疗安排。
◆你有上述症状且患有高血压、糖尿病、心脏病,那么患湿性黄斑退行性变的危险性很高。视力的任何不正常都可能是患病的迹象。
◆如你已确诊是与年龄相关的黄斑退行性变,之后视野中出现有空白点、印刷物变形、直线成为波纹,可能发展成为早期湿性黄斑退行性变。

头颈部<br>疾病

**黄**斑退行性变是美国视力衰退的主要问题,1300万美国人患此症。因为 55 岁以下的人很少患这种病,人们认为此病应为"与年龄相关的黄斑退行性变"简称"ARMD"。对于 65 岁以上的人,这种病早已影响视力,不过大多数患者一生中仅表现为旁边和四周的视力受影响。这种病分湿性和干性两种。湿性较少但需要及时治疗,任何延误将导致视野中部缺损。

## 病 因

此症为瘢痕状黄斑,位于视网膜中部,直径为十六分之一英寸。这些斑点可使你不能阅读、看电视、驾驶,甚至做任何需要的聚焦和直视。尽管剩余的视网膜可继续从视野旁获得信息,但瘢痕却改变和遮挡了一部分从眼传向大脑的信息。

干性 ARMD,在黄斑下有微小的黄色沉淀,使信号减弱和神经组织消损。少数病例转为湿性或神经血管性。ARMD 的一种形式是黄斑下异常血管增长,而当这些增生血管漏出的血和液体流到视网膜上,致视网膜细胞死亡,造成视野中的污点和空白。

越老越易患 ARMD,特别有此家族病史者,动脉硬化、糖尿病、心脏病、高血压和营养缺乏也是造成 ARMD 的因素。

# 黄斑退行性变

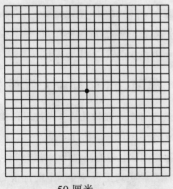

**AMSLER GRIO（表格）**

50 厘米

### 诊断与检查

眼科将进行黄斑检查，这是眼部检查例行程序的一部分。无痛摄影程序荧光素图会显示出眼中血管的结构并可查出任何异常。

## 治 疗

斑衰症是不可逆转的，所以人们患干性症时主要靠看大号字体印刷品和戴眼镜来作为补偿，湿性症可以通过激光手术治疗。两种症状都是可以通过眼科治疗而治愈的。

### 常规治疗

最一般的是干性黄斑性退行性变，虽不能治愈，但眼科治疗能避免病情恶化。对湿性，外科施行激光手术，光致凝结作用摧毁斑点下漏血的血管，停止损害视力。这一程序必须在血管尚未造成不可恢复的破坏前施行。

### 辅助治疗

利用人体自然能力和功能，选择试图恢复可以毁坏黄斑的营养缺乏。

#### 营养及饮食

许多老年人缺锌，一般出现在视网膜高度集中的部位，特别在黄斑处。在医生指导下补锌以便保护斑点，避免其受损，增进视力。抗氧化剂可以对抗视网膜上起反面作用的血管基本结构。为了增加体内吸收抗氧化剂，每天分 3 次服维生素 C1000 毫克，每天 600 单位维生素 E、200 毫厘克硒（避免高剂量）或 20 毫克胡萝卜素（维生素 A）。

#### 家庭治疗

你的眼科医生将建议你用大号印刷体字、放大镜和其他方法增强视力。在家中可用 Amsler 表格检查视力改变。

多吃富含维生素的蔬菜和水果，比如柑橘、柠檬、菜花、花椰菜，多吃坚果和瓜粉类小吃，因为他们富含维生素 E。黄色蔬菜含胡萝卜素，像樱桃、黑莓、青莓，他们富含抗氧化剂黄酮醇，这些都可以避免黄斑退化。减少酒精、烟、咖啡的摄入量，因为这些嗜好会增加眼的问题。

用 Amslar 表格检查自己的黄斑退行性变。把表格放于平面且光线好的地方。戴上眼镜或隐形眼镜，盖住一只眼，从距纸 50 厘米的高度盯住表格中间的黑点。另一只眼重复操作，如果格上的线变弯曲或模糊，或消失，就应与你的眼科医生探讨出现的情况。

# 瞳孔扩大

| 症 状 | 疾 病 | 应采取的措施 | 其他信息 |
|---|---|---|---|
| ◆一个瞳孔扩大，对光反射弱且没有其他症状。 | ◆霍姆斯—爱迪综合征。 | ◆第一次有的表现要急诊就医，一侧瞳孔扩大表示有严重疾病如脑损伤。 | ◆霍姆斯—爱迪综合征还不能治疗，但他不会引起更严重的问题。 |
| ◆在医生用药点眼后，双侧瞳孔扩大，大小相等且固定不变。 | ◆为了进一步检查眼睛临时扩瞳，是一种药物临时反应。 | ◆几个小时后瞳孔恢复正常，如24小时内没有收缩，应看医生。 | ◆如光线使眼不适，可戴太阳镜。 |
| ◆服一些药物后出现固定不等大或同样大小扩大。 | ◆药物不良副作用，特别是含有肾上腺素等的药物，如支气管扩张剂。 | ◆向医生咨询这些症状和药物治疗。 | ◆在药物治疗后瞳孔则恢复正常。 |
| ◆一个瞳孔比另一个大且固定不变，眼球向外，视力障碍，眼睑下垂。 | ◆第三颅神经麻痹，功能异常，常由糖尿病、铅中毒、酒精中毒或脑肿瘤引起。 | ◆要看医生，治疗视麻痹的病因而定，包括：抗生素，锻炼及外科手术。 | |
| ◆一个瞳孔比另一个小且固定不变，眼痛，发红，肿胀，流泪，视物不清。 | ◆葡萄膜炎。 | ◆要立即看医生，如不很好治疗可引起失明。 | ◆葡萄膜炎可突发，也可以缓慢发病。 |
| ◆经过一段时间，一个瞳孔变大，固定搏动性眼痛，外周视力缺失，有光线晕轮，恶心。 | ◆青光眼。 | ◆要立即得到急诊处理，急性青光眼在几天内可引起失明，对其他类型的青光眼可经外科手术或药物治疗。 | |
| ◆瞳孔大小不定，或瞳孔大小不对称，在头外伤后几天到几周出现头痛、恶心、头举晕厥、肢体不能运动。 | ◆大脑损伤表现，伴或不伴意识障碍。 | ◆要立即看医生，可能要对发生在额骨和头脑之间出血或血栓进行急诊治疗。 | ◆严重的头外伤通常不伴意识障碍。为减少危险，在骑自行车或摩托车时要戴头盔，开车时要系好安全带。 |
| ◆瞳孔大小不等，发热，呕吐，身体前倾时头痛加重，颈强直。 | ◆脑膜炎或脑炎。 | ◆要立即就诊，没有及时治疗会引起死亡。 | ◆无菌性脑膜炎是脑膜炎的一种类型，有独特症状但不严重，要由医生来诊断。 |
| ◆瞳孔扩大，并伴有突发性加重，头痛并向颈部放射。 | ◆脑动脉瘤或偏头痛。 | ◆除非你有偏头痛病史，否则要及时看医生，只有内科医生可以告诉你偏头痛和动脉瘤的不同。 | ◆动脉瘤有时是医学上的急症，而且需要长期的药物治疗。 |

头颈部疾病

# 听力疾病

## 症 状

人们往往不能认识到自己的听力有问题，直到亲戚朋友提醒方才注意。症状包括：

◆一只或两只耳朵不能听到或听清声音。

◆在很多人一起交谈的背景中，不能听清对话。

◆电视或收音机的音量需要调至超过其他人认为舒服的音量之上。

### 出现以下情况应去就医

◆你注意到的任何听力问题，经常进行医学检查是非常重要的。早期治疗可避免持久性损伤，并可使听力恢复正常。

◆你的耳朵出现突然完全性的听力丧失，这表明可能是药物产生的严重不良反应，亦可能是出现听神经肿瘤或神经病。你应尽早寻求医疗帮助。

◆出现部分听力丧失，并且耳朵里有脓性分泌物或液体流出，这提示你的耳朵有感染或鼓膜穿孔。

◆听力丧失并伴有头晕恶心，这是中耳炎、梅尼埃病或其他需要治疗的疾病的表现。

在美国，大约有 2800 万人因听力问题影响理解问话以及与他人交流的能力。约有 200 万人听力完全丧失，被认为是明显的耳聋。听力疾病的发生率随年龄增长而显著增加，75 岁以上人群中有超过 1/3 的人有听力困难，这一问题常常导致病人挫折感或社交孤立。

老年性耳聋是一种与年龄相关的听力丧失，通常开始发生于 40～50 岁间，随年龄增长逐渐加重。老年性耳聋患者往往对高频声音的听力更差，故听清妇女和儿童的声音特别困难，因为她们说话的音调比男人高。老年性耳聋更多发生于男性，且程度较妇女更重。

听力问题在儿童中少见，但如果有病不治疗，会明显影响孩子的学习和社交能力。大约每 1000 名婴儿中就有一人有严重的听力问题，这将影响他们学习说话。

医生将听力丧失分为两个主要类型。传导性听力丧失是指声波从外耳传至内耳的过程受到干扰。感觉神经性耳聋是因内耳或将声音脉冲由内耳传到大脑的神经

受损伤造成的，此时声音可以达到内耳，但是必需的声音信息不能被正确地送至大脑，使人不能感知到声音。有时，患者为混合型听力丧失。

## 病 因

无论是部分性还是完全性听力丧失，其本身并不是一个疾病，而是潜在疾病的一个症状。许多疾病可以导致听力问题。常见的引起传导性听力丧失的病因包括：耳垢过多、耳感染、鼓膜破裂或穿孔。良性囊肿、肿瘤、物质嵌塞在耳道内如昆虫或小孩玩具，皆可阻断声音向内耳的传导。另外，一些遗传性疾病也可引起传导性听力丧失。最常见的仍是耳硬化症——中耳小骨变性疾病。大约有 1% 的人患有耳硬化症，通常是双耳病变。

遗传因素也是引起感觉神经性听力丧失的主要原因，特别是在儿童。专家估计，显著耳聋的孩子中有一半是因遗传因素造成的。遗传素质也是发展为老年性耳聋的重要因素。老年性耳聋病人逐渐出现毛细胞破坏，毛细胞是排列在耳迷路——即内耳螺旋形腔内的成千上万个细小的细胞，它们可以将声音振动转变为神经信号而传向大脑。如果没有这些毛细胞，声音信号的接受将变得非常困难，甚至是不可能的。

长期处于噪音，尤其是高声调噪音环境中的人们，其耳迷路毛细胞的敏感性降低，导致部分或完全性感觉神经性耳聋。那些在高声调噪音中工作的工人如木匠、建筑工人和摇滚音乐人以及那些有打猎嗜好或者乘坐雪上汽车旅行的人们，耳聋的发生率增加。

一些传染性疾病，尤其是带状疱疹、脑膜炎、梅毒和巨细胞病毒感染，可以引起感觉神经性耳聋。另外，如果妇女在妊娠期感染麻疹，那么她的孩子发生永久性听力疾病的危险性增加。婴儿在出生过程中缺氧，也可以导致一定程度的不可逆的听力损伤。

其他引起感觉神经听力丧失的病因包括：梅尼埃病、脑肿瘤或听神经肿瘤、糖尿病、导致中风的血管病变如高血压病和动脉粥样硬化。大剂量阿司匹林、奎宁、某些抗生素及用于治疗高血压的利尿剂也可以造成内耳永久性损伤。患有多发性硬化或某些神经病变的人更倾向于出现感觉神经听力丧失。另外物理打击或穿破性外伤也可以造成永久性听力丧失。

# 听力疾病

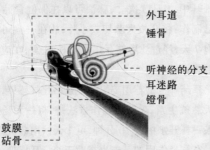

## 听力传导结构

外耳道
锤骨
听神经的分支
耳迷路
镫骨
鼓膜
砧骨

耳可以感知空气的振动和声波，声波在外耳道终端的鼓膜上产生共振。鼓膜将振动传导至位于中耳的锤骨、砧骨、镫骨三块小骨上。内耳耳迷路可以感知这些振动，并将振动转化为神经脉冲沿听神经转至大脑，大脑再将神经脉冲翻译为声音。

### 诊断与检查

为了确定引起你听力问题的潜在疾病是否为可治性疾病，医生将对你进行仔细的身体检查，并做一些简单的听力测试。如果病因仍不清楚，可能会被送至耳科或耳鼻喉科专家那里接受正规的听力检查。最常用的方法是听力测验法，首先测定声音通过空气进行传导的情况(确定是否为传导性听力丧失)，然后测定声音通过头骨进行传导的情况(确定有无感觉神经性听力丧失)。你将被安置在一个隔音的房间中，通过耳机接收一系列声音，声音频率由低到高，响度逐渐加强或减弱。医生也会对神经系统进行检查，有时建议做磁共振(MRI)或 CT 检查以确定是否存在肿瘤。

## 治 疗

一旦去除潜在病因，传导性耳聋病人的听力可以恢复。但是感觉性神经耳聋的损伤多为永久性的，治疗仅可以阻止或者减慢听力丧失的进展，病人的听力质量很难恢复到损伤前的水平。

### 常规治疗

引起听力问题的基础病因决定了他的治疗方法。如果单纯是由耳垢堵塞造成的听力丧失，医生会用棉签或吸出装置帮你清洁耳道。如果耳朵出现感染，可口服抗生素治疗或用含有抗生素及氢化可的松的滴耳液滴耳帮助减轻瘙痒症状。由于中耳感染后产生的液体不能自然排出，医生会实施鼓膜切开术，也就是在鼓膜上做一个小切口，然后将液体吸出。

反复发作的中耳炎、变态反应病、周期性发生的呼吸道感染以及腺样体扩大都可导致连接咽和中耳的咽鼓管堵塞。中耳内的空气压力下降，中耳腔内液体聚集，鼓膜向内吸入，这种情况多见于儿童。医生会建议用一个细塑料管将鼓膜穿通，以平衡中耳内外空气的压力，一般放置 6 个月或更长时间，同时咽鼓管恢复正常。

反复发作的中耳感染可导致其他疾病，有时需要进行修复或者替代内耳损伤结构的手术，以帮助恢复听力。例如中耳感染在少数情况下会波及耳后乳突区，使乳突感染，这时必须进行乳突切开术，去除被破坏的骨组织并帮助恢复听力。

如果听力丧失是由鼓膜破裂造成的，医生会让你使用抗生素以预防中耳感染。有时医生在病人的鼓膜上覆盖一个塑料片，可在鼓膜的恢复过程中起保护作用。如果 3 个月后鼓膜仍不能恢复正常，那么医生会建议做一个小手术，即将取自静脉的薄组织片植到鼓膜上。这个手术的成功率很高，可使病人的听力恢复正常。

如果听力丧失是由于耳硬化症所致，那么医生会建议你做镫骨切除术，此手术是用小的金属替代品，代替有镫的耳骨。研究显示镫骨切除术可使 90% 的病例得到改善，然而手术也有一定的危险，大约 2% ~5% 接受手术的病人会变成完全性耳聋。

因为感觉神经性耳聋常涉及内耳神经的损伤，故不能靠抗生素或手术治疗得以恢复。然而可以通过采用适当的医疗措施预防感觉神经性耳聋的发生。例如用抗凝剂预防因小血栓阻断耳动脉引起的突发性耳聋。医生也会用一些血管扩张剂，使血管内径扩大，帮助小血栓通过血管。如果在耳聋先兆出现的 24 小时内，并且仅为部分性耳聋时使用这些药物，可使听力恢复正常。

治疗老年性耳聋及其他永久性耳聋的唯一方法是戴助听器。这一装置内装有一个小麦克风和一个放大器，他们可以增加音量。助听器是靠一个小电池供能的，可用几个月。尽管放置在外耳道内的微型助听器最为常见,但是也有些助听器可佩戴在耳后。

助听器不能消除耳聋,但可改善听力。一定要让有经验的专业医师帮你安装,医生应向你推荐声誉良好的耳科医生或助听器商,他们会为你进行听力鉴定,并试戴不同型号的助听器。为了保证助听器佩戴舒适,功能良好,有时须用你的耳道做外壳模型。给你自己一段时间去适应这一新的辅助装置,如果佩戴不舒服或者不能改善听力,可以退回要求补偿或者更换一个新的。信誉好的助听器商在最后卖出前会给你一个试戴期。

少数严重耳聋的病人可做耳迷路埋入手术,即将极细小的电极埋入内耳螺旋,也就是耳迷路中。电极的一端与听神经相连,另一端连接于戴在耳外的小电池驱动的声音处理器的麦克风上。麦克风和处理器将声音转化为电脉冲信号,通过电极刺激听神经,最后传入大脑。尽管这一手术已有所开展,但到目前为止其成功率有限。多数已行手术的病人报告,这一装置改善他们的唇读能力,但是不能在无唇读帮助下使他们听懂谈话。

### 清除耳垢

耳垢堆积是引起暂时性耳聋的最常见原因。可试用下述这一简单的清洁方法去除耳垢,而不伤害耳。

将装有一汤匙过氧化氢的瓶子放在盛有热水的凹槽中温热几分钟,向一边侧头,将几滴温和的药液滴入阻塞的耳道,并让药液在耳内停留几分钟。然后向另一边侧头,使过氧化氢液流到毛巾或薄纸上。耳垢已被软化,可用棉花擦净。必要时可重复这一过程。

如果耳垢特别顽固,不能被过氧化氢软化,那么可先滴几滴蓖麻油或甘油。如果耳垢非常坚硬结实,应请医生帮助清除。

## 辅助治疗

与常规治疗相同,替代治疗也是针对引起暂时性耳聋的原发疾病进行治疗。

### 针灸治疗

针灸不能使因神经或耳听力结构永久性损伤造成的耳聋得以恢复,但是他有助于病人辨别声音。针灸也可以作为因耳感染导致的暂时性耳聋的辅助治疗。应请专业针灸医师会诊。

### 草药治疗

一些草药有助于治疗耳感染引起的听力疾病。大蒜具有天然抗生素作用,疗效尤为显著,将 1~3 滴大蒜油滴入耳中,1 日 3 次。大蒜油可以在保健食品店买到或自己制作:将几枚大蒜切成小片,放在一盎司橄榄油中浸泡 7 天,经过滤后储存在冰箱内。注意,在应用前要将油温热。

草药师也推荐用姜酊或姜茶治疗耳感染,姜也是一个天然抗生素。姜茶的制作方法是,将一大汤匙鲜姜根放入一杯开水中煨 10 分钟,可 1 天饮用数次。

有抗炎作用的黄连也有助于治疗耳感染。你可饮用草药茶或者使用其酊剂(每天 3 次,每次 1~4 毫升)。草药茶的制备方法是:将 1~2 匙干草药放入一杯开水中浸泡 10~15 分钟,每天饮用 3 次。

银杏可以改善血液循环,有时用于治疗内耳功能紊乱和部分性耳聋。建议 1 次使用 40 毫克干草药或者 1~2 匙液体浸膏,每日 3 次。

### 营养与饮食

有些病例可以通过减少盐的摄入量使症状得以改善。盐可使液体潴留在耳中,对听力结构产生压力。如果有反复出现耳感染的倾向,那么应避免吃奶制品,因为

## 指压法

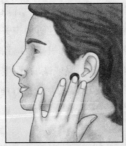

**1** 压迫胆经听会穴有助于改善听力。张嘴并找到耳前的凹陷处,将中指指尖置于凹陷底部,然后向下滑移 1.25 厘米,合上嘴。此时您的手指正好位于胆经听会穴。按压 1 分钟,重复 3~5 次。

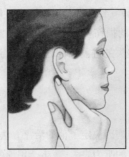

**2** 压迫三焦经翼风穴可使听力困难得以缓解,此穴位于耳廓后面。用食指指尖找到耳廓后方耳与下颌骨交界的凹陷处,即三焦经翼风穴。轻压 2 分钟,同时深呼吸,然后放松。

# 听力疾病

一些医生认为奶制品会使肌体产生过多粘液。一些证据表明，每天补充 5000～10000IU 的维生素 A 有助于改善听力，特别是病人伴有耳鸣时，耳鸣是耳中出现铃声或吼叫的感觉。

瑜伽

半肩站成鱼姿有助于改善耳聋症状，因为这样可增加耳的血液循环。

预防

◆当你身处有损听力的噪音环境中时应戴上耳塞。仅用棉球塞住耳道还不够，因为他们不能挡住巨大的声响，并且有嵌进耳道深部的可能。

◆不要戴耳机听很响的音乐。

◆如果你在听音乐会时感到音乐声伤害耳朵，那么立即戴上耳塞或者马上离开。过分放大的声音会导致永久性耳聋。

◆教育子女有关喧闹的娱乐噪音的危害。

◆如果你在地铁站内，当列车经过时应戴上耳塞或用手堵住耳朵。

◆为了预防因传染病导致的永久性耳聋，你应让孩子接受所有的免疫接种。

◆如果耳朵常常被耳垢堵塞，应定期用过氧化氢液清洗。

◆记住出现任何突发性耳聋都应该立即去看医生。

乘飞机旅行所致的耳聋

如果在你鼻子不通气时乘坐飞机，就会出现所谓的气压损伤性中耳炎或称气压伤。当飞机降落时机舱内的压力突然增加，对你的鼓膜产生推力。由于咽鼓管堵塞，空气不能通过此管进入中耳，与来自外耳道对鼓膜的推力保持正常平衡。此时病人会感到非常疼痛，并常可出现一定程度的暂时性耳聋。也会感到头晕耳鸣——耳内的一种鸣响感。症状通常在几个小时后自行消失，但有时也需要做鼓膜切开治疗，即在鼓膜上做一个小切口。

当患有感冒或鼻窦感染而又必须旅行时，可采用下列预防措施：

◆在飞机起飞前一小时及着落前一小时，使用减轻鼻充血的制剂或抗组织胺药。

◆咀嚼糖果或胶姆，利用吞咽动作促进咽鼓管通畅。

◆捏住鼻子，用嘴做深呼吸。然后将嘴闭上做轻轻地吸气动作。这样会迫使空气进入咽鼓管。

## 瑜伽

**1** 半肩站：平躺、抬膝向前，用手支住髋部，吸气同时伸直腿，让腿与背部保持一定角度（见上图）。做几次深呼吸，然后呼气并将腿放下。

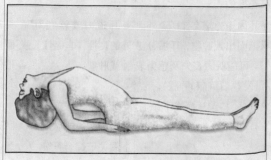

**2** 鱼姿：平躺，将手臂放于身体两侧，手掌朝下。吸气，同时使你的背部和颈部尽量向上弓，而臀部贴于地面。用髋及肘部支撑身体（见上图）。坚持15秒钟，深呼吸，然后呼气，放松肢体。

# 耳痛

| 症 状 | 疾 病 | 应采取的措施 | 其他信息 |
|---|---|---|---|
| ◆ 参见中耳炎或人体寰椎一节,了解耳结构解剖。 | | | |
| ◆ 数周或数月内耳痛加重,耳者感及耳鸣,部分听力丧失。 | ◆ 耳垢在外耳道结成硬节,堵住鼓室。 | ◆ 滴几滴温婴儿油或矿物油至耳内,每日2次,连续3天,以软化耳垢。使用球形冲洗器用温水将耳垢冲洗出来。 | ◆ 冲洗耳朵时可能会引起头晕。千万不要将某个东西,甚至带棉花头的拭子插入耳朵试图把耳垢掏出来。这极有可能损伤耳鼓膜。 |
| ◆ 在航空旅行或带水肺潜水时,出现耳痛放射至双颊及前额,头晕,耳鸣,耳堵感。 | ◆ 气压伤(由于气压的急骤变化,引起耳鼓膜变形或损伤)。 | ◆ 不予治疗,症状应在几小时内自行缓解。如持续不缓解,则应去看你的医生。 | ◆ 在飞行时,捏住鼻子,轻轻往里吹气,或不断吮吸硬糖或嚼口香糖。这样将有助于平衡耳鼓膜两侧的压力。 |
| ◆ 觉得耳朵内有一些东西,听力丧失,耳痛。 | ◆ 耳内异物,例如小虫、种子或耳塞等。 | ◆ 参见急救/急症:耳科急症。 | ◆ 千万不要试图挖出堵在耳朵里的异物,这有扎破鼓膜的危险。去找你的医生。 |
| ◆ 耳朵瘙痒并随后出现耳锐痛或钝痛,当牵拉耳垂时耳痛加重,有黄色分泌物,可能出现发热及暂时听力丧失。 | ◆ 游泳堵耳。 | ◆ 服用醋氨酚以缓解耳痛。医生还可能给一些含抗生素、抗真菌药或皮质醇的滴耳液,以减轻炎症。 | ◆ 不要让耳朵接触水(在游泳或沐浴时),至少到症状消失后3周。不要使用耳塞,他们可能对耳朵有害。 |
| ◆ 耳痛呈锐痛、突发或钝痛、跳痛,发热,鼻充血,听声音发闷。 | ◆ 中耳炎。 | ◆ 用温敷料盖住耳朵,服用醋氨酚。找你的医生,可能需要用一些抗生素。 | ◆ 用一些温矿物油或橄榄油滴耳可减轻疼痛。 |
| ◆ 耳内压力增高,耳道外面或里面出现肿物,耳垢分泌物,可能听力丧失及感染表现(发热、耳痛和肿胀)。 | ◆ 耳道内或就在耳道外的良性(非癌性)囊肿或肿瘤。 | ◆ 常不需要治疗,如囊肿或肿瘤极大或有感染,医生可能会把他切除。 | |
| ◆ 耳痛,持续牙痛或下颌痛。 | ◆ 牙齿或牙龈疾患,例如牙齿腐蚀或脓肿。颞下颌关节综合征。 | ◆ 立刻去看口腔医生。牙齿脓肿是个急症。还可参见牙周病,牙痛。 | ◆ 一些放松练习可能可以缓解颞下颌关节综合征的轻症病例。 |
| ◆ 耳内或耳后的钝痛、红肿,轻度发热,耳内分泌稠厚脓液,可能伴部分听力丧失。 | ◆ 乳突炎(乳突段即耳后蜂窝样骨头的感染)。 | ◆ 立刻去看医生。你需要积极的抗生素治疗,大概要用几周。如感染顽固控制不住,则可能需要手术切除乳突段。 | ◆ 如不治疗,乳突炎可导致严重并发症,如脑膜炎、面瘫等。 |
| ◆ 常在外伤或感染之后突然出现耳痛,耳内流出血性或脓性分泌物,头晕,耳鸣,部分听力丧失。 | ◆ 鼓膜破裂。 | ◆ 服用醋氨酚缓解疼痛,直到你可以去就医。你可能需要修补鼓膜(以加速愈合)及用一些抗生素。大的撕裂可能需要手术修补。 | ◆ 破裂口愈合前不要擤鼻涕或让水进入耳内(愈合过程大约需要2个月左右。) |

头颈部疾病

# 中耳炎

## 症 状

成年人：

◆耳痛(或为尖锐突然疼或为钝而持续疼)。

◆发热或寒颤。

◆鼻充血。

◆耳堵感。

◆恶心、呕吐伴有耳痛。

◆听力模糊。

孩子：

◆耳的牵引感。

◆发热。

◆易怒,不休息。

◆流鼻涕。

◆食欲下降。

◆晚上躺下时哭。

### 出现以下情况应去就医

◆体温升至39℃以上,发热可能是一个更严重的感染的信号。

◆你或你的孩子常常发生中耳炎,疾病的重复发作能引起听力丧失或更严重的感染。

◆你或你的孩子有听力问题、感染或许有影响听力的可能。

◆如果一个孩子有听力障碍,听父(母)亲讲话常常感到很困难,你应怀疑小孩有中耳炎。

中耳炎有时仅仅因耳的感染或炎症而得,是最常见的耳痛原因。这种疾病最常引起婴儿痛苦,与小孩也有关,同样也影响成年人。中耳炎是耳的中部的感染。其中部的小骨获得来自鼓膜的振动,并通过他们传至内耳。中耳炎常伴发于普通感冒、流感或其他类型的呼吸道感染。这是因为耳的中部通过一对极小的管道与上呼吸道相连接。此管被称为咽鼓管。

许多父母很不熟悉中耳炎。除为健康的婴儿出诊外,儿科医生最常见的出诊原因就是婴儿的耳部感染,在美国每年医生出诊次数占30万人次。今天,几乎有一半的人为孩子的中耳炎开抗生素,在美国治疗中耳部感

染1年的花费估计为2亿美元。如不治疗,中耳炎能引起更严重的合并症,包括乳突炎、丧失听力、鼓膜穿孔、脑脊膜炎、面神经麻痹和梅尼埃病。

## 病 因

中耳部细胞分泌一种液体,在中耳其他的结构之间,帮助防止有机物的侵入。正常时,这种液体通过咽鼓管排出并进入咽部,但如果咽鼓管肿大,这种液体就在中耳内滞留,引起这一区域的炎症和感染。在孩子,这对管子的位置更平而短,他们被感染的危险性更大。对于内科医生来说,鼓膜感染的病人会现出红和肿。

中耳炎最常见的原因是上呼吸道的病毒感染,如:感冒或流感,这些疾病使咽鼓管肿胀,以至于中耳内的液体不能排出。变态反应——花粉、灰尘、动物的皮屑或食物,像吸烟、难闻的气味和其他周围环境毒物一样,能产生同样的反应。

细菌能直接引起中耳炎,但常常紧随这些有机物其后的是病毒感染或变态反应,很快发现了他们进入温暖,湿润环境的中耳部的方式。侵入的细菌表现出大面积的严重的破坏力,变炎症为感染,并引起发热。在中耳感染时最常发现的细菌同样也引起鼻窦炎、肺炎和其他上呼吸道感染严重的反应。(注:短期的流感不能对中耳炎提供保护)

中耳炎有严重程度不同之分。简单的、单发的病例容易治愈,这称作卡他性中耳炎。此病被治愈后,在6个月内又反复发作3次(或1年内4次),这被称作复发性中耳炎。如果连续数周未被治愈,则称为慢性中耳炎,没有感染而耳中有积液的被称为浆液性中耳炎。

近年来,科学家们提出了极易患复发性中耳炎的人们的特征:妇女、具有耳部感染的家族史的个体、人工喂养的婴儿(母乳喂养的婴儿极少患耳部感染)、时托中心的孩子、美国本国人和澳大利亚的土著居民、生活在有吸烟的人的家庭中并且他们有极弱的或被破坏的免疫系统。

### 诊断与检查

如果你或你的孩子有耳痛伴有鼻不通气或流粘液、咽部溃疡,并有发热,患中耳炎的可能性很大。你的医生将很

# 中耳炎

可能用叫做耳镜的仪器检查你的鼓膜的感染迹象,如果病人是易激惹的婴儿,做这项检查并不是件容易的事。

若要需检查是哪种细菌感染,医生可能将鼓膜打开,抽出感染的中耳内的液体标本,然后将标本在试验室的器皿(培养基)中培养,这需要极其慎重,常常仅用于严重的或特殊顽固的感染。

## 治疗

许多医生和治疗学家的目标是在更严重的并发症出现之前控制中耳部的感染。治疗常常涉及消除中耳炎的病因,杀死任何侵入的细菌,提高免疫系统的免疫力,减轻咽鼓管的肿大。

### 常规治疗

最典型的中耳炎是由病毒感染引起的,在这些病例中,医生提供的仅是减轻症状的治疗,这可能涉及到用减充血剂来减轻咽鼓管的肿大的治疗,如:类麻黄素和抗组织胺药物;可能为盐酸苯海拉明(注:抗组织胺药物不能治愈中耳炎,却可引起轻度的副作用,包括多睡和神经过敏)。对于减轻疼痛,医生可能会推荐止疼药物,典型的是乙胺苯酚,其也可以帮助退热(小孩应避免使用阿司匹林,因为可以引起 Reye's 综合征的危象)。

围绕治疗中耳细菌感染是否应用抗生素存有争论。在英国,许多内科医生仅治疗中耳炎的症状,不用辅助杀菌的药物,研究显示,进行这种治疗时,88%以上的中耳炎病例治愈。事实上,另有调查指出,80%的中耳炎病例起因于病毒,为此,其对抗生素也不会有反应。

但一些医生,特别是在美国,耽心没有抗生素的治疗,潜伏在中耳内部的细菌生长得不到控制,可能引起严重的并发症,如失听或乳突炎。他们指出,极大地减少这些并发症的发生毕竟是由于使用抗生素治疗的结果。就安全考虑,美国内科医生对所有的中耳炎病人都按有细菌存在去治疗。

阿莫西林是选择性治疗细菌性中耳炎的抗生素,他与青霉素及其衍生物相比极少引起过敏反应。此药有极高的疗效,其单一用药治疗中耳感染疗程需 7～10 天,花费极少。

然而,后来医生们发现这个理想的药物有些问题。由于此药的广泛应用,一些类型的细菌制造了一种防御蛋白,从而使阿莫西林失去效用。在美国,对常规应用抗生素的评论指出:由于为没有细菌感染成分的中耳炎开具上百万的阿莫西林的处方,促使其产生抗药的菌株。

无论产生抗药的原因是什么,许多人对阿莫西林产生抗药细菌已是明显的。一些医生对中耳炎可能开具其他抗生素的处方,这些替代品中有一些与阿莫西林相比更趋向于昂贵,而减少一类称作头孢菌素的药。其他的联合用药,有阿莫西林和克拉维酸钾。对于阿莫西林过敏的人,医生可能给予磺胺甲异唑和甲氧苄啶,或红霉素与磺胺合成的药物磺胺二甲基异唑。对于严重复发至少 2 年的中耳炎病人,医生则用刺激免疫系统功能的方法,即给病人注射疫苗,疫苗可引起肌体免疫系统识别并攻击某种细菌。

如果中耳炎病人发展有严重的合并症,内科医生可能建议行外科手术来解除其感染或做中耳部引流。一项被称作鼓膜切开术的技术需要在鼓膜上打孔以释放中耳部的液体。如果咽鼓管因肿大而彻底关闭,外科医生可能在其间插入一个通气管以保持其开放,这一步骤称作中耳(切开)支撑术。此手术价格昂贵,且可能引起感染,并且要小心翼翼地进行。如果腺样组织增生或扁桃体反复感染是引起中耳炎反复的主要原因,内科医生可能建议做腺样体切除。(请看腺样体增生和扁桃体问题)

### 辅助治疗

一些对中耳炎的替代疗法企图通过战胜细菌或病毒来治疗感染。同时其他人试图减少症状或提高免疫系统的免疫力。

**芳香疗法**

薰衣草香精剂有时可能帮助减轻耳部感染的炎症和疼痛,其他油剂的应用包括:白花春黄菊、白千层、晚樱草花油、脂肪酸、亚麻子油和琉璃苣。

**中药治疗**

医用一般草药来辅助抗感染并打开耳通道,合剂可能包括:美黄芩属植物(bupleurum)泽泻、水生车前草、车前草、中国和欧洲甘草。与医生商讨一个正确的(煎制)方法。

# 中 耳 炎

草药疗法

帮助增强免疫系统功能的一些草药包括：紫锥花属、白花春黄菊和白毛莨——也可得到口服片剂。滴耳液不能渗透到耳的中部,应为外耳感染备用。

营养及饮食

尽管单独的食物不能治疗耳部的感染,营养学家建议用以下维生素辅助抗病毒感染。

◆甜菜属的胡罗卜素(维生素 A):每天的剂量为你孩子的年龄乘 2 万国际单位,最大剂量为 20 万国际单位。

◆维生素 C:每天的剂量为你孩子的年龄乘以 500 毫克。(警告:过量的维生素 C 能引起腹泻,其转移和排出甚至一天的过程是非常重要的,尽管成年和青春期的人没有严格的每天最大限量,但一些人不能忍受每 2 小时 1000 毫克或更多的量)。

◆锌:每天剂量为你的年龄乘以 2.5 毫克。没有营养学家的建议,每天不宜超过 50 毫克。

◆生物类黄酮:每天剂量为你的孩子的年龄乘以 50 毫克,250 毫克为最大量。

按骨术:与骨病医生商讨一个可以帮助咽鼓管引流的治疗方法。

家庭治疗

◆在家中,你能为缓解耳部感染的许多症状做准备,如温暖、温热的压敷可带来舒适,蒸气吸入和热脚浴也可以有帮助。

◆如果你用抗组胺药物,可以使你身体的水分丧失,使咽部和呼吸道干燥,可通过喝大量的水来补充丢失的液体。

◆用盐水漱口可以帮助减轻咽部症状及清洁咽鼓管。

◆保持头部垂直也可以帮助中耳引流。

◆一些人发现缓解症状的"全反向"鼻喷雾,可作为减充血剂,然而,喷雾可以成瘾并引起症状反跳,或使你的病情加重。

预防

因为人工喂养的婴儿更易患中耳炎,如果可能,最好母乳喂养你的孩子,从而预防耳部感染。(如果你必须人工喂养孩子,永远不要在婴儿躺下时用奶瓶滴喂他)。尽所能去除你家环境中的污染物,包括灰尘、清洁液体和溶剂、烟草的烟尘。食物所致的过敏反应在中耳炎中也起重要作用,所以你和你的孩子对此疾病敏感,应试着削减食物中的小麦制品、谷物制品和食物添加剂,因为这些食物比其他食物有更多的过敏反应趋向。

## 中 耳 感 染

中耳部正常引流多余的液体,无害地进入咽部通道——咽鼓管。但如果这条极小的通道被感染,也许由感冒或流感带来的同一种有机物引起的。咽鼓管肿大使中耳内流动的液体被关闭在内,并加重进一步的感染,逐渐增加的液体再加上没有适当的治疗,就会引起疼痛和压迫,进一步发展则能使鼓膜破裂。

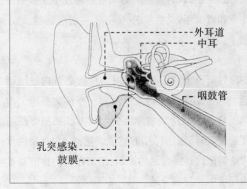

外耳道
中耳
咽鼓管
乳突感染
鼓膜

# 游泳性耳病

## 症 状

虽然称作"游泳性耳病",但不游泳的人也患游泳性耳病,症状包括:

◆耳内痒

◆耳内流水

◆耳内严重疼痛和敏感,尤其在活动头部或轻轻牵拉耳廓时。

◆一种难闻、黄色液体由耳内流出。

◆暂时的听力下降(由耳道阻塞引起)

### 出现以下情况应去就医

◆有眩晕和耳鸣,这些症状显示存在更严重的问题,需要就医。

◆有严重的疼痛,医生可提供治疗使其缓解。

◆注意到头皮或耳朵附近皮疹,可能有脂溢性皮炎,对此,医生会提供治疗。

头颈部疾病

**外**耳炎为医学专家所熟知,游泳性耳病是一种外耳道的炎症,其通常的名称来自经常发生于频繁游泳的儿童和青少年,炎症有时会感染,并引起剧痛。

## 病 因

游泳性耳病常常由游泳或淋浴所致的耳内过度潮湿引起。潮湿引起耳道内皮肤剥脱——称为湿疹,由于搔抓湿疹造成的持续瘙痒所引起的皮肤破损可使细菌或真菌侵入耳道组织,引起感染。然而,在污染的水中游泳是游泳性耳病常见的原因,细菌在有炎症的耳道潮湿的环境中找到栖身地。

其他皮肤病,如脂溢性皮炎、牛皮癣也导致游泳性耳病,另一常见的原因是过度、不适当地清洁盯聍,盯聍不仅保护耳道避免过度潮湿,也培养着有益菌,去除这一防护屏障——特别是用发夹、指甲或其他可擦伤皮肤的东西,很容易造成感染,喷发剂或染发剂也可刺激外耳道,引起外耳感染。

## 治 疗

游泳性耳病通常并不危险,常可在几天内自愈。对

轻度感染,可首先试用选择疗法,如果疼痛加剧或在24小时内不改善,应当看医生。在罕见的病例,感染可能播散并损伤下方的骨或软骨。

### 常规治疗

医生可能会用一个棉签或吸引装置清洁耳道以减轻刺激和疼痛,你会得到含有氢化可的松和抗菌素的滴耳剂、以减轻瘙痒、抗感染。

如果疼痛严重,医生会建议你使用阿司匹林,对乙酰氨基酚,或其他镇痛剂,也会被告知在治疗过程中感染的耳朵避免接触水,如果感染在3~4天内不改善,医生就会开一些口服抗生素。

### 辅助治疗

**芳香疗法**

为改善面部血液循环,促进愈合,在外耳周围用3~5滴桉树油或熏衣草油溶于1汤匙橄榄油或其他植物油制成的油剂,轻轻按摩,将油擦入太阳穴、颈部并擦在耳廓上。

**草药疗法**

具有抗炎特性的毛蕊花油有助于安抚及治愈感染的耳道,每1~3小时滴1~3滴于感染的耳内。

**家庭治疗**

用局部抗化脓药液清洗感染的耳道,或用一种用等量的醋和酒精制成的家庭溶液清洗,不断地滴几滴溶液入耳道,每2~3小时1次。使药液在耳内停留至少30秒。

◆为缓解疼痛,在感染的耳部放一个温暖的热垫或加压。

◆服阿司匹林或另一种镇痛剂以缓解疼痛。

◆在治疗过程中,保证感染耳道干燥,即使洗澡时也应如此,可用耳塞或淋浴帽。

**预防**

◆清洁耳朵时要当心,用干净的布擦洗外耳,不要深掏耳道,决不可用锐物。

◆游泳时要带耳塞,向后倾斜并摇动头部以使水从双耳流出。

◆避免在污水中游泳。

# 游泳性耳病

◆淋浴时带耳塞或浴帽，使耳道干燥，或淋浴完毕用电吹风吹干耳朵。置于低位，距耳朵约1码处。

◆游泳或淋浴后，喷数滴酒精和白醋溶液入耳内，也可使耳干燥，有助于杀死微生物。倾斜头部使溶液流到耳的底部，然后让液体流出。

◆在游泳前做一个耳道保护罩，向耳内喷几滴矿物油、宝宝油或羊毛脂。

◆如果你带助听器，尽可能经常摘下，以使耳朵有机会干燥，助听器可使耳道处于潮湿中。

# 耳 鸣

## 症 状

◆耳中有噪音，如轰鸣、号角声、嗡嗡声、吱吱响或吹哨声，这些声音可以是间断的或持续不断的。
◆有时出现听力丧失。

## 出现以下情况应去就医

◆耳鸣，可能是其他疾病的一个症状，如高血压或甲状腺功能减退，这些疾病均可治疗。
◆耳鸣伴耳痛或流脓，这是耳部感染的症状。
◆耳鸣伴眩晕，这是梅尼埃病或者神经病变的表现，立即进行医学监护。

耳鸣是感觉耳中有轰鸣、号角声、嗡嗡声、吱吱声或吹哨声等。这些异常声音可能是间断的或者连续的，声音大小差异很大，通常在背景环境声音较低时，可明显感到，尤其夜间在安静的房间准备入睡时感觉尤甚。在极少数情况下，这种声音同心率同步。

耳鸣很常见，在美国估计有5000万成人罹患此症。对大多数人来说，病症仅仅给人们带来烦恼。然而，严重的病例，人们难以集中注意力和入睡，最终影响工作和人际交往，引起精神抑郁。每年大约1200万人需要治疗。

尽管耳鸣通常与听力丧失有关，但耳鸣并不引起听力丧失，而且听力丧失也并不引起耳鸣。事实上，有耳鸣的人并不会出现听力困难，且少数病例变得对声音极为敏感，必须采取措施屏蔽外部噪音刺激。

某些耳鸣由耳中感染或者阻塞引起，原发病经治疗去除后耳鸣消失。但通常引起耳鸣的原发病虽经治疗，但耳鸣仍继续存在。有些病例，在降低或者屏蔽有影响的周围声音后，其他疗法常能奏效。

## 病 因

很多原因和许多疾病可引起耳鸣。耵聍不断增加引起的耳阻塞、感染(参见中耳炎)或者听神经瘤(很少见)均可引起有害声音，因为可引起鼓膜穿孔。但或许慢性耳鸣的最常见原因是长期处于大量噪声的环境中。噪声对内耳中螺旋状耳蜗上的声敏细胞产生永久损害。木匠、飞行员、摇滚乐手、街道修理工，工作时使用带锯、枪或者其他发出大声的装置的人都易患耳鸣。一次突然听

# 耳 鸣

到极大声音也可引发耳鸣。

某些药物如阿司匹林，某些类型的抗生素和奎宁治疗都可以引起耳鸣。事实上，200 种处方药和非处方药都有耳鸣的副作用。自然衰老的过程可引起耳蜗或耳其他部位退变引起耳鸣。耳鸣也与梅尼埃病——一种内耳病变和中耳硬化症——一种中耳小骨的退行性变有关。其他如高血压、过敏、贫血和甲状腺功能减退（参见甲状腺病一节）亦可出现耳鸣。另外耳鸣还可是颈或下颌疾病的一个症状，如颞下颌关节综合征（TMJ）。

耳鸣的原因目前尚不很明了。焦虑似乎能加重耳鸣。

## 诊断与检查

为了判定耳鸣发生是否因药物引起，医生将给你进行全面体检，包括详细的耳部检查。你应详细说明正在服用的所有药物。如仍找不到病源，应去看耳科或耳鼻喉科或听力学医生，进行听力和神经科检查。作为检查的一部分，应行眼震电图检查，以测试其平衡功能。对结构的检查可行 MRI 和 CT 影像学检查。

## 治 疗

由于耳鸣可能是潜在疾病的一个症状，因此应首先治疗原发病。但如治疗后耳鸣仍存在，或者耳鸣是由暴露于很大噪音而引起，健康专家可能推荐一些非医学方法帮助减轻或者遮挡有害噪音。有时，耳鸣可不经任何处理自行消失。

如果你难于处理耳鸣症状，可进行咨询或询求帮助（见附录）。亦可请医生提出参考意见。

## 常规治疗

如果你的耳鸣是由于耵聍过多引起，可用棉签或吸引装置清理耳道。如为感染所致，应用氢化可的松滴耳减轻耳痒，并应用抗生素抗感染。

如确诊为耳硬化症或肿瘤，应施行手术治疗。如为颞下颌关节综合征引起，应看矫形外科医生或者牙科医生进行适当治疗。

慢性耳鸣，药物治疗常能奏效。用于治疗心律不齐的利多卡因对一些病人的耳鸣有效，但必须静注，且持续时间不太长。

如耳鸣伴有听力丧失，助听器是很有帮助的。许多人得益于耳鸣屏蔽罩，该设备与助听器相似，能产生比噪音更好听的声音，更新的设备是耳鸣器，他是助听器和耳鸣屏蔽罩的结合。另一治疗技术被称为听力适应，该技术是用一种能产生白色噪音的装置，其声音比噪音稍静，大脑听的时间长后习惯于这种声音而忽视耳鸣的存在。你应被检测看是否适合戴哪一种设备，以调整出适合于你的耳朵的特殊频率。

## 辅助治疗

除上述治疗方法，按压方法、瑜伽功疗法可以帮忙解除你的耳鸣。

**针灸治疗**

针刺可以帮助减轻你所听到的耳鸣声的水平。该法可以改变气流或能量流到肝或肾，具体治疗可咨询职业针灸师。

**生物反馈疗法**

研究表明，生物反馈可帮助人们处理耳鸣，部分是通过减轻精神紧张，训练病人松弛前额肌肉，因为精神紧张该部肌肉收紧。并温暖手和脚。应咨询医生，并向有经验的生物反馈医生求治。

**体疗**

亚历山大技术的实践者有时应用颈部的体位训练帮助解决耳鸣，尤其伴随眩晕时，该技术被认为可增加耳部血流。

**脊柱按摩疗法**

放松颈部，增加耳部的血液供应，在某些病例是有益处的。骨疗也提供相同的治疗。

**中药治疗**

银杏对治疗耳鸣引起的精神压抑是有益处的，一日3 次，每次 40 毫克干草药或者 1～2 茶匙液体提取物。银杏起作用大约需几个星期。

**生活方式**

规律锻炼可增加头部血循环，帮助减轻耳鸣，试一试跑步、快步走路、游泳、骑自行车或者其他有氧运动。可能在你注意到有疗效之前，你的耳鸣有轻微加重。

**身心医学**

有人报道自我催眠疗法可成功"关闭"因耳鸣产生

# 耳 鸣

## 指 压 疗 法

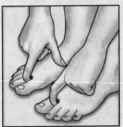

1 压行间穴可减轻由平衡疾病引起的焦虑，按压双脚、大拇指与第二个脚趾之间的连接部，压向大拇趾基底部，用力压一分钟。

2 如耳中有铃声或耳痛压太溪穴，位于跟腱和你的踝骨内侧，用食指紧压向踝的后部，按压1分钟，再按另一侧。

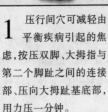

3 按压中渚，位于手背第四和第五指骨的凹槽处，可以缓解耳疼痛，轻轻按压一分钟，再按另一侧。

4 为了缓解耳痛，放食指于翳风穴，位于耳垂后的凹痕处，该处皮肤嫩，轻压，深呼吸，压二分钟。

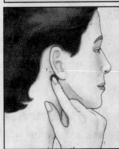

5 当颈部紧而转颈使耳鸣加重时，放中指于离风池穴5厘米处，头底部颈旁空处。闭眼，深呼吸，头倾向背部，压1至2分钟。

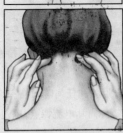

的一些有害噪音达数小时或数天。一位训练有素的催眠师可以教你怎样用一假想的拨号器或其他装置调整你

耳鸣的音量。这种催眠疗法只能进入中等深度睡眠状态的人适用。

**营养与饮食**

为了提高耳部血循环，应减少饮食中的饱和脂肪和胆固醇，每天 100～6000 毫克烟酸可帮忙降低胆固醇。注意：在无医生监测的情况下，不要服用过量烟酸，因为会出现诸如肝中毒等副作用。

研究表明，大多患耳鸣的人缺乏维生素 $B_{12}$，营养学家推荐每天服 6 微克维生素 $B_{12}$。另外，每日 5000～10000 国际单位的维生素 A 至少对耳鸣部分显效。

**家庭治疗**

◆戒烟酒和咖啡因，这些可使耳鸣加重。

◆饮食中少用盐，因盐能使液体在耳中集聚，加重耳鸣。

◆避开大噪音，因其可加重你已有的耳鸣。

◆如果因耳鸣无法入睡时，试着打开收音机，听一段优美的音乐，可以掩盖有害声音。听一听"自然音"如潺潺流水声，亦可减轻耳鸣。

◆避免服用太大量的阿司匹林，因其可使耳鸣加重。

## 瑜 伽 功

运动头部可以帮助减轻肩部或颈部紧张，这将伸展颈部肌肉，增加血循环。呼气，慢慢移动右耳向右肩部，停10秒(上图)，吸气，抬起头，然后向左侧再做一遍。呼气使下巴向胸部移动，吸气时抬头，当头向后仰呼气，停10秒钟。当回复原位时吸气。每日2次。

# 梅尼埃病(梅尼埃综合征)

## 症 状

◆周期性的头晕(眩晕),有时伴有恶心、呕吐、面色苍白和虚脱。

◆听觉出现问题,包括听力逐渐丧失,耳鸣(铃声、吼声、蜂鸣声),对大声很敏感,感觉两耳听到的声音不一样。

◆一种耳内装满东西的感觉,有时发生在头晕之前。

◆头痛。

## 出现以下情况应去就医

◆怀疑你患梅尼埃病,就需做医学检查。

◆你如患复发性头晕,如保持平衡也发生困难,需要指出的是你的内耳出现问题,需要治疗。

◆发现你听声音越来越困难,逐渐丧失听力则是耳朵的某一部分可能出问题(内耳、中耳或外耳)或你的大脑出问题。

◆两耳听的声音不同,这可能是除患梅尼埃病之外你也有内耳出现问题的迹象。

大约有 240 万美国人患梅尼埃病,内耳疾病会因超时加班变得更严重,常常与恶劣的工作环境、事故和心理疾病有关。对此病最早做出解释的是一百多年前的法国医生普鲁斯波·梅尼埃。该病根据其特征有数种症状,所有都与内耳出现问题有关,内耳是出现问题的部位,是听觉和平衡的感觉器官。

96% 以上的梅尼埃患者都有眩晕或头晕发作。这种眩晕症状从重到轻大约要持续 1 个小时到两天时间,呈不规则地发作,大约每年 1 次或几次。发作后,患者经常感到特别累,很快就会入睡,醒后会感觉好些。

人们患有梅尼埃病可能也有一些听力疾病且伴有或不伴有眩晕。例如,患者可能经历逐渐丧失听力、吼声、蜂鸣声或铃声(耳鸣)。或感觉左耳与右耳听到的声音的音调不一致。这种现象为双耳复听。

梅尼埃病通常在人们 20~60 岁时发生,平均发生年龄为 40 岁。但最小 4 岁最大 90 岁也有患此病的病例。问题通常在一侧耳朵。有时,疾病不知什么原因轻易消失。不幸的是没有人知道哪些病人会好、哪些不会好。

## 病 因

患梅尼埃病可能是因为焦虑、压力大或摄取食盐过多。科学家们至今仍对此病的确实成因争论不休,他们知道与内淋巴过多、液体充满内耳或迷路(上、右)有关。

内耳实际是一对挤进颞骨的感觉器官,在颅骨一侧的腔隙。一个内耳组成部分是呈螺旋形的耳蜗,可将声波转变为电脉冲送达到大脑。另一部分包括一系列环状物叫做半规管。在这些管中的液体与改变你身体位置有关(例:躺、站或往一边靠)。

从这些管中传出的信号与从眼和皮肤上的神经末梢传出的信息一样可帮助大脑分辨你的身体是站直的还是躺倒的。因为一些原因,梅尼埃患者内耳中液体过多,使你失去平衡感。因一些特殊原因,液体还会渗入耳蜗影响你的听力。

人的内耳和颞骨形状如不正常,不管是遗传还是因受伤所致,都可能发展成为梅尼埃病。内耳的形状和液体水平会因得病或其他一些情况而改变,这些情况包括:中耳感染(中耳炎)、梅毒、白血病、耳硬化症(中耳骨质硬化)和一些免疫的问题。

### 诊断与检查

大多数时候,耳鼻喉科专家进行简单的检查,根据检查发现的情况,告诉你是否患梅尼埃病。但是,因为头晕和听力问题的致病原因很多,有一些并不重要,而有一些又极为重要——达到确诊是很困难的。

为了排除其他问题,你的医生可能会做全面检查。检查程序中有身体功能检查,包括测听法,检查你的听力图谱;X 光用来检查你颅骨形状和任何陈旧伤;耳电图是用探针插入鼓膜用来检查你内耳电流特点,以便查明你听力问题的原因。

梅尼埃病被认为是因迷路的组成部分液体引起的。除了耳蜗内耳中有三个环形结构叫半规管,半规管内充满了保持人体平衡和运动的液体。液体过多时,人们不能辨别方向将导致眩晕。

# 梅尼埃病(梅尼埃综合征)

## 治 疗

因为科学家仍未找到治疗该病的方法,大多数治疗方法只是为了减轻症状和缓解心理压力。只能对病情特别严重的患者实施手术。

### 常规治疗

治疗梅尼埃病通常都是从企图降低内耳液体压力开始。主要药物包括利尿药(增加液体的排泄)和镇静药(使病人安静以减少眩晕的发生)。美可洛嗪和地西泮是两种治疗眩晕的常用药;一些医生也使用抗阻胺药,像异丙嗪和茶苯海明,可减轻眩晕症状。最近,医生建议用东莨菪碱涂于皮肤,也可用来对付晕船。一些病人发现这些疗法很见效,但科学研究对他们的用法并未取得一致意见。因为许多种药物可引起副作用,有些可能还是不治之症。

一些医生也使用"压力室"疗法,其意图是通过改变耳外的压力以改变耳内的压力。如果一个病人表现出剧烈的头晕,一些医生可能使用一种叫氨基苷的药物用以破坏迷路的平衡功能,而保护病人的听力功能。这种针剂通常在病人两耳都有问题时使用。

一些外科医生也使用同样的手段,即故意破坏内耳迷路使头晕停止,并已取得一定进展。外科手术包括前庭神经切除术,包括切除通往内耳迷路用以控制平衡的神经和迷路切除术或切除迷路。这些危险的手术,可严重破坏平衡系统或听力器官,所以一般只用来治疗严重的眩晕症。

另一种手术叫做内淋巴囊手术。医生通过排除内耳液体或安装一个瓣膜或分流术用以减轻耳症,以试图保护听力与平衡系统。术后第一年效果很好,但一些患者后来又发生头晕。

### 辅助治疗

像大多数常规疗法一样,替代疗法也只是用来减轻压力和其他症状。

#### 针灸治疗

治疗头晕,使用针刺疗法用以刺激下列耳部穴位:神经门、交感神经、肾、枕部、肾上腺和心脏。对一些慢性

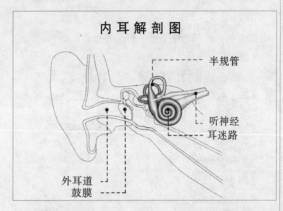

**内耳解剖图**

半规管
听神经
耳迷路
外耳道
鼓膜

病,针刺肾穴、足三里和脾经,看有关经络的详细说明。

#### 芳香疗法

减轻压力,用薰衣草、天竺葵、檀香木等香水洗澡。或使用薰衣草和甘菊油按摩。

#### 按摩

对慢性梅尼埃病,找按骨术师或按摩师按摩,以调整头、颌、脖子和后背下面运动受限制时可能与内耳有关的部位。对急性的头晕,反射学专家会建议按摩耳区;这些及另一些区域被证实有效。

#### 中药治疗

中医可辨别头晕症状,一般疗法包括甘草、蜂蜜哺乳花和其他一些草药。应找一位中医师并要求开方。但你记住可能有一些药物会引起过敏。

#### 身心医学

梅尼埃病的病人会经受因焦虑和应激反应带来的恶性循环,并可引起该病发作。在美国有一部分专门研究梅尼埃病的团体,向人们提供了与那些值得同情的听众探讨梅尼埃病的机会。各种形势的按摩疗法和瑜伽功也同样是减轻症状的好办法。

#### 营养及饮食

一些营养学家为梅尼埃病患者提供了一份增加热量、脂肪和蛋白质的食谱,尽管没有迹象表明这种严格的饮食制度可治愈该病。这些特别疗法也认为每天摄入量应为:2000 毫克维生素 C,维生素 $B_1$、$B_2$ 和 $B_6$ 各 50 毫克,20 毫克锌和其他一些维生素与矿物质。如果你患梅尼埃病,应避免食用食盐——食盐可使体内保持水分。一些专家推测通过减少体内液体可帮助缓解内耳压力,但这并未得到证实。营养学专家或饮食学专家可

# 梅尼埃病(梅尼埃综合征)　　晕动病

## 足反射区

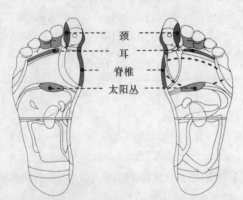

颈
耳
脊椎
太阳丛

为帮助减轻症状,刺激耳区,用大拇指按摩你的小脚趾到第二、三个脚趾的下部。用拇指由上往下按摩。如上图所示的脊柱区,大脚趾上的脖子区和太阳神经丛区。

为任何症状患者提供一份合适的食谱。

家庭治疗

◆疾病发作时应卧床使自己放松。

◆减少饮水和摄取食盐。一些人认为减少体液含量有助于减轻内耳的压力。

◆禁止饮用咖啡、吸烟和饮酒,这些嗜好可加重并干扰身体的平衡状态。

◆应有良好的晚间睡眠。

◆禁止开车、游泳、爬梯子和其他一些可能引起头晕以导致严重伤害的剧烈运动。

预防

防止梅尼埃病的最好办法是减少生活压力,做一些令人愉快的事情,比如培养爱好和参加体育活动。给自己点时间去购物可能会为自己带来一份欣喜。听音乐,洗一个热水澡,读一本杂志,喝一杯使人放松的茶(Chamomile)也是个好的选择。或者给自己一段时间坐着休息什么也不干。如果压力与焦虑过重以至于出了问题,你应找医生或心理学家咨询。

## 症状

◆乘坐公共汽车、火车、轮船或飞机时导致出汗、头晕、苍白、恶心,有时呕吐。

### 出现以下情况应去就医

◆在你计划旅行并将被晕动病所困扰时,医生将给予抗恶心药物。

某些人在旅行中由于特定的车辆原因导致恶心、呕吐等不适,特别是没有严重疾病的情况下导致呕吐。这种晕动病症状通常来说是一旦改变旅行方式或是结束旅游后不久均减轻。近80%的人有时遭受晕动症之苦,幸运的是预防此症的方法甚多。

## 病因

发生晕动病,原因是大脑接受到来自感觉器官的抵触信息,你的眼睛不能明确同一个对照物的运动和车辆运动在内耳形成平衡的机制(之间的关系)。中枢神经系统对这种压力产生的应答是大脑中的恶心中枢活动。

## 治疗

治疗晕动病的明确方法是阻止引起你不舒服的活动。但是这种不舒服并不是经常发生的。如果你有晕动病倾向,在安排任何旅行时都应该估计可能存在的这种不适,并准备好妥善处理产生这种不适的措施。

### 常规治疗

医生可以推荐使用各种抗恶心药物,例如通过减少耳朵内运动感觉神经的感觉而减轻恶心的苯海拉明。如果你需要这类药物,医生将提供更加有效的药物。为了更加有效,在你出发之前就应该口服抗恶心药物。

如果你将开始长途旅行,医生将提供莨菪胺,并以胶布的形式贴在耳后皮肤上,定时释放以减少肌肉痉挛而引起的呕吐。这块胶布释放莨菪胺到血液中持续3天以上,如果你对晕动病特别敏感,医生将鼓励你口服抗恶心药物代替贴这种胶布。

# 晕动病

## 辅助治疗

许多可选择的治疗方法依赖于预防和阻止晕动病的原理相同。生姜是一种十分受喜爱的天然药物，他是一种没有任何副作用的抗恶心药物并且可以当茶饮、当糖果吃或被制成胶囊服用（每 4 小时 2 粒，旅行前一天或在旅行需要时），他应该空腹服用。

指压治疗

大量科学试验表明腕部心包经间使穴在减轻恶心

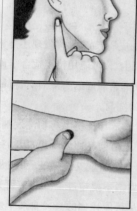

### 指 压 治 疗

**1** 按压小肠经天窗穴，可以改善耳源性平衡机制，把你的食指放在耳垂下，下颌骨后侧的凹陷中，在深呼吸时轻压 1 分钟，重复 1～2 次。

**2** 为了使神经稳定，减轻恶心，按压心包经间使穴，把拇指放在腕痕上两横指宽，桡尺骨之间的腕内侧中心，紧压 1 分钟，按压 3～5 次。在另一侧前臂上重复上述动作。

中存在效用。你可以购买这种有治疗作用的腕带，在旅行中放在这一点上。当在指导下佩戴时，这个带子上的结节对针压点有压力，可减轻恶心。这种腕带经常被普通内科医生和诊所医生喜爱，并且在许多药房和旅游物品商店出售。

对胸廓基部（脾经腹哀穴）实施针治疗据说对减轻恶心特别有效。

预防

◆为了减轻晕动病的易感性，有许多方法可以使用，除了上述建议外，下列方法可能很有帮助。获得充足的新鲜空气，打开小汽车的窗户，到轮船甲板的前端，打开飞机头顶的通气孔。

◆尽量保持头不动，闭上眼睛，凝视主焦点或是另一个不动的物体。坐在感觉运动最小的地方——小汽车前舱的座位，轮船中间或是轮船前舱的舱位或者机翼上方的座位。警告不要坐在与公共汽车、火车、飞机运动相反的座位上，不要在运动中阅读。

◆进食低脂、淀粉类食物，并且不要进食有强烈刺激气味和味觉的食物。

◆不要喝酒、抽烟，因为他们可以引起恶心。

◆如果恶心是顽固的，试着吃一点橄榄，服一点柠檬，这些食物使口腔干燥，并帮助减轻恶心。苏打饼干可以帮助吸入过多的唾液，并在胃内起到中和胃酸作用。如果你感到疾病严重到不能再吃时，试着喝一点生姜水（完全由生姜制成）或者任何一种含二氧化碳的可乐饮料。

# 头皮屑

## 症  状

◆ 皮肤鳞屑，呈白色小片状至大的黄色油脂样。
◆ 出现在头皮、眉毛或发际、耳或鼻子附近等处的瘙痒性皮肤脱屑。

### 出现以下情况应去就医

◆ 刮除物呈黄色、油脂样，并对抗头皮屑的洗发剂及洗剂无反应时，你可能患有脂溢性皮炎，并且需要进一步积极治疗，以缓解瘙痒及脱屑等症状。
◆ 你的头皮屑位于少数部位且非常瘙痒，这说明你可能合并真菌感染，而这是需要药物治疗的。

头皮屑，你经常可以从衣领、肩膀上刷下来的那些干燥的白色的皮肤脱屑，通常并不会引起健康危险。但是他常常是引起尴尬的一个原因，而且伴之而来的瘙痒是非常令人讨厌的。许多人都有一个错误概念，即出现这种情况是与个人卫生及多长时间洗一次头有关。尽管不经常洗头确实可以加重症状，但他并不是诱发头皮屑的原因。事实上，头皮屑仅仅是人群之中存在的简单差异，我们每一个人在每一天都要经历这一自然过程即皮肤表层细胞脱落。差别只在于一部分人表层细胞脱落比其他人多一些。

## 病  因

皮肤细胞生长及死亡速度太快是引起头皮屑的原因。但科学家们并不清楚为什么会发生这种情况。部分头皮屑严重的患者，皮脂腺功能亢进（皮脂腺的功能即分泌油脂润滑皮肤），其他患者则发现瓶形酵母菌数量升高。这种真菌存在于大部分人群中，但在头皮屑患者中表现为过度繁殖。其他发病因素包括家族史、食物过敏、过量甜食、使用碱性肥皂、酵母菌感染以及精神压力等。甚至气候也可能与本病有关，寒冷而干燥的冬季易于诱发头皮屑，或者使病情加重。

如果头皮脱屑呈黄色油脂样，那么可能病因是脂溢性皮炎；如果是由一些大的银白色脱屑组成的厚而干燥的病变，那么有可能是比较少见的头皮牛皮鳞。这些皮炎病变——以及普通变异——只有当你搔抓而致皮肤

破损后才能造成危险，因为这有可能引起感染，尤其是葡萄球菌及链球菌感染，而导致严重后果。

## 治  疗

许多市售洗发水可以控制中度头皮屑，但如果皮损较顽固如脂溢性皮炎，那么你最好与你的医生协商治疗措施。一些草药可以缓解瘙痒及干燥症状，但通常需要用一种焦油提取产品来彻底去除油脂样刮除物。

美国食品及药物管理司（FDA）已确认仅5种活性药物可安全、有效地用于治疗头皮屑：煤焦油产物、锌化吡啶酮、水杨酸、硫化硒及硫黄（FDA还发现水杨酸和硫黄联合物也同样有效）。所有其他产物均被禁用于作为去头皮屑洗发水中的活性成分，因此请仔细阅读商标。

### 常规治疗

如果在试用过上述去头皮屑产品后，你发现还是觉得瘙痒及脱屑，那么请找医生。你可能用错了适合于你的情况的洗发水。对于确实非常顽固的头皮屑病，可能要用一些含有类固醇激素的洗剂。

多数医生主张头皮屑患者每日使用药物洗发剂，并保留泡沫至少10分钟。然后彻底冲洗干净，因为残留的洗发剂和肥皂，事实上会加重皮肤病变。头皮屑缓解后，每周使用药物洗发剂不要超过1～2次，因为每天使用会使发质粗糙。尽可能让你的头发自然干燥而不要吹干。

用一个天然毛刷刷理头发也是很有好处的。从头皮由里向外均匀用力地刷理头发。这样可以将油脂从其引起头皮屑的头皮处刷下，均匀涂沫于发干而使头发富于光泽而健康。

### 辅助治疗

除草药制剂外，其他一些措施包括注意饮食、减轻压力的精神或躯体锻炼，及按摩均证明对治疗头皮屑有一定作用。

#### 身心医学

紧张可能加重头皮屑。定期规律锻炼不仅有益于全身健康，同时也是缓解紧张的最有效措施之一。你

还可以考虑每周日程安排表中增加一些放松节目,例如瑜伽。

### 营养及饮食

头皮屑是食物过敏的一个常见症状,常常是由于累积作用结果,因而在一定程度上给明确引起过敏反应的致敏原造成困难。例如,你每天都喝牛奶,但却从来没有想过把他与头上厚厚的头皮屑联系在一起。

如果你经过标准抗头皮屑治疗,症状仍无明显改善,可试着在饮食上避免高脂食品(如坚果和巧克力)、奶制品、过量甜食以及海产品。补充维生素,例如生物素、维生素 $B_1$、烟酸和维生素 $B_{12}$,可通过改善肌体分解脂肪酸能力,而有助于减轻头皮屑。

### 家庭疗法

◆在你洗头时快速按摩头皮可以改善头皮血循环。血循环的改善可以防止皮肤干燥和皲裂。

◆注意饮食。奶制品、高脂食品、海产品及过量甜食均可以加重头皮屑。

◆每周用药物去头皮屑洗发剂洗头发和头皮至少1次,以预防再发。

## 症 状

◆成年男子出现头发稀疏、发际后退或呈马蹄形秃顶。

◆妇女大多头发稀疏,但主要在头顶,完全秃发少见。

◆儿童或青年突然出现头发片状缺失,叫做斑秃。

◆儿童出现片状脱发及不完全脱发,常发生在头皮,但有时也累及眉毛。小孩特别爱搓揪自己的头发,是一种"拔毛癖"。

◆各种疾病和药物治疗、体重迅速下降、贫血、应激或妊娠造成的严重脱发,但又非完全性秃发,称为静止期脱发。

## 出现以下情况应去就医

◆你怀疑自己或孩子得了斑秃,或孩子有拔毛癖。这两种情况都应由医生进行诊断。

◆身体的任何部位出现难以解释的脱毛,医生需要确定引发你脱毛的潜在病因。

由于年龄、性别、种族及遗传上的差异,人类毛发的颜色和质地多种多样,面部及身体毛发的数量也明显不同。对我们所有人来说,尽管毛发有许多差异,但头顶和脑后都应该长有头发。一旦他们消失就称为脱发或秃发。

除了手掌和脚掌,毛发遍布全身,很多毛发非常细小,以至于看不出来。毛发是由角蛋白组成的,他们在皮肤表层的毛囊内形成。当毛囊产生新的毛发细胞,老细胞就被推出至皮肤表面。其速度约为每年生长6英寸。毛发实际上就是一连串死亡的角质细胞。通常,成人大约有10万根头发,每天脱落100根,所以不必为发梳上少量的脱发担心。

随着年龄增长,头发逐渐稀疏,是一种自然现象,叫做"老年性脱发"。越来越多的毛囊进入静止期,剩下来的头发变得更短,数量也更少。男性型脱发是一种具有遗传倾向性的疾病,男女都可发生。男性可以早至十几岁或20几岁就开始脱发,而多数女性患者直到40多岁或更晚才出现显著的头发稀疏。男性型脱发表现为发际

# 脱 发

## 脱发的三种类型

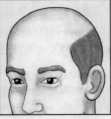

1. 男性型脱发具有家族遗传倾向，男性于中年就可出现。头发由前额及颞部逐渐后退（见图1左），并最终引起头顶部秃发，只留下耳周围及脑后的一圈头发（见图1右）。

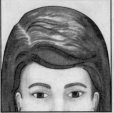

2. 女性型脱发只影响少数妇女，通常出现在妇女绝经后。前额、颞部及头顶部的头发变细（见图2左），最终头顶部可以几乎完全秃发（见图2右）。

3. 斑秃是儿童及成年男女都可发生的突然性的片状秃发。其病因不清。秃发斑可以隐藏在头发、眉毛及胡须中，范围也可扩展（见图3）。最终毛发生长可以不经治疗而恢复正常。

向后移，头顶上的毛发逐渐消失，而女性型脱发的典型表现为整个头皮的毛发稀疏，但以头顶部脱发最为严重。

斑秃为片状头发缺失，见于儿童及青年，常突然发生。他可以导致完全性秃发。但90%的病人在几年内出现头发再生。

所有的体毛都脱落叫做全身脱毛，再生的可能性很小，特别是发生在儿童时代。一种拔掉自身毛发的病症叫做拔毛癖，最常见于儿童。

## 病 因

医生尚不能解释为什么某些毛囊的生长期比其他

一些更短。尽管正常男女体内皆可产生的一种男性激素——雄激素的水平被认为是引起脱发的一个因素，但是脱发与男性特征无关。脂溢性皮炎对秃发也无影响。不管怎样，来自父母双方的遗传基因无疑是决定个体男性型或女性型脱发的因素。

暂时脱发可与高热、重病、甲状腺疾病、缺铁、全身麻醉、药物治疗、激素失衡或极度紧张以及妇女生孩子伴随出现。这种情况统称为静止期脱发，即大量毛囊突然进入静止期，致使毛发明显变稀。引起暂时性脱发的药物有治疗肿瘤的化疗药、抗凝剂、治疗痤疮等皮肤病的维甲酸、用于控制血压的肾上腺素阻滞剂及避孕药。

烧伤、X线放射、头皮外伤及接触某些化学物质，包括那些净化游泳池、漂白、染发或烫发的制剂也可引起脱发。对于这些病例，一旦去除诱因，正常的毛发生长通常可以恢复。

斑秃常发生于儿童或十余岁青少年中，其病因尚不清楚，多数病人的头发可以恢复原状，但是在恢复至正常色泽及粗细前新生的毛发可能较细或发白。

虽然频繁洗发、持久烫发或染色不引发秃发，但这样会使头发变得很脆弱，引起头发变稀。辫子梳得过紧及使用滚柱或热卷发器也可损伤或折断头发，而且过紧的卷发器还会将毛发拔出，使毛囊留下瘢痕。多数情况下，去除这些压力源，头发可恢复正常。但是如果毛发或头皮损伤严重或形成瘢痕，则可导致永久性片状秃发。

## 治 疗

尽管从古代起，人们就试图治疗秃发，但是大多数头发稀疏的人不能逆转这一过程。许多人为了美容目的，或者掩饰那些因外科手术或药物引起的脱发，转向戴假发、发片或接受假发植入术，甚至模仿失去的眉毛或眼睫毛的纹身术。一些药物可减缓头发脱落，一些替代治疗有助于减轻压力，保持剩余头发的健康。但是到目前为止，没有一种治疗方法可以刺激秃发部位重新出现毛发生长。

### 常规治疗

◆在某些情况下，含有药物米诺地尔的制剂似乎可促进已经开始秃发的部位出现毛发再生。对已有脱发征

# 脱 发

象或已有小片秃发的年青人疗效最为明显。将该药涂于秃发处，每日 2 次，必须连续使用，如果中断治疗，脱发可能再发。50% 以上的使用者认为药物可使头发变粗并有减慢头发脱落的作用，但是他对已有大范围男性型脱发的男病人疗效不佳。该药的副作用较少，但有时可引起病人皮肤疼痛。据报道，口服米诺地尔可影响少数病人的心率。所有患有心脏疾病的脱发者只能使用其外用制剂。

◆激素可用于治疗某些类型的脱发，但有一定的危险性。虽然多数斑秃可以自行恢复，但是一些医生通过让病人外用皮质类固醇激素或将药物注射到他的头皮里而加速康复。这一治疗会引起头皮疼痛，并可因皮肤萎缩导致头皮出现永久性瘢痕。口服可的松可刺激新发生长，但作用短暂。强的松是另一个口服使用的类固醇激素，可用于治疗斑秃，但有使体重增加、代谢紊乱、缺铁及月经失调等副作用。避孕药可以逆转年青妇女因激素失衡引起的秃发。

◆头发移植术是指将含有活性毛囊的头皮栓重新定植到秃发区。病人可能需要几百个头皮栓，一期可埋入 10～60 个。移植的头发可能脱落，但是新发通常在几个月内从移植的毛囊中生长出来。

◆一种美容性手术称为头皮缩减术，即将头皮拉紧，使脑后及两侧有毛发生长的皮肤被拉向头顶，然后将毛发移植到头顶部残余的秃发区。如头发移植术一样，这个手术也较痛苦而且价格昂贵，对迟发的遗传性或年龄相关性脱发无效。

◆使用你的头脑，而不损伤头发。

◆香波及其他护发剂可能有预防秃发的作用。但是过度使用这些制剂会使头发干枯。事实上所有香波，甚至那些为招徕顾客声称含有草药、低致敏性或含大量微生素的香波都是由带味的去污剂和发泡剂组成的。多数品牌的香波是浓缩制剂，稀释使用效果会更好。如果你头发的油脂很多，你可能想每天去洗头，但是频繁地使用香波可使头发自然分泌的油脂减少，引起头发变脆易折断。

那些声称可以营养毛发、保护毛发再生的护发剂的实际价值很低。因为毛发，即使是最粗看起来最有活力的头发也是由死的角蛋白构成的。护发剂中含有蜡质，可使头发显得很光滑，但是并未改变头发的健康状况，主要只是用香波将头发和头皮洗干净，仅此而已。适当地梳理较花钱去买昂贵的香波、护发剂、染色剂以及其他尚值得怀疑

的头发增强剂对保持头发和头皮的长期健康更有意义。

### 辅助治疗

虽然我们已经知道替代治疗不能使通常的秃发得以逆转，但是有些方法可以逆转暂时性脱发，修正损伤头皮。某些放松练习有助于去除紧张引起的脱发。

#### 中医治疗

中医认为头发由血营养，受肝脏及肾脏调节。传统的滋补药可以调养这些脏器并促进新发生长，主要包括何首乌、枸杞子、洋地黄根、山药及山茱萸。

#### 按摩

头皮生长需要一个稳定的血液供给，也许这些你并不能看到。按摩可以改善血循环，促进头发及毛发的健康。建议用维生素 E 按摩头皮，这样会使脆弱的毛发更为结实并防止皮肤干燥，产生头屑。

#### 身心医学

情绪激动或躯体应激是引起脱发的一个因素。经常运动或做放松练习如瑜伽功、指导性想象或沉思，可帮助减轻压力。

#### 营养及饮食

脱发可因全身营养状况差或体重迅速下降引起。在这种情况下，您应该立即恢复平衡饮食，并与医生或营养医师商量是否需要补充维生素 A、复合维生素 B、维生素 C 以及铁剂、锌剂。

#### 预防

尽管你不能逆转自然脱发，但是可以保护头发免受损伤和破坏。一些人特别是妇女为了追求美，将头发使劲拉紧，或者将头发吹干、热卷、染色、漂洗、拉直、长期烫发或者使用含有化学制剂的美容品，而最终导致头发干枯断裂和变稀疏。那些保持头发自然颜色、质地的人则拥有更健康的头发。应使用适宜你头发类型的香波。如果你必须卷发，那么请使用海绵卷发器，并尽可能使头发自然风干。

对于脱发适当梳理与任何非处方产品的作用相同。选择一把硬度合适不会撕扯头发的天然发梳，从头皮到发尖进行全面梳理，将天然油脂均匀涂布到毛发上。开始时每天梳理 10～20 次，然后试着梳理 100 次。动作轻柔，不要在头发潮湿时，或者特别脆弱时梳理。记住：头发不是活组织，他不能修复自己。

# 面部疼痛

| 症　状 | 疾　病 | 应采取的措施 | 其他信息 |
|---|---|---|---|
| 阅读本栏找到你所有的症状。然后横着阅读下去。 | | | |
| ◆广泛出现口唇、牙龈、脸颊或下巴的刺痛。常由触摸引发，见于50岁以上。 | ◆三叉神经痛。 | ◆去看医生，他会给你处方止痛药以止痛，可能并用小剂量的抗惊厥药或抗抑郁药以增加止痛效果。 | ◆这种神经炎症可能是由于血管压迫神经所致。深处组织按摩及针灸疗法可帮助缓解疼痛。有时需要外科手术治疗。 |
| ◆眼睛和脸颊周围出现钝痛，朝前屈身时加重，可能合并鼻腔浓稠分泌物、暂时味觉丧失、说话鼻音、头痛、萎靡不振、咽酸痛、发热、牙痛。 | ◆鼻窦炎。 | ◆治疗方法常用止痛药、减轻充血药、或抗生素（如由细菌所致）；或抗组胺药、免疫疗法或吸入皮质类固醇激素（如由过敏所致）。 | ◆过敏和牙周脓肿可能先于鼻窦炎存在。针灸可能有助于缓解急性疼痛或预防复发。 |
| ◆前额跳痛，颞部动脉触之增粗、疼痛，可能同时伴轻度发热、视力丧失。 | ◆动脉炎症（颞动脉炎，巨细胞动脉炎）。 | ◆去看医生，他会给你处方皮质类固醇激素以减轻炎症，预防视力丧失。 | ◆经治疗有75%机会可以完全恢复。 |
| ◆当触动牙齿时，出现半边脸的持续性跳痛、牙齿松动，可能伴颈部腺体水肿、发热。 | ◆牙齿脓肿。 | ◆请现在就去看牙科医生，因为必须要进行治疗。服用止痛药，用温盐水隔1小时漱1次口。参见牙痛。 | ◆为预防感染扩散波及颌骨，必须立即进行牙科治疗。 |
| ◆一侧面部出现的疼痛或青肿感觉。面部、耳朵或咽喉出现红色水疱皮疹，不能活动面肌，皮肤麻刺、瘙痒及刺痛感，低热。 | ◆带状疱疹（带状疱疹病毒神经感染）。 | ◆请去看医生进行治疗，包括给予止痛药、抗病毒治疗或在很少情况下使用抗生素。 | ◆在医生指导下，服用大剂量维生素E（5000单位，3次／日）可有帮助。带状疱疹是由引起水痘的同一种病毒再发而造成的。 |
| ◆一只眼周出现跳痛，消失后再发，常伴有鼻充血、出汗、眼睛流泪和发红。 | ◆丛集性头痛。 | ◆如还没有确诊，那么请去看医生。参见头痛。 | ◆诱发因素可能是酒精或扩张血管作用的药物，如硝酸甘油。鼻内涂携卡扬生丝（Capsicum frutescens）软膏可缓解疼痛。 |
| ◆颌关节在张嘴时出现弹响或疼痛，咀嚼痛，可能伴反复头痛并放射至面部、颈和肩部周围。 | ◆颞下颌关节（TML）综合征。 | ◆去看牙科医生进行治疗，包括矫正颌关节韧带异常或其他牙科疾患。 | ◆治疗可包括抗炎药、湿热敷、理疗和软食。针灸和放松练习如生物反馈法尤其有效。 |

# 尼古丁戒断

## 症　状

◆对于烟草滥用者来说，尼古丁制品摄入缺乏会导致一系列戒断症状，包括几种或所有以下的症状：

◆头痛，恶心，便秘或腹泻，心率和血压下降，乏力，瞌睡或失眠，易激惹，精力难以集中，焦虑，抑郁，易饥多食，嗜食甜食，烟草成瘾。

### 出现以下情况应去就医

◆你是烟草嗜用者而开始关心你的健康。烟草嗜用者易患许多种疾病，如呼吸系统疾病、循环系统疾病如中风、心脏病发作、血管闭塞性疾病，及各种癌症。

◆你想戒掉烟草，你的医生可以提供含尼古丁的辅助药及给予建议，或其他戒断疗程以帮你渡过这段戒断时期。

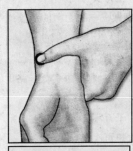

### 针　灸

1. 当停止吸烟后想改善肺功能，按压肺经7，将你的左拇指按在右腕横纹上2指，沿着桡骨，与食指成一条直线处，压紧持续1分钟，然后换手，做3次。

2. 按压大肠经合谷穴，在拇指与食指间的指蹼上，可减轻戒断症状。用右手拇指和食指挤压左手指蹼1分钟，再换手，如果你怀孕时，请不要用这种方法。

烟草中的有药效的提取物，即尼古丁的戒断症状，有头痛、焦虑、恶心和其他烟草成瘾的症状。尼古丁可造成药物依赖，即身体需要维持一定尼古丁含量的血浓度。除非此浓度维持，否则身体出现戒断反应。

烟草滥用者要想戒烟，会出现紧张和不适的戒断症状，但是这是暂时的。多数戒断症状在戒烟48小时时达到高峰而6月内完全消失。但戒断症状消失以后，你可能仍苦于吃的食物比吸烟时为多但体重却减轻。

## 病　因

治疗尼古丁戒断症状是撤除身体已依赖的物质时产生的肌体反应。

### 常规治疗

吸烟戒断药物与辅助治疗的组合是帮助烟草滥用者（尤其是吸烟者）的最有效的治疗方法。你的医生可能提供一个吸烟者（或其他烟草滥用者）戒烟的程序，同时给你用含尼古丁的口香糖或皮肤贴膜以帮助渡过戒断时期。大多数医生在1~2个月后令你停止使用口香糖或皮肤贴膜，这些辅助药物是为了帮你减轻戒断症状，而并不是让你继续服用尼古丁。

### 辅助治疗

许多其他疗法可以帮助烟草滥用者戒除烟瘾。有帮助的辅助治疗包括沉思、引导想象、生物反馈和催眠疗法。

#### 针灸治疗

针灸已被证明可解除戒断症状，针刺耳朵或身体上的穴位，通常需要1~3个疗程。针灸可与中药治疗和营养支持治疗一起应用，但并不适宜与尼古丁口香糖和皮肤贴片配合。

向中药医师或针灸师咨询一个适当的治疗计划。

中药治疗，北美山梗菜有与尼古丁类似的作用，但作用温和持久些，他经常被中药师们与一种兴奋药——麻黄（草麻黄）一起用于帮助烟草滥用者戒断，你应找一个很有经验的中医，因为用太多这类中药可带来很大副作用。中药师还常用一些中药来缓和戒断时神经系统不适，包括燕麦片和草属植物。

#### 家庭治疗

你可以依照以下步骤实施烟草戒断：

◆用几星期时间找到规律，记录你何时、何地、为什么需要烟草。

# 尼古丁戒断

◆列出你要戒烟的原因。

◆做一个戒烟计划并坚持实行。

◆找到替代吸烟的事做——嚼无糖的口胶或拿一支笔,并改变你的日常习惯以免诱发吸烟欲望。

◆慰劳你的努力,用吸烟省下来的钱请自己吃饭。

◆享受你的美餐,在戒断过程中进食低卡路里的食物。

◆在坚持戒烟过程中千万不要再次吸烟,一般吸烟者戒烟过程中平均有 6 次想再次吸烟。

预 防

最好的预防措施是不要开始吸烟,并告诉你的孩子吸烟的危害。许多人从十几岁就开始吸烟,因为有压力,想要反叛或想显得更成熟。吸烟者的孩子更容易吸烟,因为他们认为吸烟是正常的。如果你吸烟,但你真正想阻止你的孩子不吸烟,你就应戒烟,做一个榜样。

## 不要变换品种

雪茄烟或烟斗比纸烟含有更高的尼古丁和致癌物。研究表明吸纸烟者改吸雪茄烟或烟斗并维持吸烟习惯时,他们吸入的有害气体比以前更多。

---

# 外伤后强迫综合征

## 症 状

严重创伤(如战斗、殴斗、自然灾难、性虐待、目睹谋杀等)的人都可有以下一种或几种症状:

◆反复回想或梦见发生的事,儿童不能直接记住全部事情但能回忆起一些场景。重复回忆使他害怕,他们梦见一些没有内容的可怕事情。

◆高度警戒,被无名的威胁所困扰。

◆做有创伤的梦,睡眠困难。

◆易暴怒。

◆接触相似事情则紧张。

◆生理性麻木,不能与他人相处。

◆慢性症状有头痛、疼痛、肠易激惹症。

◆在儿童,有煽动性行为、注意力难集中、在洗梳和讲话上逐渐退化。

◆对将来无所为,对家庭、事业、前途感到无望。

## 出现以下情况应去就医

你或你的孩子或其他人有创伤,并表现出上述症状。

经历过可怕事情的人许多无恐惧的生活,但大部分的人对恐怖和无望都有情感反应,对恐怖事件在肉体上和心理上的反应程度取决于是否会发展成一种称为创伤后强迫综合征(PTSD)的疾病。有这种病的人,反应将持续并可致残。曾称为战争疲劳和炮弹休克,现在称为 PTSD 的一种精神疾病,是由于一种严重的创伤所致。PTSD 可以在恐怖事件后立即出现,也可在数周或数月后出现。治疗和时间的迁移可消除该疾病的持续,一般不致发展成重症。对多数人来说,症状可以完全消失。

越南退伍军人有 31% 的人有此种疾病,有 15% 的人持续受到影响。连续受到沉重打击的妇女,有 84% 在不久可有症状出现,45% 的人一年后仍为之痛苦,如果创伤是人为的,如由于家庭成员、朋友的事引起的,特别是自然灾难引起的。儿童更易患 PTSD。儿童目睹家庭暴力和直接受到打击是一样的可怕。

据报道患有 PTSD 的患者常有各种肉体上的疾病,

# 外伤后强迫综合征

如抑郁、滥用药物、恐怖症。

## 病　因

PTSD 是由各种引发情感上恐惧无望的创伤所引起。疾病发作和严重程度与接触创伤性事情的时间和事情的严重程度直接有关。恐怖的事情越严重，接触时间越长，就越易患 PTSD。反复经历虐待或目睹家庭暴力的儿童易患此病，这是一个特别的事实。

一些研究人员认为紧张恐惧可以损害大脑，脑是处理恐怖事件的部位。这种损害可使 PTSD 症状出现，包括暴怒、极度警觉和睡眠障碍。能引起 PTSD 的危险因素，包括家族性焦虑疾病史、过早与父母分居、早年儿童虐待或过早接触创伤。

### 诊断与检查

主要是根据病人的病史做出鉴别性诊断。包括近来症状、儿童期、教育工作经历、与他人的关系。伴有 PTSD 的其他疾病有抑郁症、焦虑症和药物滥用。

## 治　疗

对 PTSD 的常用治疗是抗抑郁药和心理治疗的结合。辅助治疗是允许他们和有相似经历的人交流情感，还可选择其他治疗，包括抗焦虑、生物反馈及最近发现的一种眼运动脱敏法。

### 常规治疗

减轻患者的紧张，应用选择性 5- 羟色胺再摄取阻滞剂似乎是最有效的。给予心理治疗，不论是对个别人还是一组人，其目的是鼓励病人回想事情详细过程，来表述痛苦、悲伤，然后可很好地生活，对儿童则包括娱乐性治疗。

### 辅助治疗

因为 PTSD 患者是一种焦虑病的患者，紧张而极度不安，任何锻炼和放松都是非常有益的，选择一种或两种喜欢的锻炼方法，每天进行锻炼。

*针灸治疗*

针灸可以减轻极度恐惧反应，且能减少做一些有创伤的恶梦，若与心理治疗结合效果更好。可以请教对情感障碍治疗有经验的针灸师。

*眼动运治疗*

一种非常惊奇的新方法称为眼运动脱敏和重新处理方法 (EMDR)，似乎可以带来非常有效的结果。在临床研究中，EMDR 治疗对 90% 的受治者有奇特的疗效。并成为一种标准的治疗方法。

这种治疗相当简单，让病人想像那个创伤事件的痛苦情景，同时眼跟踪治疗者的两个手指，而两个手指在视线前快速地前后移动。在每一套运动后，病人说出一些新的感受和忆起的曾有事件。治疗者再重复以上过程，每一部分持续约 90 分钟，必要时经常重复。一个越南退伍军人说 EMDR 治疗比常规治疗更有效。

*按摩*

对一些由于天灾而引发的患者，按摩可有效地减轻焦虑和紧张，但对有肉体伤害的人不宜使用，按摩应由有经验的治疗者来完成。

头颈部
疾病

# 甲状腺疾病

## 症　状

甲状腺功能亢进：
◆尽管食欲增加但体重减轻
◆心率增加,血压升高,烦躁,多汗
◆肠蠕动增加,有时伴腹泻
◆肌无力,手震颤
◆甲状腺肿大

甲状腺功能减退：
◆倦怠,反应迟钝
◆心率减慢
◆对寒冷的敏感性增加
◆手刺痛麻木
◆甲状腺增大

亚急性甲状腺炎：
◆甲状腺轻至重度疼痛
◆甲状腺触诊柔软
◆当吞咽和转头时疼痛
◆病毒感染后出现上述症状,如流感病毒、流行性腮腺炎病毒,或者麻疹病毒。

## 出现以下情况应去就医

◆发热,易激动或者谵妄,脉搏加速;有甲状腺危象;一种突然且危险的甲亢并发症。
◆感觉冷,昏昏欲睡,倦怠,可能出现粘液水肿性昏迷,突然出现危险的甲状腺功能减退症的并发症,可引起意识丧失和死亡。甲状腺分泌甲状腺素,他能影响身体几乎所有的代谢过程。甲状腺疾病从无危害的甲状腺肿到威胁生命的癌肿。大多数常见甲状腺疾病都包括甲状腺激素的紊乱,如激素分泌过多,则使全身代谢增加,称为甲亢;若甲状腺素分泌不足,则导致甲状腺功能减退。

四个甲状旁腺位于甲状腺的四个轴,功能则不依赖于甲状腺,其主要功能是调节血钙水平,亦为骨和牙的生长和维持所必需。甲状旁腺素分泌不平衡则导致甲状旁腺功能亢进和甲状旁腺功能减退,两者反过来对骨骼的发育有不良影响。尽管激素失衡的

作用不良,但如果正确诊断和治疗,大多数甲状腺疾病并不严重。

## 病　因

所有类型的甲亢都是由于甲状腺素的过度分泌,疾病可发生于以下几种情况:在突眼性甲状腺肿时,甲状腺素释放过多是由于自身免疫紊乱而触发(参见免疫问题一节)。在其他时候,甲状腺发生结节也称作中毒性腺瘤,扰乱可分泌甲状腺素,改变正常血流,扰乱身体的化学平衡。某些甲状腺肿可能也含有这样的结节。在亚急性甲状腺炎,甲状腺的炎症引起腺体"漏出"过多的激素,导致短暂的甲状腺机能亢进。尽管很少见,但甲亢亦可发生于垂体功能紊乱或者由于甲状腺中癌肿的生长而引起。

甲减与甲亢相反,是由于甲状腺激素分泌减低而引起。由于身体产生能量需一定量的甲状腺素,激素产生的下降导致能量产生下降。甲减的常见原因是桥本氏甲状腺炎,该病是自身免疫疾病,主要是由白细胞逐渐取代甲状腺组织,随后,受到叫抗体的免疫系统蛋白的攻击。甲状腺功能减退症也可由于甲状腺外科切除或者治疗甲亢时化学损伤引起。如果接触过量的碘——或许这来自很隐蔽的地方如治疗感冒和鼻窦的药物或者某些医学检查——则可能容易发生甲状腺功能减退,尤其你在过去曾有甲状腺问题。甲减如长期得不到治疗,将引起粘液性水肿昏迷,一种少见但致死的并发症,需立即注射激素治疗。

甲减对新生儿和婴儿危险很大,由于早期缺乏甲状腺素可导致克汀病(智力发育迟缓)和侏儒病(生长发育迟滞),大多数婴儿在出生后需检查其甲状腺素水平,如果水平低,应立即进行治疗。婴儿和成人一样,甲减亦可由垂体疾病、甲状腺缺陷或者腺体完全缺陷引起。患甲减的儿童,不常有迟钝和安静,但常见食欲差,睡眠时间过长。

尽管甲状腺癌是除卵巢癌外最常见的内分泌恶性肿瘤,但其发病率仍很低,可能在被检查出癌前几年,甲状腺中即有一个或更多的结节。早年进行头颈部放射治疗如痤疮的治疗的人比正常人更易于患甲状腺癌。

# 甲状腺疾病

## 诊断与检查

医生可通过检测血中甲状腺素水平诊断甲亢和甲减，医生常测定由甲状腺自身分泌的激素和甲状腺刺激素（TSH）——由垂体分泌刺激甲状腺素分泌的激素而判定疾病类型。

当出现甲减时，血循环中的 TSH 量增加，以增加甲状腺素的分泌，甲亢时则相反，TSH 水平低而甲状腺素量水平则升高。为了确定甲亢的原因，医生常用放射性碘摄取试验，以检测在限定时间内，甲状腺吸收碘的量。碘是甲状腺素合成的关键物质，所以，甲状腺吸碘量是甲状腺素产生量的可信指标。检查时，必须吞服含有少量放射性碘的液体或胶囊的间隔一定时间后，放一检测装置于颈部检测在甲状腺内聚集的碘量。

如果该检查结果显示甲状腺集合过量的碘，医生将行放射性碘摄取跟踪检查，该试验是检查放射性活性碘在甲状腺中的摄取位置，例如，如果碘象集于腺瘤，结果显示结节是导致过量激素的原因，如果结果显示碘均匀弥散于整个甲状腺，说明整个甲状腺都有过量甲状腺素产生。有人认为血液检查对轻度甲减并不很敏感，他们建议用监测身体基础（休息）体温。为了准确检测基础体温，必须遵循下列原则：夜里把体温计甩到 35℃ 以下，放于手能拿到的地方，第二天早晨起床前，把温度计放于腋窝 10 分钟，测温时应尽量躺下，如此记录体温至少 3 天（女人应在其月经周期的前两周测基础体温，因在后两周其基础体温上升）。正常人基础体温在 36.5℃~37℃ 之间。如果基础体温相应降低，可能有轻度甲减。

如果甲状腺有一或更多腺瘤，应密切监视并记录其发展，因并非所有腺瘤都产生过量甲状腺素。事实上，大多这类结节非恶性，尤其是其大小长期保持不变者（相反，癌变组织生长相当快）。突然出现的结节典型是充满液体的囊，通常为良性，如果血液检查提示结节产生过量的甲状腺素应按甲亢进行治疗。

甲状腺有结节，应定期进行检查，因为将来可能会发生甲亢。如果血化验提示激素水平升高，医生可能建议你做其他检查，包括放射性、碘摄取试验和扫描试验，以确定是"热"或者"冷"结节。热结节即摄取碘很活跃

的结节很少癌变，但"冷"结节——低碘摄取的结节预示可能是恶性，需进一步观察。

一种类型的甲状腺癌可通过检查影响骨骼形成的激素水平而确诊，大多数情况下，医生用细针从可疑的结节抽取细胞进行活检以检测其良恶性质。

# 治疗

对于由于甲状腺素分泌过多或过少引起的甲状腺疾病，常规治疗和替代疗法都是维持激素水平的平衡。常规治疗主要依赖药物治疗和外科手术治疗。替代疗法试图减轻与甲状腺病变有关的不适，或者通过各种方法提高甲状腺功能，如饮食、中草药治疗到生活方式改变、特殊锻炼。你应接受对所有甲状腺疾病有关的专业教育，其中包括家庭护理和治疗课程。

## 常规治疗

治疗甲亢需抑制激素的生成，而甲减则需要补充激素。常规治疗常通过降低消除或者补充激素制剂提供有效治疗手段。选择哪种疗法，医生将根据甲状腺功能、年龄、一般情况和用药史进行评价选择。

用放射性碘、抗甲状腺药或外科手术都能抑制或能阻止甲状腺素的产生。如果医生决定用放射性治疗是最好的选择，你将服用含有放射性碘的药片或液体，其剂量足以达到破坏甲状腺细胞并限制或破坏其产生激素的能力。偶尔，病人需用更多的治疗以恢复正常激素的产生，因为很多应用这种治疗的病人最终会出现甲状腺功能减低。

如果你应用硫脲或者咪唑类抗甲状腺类药物，该药常以片剂形式服用。随着已在身体中的激素的耗尽，在大约 6~8 周甲亢症状开始消失，药物开始影响激素的产生。然而，应坚持服药大约 1 年。此后，你将需要定期行医疗检查以确保症状不复发。

外科手术通常应用于年龄小于 45 岁且甲亢是由于毒性腺瘤引起的病人，因为这些结节对放射性碘耐药。一旦外科手术切除组织，激素水平一般在几个星期内降至正常。

尽管亚急性甲状腺炎能引起暂时性甲亢，这并不需要治疗，任何与甲状腺发炎有关的疼痛都可用醋氨酚或

阿司匹林缓解。如果非处方药物仍无作用，医生应短期应用泼尼松或者地塞米松，但是因为西药可引起胃溃疡和骨质疏松发生，如果需补充钙的话，请咨询医生。

甲状腺功能减退需终生进行激素替代治疗，一旦激素产生下降，外科手术和常规药物均不能增加甲状腺素的产生。尽管从动物抽提物中提取的激素可以应用，医生一般开化学合成的激素如左旋甲状腺素，该药副作用很少，但有些病人用药后有焦虑或者胸疼，通常调整用药量可减轻不适反应。然而，如你服用三环类抗抑郁药、抗凝药或者洋地黄、或者是糖尿病患者，均应注意他们之间的相互作用或其他并发症。

甲状腺癌常行外科手术切除术，行癌组织或者整个甲状腺切除称为甲状腺切除术。如果癌已播散至甲状腺以外的任何组织如颈部淋巴结，都应一并切除。

## 辅助治疗

尽管应用的其他疗法并不能完全抑制或替代甲状腺素，但他们可以增强甲状腺本身功能或减轻某些不适症状。

### 中药治疗

某些中药混合液可以减轻甲亢症状：焙的甘草、柴胡和龙骨联合，或者柴胡和牡丹花联合，请教医生进行具体指导。

为缓解甲亢的症状，可试用 4 份石松、2 份益母草、2 份黄芩和 1 份山楂，1 剂煎服 1 日 3 次。

对由于甲亢引起的失眠症，加入等量缬草和西番莲，睡前半小时服用。

甲减病人，可饮用海带茶，提高甲状腺功能，每日 3 次，一杯沸水加工茶匙的海带，饮前泡 10 分钟，亦可 1 日 3 次服用海带胶囊。

### 生活方式

每天 10~20 分钟的需氧练习对维持良好的甲状腺功能是必须的。如果是甲减病人，规律的身体锻练尤为重要（开始练习前要请医生检查身体）。

### 营养及饮食

对于甲减病人应避免用包心菜、桃子、芜菁甘蓝、豆角、芹菜、花生和萝卜，因为这些食物可干扰甲状腺素的产生。补充维生素 C、维生素 E、维生素 $B_2$、锌、烟酸（维生素 $B_3$），维生素 $B_6$ 和酪氨酸，可帮助产生甲状腺素。然而，对甲亢病人，上述食品可以有助于减少甲状腺素的产生。

### 瑜伽

对大多数人，每天 1 次每次至少 20 分钟的倒立可以帮助改善总的甲状腺功能。背朝下躺下，抬起双腿使髋部离开地面，双手支持髋部，双腿垂直伸直。沿躯体滑动你的手向肩部，大拇指在身体的前面，其他手指在背部。确保用肩膀支持身体重量而不用头和颈部。

# 甲状腺肿

## 症状

◆颈部的肿物，其大小可以从小肿块到弥漫性肿大。

◆如果你患有甲状腺功能亢进，可能还会伴有体重减轻及食欲增加、心率增快、血压上升、易激动、腹泻、肌肉软弱无力及手颤抖等症状。

◆如果你患有甲状腺功能减退，你可能出现昏睡、思维和动作缓慢、精神抑郁、心率减缓、怕冷、便秘、体重增加和手麻刺感或麻木。

## 出现以下情况应去就医

◆你出现甲状腺肿大及头晕、嘶哑，或吞咽困难，这是由于甲状腺可能压迫颈静脉、气管、食管或者是控制喉部的神经。这种肿物应及时治疗，通常需要手术切除。

甲状腺肿是甲状腺增生性疾病之一。在甲状腺机能亢进时，整个甲状腺肿大。而另一种结节性甲状腺肿，则是由于甲状腺内出现 1 到数个结节，或腺瘤增生的结果，可导致过量的甲状腺激素的分泌。甲状腺肿可以是暂时性疾病，随时间的延长会自然消失，但也可能是较严重的疾病需要及时治疗。(见甲状腺疾病部分)

## 病　因

甲状腺肿可以是由于甲状腺分泌过多的甲状腺激素(甲状腺机能亢进)或分泌不足(甲状腺功能减退)所致。甲状腺的增生可能是由垂体分泌促进甲状腺生长的激素过多引起的，但大多数甲状腺肿是由于碘——一种生产甲状腺激素必不可少的成分的缺乏所致。为了代偿激素分泌不足，腺体就会增生，有时轻度的增生就足以纠正激素分泌不足，但是严重的腺体肿大会产生压迫症状，此时就必须手术切除。

还有另一种甲状腺肿，称为散发性甲状腺肿，他是由于食入过多致甲状腺肿的物质如大豆、芜菁甘蓝、卷心菜、桃子、花生及菠菜所致。这些食物干扰甲状腺碘化过程从而抑制甲状腺激素的产生。有些药物如碘化物、丙硫氧嘧啶及保泰松也有这方面的作用。

## 诊断与检查

甲状腺肿可大到很容易看到或用手可以摸到，也可以不为人注意，只有医生在仔细检查时才能发现(通常在常规体检时)。无论何种情况，首先要做的是明确甲状腺肿是否由其他甲状腺疾病所引发。放射性碘吸收试验可了解在一定的时间内甲状腺的摄碘能力，如果高于正常，说明可能为甲状腺机能亢进；如果低于正常，说明可能为甲状腺功能减退，血清检查也能了解甲状腺激素的水平。

## 治　疗

甲状腺肿可以不需治疗，特别是肿大不明显并且甲状腺激素功能正常时。但如果伴有激素水平过高或过低，或是引起不适，那就应当进行治疗。

### 常规治疗

如果你的甲状腺肿需要治疗，补充碘或者是合成激素如左旋甲状腺素，可阻止垂体分泌过量促进甲状腺生长的激素。当药物起作用后，甲状腺会恢复到正常的大小。然而，一个大的结节性甲状腺肿伴有一些腺体体内瘢痕组织形成者，应用激素治疗不易回缩。如果甲状腺肿引起不适，引起甲状腺激素过多分泌，或出现恶变，那就应采用外科手术切除甲状腺。

### 辅助治疗

辅助治疗甲状腺肿是试图刺激甲状腺激素分泌同时调整肌体的化学失衡。

中药治疗

人参和当归有助于缩小甲状腺的体积，你可以请中医师决定适宜剂量。

预防

在食品中添加合成甲状腺素所必需的碘是预防甲状腺肿的重要手段，住在沿海地区的人无论从饮食还是饮水中都可获得充足的碘，但住在山区和内陆的人所摄取的碘量通常很低。在美国，自从 1924 年以来，食盐中就开始添加碘，甲状腺肿发病率也有明显下降。事实上1970 年以来美国就未再出现过碘缺乏的病例。与之相

头颈部疾病

# 甲状腺肿

反，在发展中国家—如印度—在食盐中没有添加碘，甲状腺肿依然常见。

## 甲状腺

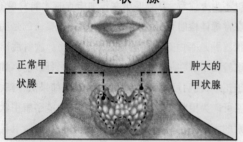

正常甲状腺　　　　肿大的甲状腺

甲状腺位于气管前方的颈根部，他需要碘元素来合成肌体必需的甲状腺激素。如果饮食中碘含量不足，腺体可通过单纯的增生来满足合成激素的需要。在某些病例，增大的甲状腺通常称为甲状腺肿会引起不适或甲状腺素过多分泌。这时就必须手术切除。

# 突眼性甲状腺肿

## 症　状

◆体重减轻同时食欲增加。

◆心率增快，血压增高，易激惹，易激动。

◆过度出汗。

◆怕热。

◆大便次数增多，甚至腹泻。

◆肌肉无力，手颤抖。

◆出现甲状腺肿(甲状腺肿大，引起颈根部肿胀)。

◆眼球突出。

◆女性可表现为月经周期频率变化，甚至闭经。

### 出现以下情况应去就医

◆你有发热、焦虑不安、妄想及脉率加快，这时可能有甲状腺毒性危象，这是由于过多的甲状腺素突然分泌到血中引起，此时有生命危险。

这种疾病是在 19 世纪初期由 Robert Gra ves 描述的，因此又称 Graves 病。突眼性甲状腺肿是最常见的甲状腺疾病之一，他也是甲状腺功能亢进的主要病因。甲状腺功能亢进是由于甲状腺激素分泌过量造成。一旦本病得到正确诊断，治疗十分容易。在某些病例，突眼性甲状腺肿在数月或数年治疗后会自行缓解或消失，但如果不予治疗，会导致严重的并发症甚至死亡。虽然症状能引起不适，但如果经过及时合理的治疗，本病通常不会对健康造成长期损害。

## 病　因

甲状腺分泌的激素控制人的新陈代谢，即加速食物转化为能量，代谢的速度与血中的激素量密切相关。如果因为某种原因肌体分泌过量的甲状腺激素，肌体的代谢速度就会增加，导致心率加快、出汗、手颤及体重下降等典型的甲亢症状。一般情况下甲状腺激素的合成受到另一种激素——甲状腺刺激素（TSH）的控制，TSH 由垂体分泌。但 Graves 病由于肌体免疫系统的功能异常会产生出一种异常的抗体或防御蛋白，这种抗体的结构与甲状腺刺激素的结构相似（见免疫系统疾病部分）。由于受到这种假的甲状腺刺激素的刺激，甲状腺就会分泌出超过正常量的甲状腺激素。

# 突眼性甲状腺肿

## 对眼睛的影响

　　Graves病有时会伴有眼球突出，当眼球后的软组织出现炎症并肿胀时，就会将眼球向前挤出，称为突眼症。如果眼睑不能闭合，眼睛就会变得干燥并感到不适。长期的炎症反应会使眼肌无力，眼球运动障碍，并导致视力受影

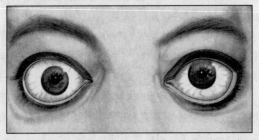

　　为什么免疫系统会产生出这些异常的抗体呢？具体原因目前还不清楚，遗传及其他一些异常可能与发病有关。例如，研究表明，如果同卵双胞胎中的一个患有突眼性甲状腺肿，另一个患有该病的机率是50%。另外女性较男性更易患此病。吸烟的患者比不吸烟的患者突眼的程度更严重。

　　眼睛的问题——主要是由于眼肌及眼球后组织的炎症和水肿导致眼球从眼窝中突出，这是突眼性甲状腺肿的特征性并发症。然而只有一小部分Graves病患者有突眼症状，而且在这部分患者中，突眼的严重程度与甲亢症状的严重程度并没有明显的联系。事实上，目前还不清楚突眼是由于Graves病导致的，还是与Graves病是两种相互独立的疾病。但有一点是明确的，两者是密切相联的。如果你患有突眼，就会觉得眼睛痛、干燥感和充血。突出的眼睛易流泪和发红，这是由于眼睑不再能充分地覆盖眼球所致。

　　也有为数很少的严重突眼患者，由于水肿的眼球肌肉对视神经产生严重压迫，会导致部分患者出现色盲或视力下降。由于长期炎症导致眼肌无力，会引起眼球的运动困难，其结果是看东西有重影。

### 诊断与检查

　　简单检查就可诊断该病，但你的医生还会多做几种检查以保证诊断准确性，同时排除其他可能。检查血液可以发现两种甲状腺产生或调节的激素—甲状腺素和

三碘甲状腺原氨酸的水平是否高于正常，如果是，而且血中甲状腺刺激素的水平低于正常，那么你已患上甲状腺功能亢进，而突眼性甲状腺肿病是最常见的病因。查血还能发现与突眼性甲状腺肿有关的异常抗体，但这一检查费用较高，一般并不需要。

　　为了证实诊断，你的医生可能会为你进行放射性碘摄取试验，这一试验可以了解是否有大量碘在甲状腺聚集。甲状腺合成甲状腺素需要碘，所以如果其摄取碘的能力过强，就可以认为其产生的激素量也高于正常。

　　如果你仅表现为突眼症状，医生会给你做甲状腺功能亢进方面的化验，因为这种眼病不一定与Graves病有关，医生还会给你进行超声或CT扫描或磁共振（MRI）了解眼肌的情况，以上任何检查如发现眼肌水肿就可以证实Graves病。

## 治疗

　　如果你患有Graves病，或仅仅是怀疑有此病，你应让一位专家进行诊断，并制定针对你本人情况的治疗方案。虽然本病的起因与免疫系统功能异常有关，但无论是常规治疗还是辅助治疗，目的都是恢复正常的甲状腺素水平并消除病人的不适。

### 常规治疗

　　如果你只患有轻度的Graves病，那么在开始任何治疗前，你和你的医生都应观察一段时间看病情的变化。如果必须治疗，有2种常用的常规治疗方法可以减少甲状腺产生甲状腺素能力。

　　一种常用的方法是使用大剂量的放射性碘以破坏甲状腺内的部分细胞，这种疗法通过减少合成甲状腺素的细胞数量来控制过量的甲状腺素产生。你摄入的放射性碘数量取决于你的甲状腺的大小—甲状腺大小通过物理检查超声检查明确，以及甲状腺功能的活跃程度，这可以通过放射性碘摄取试验评估。虽然放射性碘会损伤甲状腺，但他对周围组织和器官没有影响。

　　治疗开始时，医生会让你服下含有放射性碘的胶囊或液体，服下之后不会感到任何不适。服下的碘大部分将在甲状腺聚集；没有被吸收的那部分可通过尿排出。你可以从治疗开始后1周左右每天多喝几杯水以促进

碘尽快从体内排出。为了保险起见,治疗期间尽量少接触婴儿、儿童和孕妇,至少服碘后 7 天应这样做。

在服用放射性碘后的几天内你并不会感到不舒服,但如果你感到甲状腺有炎性疼痛现象,可以服一些醋氨酚、布洛芬或者是阿司匹林以缓解疼痛。在接下来的几个月中,甲状腺激素的合成会逐渐下降。在这段时间内你应到医生那里定期检查以判断治疗的效果如何,大多数情况下单剂量放射性碘就是用于纠正甲状腺功能亢进。然而,如果你的病情在治疗 3 个月后仍未缓解,你可能需要第二次放射性碘治疗。即使医生认为你的 Graves 病已得到有效控制,你仍需要定期检查以保证甲状腺功能在正常范围内。

虽然放射性碘治疗在一般情况下是安全的,但他不能用于孕妇,因为可能破坏胎儿甲状腺,因此在进行放射性碘治疗前,必须确保自己没有怀孕,最好在最后一次放射性碘治疗几个月后再考虑怀孕。应向你的医生咨询,你应等大约多长时间。除了在治疗期间,放射性碘对于妇女妊娠没有影响,另外也不会影响男性或女性的生育能力。

抗甲状腺药物如丙硫氧嘧啶和他巴唑,能干扰甲状腺素的合成,可用于治疗 Graves 病,开始治疗后可能需要数月的时间才能逐渐控制甲状腺功能亢进症状。这是因为甲状腺已经产生和贮存了足够的激素以保证血中的高激素水平,只有当贮存的激素消耗完,其血中浓度才会逐渐正常。有时即使你的病看起来已完全好了,仍需要药物治疗以维持甲状腺。哪怕你的 Graves 病已完全缓解,同时医生也认为可以停药,仍应每年复查 1 次以防止复发。

β－肾上腺素能阻断常用于治疗高血压和心脏病的阿替洛尔和普奈洛尔,也可用于治疗某些病人由于该病引起的心悸和肌肉颤抖症状。但在使用这类药物之前,医生会询问你是否患有哮喘或任何心脏疾病。

放射性碘治疗和抗甲状腺药物在减少甲状腺激素分泌方面是有效的,但对于某些病例,治疗本病的最好方法是手术,如果你在怀孕前或妊娠时患上本病,或你不愿及不能进行放射治疗,或者你对抗甲状腺药物过敏,医生会建议你作甲状腺切除。这是一种相对安全和简单的手术,他可切除大部分的甲状腺。

因为许多常规治疗严重抑制甲状腺的功能,甚至导致甲状腺功能减退,甲状腺功能减退是一种潜在的严重疾病,特点是甲状腺素分泌不足(见甲状腺疾病部分)。所以,如果你因为 Graves 病接受治疗,必须定期到医生那里检查以确保甲状腺功能没有降得过低。

大约 5% 的 Graves 病患者出现较严重眼病而需专家治疗,其中有一半的突眼患者症状很轻,只需要简单的治疗(见家庭治疗部分)。

伴有突眼症的 Graves 病患者会发现几种药物可减轻充血、水肿及疼痛症状。这些药包括泼尼松、甲泼尼龙和地塞米松。但这些药物不能长期使用,因为他们可引起骨质疏松、肌无力和体重增加。有视力问题和严重的突眼者可通过外科手术及放射方法治疗。在手术前应向你的医生了解可能产生的并发症。

## 辅助治疗

辅助治疗通常作为常规治疗的补充,有的可以减轻 Graves 病的不适症状,有的则可以改善总的甲状腺功能。

### 生活方式

当心率稳定后,可每天进行 15 ~ 20 分钟的身体锻炼,对保持正常的甲状腺功能非常有益。

### 营养及饮食

如果你患有甲状腺功能亢进,吃一些抑制甲状腺素合成的食物可能有助于降低血中激素水平,这些食物有:卷心菜、桃子、小萝卜、花生、芜菁、大豆及芹菜。复合维生素 B 可能也有一定作用。

### 瑜伽

肩倒立,每天至少 1 次,每次 20 分钟,对某些 Graves 病患者可以改善甲状腺功能。方法是:仰卧,举起双腿,使你臀部离开地板,用双手扶住臀部,双腿逐渐与地面垂直,双手逐渐往肩部移,最后拇指在前其余手指在后支撑住背部,确保体重落在你的肩部而不是头或颈。

### 家庭治疗

◆如果你的眼不能完全合上,可在夜间使用眼罩,他有助于防止角膜干燥。

◆无论什么时候感觉眼睛干燥,可使用药店卖的人工泪液湿润你的眼睛。

◆如果晨起时眼睛红肿,可在睡觉时抬高头部。

◆使用墨镜以防止眼睛受强光、日光及风的刺激。

头颈部疾病

# 扁桃体炎

## 症状

◆扁桃体红、肿，咽喉痛，扁桃体有白色分泌物和斑点。

◆颈颏下淋巴结肿大、触痛。

◆低热和头痛，伴发其他症状。

　对扁桃体脓肿

◆除了发炎的扁桃体，还有口腔顶部软腭部位剧痛和触痛，吞咽困难。

◆语言明显不清，好像儿童说话时口含满嘴土豆的发音，主要是由脓肿引起的肿胀所致。

## 出现以下情况应去就医

◆你的孩子出现扁桃体炎症状。

◆你的孩子出现扁桃体炎和开始流涎，或者有呼吸困难，这可能预示出现扁桃体化脓。

◆你的孩子夜间呼吸困难，呼吸时有异样声音，或者有夜间睡眠呼吸暂停等现象，这些症状可预示有腺瘤疾病或扁桃体过度生长。

◆孩子的扁桃体炎经常复发，应行外科切除术。

◆孩子对抗生素反应不敏感，并发热或者疼痛，或者扁桃体有白点和分泌物，这可能提示单核细胞增多症，或者有其他感染。

扁桃体是位于咽喉后部淋巴组织聚合体，能产生抗体，帮助战胜呼吸道感染。当这些组织自身感染时，导致扁桃体炎的发生。

扁桃体炎通常发生于3~7岁的儿童，此期扁桃体起着最活跃的抵抗感染作用。但随着孩子的长大，扁桃体萎缩，感染就很少见了。扁桃体炎通常并不严重，除非出现扁桃体化脓。当出现扁桃体化脓时，肿胀会很严重以至阻塞孩子的呼吸。中耳炎和腺瘤样是其他并发症。

## 病　因

大多数扁桃体感染和扁桃体脓肿通常发生在小学年龄的儿童，主要由链球菌引起，流感病毒有时亦可引起扁桃体炎。

## 治　疗

为了检查你孩子的扁桃体，放一片海棉在舌上，让孩子说"啊"，用灯检查喉后部。如果扁桃体呈鲜红色和肿胀，应看儿科大夫。

### 常规治疗

儿科医生将检查孩子的扁桃体，并进行咽喉部分泌物培养看是否有链球菌感染。对扁桃体脓肿的检查，医生应检查扁桃体和软腭，如有脓肿应引流。对链球菌感染或脓肿，应用青霉素或红霉素抗感染。在抗感染治疗中应注意全疗程，如未控制住，链球菌能引起严重的自身免疫疾病，如肾炎或者风湿热。为减轻疼痛，可应用对乙酰氨基酚，不要用阿司匹林，因其易引起脑病脂肪肝综合征，严重时可行扁桃体切除术(参见预防)。

### 辅助治疗

其他治疗方法对减轻扁桃体炎的症状是有效的。应首先进行咽喉部分泌物培养，以排除脓毒性喉炎，因该病必须用抗生素治疗。扁桃体脓肿在开始其他治疗前，应请专业医生指导治疗。

中药治疗

中医师会建议你用按压治疗减轻咽喉痛，或者用针

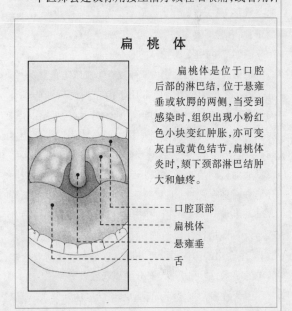

**扁　桃　体**

扁桃体是位于口腔后部的淋巴结，位于悬雍垂或软腭的两侧，当受到感染时，组织出现小粉红色小块变红肿胀，亦可变灰白或黄色结节，扁桃体炎时，颏下颈部淋巴结肿大和触疼。

---- 口腔顶部
---- 扁桃体
---- 悬雍垂
---- 舌

灸治疗慢性扁桃体炎。中药师会建议你用忍冬和连翘粉解除扁桃体炎早期的咽喉痛。

### 整骨术

整骨术用于常规治疗相同的外科和药物治疗扁桃体炎和扁桃体脓肿，但也试图利用软组织增加淋巴引流。

### 家庭治疗

◆盐水漱口可减轻疼痛，溶 1/2 茶匙盐于 1 杯温开水，让孩子漱口，以缓解疼痛。

◆冰淇淋和冰冻的酸乳酪，尤其在扁桃体切除术后，可减轻疼痛，安慰孩子。

◆冷雾加温器可增加房间的湿度，减轻孩子的喉咙痛。喷洒时要远离孩子，不要喷到孩子脸上或衣服上。如弄脏衣服，应换掉。

### 预防

现今扁桃体切除术比以往做的要少得多。只有当病情严重时又易复发应推荐行此手术，手术后，孩子需住1～2 天医院，4～5 天内咽喉将会疼痛。

## 症 状

◆咬物或咀嚼时牙痛或刺痛。

◆牙齿、牙龈或下颏酸痛。

## 出现以下情况应去就医

◆牙龈疼痛、红肿，可能是阻生牙或牙龈疾病。

◆牙齿的连续跳痛或者对热、冷特别敏感，有龋齿（有空洞），需修补充填。如龋齿发展很快，需行根管治疗。如发生牙脓肿，应急诊治疗。

◆牙齿刺痛，或者牙齿松动、发热，可能有牙脓肿，立刻看牙科医生。牙痛可由于嵌于牙龈和牙齿之间的食物引起，在这种情况下，应清洗或去除引起疼痛的任何东西。疼痛而不看牙医，则可能导致能引起更严重并发症的牙病。

**龋**齿不能治愈，但牙科常规护理可以阻止其发展。其他引起牙痛的原因包括：阻生牙（以奇特角度生长的牙齿）和牙龈疾病，因感染部位在牙周，所以难以说清疼痛来自牙周或牙本身。

预防龋齿的最好方法是避免牙痛，其他疗法可以帮助减轻不适症状，但常规治疗对阻止其进展或感染扩散是绝对必要的。

## 病 因

龋齿的主要原因是牙菌斑，该斑是由口腔内的细菌、酸和糖组成，腐蚀牙齿的牙釉质，开始并无症状，随着龋蚀的发展，当吃热、冷、甜、酸的东西时感刺痛。

如果龋蚀得不到治疗，细菌将感染下层牙本质，最后是牙髓。如感染化脓，脓液聚于牙髓，则形成无痛性脓肿。如仍得不到很好治疗，脓肿将破坏下颌骨或下颌窦，导致全身血中毒。

阻生牙通常病发于 10 岁到 20 来岁的人，因那时正出第三磨牙，又叫智齿。智齿对下颌来说太大，不能完全从牙龈中长出或以奇特角度生长，压迫周围牙齿，嵌入食物颗粒，引起疼痛和感染。

牙痛也可由下颌窦感染引起的压力引发，同时，磨牙症损伤面部均可引起牙痛。

# 牙 痛

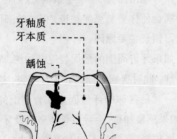

**龋 齿**

牙釉质
牙本质
龋蚀
下颌骨
牙根
脓肿

牙菌斑可腐蚀牙的保护层牙釉质,引起龋蚀和下层牙本质的感染。如得不到治疗,感染可播散至牙髓。由于肌体抗感染的结果,在牙根部可形成无痛性脓肿,进一步可引起牙龈、下颌骨或者下颌窦的损伤。

## 治 疗

### 常规治疗

对大多数龋齿,牙医将去除龋蚀部分,用永久性材料充填空洞。如果龋蚀严重,可能需根管治疗,包括去除牙髓,封闭开口,用银汞合金覆盖其上。对脓肿,医生可能首选抗生素。如果损伤严重,不能按牙洞治疗或者有阻生牙,通常需拔牙。

### 辅助治疗

如果牙痛被怀疑与龋齿有关,应看牙科医生,但同时应用其他疗法以减轻疼痛。

#### 指压治疗

用力按压位于食指间和拇指的合谷穴,可以减轻疼痛;用凉灸该部位,对缓解疼痛有帮助。如果怀孕,不要按压此穴。

#### 中药治疗

在疼痛的牙龈周围擦丁香油或者没药可以使之麻木,减轻疼痛。

#### 家庭治疗

◆下列治疗方法可以减轻疼痛:

◆用盐水擦洗,如果擦洗不起作用,轻轻剔出任何嵌入牙缝中的东西。

◆麻木疼痛的牙龈,含一口冰麻木牙龈。

◆保持疼痛部位冰凉。尽管热敷可以减轻疼痛,但如果牙疼由于感染所致,热敷可引起疾病播散。

#### 预防

◆饭后刷牙和剔牙,用无磨腐剂和含氟牙膏。小心所谓增白剂,他们大都含有磨腐剂,可以腐蚀牙釉质。

◆不吃糖。

◆每半年专业清洗一次牙齿,每年让牙科医生检查一次牙齿。

## 牙质过敏症

如果牙齿仅对热或冷有反应,说明你可能患牙过敏症。大约4000万以上的美国人由于牙釉质的磨损而暴露牙本质出现牙痛。这可由于衰老、牙龈萎缩、牙手术或者用硬毛牙刷刷牙和含增白剂的牙膏过度刷牙而引起。应用专为过敏牙设计的牙膏和软毛牙刷,可减轻牙过敏。

# 牙 周 病

## 症 状

◆牙龈肿胀、充血并且易出血。

◆疼痛，牙齿松动，口臭，X线检查发现牙槽骨吸收。

◆严重的牙周疼痛，牙龈炎伴有灰白色粘液覆盖在牙龈上，有时可有低热、全身不适、口臭、唾液过多及吞咽疼痛，这些是坏死性咽峡炎的体征。

◆突然的、无法解释的磨牙及切牙，周围骨质被吸收，特别是出现在青年黑人女性时，预示着可能患有青少年牙周炎。

◆严重的疼痛伴有牙龈肿胀易出血，有时还伴有耳痛，类似鼻窦炎症状，鼻子出血，发热，体重下降，及全身不适。你可能患有一种少见但可能致命的韦格纳肉芽肿。

## 出现以下情况应去就医

◆你有以上的任何一种症状都应就医，及时治疗可防止感染扩散，同时可避免牙齿脱落。

牙周疾病（牙龈病）是最常见的慢性病之一，60岁以上的美国人约有98%以上多多少少受到此病的影响。富含精制糖的饮食是致病的主要因素，但现代牙科技术及优良的牙刷牙膏的使用有效地竭制了不良饮食习惯的影响，其结果是，只有8%的成年人患有严重的牙周病。这一比例还可以降低，如果我们能尽量减少含糖精制食物的摄入并且更认真地注意牙的卫生，如果能作到以上两点，每年看牙医的美国人会减少一半。

## 病 因

牙周疾病是牙龈及其他牙周组织的感染性疾病。当食物残渣、唾液和细菌在牙龈线附近堆积后，可导致一种软的含细菌斑块称作牙菌斑的形成。随着牙菌斑在牙齿与牙周组织间堆积，就会导致牙周袋的形成。这些牙周袋和其中所含有的供细菌生长的营养物质会促进细菌生长，饮食中过量的糖会减少唾液分泌（唾液是口腔中抑制细菌的最好物质）及削弱与疾病斗争的白细胞活力。感染的最早期称作牙龈炎，其特点是无痛性的炎症、红肿及可能出血。某些维生素缺乏、药物、唾液腺疾病及血液病会使你更易患牙龈炎，但总的来说，不良的口腔卫生习惯是主要原因。

如果牙齿周围的牙周袋逐渐加深，而你的牙龈变得十分红，此时疾病可能已转为牙周炎，这是一种牙周组织——就是将你的牙齿固定在骨骼上的组织——的感染。如果感染加重，会导致骨质破坏及牙齿脱落。牙周炎的进展较慢，常常是不知不觉的。过去牙医认为牙龈出血是牙周炎的可靠指征，但现代研究表明并不这样。正常刷牙亦可经常引起牙龈出血，但得牙周炎的危险性并不高于从不出血的牙龈。

在一些少见病例，牙周炎是突然发作的，他可能是疾病的另一种形式——青少年牙周炎或急性溃疡坏死性咽峡炎。青少年牙周炎可引起磨牙周围骨质的严重破坏，有时也波及切牙，它常见于美国青年黑人妇女，其病因不完全清楚，但科学家们认为与遗传有关。与其他牙周病一样，不良的卫生习惯也与发病有关。

急性溃疡坏死性咽峡炎（也称战壕性口炎，因为第一次世界大战期间许多在战壕内作战的士兵都患上了此病）是由于营养不良、精神紧张以及细菌共同作用的结果。在口腔卫生习惯差，爱吃糖的年轻人中多见，其特点有严重疼痛、牙龈出血、牙龈上覆有有特征性的灰白色粘液，有时还伴有低热、全身不适、口臭、唾液分泌过多及吞咽疼痛。

还有一种病称为草莓样龈炎——牙龈由于炎症而看上去像过熟的草莓，这可能是一种少见但可能致命的疾病——韦格纳肉芽肿的最早期症状，牙龈会极度肿胀和疼痛，并且很易出血。其他症状还有耳痛、类似鼻窦炎样感染、鼻流血、发热、体重减轻、咳嗽及全身不适。虽然本病的病因还不清楚，但其进展与细菌感染类似。这种病可感染任何年龄与性别的人，但在男性更常见。如果不及时治疗，最终会导致心、肺、肾的损害，甚至引起肾功能衰竭。

一般来说，吸烟者比不吸烟的人患牙龈病的机会大一倍，另外牙龈病的其他易患因素有：糖尿病、白血病、克罗恩病及妊娠的妇女。研究证实，激素水平的上升对某些细菌的繁殖有促进作用，他不仅对妊娠妇女而且对

# 牙 周 病

口服避孕药的妇女都会造成威胁。

化学治疗及放射治疗也可增加牙龈病的易患性,例如接触有毒的重金属如水银。

## 治 疗

治疗牙周病的最好方法是预防。如果你得了牙龈病,可找专业的牙科医生就诊。

### 常规治疗

使用牙刷及牙线清洁口腔,是预防绝大多数牙周病的最好方法。有时加重牙周病的因素如牙咬合不良、不良的咀嚼习惯及不良修复,可以经口腔科医生的治疗而纠正。

对于较严重的牙龈炎,牙医首先要做的是清除菌斑和钙化斑(结石),然后可能会给你开含有洗必泰的漱口水,他比商店卖的漱口水有效,但可能有一些副作用如使牙齿染色或引起过敏反应。

口腔科医生治疗牙周病的方法是类似的,虽然有的病人需要通过手术方法清除感染的牙周袋及被破坏的骨质,而病人所要做的就是坚持使用牙刷、牙线及漱口水。

对于急性溃疡坏死性牙龈炎,牙科医生将清除坏死的组织并给予止痛药,有时还需使用抗生素,但在大多数情况下,良好的饮食、多饮水、注意休息及良好的口腔卫生习惯(包括不吸烟),就已经足够了。

对于少见的韦格纳肉芽肿病人,必须进行及时的治疗。细胞毒药物如环磷酰胺与肾上腺皮质激素合用可明显降低死亡率(如果不治疗,死亡率高达90%)。

牙科器械的新进展使得治疗更加安静和没有痛苦,也更有效。超声和激光还没有完全取代传统的牙科器械,但他们已越来越广泛地应用在清除牙菌斑方面。在过去,牙医不能确定引起牙周病的细菌,但是经过改进的检查方法已使准确的诊断和更有效的治疗成为可能。

### 辅助治疗

有许多用于牙周疾病的辅助治疗方法,如各种用于清除牙菌斑、抗感染与减轻炎症、减少牙龈出血的漱口水和药膏。但这些治疗方法在深入牙龈病灶方面的效果比不上常规治疗。你最好还是到牙医处就诊,以防止发生严重的牙周病并引起牙齿脱落。

### 指压治疗

有经验的针灸师可通过针刺足阳明胃经与手阳明大肠经的穴位,使牙龈部位活力变得更强,能抵抗感染。

### 草药治疗

使用白毛茛根、没药按摩牙龈可控制感染。用月桂果泡水漱口可刺激局部血液循环,对牙龈出血特别有效。鼠尾草与洋甘菊混合还可制出极好的漱口水。紫锥花根泡茶可抗感染,方法是将1~2勺根的粉末在1杯沸水中用小火熬10分钟后饮用,每日3次,也可每次服用1~4毫升的酊剂。另外,你也可使用罗马甘菊或没药泡茶治疗牙龈炎症。注意:妊娠期间不能使用没药。

### 按摩

按摩牙龈可促进血液循环,加速病变愈合。可以用你手指的指腹沿牙龈线及相应的腭轻轻按揉。还有一种专门用于按摩的牙刷,它只有两排毛,并且使用时不用牙膏,也有治疗作用。

### 营养及饮食

保持牙龈健康的条件是饮食中少含精制糖而富含纤维素(纤维素可通过摩擦以清洁牙齿)。其他重要的营养物质包括维生素A(特别是β胡罗卜素)、C及E。还有锌、核黄素(存在于洋葱中)及叶酸(对于妊娠妇女及口服避孕药妇女特别重要)也很重要。在坏血病病人中,牙龈炎很常见,从而反映出维生素C在保持口腔健康方面很重要。

### 家庭治疗

你可以在家中自制一些漱口水和牙膏。其中最有效的包括:

◆小苏打与双氧水的混合物,可用于漱口或刷牙。

◆用月桂果与仙人掌灰混合物漱口。

◆用檟如树油、维生素E油或白毛茛根或没药按摩牙龈,可加速愈合并防止感染。

### 预防

预防牙周疾病,在家庭中应养成良好的口腔卫生习惯。大多数人每天只是草草地刷2次牙,并很少使用牙线。正确的保健方法是每天使用牙线,刷牙时间长一些,

# 牙 周 病

经常用漱口水漱口，并按摩牙龈。应先使用牙线清除牙缝间的食物残渣并清除牙菌斑，然后用牙刷轻柔但彻底地刷牙。刷牙方法应是环形地刷，水平地刷会损伤牙龈。漱口水有抗菌作用，但不能代替刷牙，你每天应漱口 2 ~ 3 次。

美国牙科联合会（ADA）建议每年看 1 ~ 2 次牙医，以去除难以清除的牙菌斑和牙结石，但有的口腔科医生认为，保持良好的口腔卫生习惯可完全预防牙菌斑与结石的形成。为了做到这一点，你必须每日 2 次，每次至少 15 分钟保养你的牙齿，另外你还应每日按摩牙龈 15 分钟。如果你做不到，也可听取 ADA 的意见。

如果你计划怀孕，事先最好进行一次口腔清洁。只有少量或没有牙菌斑的妇女怀孕后很少会因激素水平变化而出现牙周病。

糖尿病病人或任何接受过化疗或放疗的病人都应每年看几次牙医。

患任何牙龈炎或牙周病的人，为了控制病情及预防复发，应当 3 个月看 1 次牙医。

## 注意：心脏病与牙周炎

不注意牙齿及牙龈卫生的年轻人会因为他们的生活方式而更易得心脏病。1993 年，1 份对 1 万名对象（包括男性和女性）的调查发现，牙周病患者的心脏病发病率较正常人高 25%，对于 50 岁以下的男性牙周病患者这一关系更明显，其发生冠心病的危险性较没有或轻度牙周炎患者高出 1 倍。研究人员还不能确定是否牙周病是标志着不良的卫生和饮食习惯导致其他疾病的产生，还是因为两者之间确实有必然的联系，但无论如何，牙周病是危险的信号。

含有细菌的牙菌斑会在牙齿根部牙龈线沿堆积，如果不及时清除，就会形成牙结石，可以刺激牙龈并导致牙龈退缩，在牙龈与牙之间形成的牙周袋会积存菌斑和结石，导致支持牙的骨组织及牙周组织的破坏，最终牙齿脱落。

**牙周病**

退缩的牙龈线
牙结石
牙根
牙冠

# 口腔溃疡

## 症 状

◆口腔内单一或成簇的小的十分疼痛的弹坑样的溃疡,通常持续 5～10 天,这些溃疡呈灰白色或苍白色,边缘发红。他们常分布于两颊及唇的内侧、舌上、齿龈的底部及软腭上。

◆口腔内的刺痛烧灼感,这种感觉经常在溃疡产生前 6～24 小时出现。

## 出现以下情况应去就医

◆溃疡很痛,医生会为你开药止痛。

◆溃疡持续超过 14 天,这可能提示情况严重需要处理。

◆持续多发的口腔溃疡,可能提示如下问题:药物反应及少见的情形,如口腔癌或淋巴瘤。

口腔溃疡也称口疮,是一种令人烦恼的口腔感染,每年超过 50% 的美国人受他的困扰。此病最常见于青春期儿童,因他们的免疫系统尚未完全建立,还常见于一些孕初期的妇女。事实上,妇女患此病的比例较男性高两倍。如果你的父母患有口腔溃疡,你有 90% 的机会患此病。口腔溃疡多在处于应激状况下或身体衰弱的情况下发生。

肿瘤性溃疡,是由损伤形成的同样的溃疡。这些损伤经常由于坚硬的牙托、牙刷的划伤或过烫的食物引起。

## 病 因

无人知晓是什么导致口腔溃疡,为什么妇女更易患病。但溃疡的形成似乎与应激有关。一些医生认为口腔溃疡是由于缺乏铁、叶酸、维生素 $B_{12}$ 导致。口腔溃疡也可由免疫缺陷引起,比如食物过敏。但认为溃疡不具有传染性。

## 治 疗

通常口腔溃疡可自愈。多数情况下,你可以置之不理。针对性治疗可以加速愈合过程。一些辅助的治疗可减小应激及抚慰炎症区域。如果炎症极度疼痛或无法消除,应求助于医生。

### 常规治疗

许多医生建议使用对症的药膏来减轻口腔溃疡的不适,找寻一种含有能保护溃疡的甘油及抗炎的过氧化物。如果对症及家庭治疗效果不好,医生会开出一种含有使溃疡面干燥的苯海拉明及减轻疼痛的利多卡因的药物。如果发生感染,医生会使用抗生素如四环素。如果溃疡是由其他疾病所致,比如食物过敏,那么应诊断和处理潜在情况。

### 辅助治疗

辅助治疗的目的,是既要治愈溃疡又要防止复发。

**指压治疗**

为减少应激,可压迫天髎(肩部最高点,肩峰及脊柱中点),之后你马上会感到口腔中产生一种刺痛。在溃疡产生之前进行,能减小其严重性。

**中药治疗**

中药专家可以开出一个草药处方以增强你的全身系统,治愈溃疡,预防复发。

**身心医学**

口腔溃疡经常由应激引起,应学会静思,倾听引导联想的录音带,把自己视为一个健康、放松的人,最重要的是找到一个你喜欢放松的方法并坚持做下去。

**营养及饮食**

如果你患有口腔溃疡,应避免食用咖啡、香料及柑橘类水果及其他可能刺激你口腔的食物。

如果你的溃疡是由 11 种维生素缺乏所致,那么补充维生素 C、复合维生素 B 及叶酸、铁、锌可能会有帮助。如果溃疡反复发作是由食物过敏引起,应避免那些引起过敏反应的食物。

**家庭疗法**

◆以 2 小杯过氧化氢、2 小杯水、1 茶匙盐及烤干的苏打混合后,1 天漱 4 次口,勿咽下。

◆以氧化镁凝胶漱口,以覆盖溃疡。

◆用可减轻疼痛的洗必太漱口液漱口。

◆用潮湿的茶叶包覆盖溃疡,鞣酸会使溃疡干燥。

◆用含有甘油及过氧化物的缓冲剂油膏。

头颈部疾病

◆用减轻应激的指压法。

预防

◆用焙干的无感染性苏打刷牙。

◆每天食用 4 茶匙生物培养出的酸化酪,其中包括能维持你系统健康的细菌。

◆避免辛辣、多盐及过酸的食物。

◆食用维生素 C、复合维生素 B、叶酸及矿物,如铁、锌。

## 症 状

尽管婴儿出牙是正常发育而不是一种疾病,但出牙可能使小儿烦躁或疼痛,对大人来讲也是一种考验。出牙的迹象包括:

◆通常大约在 6 个月左右,当牙开始突出牙龈时,小儿烦躁,夜间哭闹,太依赖大人等。

◆当更多的牙要长出时,小儿流涎、咀嚼手指。

◆牙龈红肿,特别是出牙部位的牙龈。

◆小儿拒绝吮乳或吮奶瓶,因为吸吮动作会刺疼发炎的牙龈。

### 出现以下情况应去就医

◆出牙的小儿发热,似乎昏睡或易烦躁,对出牙无反应或出牙时腹泻,这些症状是小儿生病的征兆。

◆出牙的小儿有发冷或发热的症状和抓耳朵或抓一边脸的情况,提示中耳炎。

◆小儿几个月时仍未出牙,这可能预示晚出牙,是一种无害的遗传倾向,但也可能意味着存在引起骨头延迟发育的一些异常代谢情况,首先要请教儿科医生,他可以很快指点你看儿科牙医。

出生前,小儿的牙齿已经在牙龈里面发育,大约在出生后 4 个月开始到达表面,到 7 个月时,可能进入小儿出牙的活跃期,大多数小儿的出牙期——从牙龈拱出的时期不同。小儿的 20 个乳牙,通常在 3 岁前出齐,出牙的顺序见后面的描述。遗传决定出牙速度,你的孩子出牙的方式可能是一样的。出牙是开始预防牙齿疾病的好时间,应规律地进行牙龈清洁。牙医建议在大约 6 个月即使牙齿还在牙龈里面,也应开始氟化物的治疗。氟化物通过牙齿的牙釉质结合钙磷增强牙齿,当小儿 7 岁开始换恒牙时,早点学会护牙习惯将是有益的。

## 病 因

当牙快长出牙龈时,在出牙处可以引起疼痛和肿胀。婴儿在这个时期拒绝吸吮,因为吸吮动作促使血流到发炎处,增加疼痛。

# 出牙问题

## 小儿出牙顺序

中切牙 —————
尖牙 —————
第二磨牙 —————

————— 侧切牙
————— 第一磨牙

通常在1岁内小儿开始出牙，中切牙和侧切牙首先出，6~12个月后出第一乳磨牙，随后是尖牙，一般是下牙比相应的上牙先出，到2岁或稍大点出第二乳磨牙，乳牙共20个。

## 治 疗

因为出牙不是一种疾病，出牙的治疗仅仅是设法减轻小儿的不适。

### 常规治疗

除非小儿出现疾病症状，一般没必要去看儿科医生。如果为出牙伴持续不适的小儿看病，医生可能推荐用液体的对乙酰氨基酚。这种药应控制使用（每天2~4次），应用该药能减轻疼痛。相反，出牙的非处方药物疗法中，局部麻醉药剂如苯佐卡因是不推荐应用的，因为此药是有毒性的。

### 辅助治疗

指压治疗
医生建议轻轻按压巨髎穴，或指压合谷穴，在小儿手上大拇指和食指之间找出穴位。

中药治疗
中草药专家介绍蜀葵的根汁治发炎的牙龈，每天在小儿的食物或饮料中加几茶匙。

生活方式
当小儿开始出牙时，就可以每天用纱布或者软牙刷清洁牙龈，小儿2岁半到3岁时，运动肌逐渐发育成熟，此时可以开始教小儿刷牙，在小儿4岁时应行第一次牙齿检查。

营养及饮食
当给出牙的小儿断奶时，给他吃一些易消化的食物，例如婴儿米粉或小米，特别是有规律的喂养，慢慢喂，每次喂过后拍拍小儿背部，不要让出牙的小儿含着奶瓶或果汁睡，糖和含淀粉食物易促进长龋齿。

家庭治疗
◆使用凉但不冰冷的牙圈或凉湿布能减轻疼痛，给小儿一些东西咀嚼。
◆用软布包一块冰，轻轻擦小儿发炎的牙龈，减轻炎症，在牙龈上移动冰块，避免损伤组织。
◆不要让小儿的口水流到患处，口水多时可出现疹子，在小儿嘴和下巴涂一些凡士林和用围涎，如果口水浸透时，给小儿换衣服。
◆避免喂小儿过咸或酸性食物，这类食物能加重敏感的牙龈。

### 注意：危险的传统治疗

不要用酒精擦出牙小儿的牙龈！在过去和现在偶尔用酒精减轻出牙时的疼痛，酒精暂时减轻牙龈不适，但是酒精有直接毒副作用，甚至小剂量也能导致严重的低蛋糖和大脑损害。

# （口腔）酵母菌感染

## 症  状

◆ 口腔和咽喉部无痛性白斑，当吃饭或刷牙时消失。这提示口鹅口疮。常见于婴儿、老人和艾滋病人。

◆ 口腔和咽喉白斑，有时与吞咽痛有关，这是食管真菌性炎症的症状，一种艾滋病的潜在并发症。

◆ 手部皮肤剥脱，尤其在手指间，肿胀的指甲在表皮上打褶，可能有疼痛、红和包含脓液。

◆ 发痒或发热的亮泽粉红色疹，并有鳞屑或疱状边缘，尤其在皮肤皱褶部，这提示擦烂；妇女有阴道痒或刺痛、外阴红肿，伴有异常厚白分泌物、性交痛，这是阴道酵母菌感染，或称念珠菌病。

◆ 男性，阴茎末端或包皮周围红斑起疱，可伴有严重的痒或疼痛。这是龟头炎的症状。

### 出现以下情况应去就医

◆ 如你首次出现上述症状，治疗前应进行专业检查。

◆ 对治疗无反应或复发，你可能有严重的疾病如糖尿病或艾滋病毒感染。

**酵**母菌感染有时称念珠菌病，有多种形式。酵母菌感染常发生于利于真菌生长的环境中，尤其在指或趾连接处、指甲、生殖器和皮肤皱褶部。（参见有关章节）鹅口疮是口腔和咽喉无痛常复发的感染，在婴儿、儿童、老人常易发生，但也可影响各年龄段。阴道念珠菌病是许多妇女的一种无痛性阴道酵母菌感染，通常发生于妊娠期或应用抗生素治疗期间。龟头炎很少见，但却是阴茎的一种刺痛性感染(参见阴茎痛一节)。全身性酵母菌感染，在糖尿病、艾滋病或者应用抑制免疫系统功能的药物等情况下均可发生。

## 病  因

念珠菌是一种真菌或酵母菌，生长于口腔、胃肠道和皮肤。人体产生的细菌群可抑制真菌。当真菌生长，超过人体的控制能力时，酵母感染发生。尤其当被疾病或精神压力打击后身体状况下降的情况下更易发病。用于治疗许多疾病的抗生素实际上也杀伤了能控制真菌生长的菌群。

对于洗盘工，手经常浸入水中的人，吸吮大拇指或手指的儿童，以及衣服放于潮湿环境中的人来说，常常易于感染酵母菌。

被称作念珠菌性皮炎的尿布疹，是由于酵母在婴儿的皮肤皱褶部生长而引起。糖尿病人也易于酵母菌感染，因为尿、血糖水平高又缺乏感染抵抗力。很少情况下，念珠真菌也可通过尿管或静脉注射管侵入人体血液。如果感染波及肾、肺、脑或其他器官，可引起严重的全身并发症，但这仅发生在患有严重疾病或有其他削弱免疫功能的健康问题时，如吸毒或糖尿病。

### 诊断与检查

为了诊断鹅口疮，医生将检查白斑或取样用于检查。为确诊阴道酵母菌感染，医生将作阴道分泌物检查；如果怀疑有全身性酵母菌感染，应进行血、尿、粪和组织的真菌检查。

## 治  疗

治疗主要依据病人的特殊情况而定，但主要是集中控制引起感染的酵母菌的生长。

### 常规治疗

应用抗真菌药如克霉唑或酮康唑治疗鹅口疮。对患有鹅口疮的婴儿应用滴头给制霉菌素。皮肤或指甲感染，用克霉唑治疗。对阴道酵母菌感染，用非处方药含克霉唑或美康唑的阴道内用乳膏剂。如非处方药无效，可用含的乳膏剂或口服含氟康唑的抗真菌药。如果医生认为你患全身性酵母菌感染，你需静脉注射两性霉素或者氟胞嘧啶。

### 辅助治疗

辅助疗法可增强免疫系统功能以抵抗酵母菌感染，也可治疗特异性酵母菌感染和预防复发。

草药治疗

为治疗皮肤酵母菌感染，应用茶树油，每天 2～3 次；发生轻度烧灼感是正常的，但如果治疗时发痛应停止。一种含金盏菊的非处方油膏，也可用于大于两岁的

# （口腔）酵母菌感染

# 口 臭

儿童的疱疹。

预防

◆如果工作时要长期把手放在水中，请戴橡胶手套，当工作做完后，应洗手，并用一些非处方抗真菌霜剂或其他外用药物。

◆穿棉布或丝织内衣，他们不像尼龙和其他合成纤维，而容易让潮湿的衣服蒸干。洗衣服并让其充分干燥。

## 慢性酵母菌感染

尽管诊断并不被普遍接受，但医生认识一种情况叫慢性念珠菌炎或慢性酵母菌感染，他能影响胃肠道、神经、内分泌和免疫系统。治疗集中在去除多因素。给予处方或非处方药、开含高精制糖或酵母成分的食物、高碳水化合物的蔬菜和牛奶制品。医生也将检查你是否患有糖尿病或甲状腺病。

慢性酵母菌感染的中草药治疗是用 1~2 克的干根或放于一杯开水中，1 天 3 次。经医生同意，每日补充 45 毫克铁，45 毫克锌和 200 毫克硒（避免使用高剂量的硒）。

## 症 状

◆从嘴中呼出不新鲜的难闻的气味。

◆一种恶臭、腐败的气味从胃或其他内部器官通过嘴呼出。

## 出现以下情况应去就医

◆气味与炎症或牙床出血有关。这些可能是牙齿腐烂或牙床疾患的表现。

◆在清洁牙齿、牙床和舌头之后没有明显的原因，仍有特殊的口臭，你可能存在内脏疾患需进行医学诊断和治疗。

大多数成人和许多儿童有时存在口臭，而一些人确认他们曾经有过。人们害怕口臭使得牙膏、嗽口水和生产其他可克服口臭的工业产品的产业得到巨大的发展。对于我们当中的大多数人来说，良好的口腔卫生和均衡的营养食谱对于保持口腔气味的清新是必要而且也已足够，虽然有一些病例，口臭—恶臭—可能提示有严重的健康问题。

## 病 因

蚀斑，牙齿上饭粒、唾液和细菌的粘覆是口臭的主要原因。咖啡、酒精饮料、烟草、浓烈的香料或有强烈味道的食物的残渣亦可导致口腔异味。正常的唾液流动可清洁口腔，所以夜间睡眠后的干燥的口腔会很难闻。一点东西不吃也会导致口臭，因为吃可刺激唾液流动。但当唾液聚集在口腔中，尤其压抑在舌的后部而被口腔的细菌消化，则会产生强烈的异味。

口臭可因消化不良和诸如牙齿腐烂、牙床问题和后鼻滴注等所致。有些疾病可导致口臭，包括肺和胃肠道疾患、癌症、糖尿病、泌尿系感染、结核、鼻窦炎和链球菌咽炎。服用特定的药物，尤其是一些抗抑郁药可以导致口腔干燥和口臭。在较少数病例，尤其是小孩（幼儿），长期口臭可能揭示存在鼻憩室。任何有特殊口臭的人，如果看来不像与口腔卫生或暂时的消化不良有关，则应去看医生以找出潜在的病因。

# 口 臭

## 治 疗

　　良好的口腔卫生可治愈大部分口臭。每天至少刷两次牙，尤其在饭后，食物可能会藏在你的口腔中。烘制的苏打可替代牙膏，他是一种好的清洁剂，而且亦可除掉口臭。避免食用有强烈气味的食物可使问题变得简单，同时可刺激唾液流动（参看营养及饮食），并饮用大量的水。漱口水、薄荷及咀嚼口香糖只能暂时掩盖口臭。

### 常规治疗

　　蚀斑的形成是口臭的主要原因，故应定期由牙科专业医生清洁你的牙齿。慢性口臭应由医生或牙科医生诊断和治疗。

### 辅助治疗

#### 草药治疗

　　用紫锥花属、没药、血根和薄荷制成的合剂可作为每日的漱口水。为使口味变香，可饮用由胡芦巴或薄荷制成的茶。

　　制剂包括丁香、大茴香和茴香都很普通。

#### 营养及饮食

　　高纤维的饮食包括大量的全谷物食品、新鲜水果和未加工的有叶的蔬菜有助于消化并减少口臭的机会。吃苹果、橘子和芹菜可帮助清洁牙齿，分散口腔细菌和刺激唾液流动。咀嚼新鲜的芹菜或薄荷叶，是古代罗马人一种清新口腔的方法。

#### 家庭治疗

　　没有什么能替代口腔卫生保健。应循环刷牙而不是前后方向的挥动牙刷，然后在你的牙齿间向各个方向刷。

　　清洁舌头被很多人忽视，但很重要：用牙刷刷舌尖和尽可能远的舌后部。有一种舌刷刀，这种工具在中东和印度用来刮舌头。汤匙也可有这种功用。轻轻拉拖反扣在你舌头上的匙头以刮掉上面的残渣。但要当心，不要将牙刷、匙或刷刀伸得太靠后，以免引起呕吐。

　　刷完后，用清水漱口。实际上当不能刷牙时，啜几口水，在口中转动后吐出也是一个好方法。要想立刻使口味清新，可用薄荷、漱口水或咀嚼含叶绿素的口香糖，但不要依靠这些来取代口腔卫生保健。

#### 预防

　　如果你担心口臭，就避免食用香料或有强烈气味的食物，如洋葱、热胡椒粉、大蒜、熏牛肉、意大利腊肠、胡椒和鱼类。他们不仅有强烈的气味，而且不易消化，从而导致胃内产气，这样可造成口臭。

---

### 真有口臭吗？

　　不幸的是，有口臭的人很晚才知道。

　　如果你确想知道你是否存在口臭，可问你的好朋友或牙科医生。或自己做个试验：用手罩住你的嘴，用力呼气，然后用你的鼻子吸气，这样可闻到你的气味。

# 口 腔 癌

## 症 状

　　白色的或红色的天鹅绒样组织代替正常粉红色的口腔粘膜，可能是潜在的癌前期病变的信号。在开始时感觉像一个口腔溃疡，如果延误治疗，这种褪色斑可能继续生长。

　　口腔癌的症状包括：

◆ 一个持久的肿块、溃疡、或沿舌边缘或底部、口底上颊两侧或牙床、腭或口腔上顶的组织增厚，肿块最终出血或形成溃疡。

◆ 吃、喝或吞咽时有不适感。

◆ 牙齿松动，牙痛或耳痛，而且对相应的治疗无反应。

◆ 颈部淋巴结肿大。

　　与进展期口癌有关的症状包括：口腔顶部或耳痛，不能解释的面部或颈部肌肉痉挛或持久的呼吸不畅。

## 出现以下情况应去就医

◆ 你有持久的声嘶、溃疡或对通过咽部的一些物质敏感，可能是咽喉癌。

◆ 口腔或耳有持久的解释不清的不适，这种不适固然可以来自不同于癌的其他原因，但其原因要在一些仔细的检查之后确定。

　　口腔中生长于唇、舌、颊、唇周部分、牙床、口咽部或咽喉上部的，所有的癌均可归类于口腔癌。这些肿瘤几乎总是生长于平坦的排列于口腔顶部或咽部粉红色粘膜边的鳞状（上皮）细胞。口癌尽管可以向头和颈部蔓延，但很少向远处扩散。

　　口癌有时是从其他的口腔疾病发展而来的。"增殖性红斑"，口内组织的一种红色天鹅绒样的红斑，被认为是癌前期病变的信号。"粘膜白斑"以带白苔的组织为特征，有时认为癌前期的增殖性红斑和粘膜白斑病两者均与酒精和烟草的作用有很密切的关系，因为粘膜白斑掩盖了大多数的口癌。

　　像任何癌一样，如果早期查出，口癌是可治的。幸运的是你常常能感觉到可疑的组织改变，而他很可能是口癌的信号。口癌患者 5 年的生存率为 50% 以

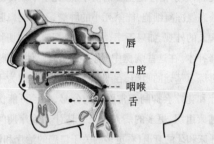

### 口腔内癌

唇
口腔
咽喉
舌

　　癌细胞能生长于唇上和口内的任何部位——牙床、颊侧、舌或口咽部、垂直的口后侧。最多的口癌是由排列于口内的鳞状细胞演化而来，通常，除头、颈部外，癌不扩散到其他部位。你应该请医生检查任何小灰白的肿物或增厚、褪色组织，不要漏掉他或治疗后复发的其他肿物。

上，早期治疗则十之八九的病人均能存活 5 年以上。应坚持治疗。

## 病 因

　　酒精和烟草的作用，包括咀嚼烟，在口癌的原因中未能被过分强调。两种物质均接触者更易患口癌，其机率是两者均不接触者的 35 倍。这种病常常是由于锯齿状牙列和不合适的牙托，或习惯在颊内侧咀嚼对组织的刺激所致。缺铁可在妇女中引起舌癌。过度的阳光照射可以引起一些类型的唇癌。人们在治疗口癌后而继续吸烟饮酒，非常容易再次发展为此病。

### 诊断与检查

　　口腔医生对口腔的常规检查可增加早期查出口癌的机会。检查中如发现可疑，医生将做组织活检，即在你的嘴里取一小块组织标本块或取颈部肿大的淋巴结中的液体，在显微镜下检查。X 线和其他试验检查也是必要的，因为这些方法可确认是口腔的原发肿瘤，还是由已存在的癌扩散而来的。

## 治 疗

### 常规治疗

　　小的口癌对外科手术和放射治疗的反应是同样好

的,进展期癌则两种疗法均用,有时用化疗减轻症状。对再发癌,放射治疗是主要的治疗。激光手术或冷冻手术即用液态氮冻凝细胞,能杀死小的肿瘤,不影响口腔的功能及病人的外观。如果不幸,大量的组织或骨被切除则需要做修补术。在这些病例中,病人必须适应他们新的状况,并再练习基础的咀嚼、吞咽和熟练的说话。因为手术后的放疗和化疗会抑制正常腺体的分泌,并且可能伤及口腔的健康组织。更多的病人应充分估计在治疗期间和治疗后牙床和牙的衰退(看更多的关于口癌的治疗和资料)。

### 辅助治疗

有些癌不能选择一般的药物治疗。其他治疗能起辅助作用,但不能替代正规治疗。

#### 营养及饮食

大量维生素 A 可以防止口癌的发生及复发,但维生素 A 量过多时有毒性,因此只能在医生的监督下补充。你也可以吃大量的新鲜水果和蔬菜,像健康之源的类胡罗卜素——维生素 A 的前体物,维生素 E 也可能有保护作用。

#### 家庭治疗

放疗期间,张口、保持腺体的分泌和刷牙都有困难,应试着做温和的伸展练习,喝冰镇饮料,经常冲洗并用软的牙刷,用温和有效的漱口液,试用芦荟汁或凉春黄菊茶,争取增加腺体分泌消除口干。用嗜酸菌溶液清洁口腔,以便于更多保健食品的供应,漱口后将这种液体咽下,每日数次。

#### 预防

不要吸烟或咀嚼烟,仅可以有节制地饮酒。如果你带牙托,一定要尽可能地合适。遮光以保护你的唇。每天吃新鲜的水果和蔬菜。如果你被诊断有可疑的口癌前期病变,应由你的医生细心监控。

## 症 状

◆从水样到粘稠浓度的粘液流向咽后,常伴有咽痛、咳嗽、声哑或感到有东西卡在咽部。

◆不自主地用鼻子呼吸,或咽下鼻分泌的粘液。

## 出现以下情况应去就医

◆用常规的减轻充血的药物治疗 1 周多无效,或如果还伴有不断喷嚏、喘息、流泪、持续气短,那么可能是过敏或环境中有毒物。

◆如伴有鼻腔充血、发热、鼻或面部疼痛、鼻腔粘稠分泌物则可能为鼻窦炎。

鼻后滴注是呼吸道疾病的一个并发症,当原发病治愈后,鼻后滴注则消失。粘液是鼻腔的一种正常分泌物,但分泌物过多时则流向咽部而不从鼻孔排出。当疾病变为慢性时,如过敏或慢性鼻窦炎,粘液则滴入支气管,特别是在晚上则出现咳嗽和大量痰。因为鼻后滴注是另一个疾病的常见症状,最好的方法是明确和治疗原发病。

## 病 因

水样鼻后滴注和眼、鼻、腭、喉发痒,通常是由于植物花粉、粉尘、动物毛或其他过敏原引起的过敏性鼻炎。当接触诸如烟草烟雾或空气传播污染物刺激时,就会发生鼻后滴注。如鼻后滴注伴有粘稠粘液、咽喉痛、鼻塞,头痛,嗅味觉减退,那么可能患过病毒性鼻炎——常见感冒。与湿度、气温变化、情感变化有关的间断性或持续性鼻后滴注,可能是血管舒缩性鼻炎。可能是一些药物的副作用。

黄绿色的粘稠粘液则表示呼吸道病毒和细菌感染,无论是鼻腔粘稠排泄物和鼻后滴注,若伴有发热、面部胀痛,则可能是鼻窦炎。

用激素替代治疗或服用雌激素为主的避孕药的妇女,可以有鼻后滴注。是这些药物的副作用,是怀孕的一个小的并发症。

### 诊断与检查

如鼻后滴注是由于过敏、鼻炎或其他疾病引起,

头颈部疾病

# 鼻后滴注

则将粘液送实验室检查可以确定是哪一种。医生可以用鼻腔镜检查你的鼻腔。如这种并发症是鼻窦疾病引起，则需要 X 线或其他影像检查。

## 治 疗

常规治疗和辅助治疗都取决于症状的根源，是过敏、感冒还是其他疾病。

### 常规治疗

常用的减轻充血药，滴入或喷雾以通畅鼻腔，有助于减轻鼻后滴注，近期治疗易使疾病更严重。如果患有高血压，没有医生的同意不要应用口服减轻充血的药物，一些抗组胺药会使你昏昏欲睡，如果是这样，可以寻找一种不导致睡眠的药物。

### 辅助治疗

其他治疗方法主要是减少讨厌的粘液和减轻原发病。

#### 芳香疗法

吸入蒸气能有助于通畅鼻道，把大叶桉、薄荷、迷迭香油加入水中蒸发吸入，在晚上吸入薰衣草油能更好地入睡。

#### 中药治疗

中医治疗是把一些传统中药放在水中调制，然后间断服用，小兰龙能减轻鼻流涕，为正确使用中药剂量应咨询有经验的医生。

#### 顺势治疗

◆ 使用常用止咳药或盐水作鼻腔喷雾，有助于减少鼻后滴注的粘液。

◆ 多饮水(每天至少 6 杯)有助于粘液尽可能稀薄。

◆ 湿化周围空气，特别在冬天。

# 鼻 窦 炎

## 症 状

◆ 面部胀感。

◆ 眼球后受压感。

◆ 鼻塞,通过鼻腔呼吸困难。

◆ 鼻后滴注。

◆ 鼻腔中的难闻气味。

◆ 发热(可能)。

◆ 牙痛(可能)。

## 出现以下情况应去就医

◆ 鼻窦炎蔓延至眼眶(眼眶蜂窝组织炎)。

◆ 炎症给眼和面神经带来危险。

◆ 病情于 7 天内未见好转。

◆ 鼻窦炎于 1 年内复发多于 3 次,并且每次发作之间的间隔时间逐渐缩短。你可能患有一种慢性的越来越严重的感染。

**鼻**窦炎是鼻窦的感染或炎症反应。鼻窦是位于面部骨骼中的充满空气的囊性空腔,鼻窦炎是美国健康保健中最常见的症状。鼻窦炎 1 年侵犯 300～500 万美国人。一些研究人员估计占人口 14% 的人患慢性(长期的)鼻窦炎。

在人体组成中,鼻窦是最令人迷惑的结构之一。一些科学家相信鼻窦的功能主要像一个为鼻、喉提供粘液的工厂,其他人说这些中空的小室帮助温暖我们呼吸的空气,也有人认为鼻窦的存在仅仅是为了减轻颅骨重量。

所有的人均有四对鼻窦(如图示),他们通过一系列孔洞与鼻道相连并相互保持联系,鼻窦表面覆盖着叫作纤毛的微细毛发。鼻窦表面可产生粘液。我们呼吸时,粘液粘附住由空气带入的污物,然后纤毛将他们由充当排气管的微小开口处推出去。这些被称作门户的小开口非常微小。在一些情况下只能容几毫米的物质通过。额窦、蝶窦和筛窦的出口位于底部,而上颌窦的开口位于顶部。所以粘液不得不抵抗重力作用而向上从腔内排除,由于粘液排出困难,鼻窦常出问题就不会使人惊讶了。

# 鼻窦炎

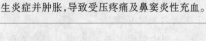

## 副鼻窦

筛窦 ---- 下颌窦
额窦 ---- 上颌窦

鼻窦

面部骨骼包含的充满空气的腔室称为鼻窦。鼻窦内产生粘液吸附碎屑并将其通过小的开口排出。但如果这些开口堵塞，异己成分不能清除，鼻窦系统会发生炎症并肿胀，导致受压疼痛及鼻窦炎性充血。

## 病 因

鼻窦粘液产生系统发炎时发生鼻窦炎。最常见的原因是流出道堵塞。一旦这些开口被堵塞，异己废物不能排出，氧水平降低，而且鼻腔内的细菌滑向鼻窦，使鼻窦壁肿胀并充满脓液。如果感染不能被消除，肌体会派遣抗疾病的细胞去杀灭细菌。不幸的是，这些具有良好保护的肌体能够自身对鼻窦壁产生重大影响，防御细胞会危害纤毛，纤毛是帮助驱除异己成分的毛发状结构。而且，细胞同抗争所致的创伤可导致溃疡形成，被称为鼻息肉的巨大蘑菇状增生物也可于鼻中产生，并干扰呼吸，并可将此病带入病情复杂阶段。几乎是永恒的定律，侵入细菌可蔓延至邻近鼻窦而引起炎症。实际上，鼻窦炎患者中多于40%的病人不只一对鼻窦发生炎症。

最常见的流出道堵塞原因为上呼吸道病毒感染，比如一般感冒或流行性感冒，这些情况增加鼻腔呼吸道的分泌量，刺激产生鼻窦壁的肿胀，并使纤毛功能失常。过敏反应也能有同样影响，花粉症常引起鼻窦炎，但对灰尘、动物皮屑、食物、吸烟和其他污染物的过敏反应也能诱发阻塞性鼻窦炎性反应。

在一些情况下，流出道可被少见的解剖学特征所堵塞——比如先天性鼻息肉、鼻中隔偏曲、异物或肿物。某些疾病包括糖尿病、肝炎病毒感染，可能发展为鼻窦炎

的诱因。那些粘液及纤毛功能薄弱的病人，比如囊性纤维化的病人患有鼻窦炎的机会要比一般人多些。鼻窦炎在慢性扁桃腺炎和增殖体增生病人中也很常见。

### 诊断与检查

在许多情况下，医生对鼻窦炎的诊断是建立在他们的"临床印象"或症状的基础上的，一些医生更喜欢采用一种所谓"透照法"的检查来证实临床印象。在这个检查程序中，医生将一种特殊光束照进鼻腔，并检查口腔顶部寻找鼻腔充血征象。不幸的是，透照法不能看到深远部鼻窦的感染，你的医生也可能建议你接受 X 线检查，但使用这种技术也不能充分显示并发现深部感染。

医生常常预先假设你患有鼻窦炎并有针对性地采取药物治疗。如果经过几次尝试，你的身体无任何反应，他们会开始进行其他检查。耳鼻喉科医生会向你的鼻中插入一根细管而直接检查鼻窦，这种设备被称为内窥镜。CT 扫描能显示深部鼻窦的肿胀，并展示一些解剖学异常，但即使是这些扫描也不总是可靠的。

## 治 疗

大多数治疗目的是开放鼻窦并重新建立良好的流出道。如果鼻窦被细菌感染，在致病菌形成进一步损害或蔓延至其他鼻窦之前杀死他们非常重要。

### 常规治疗

必须确诊你真正患有此病后方能开始治疗，鼻窦炎很难与上呼吸道感染、牙科疾病、气喘病甚或头痛鉴别。

最常见的侵入鼻窦并滞留于此处的病菌为肺炎链球菌及流感嗜血杆菌，这些致病菌通常对敏感的抗生素有反应，诸如氨苄西林及阿莫西林。然而某些流感嗜血杆菌株已对阿莫西林有抵抗力，一些医生采用其他药物，如磺胺药、甲氧苄啶、头孢菌素以及另一些抗生素。

急性病例治疗需 7～14 天，慢性或者复发的病例需 2～3 周。注意：过早停用抗生素可能延长感染期并使病情加重。

除抗生素外，许多医生使用吸入性类固醇药，如泼尼松龙来减轻炎症并开放鼻窦以使他们能排出正常、抗

# 鼻窦炎

充血药也能减轻肿胀,并可帮助解除堵塞。大多数医生更愿意使用口服抗充血药,包括麻黄碱。因为有些鼻喷雾剂被使用超过3天就能使人成瘾。

含有甘油醚的药物用来分解硬的、结块的粘液,但通常效果不明显。抗组胺药不常用于鼻窦炎病人,因为此药可使粘液趋于粘稠而不能从阻塞的鼻窦中排出。然而如果你的鼻窦炎由过敏引起,抗组胺药可以减轻病情。

当鼻窦炎转为慢性或其他措施无效时,医生可以建议使用鼻腔冲洗或外科手术。冲洗过程中,医生用无菌盐水去清洁鼻道,现已少用。取而代之的是外科医生更愿用外科技术比如鼻窦造口术。这包括在额窦底部开一个洞以改善排出道状况。在其他程序中,即被称为鼻窦内窥镜外科技术中,医生通过鼻伸入一个细小镜头。这个镜头不仅使医生看到鼻窦腔内部,而且帮助打开堵塞的流出道并从鼻窦壁上取走坏死细胞。80%～90%的病例可通过内窥镜外科达到中等度或完全解除症状。这种治疗方法可有极少的副作用,包括脑膜炎、失明或复视。

## 辅助治疗

很多可选择的方法被尝试去减轻鼻窦炎疼痛和开放排出不畅的鼻窦,其目的是用提高免疫力的方法来对抗感染。

### 按摩

将轻轻的压力施于面部,手能帮助解除鼻窦炎疼痛(看上、右插图)。

### 针灸治疗

针灸医生将在各个耳穴上给予适当的刺激,相应耳穴点包括肾上腺点、前额点、内鼻点、肺点和鼻窦周围点,来帮助鼻窦液的排出。

### 芳香疗法

吸入桉树属植物,松松或麝香草等可使堵塞的鼻窦通畅,也可把薄荷包或桉树植物包放在鼻窦上的减轻症状。其他的建议:用柑桔油轻轻试抹鼻道或将薰衣草混于植物油中按摩面部。

### 中药治疗

中医治疗的确依据于鼻窦炎是"热"(急性或感染)抑或"冷"(慢性或过敏)的判断。另外的方法有成品制剂包括麻黄素——一种消除充血的药物。许多其他中草药也有助于缓解鼻窦炎症状,这些包括蜂乳、贝母、陈皮等。

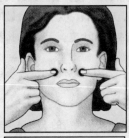

**指压法**

1. 按压迎香穴,可以帮助减轻疼痛、充血及鼻窦炎性肿胀。用两侧食指轻轻按压鼻两侧,沿颧骨向上施压,深呼吸并按压1分钟。

2. 为减轻头痛和充血,尽力按压合谷穴。用右侧拇指按压左侧拇指、食指交界处。按压1分钟,然后在另一手上重复此动作(怀孕者禁用此方法)。

### 草药疗法

在对照研究中显示菠萝蛋白酶也可减轻炎症、鼻塞、头痛及呼吸困难,也可用紫锥花、白毛茛或大蒜来提高免疫力,且最好用原料。饮用丁香茶或生姜茶也可减轻一些症状。为减少过多的粘液生成,中草药专家建议使用按骨术花、小米草、绵葵植物或黄花。

### 营养及饮食

良好的健康饮食包括水果和绿色蔬菜,他们可有助于刺激分泌,驱散鼻窦炎。营养专家也建议下列补充饮食:维生素C 500毫克/2小时,生物类黄酮1克/日,β—胡萝卜素(维生素A)25000单位/日、锌23毫克/2小时,共1周。避免用你认为可触发过敏反应的食物。

### 家庭治疗

◆用雾化器吸入由热水和醋混合产生的湿润的蒸汽、或饮1杯茶或咖啡,对非阻塞的鼻窦蒸汽吸入是最佳、最廉价的疗法。

◆用温热物压敷鼻窦以使鼻窦开放。

◆饮充足的水。

# 鼻窦炎　　　　　　　　　　　打鼾

### 预防

预防鼻窦炎很困难，但可减少使鼻窦感染的机会。首先，避免接触过敏物质，人们常常想不到的过敏原包括床上的尘土和食物如奶制品和大麦。无论何时，都尽可能避开香烟的烟雾。

## 注　意

患糖尿病、纤维化和其他某些疾病的人易患鼻窦炎，为帮助预防呼吸道感染，参见普通感冒和流感一章。

头颈部
疾病

## 症　状

◆ 粗糙、刺耳、振动的噪音在睡眠时产生，在频度、音高、强度等方面各有不同。

### 出现以下情况应去就医

◆ 你同一个打鼾者生活在一起，注意到他或她的鼾声十分响或其间有完全无呼吸的间歇。此人一定患有阻塞性睡眠呼吸障碍，这是一种严重的呼吸问题。

◆ 在白天你经常十分困倦疲惫。你可能已患有阻塞性睡眠呼吸障碍，一种在整个睡眠过程中阻止你得到足够氧气的呼吸状态。

◆ 你经常在不适当的环境中比如在办公室或在吃饭时睡着，你可能已患有阻塞性睡眠呼吸障碍或发作性睡眠病，一种可以引起在白天时深睡的疾病。

打鼾通常是一种不严重的问题，男性比女性大约多1倍，但多数只是偶然打鼾。慢性打鼾者常倾向于超体重的中年人。

有时，打鼾可能是种严重的健康问题。最为严重的是阻塞性睡眠呼吸障碍，一种打鼾者停止呼吸达几分钟的情况。其结果是降低血中氧气浓度，最终会引起疲劳，最危险时可以致死。如果你认为你有此疾患，就应寻求常规治疗。

其他潜在的问题也经常出现且经常很响。打鼾可划为两种：温和的（每次睡觉都打，但只在患者仰睡时发生）和重型的（无论什么睡觉姿势都大声打鼾）。幸运的是，有多种可以减轻打鼾强度的治疗方法，只是不能完全消除打鼾。

## 病　因

打鼾是由于软腭的振动（口腔顶部的柔软部分）引发的，此时肺正由阻塞的气道吸入氧气。典型病例中，病人保持气道开放的肌肉变得过分松弛；任何促进这些肌肉松弛的条件或物质包括酒精、药物中有安眠药、降温药、及抗组胺药、一个过度柔软而过大的枕

# 打 鼾

头、背朝床面睡眠、喉部肌肉较差或肥胖——都有此作用。阻塞也可能是鼻腔畸形引起，比如软腭或悬雍垂过长，或鼻中隔偏曲。在儿童中过大的扁桃体或增殖体常引起打鼾。一些精神不安因素引起气管气道收缩，比如哮喘可以导致阻塞及打鼾，吸烟可以刺激气道，能使打鼾更加严重。

## 诊断与检查

首先，你的医生会问你是否对什么东西敏感，包括食物、服用的药物，是否饮酒或吸烟。如果都未发现问题，医生可能检查你的咽喉及鼻道以发现是否有畸形。

如果医生怀疑你有阻塞性睡觉呼吸障碍，你的伴侣也将被告之经常注意你的睡眠模式，或你将被登记进行睡眠监测试验。此试验可以分析出你在睡眠中何时停止呼吸及其频率。

## 治 疗

多数情况下，打鼾不需药物治疗，节食及减少烟酒常可解决问题。辅助疗法也可有帮助。在严重情况下，需作外科手术。

## 常规治疗

如果打鼾较轻则不需治疗。如果有过敏性病因，你的医生可以开抗组胺剂或鼻通剂。打鼾是由鼻腔畸形引起，常需外科整形手术以使气道通畅。如有阻塞性睡眠呼吸障碍，你的医生将更加积极地治疗，因为这种状况下潜在着危险。

## 辅助治疗

如果你的打鼾是由过敏、哮喘、气管炎或肺气肿引起，有一些替代疗法可以使你的气道通畅，从而更安全地睡眠。

### 预防

◆考虑减轻体重：多数打鼾者都有体重超重、过度肥胖的问题，如果不消除此因素，打鼾很难减轻。

◆避免午夜加餐及饮酒，睡眠之前饮酒及过度饮食可以引起肌肉松弛。

◆避免服用安眠药及其他镇静药物。虽然药物可使你入睡，但却可使你的颈部肌肉松弛而加重你的打鼾。

◆戒烟：吸烟引起鼻部和气管的阻塞，这是打鼾的一个主要病因。

◆侧卧入睡：重型打鼾者在各种卧姿下都打鼾，温和型倾向于只在仰卧时打鼾。一种避免仰卧的方法是在你的睡衣的背部缝一个口袋，装入一个网球，当仰卧时你将感到不适而引导你在睡眠中侧卧。

◆睡觉时不用枕头，在你的颈下放一个小垫，枕头能引起气道阻塞。

---

### 阻塞性睡眠呼吸障碍

阻塞性睡眠呼吸障碍在 1%～5% 的打鼾的成年患者中发生。这种疾病非同儿戏。大多为男性患者（有报告 9/10 的患者为男性）。在 7 小时睡眠中，发生 30 次或更多的呼吸中断，每次持续 10 秒或更久。在这种疾病的严重情况下，患者在 3/4 的睡眠时间中完全没有呼吸。其结果是不仅氧气缺乏而且引起高血压。在最坏的情况下此病是致命的。如果你是个声音响、重型打鼾者，你可能已经有睡眠呼吸障碍，应该进行睡眠研究试验，以监测你的睡眠模式并有助于治疗。

# 打喷嚏

头颈部疾病

## 症状

◆ 打喷嚏通常鼻子过敏或深入鼻道的痒感并通过不自主的喷发而释放。

◆ 打喷嚏可以自身为一个症状，有时伴有其他症状比如发痒、流涕、鼻塞，或眼睛发痒、流泪及用口呼吸——每个感冒症状都有。

### 出现以下情况应去就医

◆ 你开始打喷嚏并有其他过敏症状，比如哮喘或湿疹，你可能已经对一个刺激出现了可以耐受的敏感度。

打喷嚏是肌体从鼻道排除刺激物或外来物的一种方式。人们有4种原因打喷嚏。当他们感冒时打喷嚏，帮助清洁鼻部。在患有过敏性鼻炎或花粉症时也打喷嚏，从鼻道排出过敏物。患有血管收缩性鼻炎的人，流粘液鼻涕为典型症状，也经常打喷嚏。这种喷嚏源于鼻部血管变得对湿度和温度甚至有辣味的食物有过敏。第4种最常见的打喷嚏的原因是非过敏性鼻炎，为嗜曙红细胞增多性鼻炎，或叫NARES。患者有慢性鼻炎症状，但对各种过敏原的反应都非阳性。且是一种未知的原因，他们的肌体好象释放组胺而产生打喷嚏之类的过敏症状。

一次偶然的打喷嚏不必忧虑。作为感冒症状的打喷嚏可随感冒病愈而消失，通常在两星期内。然而，持久的打喷嚏或伴有其他过敏症状如流涕、鼻塞、咽痛或眼睛发痒、流泪，可能有必要看医生。

## 病因

打喷嚏可来自鼻道的刺激，如胡椒粉和外来微小物质。花粉、霉菌或其他过敏原。

## 治疗

多数过敏性相关的打喷嚏可以通过用抗组胺药物有效治疗，在家时治疗着眼于减少过敏原如灰尘、霉菌、头屑等。如果你有花粉症，可通过在外出前做适当的预防措施来减轻不适。

### 常规治疗

医生将检查你的身体，讨论你的症状。你可能进行一种过敏原的皮试检查。通过敏性注射使你对一种特异过敏原脱敏。可以被推荐治疗和预防打喷嚏的一种方法是在家中处理并使用的非处方药物。抗组胺剂可以使粘液干燥或减少阻塞鼻子中的肿胀血管的渗出。色甘酸钠通常为鼻部喷雾剂的处方药，帮助过敏者减少体内组胺释放。可的松鼻部喷雾剂可以减轻炎症，也可以减轻症状，对NARES有效。

### 辅助治疗

指压治疗

静压于以下点可以有助于控制打喷嚏：外关, 风池, 迎香和合谷。另外，压迫手指上缘, 负防点, 可有助于停

### 指压法

1. 为有助于停止打喷嚏，按压合谷穴，位于拇指和食指之间的指蹼。交替按压双侧拇指食指之间的指蹼，每次1分钟。在怀孕时禁止按压。

2. 按压外关穴可以减轻过敏。用一侧拇指按压对侧前臂上面距腕关节两拇指横宽的中心部位。用力按压1分钟，然后对侧继续重复，总共2～3次。

### 注意!

决不要忍住打喷嚏——你可能把粘液向后压入中耳或鼻窦并引起感染，在极端的情况下，你可能由于空气负压而使鼓膜破裂。

止打喷嚏。

### 针灸治疗

对于慢性打喷嚏，你可向针灸医生咨询，他将检查你的身体，并对恰当的位点进行针灸。

### 营养及饮食

你将由于过敏而寻求专业的帮助。食物过敏将加重花粉症。尽量少用奶制品、食物添加剂和一些含有化学残留物如农药或激素残留物（常于肉中发现）的食品。一些营养学家认为大量维生素 C(3000~6000 毫克,每日服用)可作为一种天然抗组胺剂。

### 家庭治疗

避免在家中的各种过敏源是一种预防慢性打喷嚏的最可靠方法，对花粉症的建议在此同样应遵守。

## 症 状

咽痛的典型症状包括咽后壁烧灼样疼痛，特别在吞咽时，并且可能颈部有压痛。这些症状可能伴有：

◆ 打喷嚏和咳嗽。

◆ 声嘶。

◆ 流鼻涕。

◆ 轻度发热。

◆ 疲劳。

## 出现以下情况应去就医

◆ 你的体温高于38℃并无其他感冒征象，这可提示为咽喉的链球菌感染，并需要治疗。

◆ 你也可有流感样症状，几天内未见好转，这可提示为传染性单核细胞增多症。

◆ 任何声嘶超过两周，这可能是咽喉癌或口腔癌的指征。

◆ 你的咽痛持续 1 周以上,并伴有鼻流涕,这可能是过敏的征象并需要药物治疗。

◆ 你的咽痛伴有流涎,或有吞咽和呼吸困难,这常提示会厌感染或咽喉背部的脓肿,这两种情况需要药物治疗。

每人都知道咽痛是什么感觉。这是一种最为常见的健康问题，常见于一年中的寒冷月份，特别是当呼吸系统疾病在其顶峰的时候。你咽后壁上有粗糙、烧灼样的感觉是将患感冒或流感的首发症状。但是咽痛也可发生于更加严重的情况，你可以看到病情是如何发展，并将一些特殊的症状告诉你的医生。

## 病 因

至少 90% 的咽痛起源于喉部组织的感染，经常为病毒感染，包括有普通感冒、流感、麻疹、天花、疱疹及传染性单核细胞增多症。细菌感染，比如百日咳，也能引起咽痛。链球菌引起的疾病叫链球菌性喉炎在成人中最常发生，但淋球菌感染也可引起咽痛，在口交人群中多发。

在肮脏的或很干燥的环境中可引起咽喉粗糙疼痛,

# 咽 痛

过度用嗓或有烟酒嗜好也可发生。有过敏症状、持续性咳嗽、慢性鼻窦炎的人也可引起咽痛。

在极少情况下，持续性咽痛可能是咽喉或口腔肿瘤的一种征象。

## 诊断与检查

如果你的咽痛可能更倾向于细菌而非病毒感染，你的医生可能要做一个咽培养。这是个无痛性过程，吐出一些咽部粘液作为样品而进行实验室分析。你的医生可以提供分析结果，此培养仅需几分钟，或把样品送到外面的实验室时，你则需要等待一两天。

对于持续咽痛若无其他症状出现，你的医生可能作其他一些检查来观察你的全面情况。

## 治疗

多数咽痛是自限性的，意味着不需要任何治疗通常会自行消失。若无其他症状，你可首先考虑针对咽痛的辅助治疗。然而，如果疼痛总持续存在，或在几天内加重，你需要看你的医生。如果长期不加以治疗，该病可以导致风湿热，对于心脏有害，或造成急性肾炎，对肾脏有损害。

### 常规治疗

当咽部出现细菌感染如咽喉炎时，可能要开青霉素，若你对青霉素过敏，可用其他抗生素如红霉素用7～10天。为了防止复发，全程使用抗菌药物非常重要，甚至在你的症状完全消失以后。

抗生素对一些由病毒感染引起的咽痛是无效的。你的医生通常建议你简单休息、饮足量的水或用盐水漱口，若需止痛的话可用阿司匹林或酯胺酚。柜台出售的咽喉糖浆含有一些弱的镇痛剂，也可减轻症状。

### 辅助治疗

以下关于辅助疗法，可有助于减轻咽痛症状。通常，辅助疗法倾向于减轻症状，虽然有时也针对咽痛的病因。

#### 针灸治疗

针灸能够对减轻疼痛非常有帮助并且减轻咽痛的炎症。专业的针灸医师将针刺肾、大肠、胃等经络上的穴位。

#### 芳香疗法

为加快血液循环并加强在疼痛区域的排液，用含桉树油和薄荷油各2滴的洗液涂抹咽喉和胸部，用2茶匙中含蔬菜油和杏仁油的油性溶剂亦可。

如果你认为你的咽痛是由夜间张口睡觉引起，可试用一个居室用加湿器或雾化器(应仔细清理加湿器各个方面)。

如果你认为疼痛来自于胃酸反流，试着睡在倾斜的床面上。放一块砖或木板在你的床下使得你的床头比床尾高10厘米。在你的头下加枕头不会有帮助，因为这样会引起你的身体弯曲，甚至使更大的压力作用于食管而使问题更糟。同样，应注意在睡觉前1～2个小时避免吃任何东西。

#### 营养及饮食

疼痛初起时，每日服500～6000毫克的维生素C，以抗感冒或其他病毒感染。注意：除非你的身体习惯于大量维生素C否则每2小时不能吸收超过1000毫克；过多的将从肾排走，有时会引起腹泻。如果你服用高于此范围上界的剂量，应饮用足量的水，以防止在肾内浓聚。

一些自然医学的医生把反复咽痛归因于锌缺乏，建议每日需要量20～40毫克。

如果你经常咽痛，特别是伴有耳部感染，你可能是食物过敏。应求助于专门从事食物过敏方面的保健医师。

#### 家庭治疗

◆ 进行充足的休息，饮用足量的水分。

◆ 使用阿司匹林或其他柜台售出的镇痛药物以减轻疼痛。

◆ 吸食锌剂，每4小时大约23毫克。锌可以减轻咽痛和其他感冒症状。

◆ 为有助于减轻疼痛，灌一个热水袋放在你的喉咙上。

◆ 盐膏也可以减轻症状。在2杯海盐中放入5～6茶匙净水。盐会变潮，但不会湿。把盐放在餐巾中央，然后沿长轴方向把他卷起来。把餐巾包在你的颈上，用另外一块干毛巾把这块餐巾从外包住。只要你愿意可一直保留。

# 咽　痛

## 指　压　法

1. 因感冒或流感而引起的咽痛，可以用你的右手拇指按压左手合谷穴。位于食指和拇指之间。对着你的食指骨用力按压1分钟。怀孕时禁用。

2. 针压法可以减轻由感冒所产生的发热症状。用拇指按压曲池穴。位于左肘外缘的末端。按压继续1分钟，对侧重复。

3. 为减轻咽喉肿痛的不适，可以按压鱼际穴，用你的左手拇指用力按压你的右手拇指根部鱼际中央。按压1分钟，对侧重复。

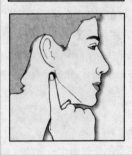

4. 为减轻咽喉刺激，用你的食指按压天窗穴，在两侧耳垂下正对下颌切迹处。深呼吸，在两侧轻压各1分钟。此穴位十分敏感，所以按压应缓慢小心。

## 治疗晨起咽痛

一些人起床后常有咽痛，在白天逐渐消失。这样"仅发生于早晨"的咽痛是由于你张嘴睡觉或夜间胃酸反流入咽喉造成。

◆为减轻疼痛可以试着吸入蒸汽。在水杯中放入热水。用块毛巾挂在你头上以防止水汽外流，在水滚开时靠近水杯。通过你的口鼻深吸入水汽，持续5~10分钟，每日重复几次。

预防

如果你有反复咽痛发作，需每月更换牙刷。细菌可在毛鬃上繁殖。而且，一定要注意一旦你的咽痛恢复就应把旧牙刷抛弃掉以防再度自身感染。

头颈部
疾病

# 链球菌咽喉炎

## 症 状

◆ 突然发生的咽喉痛。 ◆ 发热,有时可高于39℃。

◆ 咽后壁粗糙发红。 ◆ 悬雍垂上有白色脓栓。

◆ 颈部淋巴结肿大伴压痛。

◆ 咳嗽,鼻塞,或其他上呼吸道症状。

### 出现以下情况应去就医

◆ 你突发高热,并刺激性咽痛,这些都是链球菌咽喉炎的典型症状,若不治疗,在有些情况下,可以导致风湿热。

如果你感到一时好转,然后突发咽喉剧痛,你可有高热,然后你的所有急性症状在疾病恢复中消失,你可能已患上链球菌咽喉炎。

"**链**球菌",一种在你咽喉和鼻部生长的普通细菌,几个月都可毫无损害。实验表明大约18%的健康人在其口咽部都有链球菌若无其事地生长,一旦发生,这些细菌对你开始有害了。你可能在太多的应激之下,或你的免疫系统由于对抗像普通感冒或流感这样的病毒而透支。或者你也可能从其他链球菌感染那里获得这种细菌。无论什么原因,正常静止的链球菌可以突然开始释放毒菌和炎症介质以引起咽痛和其他症状。

虽然链球菌咽喉炎使人感觉不适,但现在可以通过使用青霉素或红霉素等抗生素而较容易地治愈。实际上,最大的问题就是使人们寻求治疗。因为发热和咽喉痛也是感冒和流感的症状,链球菌咽喉炎经常由此而被误诊。但是,感冒和流感通常需要几天才发生,并且多数情况伴有咳嗽、鼻塞、流涕和头痛。而链球菌咽喉炎常突然起床,不伴有其他任何感冒和流感症状。

链球菌咽喉炎不应轻视。不经治疗,疾病可能很快导致更多的并发症,如急性肾炎(可以损害你的肾脏)、脑膜炎、风湿热所有合并症都可致命。

## 病 因

虽然从病名看链球菌咽喉炎是由链球菌引发的病变,但其他细菌也可偶然侵入咽喉导致相同症状。其他可能的侵入病源体有很多种,人们通常在免疫系统功能处于低下时发生链球菌咽喉炎。应激、过劳、精疲力竭和病毒感染可能削弱肌体的防御机能,易于发生链球菌

咽喉炎。像其他咽喉感染一样,链球菌咽喉炎倾向于在寒冷的月份发生。

### 诊断与检查

在过去,当病人表现出特征性的红肿、干燥咽喉,高热或悬雍垂上有白色脓栓时,一个认真的医生可能进行病人咽拭子培养,并等待24~48小时以观察结果。如果检查显示有链球菌,病人可以开始用抗生素治疗。为防止延迟治疗,多数医生一看到这种病人就立刻应用抗生素,而不等待培养结果。一天内如不见好转,就要请教顺势专家。

由于"快速链球菌"试验的开展,今天,诊断要快得多了,研究表明,这种只花20分钟的试验与慢得多的培养分析同样准确(如果快速试验不是明确的阴性,而症状强烈提示链球菌感染,医生也可做常规培养)。快速试验的妙处在于,当没有确定链球菌是罪魁时,你不必服用抗生素。

## 治 疗

链球菌咽喉炎最好用常规药物治疗。因为抗生素快速而可靠,如果不予治疗,该病可导致严重的并发症。

### 常规治疗

在大多数病例,标准剂量青霉素应用10天,可不成问题地根除链球菌感染。对青霉素过敏者可用头孢菌素类中的一种,对那些对青霉素和头孢菌素类药过敏的人,通常选择红霉素。开始应用抗生素24~30小时,咽喉痛缓解。医生推荐的喉糖和喉部喷雾,可在头几个小时减轻疼痛。

常常,人们在用抗生素后症状迅速改善而在疗程结束前停在初始剂量下存活的微生物,变得耐药,会更有力地形成复发。所以即使感到好多了,完成全疗程治疗仍是重要的。

### 辅助治疗

链球菌咽喉炎是一种用常规疗程即可治愈的疾病,然而许多辅助疗法可减轻咽痛的不适和相关症状。

预防

避免链球菌咽喉炎的最好办法是减轻压力,充分休息,增进肌体的自然防御能力,补充营养如维生素 C、β-胡萝卜素(维生素 A)和锌。服用中草药如紫锥花、白花莨、大蒜,被认为可增强免疫力。

# 鼻息肉

## 症状

◆鼻道的慢性阻塞。　◆用鼻呼吸困难。

◆嗅觉障碍。　　　◆头痛。　　◆鼻衄。

## 出现以下情况应去就医

◆你怀疑自己有鼻息肉（当一束光射入你的鼻孔时你也许能看到息肉。他们看起来像灰色珠块）。

◆你已鼻子不通气2周余。这可能是过敏或窦道感染（鼻窦炎）的症状，需要药物治疗。

◆发热伴鼻子不通气，这可能是感染的症状，可能需要药物治疗。

◆鼻引流物是脓样的、有色的，这表明可能有鼻感染，也需要药物治疗。

当鼻内的粘膜肿胀时，可使鼻腔膨胀，产生的隆凸就是鼻息肉。鼻息肉看起来就像小的珍珠状的葡萄，可以是单个的或成簇状。他们尽管无害，但常常阻塞鼻道，引起呼吸困难和影响嗅觉。如果鼻息肉阻塞鼻腔和窦道间的任一开口，均可引起头痛。

## 病因

鼻息肉是由于鼻内的粘膜产生的液体过量所引起，慢性过敏和窦道感染者最易发展为鼻息肉。囊性纤维化的儿童也具有发展成鼻息肉的倾向。阿司匹林或其他水杨酸类药也可在一些敏感人群中引起息肉。

### 诊断与检查

如果你怀疑自己有息肉，医生将用一种特殊的医学仪器即鼻窥器检查你的鼻子内部。如果孩子被诊断为息肉，应进一步试验以排除囊性纤维化。

## 治疗

彻底摆脱鼻息肉的唯一方法是外科手术切除。因为息肉经常复发，所以设法采取措施阻止或控制引起息肉的慢性过敏或窦道感染是重要的。

### 常规治疗

为了暂时缩小息肉，医生可用皮质类固醇治疗，既

可直接向息肉内注射，也可向鼻孔喷药。还可用药物治疗息肉的潜在原因：用抗组胺药治疗过敏或用抗生素治疗窦道感染。

如果息肉引起严重不适或呼吸障碍，医生可能建议你手术切除。这种手术是用一种鼻息肉绞断丝钳除息肉，通常在局麻下完成的小手术。因为息肉经常复发，所以需要重复手术。在非常持续的病例，息肉处的窦道粘膜也必须切除。这种手术需要全麻。

### 辅助治疗

鼻息肉替代治疗的许多方法目的在于控制鼻息肉的潜在原因——过敏和感染，他们引起鼻粘膜水肿。

**芳香疗法**

茶油、桉树剂和薄荷经常被用来通畅鼻塞。你可以在每次温浴中加2滴浸泡15分钟或以上，也可以在组织上放一滴，需要时深深吸入。

**家庭治疗**

◆为了减轻鼻塞、抑制粘膜肿胀和形成息肉，可以尝试热浴和淋浴，或尝试蒸汽吸入，即使非常热的水在洗涤槽中流动，直到产生蒸汽。随着水的流动，倾斜洗涤槽，并在头上披盖一条毛巾以捕获蒸汽。用口和鼻深呼吸5～10分钟。一天重复7次。

◆你也可用一个家里做的盐水鼻喷雾器减轻鼻充血。在1升凉白开水中混合1茶匙的盐和1茶匙小苏打，用这种溶液充满买自药店的喷雾器，并且在必需时随时使用。

**预防**

◆如果你有过敏症，应限制对过敏原的暴露，并且一有过敏征象即服用抗组胺药。

◆避免使用可刺激鼻息肉形成的阿司匹林。

◆大量喝水以保持鼻粘膜湿润和健康。

◆避免啤酒、葡萄酒和香酒，因含有引起鼻粘膜肿胀的成分：酪氨酸和鞣酸。

---

**警告！**
当过量使用滴鼻剂或鼻喷雾剂治疗鼻塞时，小心遵循用法说明。这些产品的过量使用可引起鼻粘膜产生更多液体，使充血较前更重。使用这些产品的时间永远不要比标签上说明的更长或更久。

# 喉 头 炎

## 症 状

◆声音沙哑或失音。

◆讲话时疼痛。

◆喉咙发痒发涩。

◆时不时想清喉。

◆声音失常伴随感冒、肺炎等。

◆有时发热。

### 出现以下情况应去就医

◆声音嘶哑或不适持续 1 周以上，这可能提示细菌感染或更严重疾病。

◆因接触环境毒素而发生的喉炎，例如接触有毒或有害气体。这种接触可能导致比声带单纯炎症更重的损伤。

◆伴随喉炎发生的或是由于酒精滥用，或是慢性支气管炎，这需要医生治疗。

◆儿童的喉炎转为尖锐的犬吠咳嗽，可能提示有呼吸道梗阻或哮吼。

**如**果声音失常、音调忽高忽低，就有可能患有喉头炎。确切地说，就是喉头的粘膜或气管的一部分包括声带出现炎症。在正常的说话过程中，声带是一张一合的。如果声带肿大，声音也就随之变调，就会出现声音沙哑或失声。

## 病 因

任何能引起声带肿胀的原因都能引起喉头炎。病毒是引起喉头炎的主要原因，其次是细菌。感染和接触危险化学物质或有毒物质都可能导致声带肿胀。造成喉头炎的另一个原因是过度使用声带，这在一些摇滚歌迷和足球迷中最为常见。只有在很少的情况下，喉头炎是因声带上有肿瘤（小节或瘤节）形成造成的。

## 治 疗

滤过性病毒引起的喉头炎不治疗也会于几天内自然消退。有鉴于此，持续性的喉头炎就警示着不仅仅是一种令喉咙发哑发痒的病毒了。

### 常规治疗

如果确诊为病毒性喉头炎，即使不加治疗也会自行消失。而如果确诊为细菌感染引起的喉头炎，就需服用抗生素，进行 7~8 天的治疗，治疗期间即便好转也要坚持用药，否则过早停药会导致更为严重的感染。

对大多数的敏感，通常用抗组胺剂来消肿和减轻感染。对较严重的过敏反应，患者甚至出现呼吸困难，可用内吸收的类固醇治疗。仅仅因过度用嗓造成的喉头炎则不必用药，最好的治疗办法是让嗓子休息。

### 辅助治疗

在治疗喉头炎时，附加治疗的开业医生通常开一些喉咙的消炎药或增强免疫系统，建议多休息。

针灸治疗

最新研究表明，中国传统医药的针灸对治疗喉头炎有明显的疗效。患者可咨询注册的针灸师进行治疗。

营养及饮食

大量饮水，摄取大量的新鲜水果和蔬菜，限制精加工的碳水化合物的摄取量。为增强身体免疫系统功能，饮食中增加维生素 C（20 000~80 000IU／日）、维生素 A 及大蒜。

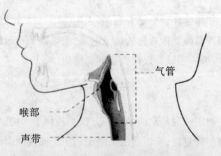

### 喉部解剖及失音

气管

喉部

声带

喉部是气管上部的一个盆子样腔道，声带即 2 个紧张带伸展在喉部中，气流通过声带引起震动产生声音，齿、舌、唇的变形修饰声音，形成语言。当声带发炎或喉炎感染，声音会变得嘶哑甚至失音。

# 喉头炎　　　　　　　　　　　喉癌

## 家庭治疗

◆让身体和声带都得到充足的休息，说话时尽量不要使声带振动。

◆大量饮水，可用适量的蜜或柠檬混入茶或水中饮用。

◆可通过开水壶吸入蒸汽。

◆可用热毛巾或其他热敷喉部。

## 预防

最好的预防办法就是不要过度用嗓，让声带得到适当的休息。对于容易患有喉头炎的人要避免吸烟或其他空气污染。若怀疑是由某种食物过敏引起，可先从饮食中去除该种食物，观察反应效果，然后再引入，再观察以确定。

## 症　状

喉癌初发期无症状，其最早的先兆和上感很相似，上部或下部喉癌引起的症状可能包括：

◆总是咳嗽，声音嘶哑，或者轻度但持续喉咙痛。

◆吞咽困难或吞咽时痛。

◆痛中带血丝。

◆耳痛。

◆颈部淋巴结肿大。

由癌肿引起的鼻后部区症状包括：

◆部分听力丧失。

◆鼻塞或鼻衄。

◆耳中轰鸣或耳鸣。

◆中耳炎症状，例如中耳疼痛或压迫感。

## 出现以下情况应去就医

◆和上呼吸道感染相似的症状，如感冒，持续超过2周。

◆不明原因的突发或慢发声音嘶哑。

◆如果你吸烟，总是感觉声音刺耳，或声音有其他变化。

◆颈部淋巴结肿大。

当这些症状由其他原因引起时，你应去看耳鼻喉科专家，进行全面检查，以便确诊疾病。

**咽**喉是食物和液体从口到胃通过的空腔管道，亦是气体出入肺部的部位。咽喉可分为三部分：鼻咽部—位于鼻后部；口咽部—位于口腔后部，包括扁桃体；下咽部或者称低部咽喉。

大多数原发性喉癌起源于喉部的粘膜层。随着癌肿的生长，逐步穿透粘膜层和肌层到达周围组织。从这些部位，癌肿会播散到颈部淋巴结，然后到肺和其他器官。逐渐长大的癌肿可影响听觉、嗅觉、味觉、语言功能或者吞咽功能。鼻咽癌和低位喉癌通常转移较早，在出现症状之前即可转移；口咽癌易于停于原位，但最终将转移，除非治疗很成功。

喉癌的发病率男性比女性多 3 倍，且通常 50 岁前不发生。早期确诊的喉癌，5 年生存率介于 50% ～90%；而有其他部位转移的癌肿仅 5% ～25%。

# 喉 癌

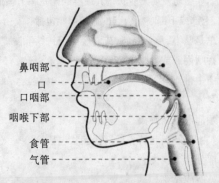

## 喉癌发生部位

鼻咽部
口
口咽部
咽喉下部
食管
气管

咽喉分为三部分,任何一部分均可发生癌。最上部,亦称鼻咽部,吸入空气和来自鼻腔的粘液,下部是口咽部,为食物和空气的通道,喉部只有当你说"啊!"时方能看到。下咽喉部亦称低部喉咙。把食物转运入食管,把空气传输入气管。

## 病 因

吸烟或者咀嚼烟草和大量饮酒引起大部分口咽癌和下位咽喉癌。吸烟者较之不吸烟者其发生率高6倍多,几乎所有被确诊喉癌的人大都是或曾经是吸烟者。相反,鼻咽癌的主要已知危险因素是由E－B病毒感染所致,该病毒是疱疹病毒的一种类型,在非洲比在美国更常见。

吸入煤或者其他矿物灰尘、石棉、柴油气体可以增加喉癌的发生率。口腔卫生差和经常吃太咸的食物亦可增加发病率。在某些病例,喉癌发生于不正常的组织(参见口腔癌)。

### 诊断与检查

医生可以看到口咽部不正常的生长,而鼻咽和咽喉下部则不能见到,必须用镜子或者光纤镜进行检查。任何可疑的病变、肿瘤或者肿大的淋巴结都应行活组织检查或者进行E－B病毒检查。如果检查到癌肿,影像学检查能帮助了解癌肿的扩散情况。

## 治 疗

假如癌肿确诊时尚无淋巴结转移,应进行癌肿清除术以获得缓解。在至少一半的病例,癌肿可治愈,但喉癌的治疗风险很大且很复杂,主要依赖癌肿的部位和时期,医生应考虑治疗对患者语言及其他基本功能的影响。

### 常规治疗

喉癌的特殊治疗首先根据肿瘤的部位。鼻咽癌患者主要对头、颈部进行高剂量放疗,或许随后对皱缩的肿瘤进行化疗。这种疗法可治愈80%的早期癌和一半多的中期癌肿。

小的口咽部的肿瘤通常用放疗,以避免损害和出现其他并发症。如果反应不好或者癌肿进展快,应行外科手术治疗,有时可先化疗或随之进行放疗。

尽管下咽喉部的小瘤肿可单用放疗,但大多数局限性下咽部癌需行外科手术,此前可先行化疗或随后进行放疗。咽喉癌组织切除后,随后进行咽喉再造术。喉部手术后,许多病人需进行体疗以帮助重新恢复语言、吞咽和咀嚼功能。对不能进行外科手术的进展期病人,放疗可能有减轻症状和减慢病程的作用。

### 辅助治疗

如果对头颈部放疗引起口腔不适和疼痛或咽喉部刺痛,试一试下面方法:

◆询问肿瘤学家有关适当的治疗方法和关于怎样减轻副作用的建议。

◆食用软或者半流食品,全天不断饮液体,以保持口腔和咽喉湿润。

◆治疗期间和治疗后,询问牙科医生有关适当的口腔护理知识。

参见口腔癌部分。

预防

戒烟、少饮酒。

# 流行性腮腺炎

## 症 状

◆一侧或两侧面部局限于下颌角上部的腮腺肿胀发炎。

◆发热和无力。

◆一些病例中，舌下的唾液腺肿胀。

◆尤其在青少年和成年人，肉眼可见到睾丸的继发炎症，或继发卵巢、胰腺感染，表现为腹痛。

### 出现以下情况应去就医

◆怀疑你的孩子患有流行性腮腺炎，为确定诊断。

◆你的孩子患有流行性腮腺炎，并有严重的头痛和颈痛，这可能是脑膜炎的体征。

◆你的孩子患有流行性腮腺炎，并有严重的腹痛和呕吐，这是胰腺炎的症状。

◆任何青少年或成年男性家庭成员患有流行性腮腺炎并睾丸肿胀，这些病人中有些可致不育。

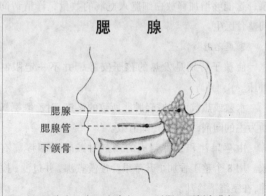

### 腮 腺

腮腺为三大唾液腺之一，局限于下颌弯曲部，耳朵下方，通过面颊深部腮腺管持续分泌唾液，当被流行性腮腺炎病毒感染时，可以肿胀并触感柔软，腮腺管出口也可收缩并阻挡正常的唾液流出。

**识**别患有流行性腮腺炎的儿童，对你来说几乎没有任何困难，这是一种好发于 3～10 岁儿童的轻度病毒感染。需引起人们警惕的征象：你孩子的面部一侧或两侧肿胀，位于下颌角上部。一旦你孩子患过流行性腮腺炎，将永远不再患此病，因为他已经建立一种终身免疫。大多数地区要求学龄前儿童如果未建立终身免疫，则需被动注射抗流行性腮腺炎的免疫疫苗。

流行性腮腺炎仅仅具有轻度感染性，其他家庭成员只有小儿会同时有发病危险。虽然这是一种儿童疾病，但青少年和成年人也可以患此病。对于一名稍年长的患者，所表现出的症状不会更严重，而发生于青少年或成年患者的睾丸肿胀，需由医生检查确定，因为睾丸炎的可怕危险是不育。

## 病 因

流行性腮腺炎是一种病毒感染，通过流鼻涕或咳嗽或直接接触的空气飞沫传染。潜伏期(指病毒在人体内繁殖而患者无症状)16～18 天。患者症状表现之前 2 天和症状表现明显的 9 天内具有传染性。

## 治 疗

找儿科医生为你的孩子确定流行性腮腺炎的诊断，也需由内科医生确定是否存在并发症，并保持孩子近期处于健康状态。患流行性腮腺炎的儿童应休学在家，直至全部症状消失。

**常规治疗**

儿科医师将建议你的孩子休息，口服软食品，增加流食成分；并用热物品或冰放于腺体上以减轻疼痛。医生也可能建议用一种以对乙酰氨基酚为基础的去痛剂。

**辅助治疗**

指压治疗

为减轻肿大腺体引起的疼痛，把中指放在孩子耳垂后的陷凹中，轻轻按压 2 分钟并鼓励孩子深呼吸（教孩子自己这样做）。

营养及饮食

给孩子提供清淡食物，如清汤、蔬菜和水果。避食牛奶制品，因其不易被消化，柑桔因可加重唾液腺肿胀因此应禁食。

整骨术

轻柔地、有节律地按压脾脏，这个过程叫做脾泵，这能够增加释放白细胞入血液的数量，详情请询问整骨医生。

#### 家庭治疗

使孩子特别是发热的孩子安静，并不一定限制卧床。

水敷或热敷可以减轻肿胀所致的疼痛。对乙酰氨基酚为主的制剂，对减轻疼痛有效。

由苹果汁和丁香制成的汤剂对减轻吞咽疼痛有效。用8个整丁香加1升苹果汁慢慢煮沸，并过滤、搅拌，在室温下冷却。

#### 预防

因为在与疾病斗争中增强了免疫系统功能，所以使用过多种方案的医生认为：让其他健康孩子同患流行性腮腺炎的孩子接触，较给予接种更好。你应该同儿科医生讨论免疫方案。麻疹、流行性腮腺炎及风疹接种，目前常在12～15个月给予，并在4～6岁或10～12岁给予加强。

---

### 警惕!

千万不要给予孩子阿司匹林，不要使用阿司匹林或者其他含有一种叫做水杨酸盐的制剂来减轻发热或止痛。阿司匹林与雷诺综合征有关，后者是一种罕见但是十分危险的疾病，能够引起肝脏和大脑的炎症。

---

## 症 状

增殖体肥大，出现的症状可发生在耳、鼻和喉等部位，下列任何一种迹象均提示该病：

◆ 睡眠呼吸暂停，夜间睡眠中的儿童打断正常呼吸节奏，出现多次短暂的呼吸暂停，或出现1～2次较长时间(达到20秒钟)的呼吸暂停。

◆ 张口呼吸(鼻阻塞)。

◆ 打鼾(阻塞气道)。

◆ 鼻音。

◆ 窦道引流，白天可从鼻腔流出分泌物，夜间则咳嗽。

◆ 与上述症状有关的复发性耳朵感染。

### 出现以下情况应去就医

◆ 孩子夜间出现多次呼吸暂停，这可能提示有睡眠呼吸暂停综合征。由于睡眠障碍，孩子可能产生与行为方面有关的疾病，在严重病例则能对循环系统产生阻力。

◆ 由于鼻腔严重阻塞，你可观察到孩子呼吸困难或张口呼吸。尽管这些症状对生命没有威胁，但提示增殖体可能已阻塞鼻道。

◆ 孩子耳朵反复感染，而用抗生素治疗效果不佳。如果耳朵感染不被有效控制，则可引起听力丧失。

---

增殖体是聚集的淋巴组织，位于喉的顶部和扁桃体的后上面(扁桃体在其下边)，在儿童起着特殊作用：产生抗体，帮助小儿抵御呼吸道病菌的入侵。在小儿3～7岁，增殖体保护肺脏和胸部以免感染，到8岁左右，增殖体开始萎缩，至成年则消失。

当增殖体被感染或受到刺激，就发生肿大，常阻塞通往鼻腔的气道和通往耳朵的咽鼓管，引起轻至重度的呼吸困难，或听力障碍。如果不及时治疗，则肿大的增殖体导致慢性鼻窦炎，严重的病例可产生睡眠呼吸暂停(夜间睡眠中的孩子多次停止呼吸数秒钟)。

即使切除增殖体，孩子也可以正常成长，因为扁桃体是主要的抗感染淋巴组织，可以起到同样的作用。但是，医生现在更清楚地认识到增殖体在抵御感染方面具有的重要作用，因此切除增殖体的机会在减少，通常仅

# 增殖体肥大

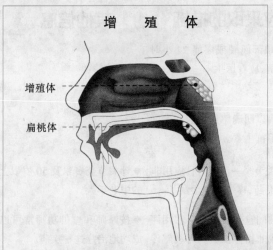

## 增 殖 体

增殖体 - - - - -

扁桃体 - - - - -

增殖体像扁桃体,是抵御病菌感染的淋巴结。体积小,呈粉红色的团块状,位于咽喉的后壁,口腔顶部的上方。当增殖体感染时,增殖体肿大,并阻塞呼吸道。

对最严重的病例才行增殖体切除术。

## 病 因

慢性增殖体肥大的主要原因在于结构方面,感染、刺激或变态反应,引起了增殖体肿大。肿大的增殖体阻塞鼻道。

## 治 疗

因为增殖体肥大的症状没有特殊性,即使检查出增殖体肿大,也难以与其他疾病做鉴别,因此对增殖体肥大的诊断常常是困难的。如果你的孩子耳朵经常感染或鼻道阻塞,或患有在前面列出的任何其他症状时,你就要带孩子去看儿科医生或其他医生。

### 常规治疗

儿科医生将询问孩子有关耳、鼻和咽喉的病史,并可能提出请耳鼻喉(ENT)专家和变态反应学家一道对孩子的症状进行分析判断。ENT专家将检查孩子,有可能让孩子做X线检查,以帮助确定增殖体的大小和形状。变态反应学家将可能检验孩子对空气传播的任何过敏原的敏感性是否增加(例如吸烟、尘土、花粉或宠物的皮毛等)。

如果由变态反应引起,治疗则针对变态反应,如脱敏疗法或清除过敏原。如果不是由变态反应引起的,耳鼻喉科专家可能推荐外科切除增殖体。只有在严重的睡眠呼吸暂停的病例,切除增殖体才作为首选治疗方法,因为在这些病例,肿大的增殖体可能对循环系统产生慢性阻力,并可能导致心功能不全。

### 辅助治疗

其他医生通常首要的任务也是寻找与变态反应有关的病因。为了诊断和治疗,你要带孩子去看专业医生,家庭疗法仅仅能够减轻症状。

#### 整骨法

推拿颈部被认为能够疏通淋巴系统,可以列入治疗方案中。

#### 家庭疗法

这些治疗方法可以减轻某些症状,但不能根治该病。当孩子患慢性增殖体肥大时应该看专业医生。

◆当孩子的病情与变态反应有关时,要减少或清除环境中的刺激物,这样可以使孩子舒适自在。例如静电空气过滤器可以减少房间内的尘土或真菌。

◆加湿器可以防止孩子的粘液变稠,用一个加湿器配上一个恒湿器可以保证空气中的湿度恒定,并可在使用前后净化加湿器。

◆非处方药物中的减轻充血剂可以暂时缓解病痛。

◆鸡汤有助于使阻塞的鼻道通畅。

# 颈 痛

| 症 状 | 疾 病 | 应采取的措施 | 其他信息 |
|---|---|---|---|
| ◆前一天晚上还正常，早晨一起床就感到颈部僵硬、疼痛。 | ◆颈部僵硬可因睡觉姿势不适，颈部肌肉关节过劳所致。 | ◆如果颈部僵硬或疼痛24小时内不缓解，应看医生。 | |
| ◆颈后或一侧肿胀或有包块，可伴有疼痛。 | ◆淋巴结肿大，为体内感染的反应。 | ◆去看病以明确感染原因，你可能需要用抗生素。 | |
| ◆颈部僵硬进行性加重。 | ◆骨关节炎。 | ◆参见关节炎一节，每日应用非甾体抗炎药，疼痛可以缓解。 | ◆骨关节炎多累及50岁以上的中老年人。 |
| ◆剧烈颈痛向肩、臂放射，尤其在转头时加重。 | ◆破裂或突出的椎间盘压迫神经。 | ◆参见椎间盘病变一节，服用阿司匹林或非甾体抗炎药可缓解疼痛。你的医生可能会建议戴围领以使椎间盘复位前制动，并可避免更强烈的疼痛。 | ◆按摩师和瑜伽功师常可以成功地治疗这种疾病。 |
| ◆严重颈痛，发生前24小时内有过剧烈震动（如突然煞车时所致），可能合并头晕、行走困难、呕吐、控制肢体困难或大小便失禁。 | ◆头部冲击。 | ◆立即叫你的医生，在颈部敷冰袋直到得以治疗。如果疼痛不重且不伴其他症状，可能只需服用阿司匹林或非甾体抗炎药，但如果24小时内无好转，应去看医生。 | ◆戴围领固定颈部可制动，但不要超过1个星期，否则只能延长恢复时间，睡觉时如想舒适些，睡硬板床，不要枕枕头。 |
| ◆颈部一侧钝痛、搏动痛并可向脸颊、眼、耳部放射，在咀嚼、吞咽或头转动时加重，症状可继发于其他疾病（如咽痛）或与偏头痛有关。 | ◆颈动脉痛（颈动脉扩张，可能病毒或细菌感染所致。颈动脉向脑部供血）。 | ◆去看病，疼痛可能在休息、服用非甾体抗炎药后缓解，冷敷或热敷亦有效，处方抗偏头痛药有时也有效。 | ◆区别颈动脉痛、咽痛、鼻窦感染、化脓牙齿，及口腔癌是困难的。 |
| ◆吞咽时颈前部疼痛，有时疼痛放射至下颌、耳下，伴低热，颈部可变红、压痛。 | ◆甲状腺炎（甲状腺的炎症，可能是感染或自身免疫异常所致）。 | ◆请你的医生明确是甲状腺炎还是咽痛，参见甲状腺疾病及免疫疾病各节。 | ◆如果确定是甲状腺炎发作，在这以后就需要经常检查以明确你的甲状腺是否正常。 |
| ◆颈痛后出现严重头痛，在颈前屈时加重，并伴有任何一种下述症状：恶心、呕吐、意识障碍、嗜睡、对光亮敏感。 | ◆胸膜炎。 | ◆立即接受治疗。你需要2个星期的强效的抗生素治疗，而且需要住院治疗。 | ◆如不治疗，细菌性脑膜炎可以致死。病毒性脑膜炎则较少致死。 |

# 颜面潮红

| 症 状 | 疾 病 | 应采取的措施 | 其他信息 |
|---|---|---|---|
| ◆颜面潮红伴疲劳、恶心和/或头痛。 | ◆最可能是由于摄入过量酒精。 | ◆避免每天喝超过1或2个含酒精的饮料。参见"酒精滥用"。 | ◆与颜面潮红有关的血管扩张作用可引起心率增快，并在冷气候中，有造成低温的危险。因此，饮酒并不是使某个人暖和起来的好方法。 |
| ◆颜面潮红，皮肤温暖、干燥，极度口渴和饥饿，亦可能伴尿频、呼吸快速、呕吐、神志恍惚。 | ◆糖尿病。 | ◆参见"糖尿病"。 | |
| ◆情绪激动或活动时易出现颜面潮红。活动时颜红病例，可伴头痛，可能为偏头痛。 | ◆自然脸红倾向，是用力气的生理性反应。 | ◆脸红并不是一个健康问题，并在活动时出现颜面潮红亦是正常现象。如果您因为容易脸红而烦恼，可考虑看一下专家进行中药治疗，他会着重调整您肌体上、下半身之间可能存在的能量失衡，亦可参见"头痛"。 | ◆其他一些学者认为颜面迅速潮红伴生理扰乱症状，可能是潜在健康问题的一个信号；您可以考虑找一个针灸专家或顺势疗法专家进行评估。 |
| ◆疲劳，头晕，恶心，大汗，头痛，随之颜面潮红，皮肤发烫、干燥，脉细速。 | ◆中暑（阳光打击）。 | ◆浇冷水或用湿毛巾降低体温；需要立刻给予医疗帮助。亦可参见"急救/急症"中的"中暑"节试用市售抗酸药或抗胃部不适的药物治疗。参见"烧心感"和"消化不良"两节。 | ◆顺势疗法专家常建议颠茄疗法可作为紧急救助中暑患者的辅助治疗。其他几种不同的疗法可有印度草药、草药和顺势疗法。 |
| ◆颜面潮红伴排气、嗳气，可能有恶心、胃气过水声和反胃，酸苦味的液体上升至咽部和口腔。 | ◆消化不良。 | ◆参见"痤疮"。 | ◆如不治疗，酒渣鼻可发展为皮脂增生，皮脂腺肥大形成球状鼻。酒渣鼻对抗生素、改变饮食或大剂量维生素B，特殊核黄素（维生素 $B_2$）等治疗反应尤其良好。 |
| ◆脸颊及鼻部异常潮红，可进一步形成充满脓汁的小脓疱，刺激食物、热饮或酒精可加重症状，最常见于 30 岁以上妇女。 | | | |
| ◆颜面潮红，常伴高热（39℃或更高）。参见"发热和寒战"以了解详情。妊娠妇女，常见脸颊和颜面呈玫瑰红色。 | ◆酒渣鼻（红斑痤疮）。 | | |

# 感 冒

## 症 状

◆头部、胸部充血、伴流涕、呼吸困难。

◆咽痛。

◆打喷嚏。

◆夜间干咳。

◆寒战。

◆眼灼热，充满分泌液。

◆全身疼痛。

◆头痛。

◆持续乏力。

## 出现以下情况应去就医

◆不足 2 个月的新生儿出现感冒症状，应送医院诊治。婴儿患感冒是严重疾病。

◆呼吸道粘膜充血会导致呼吸困难，或呼吸时胸部出现哨声（喘鸣音），可能会发生哮喘。

◆咽喉刺痛，体温达到或超过 38.5℃，症状加重，可能合并细菌感染，如脓毒性咽喉炎、鼻窦炎、气管炎等。

◆体温达到或超过 39℃，可能患肺炎。必须立即进行医疗。

◆在接触某些刺激物（如花粉、猫、香水等）后突然出现感冒症状，或上述症状持续数周，说明过敏可能性大。

在美国人口各年龄组中，感冒均是最常见的疾病。它由病毒侵犯鼻腔和咽喉所致。肌体免疫系统对此产生应答，白细胞主要是中性粒细胞消灭这些微生物。当免疫系统不能识别这些病毒时，所产生的应答是非特异性的。即肌体产生尽可能多的中性粒细胞（通常超过肌体所需数量），并集中在感染部位，可杀灭大部分病毒。但大约 200 种病毒不能被消灭，从而导致感冒发生。多余的中性粒细胞聚集在感染部位引起不适，炎症、鼻咽部大量分泌物。

感冒的潜伏期为 1～4 天，典型症状持续 3 天左右。因此，尽管危险期已过，但仍在一周或更长的时间内自觉鼻塞（充血）。在出现症状的最初三天里，患者有传染性，需采取隔离措施（见预防）。

尽管每个人均可患感冒，儿童较成人发病率为高。

在寒冷季节中感冒易流行。在美国主要是从晚秋至第二年春季。因为这段时间内人们多在室内活动且室内有供暖设备。密切接触他人，可增加接触病毒的机会，而温暖、干燥的空气可使鼻咽组织干燥，从而为病毒感染创造一个良好的环境。

除新生儿外，感冒本身并不危险。不需任何特殊治疗，感冒通常在一周左右的时间内缓解。但感冒会降低肌体抵抗力，从而对细菌易感。

## 病 因

超过 200 种病毒可侵犯鼻咽部而引起感冒。目前，没有一种病毒有特异性治疗，所以明确病毒类型并不能缩短病程。感冒病毒通过吸入感冒患者咳嗽或喷嚏而散发的空气微粒或接触病毒污染的表面如门把手、电话，进一步转移到鼻、口腔而传播。

### 诊断与检查

如需到医院就诊，则应检查咽喉、耳，做咽部细菌培养（用长棉签擦一下咽部）以明确是否存在细菌感染。若有则需抗生素治疗。

## 治 疗

用常规的可供选择的药物，是为了最大限度减轻疼痛和充血，从而有利于肌体抵抗病毒感染。充分的休息十分必要。感冒时每晚至少需要 12 小时的睡眠。大量饮水也很重要，肌体中有充足的水分，可以避免和促进感染恢复，而且，缺水的器官更易感染病毒。发热有助于肌体消灭感染的病毒，试图降低体温的治疗实际上削弱了肌体的防御能力。但当体温超过 103℉时，仍需到医院就诊。

怀孕和哺乳期的妇女，在进行任何抗感冒治疗时，包括非处方药和中草药，均应先进行检查，以确保母婴安全。

### 常规治疗

目前没有针对感染病毒的特异性治疗，常规药只能缓解症状。布洛芬可以减轻疼痛，而对乙酰氨基酚和阿司匹林可加重充血。切记不可给予儿童阿司匹林退热，而应用对乙酰氨基酚（参见警告）。勤用盐水漱口可减轻咽痛（1 杯水中放 1/2 茶匙盐）。

商家的广告宣传往往具有诱惑力，但选用任何一种抗感冒药（非处方药）都需三思而行。这些药物可以缓解多种症状。其中往往包括患者没有的症状，因而导致药物滥用。13 岁以下的儿童应避免使用这类药物，即使那些标明专为儿童配方的也不行。因为这些药物均可以导致嗜睡，从而使病情恶化。非处方药中包括拟麻黄碱类药物，可一过性减轻鼻粘膜充血。如果规律服用此类药物超过 5 天，会发生反弹而分泌更多的粘液，导致更为严重的充血。拟麻黄碱类药物可以使血压升高，心率增快。因此，患有心脏病，高血压，前列腺疾病、糖尿病和甲状腺疾病的患者，在服用该药前应由医生做全面体检。

对于严重的咳嗽以致影响睡眠，谈话的病人可服用非处方镇咳药如美沙答。除此之外，应尽量咳嗽以利于清除肺、咽部的粘液和微生物（咳嗽时请掩住嘴）。非处方类抗组胺药可以暂时改善呼吸情况，但副作用为使鼻腔干燥，分泌液粘稠而不利排出。

## 辅助治疗

治疗感冒的时机很重要。在出现首发症状时即应开始治疗，尤其是服用中草药。早期治疗可以减轻症状，加快康复。

### 芳香疗法

草药的气味可以减轻充血，当气体温度超过 40℃时，还可以杀死感冒病毒。可将大叶桉、冬青、薄荷的新鲜叶子或几滴提取物放在碗里，冲入开水，用一块毛巾

裹住头部和碗，形成一个蒸汽帐蓬以吸入其中的蒸汽进行治疗。

### 生活方式

在感冒时一定要戒烟。吸烟可以损伤粘膜层和肺组织，增加对各种呼吸道致病微生物，包括感冒的易感性。感冒时吸烟，可以刺激有炎症的组织，使痊愈更加困难。

### 营养及饮食

保持平衡的饮食、良好的营养对于感冒的控制和恢复很重要。可以适当服用一些营养品，以确保摄入了足够量的维生素 A、维生素 B 复合物（维生素 $B_1$、$B_2$、$B_5$、$B_6$、叶酸）、维生素 C，还有锌、铜离子。膳食中缺乏锌离子，可使肌体中中性粒细胞数量减少，从而易于感染各种微生物，包括感冒病毒。可服用锌片剂或锌锭剂来补充锌离子。

牛奶可使粘液更粘稠，故感冒时应避免服用奶制品。

近 20 年来，对于大剂量服用维生素 C（1 天 1 克或更多）是否可以预防感冒曾做了大量的研究。目前尚无结论，各家报道不一。但没有证据显示大剂量维生素 C 可以预防感冒。由于维生素 C 在维持中性粒细胞正常功能中起重要作用。故 1 日给予 1 克维生素 C 可缩短病程，减轻病情严重程度。

"犹太人的青霉素"即鸡汤，自 12 世纪来就做为一种治疗感冒的方法。近年的研究证实了鸡汤可以减轻症状，尤其是充血。鸡汤中的某些物质（目前尚未提取出）可以抑制中性粒细胞的聚集，从而减轻炎症反应。

任何足以导致流泪的辛辣食物可对鼻粘膜产生同样的作用。对于喜辣食的患者，热的辛辣饮食有助于感冒缓解。

### 家庭治疗

◆硬糖、镇咳药液可缓解喉炎。切记不要吃薄荷糖，它能使咽喉干燥。

◆在鼻周和鼻腔内涂甘油凝胶可防止皮肤皲裂。

◆每天至少饮 10 杯水，可以补充出汗、流涕损失的水分，减轻鼻腔充血。在床边放一杯水，以便夜间呷饮。

◆注意保持房间湿度（尤其是天气寒冷时，使用中央供暖可导致空气干燥）可防止鼻、咽干燥。

---

### 警 告

儿童发热时不应给予阿司匹林，而应使用对乙酰氨基酚。4～15 岁的儿童应用阿司匹林可导致 Reye's 综合征（一种可导致脑损伤昏迷甚至死亡的神经系统发病）。Reye's 综合征是一种罕见的疾病，通常发生在病毒感染之后。在病毒侵入后 1～3 天，儿童出现极度乏力，剧烈呕吐甚至躁动、谵妄、昏迷。Reye's 综合征属于急症，一旦出现应立即静脉输液。

### 预 防

预防感染（包括感冒）的最好办法是增强肌体免疫系统。提高肌体抵抗力的方法包括适当的饮食、戒烟、每天饮用足够的水。尽量减少与感冒患者的接触，至少不共用毛巾、用具、饮料等。在空气中、门把手、纸币或其他物体表面，感冒病毒可生存数小时，故应勤洗手。

患感冒时，尽量不要传染给别人。喷嚏可将感冒病毒播散在 50 米以内的空间，故咳嗽、打喷嚏时应掩住嘴。

有规律的、中等运动量的锻炼（如步行 45 分钟，1周 5 次），可以提高肌体免疫力，增强对各种感染的抵抗力。桑拿浴亦有效，瑞士研究人员证实 1 周至少两次桑拿浴，可以预防感冒。其机理目前还不明了，可能与桑拿浴蒸汽抑制病毒复制有关。

### 关于感冒的误解

关于感冒有许多误解。感冒时饥饿、过食均是不慎重的行为。尽量放松，按需进食（饿时进餐，不饿时则不吃）。低温、潮湿不会引起感冒。例如：落水、淋雨、在寒冷的天气湿头发外出。靠近敞开的窗户睡觉也不会引起感冒。抗生素不能治疗感冒，因为它是由病毒感染所致，而抗生素只对细菌有效，对病毒无效。

### 症 状

发热——常在 38℃ 和 39℃ 之间，但偶尔可高达41℃——有时与寒战交替。

◆ 咽酸痛。

◆ 干咳。

◆ 肌肉酸痛。

◆ 全身疲乏、无力。

◆ 鼻充血、打喷嚏。

◆ 头痛。

### 出现以下情况应去就医

◆ 你出现上述任何症状并且由于癌症、糖尿病、AIDS 或其他疾患而使得肌体免疫系统功能已经下降；或者如果你患有一种严重的疾病如慢性心脏或肾脏疾患，呼吸系统损害、囊性纤维化症，或慢性贫血。那么你可能处在继发严重并发症的高危状态下，并且需要小心监护直到症状消失。

◆ 发热持续超过 3 或 4 天，你出现休息时气短或出现胸痛症状。那么你可能已发展为肺炎。

流行性感冒——通常简称为"流感"——是一种极易接触传染的病毒性疾病，最常见于冬季和早春。这种感染可扩散累及上呼吸道，有时可侵入两肺。典型者，该病毒可侵袭在同一空间内的一大群人，如学校、办公室以及幼儿园等。1918 年出现的全球性流感流行——由堪萨斯一个军事训练营开始的——最终使得全美大约 50 万人丧生。

尽管感冒和流感均是由病毒感染上呼吸道所致，但是流感的症状更突出，并且其并发症更严重。流感最常见于学龄期儿童，但其严重作用最常见于婴幼儿、老年人以及有慢性疾病的患者。尽管预防及治疗措施已有改进，但在美国，每年仍有大约 2 万人生命受到流感及其并发症的威胁。本病的特殊菌株可通过注射含抗体的流感疫苗获得预防，但是一旦流感发病——与其他病毒感染情况一样——则没有任何治愈的办法，除非让其自然发展。

# 流　感

## 病　因

　　流感病毒是通过吸入空气中含病毒的小水滴或通过接触受到已感染患者污染的物品传播的。在感染病毒1到4天后开始出现症状。

　　研究人员将流感病毒分成三个大类：A、B、C型。尽管三型病毒均可变异，即变化形成新的菌株，但A型流感总是在不断地变异，每隔几年即产生新的病毒菌株。这就意味着你永远不可能对流感产生持久的免疫力。甚至即使你在今年对某种流感病毒产生了抗体，但在第二年，那些抗体就可能不再保护你免受该病毒的新株病毒的侵袭。A型突变株是引起每隔几年即出现的大流行的原因。B、C型比较少见，常引起局部地区发作并且病例多较轻。B型株还与Reye's氏综合征有关，这是一种流感和其他病毒感染——例如水痘——引起的潜在致命的并发症，常侵犯儿童患者。

　　多数感染人类的流感病毒似乎均起源于亚洲地区，在那里人畜密切接触为病毒的突变和传播创造了有利条件。猪可同时携带一种病毒的类型（即来源于鸟类或家禽类）和人类型，并且作为宿主，不同的病毒株在此相结合、突变产生新的病毒。然后猪以在人群中传播方式同样的途径将这种新型病毒传染给人——即通过交换空气中的小水滴传播病毒。

### 诊断与检查

　　所有三型流感症状基本类似普通感冒，例如咳嗽和头痛。医生可能会做咽拭子培养或血液检查以除外其他疾病例如链球菌感染的可能，或者，如果公共健康办公室要收集流感暴发的统计资料，则用以明确具体的病毒株。

## 治　疗

　　不管你如何处理，流感都将按其自然规律发展它。由于它是一种病毒疾病，因此抗生素对其无效。如果你身体健康，那么经过卧床休息、在家自我照顾，大约1周后流感可能自愈而没有并发症。如果你超过65岁，患有糖尿病，或有其他慢性疾病，那么告诉你的医生，在进入冬季前进行免疫治疗（参见"预防"）。如果

你已经有了患有流感的某些迹象，那么一定要让医生监护你的病情发展，这样可以及时发现任何并发症并给予正确的治疗。

### 常规治疗

　　对于所有流感病例，医生并不是只有一种治疗方法。你可能会被告知卧床休息、吃有营养的食物及多喝水。多喝水对于帮助避免由于发热引起的脱水以及稀释呼吸道分泌物易于排出等尤其重要。

　　你可试用市售药物以减轻咳嗽、鼻充血和咽酸痛等不适。在室内用一个蒸汽蒸发器将湿气散到空气中，可利于呼吸。如果你有发热并有肌肉疼痛，止痛药如阿司匹林、布洛芬或醋氨酚可帮助你改善症状。由于可能导致Reye's氏综合征，所以不要让儿童服用阿司匹林。

　　对于重症流感发作，如果上述治疗未起作用，你的医生可能会给你金刚胺或其他口服抗病毒药，可对A型流感有作用。你需要给自己时间以从流感中完全恢复，并预防发生继发感染引起的支气管炎、鼻窦炎或肺炎等。

### 辅助治疗

　　其他疗法可帮助加强肌体对抗病毒的能力，并从疾患中恢复正常，同时可以减轻暂时的流感症状。

#### 指压治疗

　　按压很多穴位可用于治疗各种不同的流感症状；参见穴位表可了解这些穴位的位置。膀胱经可用于刺激肌体对感冒和流感的自然抵抗力。攒竹穴、四目穴、迎香穴、风池穴和哑门、印堂穴位均可对缓解鼻充血、头痛和眼胀等症状有帮助。曲池穴可帮助治疗发热，并可加强肌体的免疫系统功能。合谷穴可全面缓解流感症状，但如果你正怀孕，请勿按压此穴点。天突穴位和俞府穴位可帮助缓解胸闷及咳嗽等症状。最后，可试压膀胱经以缓解咳嗽、呼吸困难和其他呼吸系统并发症。

#### 芳香疗法

　　在流感季节，当你周围的人因感染病毒而病倒时，可每天用每种茶树香精油和柠檬油各一滴加到一杯温水中漱口而保护你自己免受感染；在每次漱口前充分搅

匀。尽管已采用了很好的预防措施，但你还是被传染上流感，那么加入 2 滴茶树油在一盆热洗澡水中可帮助你的免疫系统抵抗病毒感染并可减轻症状。但是，茶树油对皮肤有刺激性，所以在一满盆水中加入的茶树油量不要超过 2 滴。

如果你有鼻充血或胸部充血，可在蒸汽蒸发器中加入几滴香精油（桉树或胡椒、薄荷）。如果你有哮喘，不要使用蒸汽，可以在手帕上洒几滴上述香精油然后吸入。

### 营养及饮食

食用富含维生素 C 的新鲜水果和蔬菜，如柑橘、球子甘蓝及草莓，或在不睡觉时，每隔 2～3 小时服用维生素 C1000 毫克。吃瘦肉、鱼和五谷杂粮，以增加锌摄入。

### 反射疗法

为支持呼吸系统，将大拇扯按在太阳神经丛/胸部穴点几秒钟，或用拇指按摩这个穴位（参见穴位表，了解这个穴点的具体位置）。

### 家庭治疗

◆每 4 小时服 2 片阿司匹林、醋氨酚或布洛芬以减轻发热、头痛和浑身酸痛（这些症状常在下午和夜间加重）。未满 20 岁者不要用阿司匹林，因为这个年龄群中的一些人有发生 Reye's 氏综合征的危险。

◆如果你觉得嗓子酸痛、发痒，可试用盐水漱口。加茶匙盐到茶杯温水中。无论何时出现咽部不适，就可以漱口，但不要咽下该混合液。

◆在躯体疼痛部位用热垫。

◆你想吃东西时，可试吃一些无刺激的淀粉类食品，如面包干、香蕉、苹果酱、软干酪、大米布丁、煮熟的谷类和烧土豆等。如果你吃饭不规律，这些食物对于消化系统比较容易吸收。

◆不要喝酒精类饮料，它们会使你缺水，并且降低肌体抵抗疾病的能力，容易引起继发感染。避免含酒精的市售流感药物。

◆如果你服用市售止痛药，在你下床前，要确保你的症状确实得到改善，而不是暂时被抑制了。如果你没有给自己足够时间达到完全恢复，那么你可能会使病程延长或发生并发症。

### 预防

预防流感的最有效的措施是在每年秋季开始出现流感时，注射针对该菌株的疫苗。如果你注射了一种或几种 A 和 B 型菌株的疫苗，你仍有可能感染流感，但症状可能比你不打疫苗时要轻些。

流感疫苗可由医疗和公共健康部门获得。因为流感是个严重的威胁，所以美国疾病控制和预防中心要求下列人员必须注射疫苗：65 岁以上的人；家庭保育员和受雇者；由于患艾滋病、癌症或其他慢性疾患而免疫系统有缺陷的人；在医疗部门工作的人。疫苗通常只需要注射 1 次，但儿童要注射 2 次。如果你正怀孕，那就要等到妊娠满三个月之后，并且得到你的医生允许。一些人可出现低热和肌肉酸痛等疫苗的副作用。由于疫苗是在鸡胚中生长的，所以对鸡蛋敏感的人不要使用。

金刚胺等是口服抗病毒药，可降低你接触传播 A型流感的危险性。但是如果流感季节开始前几周或在症状出现 2 天之内服用上述药物，作用效果会更好。通常给有发生流感并发症的高危患者服用上述药物，如慢性肺疾患的患者或老年患者等。如果病毒已开始在你的社区里流行，那么在你等待注射疫苗期间医生也会给你开金刚胺。如果是这样，那么你可以服药至注射疫苗后 2周，以保证在肌体应给疫苗建立起免疫力之前，使你得到足够的保护。在流感季节，你可采取的其他预防措施如下：

◆戒烟——吸烟可损害呼吸道——和酒，因为这 2个东西都可以普遍降低你的抗感染力。

◆避免与患流感的患者睡在一间屋子里，病毒很容易传播到空气中。

◆避免去人多拥挤的地方，并与咳嗽或打喷嚏的人保持稍远的距离。在飞机上尤其容易接触有流感病毒的患者，因为机舱内的空气是反复循环利用的。

◆保持温暖和干燥，这样肌体可抵抗流感和其他病毒感染。充血、咽痛和打喷嚏对于感冒很常见，两种疾病均可引起咳嗽、头痛和胸部不适。对于流感，你极可能持续几天高热，可出现头痛和全身酸痛。通常，感冒的并发症相对较轻，但重症流感可导致威胁生命的疾病，如肺炎。

# 流　感

有 100 型以上的感冒病毒被发现，而每隔几年即有新的流感菌株形成。由于 2 种病均是病毒所致，所以抗生素对两者均无效；这些药物仅在出现继发细菌感染如引起鼻炎或肺炎时有效。

## 如何鉴别感冒和流感？

普通感冒和流感均是呼吸道的接触性病毒感染。尽管症状可相似，但流感要重些。感冒可能让你躺下一会儿，但流感则可以在你一想下床时就会让你发抖。

# 花粉症（枯草热）

## 症　状

发作常有季节性。

◆ 长时间地、有时是非常严重地打喷嚏。

◆ 鼻、咽及口腔顶部发痒或疼痛。

◆ 流鼻涕。

◆ 鼻子不通气或流粘性鼻涕。

◆ 鼻后流液，引起咳嗽。

◆ 眼睛发痒、流眼泪。

◆ 头部及鼻充血。

◆ 耳部压迫感或发胀。

◆ 昏睡。

## 出现以下情况应去就医

◆ 你的病情非常严重，干扰了正常生活，并且不能通过非处方药控制住。医生会使用无镇静作用的抗组织药治疗。

◆ 鼻窦腔内充血并继发感染，症状为发热、疼痛、流黄绿鼻涕、鼻后流液及鼻窦或牙齿压痛。

頭颈部疾病

枯草热是一种对花粉或其他物质过敏引起的免疫性疾病。众所周知的过敏性鼻炎分为两型：季节性鼻炎，只出现在一年中某种植物传粉的时期；长年性鼻炎，一年四季皆可发生（一个相关性疾病是非过敏性鼻炎，症状与枯草热相似，但不是由过敏所引起的。参见喷嚏一节）。

通常，春季发生的枯草热是你对树木花粉过敏引起的。夏季里，花及野草的花粉是主要的过敏原。秋天，豚草可能会引起发病，而真菌孢子可能从 3 月底到 9 月份一直引发枯草热。

患有长年性枯草热的病人通常对一种或多种室外物质过敏。其他诱发过敏的物质或过敏原也可以引起长年性枯草热，如尘螨、羽毛及动物皮屑（动物身上与皮毛一起脱落的细小的皮肤鳞片）。这些东西可以藏在枕头、衣物及被褥下、浴帘、厚的织物、室内装潢及厚的地毯中。另一些常见的过敏原——霉菌常常躲在潮湿的地方如浴室和地下室中。

在枯草热发病季节中，症状可能一天出现数次，每

# 花粉症（枯草热）

次持续 15～20 分钟。尽管这是一个消耗性疾病，但很少遭到长久损害。

## 病　因

如果你出现枯草热，说明你的免疫系统将吸入的无害的花粉或其他过敏原看成了入侵肌体的危险物质。免疫系统的过度反应使肌体产生大量称为组织胺的化学物质，它们使鼻窦及眼睑内膜发炎，同时引发了其他枯草热症状，如喷嚏。所有这些症状都意味着肌体通过驱除过敏原或者通过水肿阻止过敏原进入起到保护肌体的作用。鼻窦静脉充血的一个表现是出现黑环，一般叫做过敏性黑眼圈，可能出现在眼下方。如果你患有长年性过敏性鼻炎，那么全年都可以发病。粘膜水肿会导致鼻息肉；在枯草热发作期间，鼻出血也是常见表现。

尚不清楚为什么一些人的免疫系统会对花粉等物质产生过度反应。有证据表明，枯草热具有遗传倾向。40 岁以下患有哮喘或湿疹的人们较那些未患病的人更容易发生枯草热。

### 诊断与检查

医生可以通过物理检查以及对病人症状的观察做出诊断。皮肤试验有助于确定你对哪种花粉最为敏感。划痕或针刺试验是指医生轻抓或用细针刺你的背部或手臂皮肤，同时在上面滴几滴含有少量可以引起过敏的物质。如果你的皮肤在 20 分钟后出现发红和发痒，那么就可以确定导致你发病的过敏原。放射免疫吸附试验或 RAST 可用于检测血液中肌体免疫系统在防御特异过敏原时所产生的抗体的水平。医生会向你推荐一位过敏病专家对你进行进一步检查和治疗。

## 治　疗

尽管最好的方法是预防发作或（和）避免接触已知的过敏原，但是有许多措施可用于缓解枯草热症状。

### 常规治疗

典经的治疗枯草热的步骤是首先避免接触过敏原，然后进行药物治疗，最后采用免疫治疗。轻度枯草热可用非处方抗组胺药如扑尔敏治疗，它的副作用少。这类药物必须经常服用，只有在使用一段时间后方起作用。苯福林和假麻黄碱可以减轻鼻粘膜充血，使鼻道通畅。这些药物一般只在急性期应用，并且只能用几天，长期应用会引起症状反跳，使充血加重。如果你正在服用治疗心脏病的药物或抗生素红霉素及抗真菌剂酮康唑，那么你在使用抗充血剂及抗组织胺药前，必须征得医生的同意，以免引起药物间相互作用。对于严重病例，医生会使用一些作用更强的抗组织胺药如 loratadine、阿司米唑或特非那定治疗。

一些非处方鼻喷雾剂含有抗充血剂及抗组织胺剂成分，可通过畅通鼻道、减轻炎症反应起到缓解疼痛及发痒症状的作用。经常使用医生开的色甘酸喷雾剂可以减轻鼻道内侧组织对过敏原的反应。严重病例需要使用皮质类固醇激素如倍氯水松鼻喷雾剂。

注意一些非处方鼻喷雾剂和滴剂可能有成瘾性，只能少量使用。不要使用含有水样酸盐如阿司匹林类药物，它们可使症状加重。

另一些治疗枯草热的方法是试用过敏弹丸或进行免疫治疗。这一治疗的机制是注射一系列剂量逐渐加大的过敏原，直至你的免疫系统变得失敏，不再对它们产生过度反应。免疫治疗对 75% 的严重枯草热病人有效。正常治疗应持续 1～3 年。

### 辅助治疗

许多辅助治疗有助于控制症状及预防发作。

芳香疗法

吸入桉树球剂、薄荷或海素草可以帮助你减轻鼻窦刺激及疼痛症状。

中药治疗

月麻黄治疗枯草热或过敏症已有很长历史。中医师认为此法在使用一段时间以后失效，故最好短期使用，或者联用其他药物。中医师常联合应用麻黄和甘草，据说后者有抗过敏及抗炎症作用。一些病人在使用麻黄后会出现心悸、失眠和高血压等副作用。人参也是常与麻黄配伍使用的中药，当它们与消除粘液的祛痰性草药联用时效果尤为显著。常用的祛痰剂有半夏、柳叶，白前及远志。请中医师会诊，以获取更多的信息。

# 花粉症(枯草热)

## 指压治疗

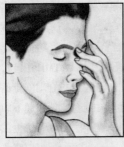

1. 压迫拇指与食指间蹼部的合谷穴,有助于缓解枯草热症状。用右手拇指与食指压迫左手的蹼部1分钟,然后再对右手的穴位进行压迫。妊娠妇女不要使用此穴。

2. 压迫督脉印堂穴也有助于减轻枯草热症状,将中指指尖置于鼻梁顶部两眉中央,轻压2分钟,同时进行深呼吸。重复3~4遍,每日至少做2次。

### 营养及饮食

营养学家认为精制的糖及酪蛋白(此为乳制品中的蛋白)是产生粘液的物质,在枯草热季节最好避免食用。服用含有钙镁的矿物岩石,可帮助调节组织胺生成。

一些研究人员认为蜂蜜具有降低肌体敏感性和增强抗过敏作用,可用于减轻枯草热症状。在枯草热季节来临前的两个月开始食用2匙从蜂场得来的野生蜂蜜。你也可以在枯草热季节来临前几周咀嚼少量蜂窝片(不要吞咽),每日2次,每次5~10分钟或者服用花粉浓缩补液。在采用这些治疗前必须征得医生同意,避免出现潜在的过敏反应。

许多枯草热病人也对某些食物过敏。可引起过敏反应的食物有蛋类、坚果、鱼、贝类、巧克力、奶制品、小麦、桔柑类水果以及食用色素或防腐剂。为了确定食物是不是引起你枯草热症状的病因或是混合因素之一,可试用排除饮食。停用所有可疑食物,包括前面提到的食物以及包装前或加工后的食物10天。如果你的症状消失或减轻,那么开始添加新食物,一次只增加一种,同时观察你的症状是否复发。一旦找到引起你过敏的食物,那么就不要再吃该食物及其所有的副产品。

### 家庭治疗

最好的对抗过敏原的方法是避免接触它们。上午6~10点以及花粉数量多的日子应尽量呆在家中。花粉数量在雨天减少,而在炎热、阳光明媚及刮风的天气增多。如果你必须外出,那么就戴上保护性眼镜,并用手帕盖住鼻子和嘴或者戴上装有花粉滤器的防尘面具。不要揉眼睛。

关闭屋子和气窗,打开空调。每月更换一次通风系统的过滤器。用离子化的空气净化器去除过敏原。利用空间加热器和去湿剂预防在潮湿的地下室中生长。

不要割草或耙树叶,因为这样会把花粉和真菌搅动起来。设法在春季和夏季使你的草坪高度不超过3厘米,这样小草就不会传播花粉了。如果你必须亲自做一些庭院工作,那么就戴上过滤面罩及保护性眼镜。从户外进屋后要洗脸、洗手及头发,并轻柔地冲洗眼睛,以避免将少量花粉带到枕头上。

尘螨生活在屋内的灰尘中,想要完全去除它们几乎是不可能的,但是可采取措施使尘螨的数量减少:移走屋内的厚地毯、厚窗帘及室内装饰性用品;用塑料布盖在床垫及枕头上;地面保持清洁;避免羽毛落入羊毛围巾、衣服被褥及枕头中;使用真空吸尘器时,应戴上面具。

### 自制减轻鼻充血药

将葡萄皮、橘子或柠檬皮以及果肉放入混有蜂蜜的水中煮开,轻微搅拌使之成海绵状。注意不要过分烧煮,你需要的不是水果羹。这样减轻鼻充血的制剂就做好了。当症状出现时吃一些,并且在枯草热季节期间每天晚上睡觉前都应该吃一些。果皮中物质有类似抗炎剂的作用,有助于使粘膜保持干燥。柠檬是一种刺激性的祛痰剂,可帮助肌体排除来自肺脏的粘液。

### 预防

尽管遗传基因是决定你对枯草热易感性的主要因素,但是你可通过采取预防措施,及对一些信号的警惕来避免症状出现。如果你患有湿疹或喘哮,那么你可能更容易发生枯草热。请过敏性疾病的医生会诊或试用前面提到的删除饮食,或服用野生蜂蜜。通过食用卫生食品、运动、补充维生素以及草药治疗等健康的生活方式,加强你的免疫系统功能。去除环境中的污染原和毒素,尽可能保持室内清洁、庭院干净。

# 颞下颌关节综合征

## 症 状

◆耳前疼痛，尤其是在觉醒时。

◆一侧或两侧面部肌肉的持久性疼痛。

◆张嘴或下颌运动时出现异常的声音。

◆因为感到锁住或疼痛，致张口困难。

◆反复发作性头疼。

## 出现以下情况应去就医

◆面部受损伤或风吹后致张口困难，可造成一侧或两侧颞下颌关节脱位或损伤。

◆若应用止痛药、热敷、按摩或休息后仍持续有下颌不适感，需要专家的诊断，听取更多的治疗意见，以减轻症状和找出病因。

人需要说话和吃饭，使得颌骨成为最忙的运动部分之一。连接下颌骨与颅骨中的颞骨的两个关节是相对简单地铰在一起，其间有小的软骨盘保护骨面。避免两骨间相互摩擦，在关节区的疼痛和不适而引起的颌运动暂停，就叫颞下颌关节综合征 (TMJ)，或面部肌筋膜疼痛功能失调。

2/3 以上的美国人在其一生中的某个时期有过颞下颌关节综合征的症状，当张大口打呵欠或吃大块食物等动作时，引起面部疼痛或弹响。这种暂时情况常常可自行缓解，不需治疗或者可经休息和用止痛药后迅速缓解。但有些病例，病人可感到疼痛放射到面部、颈部和肩膀。颞下颌关节中的慢性型由其他情况引起，多数短暂的 TMJ 能用简单的家庭疗法治疗。但是少数 TMJ 患者，感到持续和有时难以忍受的疼痛是严重的问题，这时需要医治。不幸的是，一些健康研究者坚持认为 TMJ 是牙病，而不是医疗问题，反对负担医疗费，这一事实有时阻碍了患者寻找有效的治疗来解除痛苦。

## 病 因

大多数 TMJ 患者是由咀嚼肌极度牵拉，关节盘脱位或者关节的退行性病变而引起。有时是多因素的。最常见原因是致使张口和闭口的颞肌劳损，这种劳损可能起源于无意识的咬牙或磨牙，或使下颌向前伸，也可以

是由于牙齿排列不齐或假牙大小不合适引起咬合不好引起。

在颌关节中一侧或两侧关节盘脱位是由于头部突然受风吹或头外伤引起，不仅仅是由于吃硬物或张大口打呵欠。通常的情况下，脱位的关节复位不引起永久性下颌损伤。然而当这样的脱位经常发生时，在张口时下颌就开始出现弹响，颌关节就容易发炎，变僵硬和出现疼痛。变性关节疾病的结果是相似的，如骨关节炎、风湿性关节炎，都引起疼痛和关节僵直。在少数病人中，儿童营养不良导致骨畸形而引起 TMJ。

## 治 疗

服用止痛药可以减轻炎症和减轻 TMJ 引起的疼痛，但这不能解决根本问题。TMJ 患者应合理安排他们的生活方式，尽可能在日常生活中避免吃能引起下颌劳损的食物。当牙齿排列不齐时，需要去看牙科医生。

### 常规治疗

多数医生告诉患有轻微 TMJ 患者服用非处方药的止痛药，按摩关节区，几天内限制讲话和咀嚼，通过吃软或流质食物使下颌关节得以休息。大多数疼痛和慢性病需要经牙医治疗或理疗。正畸医生、口腔外科医生或者行为专家的治疗。

一些人睡眠中无意识地咬牙，这种情况叫磨牙症。牙医能诊断出问题，并让患者戴上咬合牙罩或夹板。怀疑 TMJ 由过度肌肉痉挛引起时，医生则给患者开一种肌肉松弛剂，如安定以减轻疼痛和肌紧张。然而由于 TMJ 可能是一种慢性病，病人不应为了长期减轻痛苦而依赖此类药物，因为有成瘾的可能。

在一些 TMJ 患者中，理疗也可以减轻疼痛并恢复上下颌的运动。理疗可通过按摩、湿热敷、超声波、干扰电流、刺激促进血液循环，减轻疼痛和僵直。为了增加颌关节的活动范围，可使用治疗用伸展练习设备，喷雾伸展设备，这种技术是喷到脸上一些冷却剂，这样颌肌就被展开了。其他理疗的选择包括超短波内透热疗法和激光治疗（波的治疗比温热敷达到更深的部位），波动的压力就像按摩，增加病变部位的血流，减轻炎症和疼痛。

# 颞下颌关节综合征

仅仅对极严重的病例,医生才建议外科手术。关节镜检查是一种创伤较小的方式,通过一个小切口,插入光导纤维管,用它使关节盘复位,如果关节镜治疗失败,有必要进行打开颞下颌关节的外科手术,这样必须完全暴露关节区,也包括关节置换,但在手术前要签订协议,让患者了解所有的手术选择、潜在的并发症和副作用。患者也应该从另外一个合格的外科医生那里了解到第二种意见。

## 辅助治疗

在治疗 TMJ 时,选择的各种治疗都是有效的。许多中草药作为镇静止痛药或肌松药使用以减轻疼痛。许多医生都承认利用生物反馈可治疗与心理紧张有关的 TMJ。

### 指压治疗

对于那些害怕针灸的病人,指压治疗可作为一种轻柔的治疗选择,指压治疗师按压中焦穴,该穴常与肌肉的痉挛僵直、与 TMJ 的疼痛有关(看下边的插图)。

### 针灸治疗

针灸可以松弛肌肉,针灸对由于精神紧张引起的 TMJ 的症状有效。像按压治疗一样,针灸也用中焦穴治疗与精神紧张有关的 TMJ。因为中焦穴的子午线通过颞下颌关节。

### 体疗

由于紧张在 TMJ 中起一定作用,因此按摩治疗可缓解痛苦。按摩两个区:一个区在耳的正前上方到太阳穴,另一个区大约在耳垂前方 3 厘米处,放一个手指在这两个区中的任意一个区,然后张口和闭口。当闭口时,轻轻使牙齿咬合,当肌肉收缩和舒张时,你将感到肌肉跳进跳出。将大拇指、食指和中指放在这些区,轻轻以画小圆的形式按摩,每一个点按摩 1 ~ 2 分钟,使环绕在关节周围的紧张肌肉松弛。对一些严重的 TMJ 病人,应请专业的按摩治疗师,已经报道的帮助治疗 TMJ 的技术是深部组织按摩、神经肌肉按摩和颅骶功。

### 按摩脊柱疗法

按摩脊柱疗法适用于由于肌肉过度疲劳和拉伤引起的 TMJ,但是一般不用于在车祸中头部外伤后所引起的 TMJ 病人,按摩脊柱者不仅治疗病人的背部和躯体,而且还可同时用理疗、干扰电流超声和透热疗法来治疗,这些方法都可以放松关节,使得按摩者能伸展肌肉,控制颌关节。

### 水疗法

在热的洗浴水中加入几滴熏衣草的原汁或贯叶连翘,可以帮助放松肌肉。通过使用冷热敷,可减轻 TMJ 炎症。开始先用热毛巾热敷 3 分钟,然后换用凉毛巾冷敷半分钟。对慢性炎症,每天重复 2 ~ 3 次,急性炎症增加次数则应时。

### 身心医学

放松疗法、催眠疗法、指导意向疗法都可减轻 TMJ 的症状。对于 TMJ 生物反馈是最有效的身心治疗。生物反馈是非药物疗法,是非损伤性的,可以消除紧张,控制由紧张引起的疼痛。经专业人员训练后能自我施治。电计录下颌活动的肌肉的电读数,医生能训练病人在所有部位控制肌紧张。研究显示:生物反馈对慢性 TMJ 患者特别有效,同其他治疗方法相比,它可以帮助减轻疼痛,弹响减到最少,缓解时间更长。

### 营养及饮食

对于 TMJ 患者, 减轻颌周围肌肉和颌关节的压力是非常重要的。避免坚硬的食物,如生胡萝卜和苹果,避免难咀嚼的食物。如果颌区疼得难以忍受,尽量节制食用硬食品改为吃流食 1 ~ 2 天。当绝对必要时,可以限制说话,这是特别有效的。

从营养观点来看,TMJ 患者应当考虑服用适当剂量的菠萝蛋白酶或与维生素 C 一起服用。一定剂量的生物类黄酮可以减轻炎症。钙/镁电治疗肌肉痉挛,复合维生素 B 可以减轻精神紧张。

### 整骨术

除了建议适当的牙科治疗、理疗、生物反馈,整骨术是用手法帮助增加头、颈、肩、上背的活动范围,应该找专治 TMJ 的整骨医生。

### 家庭治疗

无论什么原因偶然引起的 TMJ,都可以服用阿司匹林或非甾体抗炎药减轻疼痛。家庭疗法通常对与紧张有关的 TMJ 有效。但是,如果疼痛是由于咬合不正或关节损害,则不能持续用止痛药,应该去看医生或牙医。下面是一些其他治疗建议。

◆按摩颞部前上方的肌束和沿颌线而行的大块肌肉。可用小圆形按摩活动,必要时可重复按摩。

# 颞下颌关节综合征

## 指压法

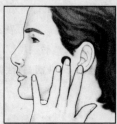

按可以减轻颌下肌紧张，用中指放于距耳前一大拇指宽的下颌上，沿颌上线找到一个浅凹，持续按压1分钟。

为了帮助减轻由TMJ引起的面部疼痛，按压。该穴位于大拇指和食指间指蹼中，按压每只手的穴位1分钟。孕妇禁止按压该穴。

◆足球和曲棍球运动员的护口装置可以用于治疗由于牙痛引起的TMJ病人。可在运动商品店买到这些防护装置。在热水中软化塑料口模，然后垂直向下咬，并使之变硬形成牙模，夜间睡觉时，把护口器放在牙齿间，如果疼痛，咬牙长时间不消失，请去看医生。

预防

◆为了预防由于无意识的肌紧张或下颌不均衡受压所引起的TMJ，不要歪头睡，不要把整个头部重量压在下巴上，这是趴着睡觉的人常见的习惯，尽量侧身睡或不枕枕头仰着睡。

◆无论何时颌区受伤，不要吃难咀嚼的食物，尽量不讲话。

◆如果每天早晨感到颌区紧张，你也许无意咬牙，请去看牙医或正畸医生，了解安装合适牙套的问题。

TMJ与头部外伤

多年来医生们已经发现在车祸中经受过头外伤的人易患TMJ。尽管真正的原因一直有争论，在头部获得较大冲击力量时，女性似乎特别敏感，这可能是因为女性的颈部肌肉比男性要薄弱些。这与头的大小有关。研究表明，即使是与头外伤有关的TMJ如果在颌区没有直接被冲击或受重压—可能引起弹响和有时疼痛。但如果治疗的话，TMJ也不会持续太久。

## 颞下颌关节

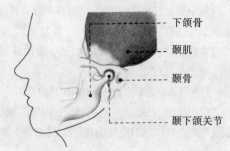

下颌骨
颞肌
颞骨
颞下颌关节

颞下颌关节是连接下颌骨到头颅上的颞骨的关节。大颞肌和其他韧带、肌肉一起保持关节自由活动。当由于肌肉紧张、关节炎、头外伤、或不正确的咀嚼运动时可引起关节运动不正常或疼痛。

# 宿 醉

## 症 状

◆饮用过量酒精后出现头痛、恶心、头晕、情绪激动、口渴和疲乏,通常出现在酒醒后。

◆一些病人有紧张,面色苍白、震颤、呕吐、烧心、步态不稳、食欲下降症状。

## 出现以下情况应去就医

◆你担忧自己已经出现或者有发展为酒精依赖的危险。这种情况往往是因为你想靠饮用更多的酒来抵消宿醉症状而导致的。

大量饮酒后,你会出现头痛、恶心及其他宿醉症状。最严重的症状出现在饮酒开始后的 14～15 个小时中。部分专家认为酒精代谢产物如乳酸在体内聚集引发症状。

## 病 因

酒精中的一些副产物起协同剂作用,可使宿醉的危险性增加。杜松子酒和伏特加酒中几乎不含协同剂,故很少引起宿醉。而白兰地、香槟酒及威士忌中含有加重宿醉的潜在物质。红葡萄酒中含有酪胺可引起严重的偏头痛,加重宿醉症状。

## 治 疗

时间是治疗偶然宿醉的唯一方法。但是几乎所有病人仍然需要采用下列建议的自我疗法来减轻宿醉症状。如果你经常处于宿醉状态,你可能存在酒精滥用或酒精依赖问题,应寻求专家帮助。

### 常规治疗

多数医生建议使用阿司匹林、布洛芬或醋氨酚缓解头痛症状,通过饮水抵消脱水状态,吃一些含高碳化合物的轻淡食品或糖果(果汁及蜂蜜中的天然糖分)减轻恶心症状。

### 营养及饮食

营养师建议饮服用水或矿泉水稀释的果汁,这样可助于肌体消耗酒精。饮水量应为摄入酒精体积的两倍。饼干和蜂蜜可减轻恶心症状。肉汤有助于恢复体内盐及钾的水平。在饮酒前后服用维生素 C 被认为可以帮助肌体清除酒精。

### 家庭治疗

饮水可以补充肌体水分,应从早到晚都适当饮水。冷敷头部及颈后部有助于缓解症状。

### 预防

节制饮酒是预防宿醉的关键。慢慢饮酒,使肌体有充足时间在酒精进入血液和大脑之前清除它们。饱食后饮酒,可以减少酒精的吸收率。避免饮用含有较高协同剂的酒精饮品,不要将酒与其他碳酸饮料混合饮用。气泡可加促酒精进入血液。你的体重越轻,越应减少饮酒量。

## 指 压 法

**1** 压迫拇指与食指间蹼部的合谷穴位可以帮助缓解宿醉引起的头痛。用右手拇指和食指按压左手蹼部 1 分钟,然后再同样压迫右手。妊娠时,不要按压合谷穴位。

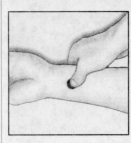

**2** 压迫间使穴位有助于减少恶心及呕吐症状。将拇指置于腕内侧中央,距腕皱折处 2 指,两根前臂骨的中间。紧压 1 分钟,共 3 到 5 次。然后再同样按压另一侧的穴位。

## 注　意

不要在饮酒前服用阿司匹林，这样会加强酒精的作用，使你成为一个酒鬼；不要靠喝更多的酒来治疗宿醉，尽管这样会暂时掩盖宿醉症状，但是有使人发展为酒精依赖的危险。

### 关于宿醉的误区及事实

**误区**：咖啡使你头脑清醒，可用于预防宿醉。

**事实**：只有随着时间的推移，你的头脑才会逐渐清醒。咖啡中的咖啡因虽然有助于减轻头痛，但并不能预防宿醉。相反，咖啡的刺激作用会使你误以为自己的判断力及动作控制力并未受损。

**误区**：如果你没有因宿醉而感觉不适，你就没有受到酒精伤害。

**事实**：研究表明，饮酒可影响人们下一天的工作，即使肌体内所有酒精的痕迹都已经消失。如果你要进行需高效率完成的任何工作，那么不要在前一天晚上饮酒。

## 症　状

◆视力障碍，肌张力下降，运动丧失，感觉障碍，失语、失聪并随时间加剧。

◆偏瘫，偏侧感觉障碍一侧失灵。

◆平衡失调，恶心呕吐，吞咽困难。

◆头痛并意识立即丧失。

### 出现以下情况应去就医

◆你或你的家人出现上述任何症状，如果这些症状很快消失，则是一过性脑缺血症（TIA），应不失时机地去就医。

当大脑供血因为任何原因紊乱时，其后果往往是严重的，产生对运动、理解力、言语和其他肌体或精神紧张的控制失调，意识本身可能受损，大脑循环血流的阻断称为中风，——是一种或两种形式发生的对生命构成潜在威胁的紊乱。

大约四分之三的中风是由于流向大脑的富含氧气的血流的阻断，称为栓中风，它们由血栓（在血管中形成的凝固血块）的栓塞（一种通过血流游走并在血管内停留的现象），这种类型的中风常常以所谓的短暂缺血发作，或叫 TIA 为前奏——即血流紊乱，它可引起突发的生理衰弱，不能讲话，复视，脑晕。伴随片刻的 TIA 进展，循环和氧供迅速恢复，持久的神经损害可以避免，然而，随着中风的进展，血流中断若长久地持续下去，足以使脑细胞死亡，造成永久性神经损害。

中风的第二种基本类型是出血性中风或称脑出血，它发生于大脑的动脉破裂或虚弱并且膨胀的脑血管开始出血，当血流进入大脑后，其产生的压力可以导致脑组织死亡，又可以进一步将正常的循环破坏并摧毁脑细胞，这就产生了难以忍受的头痛，有时伴随着意识丧失，血栓中风则相反，一般可以生存下来，大量的血栓中风大约 80% 是致命的。

由于中风治疗方法的改进和大众对高血压认识的提高，由中风造成的过度的死亡率正在下降，然而，中风在美国仍是第三位的死亡原因，仅次于心脏病和癌症，也是残废的主要原因，在引起痴呆方面仅次于阿尔采莫氏病。

# 中 风

从中风中恢复取决于脑损伤的程度和部位,有些中风患者完全恢复,但绝大多数病例都存在生理或精神上的残疾,虚弱的中风患者更易造成感染性疾病, 如肺炎。另外, 抑郁常伴随着中风,除非对其进行治疗,否则,将明显地延迟患者康复。

## 病 因

当血块堵塞流向大脑某部分的血流时,发生血栓性中风,阻塞的血管与脑动脉硬化所致的狭窄,有助于最终栓塞的形成,既可以是在局部产生的静止血块,也可以是在别处形成并迁移到局部的某些其他物质。触发中风的血块,可以在血流缓慢时产生,例如,心脏病发作后,血块在心脏壁上形成,因为那里的血流较慢。

出血性中风,最常来源于大脑中脆弱的动脉,或中动脉破裂,动脉有时充血变脆。但更常见于在高血压的张力下使血管变弱。出血性中风也可来自渗漏的动静脉畸形,大脑中过度生成的血管形成的充血性角度。

绝大多数中风发生于 60 岁以上老年人,男性比女性更易受累,可能因为高血压发生率较高的缘故,较年轻的人更容易患出血性中风,而较大年龄者通常易患血栓性中风。

对于中风,主要的可控制的危险因素是高血压、高胆固醇血症、不爱运动的生活方式、肥胖、滥用刺激性药物(如安非他明)、吸烟、口服避孕药和精神压抑等。

在有 TIA 及有心脏病,血液过度粘稠或糖尿病的人群中,中风的发病率增加。

### 诊断与检查

当患者呈现出中风样症状时,神经科医师不仅要确定其症状,而且必须鉴别中风的类型、部位及脑损伤的程度,治疗应依据所有这些情况而定,立即进行实验室检查,因为及时的治疗可以限制神经损害。

内科医师初次检查患者,获取病史资料。如果可能,标准的检查包括眼底血管检查,在心脏和显露的弱动脉听到异常声音,测量血压,脉率,测定肌张力、感觉及神经反射。

CT 或 MRI 扫描是最标准的诊断中风的检查。

## 治 疗

紧急治疗中风应该采用常规疗法,但是许多可辅助的疗法有助于中风的预防和康复。

### 常规治疗

中风患者应立即住院,在多数情况下,应给予治疗,以防止进一步的脑损伤。正常情况下,出血性中风的抗凝剂—肝素治疗,可引流进入脑内的血液或钳夹大脑中动脉,阻断血管,使进行性出血停止,外科急诊手术是必须的。

一旦渡过了危险期,中风患者应坚持住院治疗,直到病情稳定下来。医师和患者应仔细地讨论康复和预防中风的必要步骤,方案可能涉及饮食和生活方式的改变,继续进行治疗,逐步习惯疗法,对关键动脉血管可能的外科治疗。

处于有患出血性中风危险的人需要降低他们的血压,如果可能可通过饮食和生活方式改变的方法,但需要时也可用药物疗法,建议这些病人不要服用阿司匹林和布洛芬,如果某人因动脉破裂而患出血性中风,其他小动脉病有时可以被识别,并被去除或控制,不幸的是在逆转出血动脉脆弱方面尚无能为力。

为预防血栓性中风,有些患者首先被建议服用阿司匹林,如果证实阿司匹林有效,医生可能开出 iclopidine,及另一种可使血液稀薄的药物如 warfaryn 直至恢复。由于心脏病而处于易患血栓性中风危险中的人可以治疗其急性症状,以 warfaryn 长期治疗。在某些患者为预防将来的血栓性中风可采用外科治疗,最有帮助的手术是动脉内膜切除术,一种称为脑血管造影的实验室技术被用于已有血栓形成的脑动脉检查。

除了紧急治疗和生活习惯护理外,另一种关键的中风治疗方法是重塑生活习惯,大脑的其他部分能立即通过形成新的神经道路补偿失去动脉的损伤区,积极的重塑习惯疗法,基本目标是提高大脑自身的康复能力,一个经典的程序是讲话、锻炼和职业疗法。

心理状态良好的患者,家庭及护理人员在重塑习惯中发挥着决定性作用,成功的康复有赖于护理的质量和患者积极的情绪,几个中风协会通过热线电话、小组议

# 中 风

论、环境来提供心理支持。

## 辅助治疗

除了下述描述的方法外，为了治疗中风后合并症，你可能要求咨询中医师或家庭医生，例如，由世界卫生组织推荐的针刺疗法，可作为能生存下来的中风患者用于重塑习惯疗法。

### 体疗

几种肌体运动技巧可能有助于恢复运动能力，增进血液循环，松弛与中风有关的肌肉紧张和僵直，其中有气功和按摩。

### 按摩与整骨术

按摩术和按骨术，二者与推拿疗法密切相关，可能有助于中风患者神经通路的恢复，它们有利于减轻肌肉的痉挛和僵直，改善运动能力，缓解不断的疼痛，减少进一步的神经损伤。

### 草药疗法

大量的科学研究表明，草药能增加脑血流量，所以，它可改善中风潜在的并发症，如记忆力减退、思维混乱、眩晕及抑郁病状。草药也可减少血栓形成，许多其他的草药也能改善循环，减少血栓形成，加强血管壁及抗动脉硬化而在预防中风方面有用。

### 生活方式

不进行规律的、轻柔的有氧训练，生理重塑习惯是不可能的，在温热的水池中游泳对恢复丧失的运动能力，保持肌肉松弛特别有用。

处于中风危险的人不应吸烟，应采取低脂饮食，有高度中风危险的妇女不应服用避孕丸。

### 身心医学

学会使身体放松，使思想集中于治疗，有助于中风患者恢复，这些技术可增加对疼痛的忍耐力，也可减轻中风恢复期常见的抑郁或愤怒。催眠疗法，沉思，瑜伽可能都是有用的。有些中风患者通过生物反馈疗法恢复肌肉控制和运动功能。

### 营养及饮食

适当的饮食有助于预防中风，但在挽救中风损伤方面没有多少作用。在心理方面注意预防，膳食应富含维生素、矿物质和其它降低血管血栓形成动脉病变的营养素，特别值得一提的是防止中风的营养素包括钾、镁、维生素 E，含有一定的必需脂肪酸。一些研究显示，硒也可预防中风，然而低脂饮食可能是你在预防心脏病发作和中风方面应采取的最佳与营养相关的步骤。

### 预防

减少患中风机会的措施与避免心脏病发作的措施一样，适当增进心血管健康和预防动脉硬化十分必要，健康生活方式包括进低脂、低胆固醇饮食，规律地锻炼，控制体重，监测血压和胆固醇水平，不吸咽。

如果你由于动脉硬化、高血压、心脏病病史、TIA、以前有过中风而具有很高的患中风的危险，你应规律地去看医生，当显示出有血栓性中风危险时，医生会建议你每日服用阿司匹林，以稀释血液。

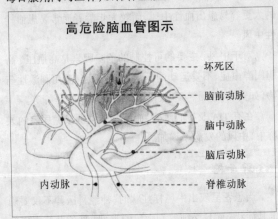

**高危险脑血管图示**

坏死区
脑前动脉
脑中动脉
脑后动脉
内动脉
脊椎动脉

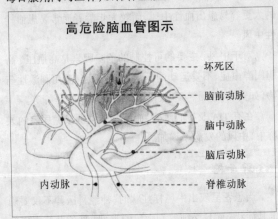

# 胸　　痛

| 症　状 | 疾　病 | 应采取的措施 | 其他信息 |
|---|---|---|---|
| ◆胸痛可放射至下颏、颈、左臂或其它部位，可能伴大汗、气短、恶心、呕吐及恐惧。 | ◆心脏病突发(损伤至心肌)。 | ◆立即拨打急诊号码(参阅心脏病发作)。 | ◆放松衣服，保持平静，如果你的同伴突发心脏病，停止呼吸，使用心肺复苏。 |
| ◆突发胸痛伴气短，深呼吸及咳嗽时加重，可能有血性痰，大汗及虚弱。 | ◆肺内血液阻塞(肺栓塞)。 | ◆立即拨打急诊号码，你可能需要融栓。 | ◆需要进行住院，广泛检查，包括肺扫描。 |
| ◆突发胸痛并进行性气短，呼吸时加重，可能有近期肺部损伤。 | ◆肺破裂(气胸)。 | ◆立即拨打急诊号码，你可能需要胸部插管放气治疗。 | ◆病因可能是外伤或肺不明原因的自发破裂。 |
| ◆在运动中开始的严重的胸痛，休息后消失，可能放射到其它部位。 | ◆心绞痛。 | ◆如果你未经诊治，请马上就诊，参阅心脏疾病。 | ◆戒烟，低脂饮食，增加运动，避免过劳。 |
| ◆胸痛伴气短或胸部罗音，发热、咳嗽、咯痰、深吸气或咳嗽时疼痛加重。 | ◆肺炎。 | ◆就诊，医生可能会使用抗生素(如果为细菌性感染)，外加休息、补液并解热止痛。 | ◆你必须接受专业的诊断及治疗肺炎所致疼痛。 |
| ◆一侧胸部疼痛及压痛，伴随近期严重咳嗽、外伤及胸部手术之后。 | ◆肌肉及肋骨损伤。 | ◆休息热敷，对于疼痛，可以用加压绷带包裹胸部，并服用止痛药。若疼痛继续，就诊看一看有无骨折。 | ◆胸壁运动会加重外伤所致胸痛，但你必须深吸气，保持肺张开。 |
| ◆胸部疼痛及紧缩感，可能得频繁深吸气、心跳快，口唇、臂及大脑的麻木刺痛。 | ◆紧张、焦虑、突发恐惧。 | ◆参阅放松手段。 | ◆持续紧张(也可能与心脏病有关)，可以被放松法减轻。 |
| ◆烧灼样疼痛，通常位于下胸部、弯腰时加重、反酸、疼痛可被打嗝或抗酸剂缓解。 | ◆烧心(胃肠道疾病)。 | ◆服用抗酸药或向医生咨询后服用其它或更强的药物(如果当发生其他症状时)，参阅烧心感、胃炎及腹疼、裂孔疝及消化不良。 | |

肩胸及上臂疾病

# 呼吸问题

| 症　状 | 疾　病 | 应采取的措施 | 其他信息 |
|---|---|---|---|
| ◆气短，过度换气，或轻度运动或不动即喘息。 | ◆应激反应，过敏反应，哮喘，肺气肿，肺炎，心脏病发作，肺癌。 | ◆打急诊电话，如果怀疑心脏病发作。参看急救/急症：心脏病发作。 | ◆你如果怀疑呼吸急促是由于较差的身体状况或焦虑对应激的反应，你就可以通过规律的体育锻炼和心身技巧锻炼来治疗，如瑜伽或静思。 |
| ◆咳嗽伴咯黄或像粘痰。 | ◆急性或慢性支气管炎。 | ◆参看支气管炎。如果病因是细菌感染，医生会开抗生素。 | |
| ◆咳嗽伴咯白色、粉红色、铁锈色或血性泡沫痰。 | ◆心脏病，肺炎，结核，肺癌，肺脓肿，肺水肿。 | ◆现在通知你的医生。咳嗽伴这种咯痰应按急诊病治疗。 | ◆白色泡沫痰或粉红色泡沫痰基本上总是心脏病的一种表现，铁锈色痰提示肺炎。剧烈的咳嗽可使咽后壁的小血管破裂导致出血，但如果你咯血痰还是应该立即看医生。 |
| ◆干咳伴胸痛。 | ◆心脏病，肺癌，胸膜炎，肺炎，心脏药物的反应。 | ◆让你的医生予以正确的诊断。 | ◆如果一个儿童突发干咳，可能表明在咽喉部有一块小异物阻塞。参看急救/急症：窒息。一种心脏药物——血管紧张素转移酶抑制剂在有些病人可产生干咳的副作用。 |

# 呼吸疾病

## 症 状

◆喘息和呼吸费力。

◆咳嗽并可导致咯痰。

◆畏寒和发热。

◆疲乏。

呼吸疾病可伴有:

◆呼吸加快和心率增快。

◆气短。

◆胸痛。

◆轻度头痛。

◆周身不适。

◆感冒症状:流涕,咽痛和打喷嚏。

## 出现以下情况应去就医

◆你患普通感冒或咳嗽超过 7～10 天,服用非处方药不能缓解。

◆你感到脸部胀满,眼后部压迫感,鼻后部流涕和鼻子恶臭,这些是鼻窦炎的症状。

◆你长时间咳嗽。咯黄痰,或伴气短,这些可能是慢性支气管炎、肺气肿或肺癌的征象。

◆高热(38℃或更高)、寒战、胸痛、咯血痰,这些可能是肺炎或其他严重疾病的征象。

◆你存在呼吸困难导致你紧张或不安,许多疾病可导致呼吸困难。

**呼** 吸疾病可分为三类:上呼吸道和下呼吸道感染,例如感冒、鼻窦炎、肺炎和结核;慢性阻塞性肺病,例如哮喘、气管炎和肺气肿;职业相关性肺疾病,例如石棉肺和矿工病。

## 病 因

呼吸道感染,从轻到很重,是由于病毒或细菌寄居于呼吸道所致。你处理这些感染的能力取决于这些因素如年龄,其他基础疾病的存在或消失,和你是否吸烟。

慢性阻塞性疾病有多种原因,典型的哮喘是慢性肺组织感染,也可被花粉、刺激物或运动所诱发,肺组织破坏而导致的肺气肿可由过度吸烟或一种遗传酶缺乏

所致。

职业相关性肺疾病是由个体对工作环境中物质高敏状态或吸入特定异物如石棉纤维、煤尘和石粉(导致矽肺)所致。

### 诊断与检查

医生使用多种诊断性试验和检查以明确你呼吸道的疾病,这包括胸部 X 线检查、肺 CT 扫描、痰液分析和肺功能检查。

特殊情况下需要进行创伤性检查,例如血液的血气分析测量血中氧气和二氧化碳含量;肺活量可以提供组织标本,以便于显微镜检查。

## 治 疗

许多呼吸道感染在 1 周到 10 天可自行消失,常规和其他疗法提供一些简单疗法,以缓解症状。

### 常规治疗

如果你患细菌性呼吸道感染,你的医生会给你适当的抗生素治疗,对于普通感冒、鼻窦炎和急性支气管炎,通过卧床休息,多饮水增加湿度(或蒸汽)和退热止痛药物可以解除不适。如果你吸烟,则建议戒烟,吸入药物治疗有助于慢性阻塞性疾病如哮喘和肺气肿。对于职业相关性肺疾病石棉肺和矽肺没有有效的治疗,应避免接触呼吸有害物——包括被动吸烟——如果吸烟,请戒烟。

### 辅助治疗

其他治疗将对减轻呼吸道疾病症状有帮助。请向芳香治疗学家请教,使用油膏或草药、按摩和蒸汽吸入,以减轻充血和减轻炎症。中医将推荐使用针灸,针刺或多种中草药治疗。许多医生认为,通过增加营养和健康食谱将增强你的免疫系统。服用推荐剂量的维生素 A、复合维生素 B、维生素 C 和 E 以及锌和硒。

家庭治疗

在典型的呼吸道感染的 7～10 天病程中,最有效的减轻症状的治疗包括卧床休息,多饮水,湿化或蒸汽,服退热止痛药物。

# 支气管炎

## 症  状

急性支气管炎：

◆干咳。

◆黄、白或绿痰，通常出现于咳嗽后 24～48 小时。

◆发热、寒战。

◆胸痛或紧绷感。

◆深吸气时胸骨下段疼痛。

慢性支气管炎：

◆持续咳嗽，咯黄色、白色或绿色痰(每年至少发作 3 个月，连续超过 2 年)。

◆喘息，有时急促。

## 出现以下情况应去就医

◆咳嗽非常持久或严重到影响睡眠或日常活动；你的敏感的肺泡可能受损。

◆你的症状持续超过 1 周，且痰液变黑、变稠，或量增多；你很可能患有感染需抗生素治疗。

◆你表现出有急性支气管炎的症状并患有慢性的肺或心脏疾患或者有病毒感染导致呼吸窘迫综合征(AIDS)：呼吸道感染可使你易患更严重的肺部疾患，如肺炎。

◆你患有呼吸困难，此症状有时不与支气管炎相关，可能提示哮喘、肺气肿、结核、心脏病、一种严重的(变态)过敏反应或癌症。

支气管炎是一种上呼吸道疾病，其粘膜发炎。随着受刺激的粘膜肿胀增厚，呼吸道变狭窄或阻塞肺中的小呼吸道，导致咳嗽发作伴咯粘稠痰和气促。此病有两种类型：急性和慢性。

急性支气管炎可致干咳和咯痰，有时合并上呼吸道感染；在大多数病例感染最初是病毒，但有时也可由细菌所致。如果你在其他方面很健康，那么在你从肺部的最初感染恢复后粘膜将恢复正常，这一过程通常持续几天。

慢性支气管炎，像肺气肿一样，是一种严重的长期的疾患需要规律的医治。患有慢性支气管炎的病人多属于肥胖、久坐和嗜烟者；典型的他们也患有肺气肿，与前者症状有重叠。

如果你是一个吸烟者且患急性支气管炎，则恢复极其困难。甚至只是一阵香烟雾就足够导致暂时性的肺内小细胞麻痹，此细胞是负责清除碎屑、刺激物和过多的粘液。如果你继续吸烟，会对这些称为纤毛细胞，造成重大的损害，彻底阻碍它们的功能，这样就增加了发展为慢性支气管炎的机会。在一些吸烟严重的人中，粘膜持续发炎，纤毛最终完全丧失功能。随着粘液梗阻，肺易被病毒和细菌感染，导致过度改变和持久损害肺的呼吸道。

急性支气管炎在成人和儿童中非常常见。虽然此病往往不需专家医治帮助就能得到一定的自愈疗效，但如果肺部感染是细菌感染，则需找医生开抗生素的处方。如果你患慢性支气管炎，则你有发展为心血管疾病的危险，同样还可发展为更严重的肺部疾病和感染，所以你应该受到医生监护。

## 病  因

急性支气管炎通常因肺部感染所致；大约有 90% 的感染最初为病毒，10% 为细菌。慢性支气管炎可由一种或多种原因引起。反复发作的急性支气管炎，可过度削弱和刺激支气管通道，导致慢性支气管炎。工业污染是另一个罪魁祸首。在煤炭矿工、谷物搬运工、金属铸造工和其他长期暴露在粉尘中的人当中慢性支气管炎的发生率比正常人高。但主要原因还是大量长期吸烟，刺激支气管，使之产生大量粘液，慢性支气管炎的症状也可因高浓度的二氧化硫和其他大气污染而加重。

### 诊断与检查

对急性支气管炎的病例，通常不必要做特殊检查，因为通过体检很容易确诊。医生只需用听诊器听你肺部上呼吸道的啰音，典型的病例可出现啰音。如果你的症状持续 1 周或以上，医生也可能做痰培养，以确定你是否有病毒或细菌感染。在慢性支气管炎的病例中，医生将增加一些检查项目包括胸部 X 线检测损害的范围，同时做肺功能检查测量肺的容量。

## 治  疗

对于急性和慢性支气管炎的常规治疗都包括抗生

# 支气管炎

素和咳嗽糖浆。在慢性支气管炎的严重病例，氧的供给可能是必需的。替代疗法，可帮助缓解合并的不适但不能治疗感染。

## 常规治疗

如果你的急性支气管炎由细菌感染所致，医生可能将开抗生素，可在几天内解除症状。即使病因是病毒，医生也会开抗生素 给你作为预防用药，因为你的肺在脆弱的状态下易受细菌感染。随急性支气管炎产生的痰液的咳嗽，在大多数病例均鼓励咯痰；咳嗽是肌体清除过多粘液的方法。然而若咳嗽确实具有破坏性——使你不能入睡或非常剧烈而产生疼痛——或无痰（干和粗糙的声音），医生可能开止咳药。在大多数病例，你只需要做当你感冒时你自然将做的一切事情：服用阿司匹林治疗发热，大量饮水。

如果你患有慢性支气管炎，则你的肺部容易感染。除非你的医生指导对付它，你可以接受疫苗注射对抗肺炎。肺炎疫苗是典型的一次性过程：一种疫苗可预防疾病所有的常见菌株感染，只有在非常少见的病例需要二次注射。

不要自己买止咳药治疗慢性支气管炎，除非在医生的指导下。当合并急性支气管炎时，产生的咳嗽对清除肺内过多的粘液有帮助。实际上，医生也合开一种祛痰药，如果咳嗽相对干。然而，如果你发现痰的颜色、量或稠度出现任何变化，你可能合并有感染。这种病例，医生可能开1周或10天疗程的广谱抗生素，用以对抗一定范围的细菌。

如果你体重超重，医生可能竭力要求你控制饮食，避免给心脏增加负荷。许多医生也可能开支气管扩张药，帮助扩张收缩的呼吸道。对于患慢性支气管炎的病人，吸入性支气管扩张剂，可在气雾剂中或计量的吸入器中，通常比口服治疗更受欢迎。在大多数病例，一喷或两喷即可缓解气促。特殊情况则需要更大的剂量，但没有医生的指导你绝对不能自己增加吸入量。支气管扩张剂是一种强有力的药物；过量使用可导致危险的副作用，如血压升高。

如果你的肌体将氧从肺运送至血流的功能受到严重阻碍，医生可能予以氧疗，既可持续给氧，也可在需要

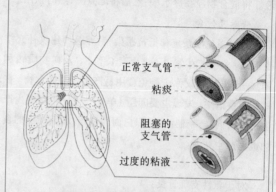

## 支 气 管

正常支气管

粘痰

阻塞的支气管

过度的粘液

空气通过气管、支气管进入肺，支气管内衬一层薄的粘膜。然而在支气管炎中，此粘膜发炎，导致粘液产生，过多的粘液可阻塞支气管，阻断气体进入肺的通道，咳嗽是人体清除肺内粘液的方式。

时给氧。氧气治疗装置应用广泛。如果你在家使用氧化桶，就要特别小心不要暴露在易燃物品下（如酒精和气雾喷雾器）或直对热源，如头发干燥器或散热器。

如果你吸烟，医生会主张你戒掉。研究显示，即使已达慢性支气管炎进展期的病人去除吸烟的习惯，则不仅可减轻症状的严重程度，而且可增加他们的预期寿命。

## 辅助治疗

一些替代疗法可用作辅助治疗，但不能代替常规的医生治疗。这些治疗可帮助减轻一些急性和慢性支气管炎的症状，但不能治疗感染。

### 芳香疗法

桉树、薰衣草花、松木和迷迭香的精炼油可帮助缓解呼吸并消除鼻充血。通过鼻子深吸气，吸入由以上一种或几种油涂在手帕上的芳香，或从瓶中用鼻子深吸气。将几滴精炼油混合放入充满热水的池中；用毛巾盖住你的头并在芳香蒸汽中呼吸。

### 中药治疗

中药麻黄是一种有效的支气管扩张药。注意：大量这种中药与大量肾上腺素有相似的功效；如果你有高血压或心脏病就不用大量肾上腺素要用麻黄。5克麻黄、4

克肉桂茎、1.5克甘草和5克杏仁混合可作为预备浴液。将混合物浸在冷水中，然后将之煮沸，热时饮用。

营养及饮食

为增强免疫系统和抵抗感染，营养医师建议补充维生素A、复合维生素B、维生素C和E，及矿物质硒和锌。一些专家建议你应避免食用易产生痰液的食物。在每日的食谱中，发现主要问题（羊奶一般比牛奶更少产生粘液），同样，精制淀粉（以白面为基础）和其加工的食物也易产生粘液。

家庭治疗

对于急性支气管炎：

整个全身的感染，需留在家中休息并保持温暖。你并不需要卧床，但不要使自己过劳。使用喷雾剂或在充满热水的蒸汽中吸入蒸汽。

对于慢性支气管炎：

避免接触染料、排出的烟尘、粉尘和感冒病人，使用喷雾剂或吸入蒸汽，在干冷的天气穿得温暖些。

肩胸双上臂疾病

## 症　状

◆焦虑不安或烦躁。

◆胸部紧闷感增加但相对不痛。

◆轻到中度气短。

◆呼吸时能听到微弱到清晰可辨的喘息音或哨笛音。

◆咳嗽，有时伴气短。

### 出现以下情况应去就医

◆你或其他人首次体验哮喘发作。哮喘是一种慢性病，如治疗不当可变得十分严重。

◆开出的治哮喘药无效。你需要去开新药，或许你患的病正处于严重阶段。

◆你或其他人患哮喘有窒息感，说话甚困难，鼻翼煽动，肋间皮肤内陷，口唇或指端皮肤灰白青紫，所有这些均是严重缺氧的表现，应马上急诊治疗。

**哮**喘是一种慢性呼吸道疾病，类同于支气管炎和肺气肿，可引起胸部紧闷感及呼吸困难。但哮喘病人中这些症状并非一直存在，他们可因各种环境或精神因素而发作，如接触花粉、动物皮屑，吸烟或精神紧张。一些病人偶然发作轻度哮喘，他们只是偶感疾病带来的不适。而其他病人频繁发作，病情严重，需要急诊治疗。如你有哮喘病，你需要按时接受医生的指导，严重病期时要马上得到医生治疗。你能确定促使你发作的致病因子，你可以学着减轻哮喘发作的频率与程度，也许甚至可以完全避免其发作。

哮喘并非是吸气时有问题，而是呼气不能。在哮喘发作期间，肌肉痉挛、支气管组织水肿使肺内小气道狭窄，再加上大量粘液使气道闭塞，受阻的废气储集于肺底，促使你只能用肺的上部来通气。轻中度发作较小表现气短或喘息。而严重病例，由于肺内气道非常狭小或闭塞，已不可能呼吸换气。

每次发作可能很快过去或持续1天以上。有时症状会突然复发，程度令人吃惊。这类"第二次"的发作可能很危险，比首次发作严重，或可持续数天或数周。

# 哮 喘

作为一种常见病，美国人哮喘发作者约有 1500 万～1600 万，儿童发病较成人高，哮喘是引起失学和小儿住院治疗的首要原因。虽然很少有因哮喘而致命者，但本病却十分危险，如你有哮喘病，你应该在考虑用替代疗法之前先寻求医生予以帮助。

## 病 因

并非单一病因引发哮喘，每次发作可因各种因素单纯或合并作用引起，过敏是首位的病因，50%～90% 的哮喘病人有过敏症，最常见的过敏原或致敏物质是花粉、草类、灰尘、霉菌、吸烟和动物皮屑，吸入这些物质后，做为触发因子引起组织胺和其他体内化学物质释放，引起过敏反应和哮喘发作，其他致敏原包括化学烟雾、阿司匹林或阿司匹林类化合物如保泰松、消炎痛及其他非甾体类抗炎药（NSAIDS）。亚硫酸酯常在一些食物或水中浓度较高（见预防）。免疫相关性哮喘的另一类因素是遗传，科学家已找到能促使人们易患本病的基因。

肺部感染也可以引起哮喘。细支气管炎，一种常侵及 2 岁以下小儿的呼吸道病毒感染，是引起小儿哮喘发作的常见病因。成人也可因上呼吸道感染如支气管炎诱发哮喘。哮喘的其他诱发因素包括运动、精神紧张、环境恶劣如空气污染。

### 诊断与检查

为确定是否有哮喘，医生可能让你做肺功能测定，它可测定你的呼气功能。正常状态下，无哮喘的人第 1 秒钟呼气量占肺内总气量的 75%～85%，完全排出需 3 秒钟，而有哮喘的病人则需 6～7 秒钟才能将肺内全部气体排出。应用最多的肺功能检测法称做峰值流量测定，本法是将气呼入一种称做峰值流量测试仪的设备进行读数。医生可能给你开一台峰值流量测试器，故此你能在家监测自己的病情。

## 治 疗

如你有哮喘，你需定期去看医生。病情严重发作时，常规治疗从来都是必需的。不过，也有各种替代疗法可与常规治疗并用。

### 常规治疗

诊断哮喘后，第一步你应和医生一起商量出一个适宜的治疗计划，作为这个计划的一部分，医生可能让你每天记日记，注意能诱发哮喘发作的环境或精神因素，这不但有助于医生监控病情，也有助于你认识和避免哮喘的诱发因素。

哮喘的药物治疗方面，医生常开支气管扩张剂。这是一类促进肺内紧缩的气道扩张的药物，它们可以两种方式投药，即吸入剂和口服剂。吸入支气管扩张剂，以气雾剂或定量吸入剂形式做剂型，类似肾上腺素（体内分泌的肾上腺激素的合成剂）。医生常愿用吸入型气管扩张剂，如异丙肾上腺素，甲基肾上腺素，因为它们能直接入肺，也因为其用药量比口服剂低 1000 倍。一般说，一两喷就能使轻中度发病者喘息感和胸部紧闷感缓解。警告：支气管扩张剂是强效药，如过量能产生严重副作用，如使血压升高。

口服支气管扩张剂，包括茶碱、甲基肾上腺素、特布他林。常以水剂、片剂或胶囊为剂型，常用于不能耐受吸入剂治疗的病人或慢性哮喘病人。病情严重者可能需服类固醇。但由于可引起严重副作用，应用这类药治疗要在医生密切检测下应用。紧急情况下可能需注射或吸入肾上腺素以开通气道。

如哮喘是因过敏引起（特别是花粉或叮人昆虫），医生可能建议你做免疫治疗，通过一系列注射可使你的身体接触特定的致敏原，免疫疗法能帮助你的免疫系统建立防御能力，以后过敏反应发生就会减少或全部消失。

### 辅助治疗

用替代疗法治疗哮喘在许多病人都有成功的报道，但就是倡导者也认为这类疗法只是作为对常规疗法的补充。记住：一旦确定诊断，就应由医生来监控哮喘，病情严重时永远需要重视常规治疗。

#### 指压治疗

轻柔按压身体的特定位点能使哮喘病人的某些不适得以缓解。将你的右手越过左肩，在左肩胛与脊柱间的背部（点 BL13）；做 5 次深呼吸，再换对侧重做。也可将拳头放在胸前，大拇指朝上，找出紧邻的敏感点，正在锁骨下（点 K127），恒定按压 2 分钟。

### 针灸治疗

几项医学研究证实针灸能有助于减轻哮喘症状，但只能由有执照的针灸师来实施操作。

### 芳香疗法

香精油像桉树油，海索草油、洋茴芹油、熏衣草油、松油和迷迭香油等有助于舒缓呼吸，减轻鼻腔充血，将某一种或几种油几滴浸在手帕或物品上，通过鼻腔吸入，能使哮喘轻度发作时协助平缓呼吸。如你在其他时候（非发作期）感到鼻堵，可将几滴香精油滴入装满热水的水盆中，毛巾浸满后盖在头上，通过鼻腔吸入一小股浸液。

### 中药治疗

中药麻黄是一种强效支气管扩张剂。注意：这种草药大量应用能引起与大量应用肾上腺素同样的效果，如你患有高血压病或心脏病时不要用它。可将 5 克麻黄、1.5 克甘草、5 克山杏及 4 克桂皮混合做成汤剂，在冷水中浸泡，再将其煎沸，热汤饮下。

### 反射治疗

按压双足大拇趾及第二趾间皮肤，这一区域被认为与胸、肺相关联。然后弯曲以使足趾能相互分离，按压拇趾球，这一区域被认为与肺、胸相关联。

### 瑜伽

瑜伽能帮助你训练深呼吸并放松，故此有助于更有效地解除精神紧张这种哮喘常见的诱因（见运动性哮喘）。

### 预防

◆学会确定发病诱因。对每天影响你达数月的全部环境和精神因素详细记录下来。当你有哮喘发作时，回头看你的日记，找出哪一个或哪几个因素可能是引起发病的原因。

◆在家中用医生开给你的峰值流量测试仪来观察你的肺功能变化情况。注意当你的呼气能力减低时，你要警觉起来以降低哮喘发作的严重度。

◆避免亚硫酸盐含量高的食物及饮料，如啤酒、葡萄酒、白葡萄酒、速溶茶、葡萄汁、柠檬汁、葡萄、鲜河虾、生比萨饼、水果干（如杏和苹果）、罐装蔬菜、即食土豆、玉米糖浆、未成熟水果及糖蜜等。一些营养学家建议避免用能刺激过量粘液生成的食物如奶制品。

◆每日服用复合 B 族维生素（50～100 毫克）和镁（400～600 毫克）有助于减少哮喘发作的频度和严重程度。

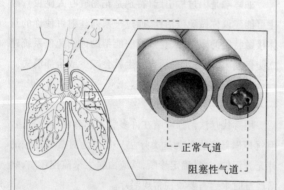

## 哮喘与气道支气管

正常气道

阻塞性气道

空气吸入气管通过称做支气管的分枝状管腔进入肺内，气管、支气管均被覆薄层粘膜。哮喘病人在一般发病的状态下或吸入能引起"致病的过敏原"物质，即能引起支气管收缩和产生大量粘液的化学物质的释放，阻塞气道，造成呼吸困难。

---

### 哮 喘

**神话与事实**

**神话**：哮喘不能运动。

**事实**：运动对哮喘者就像对其他人一样重要。在适宜的医疗支持下，哮喘病人可以正常运动。注意：许多医生建议哮喘病人去游泳，因为湿润能帮助改善呼吸。不过，游泳池中可能有引发过敏反应的致敏物质，触发哮喘发作。

**神话**：哮喘影响成长。

**事实**：这既对也错。尽管一半的哮喘病人在 2～10 岁发病，似乎是一种影响成长的疾病，许多病例在 30 岁时也可再发。即使你在儿童期不发病，也可能在成人后发病。

**神话**：过敏体质的母亲不能哺乳。

**事实**：受母乳喂养的婴儿并不比那些未受母乳的婴儿更易过敏。

# 哮 吼

## 症 状

◆由声带炎症引起的剧烈犬吠样咳嗽，通常伴有吸气性呼吸困难，偶有声嘶。

◆由于呼吸困难，每次呼吸时颈部肌肉、肋骨、胸骨都有明显的起伏。

### 出现以下情况应去就医

◆儿童哮吼伴高热(体温超过 39.5℃)。

◆家庭常备药无效，哮吼症状加重，需住院治疗。

◆儿童出现哮吼，呼吸频率超过 50 次/分，伴有严重的呼吸困难，不能讲话。若出现皮肤苍白、紫绀，这些都是严重呼吸窘迫的症状，立即拨打急救中心电话，进行急救。

◆小于 5 岁的儿童呼吸时出现鸣音、频率增快，为误吸异物所致。

◆突然出现流涎、吞咽不能，伴高热，无咳嗽，患儿身体前倾，不能低头、讲话，提示其患有一种非常危险的细菌感染——会厌炎，可导致呼吸道梗阻。切记此时不要让患儿张口检查口腔，因为这个动作可能导致咽部完全梗阻，使呼吸中断。立即拨打急救中心电话，进行抢救。

哮吼是一种喉部病毒感染疾病，通常伴有呼吸系统感染症状，如流涕、咳嗽等，是儿童常见病之一，首发病状为犬吠样咳嗽。由于喉周组织出现炎症反应、气道痉挛、粘液分泌物阻塞气道，造成患儿呼吸困难，每次吸气时气流强行通过狭窄的气道而发出刺耳的吼声。

哮吼的病程为 5～6 天，具有高度传染性。好发年龄为 3 个月到 6 岁（平均年龄 2 岁），在这个年龄段的儿童，小气道易被梗阻。多数病例为轻型，家庭治疗即可。少数严重病例或会厌炎(一种与哮吼无关的会厌细菌感染性疾病，其症状与哮吼相似)的患儿，需住院治疗。

## 病 因

多数病例由副流感病毒感染所致。通过患儿咳出的悬浮在空气中的微粒传播。

## 治 疗

患儿可突然出现哮吼，应尽量让其保持安静，哭闹可加重呼吸困难。喷雾疗法可以稀化气道中的粘痰。由于哮吼多在夜间加重，建议家长与小儿同居一室或使用婴儿监护装置，以便及时了解婴儿的情况。当患儿症状无缓解时应请医生治疗。

### 常规治疗

除极其严重的哮吼患儿外，大多患儿在家庭护理即可。当症状严重到一定程度时，可拍 X 线片以了解是否存在会厌炎。如果患会厌炎，可短期住院给予抗生素治疗。严重的哮吼患儿亦需住院，吸入异丙肾上腺素或口服皮质激素可减轻水肿。

### 辅助治疗

指压治疗

至少需按压四个穴位才能奏效，合谷穴、外关穴、肺俞穴、翳风穴、神庭穴。

家庭治疗

◆冷湿加湿器可改善患儿呼吸。注意不要让雾喷到患儿脸上，同时不要加药，以免刺激咽部。

◆蒸汽可稀化粘痰，缓解咽部痉挛。打开淋浴器，使浴室中充满蒸汽，将患儿抱到浴室中（不要放在淋浴器下），直到患儿呼吸得到改善。

◆冷空气有时可缓解哮吼。当晚上很冷时，可带患儿乘车兜风，并将车窗摇下。

◆扑热息痛可退热，降低患儿呼吸频率。

◆让患儿饮用足够的液体，以保持体内水分并稀化粘痰。

◆远离吸烟者。

> **警告!**
>
> 若小儿不能呼吸、咳嗽、言语，身体前倾，不能屈颈时，切记不可让患儿张嘴、仰头检查咽部。因为这个动作可造成咽喉完全梗阻、窒息。立即拨打急救电话。若患儿呼吸停止，立即进行心肺复苏术。

# 哮吼

## 指压法

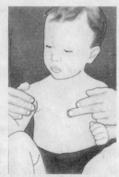

1. 轻轻压迫任脉，膻中穴可以使孩子的哮吼缓解。将你的手指置于孩子的乳头之间，胸部的中点，轻轻压迫 1 分钟后放松。

2. 按压中府穴可以使咳嗽减轻将每只手的一指置于锁骨下与锁骨正窝之下 1.5 厘米，即胸部的外侧部分，肩的附近轻轻加压至 1 分钟。

## 症  状

◆哮鸣声和劳力性呼吸困难尤其当呼气时，有时伴有胸部发紧感。

### 出现以下情况应去就医

◆喘鸣伴有 39℃ 或以上的发热，可能有上呼吸道感染如急性支气管炎。

◆呼吸困难有窒息感，可能是严重哮喘或过敏反应的症状(参见过敏一节)，立即急救。

◆很多天的喘鸣并咳出绿色或灰色痰，可能有慢性支气管炎或肺气肿。

◆突然喘息和咳出泡沫状粉红色痰或白色痰，这可能是心脏病的症状，立即急救。

许多患有呼吸道过敏的人都知道喘鸣几乎随枯草热季节的到来而发作。轻度喘鸣也可能伴有呼吸道感染如急性支气管炎或肺气肿。特征性哨鸣音是哮喘的原发症状。

很多常规或替代疗法能缓解喘鸣。如果患有哮喘、严重过敏症、慢性支气管炎或肺气肿应经常监测检查。

## 病  因

当你试图深呼吸，气流通过收缩的支气管道或由于过敏感染或其他刺激引起的过度分泌的粘液时会引起特征性哨鸣声。随着肺部气道部分阻塞，由于焦虑支气管肌肉会收紧，引起喘鸣加重，因为完全呼气已十分困难。

对某些人，喘鸣是由于哮喘或对花粉、化学试剂、宠物毛发皮屑、灰尘、食物或昆虫叮咬引起的过敏反应引起。患急性支气管炎的人也可由于呼吸道过多粘液产生引起肺通道阻塞。患呼吸道疾病的人更易于发生过敏。喘鸣也可由囊性纤维瘤或者异物压迫引起阻塞。

### 诊断与检查

为了查明喘鸣的原因，内科医生会询问你许多问题以判断是否有过敏。例如，如果你无肺病史但吃一些食物或在一定时间里出现喘鸣，医生怀疑你有食物或呼吸

# 喘 鸣

## 瑜 伽

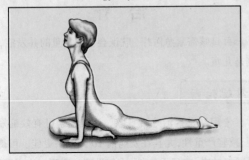

鸽位可增强呼吸功能,从一跪位,向后伸直左腿,深呼吸,挺直躯干,同时背部轻轻弯曲,保持该位 20 或 30 秒钟,深呼吸呼气和放松,用另一腿重复一遍。

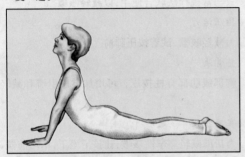

为缓解喘鸣性痉挛,试用眼镜蛇位。放两前臂于地板上,肘伸直位于肩下方,吸气使胸脯向上挺起,伸直上臂,骨盆靠近地面,保持 15 秒,深呼吸然后慢慢放松。

道过敏。有很多方法可判断过敏原,包括皮试和血检查。也可做肺功能检查评价出入支气管的气量。如与慢性支气管炎或肺气肿有关,须做 X 线检查。

# 治 疗

必须请医生判断喘鸣病因并施行相应治疗。其他替代疗法可帮忙减轻病痛。

### 常规治疗

如果喘鸣由哮喘引起,医生将用支气管扩张剂帮忙扩张狭窄的气道。如果有过敏反应,应用抗组胺药以拮抗体内的引起过敏的化学介质。如有急性支气管炎,应用抗生素消除呼吸道感染,一般来说,伴急性支气管炎的喘鸣在抗炎治疗后均可消失。在慢性支气管炎或肺气肿,应用祛痰剂清除过多的粘液或应用支气管扩张剂。当喘鸣很严重,呼吸困难时,可应用肾上腺素注射打开阻塞的呼吸道。

### 辅助治疗

治疗哮喘的其他疗法对喘鸣是有效的,参见哮喘一节。但应记住,如患哮喘、严重过敏反应、慢性支气管炎或肺气肿,应密切观察病情变化。

一些姿势可通过控制呼吸减轻心理紧张而减轻喘鸣。部分有效体位包括鸽位和眼镜蛇位,请参见图示。

# 百 日 咳

## 症 状

◆早期流涕、持续咳嗽,有时有低度发烧。

◆7～14天后严重痉挛性咳嗽,每次咳嗽后都伴有高亢的吼声,就像用力压气流通过肿胀的咽喉部发出的声音。太小的婴儿因太虚弱而不会出现吼叫声。

◆有时咳嗽后伴呕吐。

◆尤其在2个月以下的婴儿会出现呼吸暂停,此时由于缺氧口唇发紫。

## 出现以下情况应去就医

◆孩子未接种过百日咳疫苗,而最近又与百日咳病人接触过。

◆怀疑孩子患有百日咳,尤其孩子有持续1周或更长时间的发冷和咳嗽。

◆口唇发紫,呼吸较弱,预示出现严重的呼吸道疾病。请立即看急诊。

◆百日咳发作已控制,但孩子仍有持续咳嗽和发烧,则可能有继发性呼吸道感染,如肺炎和支气管炎。

百日咳是一种传染性很强的呼吸道感染,被认为是儿童最严重的疾病。许多国家都要求注射疫苗,以防止疾病发生。如果不治疗,可引起肺损伤和支气管反复感染。对于婴儿,可引起脑损伤甚至死亡。儿童常罹患该病,青少年和成人也可感染,但十分少见,一旦感染则相当严重。所幸的是,在美国已不常见,因为大规模的儿童免疫接种起到很好的预防效果。

首发症状如流涕、干咳和低烧,常在接触患者7～10天开始。1周后典型的咳嗽可能发生:剧烈痉挛性咳嗽,随后出现高亢的吼叫声,但在婴儿这种声音并不出现。病人常咳出大量粘性唾液,呕吐也很常见。咳嗽期常持续6周,这段时间患者易于继发严重的呼吸道感染。后期是大约1个月的恢复期,病人会逐渐恢复健康。

## 病 因

百日咳是由百日咳杆菌引起,该菌可由空气传播,细菌大多来自咳嗽、打喷嚏或接触污染的床单或衣服等。

## 治 疗

百日咳需紧急医疗,耽误会引起严重的并发症,尤其是儿童。

### 常规治疗

常用红霉素治疗百日咳,该抗生素可有效缩短病程,减轻严重性,尤其在发病前10天效果更佳。可待因可减轻咳嗽。在严重病例,或如果孩子不到1岁,住院治疗需预防脱水。如有呼吸困难应吸氧。

### 辅助治疗

只与常规疗法联合使用,以减轻咳嗽。

指压治疗

为减轻咳嗽,试着按压肺俞。

整骨法

胸部或肋部脊柱按压,可增加淋巴引流和减轻咳嗽。

家庭护理

为帮助减轻痉挛性咳嗽,让孩子坐下,稍向前倾,附近放一个盆,以盛咳出的痰。

◆如果孩子呕吐,呕后立即进食。

◆增加液体量,以补充脱水和使粘液变稀。

◆帮助孩子呼吸,应用冷雾加湿器,用湿度计测湿度,不要使空气过湿,保持水和湿度计清洁,防止发霉和其他微生物生长。

◆不要吸烟,因可加重呼吸道疾病。

预防

白百破(DPT)疫苗一般在2个月到6岁间分5次注射或服用。当5次全用后,90%可有效防止百日咳发生,并能保持持久的免疫力。末次应用5年后,接种免疫,儿童不再具有免疫力。再次接种免疫并不好,因为可引发严重的副作用。由于家庭某些成员对疾病不再具有免疫力,所以当有孩子患百日咳时,家人应服10天预防剂量的红霉素。

对DPT的反应有低烧、烦躁、昏睡,这都是很常见的,但如出现高烧、持续哭闹或痉挛,说明可能有严重的反应。立即急救。幸运的是，该反应极少发生。大多数专家均相信百日咳的危险性远大于疫苗的危险性。

---

**注 意!**

如果孩子咳嗽粘液太多，不要应用镇咳剂，因为这可使分泌的粘液不能从阻塞的气道中排出来。

---

## 症 状

咳嗽所提示的病因比咳嗽本身更重要。

◆咳嗽频率和时间。

◆每次发作持续时间。

◆咯出物的性质(粘液、血)。

◆痰的颜色(白色、清亮、黄绿色、粉红色、带血丝)。

◆咯出物的粘稠度(粘稠、稀薄，泡沫性的)。

◆伴或不伴疼痛。

### 出现以下情况应去就医

◆咳嗽持续 7～10 天，可能是严重疾病的征象。

◆咯出黄绿色痰、粉红色痰或铁锈色痰。

◆使人精疲力竭的、长时间持续的咳嗽，伴有下列症状之一：声嘶、咽痛、气短、喘息、胸痛、胸闷、发热超过 40℃、头痛、背痛腿痛、乏力、皮疹、体重减轻。咳嗽伴一项或几项上述症状提示存在潜在的疾病。

尽管咳嗽令人难受又是不能自我控制的，但它本身并不是病，而是肌体的保护性反射。当粘膜分泌大量粘液时可以诱发咳嗽反射。这些分泌物可以粘附、冲刷掉病毒、细菌、异物颗粒，从而保护呼吸道不被感染和刺激。咳嗽则可以消除这些物质。咳嗽时突然冲出的气流不仅可以保持呼吸道通畅，而且可以防止分泌物坠入肺，支气管内，从而引起一些严重的疾病如肺炎、支气管炎(参见呼吸系统疾病)。

尽管咳嗽有许多表现，但分类的主要依据为持续时间和咯出物。持续时间即咳嗽所需的时间。如果是为了咯出咽喉异物，咳嗽是突发突止的，感冒时咳嗽往往持续数天，当患有慢性支气管炎时为慢性持续性咳嗽。

咯出物即咳嗽时从肺、下呼吸道咯出的痰。没有咯出物的咳嗽即干咳，往往是由于鼻腔中分泌的粘液流到咽喉部造成的。

尽管咳嗽通常是反射性的，但它同时也是自主的，即意识可以控制它。另外，有些人咳嗽的更为频繁，这与个人对刺激的耐受性不同有关。

肩胸双上臂疾病

# 咳　嗽

## 病　因

任何能刺激呼吸道以致诱发保护性咳嗽反射的物质均能引起咳嗽。最常见的病因为急性呼吸道感染。例如：感冒、流感、鼻窦炎。感染产生的大量粘液可以刺激肌体出现咳嗽。

偶尔吸入的小颗粒如食物碎块或吸入刺激性物质如尘埃、烟雾或其他有毒的烟雾均可引起咳嗽。

剧烈的咳嗽本身就是一种刺激。咳嗽可以导致气道收缩。反复收缩可以刺激上呼吸道，从而形成恶性循环，延长咳嗽时间。

干咳可能是治疗其他疾病的药物的副作用。例如：用于治疗高血压、心脏病的五种血管紧张素转换酶抑制剂（ACEI）可引起干咳。服用其中之一时出现咳嗽，则可请大夫换药。影响睡眠的持续性干咳提示食管返流。即胃中酸性的内容物返流到食管，进而吸入引起咳嗽。

慢性、持续性咳嗽通常是病理性的。病因可能是吸烟、变态反应、哮喘、慢性支气管炎，也可能是肺气肿、肺结核、肺癌的征兆。

### 诊断与检查

任何持续性的咳嗽均可能为某种潜在疾病的症状。根据咳嗽频率、持续时间、严重程度、是否存在呼吸困难、咯出物（颜色或性质：粘液、血）、局部疼痛肿胀、皮疹以及胸片、痰液检查等来做出初步诊断。

大多数导致咳嗽的疾病是可治的，尽管某些慢性阻塞性肺病（COPD）（如肺气肿，某些类型的肺癌、职业相关性肺病）是不能治愈的。若干咳伴背、腿痛、发热、体温超过39℃、头痛、咽痛，可诊为流感。若痰由正常色变为黄绿色，则提示感染，多为支气管炎、鼻窦炎。若咳嗽伴有呼吸困难、喘息、胸闷、可诊为支气管哮喘，血痰成粉红色痰、黄色、铁锈样痰伴有胸痛、头痛、发热、呼吸困难，可诊为肺炎。若干咳伴红色皮疹、肌痛、发热、结膜充血，多提示麻疹或风疹。

**注意**

咯血

咯血的患者必须立即去看病。潜在的病因可能是严重的疾病或并不严重，咯血病人必须进行系统检查，值得注意的是不要与牙龈出血或鼻出血时血从口腔中流出相混淆。

咯血是由于鼻腔、咽、气道、肺血管破裂所致。最常见的引起血管破裂的原因是感染，如支气管炎、结核病、肺炎等。其他病因包括持续咳嗽、肺中有血块、肺癌、出血性疾病如血友病，一种以自发性、大量出血为特征的遗传性疾病。

## 治　疗

多数情况下，咳嗽并非致命性疾病。因此，若干咳伴有流涕或鼻塞、咽痛、喷嚏等各种感冒的典型症状，则无需用药，任其自愈即可。

咳嗽是肌体的保护机制。因此，滥用镇咳药不仅降低肌体清洁呼吸道的功能，而且可掩盖严重的疾病，这种危害在咳嗽伴大量咯痰时更为严重。所以，无论使用常规镇咳药或秘方都不要超过7～10天，最好只用来缓解夜间咳嗽。

### 常规治疗

细菌感染引起的咳嗽可用抗生素治疗。但对怀疑病毒感染者感冒时则无需应用抗生素。对于这些病例，治疗包括卧床休息。阿司匹林或扑热息痛，充分的饮水量，湿润的空气（可使用加湿器，蒸汽机或茶壶），若感冒或流感病人的痰液粘稠，可使用祛痰药以减少痰液分泌。对于干咳的治疗可使用下列一种或几种方法，润喉片，镇咳剂，有过敏时可使用抗组胺药。用于镇咳的水剂，锭剂，糖浆都可以降低肌体的易感性，从而缓解咳嗽。常用的镇咳药包括含有麻醉镇痛药可待因的处方药和含美沙芬的非处方药两类。许多非处方药中含有少量麻醉剂，可降低咽部敏感性，暂时缓解咳嗽。

注意，任何时候若持续咳嗽超过7～10天，均需寻求医疗指导。医生可根据诊断，进行针对病因的治疗。

### 辅助治疗

下列治疗并不能控制感染，但可以缓解急慢性呼吸

肩胸双上臂疾病

道感染的症状,因此,可做为常规治疗的补充。

**指压治疗**

有时咳嗽可导致上背部肌肉收缩甚至痉挛。按压肺经尺泽穴可缓解疼痛。

**中药治疗**

桑菊饮:用桑白皮、菊花煎药,是治疗咳嗽的传统方剂。在成药制剂中包括一些其他成分。用桑菊饮 3～4 天,若咳嗽无缓解则应去请中医专业人员指导。

**营养及饮食**

最有效的是饮用大量的水,每天饮水 4～6 大杯。摄取大量的水分有助于稀化粘痰,使其容易咳出。热水或白开水均可。尽量避免饮用含有咖啡因或酒精的饮料,因为这些饮料有利尿的作用,使出量大于入量。

各方面的医疗人士均认为饮用果汁或菜汁有利康复。一些内科医生认为维生素 C 有效,而其他人则认为有平衡饮食就足够了。

**家庭疗法**

上述提到的大多数疗法都可以在家中进行,除了饮用足量的水、药茶外,在咽、胸部涂桉树没药精炼油,可缓解呼吸困难,减轻咳嗽,提高睡眠质量。

另一种缓解持续性睡眠时咳嗽的方法是把枕头垫高 20 厘米。可以防止粘液积聚以及胃中有刺激性的酸性物质返流到食管,进而吸入。(参见咽炎)避免进食咖啡因和薄荷糖。

另外,可服用大洋葱和天然蜂蜜,这是非常有效的化痰药。方法是将洋葱切成薄片,放在一个深的容器里,在上面倒满蜂蜜。放置 10～12 小时后即可服用。每次服 1 平匙,1 天 4～5 次。

## 症　状

◆ 低热、发冷、肌痛、无力、颈部淋巴结肿大、咽痛、咳嗽是病毒性肺炎的典型症状。

◆ 高热、咳嗽、大量脓痰、痰中带血、气短、呼吸急促、随深呼吸而加重的胸痛、乏力是细菌性肺炎的症状。

◆ 食欲减退、体重减轻、发热、咳嗽、咳痰、偶有短暂的意识丧失,表示吸入性肺炎。

◆ 在儿童中,费力、快速呼吸(45 次/分以上),突发的发热、咳嗽、喘息、皮肤青紫是肺炎症状。

## 出现以下情况应去就医

◆ 不同的症状表示有不同类型的肺炎,都需要治疗,避免并发症。

◆ 如胸痛对药物治疗无反应,出现呼吸加快,指甲、趾甲皮肤变淡紫,表明肺得不到足够氧气,则需要治疗。

◆ 如有咯血,则需要针对严重感染的特殊治疗。

肺炎是一种相对常见的炎症,由各种病毒细菌、真菌的感染,化学性物质引起的,液体、细胞从感染组织漏出,充满肺脏。如果炎症局限一个肺叶,称为叶性肺炎,如炎症从肺一个支气管扩散到其他的支气管则称为支气管肺炎。如果两肺都有炎症,则称为双肺炎。据你的健康状况,肺炎通常持续 2 周左右,虽然肺炎已治愈,但在 1 个月或更长时间内你仍感乏力。

病毒性肺炎通常比较轻,作出诊断后,可以在家中治疗。细菌性肺炎比较复杂而严重,在没有抗生素以前,肺炎是致命的。在美国,细菌性肺炎仍然是致导死亡的原因之一。军团病在作为肺炎治疗以前,有 29 人死于此病。另外,还有许多类型的肺炎,在儿童和青年中最常见。

肺炎是许多疾病常见的并发症,像常见的感冒、流感,都可以从一个人转播到另一个人,因其他疾病住院的病人也可以染上细菌性肺炎。这种细菌对常规抗生素有抵抗力,除此以外的细菌性肺炎菌株常不那么严重,且对抗生素反应良好。

双上臂疾病
肩胸

# 肺　炎

## 病　因

各种常见的病毒都可以引起肺炎,细菌性肺炎最常见的病菌是肺炎双球菌,有时称肺炎球菌,嗜血杆菌性肺炎常是流感的并发症,肺炎也可以由结核杆菌引起,军团菌肺炎可以通过污染水以多种方式传播,包括浴缸、空调等。

吸入性肺炎是细菌由口腔或胃进入肺脏而引起,多发于睡眠、神志不清、癫痫发作,这类细菌通常寄生于健康人消化道,少量吸入对大多数人无害,但在嗜酒式免疫能力低下的人中可以引起肺部炎症,通常在神志不清时,细菌可以通过逆吸胃内容物而被带入肺脏。

艾滋病、霍金禁食病或其他疾病抑制免疫系统,及肌体的免疫机能耗竭时可以患囊虫性肺炎,有一半以上的艾滋病患者有肺囊虫感染,是可以治疗的。

### 诊断与检查

肺炎形式多种多样,轻者可以在家中治疗,重者则需住院治疗,所以必需有明确诊断的保证有效的治疗和完全康复,医生首先要在胸部听诊和叩诊,如听到捻发音,叩诊浊音,则表明肺内有液体渗出,如有必要 X 线可以明确诊断,血和痰液——有时病通过肺内插管获取,可以查出病原菌但阳性率不高。

## 治　疗

对任何类型肺炎治疗的目的是加快康复,因为病程太长,可以出现并发症。所有治疗中均应保持卧床休息,常规治疗主要是针对感染,其他治疗有助以减轻症状。

### 常规治疗

对大多数肺炎,康复的两个关键是床上休息和"生痰的咳嗽"——咳嗽可以产生痰液和肺内液体。如果你患有轻的病毒性肺炎,在家中服用阿司匹林或扑热息痛,多饮水,则可以康复,如果你患有细菌性肺炎,医生则给你开一些抗生素如青霉素、红霉素,你则需要躺在床上,至到体温下降和呼吸正常,如果

你的肺脏充血、水肿较重,则需要吸氧或安装临时呼吸器,这时则需要住院治疗,吸入性肺炎则需要静脉内应用抗生素和长时住院治疗,肺囊虫肺炎常常需要卧床休息,应用如青霉素、磺腔二甲唑、甲氧苄啶等药物。

疫苗对多数特异性细菌性肺炎是有益的,对年龄在 65 岁以上的人,有慢性肺病,镰刀型细胞贫血心脏病免疫功能缺陷如艾滋病及脾脏切除的人都可以针对肺炎作预防接种,疫苗对老年人和一些其他流感是有益的,流感疫苗注射可以保护你既不得病,又不会发生像肺炎这样的严重并发症。

### 辅助治疗

如果你被诊断为患有肺炎,其他辅助治疗有助减轻症状,加速康复。

#### 针灸治疗

针灸有助肺炎康复,它主要通过在肺经上针灸,减轻咳嗽、充血,使你感到舒适,增加体力。关键穴位是列缺,可以清除肺内异物;尺泽可以止咳,中府减轻胸部充血,还可以增强肌体的免疫系统。

#### 芳香疗法

应用桉树、熏衣草、茶树油热水浴,或蒸发后蒸汽吸入有利于肺炎康复,如果喘息则不能应用蒸汽吸入,因为吸入剂可以刺激肺脏。

#### 体疗

热退后,按摩腰部肌肉可以减轻胸部充血,加上几滴桉树油则有助化痰和排痰。

#### 中药治疗

因为在治疗过程中排痰是重要的一步,应用传统的祛痰中药刺激咳嗽有助于痰病治疗。用 60 克甘草、30 克野黑樱桃皮、30 克马驹脚、1 两祛痰菜、1 两芳汁薄荷,就能制成一种祛痰药。在一杯水中放上 1 勺这种混合物,燉 5 分钟,再将这种混合物浸泡 10 分钟,然后放在一个清洁容器中,成人每 2 小时喝 1 杯。祛痰菜是有毒的,所以不要超过要求的剂量。如果出现恶心,则停止服用。对儿童和孕妇禁用。

马利筋根汤药能治疗肺炎,1 杯水中放 1 勺中药煎10 分钟,浸泡 5 分钟,滤出,每天喝 4~5 次。

肩胸双上臂疾病

吃生蒜据说可以治疗炎症，紫锥花有助于治疗感染，像调制茶叶一样调制——1杯水中放1勺——每天服3次。也可以制成酊剂，每天服4次，30滴。

**营养及饮食**

◆在发病两天内，每天给1000毫克维生素C极有利于肺炎治疗，如出现腹泻则减量。

◆每天补充2500～5000维生素A不超过两周有助改善呼吸和免疫系统。

◆每天补充60毫克锌也有助于免疫系统对抗感染。

◆每天补充600毫克维生素E有助于受损肺组织修复。

**家庭治疗**

◆把热水袋或热水瓶放在胸部或背部每天3次，每次10分钟，有利于胸减轻，要用毛巾包住热水袋避免烫伤皮肤。

◆使传统芥末化痰，把干芥末和充足热水混合制成糊状，把芥末糊涂在棉布或干包布上，对称，放在胸部几分钟，但不要时间太长，因芥末放在皮肤上过久可以烫出水泡。

◆多喝水和新鲜果汁，菜汁可以使肺分泌物变稀，而易咳出。

**预防**

◆避免吸烟，吸烟可以明显损伤有滤过肺内刺激物功能的呼吸道绒毛，吸烟能减弱对细菌和病毒的抵抗力而引起肺炎。

◆不要大量饮酒，酒精可以消弱免疫系统抵抗各种感染的能力，包括肺炎。

◆如果年龄超过60岁，或患有使免疫系统负担加重的慢性疫病，应该请教医生，对肺炎和常导致肺炎的季节性流感病毒采取可行性预防接种。

## 症 状

肺气肿随时间进展缓慢，并常被误诊为其他疾病，包括从哮喘至心脏疾病。肺气肿典型症状包括：

◆气短，并且一年比一年加重。

◆慢性轻咳，有时伴少量粘痰。

◆扩大的"桶状"胸。

### 出现以下情况应去就医

◆咳嗽伴粘痰量异常，尤其是粘痰颜色变深并变稠厚时。这是支气管炎及合并上呼吸道感染的症状，可能需要抗生素治疗。

◆轻咳（有时亦称为"吸烟者咳嗽"）持续几个月不缓解。此症状支持肺气肿表现，但亦可能为肺癌的早期阶段表现。

◆不明原因体重下降。该症状可与肺气肿相关，但亦是癌症的特点。

◆规律出现轻度活动后气短的表现，例如爬一层楼梯就气短。同样，气短可由肺气肿引起，但亦可能为癌症或心脏疾患的表现。

肺气肿，一种潜在致命的肺部疾患，以肺弹性进行性丧失为特点，典型表现为慢性轻咳及气短。尽管很多因素——包括遗传、空气污染及已存在的慢性肺病如哮喘——均在肺气肿的发展过程中起着一定作用，但是引起肺气肿的最常见病因为长期大量吸烟。在很多病例中，肺气肿患者常同时患有慢性支气管炎，这也可引起部分类似症状。

在美国，死于肺气肿的患者比死于其他呼吸疾患的人要多。到目前为止，本病尚无治愈可能，亦未发现有效办法可以逆转本病的不良影响，但是，在本病早期开始阶段，寻求专业医疗帮助将会显著减慢其进展速度。

当肺泡——在肺内深部呼吸道末端成簇的小的、薄壁气囊——受损或扩张时即形成肺气肿。健康肺脏含大约30亿个这种弹性的小气囊，其作用为转运氧气入血流和排出二氧化碳废物。但是当气道狭窄或损伤时，常由吸烟所致，呼吸就变得很费力且困难。长期劳力呼吸使得肺内压力升高，并最终导致肺泡扩张超过其正常大小。随时间推移，肺泡失去其自然弹性，有时甚至破裂。

# 肺气肿

这种损伤不仅妨碍肺泡有效地工作,而且亦显著减少了肺脏的表面积及整体弹性。随着肺气肿的进一步发展,患者常不能从事甚至是最简单的活动,例如上一层楼梯,而不出现呼吸困难。

肺气肿最常见于 50～70 岁之间的有多年大量吸烟史的男性患者,但是由于妇女们加入到大量吸烟者的行列中,所以本病在妇女中也越来越常见。肺气肿患者尤其容易不可避免地合并有肺炎、支气管炎和其他肺部感染,以及心血管疾病如心衰。尽管肺气肿患者需要医疗专业人员的指导,他们仍可通过改变生活方式,学习呼吸锻炼方法,并在医生的照顾下辅以其他很多疗法来改善其生活质量。

## 病 因

肺气肿的最常见病因为长期大量吸烟。香烟产生的烟雾被认为可以分解肺泡壁的弹性纤维,从而使得肺泡更加易于破裂。吸烟还可造成肺脏分支气管壁变薄弱,在呼气时引起其萎陷而阻碍废气排出。除其在肺气肿形成过程中的作用,吸烟亦可使得本病患者更易于合并肺部感染和其他严重疾患,例如慢性支气管炎。

即使吸一支烟便足以引起微小的、毛发似的细胞称为纤毛细胞的暂时麻痹,纤毛细胞的作用是冲刷碎屑及过量的粘液出肺脏。由于持续吸烟损伤的纤毛细胞功能明显下降,最终可能全部停止工作。粘液滞留在肺内,使得肺脏易于感染病毒和细菌,随时引起肺内气道变形及永久性损伤。

任何引起呼吸气道狭窄的肺脏疾患——例如慢性支气管炎或哮喘——由于可以引起肺内压力升高而最终损害肺泡,因此亦有助于形成肺气肿。在罕见病例中,肺气肿亦可能由于肺泡壁缺乏帮助维持纤维弹性的细胞酶而发病。即使不吸烟,遗传有这种酶缺乏症的患者在 30～40 岁之间发生肺气肿的机会比一般人升高。

### 诊断与检查

简单地通过胸部叩诊及听诊器听诊,医生就可以诊断肺气肿。如叩诊呈鼓音,极可能是由于肺气囊扩张或破裂——符合肺气肿体征。诊断后,医生可能会照一张 X 线胸片帮助了解肺损害的严重程度。

## 治 疗

没有方法可以恢复肺脏至正常状态,但是,你可以做一些事情防止肺气肿继续恶化下去。第一重要的一步是如果你出现前面所列症状中的任何表现请立刻去看医生。千万不要忽视"吸烟者咳嗽"是无害的或仅仅有些讨厌罢了;如果你吸烟,并常咳嗽长达 1 个月以上或患有慢性呼吸困难,那么这说明你的肺脏已经受到损害。你必须立刻停止吸烟。如不这样做,你的病情几乎只会恶化加重。呼吸锻炼、芳香疗法及氧疗(常在进展性肺气肿中是必要的)可帮助你治疗本病。

### 常规治疗

如果您患有肺气肿,定期看内科医生是很重要的。你的主管医生可以教你如何正确地进行呼吸锻炼,以及如何进行有效的咳嗽以排除肺内过量的粘液。亦可建议肺气肿患者可以进行轻度的生理锻炼。医生还可能开一些扩支气管药物以帮助减轻呼吸困难。

对于肺气肿严重病例,家庭氧疗可能是很必要的,供家庭使用的广泛供氧设备包括可移动的及不可移动的氧气箱。对于一些病例,外科手术亦可能作为一种治疗选择。有一种方法——即将有病变的部分肺脏切除——已证明可以缓解肺气肿的部分症状。

### 辅助治疗

如果您患有肺气肿,那么只能把其他疗法作为有监督的医疗照顾的辅助疗法。下列疗法可缓解本病引起的不适症状。

#### 芳香疗法

香精油例如桉树 (Eucalyptus 蓝桉)、海索草、茴香、薰衣草、松木和薄荷均可能有助于减轻呼吸困难,缓解鼻充血。直接从瓶子或沾了几滴一种或多种香精油的薄棉纸通过鼻吸入。你还可以用 ltsp 轻植物油混 2 滴香精油按摩胸部。

#### 中药治疗

中草药麻黄,是一种强效支气管扩张剂。但是注意,大剂量麻黄与大剂量氨茶碱效果一样;如果你是高血压或心脏病患者请勿使用本药。将 5 克麻黄、4 克肉

# 肺 气 肿

桂茎、1.5克甘草和5克杏仁混合起来制备浸液。将上述混合物浸泡在冷水中，然后加热煮沸。趁热喝下。

### 营养及饮食

一些营养学家建议避免可引起过量粘液生成的食品，例如奶制品、精制加工的食品和白面产品。

### 反射治疗

伸开脚趾，按摩双足的上表面，正好在第二、四趾的下面；该区域反应至肺脏和胸部。

### 瑜伽

下列瑜伽练习可帮助你学会更加有效地呼吸：

◆将指尖放在肩上，吸气同时将双肘在胸前并拢。尽可能抬高双肘，然后放下来，手臂划圈，同时呼气。重复。

◆坐在凳子上或站立时，可用双臂做胸部打击动作，缓慢向后伸展双臂。推拳，手臂下移至臀部以下同时将双肩向后拉。然后，背后的手仍是握拳状，吸气同时尽可能抬高手臂。呼气放下手臂，同时松拳。重复。

### 家庭治疗

蒸汽吸入法可有助于稀释肺内的痰液。首先，用一个小盒装满沸水。闭住眼睛，头上盖一条毛巾，吸入蒸汽2～5分钟。为进一步改善呼吸并减轻鼻充血，可在热水中加入几滴一种或几种香精油（建议使用的香精油目录，请参见"芳香疗法"）。

蒸发器散发的温暖的蒸汽亦有助于清理双肺。但是，在一间通常大小的房间内，大多数蒸发器功率不够，不能够产生足以起效的必需的蒸汽湿度。如果，你想使用一台蒸发器，请将其放置在一个小一些的房间，例如浴室。不要使用冷加湿器：它们必须每日用漂白剂擦洗，否则就会传播微生物，促霉菌或真菌生长，这样就增加了你发生感染的机会。

### 预防

◆如果你吸烟，那么预防肺气肿的最好办法就是立刻戒烟。有关组织如戒烟者协会和美国肺相关组织会提供一些节目将帮助你去掉这个习惯。还有其他很多戒烟的方法供你参考（参见"尼古丁戒断"）。

◆学习更为轻松地呼吸：尽管对于肺气肿没有治愈的

## 肺 泡

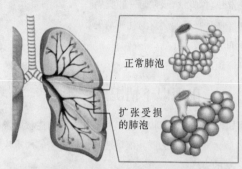

正常肺泡

扩张受损的肺泡

存在于肺脏深部，起着转运氧气入血流同时排除二氧化碳作用的小的薄壁气囊称为肺泡。当气道受阻时，常由于吸烟所致，双肺被迫增加用力，这对软弱无力的肺泡造成了巨大的压力。随时间，气囊扩张或甚至破裂，这样就阻碍了非常重要的气体交换。

办法，但你可以进行一些简单的锻炼和呼吸方法，这将有助于你对付本病（详情参见"瑜伽"中有关呼吸锻炼的方法）。

◆散步：生理适应对于患肺气肿的患者是非常重要的，而每日散步是达到上述效果的最佳方法。开始短程散步，以后逐日增加散步距离。避开空气污染严重的地区或在室内进行散步，例如在一家当地的健身中心。

◆举臂练习：站立位，深吸气同时抬举双臂过头。当肺部吸满气体后，缓慢放下双臂并呼气。开始重复上述练习3次，然后增加至每日重复的次数。

◆抬腿运动：背朝下平躺，屈膝，双脚搁在地上。深吸气。缓慢抬膝向胸部靠近，同时呼气，放下腿，同时吸气。重复该腿运动3次；然后换对侧。

◆坐位伸展练习：坐在椅子里，靠着背，抬举双臂过头。下颌屈向前胸，呼气同时缓慢向前弯腰，头朝向膝关节，双臂在两侧放下放松。重复3次。

◆胸式呼吸（这项锻炼有助于提高肺功能并加强呼吸肌）。平躺时，将一只手的指尖放在胸部，即在腹正中胸廓正下方。用鼻深吸气，注意用力将胸部顶住手指保持胸部不动。缓慢计数到3，然后呼气数到6。当以这种方式呼吸12次而不觉疲劳时，试着坐位时练习胸式呼吸，然后步行时，最后是在爬楼梯时练习。

# 胸 膜 炎

## 症 状

◆发热、深吸气、咳嗽时一侧胸痛。
◆屏住呼吸可使严重的胸痛消失。
◆胸腔积液。
◆气短、干咳。

## 出现以下情况应去就医

◆如果你有以上症状，特别是没有出现的症状原发病，胸膜炎和胸腔积液可能肺炎和肺癌等严重疾病的表现。
◆上述症状伴有发热，无论怎么轻，都可能有感染，称为积脓，则需要抗生素治疗。

肩胸双上臂疾病

胸膜炎是胸膜的一种炎症，胸膜是湿润的双层的粘膜，包绕着肺脏，紧贴肋骨，胸膜炎可使呼吸极度疼痛，如果不立即治疗，可致胸膜渗出，渗于两胸膜之间，称为胸腔积液，严格地讲，胸膜炎和胸膜渗出不是一种疾病，而是肺部感染或疾病，如肺炎、结核、系统性红斑狼疮的并发症，其他疾病，如充血性心衰、胸外伤、病毒感染风湿性关节炎也可以刺激胸膜引起炎症，胸膜炎和胸膜渗出通常和原发病一样严重，要对原发病进行治疗，应高度注意。

## 病 因

双层胸膜对肺表面起着润滑和保护作用。通常有少量液体位于胸膜腔，使两侧胸膜间能相互滑动但是当因胸部感染引起胸膜炎症，粗糙的胸膜随呼吸、咳嗽、引起疼痛，这种情况就诊为胸膜炎。

胸膜炎在某些情况下由于胸膜渗出过量液体渗入胸膜腔，这些不断增加的液有润滑作用。可以减轻由于胸膜炎而引起的疼痛，这是因为减轻了两层胸膜间摩擦，但同时额外的液体可以压迫肺脏，减弱它们自由活动能力而引起呼吸短促，在某些情况下胸膜渗出过量液

体因感染，可以引起脓胸。

### 诊断与检查

为了诊断胸膜炎，医生将用听诊器在你呼吸时听听你的胸部，如果这种检查能证明有胸膜间摩擦——两层胸膜间相互滑动产生摩擦音——诊断就明确了。胸膜摩擦在吸气和呼吸开始产生一种粗糙的摩擦音。提示胸膜炎症的区域，通过对胸部叩诊，能感到一种震颤，也提示胸膜炎，医生还可以通过胸部 X 线照像或抽一些积液化验来诊断，在胸部或背部局部麻后，用注射器抽一些液体，比如，医生可以通过对液体化验去明确粘液是否是由癌症所致。

## 治 疗

常规治疗通常是针对引起胸膜炎和胸膜渗出的原发病进行治疗，在某些情况下过量胸腔积液必须抽出。其他治疗则有助于减轻不适症状。

### 常规治疗

除了针对治疗原发发病的抗生素和其他合适药物，医生常用一些抗炎药或止痛药去治疗炎症，如阿司匹林，有时，含可待因的止咳糖浆可以控制咳嗽引起的疼痛，对某些胸膜渗出的病人医生可以用利尿剂去治疗过多的积液，作为一种预防措施，抗生素应用可以预防脓胸，如胸腔积液过量，医生则通过胸腔插管方法排液，但需要住院。

### 辅助治疗

其他可选择的一些治疗方法，包括针灸，可以减轻由于胸膜炎和渗出引起的不适症状。中药麻黄是一种有效的支气管扩张剂，有助平静呼吸，但要注意：大剂量麻黄和大剂量的肾上腺素有相同作用，如果有高血压，心脏病，则不要用这种中药，把 5 克麻黄、4 克桂皮、1.5克甘草、5 克杏仁混合，用冷水浸泡几分钟后煮热喝。

# 肺　癌

## 症　状

　　肺癌在其早期不表现任何症状。症状出现时，一般呼吸受阻，癌扩散至身体的其他部位。症状包括：

◆慢性干咳，咳声刺耳，痰中带有血丝。

◆呼吸系统不断感染，包括支气管炎和肺炎。

◆呼吸短促、气喘、胸口持续疼痛。

◆声音沙哑。

◆颈部和面部浮肿。

◆肩膀及手臂疼痛。

◆若肺癌扩散，将出现体虚、体重下降、食欲减退、间歇性发热、严重头疼及全身疼痛。

### 出现以下情况应去就医

◆你有上述症状且持续不缓解，应去就医，进行肺部检查，尤其当你是 40 岁以上的吸烟者时。

在美国，尽管肺癌发病死亡率居所有癌症发病死亡率之首，但同时也是最容易预防的一种癌症。其中，80% 都是与吸烟有关，这种因果关系已被许多事实证明了的。1920 年，随着烟业广告的增多，大批的年轻人开始吸烟。20 年后，男性的肺癌发病率急剧上升。到 1940 年，又有大量的妇女开始吸烟，20 年后，女性的肺癌发病率又戏剧性地上升。

　　肺肿瘤一般起源于由管状物四通八达联接的海绵状桃灰色的肺脏。有 20 多种恶性肿瘤源发于肺脏自身，主要有小细胞肺癌和非小细胞肺癌。非小细胞肺癌又可细划分为鳞状细胞癌、腺癌和大细胞癌。

　　鳞状细胞癌一般起源于支气管树状结构的最大支气管的中心细胞，在男性及吸烟者的肺癌发病率最高，属最常见类型。即使在其早期，也可通过对患者的痰进行化验而发现。再加之其扩散速度慢，也较容易治疗。

　　腺癌在妇女和非吸烟者中最为常见，起源于肺脏外部边缘的小支气管和更小的细支气管。腺癌在肺部和胸壁之间传播，由于其特殊位置使得在早期很难发现。

　　大细胞癌是由一群形体大、外观不正常的癌变细胞组成，起源于肺脏外部边沿。在非小细胞癌中，这种情形很少见。

　　小细胞癌是较严重的一种癌症，由于其癌细胞在显微镜下形似燕麦，所以也叫燕麦细胞癌。像鳞状细胞癌一样，该种病起源于支气管的中部。通常在症状出现之前，就开始迅速扩散，具有一定的威胁性。

　　在美国每年约有 17 万人确诊为肺癌，大多在 40～70 岁之间。仅有 1% 的肺癌患者低于 30 岁，10% 的患者高于 70 岁。肺癌 5 年存活率正在逐步提高，目前约为 15%。个人的肺癌情况，会因肺癌的类型、患者的总体健康情况以及确诊时癌的发展状况而变化。

## 病　因

　　如同其他癌症一样，不同的基因也会对肺癌产生影响。事实表明，某个家族常患的某种癌症，其后代也有遗传倾向。另外，人们已经发现有某种基因特色的人比其他人更容易患有癌病。

　　每天抽一盒烟的吸烟者其肺癌发病率是非吸烟者的 20 倍。每天吸烟超过两盒的人，其发病率是吸一盒者的 4 倍。戒烟可明显减少患病率，而曾经吸过烟的其发病率还是略高于非吸烟者。被动吸烟也可导致肺癌。

　　除了香烟和烟雾外，如果长时间吸入过量的致癌物质，也同样会导致癌症。然而专家们在吸入多少量才有危险上，意见还不一致。长期接触石棉、硅土、矿尘、煤灰、砒霜或放射性气体氡都比正常人的肺癌发病率高。

　　肺组织因疾病或感染受损如硬皮症、肺结核都极易促使肿瘤的增长。一些研究人员发现，食用大量的脂肪和胆固醇都极易导致肺癌。

### 诊断与检查

　　若例行外科体检时，锁骨上淋巴结肿大，腹部出现块状物，呼吸衰竭，肺部出现异音，胸部轻敲声音沉闷就可怀疑可能有肺部肿瘤。有些肺肿瘤可导致血液中某种激素和其他物质如钙的含量升高。如果仅出现以上异常而又无明显病因就完全可以推断患有肺癌。

　　恶性肿瘤可通过 X 射线观察到，也可通过 CT 扫描进行更详细的诊断。通过对患者的痰或肺液进行检查便可推测肺癌的形成，通常再进行活组织检查来加以确定。活组织检查是将患者轻微麻醉，把细的传光管通过患者鼻腔及气管通至肿瘤的边侧，然后钳取部分肿瘤样

# 肺　　癌

本。若活组织检查结果表明为癌症,还要进行其他的检查以确定癌的类型及扩散情况。

由于痰样检查和胸腔 X 射线对检查肺癌早期的小块肿瘤并无明显效果, 所以美国癌症联合会、国家癌症研究院和美国放射专科学院建议不必每年都进行 X 线检查。

## 治　疗

若能通过外科手术成功地将肿瘤摘除,则患者至少能轻松地存活 1 年,通常 50% 可生存 5 年。关键是能否在早期发现肺癌,以便能及早进行外科手术。治疗癌症还有化学疗法和放射疗法。详细情况见癌症一章。

### 常规治疗

进行外科手术的决定,不仅取决于癌症的类型及癌扩散情况,而且取决于患者的总体健康情况。许多肺癌患者,特别是吸烟的患者,由于存在肺部或心血管疾病,就无法进行外科手术。过去曾认为癌扩散至肺部之间的淋巴结时就无法进行外科手术了,但目前,只要很好地结合术前和术后的化学治疗和放射治疗,其治愈率还是可以大提高的。

如果条件许可,可对小细胞肺癌进行外科手术。手术前,要先进行一些必要的化学治疗和放射治疗以减小肿瘤的大小。手术时,要摘除癌变区及其周围的肺组织及淋巴,通常整个肺脏都要拿出体外。手术后,患者必须继续住院几天,服用止痛药以减轻术后的疼痛。还要进行放射治疗以完全杀死残留癌细胞,但该项治疗必须推迟至少一个月等手术伤口完全愈合后才能进行。非小细胞肺癌是无法通过外科手术来进行治疗的,一般多采用放射治疗。

因为小细胞肺癌能大面积扩散,所以通常采取化学治疗 (多种药物) 和放射治疗结合的办法。对有选择的小细胞肺癌患者,大夫建议采用骨髓移植法,施用较大剂量的化学治疗(见淋巴瘤一章)。

对于癌已转移,并扩散至其他几处的患者, 既不必要采取化学治疗也不必要采取放射治疗, 因为这些措施已不起多大作用,此时治疗的最大目的是能让患者存活时间更长些, 生活更舒服些。目前的

治疗可以减小肿瘤的大小, 减轻患者痛苦和症状。病情严重的患者通常只能采取服用药物的办法来减轻疼痛。在控制因癌疼痛方面, 最有效也最为广泛采用的就是吗啡。

科学家们在寻求更有效治疗肺癌方法, 减轻痛苦,提高患者的生活方面的探索从来就没有终止过。新的化学医药、新的放射形式以及如何使患者的癌细胞对放疗更为敏感等都在研究之中。实验性的激光手术可以成功地消除阻塞支气管的肿瘤,使患者呼吸畅通。通过不同的免疫治疗和基因治疗来抵抗癌症也正在尝试之中。免疫治疗是想通过操纵人体自然的免疫系统,使其改变,来直接抵抗癌症;基因治疗是从外部介入基因并注入癌细胞中以减慢或终止癌扩散。

### 辅助治疗

常规治疗过程中, 可以做些补充治疗以减轻患者疼痛、恐惧以及由癌症引起不适 。大多和补充治疗可以很安全地做为一般治疗的补充, 但绝不能代替之。补充治疗的结果也因人因病情而异, 同时, 改善营养与饮食结构、进行身体锻炼和意念锻炼也可收到意想不到的效果。

#### 营养及饮食

一些营养方面的研究表明,某些维生素和矿物质对肺癌有一定的预防治疗作用。不同的抗氧化剂,包括维生素 C 和维生素 E 和胡萝卜素 (维生素 A) 可在吸烟等致癌物质的一些负面影响方面保护肺。然而,奉劝人们对特种营养品的热情不要太高,在营养方面还需进一步研究,以支持此结论。

在预防治疗癌症方面,确切的营养物质没有列出之前,多数研究人员还是不愿建议患者补充何种维生素或矿物质来防癌。他们会建议注意饮食平衡,保障身体足够的纤维和营养物质供应。

#### 家庭治疗

对于肺部进行了外科手术的患者,大夫或护士会提供一整套训练方案,以增强胸肌,改善呼吸。患者可穿宽松的衣服,避免太阳照射,减轻放射治疗带来的对皮肤的刺激。未经主治医生批准不得使用皮肤洗液。

# 肺　癌

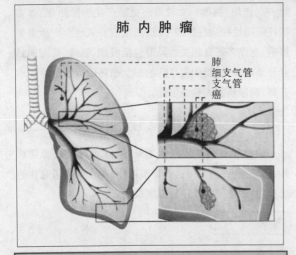

## 肺内肿瘤

肺
细支气管
支气管
癌

---

### 预防

　　预防肺癌最好的办法就是不要吸烟。戒烟会有一定困难，但是完全可以做到。准备戒烟后，可每天减少吸烟的根数，逐步戒掉。但也有人主张一下戒掉会更为有效。如果生活在一个吸烟的环境中，可劝说他们戒掉吸烟，或不要在你的周围吸烟。若你的工作环境可能接触致癌性化学物质，则采取必要的安全防护措施，减少有害气体的吸入量。

### 肺内肿瘤

　　肿瘤在症状出现及胸部 X 线检查之前一般不易发现，鳞状细胞癌及腺癌是最常见的两种癌。鳞癌通常发生在主支气管，腺癌最常发生于小支气管。

　　一旦出现任何表明肺癌的症状，尤其是慢性咳嗽，痰中带血，喘息、声嘶，或反复肺部感染，你应该进行全面的肺部检查。

肩胸双
上臂疾
病

# 循环障碍性疾病

## 症  状

◆ 痉挛性疼痛、肌肉疲劳、腿痛，你的小腿、大腿、足或臀部的血管阻塞，均有可能是动脉硬化（参阅动脉粥样硬化）。

◆ 下肢可见屈曲、发紫的静脉并伴有疼痛，你可能有静脉曲张，可能患有静脉炎。

◆ 手指、足趾或身体其他部分发冷或感觉麻木，一旦发热之后发红、疼痛，你可能患有冻疮。

## 出现以下情况应去就医

◆ 你感觉到突然严重的局限性疼痛，受损组织苍白、发冷，你的一根血管可能完全阻塞。这可能导致组织坏死。

◆ 你发现皮肤溃疡，局限的皮肤脱色，或不愈合的溃疡，这些是血流阻塞的表现。

◆ 你走路或休息时感觉腿部肌肉疼痛，你的腿部血流可能严重受损。

肩胸双上臂疾病

我们中的绝大多数人会不时感到腿部的肌肉疲劳不适、僵硬及疼痛，但许多人把这种感觉当作家常便饭。这种情况称为间歇性跛行，是由于骨盆、大腿或小腿的动脉阻塞，经常由动脉粥样硬化导致，常称动脉硬化。但循环性疾病还可以产生其他许多症状，大多数可以在家有效治疗或去咨询医生，但严重疾病，还需要外科手术纠正。

血液在体内由一个复杂的系统进行循环，动脉将富含氧气的血液从心脏输送到身体其他部位。静脉将缺乏氧气的血液从肢体远端送回心脏。当这些血管被阻塞或大部分受阻时即产生循环障碍性疾病。许多情况可以导致正常血流的阻断：如动脉壁变薄弱，可以膨胀变形或夹层等，静脉可以延伸，引起内部静脉瓣功能异常，血管疾病可致静脉受阻。绝大多数时间，循环失调引起的不适限于臀部及腿，但也可能影响身体其他部位。

## 病  因

循环障碍性疾病很少与一种病因有关，实际上它们通常是多种诱因的结果。循环不良随年龄增加、动脉硬化增加而发病率增加。性别在循环障碍性疾病发病中亦起一定作用。例如妇女较男性更易产生静脉曲张。许多循环障碍性疾病在家族中流传，生活方式也会产生重要影响，与循环不良相关的风险包括吸烟、肥胖、长时间站立及坐着工作。服用避孕药的妇女循环障碍疾病发病率升高，糖尿病病人也是如此。

## 治  疗

改善循环通常应从家里开始，除了自我改善症状外，循环疾病，患者可选择许多治疗。花点时间研究你的选择，然后决定哪个治疗方案最适合你。

### 常规治疗

在开始治疗之前，医生需诊断出你患病的潜在原因。这个阶段你需要提供你的生活方式、家族史及个人服药史，例如，如果你患糖尿病，那你患循环障碍疾病的风险很大。

对大多数病例，医生会建议实施有氧运动及合理饮食方案。你可能会被建议减肥及放弃原有影响循环的习惯。如果你受肿胀及炎症困挠，医生会建议你服用阿司匹林（小剂量），阿司匹林可减少血液凝固(参阅血液凝固)。

对于更严重的病例，治疗方案可选择药物治疗或手术。许多医生使用己酮可可碱来促进血液向肢端流动。在血管成型术中，医生向阻塞的血管内插入小的导管，并将气囊充分扩张血管。另外一种手术是动脉旋磨术，用一个微小的钻石制成的钻去除外周血管的阻塞。其他更多的介入性外科手术包括血管再造术，即从身体其他部位切除健康血管对阻塞血管进行搭桥，及血管内切开术，即将病变血管部分打开，去除阻塞的沉积物。

### 辅助治疗

许多非传统的辅助疗法，治疗循环不良是试图加强衰退血管或使其开放扩大，致使更多血流达到肢体远端。这些辅助疗法也有助于减轻不适，减少循环障碍疾病所致的肿胀及炎症。

体疗

瑜伽功及按摩可促进血流，减轻循环不良所致的不适。

# 心脏疾病

对威胁需要做出斗争或逃避选择,但又不能允许两者中任一发生时进行的生理准备。在这种矛盾情况下,病人产生焦虑、无助、失去控制的感觉。由于压力是触摸不到的,因此很难将它对心脏的影响定量化。许多证据表明任何原因引起的持续的内在压力都使心脏病的发生率增加并可加重原已存在的心脏疾病。

### 心脏瓣膜病

心脏有四个瓣膜:肺动脉瓣、二尖瓣、三尖瓣和主动脉瓣。瓣膜的开合允许血液在心脏的四个腔室及相连血管中流动。瓣膜缺陷使瓣膜不能适当开放,阻碍血液流动;或者因为瓣膜不能正常关闭,使血液漏出。主要病因是先天性心脏病及一些炎症性疾病。

最常累及的瓣膜是二尖瓣和主动脉瓣,两者控制左半心脏的血流。最常见的瓣膜病是二尖瓣脱垂,此时脱垂的瓣膜组织妨碍瓣膜的正常关闭,引起血液漏出。对于大多数人,这不是一个严重问题,但有些病人需要用药治疗,极少数病人甚至需要接受手术治疗以预防瓣膜感染或防止心脏负荷过重。

心内膜炎是侵犯心脏瓣膜的炎症性疾病。心内膜是心脏的最内层组织,覆盖在各腔室及瓣膜表面,心内膜炎是指心内膜的感染或炎症,通常由细菌感染引起,葡萄球菌和链球菌是常见致病原。细菌在病人患病期间,手术后或静脉注射用药后进入血液,定植于心脏。既往存在心瓣膜疾病的患者更易发生心内膜炎。此病如果不治疗可以致命,但一般使用抗生素即可使其治愈。如果心脏瓣膜损坏严重,则需进行瓣膜置换手术。

风湿性心脏病是另一种侵犯心脏瓣膜的疾病。在本世纪初非常多见。尽管目前仍有发生,但随着抗生素的应用,大部分风湿性心脏病已得到预防。此病是风湿热引起的心肌和心脏瓣膜损害。风湿热与链球菌咽炎有关。风湿性心脏病症状通常延续多年。如果瓣膜损坏严重,可导致血液漏出或妨碍正常血流。

风湿性心脏病病人具有特征性的心脏杂音,可被听诊检查出来。充血性心力衰竭和心房纤颤———一种特殊类型的心律失常,是本病的常见并发症。严重风心病病人需要接受瓣膜扩开或替换手术治疗。

## 心脏结构

主动脉
肺动脉
肺静脉
二尖瓣

上腔静脉
肺动脉瓣
右心房
三尖瓣
下腔静脉
右心室
主动脉瓣

左心室
左心房

含氧血通过上下腔静脉进入右心房,流经三尖瓣后进入右心室,然后通过肺动脉瓣和肺动脉进入肺脏。含氧血从肺脏通过肺静脉进入左心房,穿过二尖瓣流入左心室,然后血液通过主动脉瓣及主动脉被泵回机体。

### 心包疾病

心包是包绕心脏的外膜囊,任何心包的病变都归为心包疾病。炎症性病变是常见病变之一,称为心包炎。主要病因包括病毒感染、结缔组织病如狼疮或风湿性关节炎以及心包创伤。开心手术也常引起心包炎。临床表现以心包积液多见。医生通过听诊器可以听到本病特征性的抓擦音也就是心包摩擦音而发现本病。急性病例的特点是发热和胸部正中锐痛。心包炎可以自行消退,也可使用抗炎药如阿司匹林治疗,严重病例可使用皮质类固醇激素治疗,偶尔需进行心包排液术。

### 原发性心肌病

心脏肌肉或心肌的病变统称为原发性心肌病变或心肌病。病理表现为心肌异常延展、增厚或僵硬。主要病因包括结缔组织病、先天性心肌病、代谢紊乱、对某些药物或毒物如酒精的反应以及病毒感染。但是引起心肌病的明确病因尚不清楚。总之,心肌病时心肌组织变得十分薄弱不能有效泵血或者由于心肌僵硬使心脏不能正常充盈。症状包括胸痛、呼吸短促、脚踝肿胀及头晕。当病情进展到出现严重心律失常或充血性心力衰竭时，病人的长期生存率很低。猝死是某些心肌病包括特发性肥厚性主动脉瓣瓣下狭窄的死因。此病威胁着许多优秀青年职业运动员的生命。如果能早期诊断及治疗，无论是用药物还是进行心脏移植手术，心肌病的症状多可得到控制，并且在数年内避免心力衰竭出现。

### 先天性心脏病

婴儿在出生前心脏形成的过程中出现任何偏差，他在出生时都会存在一种或多种先天的心脏缺陷。心脏缺陷非常多见，发生比率为千分之七。

引起缺陷的确切原因通常很难确定；基因及妈妈体内的环境因素都起了一定作用。染色体异常包括引起Down综合征的染色体异常与许多先天性心脏缺陷有关。母亲在怀孕期间感染如感染德国麻疹也可导致孩子出现先天性心脏病。

先天性心脏病的表现非常多样。一些病人在出生后就有症状，而另一些病人直至成人才出现可感觉的症状。微小的病损可自行愈合，而严重病变常不能自行纠正，并可导致病人死亡。所幸的是，在必需情况下，可通过外科手术治疗先天性心脏缺陷。

最常见的先心病是室间隔缺损，也就是说分隔左右心腔的壁上存在孔洞。当间隔缺损很大时可引起发病，需进行外科修补手术治疗。另一个常见病变是肺动脉瓣狭窄，这样阻碍了血液由心脏流向肺脏，可通过手术将瓣膜扩开或进行瓣膜置换治疗。一些小婴儿在出生时动脉导管没有正常关闭，使部分经主动脉流向全身的血液漏回到肺动脉，加重心脏负荷，这种情况称为动脉导管未闭，也可通过外科手术纠正。

所谓的"蓝婴"实际上是出生时存在心脏腔室联合缺陷的婴儿。这些缺陷导致缺氧血液流入全身，而过度的缺氧使婴儿呈现蓝紫色。如果不治疗，多数患者不能活过中年。尽管如此，当今的外科手术已使90%的病人成功地得到纠正。

### 女性存在的危险因素

一位50岁妇女到急诊室主诉严重胸痛和呼吸困难，而应诊医生进行了许多检查后最终确认患者的冠状动脉是光滑的，内部也没有血凝块。按照医学上的说法，此病人患有X综合征，即患者存在典型的心绞痛或心梗症状却缺乏经典原因及冠状动脉堵塞的证据。

到目前为止，心脏病医生对于阐明X综合征所做的工作很少（此病仍在研究之中，一种观点认为它是由心脏小血管病变引起的）。缺乏研究兴趣，部分源自对此病缺乏重视：近2/3的X综合征患者为妇女，而传统观念认为妇女很少患心脏疾病。统计学证据正向这一看法提出质疑，并且正在改变人们关于妇女与心脏病关系的观念。

另外有证据显示：心脏疾病是美国妇女的头号杀手。半数美国妇女死于心脏疾病，每年死于心梗的病人是死于乳癌病人的6倍。

妇女很少表现教科书中描述的心脏疾病的症状，这可能是由于多数教科书中的症状来自对男性病人的研究。同样的问题也出现在一些常规的诊断及治疗手段（如运动负荷试验）中。一些诊治方法对妇女的效果不如对男子的好。接受冠状动脉搭桥术治疗的妇女的死亡率是男性的两倍，这可能与妇女的血管比较细有关。尽管如此，吸烟、高血压等危险因素对两性的影响基本相同。

X综合征是致力于研究妇女心脏疾病的医生们所面临的挑战之一。

### 诊断与检查

首先，医生要求病人对症状进行描述，然后通过标准医学检查及对既往病史的回顾对病人的一般生理状况进行评定。心脏杂音如听到沙沙声或呼呼声，是诊断心脏疾病的重要线索。如果怀疑有心脏病，还需进行进一步检查以确定心脏内部竟出现了什么问题。通常心电图是第一个检查手段。它能很快发现异常的心脏电活动——这也许就是心脏病发作的原因。心脏影像学检查为确诊心脏病提供了更为详尽的资料。这些检查包括X线成像、各种扫描及血管造影术，后者是利用X线使血管显影的特殊技术。

# 心脏疾病

## 治疗

常规治疗与辅助治疗相互补充,可很好地预防及治疗心脏病。

### 常规治疗

常规治疗对于减轻心脏病症状极为必要,具体措施已在前面以及本书的相关章节进行了论述。治疗目的主要是迅速稳定全身状况,长期控制症状及在可能的情况下促进疾病痊愈。同时建议病人改变不良生活方式及饮食习惯。常规治疗包括药物治疗及手术治疗。

### 辅助治疗

辅助治疗的优点是具有预防作用。自然疗法主要包括饮食营养调节、中药治疗,有助于减轻压力的运动疗法以及可净化肌体的解毒疗法,这样可以明显减少肌体对某些心脏病的易患性,虽然有些疾病是不能预防的。辅助治疗是心脏病正规治疗的有益补充。

#### 体疗

各种形式的躯体运动都有助于肌体放松,故任何活动皆适于预防心脏疾病。原因很简单:放松可以减轻压力,而压力已被确认为是冠心病的危险因素。你可以在医生的指导下进行运动,也可以自学瑜伽功或气功。(参见"躯体和精神医学")。

#### 螯合物治疗

在美国,每年都有成千上万的心绞痛或动脉硬化患者进行螯合物治疗。拥护者声称它与常规药物或手术治疗的疗效相同,而比后者更为安全、便宜。批评者认为螯合治疗对某些疾病是有效的,但是心血管疾病并非是必须接受这一治疗的疾病之一(参见动脉粥样硬化章节有关螯合治疗的进一步解释)。

#### 中药治疗

传统中医师认为心脏疾病源自心脏血虚或能量流动受阻。根据症状可选用中药治疗、按摩、针灸及饮食调节疗法。

#### 按摩疗法

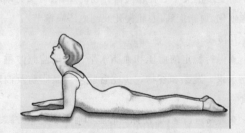

### 瑜伽

瑜伽功利用一种未知的力量帮助减轻压力。趴在地板上,将双臂放于地面,手掌向下,肘部直接位于肩下。吸气并推动你的前胸尽可能舒服地远离地板,注意不要抬起肘部。做几次深呼吸,然后放松、呼气。

按摩疗法不适用于心脏疾病急性期治疗,它可与常规治疗共同组成长期治疗方案。按摩医师也向你推荐适宜的饮食及生活方式,并在适当的情况下,进行骨骼推拿术。一些研究显示,经常进行按摩推拿可以减轻高血压。

#### 生活方式

如果你吸烟,就请戒掉。你还应该养成运动的习惯,这样有助于加强心血管功能,减轻压力,并可降低血压,升高 HDL 水平,近几十年来的大量研究表明:适度饮酒竟也可以降低心脏病的危险性。但是不推荐1天内多次饮酒或每周多次饮酒。

#### 身心医学

对许多人来说,学会放松有助于预防及治疗心脏病。尽管病人间的差异很大,但都可采用减压疗法缓解其高血压、心律失常以及与冠心病、心绞痛、心肌梗死相关的情绪反应如焦虑、生气、敌意等。选择何种放松疗法由你自己决定。这些有益的方法包括沉思、渐进性放松、祷告及生物反馈练习。

#### 营养及饮食

饮食习惯和生活方式的微小变化也可以明显降低心脏病的危险性。目前很多人都知道进食低脂、低饱和脂肪酸和低盐饮食有助于降低血压,减少血管内钙化脂肪斑块形成。但是一般公众却并未认识到一些维生素、矿物质和营养素如镁、钾、烟酸(维生素 $B_3$),其他复合 B

族维生素、维生素 E、辅酶 $Q_{10}$，L- 肉碱（一种氨基酸）以及鱼油中的脂肪酸对心脏和动脉的特殊保护作用。如欲了解更多的关于心脏相关营养物的知识，可参见动脉粥样硬化、血脂疾病、心肌梗死及高血压病章节。

预防

◆ 保持稳定的血压和血脂水平，定期监测体重，多吃水果、蔬菜和谷物，少吃含盐多、高脂肪及油煎的食物。

◆ 经常进行运动，使你的心脏和血管更健康并减去多余体重。

◆ 如果你饮酒的话，可适度饮用。

◆ 不要吸烟。

◆ 学会控制压力而不要让它控制你。

◆ 如果你认为自己存在心梗相关危险因素，那么告诉你的医生每日服用阿司匹林，以预防心梗发作。

肩胸双上臂疾病

## 症　状

多数高血压病例没有明显的先兆征象。可能出现的症状有：

◆ 头痛、胸痛或胸部发紧、鼻衄、麻木或刺麻感，提示你可能患有严重的高血压病。

◆ 大量出汗、肌肉痉挛、虚弱、心悸、尿频，提示你可能存在继发性高血压，此多为肿瘤或肾上腺疾病所致。

## 出现以下情况应去就医

◆ 当你服用降压药后出现嗜睡、便秘、头晕或性功能丧失等令人苦恼的副作用时，医生需要为你更换药物。

◆ 当你感到严重的头痛、恶心、视物模糊、意识模糊或记忆力丧失时，你可能出现了恶性高血压。如果不予治疗，则有中风或心肌梗死的危险。

◆ 你的舒张压——血压的第二个读数——突然超过 17.3 千帕（130 毫米汞柱），亦提示你可能出现了恶性高血压。

如果有人在你发表完演讲或者刚步行了 5 英里后立即为你测血压，那么血压读数无疑会较高，这会引起不必要的惊慌：血压随着人的活动及情绪变化升高或降低是正常的。人与人之间的血压可能存在差异，甚至你身体一个部位的血压也可能与另一部位的不同。但是当血压持续升高时，必须采取措施加以纠正。

高血压症是工业化国家中最常见的心血管疾病。它是引起中风的首要原因，也是引起心肌梗死发作的重要因素。仅在美国，就有近 4000 人患有高血压症。这一数字包括半数 60 岁以上及 64% 70 岁以上的美国人。

血压是指血流通过肌体时对动脉壁产生的压力。像轮胎中的空气一样，血流充满于动脉中并占据一定体积。空气压力过高使轮胎受损，同样，血压过高也使健康的动脉受损。

血压读数一般包括两个值。第一个值即两者中较高的值是指收缩压，是血液由心脏泵出后产生的最大压力。第二个值是舒张压，是心脏充盈为下一次搏动作准

# 高血压病

备时，血液产生的压力。正常血压从出生时的 12/8.0 千帕（90/60 毫米汞柱）到健康成人的 12.0/10.7 千帕（120/80 毫米汞柱）稳定升高。成人血压至少两次达到 18.7/12 千帕（140/90 毫米汞柱）才被认为有高血压。如果血压持续很高，医生将开始治疗。病人血压达 26.7/16 千帕（200/120 毫米汞柱）时，应立即接受治疗。

持续性高血压迫使心脏超负荷工作。除了损伤血管，高血压病还会危害脑、眼及肾脏。即便如此，仍有许多高血压患者并未意识到自己有病。高血压病常被称为"安静杀手"，它没有明显症状，即使在肌体已经受到严重伤害时。如果不予治疗，高血压病可以引起病人出现视觉障碍如视神经水肿或视网膜出血、心肌梗死发作、中风及其他潜在的致命疾病，如肾功能衰竭（参见肾脏疾病）。高血压病也可以引起病人发生充血性心力衰竭，这是老年人出现呼吸困难症状的常见病因。所幸的是，高血压病能被有效控制。你应该定期测量血压以及早发现此病。

## 病因

在美国，有 95% 的高血压病人不能确定基础病因。不明原因的高血压被称为"原发性高血压。"当高血压引起器官受损后，称为"恶性高血压"，此时病人的舒张压常常超过 17.3 千帕（130 毫米汞柱），病情发展迅速，非常危险，需要立即治疗。

当可以确定引发高血压的直接病因时，称为"继发性高血压"。肾脏疾病是导致继发性高血压的最常见病因，多为肾脏肿瘤或其他引发肾上腺分泌过量升血压激素的疾病。服用避孕药（特别是含有雌激素的药物）及妊娠时也可出现血压升高。一些血管收缩药也有升血压作用。

尽管人们对原发高血压的病因仍不清楚，但已知某些危险因素与之相关。高血压病有家族发病倾向，并且男性发病多于女性。年龄和种族也起了一定作用。在美国，非洲血统的高血压病人数是高加索人的两倍，尽管两人种患病人数上的差异在 44 岁左右时变小。非洲血统妇女在 65 岁以后，高血压病的发生率非常高。

原发性高血压病受饮酒和生活方式的影响很大。盐与高血压的关系尤其受人关注。生活在日本北部岛屿的人们每日食盐量较世界上其他地区的人都高，原发性高血压的发生率也最高。相反，那些不在食物中加盐的人群却很少发生高血压。多数高血压病人是"盐敏感型"的，也就是说，任何超过肌体对盐的最小需求的盐量，对这些病人来说都太多了，可以导致血压升高。其他与原发性高血压有关的因素包括：肥胖、糖尿病、应激、钾、镁及钙摄入不足，缺少体力活动以及慢性酒精滥用。

## 治疗

尽管原发性高血压病不能治愈，但它能被有效控制。继发性高血压则可通过去除潜在病因，得到治愈。你可以采取多种方法控制血压，但是在开始前必须同医生商量，共同设计一个最适合于你的治疗方案。

### 常规治疗

高血压病通常在常规体检时被发现。你也可能在自测血压时发现这一问题，但一定要让医生检查以确定诊断。你应该利用各种机会学习有关控制血压的知识。多数医生在对病人用药治疗前，会建议他改变生活方式，如加强营养，减少饮食中盐的摄入量，定期进行有氧练习、减肥以及戒烟。近年来，许多常规治疗医生推荐进行瑜伽功、沉思或其他放松疗法协助减轻压力。

当高血压病人病情严重或对自我调节治疗反应差时需要用药物治疗。治疗高血压的药物有利尿剂，能有效去除体内的盐分及多余的液体；β-肾上腺素阻滞剂，可使心脏搏动频率减慢，心脏收缩力降低。其他药物包括钙通道阻滞剂、血管紧张素转化酶（ACE）抑制剂、肾上腺素阻滞剂及作用于中枢的制剂，它们通过松弛和扩张动脉降低血压。注意：未征得医生同意，不要停用正在服用的降压药，突然停药是非常有害的。

### 辅助治疗

多数辅助治疗集中在放松机制上。另外一些则试图针对疾病的生理根源进行治疗，如改变病人的生活习惯

# 高血压病

## 指 压 法

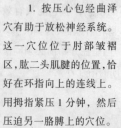

1. 按压心包经曲泽穴有助于放松神经系统。这一穴位位于肘部皱褶区，肱二头肌腱的位置，恰好在环指向上的连线上。用拇指紧压 1 分钟，然后压迫另一胳膊上的穴位。

2. 按压脾经三阴交穴有助于调节血压。此穴位位于内踝向上 4 指宽胫骨边缘处。用拇指轻压 1 分钟，然后压迫另一侧腿上的穴位。妊娠时不要压迫此穴位。

及生活方式、影响心脏和血管的运作等。

### 指压治疗

轻压肌体的几个关键穴位（上图）有助于改善血液循环，降低血压。

### 体疗

经常性按摩或 Shiatsu 练习可使躯体放松，帮助降低血压。这两种治疗是运用触摸和推拿手法降低身体的紧张性。按摩放松全身，而 Shiatsu 强调对特殊穴位的作用，如腿的背面及腕的内侧。

### 中药治疗

传统中医师常联合运用针灸、草药及按摩术治疗高血压病。针灸主要用于对中度高血压的治疗，病人出现重度高血压病时不推荐使用此法。野菊花、牡丹根、杜仲及夏枯草是常用来治疗高血压病的中草药。

### 身心医学

许多方法如生物反馈、沉思及催眠疗法可指导大脑促进躯体放松。在有经验的专业医师指导下长期进行这些练习，有助于降低血压。积极的想象，如想象你漂浮在平静的水面上，也对一些病人作用良好。

### 营养及饮食

调节你的饮食结构有助于保持血压平稳。合理饮食是指高纤维素、低脂肪及低盐饮食，故强调多吃水果、蔬菜和谷物。可使用非盐调味品增加食物美味，少吃加工过的食物，因为这类食物含有较多的钠盐。你也应关心一下你喝的饮料。研究表明咖啡因至少可在短时间内使血压升高，而适当饮酒可使血压降低。尽管如此，还是要把饮酒量限制到最低程度，因为每日的饮酒量超过 2 盎司可加重高血压病。

维生素和微量元素同样有助于降低血压，钾便是其中之一。研究人员建议多吃新鲜蔬菜和水果，尤其是香蕉以保证每天补充 3000～4000 毫克钾（在服用钾补品前需征得医生同意，因为摄入过多的钾也是有危险的）。鱼是脂肪酸的良好来源，有助于松弛动脉和稀释血液。尽管芹菜中含有钠盐，但由于它也含有松弛血管壁的成分，对高血压病人特别有益处。

一些研究证明，每日摄入 800 毫克钙和 300 毫克镁对治疗高血压有益。病人有时对其中一个治疗的反应好于对另一治疗的反应。经医生检查后，病人可先试补钙剂 1 个月，如果血压没有改善，再试用镁剂。你也可以从脱脂或低脂牛奶、酸乳或奶酪中获取你所需的钙。多种菜籽、坚果、大豆、豌豆和深色叶蔬菜中含有丰富的钙和镁。

### 瑜伽

由于瑜伽功具有放松作用，故极力推荐高血压患者进行这一练习。

### 家庭治疗

◆采取健康饮食。吃大量水果蔬菜和谷物食品。放弃高盐食物。可在你的食物中添加非盐调味品。少饮酒及咖啡。

◆经常运动可减去多余体重并促进血液流动。长期坚持散步、慢走、骑车和游泳等活动可使血压下降。

◆尽管你不能永远避开压力，但你学会如何控制它。研究人员认为当人们有许多事情要做的时候不一定会感到压力，而当你不知如何处理事情的时候才会感到压力的存在。下一次，当你感到压力时，问自己为什么会这样，然后集中精力解决它。

◆ 如果你吸烟，就请戒掉。

预防

只要略微改变一下生活方式，就可使你的血压保持在健康水平，从而降低心脏疾病的危险性。

◆ 关注一下你的饮食，少吃盐和脂肪，多吃高纤维素、高钙和高镁食物。

◆ 进行充足的运动。经常性的有氧锻炼可调节心律、扩张血管，使你的工作更为出色。

◆ 如果你超重，那么就试着减掉一些。即使减掉轻微的体重，也可使病情大为改观。

◆ 如果你吸烟，那么从现在起就戒掉吧。

---

## 缓解压力

养宠物是治疗高血压病的有力措施。证据表明：对许多人说来，饲养宠物可以减轻他们的焦虑和压力。

你也会发现你能从自己说话的声调中获得平静。研究显示：在人们谈论非常令人气愤的事情时，采用平和缓慢的语气说话能使血压保持稳定。相反，大声而急速地说话，无论在谈论什么主题，都可引起血压升高。

---

## 症 状

记住：偶然出现、孤立的心跳紊乱非常多见，一般对肌体无损害，严重的心律失常症状包括：

心动过速或异常的快速心脏搏动。

◆ 反复出现心悸症状，心悸是一种不舒服的心跳感觉，可以表现为颈部强烈的搏动感、心脏突然跳动感或颤动感、重击感、敲打感、或心脏的奔跑感。

◆ 胸部不适、乏力、晕厥、出汗、呼吸短促、意识模糊或头晕。

◆ 心动过缓或异常的缓慢心脏搏动。

◆ 疲乏、呼吸短促、头晕或意识丧失。

## 出现以下情况应去就医

◆ 反复出现的不规则心跳并产生明显不适。任何长时间或逐渐加重的心律失常都应深入检查以确定其严重程度。

◆ 当服用治疗某一类型的心律失常的药物时，出现新的不规则心脏搏动。一些抗心律失常药实际上可加重原来的心脏疾病。

◆ 服用抗心律失常药时出现头晕、呕吐、恶心、视物模糊、耳鸣、腹泻、食欲下降或意识丧失等副作用。更换用药，常可纠正这些症状。

健康心脏的功能是惊人的。通过四腔室规律有力地收缩，心脏每分钟可把近5升的血液泵入肌体。每一个可觉察到的心脏搏动，实际上由两部分组成，其一为上腔室即心房搏动，另一为下腔室即心室的搏动。收缩活动由位于右心房的一组特殊细胞，即窦房结细胞产生的电脉冲触发。

任何形式的心脏搏动紊乱都叫做心律失常或不规则心脏搏动。实际上，每个人都会出现偶然的心律失常，通常表现为轻度心律失常或者心跳的急速变化（其实我们所感到的"急速改变"的心跳是由早搏引起的。早搏一般很微弱，不会被感觉到，故在一个相对有力的搏动后好像出现了一个长一、两秒钟的停顿，两次搏动间延迟的感觉就像是心跳的急速改变）。轻度的孤立的这类心律失常一般是无害的。而反复出现的心律失常应该请医生检查一下。

心律失常主要分为两类:心动过速即快速性心律失常或心动过缓即缓慢性心律失常(这两种情况都是指异常的心脏搏动的增快或减慢,而不是指一天中心律根据肌体休息或活动状况产生的正常变异)。休息时心率在60～100次/分间。心动过速是指心率超过100次/分,而心动过缓是指心率低于60次/分。心动过速和过缓都可以出现得很急,或者持续存在。

多数心律失常为快速型心律失常。一些起源于心房,一些起源于心室。室性心律失常一般更为严重。实事上多数猝死病例是由室性心律失常所致,而并非由既往所认为的心肌梗死发作造成。心室纤颤尤其危险,此时心室肌的活动不能同步,诱发心室颤动,不能形成有效泵血。如果不被终止,心室纤颤病人将在几分钟内死亡。

心动过缓可由控制心率的神经、产生心脏电脉冲的起搏点窦房结或者脉冲传导过程中出现的问题所致。后一种情况称为心脏阻滞,因为某些传导问题,使从心房发出的电信号不能传导到心室。信号传导可能被持续阻滞,也可能间歇受阻。当心脏的电活动完全被阻断时心跳停止,此为最危险的情况。

# 病　因

任何破坏心脏肌肉或瓣膜结构以及改变心脏电活动的病变都会干扰正常的心脏搏动。可以想象很多类型的心脏病都可引起心律失常,尤以严重的冠状动脉性心脏病最为多见。冠心病可导致心肌组织形成瘢痕,破坏电信号的传导。先天性心脏畸形、心肌病、心瓣膜疾病及其他疾病,如肺脏疾病和甲状腺功能亢进等也可引起心律失常。电休克、严重胸部外伤等外因同样可引发心律失常。

室性心律失常多由心脏本身的疾病造成,并被认为是心肌梗死并发症的先期表现。房性心律失常也常与心脏疾病相关,但是也可由其他脏器疾病引起,有时甚至没有明显病因。心房纤颤多与高血压病有关。心脏传导阻滞可以导致心动过缓。

自主神经(负责调控全部的不自主的躯体运动,包括心脏搏动)功能不良也可引起心律失常。自主神经对

肌体的有效调控取决于交感神经与副交感神经功能间的平衡,前者使肌体的功能活动加快,后者使功能活动减慢。一旦心脏搏动的这一调控平衡的功能被打乱,心律失常就出现了。

快速将某些化学物质或激素注射到血液中同样可扰乱心脏节律。许多药物包括咖啡因、尼古丁、酒精、可卡因以及吸入性气雾剂可引起心率加快或其他不规则心律。当肌体处于休克、惊吓或焦虑状态时,血中肾上腺素水平升高,也会导致心率增快等心律异常表现。

## 诊断与检查

心电图可以记录心脏电活动情况,为诊断心律失常提供最为精确的证据。但是心电图检查仅能记录到检查过程中出现的心律失常,而事实上许多病人在接受检查的一段时间内并不出现心律失常。为了发现可疑的异常心律,患者可以佩戴 Holter 监测器,它能记录24小时以上的心脏电活动情况。

有些检查通过诱发心律失常出现使医生更容易做出诊断。例如踏车运动试验可以诱发通常因劳累触发的心律失常。

电生理检查对诊断心律失常也非常有帮助,经静脉或动脉将细长的电极导管送入心脏的不同腔室内记录心脏电活动的传导情况。通过导管阅读信号的位置、方向和传导速度,制成"电信号图",这样医生就可确定问题的起源位置或者信号传导在何处受阻。

## 你的天然起搏器

心脏搏动是由位于右心房的窦房结细胞产生的电脉冲发动的。电脉冲先传入左右心房,引起心房收缩,然后向心室传导,在房室结处稍作停顿,这样心室收缩晚于心房收缩。心脏房室的协调收缩保证了血液的流动。

左心房
右心房
窦房结
房室结

右心室
左心室

# 心律失常

## 治疗

一旦确诊心律失常，医生将根据你病情的严重程度决定是否用药物或者做手术治疗。心律失常的类型、病人的年龄、生理状态以及有无心脏病病史等因素决定医生采用何种方法治疗。

### 常规治疗

如果你为轻度心律失常，医生会建议采用一些控制心律失常的辅助疗法（参见家庭治疗）。如果有必要，则开药治疗。医生的处方决定于病人心律失常的类型、病人的用药史以及是否存在其他心脏疾病。一些药物特别是抗心律失常药如奎尼丁、胺碘酮以及地高辛等可引起严重的副反应，一般不应常规使用。在使用这些药物时应同时进行电生理检查，以确定该药是否有效以及能否引发严重副反应。

在紧急情况下可用电击法终止心律失常，使心律恢复正常，然后再用药物治疗。电击治疗也用于患者对药物治疗无反应或者医生预料到原已存在其他心脏疾病的患者出现危急情况时。

有时为了能够长期控制心律失常，需要在病人的心脏内植入一个装置。有症状的心动过缓患者一般安装起搏器；任何有发生室性心动过速倾向的患者都可安装心脏复律除颤器，这一植入心脏的电极片，可在必要时提供自动电击治疗。心动过速或过缓的病人都适于安装起搏除颤器，它可通过电击效应使心律恢复正常，也可通过起搏作用使心跳保持健康稳定的节律。

偶尔进行有创性治疗是必要的。如果某一块心脏组织是引发心律失常的原因，可用所谓的导管分离术纠正它：利用经静脉或动脉插入的，能够发出放射波的装置，逐渐去除病变的心脏组织，使其失去作用。有时需要进行开心手术去除病变组织。

### 辅助治疗

在紧急情况下或者需要对严重心律失常进行长期预防性治疗时，你首先应该去看医生。辅助治疗只能作为一种补充措施，而不能代替对严重心脏疾病的常规治疗。你会发现在辅助治疗的帮助下，你对抗心律失常药的依赖减少，你也会发现辅助治疗足以控制一些轻度心律失常。

#### 芳香疗法

柑橘油药浴有助于减轻你的轻微的心悸症状。试用几滴橘花油或者橙花油吧。

#### 中药治疗

许多中草药可用于治疗心律失常，但也有一些草药如麻黄，可使病情加重。一定要请有资格的草药师会诊，并告诉他你正在服用的治疗其他疾病的草药情况。

#### 生活方式

心率在运动后升高，休息后降低，不运动的人其静息心率在 80 次/分上下，而经常运动的人平均心率为每分钟 60～65 次。运动有助于消除体内多余的肾上腺素，这一激素可以导致肌体休息时心率增快。

香烟中的尼古丁也可以导致心律失常。如果你诊断有心动过速，而你又是一个吸烟者的话，那么请戒掉。

#### 身心医学

压力过大常可引起病人心率增快，并触发某种心律紊乱。放松疗法有助于预防或控制压力引起的心律失常。运动、沉思及瑜伽功等许多练习均可帮助你放松。寻找最适于你的方法并坚持练下去。经过一段时间后，你就会认识到放松练习的益处。

#### 营养及饮食

无机钙、镁和钾在调节心脏活动中起了关键性作用。当肌体缺乏这些物质时，就会出现心律失常（但是过量也会引发一些问题，特别是钙）。静脉内使用镁剂可以纠正心动过速及其他一些心律失常。你可以从坚果、蚕豆、大豆、麸糠、深绿叶蔬菜和鱼中获得镁。许多水果和蔬菜中含有钾。注意：摄取太多的盐类和饱和脂肪会耗尽肌体的镁、钾储备；同样使用大量的利尿剂或泻药，也可造成低钾、低镁。

#### 面部寒冷刺激

你是否曾经很想知道海狮潜入冰冷的水下是如何逃生的呢？它们与其他哺乳动物一样，通过自主神经反射使心率快速减慢，保护自己。人类也有自主神经反射，它对终止偶发的心动过速特别重要。下次再发生心律失常时，试着将自己的脸浸入冷水中。你的心率将暂时性骤然下降，使心动过速停止。

家庭治疗

◆休息是控制心动过速发作的最好方法。做深呼吸及放松练习。

◆轻压颈部右侧突出的颈动脉，有助于中断心动过速。应向医生问清压迫的位置以及如何去压。

◆对于房性心律失常，可试用"迷走神经调动法"治疗。坐下向前弯腰，然后屏住呼吸做吹气动作，好像吹气球一样。这样做时，你就脱离了交感神经系统的调控。交感神经加速肌体功能，而副交感神经减慢肌体功能。

预防

限制摄入咖啡、尼古丁及其它刺激性饮料，它们可使心率加快。如果你有心动过速史，就更应该避免摄入这些物质。通过运动、沉思或其他任何适合于你的方法来减轻压力。如果你有心脏病，一定要采取适当措施控制它，这样也可预防和控制心律失常发生。

## 症　状

◆胸部压迫感、压迫窒息感、闷胀感、剧烈的烧灼样疼痛；一般这些感觉是在胸部，但也可能发生在周围区域，例如下颌或腹部。每个人的部位和特殊感觉都各不同，但通常前一次发作与下一次发作是一致的。

◆疼痛在费力时发生，在休息时消失。

◆心绞痛发作时，也可能伴有或不伴有虚弱、出汗、呼吸短促、忧虑、心悸、恶心或头晕这些症状。

### 出现以下情况应去就医

◆一次发作超过15分钟，这可能是冠心病突发。呼叫你现在的急诊号码。

◆你认为这可能是你的第一次心绞痛发作，需要明确诊断。

◆心绞痛发作变得更剧烈、更频繁、持续时间更长，而且不可预测，有不稳定心绞痛的体征。

◆你正在服用β－受体阻断剂和有明显副作用。

◆你正在服用硝酸盐药物并感到乏力、头晕、虚弱，这些是对药物过度敏感或过量的征象。

◆你正在服用钙通道阻断剂并注意到一些副作用，例如胃痉挛、脉搏缓慢、心律不齐、头痛、便秘、肿胀乏力或呼吸短促。

心绞痛是心脏不能得到足够氧的表现，可能是由于给心脏供血的冠状动脉阻塞或由于心脏负担过重而比平时需要更多的氧气。

医学术语心绞痛文字上的意思是"胸部闷塞感"，通常心绞痛是一种压榨感，压缩痛，开始在胸部的中心胸骨后深部，也可能放射到身体的其他部位。患者诉说感觉像"一个大象坐在自己的胸部"或"一个老虎钳夹住胸部"。

有些心绞痛的病人感觉疼痛在周围部位，例如下颌、腹部或上臂。疼痛也可能与消化不良相混淆，因为两者闷胀、烧灼感很类似。心绞痛也可能误解为心脏病突发；两者疼痛类似，但持续时间不长，通常不超过5分钟。

心绞痛的许多类型中，以稳定型或典型心绞痛最

# 心 绞 痛

常见，表现剧烈活动时发作，休息时缓解。如果你有稳定型心绞痛，你应该能预计到哪些活动将引起发作。另一种类型，不稳定型心绞痛是比较急性的情况；是不可预测的发生，甚至在休息时发生，应该理解为是严重心脏病发生的警告信号，还有一种罕见的类型叫做变异型心绞痛，包括冠状动脉痉挛，最常见于女性。

　　心绞痛影响 300 万美国人。在 30 岁以上比较明显，男性多于女性。然而，65 岁以上，女性比男性易患。单独来讲，心绞痛引起的损伤不明显，因为心脏只是短暂缺氧。但是，如果你的心绞痛恶化，你应该知道你有心脏病发作的危险性比较大的疾病。特别值得注意的是你是否已发展成不稳定型心绞痛，并且应找医生看病。

## 病 因

　　心绞痛的主要相关病因是冠状动脉疾病、冠状动脉粥样硬化形成的阻塞，由于脂肪钙化斑块沉积、血管阻塞或狭窄。心绞痛也可能来源于使心脏负担过度加重的其他疾病，例如贫血、主动脉瓣疾病（见心脏病）、心律不齐、甲状腺功能亢进（见甲状腺疾病）。

　　稳定型心绞痛有时也叫"劳累型"心绞痛，因为活动能使心跳加快，而使心绞痛发作。实际上，体力活动是最常见的发作原因。根据每个人的情况，引起发作的活动可能是简单的散步以及举起重物或性活动等任何一种活动。大量进食也能引起一次发作，因为消化需要心脏工作。经常引起发作的其他原因有精神刺激和暴露于寒冷环境之中，两者都可刺激心脏。另外，已知 20 多种药物可激发心绞痛，包括从药店得到的减轻充血的药物和各种处方药，到可卡因等非法药。

　　某些心脏病和冠状动脉疾病的危险因素比较容易发生心绞痛。包括高血压、高胆固醇（见胆固醇疾病）、吸烟、肥胖、糖尿病和心脏病家族的历史。所有这些危险因素也和动脉粥样硬化有关。

### 诊断与检查

　　如果你有过可能是心绞痛的疼痛，你的医生将给

## 心绞痛疼痛的区域

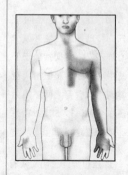
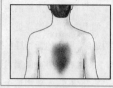

　　心绞痛疼痛可以分布于整个身体上部下面区域的任何部位（见左侧），包括胸部正中和左侧，左臂的内侧。疼痛也可在颌部，右侧胸部和上臂，脐和胸骨之间；肩部也可能受到影响。在某些病例，疼痛可以发生在两肩胛之间。

你一套完整的体格检查的各种化验。如果你有心绞痛，休息状态的心电图通常显示正常，但化验可能排除其他原因的心绞痛。可以进行踏板运动试验，结合影像学检查，例如超声或放射性同位素扫描，这些检查可能显示心脏或动脉疾病。如果这些试验表明可能有病，可进行血管造影以确定冠状动脉阻塞的部位和程度。

## 治 疗

　　药物可能缓解心绞痛的症状，但饮食和生活方式的基本变化是任何心绞痛治疗方案的一个重要部分。在服药以前，和你的医生仔细回顾一下药物的性能及你的用药历史，许多药物不能与另外的药或自然药物合用，并且你也需要确实使你的医生了解你以前的治疗情况。

### 常规治疗

　　如果你有心绞痛，你的医生就会毫不怀疑地给你提到一个完整的健康生活方式的重要性，包括适当的饮食、锻炼、控制体重和戒烟。

　　大多数心绞痛病人也服用处方药，心绞痛药有三种主要类型：硝酸盐、β-肾上腺素能阻断剂和钙通道阻断剂。内科医生常用这些药物配合治疗心绞痛。硝酸盐可以扩张冠状动脉，允许比较大量的血液流动，

# 心绞痛

## 指 压 法

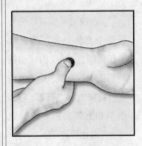

1. 压迫心包经间使穴，帮助平静神经并减少心神不安。将拇指放于手腕中心，距离腕皱褶两指宽两个前臂骨之间。用力压1分钟，3～5次；在另一前臂重复。

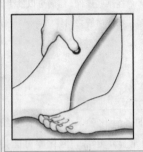

2. 压迫脾经三阴交穴有助于调节血压。压点距离距骨内侧上方4指宽，靠近胫骨的边缘。用你的拇指轻压1分钟，然后换另一侧腿。如果你怀孕了，不要用这个点。

实践证明是可取而便宜的药物。硝酸甘油是目前最广泛应用的硝酸盐，一旦需要就可服用，并且可能在几分钟内使心绞痛得到缓解。然而，用硝酸甘油的病人约有半数引起头痛。β－肾上腺素能阻断剂，用于减慢心率、降低血压、减少心脏氧耗量；与硝酸盐合用或单独应用都有疗效。钙通道阻断剂可减轻冠状动脉痉挛，某些也可减慢心率。患有重症不稳定型心绞痛开始常用抗凝剂肝素，配合阿司匹林、硝酸盐和阻断剂进行治疗。

如果药物治疗无效或疗效不满意，可考虑冠状动脉血管成形术或搭桥术。血管成形术是一种增宽阻塞动脉的导管技术，现已变成一种相当常规的治疗方法。搭桥术，改变阻塞动脉的血流，常用于非常严重的病例。

### 辅助治疗

如果你认为自己有心绞痛，经常去看医生。下面一些辅助疗法可能有助于缓解症状或预防发作，但应认识到这些疗法只作为常规医疗护理的补充，而不是替代常规医疗护理。

#### 指压治疗

提供至少1分钟定点指压间使穴和三阴交穴，可能缓解心绞痛症状。

#### 生活方式

某些空气的污染，特别是一氧化碳已知可加重或加剧心绞痛。为了避免一氧化碳，建议避开烟草的烟雾并在大雾天留在室内。

心绞痛时避免饮酒和吸烟，因为这两者都可能有不利反应。

对心绞痛病人一般需氧的锻炼非常有利，逐渐形成好的体力，在寒冷的气候可在室内进行锻炼。在开始锻炼过程前去找你的医生商量，确认锻炼步骤。

#### 身心医学

如果你发现很难控制情绪或降低精神压力，你必须学会放松。放松的方法有许多类型，从生物反馈到瑜伽功都可极大帮助放松，选择一种你感到舒适和可以忍受的方法。放松方法对每个人的效果不同，并随时间而有所改善。

#### 营养及饮食

心绞痛营养疗法的主要目的是改善心脏的血流和心脏的能量代谢，以减少心脏需氧量。改善血流的主要方法是控制动脉粥样硬化，消耗少量饱和脂肪和胆固醇是关键性的第一步。改善能量代射，从饮食中或多种维生素补充剂中确实得到足够的镁。你也可要求你的医生推荐一种L－肉毒硷或辅酶 $Q_{10}$ 的适量补充剂，这是一种在体内发现的改善能量代谢的营养物质，并在心脏病人中常常被消耗掉。关于比较特殊的饮食疗法见动脉粥样硬化、血凝块、胆固醇疾病和高血压。

#### 压力试验

心绞痛的锻炼是一个复杂而困难的事情。如果做得适当，可能有助于预防心绞痛的恶化；如果做得过头，将加重病情，甚至导致危及生命。那么多少合适呢？你在开始一个锻炼计划前，首先应该进行一项压力试验，也叫做"锻炼耐受力"或"踏车试验"。这个试验需要半个小时，在你的胸部固定一个电极，在上臂放一个血压袖带，然后在一个踏车上或固定的自行车上开始锻炼；随着时间的过去，锻炼逐渐变得比较困难。通过监测心率、血压和心电图记录，医生将决定你的锻炼限度。用这种知识武装起来后，你才能计划一种有益于健康的锻炼生活方式。

*家庭治疗*

◆ 如果你在夜间有频繁的心绞痛发作,试着将你的床头向上倾斜 10～12 厘米。这样可减少从静脉回流心脏的工作负担。

◆ 如果你在躺着时感到心绞痛发作,坐起并将脚放于地板上。如果疼痛持续,服用医生的处方药。

◆ 在医生许可的情况下,每天 1 片阿司匹林能减少心脏病发作和不稳定型心绞痛的危险。

◆ 大量进餐后,至少休息一个小时进行消化,已知餐后用力可引起心绞痛发作。

◆ 戒烟,因为吸烟可大大加重心绞痛。

◆ 如果你有心绞痛,不要服用节育药,雌激素与增加血凝块危险有关。

*预 防*

◆ 适当的低脂、低胆固醇饮食将有助于阻止动脉的脂肪沉积。

◆ 锻炼身体! 锻炼的人很少有体重超重,而且发生动脉粥样硬化较少。

◆ 学会控制情绪,而不是让情绪控制你。内在紧张的人更可能发生心绞痛;许多心绞痛患者由于情绪暴发促使心绞痛发作。

◆ 如果你吸烟,请戒掉。

---

## 螯合物疗法

虽然本法尚有争论,但螯合物疗法已经为成千上万心绞痛患者的摸索试用。它的倡导者主张这是一种比常规药物和手术治疗安全便宜的方法,而且同样有效。反对者坚持在列入心绞痛和动脉粥样硬化标准治疗之前,要经过严格的科学调查研究。如果你决定试用螯生疗法,一定要找一个美国螯生治疗专业社团之一证明的、有实践经验者进行治疗。

---

## 症 状

◆ 胸部中央持续的压迫性、压榨性或烧灼样疼痛,可放射至颈部、一侧或双侧上肢及下颌。

◆ 呼吸短促、头晕、恶心、寒战、多汗、脉搏微弱。

◆ 皮肤湿冷、灰白、重病病容。

◆ 晕厥(晕厥是大约十分之一的心肌梗死病人病情发作的唯一表现)。

## 出现以下情况应去就医

◆ 你或你的同伴有心肌梗死发作的明显表现,应立即请求急救。

◆ 心绞痛或者胸痛的最初表现与既往相似,但是对治疗反应不佳,这可能提示发生了心肌梗死。

◆ 心绞痛发作频繁、持续时间长或者程度加剧,也就是说心绞痛加重,那么发生心肌梗死的危险性增加。

当你服用阿司匹林预防心脏病发作时,出现大便变黑或柏油样便。这是阿司匹林过分稀释血液的表现,能够也必须加以治疗(参见心梗发作一节)。

心脏为了维持日以继夜的泵血功能,需要有持续的氧和营养物质的供给。冠状动脉的两大分支将含氧血液运送到心肌组织。如果这些动脉或分支闭塞,将导致部分心脏缺氧及燃料供给缺乏,这一情况称为局部心肌缺血。如果缺血持续很长时间,心肌组织会发生坏死,称为"心肌梗死"——即"心肌死亡"。

多数心肌梗死(下简称"心梗")持续几个小时(但是当你意识到心脏病发作时,不会等很少时间才去就医)。心梗发作时的表现不外乎呼吸短促、晕厥或恶心,但也有些病人没有症状。多数病人心梗发作时会感到疼痛。剧烈的心梗疼痛常被比作有大手紧箍或压迫心脏。轻微的疼痛可能被误认为是烧心症状。疼痛可以持续存在,也可以是间歇性痛。

多数患者在心梗发生之前有心绞痛发作。与心梗类似,心绞痛也是缺血引起的胸痛,只是两者的疼痛程度不同:心绞痛时,血流很快恢复,疼痛在数分钟内消失,不会引起心脏永久受损;而心肌梗死时,血流严重减少或完全阻断,疼痛持续存在,心肌组织坏死。

约 1/3 的心梗病人在发作前没有任何先兆表现,即所谓的"无症状性缺血"——心脏血流偶然受阻,或逐渐造成心肌损害,但病人始终无疼痛感觉。血流中断的原因不明。这种情况可以被心电图检查出来。大约有 300 万 ~ 400 万美国人存在无症状心肌缺血。

1/3 的心梗病人到医院就诊前已经死亡;另外一些病人在住院期间发生致命性合并症。严重并发症包括休克、持续心律失常、充血性心力衰竭、下肢或心脏内血栓形成,薄弱的心肌组织出现室壁瘤。在心梗发作时幸存下来、并且躲过其后数小时内出现的多数并发症的患者有望完全恢复。

心肌梗死恢复是一个谨慎而棘手的过程。因为任何打击都在一定程度上加重心脏病变。病人一般在 3 个月内重新开始正常生活。

心脏病是美国人的首要死亡原因,心梗更是头号杀手。但是多数心脏疾病包括心梗是可以预防的。

## 病 因

心肌梗死与地震一样,表面上看是一个突发性灾难,而实际上是隐藏多年的疾病突然达到高潮的表现。多数心肌梗死是由冠状动脉性心脏病(冠心病)所致。冠心病是指冠状动脉壁脂肪、钙化斑沉积引起的动脉粥样硬化性疾病(随着动脉逐渐变窄,供养心肌的血流逐渐减少,肌体在阻塞动脉周围形成侧支血管网进行代偿。侧支血管形成明显缩小了心肌梗死造成的心脏损伤范围)。80 年代初期,研究人员证明心梗的促发因素不是引起血管狭窄的斑块本身,而是在斑块表面突然出现的血栓形成,致使本已狭窄的血管出现血流的完全阻断。

尽管心梗发作的详细过程尚未完全阐明,但多数相关危险因素已被确定,其中一些可以被控制。这些使心梗危险性增加的因素包括高血压、高血脂、肥胖、吸烟及惯于久坐的生活方式,应激、劳累和情绪激动是心梗发作的触发因素。

有心脏病家族史年龄超过 50 岁的男性易发生心梗,而绝经前妇女的高雌激素水平被认为对肌体有保护作用。妇女在绝经后心肌梗死的发病率明显增加。而绝经后长期接受激素替代治疗的妇女必须充分认识高雌激素水

平可诱发乳腺癌及子宫癌(参见绝经一节)。

诊断与检查

心脏病医生依靠多种检查和扫描手段诊断心肌梗死,并确定动脉阻塞及组织损伤的部位。心电图记录的心脏电活动以及血液检查为初步诊断提供依据。血管造影和放射线同位素扫描等心脏和冠状动脉影像学检查可进一步确定损伤和阻塞的特定部位。依靠这些资料,医生可以进行适当治疗并且预测潜在的合并症。

### 心梗痛疼可能出现的部位

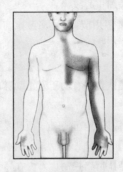

心梗疼痛可能出现在左图所示的任一部位。在躯体前面(上图),最常见的部位是胸部中央及偏左侧,颈部以及左上肢内侧。疼痛有时出现在下颌、右胸部和右上肢、肩部及脐与胸骨之间的区域。在躯体背面(下图),疼痛可出现在肩胛间区。

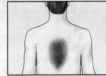

## 治 疗

心肌梗死是内科急症,必须立即给予正规治疗。在心梗发作急性期及急性期后的一段时间内不能用辅助治疗代替常规药物及手术治疗。辅助治疗对于预防心梗发作和辅助心梗后恢复很有价值。

常规治疗

通常心梗患者需在心脏病监护病房观察至少 36 小时。标准的药物治疗包括:止痛剂如吗啡;β－肾上脉素能阻滞剂用以抑制心脏活动;阿司匹林降低凝血活性。对于一些病例也使用溶栓药如 T－PA 或链激酶治疗。在心梗发作的最初数小时内给予这类药物最为有效。急诊血管成形术或外科手术可以去除血凝

# 心肌梗塞

块使堵塞动脉重新开放,也可通过搭桥手术改善血肌供血。

病人在渡过危险期后仍应继续使用 β – 受体阻滞剂抑制心脏活动,硝酸盐类药物增加心脏血流量以及抗凝剂,如肝素、华法令或阿司匹林以预防血栓进一步形成。

心梗病人在住院期间需接受持续心电监测以便早期发现及治疗心律失常。如果病人心率过快或过缓应给予相应的药物治疗。一些病人需要安装起搏器。如果病人出现心室颤动这一极其危险的心律失常,则需进行胸部电击除颤。患者出现充血性心力衰竭时,应给予减轻心脏负荷、增强心脏搏血功能的药物。

应鼓励心梗恢复期病人尽早下床站立,以免出现下肢深静脉血栓形成。这些栓子可以通过血循环嵌塞于肺脏,引起肺梗死。一般建议病人进行一些不引起明显疲劳的活动。心肌梗死的长期恢复需要病人做好心理和生活方式上的调整:吸烟、嗜酒及高脂肪饮食等不良习惯必须改正。

多数心梗存活病人需要每日口服阿司匹林片稀释

## A 型性格的苦恼

1964 年, Meyer Friedman 医生和 Ray Rosenman 医生在美国医学协会杂志 (JA－MA) 上发表的文章引发了一场关于个性与心脏疾病关系的激烈而持久的讨论。他们坚持认为具有某种性格特征的人似乎更容易发生心肌梗死, 他们将这些人的人格特征称为 A 型性格, 即脾气急躁, 有竞争欲、成就欲、易冲动等。而 B 型性格的人很少匆忙行事, 更加随和, 不容易发脾气。

许多年来, 研究人员一直在验证这一理论。一些研究证明 A 型性格是心脏病的主要危险因素, 而另一些研究的结果则与之相反。总的说来, 这些资料更倾向于认为 A 型性格与心脏疾病有关。目前研究的任务是确定哪些是使心脏病危险性增加的主要性格特征。因很小的不愉快即产生明显的敌意反应以及与反应一致的应激激素水平的升高似乎特别有意义。

血液以预防心梗再发。根据病人的不同情况,也可使用其他药物。

一些病人需要接受侵入性治疗使心脏血流得以长期改善。两个最常用的方法是血管成形术和冠状动脉搭桥手术。前者是一种通过分离斑块拓宽堵塞动脉的导管技术,后者是用手术方法将血液转向流入堵塞动脉周围组织。

## 辅助治疗

### 中药治疗

许多草药用于治疗慢性心脏疾病,山楂可能最有价值,它具有扩张冠状动脉改善心肌代谢等作用。山楂不仅有助于预防心梗发作而且可加速病人心梗后的恢复。另外一些草药可用于治疗心梗的相关危险因素。参见高血压、血液凝固及血脂疾病。

### 生活方式

规律的有氧运动起到明显的预防及促进病人心梗后恢复的作用。如果你患有心脏病,在安排运动计划之前应先进行耐力测试,以确定多大的运动量对你是安全的。心梗存活病人在恢复期第一个月内运动时最好有他人陪伴,而不要单独活动。许多社区的健康娱乐中心可提供医生监督的心血管康复措施。

### 身心医学

通过练习躯体及情绪放松、减轻压力有助于预防心梗发生及促进心梗恢复。许多方法可以帮助放松,如沉思、生物反溃和瑜伽功。放松练习也有助于减轻疼痛,这在心梗恢复期经常遇到。

精神状态也是心梗恢复期病人需要关注的重要因素。那些对恢复抱以积极态度的人比那些自认为是"心脏残疾"病人的恢复要好得多。你会找到一个适合于你的特殊的精神和躯体治疗方法。像许多人一样,你也会发现与他人分享思想和情感对康复非常有益。

### 营养及饮食

心脏健康饮食的最基本目标是将饮食中的盐分、糖及饱和脂肪维持在最低水平以控制血压、控制体质及降低血脂。吃一些富含镁的食物如坚果、豆类、鱼和深绿色蔬菜有助于预防心梗发作。镁通过稳定心律、减少冠状动脉痉挛、对抗动脉粥样硬化形成及高血压等起到直接和间接保护心脏的作用。

许多证据表明，不稳定化合物如自由基可损伤冠状动脉和心脏，加促粥样硬化形成，使肌体更易发生心肌梗死。自由基可以被抗氧化剂如 Vit. A、C 、E 清除。水果、蔬菜和谷类中含有许多抗氧化维生素。

食用根性蔬菜，如胡萝卜也有助于预防心梗发生。长期食用这些蔬菜可以降低血脂及血凝活性。

家庭治疗

◆ 记住：有心肌梗死并不意味着你是个残废。保持积极的态度可使心脏更好地康复。

◆ 如果你曾出现过心肌梗死，那么不要使用避孕药，它们使凝血活性增加。

◆ 养一个宠物。与不养宠物的人相比宠物主人的病情恢复得更快并有存活时间更长的趋势。这可能是由于养宠物有助于减轻精神压力的缘故。

预防

◆ 与朋友及家人保持联系。研究表现那些社会关系单一的人更易发生心脏病。另外，你应寻找控制愤怒及敌意情绪的方法：这些情绪使心肌梗死的危险性增加。

◆ 对心梗危险因素进行综合评定。并尽早改变你的饮食习惯。

◆ 如果你存在心梗高危因素，那么应定期检查，避免出现无症状缺血。

◆ 告诉你的医生关于每日口服阿司匹林的情况。研究表明，这一措施可显著降低心梗的发生率。

## 症 状

动脉粥样硬化早期没有明显症状，血管损伤成节段性阻塞可导致出现下列一项或多项症状。

◆ 运动时出现臀部、股肌、腓肠肌钝痛，痉挛性痛，这是盆腔或腿部血管出现粥样硬化的征象。

◆ 突发局部瘫痪、一侧肢体刺痛或麻木，偏盲、失语。这些症状提示脑动脉粥样硬化，后者可导致中风。

◆ 心绞痛、胸部紧缩感、压迫感，提示冠状动脉粥样硬化。

## 出现以下情况应去就医

◆ 初发心绞痛或稳定性心绞痛发展至不稳定性心绞痛。这些都是要立即治疗的严重病情。

◆ 皮肤苍白、溃疡，休息时出现腿、脚的突发剧烈疼痛，提示严重的动脉粥样硬化，可能存在血流障碍，需立即予以治疗，防止坏疽的发生。

◆ 无法解释的平衡丧失、共济失调、失语或失明。上述功能丧失提示一过性脑供血中断，如不治疗可能会导致中风。

动脉粥样硬化也称为动脉硬化，它是由于脂肪长期沉积和钙化在动脉壁形成瘢痕的一种炎症性疾病。动脉粥样硬化是最常见的心血管疾病之一。由于它在发达国家的发病率是非常高的，因此许多美国人认为它是年纪增大后机能退化的自然现象。大量证据显示，动脉粥样硬化与饮食结构、生活方式有关，因而是可以预防和延缓发生的。而另外一些研究显示相反的观点。

动脉粥样硬化可导致肾功能障碍、高血压、中风及其他可威胁生命的疾病，这取决于受累动脉的部位和程度。动脉粥样硬化的靶器官是主动脉——肌体最大的动脉和从心脏发出供应脑、下肢、肾脏血流的动脉。供应下肢血流的动脉受累可导致行走时疼痛（间歇性跛行），严重的下肢循环障碍可引起皮肤溃疡和坏疽（组织坏死）。若为心肌供应富氧血的冠状动脉出现狭窄，可导致冠心病。在美国和欧洲的许多国家，冠心病及其并发症——心绞痛、心肌梗死是最常见的死亡原因。

# 动脉粥样硬化

## 病　因

动脉粥样硬化的早期表现为动脉壁脂质条纹。在正常情况下，这个过程可以逆转，脂质条纹可以消失。但是，在存在高血压、应激或吸烟等足以造成血管损伤的情况下，血管内膜下的脂质条纹开始恶化。为了修复这些损伤，动脉再生出新的组织，从而形成小的隆起和瘢痕，胆固醇、白细胞及其他物质积聚在隆起处，形成斑块阻塞血管。最后在这些软的斑块周围出现钙质沉着和瘢痕形成，使动脉变硬，失去弹性。由于动脉粥样硬化进展缓慢，通常需要数十年，所以通常被认为是一种老年病。但是研究表明，儿童时期即可有动脉壁脂质沉积，具有特征性的斑块形成通常在 30 岁左右。

尽管动脉粥样硬化的发展过程已很清楚，但关于其发生原因仍不明确。高脂血症，尤其是低密度脂蛋白胆固醇增高，是动脉硬化的高危因素。低密度脂蛋白胆固醇（形成动脉斑块的物质）经过一系列复杂的过程后可激活不稳定的化合物，即自由基。自由基可干扰脂质转运机制，使之沉积在动脉壁。但是大多数高脂血症的患者并没有动脉粥样硬化，而许多动脉粥样硬化的患者血脂水平在正常范围(参见胆固醇疾病)。

高血压、吸烟时吸入的一氧化碳、应激均可损伤血管壁。例如：在战乱国家进行的研究表明，交火地带的居民其血管壁斑块形成远远高于那些远离危险区的人。

尽管任何人在一生中都会出现动脉壁脂质沉积，但下列因素可影响动脉粥样硬化的易感性：

◆年龄：35 岁以上的人易出现动脉粥样硬化，但其发生年龄往往很小。

◆性别：绝经期前的女性与同龄的男性相比，动脉粥样硬化的发生率较低。但是绝经期后，男女患病率无明显差异。

◆遗传：有动脉粥样硬化家族史的人，其发病的危险性增高。

◆肥胖：肥胖者更易患动脉粥样硬化，可能与肥胖人群高胆固醇血症、高血压发生率高有关。

◆生活方式：缺乏锻炼与动脉粥样硬化发生有关，且最终可导致冠心病的发生。

## 诊断与检查

肌体不同部位动脉阻塞的典型症状可作为动脉粥样硬化的诊断依据。为明确阻塞部位和范围，应行血管造影，可在 X 线下清楚地显示出动脉斑块。

## 治　疗

当患者出现明显的症状后，治疗动脉粥样硬化的第一步是去除高危因素。如降低饮食中饱和脂肪酸的含量可以阻止斑块的进一步形成。对于合并高血压的患者，首先应控制高血压：如减轻体重、按时锻炼、减少应激。而糖尿病的患者则应首先控制血糖水平。患者还应戒烟。

### 常规治疗

目前，没有直接治疗动脉粥样硬化的药物。现有的治疗方法多针对其相关疾病，如高血压、血脂、胆固醇异常。用于修复受累动脉的手术或有许多，如打开病变动脉，取出阻塞其中的斑块。或者行血管搭桥术来取代受

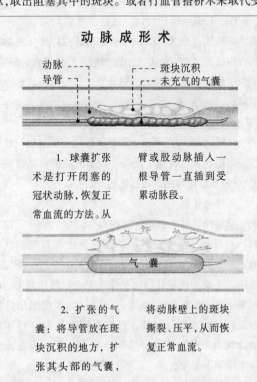

**动脉成形术**

动脉导管 - - -
斑块沉积 - - -
未充气的气囊 - - -

1. 球囊扩张术是打开闭塞的冠状动脉，恢复正常血流的方法。从臂或股动脉插入一根导管一直插到受累动脉段。

气　囊

2. 扩张的气囊：将导管放在斑块沉积的地方，扩张其头部的气囊，将动脉壁上的斑块撕裂、压平，从而恢复正常血流。

损血管。

另一种常见的术式为旁路手术：用移植的血管或人工血管向阻塞动脉远端供血。球囊血管成形术是非手术治疗方法。通过撕裂、压平血管壁斑块使血管恢复畅通（见335页图），还可使用导管插入术，激光、斯坦特支架术（微小的网架结构）来使阻塞血管再通，维持正常功能。

### 辅助治疗

在动脉粥样硬化的产生和预防中，饮食结构、生活方式都起着重要的作用。旨在控制疾病的治疗方法很多。

包括饮食、中药、放松、锻炼等各种的治疗手段，请专业人员设计一个全面的治疗方案。

#### 中药治疗

许多中医制剂可治疗动脉粥样硬化。如：按一合适的比例将桔梗、柴胡配成方剂。具体用药应请教中医医生。

#### 生活方式

Ornish 医生所作的以心脏病患者为对象的一个长期项目表明生活方式的改善对于动脉粥样硬化的防治具有积极意义。生活方式的改善包括严格素食、锻炼、减少应激。研究结果表明，82%受试者冠脉内斑块发生逆转。

#### 身心医学

目前，认为应激可加速动脉粥样硬化的进展。放松疗法可阻止或延缓这个进程。许多方法都可以帮助患者放松，包括瑜伽功、沉思、生物反馈等。

#### 营养及饮食

早期即开始改善膳食结构和生活方式，并坚持下去，足以阻止甚至逆转动脉粥样硬化。首先，饮食中不仅要低胆固醇、低饱和脂肪酸而且要有高抗氧化物。主要的抗氧化物包括维生素 E、维生素 C、β-胡萝卜素（维生素 A）及硒。注意：大剂量服用这些物质可导致中毒。例如：过量服用维生素 D 可加速动脉斑块钙化。因此，为安全起见，应在医生或营养师指导下服用。

一部分证据表明，大量服用大蒜有防止胆固醇氧化

的作用。葡萄皮提取物、一种生长在南印度的草药可减少斑块沉积。Alfalfa（Medicojo sativa）和菠萝蛋白酶（从菠萝中提取出的酶）在动物实验和人体试验中均得出了相同的结论。

近30年来的大量研究证实，适量饮酒（每天 1～2 杯葡萄酒）有防止动脉粥样硬化和冠心病发生的作用。有人认为葡萄皮中的黄酮样物质，是一种赋予葡萄酒颜色和香味的物质，它可以抑制脂质沉积。

其他关于营养学方面的指导，请参见胆固醇疾病和血羟块。

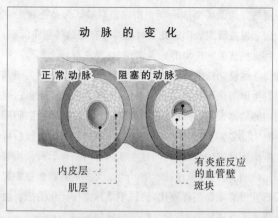

动脉的变化

正常动脉　　阻塞的动脉

内皮层　　　　　　　　　有炎症反应
肌层　　　　　　　　　　的血管壁
　　　　　　　　　　　　斑块

### 螯合物方法（并无结论）

在美国，每年都有数以千计的人使用螯合剂治疗动脉粥样硬化，比接受搭桥手术的人数还多。螯合剂包括静注 EDTA。其理论依据为螯合剂可与血管壁斑块中的钙离子结合，另外，它有抗氧化作用。

螯合方法可有效治疗铅中毒。它对心血管病的治疗作用目前争论很大。支持者认为与其他方法相比，螯合治疗是一种安全、相对便宜、有效的治疗方法。而批评者则指出螯合治疗缺乏科学证据，并声称它是无效的或有潜在危险性（早期证据显示 EDTA 可造成肾损伤）。

疗程为 10～40 天，需花费数千美元。至少需要一个有关螯合治疗的科学研究，医生才能确定其优点。一旦研究得到结论，螯合治疗或者成为一个心血管病的常规治疗，或者成为历史。

肩胸双上臂疾病

预防

动脉粥样硬化具有遗传易感性。具有动脉粥样硬化家族史的患者必须接受这个不可更改的事实。所能改变的是下列情况:

◆低脂肪、低盐、高维生素饮食,尤应注意少食含有较多饱和脂肪酸和胆固醇的食物。

◆戒烟。

◆经常测血压,若患有高血压,应尽量将其控制在正常水平,(参见高血压)。

◆进行适度的锻炼,如30分钟散步、游泳、骑自行车,每周进行数次或每日1次。

◆找到一种自己有兴趣的放松方法,并将其纳入日常生活。

◆对有高危因素家族史的人,应定期请心脏专科医生检查。

## 症 状

虽然大多数动脉瘤没有症状,但有一些病例可能出现下列症状:

◆突然或剧烈疼痛,常描述为"撕裂痛",或者感觉异常搏动、疼痛或身体任何部位位置的肿块。

◆腹部或下背痛延伸到腹股沟和腿部可能表明腹部动脉瘤,有时可以看到或感到跳动的肿块。且可能伴有体重下降或食欲减退。

◆胸痛、嘶哑、持续咳嗽和吞咽困难,可能提示胸部动脉瘤。

◆跳动性感觉或膝盖后面肿块可能提示周围血管瘤,膝部是这种类型血管瘤的常见部位,特别是吸烟者。

◆严重的头痛,以前从来没有过的头痛,伴有颈部放射痛,可能提示头部的一个壁间动脉瘤或颅内小动脉瘤破裂。壁间动脉瘤以严重剧烈疼痛为最常见特征,也可发生在身体的其他部位,并且总是危急情况。

## 出现以下情况应去就医

◆你怀疑自己有动脉瘤,许多动脉瘤非常严重,并且需要进行医学检查。一个动脉瘤的破裂会立即危及生命。

**动**脉瘤是一种动脉壁的明显球形膨出。血液通过的压力可能迫使一个薄弱的部分向外膨胀,形成一个薄壁的瘤。

虽然任何薄弱的血管都可能受到影响,但动脉瘤通常主要发生在胸部和腹部的主动脉,主动脉是从心脏发出的主要血管,另外动脉瘤主要发生在营养脑的动脉。这些部位任何部分动脉瘤都很严重,而周围动脉的动脉瘤多危害性较小。

动脉瘤的最大危害是突然破裂引起疾病,突然发作,发生危及生命的出血。但即使没有破裂,一个大的动脉瘤也可能阻碍血液循环并促进不必要的血块形成。

由于动脉瘤症状很罕见,你自己很难确定动脉瘤,但某些人有发生动脉瘤的较高危险性。最好的办法是了

肩胸双上臂疾病

# 动　脉　瘤

解你是否有与动脉瘤有关症状的危险(见下面病因)，并且采取了预防的措施。

## 病　因

引起动脉壁薄弱或退化的任何情况都可导致动脉瘤。最常见的"罪魁祸首"是动脉粥样硬化和高血压。穿透性损伤和感染也可能引起动脉瘤。某种类型的动脉瘤如颅内小动脉瘤，是先天性或遗传性动脉壁

### 动脉瘤的类型

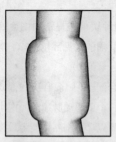

**囊状动脉瘤**

囊状动脉瘤是在动脉壁的一个气球样膨出。通常是由于动脉壁中层肌肉先天性薄弱而造成的，这种类型动脉瘤可能含有一个血凝块。

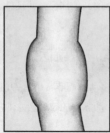

**颅内小动脉瘤**

颅内小动脉瘤，属于囊状动脉瘤，因为小，类圆形表现而命名。这种类型常发生在脑底部的动脉分叉处。

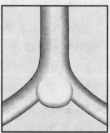

**梭形动脉瘤**

损伤动脉瘤内层和中层能引起腊肠形膨出叫做梭形动脉瘤。高血压和动脉粥样硬化是这种动脉瘤发生的主要原因。

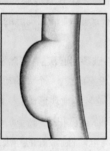

**圆柱样动脉瘤**

圆柱样或管状动脉瘤是由于动脉正常管径引起异常改变的一个细长膨胀。常由于动脉粥样硬化或梅毒引起。一个圆柱样动脉瘤可能沿着一长段动脉而发展。

薄弱的结果。

## 治　疗

治疗动脉瘤的唯一方法是手术切除，手术常是一个比较危险的过程，但是一旦成功就非常有效。然而，有时不可能进行手术，或者手术比动脉瘤本身更危险。这时仔细的监测和药物治疗是最好的方法。

### 常规治疗

你的医生可能通过各种影像技术确定动脉瘤的大小、类型及部位。这将有助于确定最好的治疗方案。

对于不能手术的动脉瘤，可服用一些降低血压的药物，或减少心脏收缩的力量，从而减少破裂的危险。但是即使一个能够进行手术的动脉瘤，你的医生也可能首先试用药物治疗并建议"观察"的方案，用周期性试验追踪动脉瘤的生长。如果你的医生发现动脉瘤已经膨胀得非常危险，可能决定手术治疗。

外科医生通过插入一个钢夹阻断血流到达相应的区域，能够消除动脉瘤。也可以切除动脉瘤，并且动脉切除的部分可用人工移植的方法取代。

### 辅助治疗

下面的方法都是预防动脉瘤的基本措施，应该寻求与医生一致的治疗方法，而不能取代医生的建议。

**身心医学**

保持你的头脑和身体放松，能预防动脉瘤造成的损害，试着能在家中进行锻炼，例如瑜伽功或冥想。

**营养及饮食**

改用能降低血压和动脉粥样硬化的饮食，可能有助于预防动脉瘤的发展。参看动脉粥样硬化、血凝块、高血压和胆固醇疾病的内容。

**预防**

了解你是否在动脉瘤的危险期，并采用适当的措施防止动脉瘤形成。特别是如果你有中风或心脏病家族史。改变你的饮食习惯和生活方式，以改善你的总体健康状态。有规律的锻炼，注意你的饮食，如果吸烟请戒掉。

# 乳腺问题

## 症 状

- ◆疼痛或感觉一侧或两侧乳房胀满，大多可能因胸前肿胀所致。
- ◆疼痛合并发红和温热或乳头溢液，这可能提示感染。乳头溢液也可能是良性增生或乳腺癌的表现。
- ◆可活动的肿块；感觉不与胸壁粘连；你可能患一个囊肿或一个纤维腹痛。
- ◆肿块坚硬、不能活动或感觉与胸壁粘连，痛或不痛，可能有小凹形成 或形成乳房皱折；这可能是乳腺癌的症象。

## 出现以下情况应去就医

- ◆你注意到乳房内出现新生的或异常的肿块，尤其在经过你的月经周期时保持存在。虽然大多数肿块是无害的，但在少见病例它可能是感染或癌的征象。让医生检查你的肿块。

女性的乳房是一个器官。随着青春期发育，每月的月经周期和妊娠而变化；它也随年龄增长变化。大多数情况下，在你乳房内的变化都是很正常的且没有相关的病因。然而，你可能患一些严重的疾病需要医治。其中主要是乳房疼痛和肿块（参看下面和第 210 页）

从青春期开始，你就应该每月检查你的乳房，这样才能熟悉它的结构并可发现新生物或肿块。月经前的变化可导致暂时的增厚，而在过了这一阶段后消失。因此，你最好在月经完后 1 周检查你的乳房。如果你已经绝经，则每月在你记得住的一天检查你的乳房，如与你的生日一致的一天。

乳房 X 线片——乳房的细致的 X 线图像，可描述出非常小的用手不能感觉到的肿瘤，关于一个妇女应该什么时候开始进行常规乳房 X 线检查的问题还存在着不同意见和不小的争论：有些医生提出在 35 到 40 岁之间；其他人认为可到 50 岁，典型的是在 40 岁后每隔 1 年开始，然后到 50 岁后增至每年 1 次。如果你有乳腺癌家族史，尤其是你的母亲或姐妹，你的医生会建议你制定一个不同的时间表。

### 乳房痛

乳房痛可有许多原因，包括在月经期间正常乳腺组织肿胀，其他原因包括感染或受伤；肿痛，包括癌；和可能与饮食有关。通常月经期间乳腺组织肿胀可合并疼痛，但并不危险，且如果你可以忍受就不需治疗。每月的周期使激素产生变化，包括雌激素和孕酮水平的升高，将很多液体常进乳腺，使组织膨胀牵拉神经纤维，导致疼痛。有些妇女在她们的月经周期前就感到胀痛，症状在靠近月经结束时消退。另一些感觉是避孕药丸的副作用。

另外，乳腺疼痛的原因可能是月经期间孕酮水平下降的缘故。一些研究表明了周期性乳房痛和低的孕酮水平之间的关系。

乳房的损伤和感染产生的症状与在身体的其他部位可见到的相同。只有在乳房，感染易形成壁与周围的组织分开，产生小的脓肿。这可能造成囊肿的出现。感染几乎只发生于正在哺乳的妇女，你如果怀疑自己患了感染，应找大夫诊治。

囊肿可产生疼痛，但乳腺癌很少有疼痛感，虽然疼痛不能完全排除癌的可能。

## 治 疗

常规和替代治疗的医生都用饮食和营养调节来预防和治疗每月的乳房肿胀，他们会鼓励你保持健康的体重，吃平衡的膳食，把这作为好的预防性措施。因为盐会使液体潴留，加重症状，故你应在月经期间限制盐的摄取，对有些妇女，禁用咖啡因和相关物质，如甲基黄嘌呤（可在巧克力和茶中发现），可以缓解乳房疼痛，常规和替代治疗医师都可能建议戴一个乳罩，甚至每天 24 小时可减少乳房活动，从而减少不适感到压痛消退。

### 常规治疗

近年来，有些常规治疗医师建议补充维生素 E，每日剂量为 400 mg 以上，治疗非癌性乳房疼痛。另外，他可能建议使用止痛药如阿司匹林或布洛芬来止痛。

如果这些治疗无效，医生可能用激素治疗，如达那唑，已证明可帮助解除乳房疼痛。也可能给你使用孕酮，因为一些研究表明孕酮的缺乏可导致乳房疼痛。医生也会开抗癌药，若这些药中的一种无效或带来讨厌的副作用，医生可给你换另一种。然而，如果你正在妊娠则不要用这些药物。

所有上述的激素治疗都有副作用。达那唑，一种雌激素，可产生头痛、恶心、月经不调和体重增加，以及男性化（毛发增加以及少见的声音改变），这些是不可变的。你的医生可能不愿用他莫西酚，因为尚不明确它对癌症的危险性，对骨密度、妇科肿痛及血凝块的远期作用。实际上，大多数病人不需用强烈的药物就可缓解，最大的得益于咖啡因的去除。

乳腺感染用抗生素治疗。如果出现脓肿，医生也可能切开一个小口作引流。如无效，则第二步需做小的外科手术。

### 辅助治疗

除饮食改变和上述的支持治疗外，替代药物治疗医生常用药剂量的营养传导和草药来治疗乳房疼痛。

晚上涂用樱草油，虽然在美国非证实可治疗乳房疼痛，但在欧洲使用被证明有效。如果必要，你可每天3次服用1粒500毫克胶囊。这种治疗比激素治疗副作用小，经常在常规治疗中应用。

#### 营养及饮食

维生素E对解除乳房疼痛有效。机制尚不明确，但研究者了解维生素影响血液的凝固；如果你正在服用血液稀释剂，则应在服用任何维生素E前向医生咨询。替代治疗医师有时用1200国际单位的剂量，但许多妇女只用400国际单位每天就可缓解疼痛。

因为饮食中的脂肪与雌激素的生成有关，教你可通过低脂饮食来减少身体内雌激素的水平。

#### 家庭治疗

为缓解疼痛，可试用一种温热的海狸香油涂裹在你的乳房上。用高级海狸香油浸泡一件法兰绒上衣，放在乳房上，并覆盖上塑形的围巾或一条毛巾；用加热垫加热这个包裹或用热水瓶热20~30分钟。

#### 乳房肿块

乳房肿块有许多种，包括囊肿、腺瘤和乳头瘤，其大小、形状和部位，以及原因和治疗各不相同。大约有一半的妇女患多块性乳房肿瘤，或纤维囊性乳腺病，这与月经周期所致的激素变化有关。大多数肿块是良性的并不是癌的表现；然而，任何时候如果你发现了新生的或异常的肿块，都要请医生检查，确定它是不是癌或癌前病变。参看乳腺癌可获得更多的资料。

研究者正在调查服用避孕药丸或使用激素替代治疗(HRT)的妇女乳房肿块的发生率。在HRT中，妇女服用不同量的雌激素和孕激素以减轻经期症状和减少心血管疾病的危险性。当这种结论被证实时，你的医生会将HRT和乳房肿块联系起来。另外的联系是使用HRT可改变乳房的结构，增加乳腺的密度，使得乳房X线片更难阅读和评估。这使得癌症的检测更加困难。

囊肿，可大可小，是良性的充满液体的囊。它们有时周期性出现，可以是疼痛的。鉴别囊肿和实性肿疡的最好的方法就是超声；穿刺活检也可应用。

随着绝经后月经的停止，许多囊性肿块缩小或消失，故绝经后形成的肿块应立即让医生检查。

纤维囊性乳腺病是40岁以下妇女最常见的良性肿瘤，有时也可见青少年。纤维素性乳腺病通常是圆形的，几厘米横径。可活动，它只能靠活动确诊，建议为20岁以上的妇女检查。

乳头腺瘤是乳头区的肿瘤。它的形状各种各样，偶尔在手术切除后复发，且有时但不经常与癌相关。

导管乳头瘤是乳头附近乳腺导管内液的相对不常见的小肿瘤。通常见于40岁以上的女性，乳头瘤产生分泌物，可以是血性的。

## 乳房肿块治疗

### 常规治疗

对于乳房肿块来说，治疗和诊断通常是相关的。例如，医生可将针头插入囊肿吸出液体，同时查验液体和消除囊肿。如果液体是清亮的，且囊肿消失，医生将可能诊断它是一个良性囊肿而不用进一步治疗。许多医生通过细胞学——一种细胞的病理学检查增加液体检查措施。若在你下一个月经周期过后肿块未消失而仍然存在，则医生将会检查你。

如果从可疑囊肿引流出的液体是血性的或很少或没有液体可引流出，这是癌症的反应，活组织检查可直

# 乳腺问题

接检查出癌症。

乳房纤维囊腺病只能靠活检确诊。手术切除，通常在同一天的手术过程，被认为是惟一的治疗方法。

乳头腺瘤行手术切除，因为它们有时与癌症相关。导管内乳头瘤应在它们长大阻塞乳腺导管前行手术切除。

一些常规治疗医生建议去除咖啡因的摄入，以缩小囊肿，但惟一完成的关于咖啡因作用的研究表明（显然还未证实）脂肪饮食——尤其是饱和脂肪——和良性肿瘤之间的关系，同样与乳腺癌也有关系。限制脂肪可帮助缩小或去除肿块。

## 辅助治疗

替代药物重点在于预防，可作为处理乳房问题的有效方法。饮食和营养补充是预防的第一措施。

**草药治疗**

晚上用海狸香油——500 毫克，每天 2～3 次——可能对缩小肿块有帮助。

**营养与饮食**

虽然尚无研究证明饮食引起乳腺肿瘤，但有些已表明他们之间有联系。许多替代治疗学家都希望去除咖啡因，并建议每日服用 400～1200 国际单位的维生素 E，加上每天不超过 150 微克的硒。注意：大量的硒可引起中毒，你应该在健康保健医生的指导下服用。

**怎样检查你的乳房**

每月检查你的乳房，在月经后的 7 到 10 天（这时最易显示，用香皂使皮肤光滑）。观察小凹，然后如下用螺旋型或表格方式检查，用轻的压力检查表皮附近的肿块，重的压力检查将有损组织。轻轻挤压双侧乳头，如果有分泌物——尤其是血性的——立即找医生诊治。

## 怎样检查你的乳房

1. 螺旋型或表格方法，开始抬高你的胳膊，并一直用手指的水平面。用轻的压力，只压在皮肤的表面（左侧）；这可以使你感觉到表皮附近的小肿块。

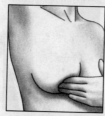

2. 用重的压力，深压入组织，也是用手指的水平面。注意任何敏感域，异常肿块或变厚的组织。

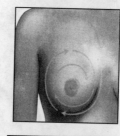

3. 用螺旋式方法。从腋窝部附近乳房的上部开始如左图所示。开始轻用力朝向乳头方面，用同样的方法用重力重复。

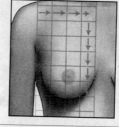

4. 用表格方式，如左图所示想象为一个正方形的形式，朝着箭头的方面。在每个区域用小的螺旋方法，开始轻用力，然后重用力。

# 乳 腺 癌

## 症 状

在乳腺癌早期，通常无症状。在肿瘤生长过程中，你可能注意到下面的表现：

◆腋窝肿胀。

◆乳房疼痛或压痛。

◆乳房肿块，经常是乳腺癌的首发症状，乳房肿块通常不痛，可能会有针刺般痛的感觉。肿块通常在被看到或触到前就可在 X 线照片上呈现。

◆乳房明显变平或有切迹，可能提示肿瘤，但无法看到或触摸到。

◆乳房轮廓、结构或温度的任何变化；发红有凹痕的表面像橘子皮是进展期乳腺癌的表现。

◆乳头的变化，如小凹或酒窝样变化，搔痒或烧灼感，或溃疡形成；乳头磷片样变是"佩吉特"病的特征性表现，是一种局限性癌。

◆乳头异常分泌物，可能是清亮的，血性的或其他颜色——通常是良性疾病所致，但也可能由于癌。

### 出现以下情况应去就医

◆一侧或两侧乳房发生异常肿块或持续疼痛，或看起来或触觉异常。病因可能是癌症以外的原因，但需确立。

◆你的腋窝淋巴腺肿大。这种肿胀可能与癌症有关。

每个月，妇女的乳腺都经历与月经相关的暂时性改变，肿块可能形成。显然 90% 的这种肿块不是癌性的，但任何肿块都应被马上检查。肿块通常发生在小叶——产生乳汁的小囊——或运载乳汁至乳头的小管，但偶尔它们开始于非腺体组织。乳腺癌的两个主要类型是小叶型和小管型癌。每种都有许多类型。

乳腺癌通常开始于小的局限性的肿痛形成。有些是良性的，说明它们不侵入其他组织；另外一些是恶性的或称为癌性的。一旦这种肿痛长到一定的大小，它很可能通过血流或淋巴系统扩散到身体的其他部位。乳腺癌不同的类型生长和扩散的速度不同；有些需要一年才扩散至乳房外，而其他转移迅速。

男性也可患乳腺癌，但它们占全部病例的 0.5% 以下。而在女性中它是最常见的癌症，女性患此癌的危险性为 1/9。它构成美国所有癌症病例的 1/6 及所有女性癌症的 1/3。在癌症死亡病因中它将随结肠癌、直肠癌和肺癌之后，每三个女性癌患者中有两个超过 50 岁，而剩下的大多数在 39～49 岁之间。

幸运的是，乳腺癌若发现的早则完全可以治疗。限局性肿痛在癌症扩散前通常可以成功地治愈；9/10 多的病人具有 5 年生存率。一是癌症开始扩散，完全消除它就更加困难，虽然治疗可在数年内控制疾病的进展。改进了的影像成像技术和治疗方法使至少有 7/10 患有乳腺癌的妇女在最初诊断后将幸存超过 5 年，且有一半将幸存 10 年。

## 病 因

乳腺癌的确切原因虽然尚不清楚，但我们已经知道主要的危险因素。大多数妇女被确认为乳腺癌发病的高危人群，但并没有都会患上病，只是许多患者没有知道危险因素。最重要的因素之一是增长的年龄和乳腺癌家族史。妇女患有良性乳腺肿块，危险性不大，而以前患过乳腺癌或卵巢癌的妇女危险性明显增加。

一个妇女的母亲、姐妹、女儿曾经患过乳腺癌则她自己很可能发生此病，尤其不只一位称为一级直系亲属曾有此病史的情况。目前的研究已表明，有一种基因可导致家族性乳腺癌，200 个妇女中有 1 位携带此基因。然而携带有此易感基因的女性并不一定患乳腺癌。

一般，绝经后妇女——一般均大于 50 岁——比绝经前妇女更易患乳腺癌。统计显示，非州、美洲妇女在绝经前比高加索人更易患乳腺癌。

乳腺癌与激素之间的联系逐渐变得清晰了。研究者认为妇女在女性雌激素影响下受其作用越大，就越易患乳腺癌。机理是，雌激素造成细胞分裂，而分裂的细胞越多，就越容易通过某些方式出现异常——可能导致癌性异常。妇女在雌激素的作用下，孕酮的水平升高或降低，随月经的出现和停止，月经周期的平均长度和第一次月经的年龄波动。如果开始月经的年龄小于 12 岁，生第一个孩子时大于 30 岁，绝经年龄超过 55 岁，或月经周期平均少于 26 天或多于 29 天，则妇女患乳腺癌的危险性增加。服用避孕丸形式的激素或激素替代疗法也可增加

# 乳腺癌

危险性，即使这种情况尚不确立。大剂量的放疗也可作为一种因素，但低剂量的乳房X线照片基本上没有危险性。

饮食与乳腺癌之间的联系尚有争论。肥胖是一种值得注意的危险因素，经常饮酒也可促发此病。许多研究显示高脂肪饮食的妇女更易患乳腺癌。研究提出如果女性每日获取的能量（卡路里）从脂肪中获得的小于20%，则这种饮食可保护她，阻止她发展成乳腺癌。

## 诊断与检查

乳腺癌若发现早则治疗效果好。增加每年的年度体检，所有妇女都应每月进行自我乳房检查（参看乳房问题）。基本的乳房X线——乳癌的低剂量X线——建议35~40岁的妇女进行此项检查。大多数妇女到40岁时也应每隔1年做一次乳房X线检查，到50岁时则每年做1次。有乳腺癌危险因素的妇女应咨询她的医生制定最好的检查时间表，由于乳房X线照像带来的危险性已完全被其带来的好处所抵销：乳房肿块可在X线照片上显像而两年以后才可能摸到。

有一些检查可帮助识别肿痛的良恶性。触摸包块可提供线索：良性囊肿看起来像一个圆的清的豆，而肿痛感觉更厚并可导致皮肤小凹形成。因为恶性和良性肿块存在有不同的物理特性，影像学检查如乳房X线摄影、超声常可排除癌。惟一可确诊为癌的方法就是行针吸法或活组织检查，检找组织中的癌细胞。

对于恶性病例。你和医生都需要了解癌症的范围。各种检查可用来检查存在和可能的转移的位置。对于接受激素治疗者可分析癌细胞的存在和消失，以检测癌是否对激素疗法的反应良好。其他检查可帮助预测转移的可能性和治疗后复发的可能性。

# 治疗

如果你患有乳腺癌，则应尽快切除它。但在决定治疗前，研究一下你的治疗方法。咨询医生或其他专业人员以及曾患过此病的人们一些问题，并在主要癌症治疗中找第二种方法。找一位你信任的大夫，而不要匆忙做决定。在诊断和治疗中间一个短暂的延迟不会影响治疗效果。

## 常规治疗

乳腺癌的治疗方法取决于癌症进展的程度，患者的年龄，以及其他方面的健康程度。如果可能，乳腺癌应行手术治疗，随后通常联合一些放疗、化疗或激素治疗。

乳腺癌的标准手术是乳房根治术——乳房和周围脂肪、肌肉和淋巴结的全部切除。对于许多乳腺癌发现得早且还很局限的妇女，可行肿块切除术——切除癌性肿块和臂下的淋巴结，这是目前最受欢迎的疗法。伴随适当的化疗、放疗和激素治疗，肿块切除术已证实与乳房根除术一样对早期乳腺癌有同样的疗效且对外形的损毁大大减小。

面对手术，一些妇女选择改进的乳房根除术而不选择肿块切除术和放疗。此手术过程中肿痛和周围的乳房组织被切除，但大部分胸肌被遗留下来不受损伤——这种比乳癌根治术对外形的毁损小。

对于已经转移的乳腺癌及复发的乳腺癌，放疗和化疗是根本方法。对于激素相关的乳腺癌患者激素治疗也可能有效，随着抑制激素药物的应用，他莫西酚基本已广泛应用。同时，研究者们正在运用不同形式的免疫治疗方法；通过推拿肌体的免疫系统，希望能够增加对癌症的自然抵抗力。

## 辅助疗法

和任何癌症一样，尚没有可接受的可取代常规治疗方法的替代疗法。所列出的疗法应被作为预防或辅助方法，与标准药物治疗相结合。

### 生活方式

规律地有氧锻炼可能提供一些保护对抗妇女发展的乳腺癌。研究已经发现，经常精力充沛地锻炼的妇女患乳腺癌的可能性至少是不运动妇女的1/2。锻炼也可帮助乳腺癌患者更好地适应化疗或放疗的副作用。

### 身心医学

放松神经肯定可以帮助缓解癌症带来的精神和肌体上的压力。除了这种方法，如调节或瑜伽，许多人从结构支持疗法中受益。一项回顾研究显示，那些在接受常规治疗的同时参加支持组治疗和自我催眠法的患者感觉很好，且比只接受常规治疗的患者的平均延长 18 个月的寿命。

### 营养及饮食

你的饮食在乳腺癌的预防中起到重要的作用。原则上，脂肪饮食可能增加你患乳腺癌的危险性，而水果、蔬菜和谷物可能减低危险性。将全奶乳制品、肉和高温油煎的食物作为偶尔的饮食成分而不是主要饮食成分是非常好的主意。你可以丰富你的菜单增加各种新鲜水果、蔬菜，以全部谷物和豆类作为新的主食的基本成分。这样，你就可以摄取大量的身体所需的纤维素、维生素和矿物质，被认为可抵抗乳腺癌，尤其维生素 A、C、D 和 E 以及钙、硒和碘。一些医生建议乳腺癌患者和幸存者服用抗氧化剂。

某种食物含有植物雌激素，弱的植物雌激素对治疗激素敏感性乳腺癌可能有特殊的作用。理论上，植物雌激素阻断了乳腺组织中正常雌激素的摄取。控制雌激素可减少癌的可能性，而且如果已存在恶性肿瘤，也可减低癌细胞繁殖的速度。小麦、大豆、橄榄、葡萄干、胡萝卜、草莓、山药和椰子是含有植物雌激素的食物。

### 家庭治疗

乳房手术后，一个有规律的简单的锻炼常规将帮助你恢复活动力和减轻肌肉僵硬。为减轻由放疗带来的可能的不适，应避免穿衣，这可能刺激面部区域，使你的肌肤保持清洁和好的安全疏通，且只用那些医生建议的皮肤霜膏和除臭剂。

### 预防

每月都检查一次你的乳房，每年做一次全面的体检，如果你已年过 50 岁就应每年做一次乳房 X 线检查。如果你有乳腺癌家族史则应提早开始乳房 X 线检查。

◆ 将水果、蔬菜、谷物和鱼类作为你食谱的主要成分。

◆ 如果你准备避孕，同你的医生咨询关于以雌激素为基本成分的避孕药丸的使用和保存。

◆ 如果你有患乳腺癌的高度危险，应告诉你的大夫或妇科专家，治疗月经症状而不需服用雌激素丸。

## 手术后练习

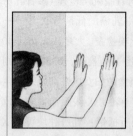 

1. 由于乳腺癌手术导致的瘢痕组织可能限制你手臂活动的范围为使瘢痕组织和肌肉伸展和强壮，可做爬墙运动。开始离墙一脚的距离两腿稍分开站立，并将双手都放在墙上。

2. 缓慢地沿着墙面上移动你的双手，尽可能地远，如果你感到疼痛，则立即停止，每天重复做几次，达到双手超过你的头的高度。在做任何术后锻炼时，都要经过医生的同意和指导。

肩胸双
上臂疾
病

# 烧心感

## 症状

◆ 胸骨后烧灼感，多于进食后出现，可持续数分钟至数小时。

◆ 胸痛，特别是弯腰或俯卧位时。

◆ 咽部烧灼感——或咽后部涌出发热、发酸或带咸味的液体。

◆ 嗳气。

### 出现以下情况应去就医

◆ 明显的烧心感并伴有下列症状：吞咽困难、呼吸短促、出汗、头晕、呕吐、腹泻、剧烈腹痛、发热及排黑便或带有血迹的大便。此时，你可能发生了绞窄性裂孔疝、胰腺疾病、胃炎、胃溃疡或肿瘤，也可能是心脏病发作，应立即请求急救。

◆ 用抗酸剂治疗烧心，症状不能在 15 分钟内缓解，这也许是心脏病发作的征象，应立即请求急救。

◆ 烧心症状在运动时加剧在休息后减轻，提示你可能存在心脏疾病。

◆ 长期存在烧心症状（每日或几乎每日发作），说明食道正在被胃酸反复烧灼，这样可导致食道炎、食道瘢痕、胃溃疡或癌。

尽管这一症状被称为烧心，其实它与心脏无关（可是一些症状与心肌梗死发作或心脏疾病的症状相同）。烧心是胃酸引起的食管刺激症状。通常食管下括约肌（或称 LES）在重力作用下使胃酸保留在胃中。LES 位于食道与胃的交汇处，肋骨骨架下方并略偏向左。正常时 LES 在食物进入胃内或嗳气时开放，然后 LES 关闭。如果 LES 开放过于频繁或太快，胃酸返流或渗入至食管可引起烧灼感。

偶发烧心并不危险，长期烧心则提示存在严重疾病。10% 的美国人及 50% 的妊娠妇女每天出现烧心症状。另外有 30% 的人只偶尔出现烧心症状。

## 病因

引起烧心的最根本原因是 LES 功能不良，即它不能正常缩紧。胃内过多的食物（如暴饮暴食后）或胃内压过高（常见于肥胖或妊娠时）也起一定作用。某些食物可使 LES 松弛，如蕃茄、柑桔类水果、大蒜、洋葱、巧克力、咖啡、酒精和薄荷。高脂肪或高油（动物油和植物油）饮食及一些药物如某些抗生素和阿司匹林也可导致烧心。应激使调控 LES 的神经的紧张性增加引起烧心症状，吸烟可松弛 LES 并刺激胃酸分泌，是一个重要的诱发因素。

### 诊断与检查

诊断主要依据你对症状的描述，有时也需采用一些辅助检查措施。可以借助胃镜——一根经口插入的细长并可弯曲的管，或 X 线检查观察食道。如果你的症状是由心脏疾病引起的，可进行心电图检查记录心脏电活动来协助诊断。

## 治疗

多数医生建议使用抗酸剂减轻偶然出现的烧心症状。辅助治疗包括减少胃酸分泌的中药疗法以及减轻压力的放松疗法。

### 常规治疗

首先应该确定引起烧心的原因，这样就可以采取措施，避免症状出现。非处方抗酸药或次水杨酸铋制剂是常用的中和胃酸的药物。如果抗酸药不能减轻症状，医生会用甲氰米胍、雷尼替丁或奥美拉唑减少胃酸生成；或者使用西沙比利或灭吐灵加速胃排空。当所有措施都失败时，可行外科手术对 LES 进行修补，不过这种情况相当少见。

### 注意

抗酸剂可因掩盖了一些疾病的症状而使病情加重。如果你有高血压、心律不齐、肾脏疾病、慢性便秘、腹泻、结肠炎、肠道出血或阑尾炎的症状，那么不要在未经医生允许前擅自使用抗酸药。妊娠妇女和哺乳期母亲在使用任何药物（包括抗酸药）前都必须征得医生同意。

肩胸双上臂疾病

## 辅助治疗

有关辅助治疗措施请参见裂孔疝一节。裂孔疝是常伴有烧心症状的疾病。

### 中药治疗

使用一剂或两剂由 10 克橘皮、4 片鲜姜、10 克茯苓、10 克藿香及 3 克甘草组成的药茶可减轻烧心症状。如果无效请告知你的医生。这些药茶不应每天使用。

生姜茶可迅速缓解烧心症状。益母草茶有镇静作用，对精神紧张相关性烧心特别有益。

### 预防

烧心症状常可预防。关键是保持适当的体重，避免引起胃酸返流入食管的情况(参见病因)，适当的休息和运动，减少精神压力。

如果你有饭后躺下休息的习惯，那么就向左侧躺下；在这种体位时，胃的位置低于食管。

### 牛奶的误区

牛奶不治疗烧心。饮用牛奶后症状缓解的感觉其实是一种假象。一旦牛奶进入胃内，其中含有的脂肪、钙及蛋白质可引起胃酸分泌增加，加重烧心症状。薄荷也常被认为可以减轻烧心症状，但事实并不如此，薄荷松弛 LES 使烧心更易于出现。

## 症 状

◆从颈部至臀部，沿脊椎的各个部位间断性疼痛或僵直。

◆颈部、上背部、或下背部尖锐的局限性疼痛，尤其在提重物或从事要紧张用力的活动后。

◆后背中间或下部慢性疼痛，尤其在长时间站立或坐位后。

### 出现以下情况应去就医

◆你感到胳膊或腿麻木，刺痛或不听使唤，你的脊髓可能已经受损。

◆背痛放射至小腿的后侧，你可能患坐骨神经痛。

◆咳嗽或弯腰时疼痛加重，这可能是椎间盘疝出的表现(参看椎间盘问题)。

◆疼痛伴有发热，你可能存在细菌感染。

◆在你平躺或起床时脊椎的某一部位疼痛，尤其是大于 50 岁的人，你可能患骨关节炎（参看关节炎）。

背部痛问题在中年人中是最常见的躯体病。非特异性的背痛是影响工作的主要原因，更不必说为解除病痛所花费的时间和金钱了。而这些都是因为我们存在一个区别与其他动物的特征——直立状态。

脊柱是一个特殊的结构，提供给我们直立时的稳定性和活动时的柔韧性。脊椎或称脊柱是由 24 块独立的骨头堆积而成，又称椎骨。一个正常的脊椎从侧面看是一个 S 形，在上背部向后弯曲，在颈部和一小部分背部向内。它不仅是身体的主要结构部分，而且它含有椎间盘——复杂的感觉网络。它贯穿椎骨，向全身传导感觉并控制活动。

20 世纪后期美国人患背部疾病的主要原因是人们越来越多地放弃了人类进化的遗产而成为惯于久坐的生物。直立状态是为行走及几乎所有人类工作的历史所设计的。只有在这个世纪，随着机动车辆的发展，使得大多数人可坐着就从一个地方到达另一个地方。因为很多同样的方式，我们的工作习惯发生了改变。我们的祖先大多数是直立工作，如打猎、采摘、在农场或工作

# 背部问题

台上工作。今天,占很大比例的人们将他们工作日中较好的时间部分用来坐在书桌旁、坐在工作机床旁、或坐在汽车或卡车里。这些近期出现的但重要的人类行为的改变,对人类生理学来源是一个意义深远的,并且很大的负性的冲击。

凡是行走较多或从事体力劳动的人,他们背部和腿部的肌肉状况都发育得较好。而几乎整天坐着的人就失去了这种好的肌肉状况,他们背部的情况在第一部位展示了。作为补偿,我们当中许多人转而去参加体育锻炼:本能地我们感到自己的身体急需古老的方式即要求更多的活动。如果你是个健康的有活力的成年人,而且你正常所从事的活动可使你保持精力充沛,则你不需要专门的锻炼的习惯;如果你从事坐位的工作或在你一周的生活规律中没有分出几小时用来走路或从事其他体力活动,你就应该进行有规律的锻炼,重点在于增强肌肉以保持你背部的强壮。

## 病　因

背部问题,在自身原因所导致的疾患中处于较首要的位置。大多数背部问题的产生是因为我们不良的生活习惯,通常是经过很长一段时间形成的:不良的姿势;工作或运动时用力过度;在书桌旁或驾驶时的不正确的坐姿;漫不经心地推、拉和提东西。有时这些影响是短暂的,但在许多病例中背部问题是在反复多次的这些不良习惯中而形成的。最常见的背痛是因为扭伤了脊椎旁的肌肉带。虽然这种扭伤可发生于脊椎旁的任何部位,但最常见于下背部的弯曲处,另一个最常见部位是颈的基底部。

然而,有时背痛的产生没有明显的原因。非特异性背痛可能是由于衰弱的肌肉所致,无法支撑每日的行走,弯曲和伸展肢体。在其他病例中,不适的产生或加重看来是由于肌体的紧张、睡眠的缺乏或压力,很像紧张性头痛。有一种疾病称为肌风湿病,由于局部肌肉紧张而造成慢性背痛,这又进一步成为身心疾病的原因。无论是提重物还是如打一个喷嚏一样无害的动作所造成的肌肉扭伤对于患者来说都没有什么不同,疼痛可能是难以忍受的。

妊娠通常可引发背痛,随着胎儿的生长,激素的变化,以及随之而来的体重的增加给孕妇的脊柱和腿部带来了新的压力。相关运动、意外、坠落所造成的创伤可导致各种问题的出现,从轻度的肌肉扭伤到严重的脊柱损伤,以至于脊髓受损。

## 诊断与检查

从背部受伤开始你如果完全不能动,医生才可能检查你的运动和神经功能的范围,并可能通过触诊找出不适的区域。便和尿检查可鉴别疼痛不是来自于感染或其他系统性疾患。X线可用来精确地判断骨折或其他骨髓受损的位置,并且有时可帮助找到相邻组织的问题。为了分析软组织损伤,计算机扫描(CT)或磁共振(MRI)成像是必要的。电肌肉神经表可用来帮助判定影响神经和肌肉刺激的潜在的异常。

## 治　疗

因为背部问题可有各种原因,其中一些可能不能迅速地表现出来,所以常规的医学治疗和可选择的处理方法都是用同样的方式,即止痛、休息和适当的康复运动。

### 常规治疗

缓解因扭伤或轻度创伤所致背痛的基本方法是立即卧床休息并予以冰袋包扎,服用阿司匹林或其他非甾体类抗生素可减轻疼痛和炎症。炎症消退后,用热敷可减轻并恢复肌肉和周围组织损伤。

当背部疼痛确实使得你不能活动,医生可能会指定你去买药或开止痛药和一种肌肉松弛药给你。有些肌松药如美索巴莫或盐酸环苯扎林可能会导致恶心、定向障碍和嗜睡等副作用,但这种治疗一般建议只用几天。在有些病例中,如缓解炎症并抑制病人对疼痛的感知,治疗可包括注射麻醉药,如利多卡因并结合在受作用区域周围组织内或别的触痛点注射皮质类固醇。为缓解慢性背痛,有时可应用小剂量的镇静药。

对于大多数背痛的病例,长期卧床休息不再被认为是必要的。实际上,少量的活动确实可以促进背部问题的恢复。在大多数病例中,预期开始很正常,在24到72小时内非剧烈的活动后,开始有节制的锻炼或理疗。理

肩胸双上臂疾病

疗方法可使用按摩、超声、涡流浴、有控制地应用热敷，以及专门特定的锻炼方法以帮助病人恢复全部脊部的功能。

另外，有些医师，尤其是那些运动科的医师，主张使用皮肤传导电神经刺激器(TENS)。绑在身体上的电极获得一个轻度的电流可帮助缓解疼痛。通过适当的训练，病人可自己使用 TENS 从而加快扭伤或背部中度创伤恢复的速度。

手术是治疗性背痛的最后可采取的措施。对由于神经末梢受损所致的持续性疼痛的病例，行脊神经根切断术(手术切断)，对于阻断疼痛两大脑的传导可能很必要。脊神经根切断术可以改善因脊柱关节面摩擦导致的症状，但对其他问题如椎间盘突出无效。

## 辅助治疗

可选择的治疗是针对解除背部问题的即刻的不适，同时调整和加强体质，预防再发。

### 指压治疗

为解除下背部疼痛，应用拇指压在骨盆顶点上面脊柱的两侧 60 秒，然后按摩此点，同样在髋关节和膝关节处用此方法。

### 针灸治疗

一些有背部问题的病人推崇用针刺法来止痛。由针刺医师施用，针疗被认为是将能量流重新定向并均衡地通过全身，不单是解除即刻的或慢性背痛。治疗包括将针插入特定的肌肉点和耳朵上以打开与背痛相关的能量通道的阻塞。急性病可在 1～4 个疗程后缓解，而慢性疼痛典型的需 12 个或更长的疗程。

### 体疗

按摩脊柱两旁的肌肉可帮助解除紧张和恢复活动能力，尤其是对感觉僵硬发紧的区域进行按摩。为避免对脊髓造成潜在的损伤，在有经验的理疗师或按摩师应小心避免在脊髓骨上直接施加压力。

Alexander 技术和 Feldenkrais 方法用来纠正整个肌体的状态，不只是纠正姿势，而且可缓解慢性的肌肉紧张和压力。

### 按摩

解决背部问题是按摩医师的主要目的。评价认为，

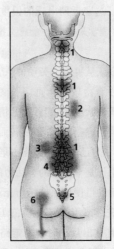

**受伤部位**

背部疼痛可有许多原因。①疼痛可由骨关节炎引起。②可发生在脊柱的任何部位。较大的背部肌肉可因肌风湿病受损。③疼痛在腰部脊椎的两侧可能提示你有感染。④椎间盘、关节、韧带或肌肉损伤可能导致下背部疼痛。⑤坠落或其他损伤可导致尾骨疼痛。⑥疼痛从臀部放射至小腿后侧或外侧可能是坐骨神经痛。

人们来看按摩医师更多地是为了解决背部问题而不是其他合并的疾患。脊柱部位按摩治疗法已被美国健康关怀政策和研究机构认可，作为对急性下背部疼痛的有效治疗方法。

传统的按摩治疗依靠脊柱治疗法来纠正半脱位或脊柱排列不整，这些可导致脊柱疾患。通过恢复脊柱骨的活动功能，按摩疗法可减轻相关的疼痛和肌肉痉挛。

按摩医师依靠 X 线和其他常规诊断方法，用综合疗法治疗背部疼痛，结合脊柱疗法和肌肉按摩，深部组织超声刺激，营养补充和锻炼。为缓解背痛人们使用止痛和肌松药，为了避免对药物依赖，现代按摩疗法提供了一种不需用药的缓解疼痛的方法。

### 身心医学

生物反馈疗法，小心监控应用低水平的电冲动，有报道对背痛患者有帮助。这种特殊的仪器可将肌肉的紧张度转换成信号输入可听信号器。患者学习怎样减慢这

种信号和放松肌肉。

引导成像疗法不需使用电子仪器可以获得同样的效果。

### 整骨术

继理疗和锻炼之后，整骨术很可能是药物治疗和脊椎按摩疗法或脊椎牵引的结合。越来越多的医生和理疗师正在运用脊椎按摩技术作为背痛治疗的一部分。美国政府已认可由整骨医师和按摩医师实施的脊椎按摩疗法作为治疗许多背部问题的很有效的方法。

### 预防

预防下背部疼痛最重要的措施是当站立和坐着的时候养成好姿势的习惯。

首先，足跟靠着墙站立，看一下你的姿势，你的小腿、臀部、肩膀和头的后面都应该贴着墙，而且你可以移动你的手臂到腰的后面。然后面前跨步并正常站立：如果你的姿势变动了，则立刻纠正过来。如果你工作时需站很长时间，则应穿一双合适号码的平底鞋支撑，并拿一个箱子，或在 20 厘米高的地方跨步来不时地休息你的一支脚。

你的坐姿也同样重要。一个好的椅子底可舒适地支撑你的髋部但不碰到你膝盖的后面。破椅子的背部应该装置成一个 10 的角度才能使你的背部舒适；如果必要，可使用一个楔形的垫或腰垫。你的脚应平放在地板上。你的前臂应放在书桌或工作台面上和肘部几乎呈一个直角。

当你提重物时，不要弯腰，而是蹲下腿，拿东西时保持你的背部呈垂直状态并垂直地再站起来。用你的腿来做提物的事情，而不是你的背部。一种非指定性背部支架也可起到支撑和避免背部扭伤的作用；它主要的好处是它将使你不能弯腰，背部支架的使用应有节制，长期应用可导致你依赖它而可能导致你背部肌肉薄弱——不强壮。

# 背　痛

| 症　状 | 疾　病 | 应采取的措施 | 其他信息 |
|---|---|---|---|
| ◆用力过度或受伤后疼痛，夜间加重，向两臀或大腿放射。 | ◆背肌扭伤。 | ◆参看背部问题和扭伤创伤。休息几天；必要时使用止痛药。 | ◆理疗包括冷热敷，轻度按摩及锻炼，可预防将来出现问题。 |
| ◆背、臀或大腿部位疼痛，僵直及压痛；背部转动或弯曲困难。 | ◆脊椎骨关节炎，亦称为脊椎关节强直。 | ◆参看关节炎，服用抗炎药止痛。休息、热敷、锻炼及理疗可能有效。 | ◆扭伤、受伤或老化均可导致此种情况。 |
| ◆起病为突发疼痛，疼痛在提重物，用力锻炼、扭伤、打喷嚏或咳嗽后可放射至一条小腿，弯腰使疼痛加重，平卧时减轻。 | ◆椎间盘突出（亦作椎间盘脱垂）；椎间盘疝出或椎间盘滑脱。 | ◆参看背部问题或椎间盘问题。治疗可包括止痛、卧床休息。理疗及穿一个支撑用的护腰。 | ◆椎间盘疾病可导致其他问题，如坐骨神经痛或大小便失禁。按摩和针灸治疗可能有效，若部分椎间盘压迫神经则可能要手术。 |
| ◆慢性下背部疼痛反复数月或数年。 | ◆脊椎排列不整。 | ◆参看背部问题。 | ◆其根本原因可能是腹肌或背肌松弛，肥胖或骨关节炎。 |
| ◆沿脊柱特定的部位锐痛。 | ◆骨质疏松症。 | ◆对于绝经后妇女推荐使用激素替代疗法可防止骨质进一步丢失。 | ◆这种情况在60岁后的妇女，卧床或坐轮椅的人中最常见。应劝病人戒烟酒，少食动物蛋白和脂肪，吸收足够的钙质，做负重锻炼。 |
| ◆妊娠超过4个月妇女下背部疼痛。 | ◆妊娠问题。 | ◆学习怎样适当地提东西，穿支撑性的鞋，改善姿势，以及使用硬的床垫睡觉可能有帮助。 | ◆针压法、推拿、按摩可能有效。 |
| ◆下背部疼痛，发热达到或超过下背部38℃；排尿疼痛，恶心或呕吐。 | ◆肾脏感染。 | ◆给你的医生打电话。肾脏感染需要立即应用抗生素治疗。 | ◆一定要将处方的抗生素服完。 |
| ◆慢性疼痛和僵直于早晨较重；疼痛多见于20～40岁的人。 | ◆关节强直性脊髓炎。 | ◆通常的治疗是使用抗炎药，理疗，推拿和锻炼。 | ◆治疗主要是防止关节与僵硬脊椎间的融合的进展。 |
| ◆走路或爬楼梯时背部、臀部、大腿和小腿肚疼痛，静止站立或坐位时可缓解。 | ◆脊椎狭窄。 | ◆给你的医生打电话。减肥及做腹部锻炼可能有效。有些病例则需要手术。 | ◆疼痛是始于神经走行的一处椎管狭窄。改变姿势可能有效。 |
| ◆背痛，尤其夜间明显，平卧不能缓解。 | ◆可能是肿瘤。 | ◆及时通知你的医生。 | ◆肿瘤可能是良性或恶性的。肿瘤一旦已成疼痛，则有可能已经很大了。背部癌瘤的患者，多常在其他部位也存在癌瘤。 |

# 臂　痛

| 症　状 | 疾　病 | 应采取的措施 | 其他信息 |
|---|---|---|---|
| ◆创伤后臂部无变形而感到中至重度疼痛。 | ◆软组织伤,如扭伤或拉伤。 | ◆见扭拉伤。 | ◆含有山金车的家用药膏可能有帮助。 |
| ◆曲臂时肘部或二头肌处有放射痛。 | ◆肌腱炎。 | ◆用冰敷及持伸展位。 | ◆整骨术,手按摩或针灸有帮助。 |
| ◆在肘部骨膨隆处疼痛渐重,并可放射到前臂达手部,慢性重复运动时感疼痛。 | ◆髁上炎,如众所周知的网球肘。 | ◆如需要用止痛剂,患臂休息,轻柔活动。 | ◆医生可能建议您用夹板、热疗法或理疗。针灸有帮助。 |
| ◆臂或手感疼痛伴无力,麻木或颤抖,不能握拳或抓住小物品。 | ◆腕管综合征。 | ◆停止、限制或改变能引起不适的运动方式,腕部夹板固定有益。 | ◆用力甩手或晃臂可暂时缓解疼痛,针灸、整骨术或手按摩有效。 |
| ◆肘和/或其他关节自发性疼痛,充血、温热或肿胀。 | ◆类风湿关节炎、痛风、滑囊炎。 | ◆休息以减轻疼痛,头24小时冰敷,再热敷,用抗生素。 | ◆维生素C、B$_6$、E对关节炎有效,食含嘌呤类少的食物有时可控制痛风,但常需用药,预防复发。 |
| ◆肘和/或其他关节自发性疼痛,充血、温热或肿胀,发热,周身不适。 | ◆骨或关节感染,如骨髓炎或感染性关节炎。 | ◆常用的疗法是关节内吸引—手术清创,用抗生素。 | ◆如一个以上关节受累,要做有关风湿热的检查。 |
| ◆臂痛伴麻木或颤抖,颈部僵硬,转头时能听到噼啪声。 | ◆颈部骨关节炎(颈椎病)或其他累及颈部骨骼的病变。 | ◆见关节炎。 | ◆椎骨可能压迫颈部的神经。 |
| ◆疼痛伴麻木或颤抖并可放射到手部,手拾物和捏紧手指持物能力减退。 | ◆神经痛。 | ◆见神经痛。 | ◆病因可能是颈部骨关节炎,针灸可助于缓解疼痛。 |
| ◆活动时疼痛从胸中部向下放射至左臂,休息5分钟后消失。 | ◆心绞痛。 | ◆见心绞痛,心脏病发作和心脏疾病。如有心绞痛史可用硝酸甘油治疗,如这种疼痛是首次发作或停止活动后疼痛感不缓解,马上去找医生或打你的急救号码。 | ◆心绞痛是种慢性疾病,替代疗法包括针灸,螯合物治疗或营养疗法有帮助。 |
| ◆持续性疼痛从胸中部向下放射至左臂,恶心、气短。 | ◆心脏病发作。 | ◆马上去看医生,打你的急救号码。见急救/急症和心脏病发作。 | ◆用药、运动、改善膳食、松弛疗法、草药及其他许多疗法用于预防或常规急救治疗后可能有效。 |

肩胸双上臂疾病

# 消化不良

## 症 状

◆烧心。

◆腹胀或呃气。

◆腹部压迫感和(或)腹痛,可以放射到胸部。

◆轻度恶心。

◆呕吐。

## 出现以下情况应去就医

◆任何腹痛持续超过 6 小时都可能意味着阑尾炎、胃溃疡、胆结石或其他疾病,此时你可能需急症处理。

◆消化不良伴有以下症状:持续呕吐,吐血,黑色或血样大便,严重的上腹痛,疼痛放射到颈部及肩部,气短或感觉到乏力。你的消化不良可能是严重疾病的一部分,如胆结石、胃炎、胰腺疾病、胃溃疡,甚至是癌症,也可能是心脏病发作,应立刻去就诊。

◆反复发作的消化不良伴有腹痛、发热、尿色深,你的症状可能意味着胆结石、胃溃疡或肝病。

◆当你进食乳制品后出现消化不良,可能说明你患有乳糖不耐受症。

消化不良实际上是所有胃部不适的总称,消化不良症状提示消化过程受到某种因素干扰。例如:如果你的胃酸进入食管,你就会感到烧心,进食或喝水时咽入过多的空气可导致腹胀与过度的呃气,胃部的感染或炎症可导致胃炎、肠易激综合征,患者经常会伴有腹痛、腹胀与腹泻。

消化不良可以是偶然的,也可是慢性持续的(每日均发作或几乎每日都发作),虽然很不舒服,但消化不良本身不会致命,然而也可能伴有严重疾病,不能忽视该病。

## 病 因

每一个人,无论什么年龄或性别,都会偶然发生消化不良,并且其发生率随年龄增长而增加。因为随年龄增大,消化器官的功能会下降。

偶然或慢性持续的消化不良可以由进食过饱、饮酒过量引起,经常服用止痛药,如阿司匹林及其他止痛药,在精神紧张时进食,或进食不适应的食物都可能引起消化不良。

慢性持续性消化不良的两个最常见病因为肥胖和吸烟。前者可增加腹部压力,后者可增加胃酸分泌量并使食管与胃之间的括约肌松弛,另外大约一半慢性消化不良患者同时存在幽门螺杆菌的感染,这种细菌已知可引起胃溃疡,研究人员正在试图研究是否也能引起其他种类的消化不良。

### 诊断与检查

你的不适主诉及体格检查是医生诊断所需的全部资料。用于诊断烧心的检查也是必需的,根据你的症状,你的医生还会进行一些其他检查以明确或排除一些较严重的疾病。

## 治 疗

消化不良可由多种病因引起,因而不可能有一种药能适用于治疗本病的所有患者。所幸的是,有许多可选择的治疗方法,对于伴有烧心的消化不良,也可参见烧心与食管裂孔疝的治疗部分。

### 常规治疗

根据体格检查及症状,医生会确定引起消化不良的病因,如果没有其他的严重疾病,医生会治疗你的症状并建议你如何避免再次发作。治疗烧心的药物为抗酸药及其他可影响胃酸分泌的药物,常常是第一线使用的药物,如果过量的胃酸有导致溃疡出现的兆头,那么可以使用硫糖铝,它会覆盖在粘膜表面并保护粘膜。伴有严重疼痛的消化不良可以联合使用抗酸药及麻醉剂利多卡因,如果发现有幽门螺杆菌,还可以用抗生素进行抗感染治疗。

### 辅助治疗

因为消化不良患者可能同时患有几种疾病,医生建议对于消化不良应使用多种不同的治疗,对大多数辅助治疗耐心是根本的,对于慢性患者,治疗需持续数周或数月。

#### 指压治疗

为减轻消化不良的症状,可按摩以下穴位 1 分钟,手阳明大肠经合谷穴及足阳明胃经天枢穴足三里穴。

如果有胀气症状,可加上足太阳膀胱经昆仑穴,足太阴脾经三阴交穴(见穴位详图)。

#### 家庭治疗

◆ 戒烟,特别是在饭前。

◆ 对于偶尔发作的消化不良伴烧心,可使用抗酸药或次水杨酸铋。

◆ 可使用以上提到的数种药,以缓解症状。

◆ 进食后休息,运动会减少胃的血供,导致消化不良。

◆ 如果你经常嚼口香糖,可暂时停止,以观察其是否与你的症状有关。嚼口香糖时会咽入大量气体而导致消化不良。

#### 预防

消化不良很常见,想永远避免几乎是不可能的,你只能减少发作次数,希望你能注意控制体重;不要吃得过饱(特别是高脂饮食)或饮酒过量,不吃易引起你消化不良的特定食物,并戒烟。

## 症 状

◆ 反复经常进食和催泻。

◆ 不切实际地感觉正在变胖。

◆ 体重波动(尽管相对正常的体重可能维持)。

◆ 对食物有欲望。

◆ 过度使用泻药。

◆ 抑郁症。

◆ 牙釉质糜烂、牙床感染、口腔和牙齿褪色(因频繁呕吐胃吸返流所致)。

◆ 胃肠不适。

### 出现以下情况应去就医

◆ 你发现自己神秘地疯狂进食然后呕吐或用轻泻药。

◆ 你拒绝在其他人面前进食。

◆ 你的孩子无原因地感觉自己肥胖并且当她不胖时也觉得自己胖。

◆ 你的孩子拒绝和其他人一起吃饭或在进餐后马上频繁地进洗手间。

食欲过盛是一种进食功能紊乱,像神经性厌食一样,是一种起源于精神因素的疾患,且可能出现直接影响肌体的后果。厌食只使自己饥饿,而食欲过盛是疯狂进食,然后通过自己诱导呕吐清除。食欲过盛者也频繁服用食物药丸、轻泻药和利尿药以减轻体重。催泻可达到2个月以防止体重增加,同时也导致暂时性的抑郁症和其他不良性情感。

像厌食一样,食欲过盛大多困扰年轻女性。因为疯狂进食和催泻都秘密进行,此紊乱的影响尚不能确立,但研究者发现在美国高校和大学中有1/5的女性显示至少是暂时性的食欲过盛表现。平均发病年龄是18岁。

食欲过盛可单独出现或间断合并厌食症。在这种间歇的类型中,每5个病例可产生1个,年轻女性有部分时间不想进食,在使自己进入疯狂进食后,她可能使用抑制食欲的药物。显然这两种紊乱交错出现,但它们都与一些不同的个体特性相关:厌食症易于压抑所有的欲望,包括性欲;食欲过盛,则反过来,易于放纵他们的欲望,使得他滥用药物、行窃或疯狂购物。

腹腰前臂疾病

# 食欲过盛

一个食欲过盛者的健康取决于她嗜食和催泻的频率。她可能偶尔呕吐（1个月1次）或非常频繁（1天数次）。肌体的反应包括胃或胰腺肿胀，食道炎症，唾液腺肿大，牙齿腐烂，牙床病，由呕吐胃酸引起频繁呕吐，也可导致肌体组织大量失水和钾，可引起异常的心律失常、肌肉痉挛，甚至麻痹。严重病例，这种肌体疾病可导致死亡。另一个危险是自杀倾向。

食欲过盛是一种实实在在的疾病，通常没有专家的帮助靠病人自己无法控制病情。来自家庭和朋友的劝告最好的结果是奏效，最差的结果可能产生相反的效果。

## 病　因

家庭常来的压力和冲突被认为是食欲过盛的最初原因。食欲过盛者被希望成为有大成就和完美的人，而她自己感觉不能达到其父母的希望。她可能感觉自卑，经常患抑郁症。他们还在小孩时可能有过身体或性的虐待，大约有一半的食欲过盛者主诉有受虐待史。

## 治　疗

心理治疗：通常与抗抑郁治疗相结合，这是基本治疗，结合营养调整。应找一位心理学家或精神病专家处理进食紊肌。同样营养调理可咨询家庭医生或其他健康专家。临床上进食紊乱可能经常需要心理医生、精神病医生和营养医师相互协商共同来进行治疗。

### 常规治疗

食欲过盛的心理治疗可能包括个体的、家庭的或集体的心理治疗。行为和认知的治疗也经常应用。行为治疗的焦点在于改变习惯（疯狂进食和催泻）；经常开会研究和分析行为并设计改变行为的方法，在会议期间患者接受特殊的建议治疗。认知治疗也针对行为习惯，其目的在于利用治疗消除造成有害的行为习惯的不良情感。个人和集体的心理治疗是针对导致食欲过盛的潜在的精神问题和相关事物。

抗抑郁药与心理治疗联合应用，是目前食欲过盛疗法的主要方式。选择5－羟色胺受体抑制剂，显示比三羟循环抗抑郁药更有效。

### 辅助治疗

大多数辅助疗法对于食欲过盛不能去除根本原因，而是可帮助理解一些所造成的肌体不适。非常重要的是找有经验的治疗师咨询并对进食紊乱进行处理。

### 身心医学

身体锻炼，如体育锻炼及跳舞均可帮助食欲过盛患者解决问题。反复的精神治疗过程可获得对疯狂进食、催泻循环的控制，是另一种有效治疗方法，水疗或电生物反馈疗法也可能有帮助。主要应找有经验的理疗医师或生物反馈治疗师咨询治疗方法。

### 营养及饮食

一种有营养的无糖饮食可帮助减低过量进食。也应戒酒、咖啡、调味料、大量的盐和烟。吃平衡的饮食，每日摄取维生素C1000毫克，复合维生素B50毫克及多种维生素及多种矿物质。

# 恶　心

| 症　状 | 疾　病 | 应采取的措施 | 其他信息 |
|---|---|---|---|
| ◆在一次特殊的事件或刺激之后你感到恶心（胃恶心），譬如一次坐滚轴滑板、一股不愉快的气味或一次紧张的遭遇。 | ◆焦虑、运动病、紧张或仅仅是对一个不愉快刺激的自然反应。 | ◆如果你对某种光亮、声音、气味感到恶心，你应闭上眼睛或堵住耳、鼻，并注意令你愉快的事物。 | ◆心理/躯体治疗包括沉思和生物反馈，可以帮你解除压力。生姜（zingiberfofficinale）胶囊，正如针压腕部肌腱一样，经常能减轻运动疾病。 |
| ◆上腹中部经常性的烧灼痛，通常餐后缓解，可能有恶心。 | ◆胃炎，胃溃疡。 | ◆如果症状持续或反复发作,应找医生看病，避免刺激性物的接触如酒精、烟草、咖啡因,抗酸药可帮助缓解症状。 | ◆用 Chamemile(Matricariarecatita)或柠檬香膏(Melissaofficinalis)制成的草药茶可减轻症状。 |
| ◆恶心、严重头痛，可能伴有呕吐，由于暴露亮光，症状可能恶化。 | ◆偏头痛，也可能是脑膜炎。 | ◆如果你怀疑得了脑膜炎立即打你自己的急诊号码。偏头痛对许多止痛药（多种非处方药或处方药)都敏感。 | ◆偏头痛经常有特殊的诱因如红酒或巧克力，找到并避免接触你的诱因是控制头痛的最好方法。 |
| ◆恶心同时，为治疗肿瘤你在经受化疗。 | ◆梅尼埃病。 | ◆向你的医生请教对付你的疗法所致结果的特殊方法。 | ◆先与你的医生讨论几种治疗方法再试用，参见"癌症"。 |
| ◆突然发作的恶心伴有呕吐，极度头晕和严重耳痛，有时有耳鸣。 | ◆肿瘤治疗的常见副作用。 | ◆去看病。减轻症状的生活习惯包括减少钠摄入量和日常处方药以对抗水潴留和头晕。 | ◆心理/躯体治疗，瑜伽、按摩治疗可帮你学会有效地对付能诱发发作的刺激。当美尼尔病突发时，避免读书和亮光以减少头晕发作。 |
| ◆恶心、腹泻、呕吐和发热持续48小时或更短，可能发生在吃了较多辛辣或变质食物，喝了过量酒精和摄入以前从未服过的药之后。 | ◆胃肠炎（也叫胃或肠"流感")。 | ◆休息、多喝水、吃清淡食物。如果你的胃部不适是细菌感染的结果，你应用抗生素。 | ◆细菌或病毒感染、食物中毒、饮酒或进食油腻食物过量，或某些药物（包括抗生素)都可导致胃肠炎。如果你怀疑是某种处方药造成恶心，去医院看病。 |
| ◆恶心持续1到2周，头痛不适和疲乏，有时有咽喉炎、发热和皮疹。 | ◆单核细胞增多症，可能是链球菌引起咽喉炎的猩红热。 | ◆去看病。对于单核细胞增多症，完全卧床休息是最基本的。然后逐渐恢复到正常活动，猩红热则需用抗生素治疗。 | ◆猩红热一度是很常见的儿科疾病，现在则较少见。 |
| ◆严重恶心伴有开始于上腹部并转移到右肩胛骨的疼痛。 | ◆胆石，胆囊感染。 | ◆今天就去找你的医生对病情作一判断。胆石症发作需要迅速治疗。 | ◆医生的处理是很必要的，但是一些其他疗法，包括中药（有些中药可以溶解胆石)可以补充传统治疗。 |

腹腰前臂疾病

# 恶　　心

| 症　状 | 疾　病 | 应采取的措施 | 其他信息 |
|---|---|---|---|
| ◆反复发作的恶心、烧心和消化不良，尤其在进餐后发生，可能导致食欲和体重下降。 | ◆胃溃疡，甚至可能是结肠、直肠癌。 | ◆今天就与你的医生联系，请他诊断。 | ◆早期检查对于结肠、直肠癌的成功治疗起决定性作用。 |
| ◆你已对酒精上瘾而正要戒酒，正感到恶心、焦虑、失眠和谵妄。 | ◆这是恢复酒精滥用的常见反应。 | ◆与你的医生商量，有些戒断症状需要立即治疗。 | ◆一些处方药可使酒精戒断症状舒适一些。 |
| ◆恶心伴有逐渐明显的口渴、多尿、脱水、嗜睡、精神错乱，并可能呼烂苹果味气体。 | ◆糖尿病。有可能糖尿病酸中毒。 | ◆找你的医生。如果你怀疑糖尿病酸中毒，立即打你的急诊号码。 | ◆酮症酸中毒是一种可以致死的情况。此时血糖升高，需要立即注射胰岛素。 |
| ◆一、两个月发作一次的恶心，伴有强烈、持续的腹痛，在某些病例中还伴有发热、腹泻、呕吐。 | ◆克隆病或胰腺疾病。 | ◆今天就去看病，对于控制克隆病，一组药物治疗是必需的。 | ◆传统的药物治疗是基本的，但针灸、中药治疗及类似治疗和心理/躯体治疗可减轻不适。 |
| ◆病毒感染后持续恶心、呕吐，兴奋多动与病乏交替。 | ◆Reye's综合征（一种典型发生在儿童的神经源异常，可发生于上消化道感染或水痘后尤其在治疗中用过阿司匹林者）。 | ◆立即打你的急诊号码。Reye's综合征进展迅速，需立即治疗。 | ◆不要给发热或感染的儿童用阿司匹林，用对氟乙酰氨基酚或其他非阿司匹林镇痛药。 |
| ◆恶心伴有气短、胸痛的出现。 | ◆心脏病发作。 | ◆立即打急诊电话。 | ◆如果你确实对某些东西过敏，请你的医生帮你准备1个抗过敏的急救包。 |
| ◆你对某种特殊食物、药物、昆虫叮咬、接触过敏源后感到恶心、呕吐、呼吸困难。 | ◆过敏，或过敏休克（一种严重的变态反应造成组织肿胀、血流不畅，组织因而缺氧）。 | ◆如果你怀疑过敏休克，立即进行急诊处理，参见"急救"、"休克"。当等待急诊处理时，监测病人的呼吸、脉搏，不要让他吃、喝任何东西。 | ◆生姜（zingiber officinale）茶对于缓解晨吐很有帮助，但在试用任何药物之前先请教你的医生。 |
| ◆你怀孕了，感到恶心。下腹和乳房胀感，并可能呕吐。 | ◆在怀孕前3个月经常发生的正常反应(有时被称作晨吐，虽然在一天中任何时候都可以发生)。 | ◆避免过咸饮食。多休息，少食多餐，参见"怀孕期问题"。 | |

# 呕　吐

| 症　状 | 疾　病 | 应采取的措施 | 其他信息 |
|---|---|---|---|
| ◆呕吐是由于特殊情况引起，如长时间乘汽车或碰到感觉心理紧张的情况。 | ◆晕动病,焦虑。 | ◆对晕动病,可用预防治疗如抗恶心药,在旅行前服用。对焦虑,应用松弛技术如瑜伽功,应经常锻炼。 | ◆姜制成的胶囊可以减轻晕动病,针压法也可应用。 |
| ◆小量呕吐、烧心、吞咽困难、呼吸短促。 | ◆裂孔疝。 | ◆为明确诊断,看看医生,非处方正酸剂可作为一线药用于治疗烧心，避免使用胃部刺激剂如酒精、烟草、咖啡因等。 | |
| ◆呕吐、头痛、恶心、接触强光时症状加重。 | ◆偏头痛,也可能是脑膜炎。 | ◆如怀疑脑膜炎,立即呼叫急救号码。偏头痛对各种止痛剂有反应(处方和非处方均有效)。 | ◆脑膜炎需急救。偏头痛可用一些其他疗法如每天125毫克的龙牙草可预防偏头痛。 |
| ◆由剧烈头晕引起呕吐,感到周围东西在旋转,耳中有轰鸣声。 | ◆内耳疾病,可能是梅尼埃病。 | ◆看医生,可用抗生素消除耳部感染。 | |
| ◆腹泻、呕吐、恶心、持续48小时的发烧,有时在你吃得过饱辛辣或可能污染的食物后;过量饮酒或服用以前未曾用过的药物。 | ◆胃肠炎(也可称做胃"流感"或肠"流感")。 | ◆休息、饮大量液体,吃温和食品;如果胃部不适由细菌感染引起,应用抗生素治疗。 | ◆注意不让呕吐持续存在或者你的身体由丧失重要液体而引起脱水。为预防脱水,饮用室温饮料如水、果汁或者苏打水。 |
| ◆呕吐伴发烧下腹部痛,频繁恶臭和(或)尿痛。 | ◆肾脏感染。 | ◆立即看医生,应用抗生素治疗感染。 | ◆如果有肾部感染,每天饮用酸果蔓汁可以消除症状,胶囊剂也可应用。 |
| ◆反复呕吐伴皮肤或(和)眼白发黄。 | ◆黄疸。 | ◆看医生,有许多可以引起黄疸的病因,有的很严重。 | ◆如果皮肤发黄而眼白不黄可能是胡萝卜素增多症,而不是黄疸。胡萝卜素增多症是由于体内胡萝卜素过多引起,并无害。也可由于食用富含叶状蔬菜、红萝卜和桔子引起。 |
| ◆呕吐伴眼的剧烈疼痛。 | ◆青光眼。 | ◆立即看医生,依照青光眼的类型,应用β-肾上腺阻断剂降低眼压,或手术协助引流眼部液体。 | ◆对于几种青光眼,3~5天内可能致盲,所以早期快速治疗很关键。 |
| ◆呕吐、发烧、头痛、恶心、睡眠不正常和(或)意识不清;可能步履蹒跚。 | ◆脑膜炎、大脑炎(常由蚊子传播的病毒引起)。Reye's综合征(一种见于儿童的神经系统病,也可由于服用阿司匹林或水痘引起)。 | ◆呼叫急救号码。每个病人均很严重,Reye's综合征很快恶化,亦可致死。 | ◆为避免Rey's综合征,儿童不要服用阿司匹林,用乙酰氨酸代替。 |
| ◆恶心、呕吐、排白色粪便、尿色暗。 | ◆肝炎。 | ◆呼叫急救号码需急救。 | ◆增加营养或特殊饮食可帮助恢复。 |

# 呕　　吐

| 症　状 | 疾　病 | 应采取的措施 | 其他信息 |
|---|---|---|---|
| ◆呕吐后不能缓解的剧烈反复的腹痛，无食欲。 | ◆阑尾炎、胃溃疡，也可能是胃癌。 | ◆看医生，精确诊断是必须的。阑尾炎需立即手术。 | ◆在美国，1/15 的人患阑尾炎，尤其 10～30 岁的人常见。 |
| ◆呕吐物味似大便味，伴便秘。 | ◆肠梗阻，也可能是大肠癌。 | ◆呼叫急救号码，如果不治疗，肠梗阻数小时可以致死。大肠癌的成功治疗有赖于早期准确的诊断。 | ◆以前手术的瘢痕也常是肠梗阻的主要原因。 |
| ◆头痛、呕吐、昏睡、意识不清和(或)行为不正常。 | ◆可能为脑瘤或动脉瘤。 | ◆呼叫你的急救号码，应立即手术治疗。 | |
| ◆头部损伤后数小时或数天剧烈头痛、恶心、呕吐、昏睡、意识不清，双侧或一侧瞳孔散大。 | ◆脑震荡（由脑外伤引起的神经系统疾病），严重时可有颅内出血。 | ◆呼叫你的急救号码，尽管轻微脑震荡不需治疗但无法说清是否有出血发生。颅内出血是一急症。 | ◆当你坐车时用安全带、滑冰滑雪或跨双轮自行车时应带头盔，以防止脑外伤。 |
| ◆呕吐物带血或有咖啡样物。 | ◆内出血，可能由胃溃疡、胃癌或喉癌引起。 | ◆呼叫你的急救号码，内出血需立即治疗，也须跟踪评价以判断出血原因。 | |
| ◆在怀孕前 3 个月内可能会呕吐或者在过去的几星期呕吐几天。 | ◆正常反应（有时叫晨吐，尽管可发生于白天任何时间）常在怀孕前 3 个月出现。 | ◆不要空腹，因可加重晨呕。吃苏打饼干或其他牌子饼干常可预防恶心或减轻已有的恶心。参见怀孕期问题一节。 | ◆维生素 B6 可帮忙减轻晨呕，但治疗、补充营养物前咨询医生。 |

腹腰前臂疾病

# 呃 逆

## 症 状

膈肌反复不自主地收缩引起气体突然冲入肺脏同时声门(控制声带的喉组织)关闭，发出"呃"声音；呃逆的持续时间短，多于饱餐或大量饮酒后出现。偶尔，呃逆可持续数天或数周。

## 出现以下情况应去就医

◆ 呃逆持续 1 天以上。长时间的呃逆可能是由于膈神经受刺激或肺炎、食管炎、胰腺疾病、酒精滥用或肝炎引起的膈肌受刺激所致。

◆ 上腹部手术后出现呃逆、发热，并可导致食欲下降、膈下脓肿或肝上脓肿。

呃逆，即膈肌不自主痉挛，引起的痛苦较小，且持续的时间很短。任何人都可以出现呃逆。许多妊娠妇女会告诉你，她们曾感到未出生的孩子在子宫内呃逆。

## 病 因

目前尚不清楚为什么膈肌会不自主收缩，引起呃逆。这种情况与神经或进食过多的食物及饮料有关。呃逆很少为疾病的继发症，但有时阑尾炎和糖尿病患者会出现呃逆。

## 治 疗

虽然许多人试用各种家庭疗法促进呃逆缓解，但它多可自行消失。

### 常规治疗

一般不需要药物治疗。如果呃逆持续 1 天以上仍不能停止，你应去看医生，以排除某些疾病引起的呃逆。某些药物如氯苯氨丁酸或氯丙嗪可以缓解长时间的呃逆。如果你的症状是由食管炎所致，此为胃酸返流入食管引起的病变，医生会使用西咪替丁、雷尼替丁或奥美拉唑治疗，这些药物可在细胞水平上控制胃酸产生。参见烧心章节以获得更多信息。

### 辅助治疗

#### 指压治疗

穴位按压法可使咽喉、肺脏及膈肌放松，终止呃逆。深呼吸是一个非常重要的练习。连续进行下列练习，可缓解呃逆(参见穴仪表了解穴位位置)。

◆ 用食指和中指轻压三焦翳风穴（位于耳后切迹处）约 1 分钟。

◆ 曲指顶住胸廓底部乳头正下方的位置，向上压迫肋弓下缘的凹陷处，同时深呼吸约 1 分钟。

◆ 将右手中指放在喉下方凹陷处(任脉天突穴)，轻柔地直接向下按压。同时用右手手指紧紧地压住胸骨中央(任脉膻中穴)，闭眼深呼吸 1 分钟。

#### 针灸治疗

针灸刺激手、脚及背部的穴位可有效缓解长时间呃逆。但需在专业医师的帮助下进行。

#### 家庭治疗

家庭治疗的目标是阻断引起呃逆的神经冲动。

以下方法有助于你终止呃逆：

◆ 将一匙糖放在舌下慢慢溶化，或者吞咽干糖及喝糖水。

◆ 向前弯腰并从杯口的对边喝水。

◆ 用棉拭子刺激口腔顶部硬腭与软腭的交界部位。

◆ 当你感到要出现呃逆时，憋气并进行吞咽。你可以重复进行 2～3 次，直到呃逆停止。

◆ 将一个棕色纸袋罩在嘴上，用力快速地呼吸，至少 10 次。要确保嘴周围封闭严密，没有空气进入。

◆ 吮吸柠檬片，或者吞咽 1 汤匙醋。

◆ 如果你的孩子出现呃逆，那么让他屏住呼吸不发笑，同时轻轻地胳肢他。

### 指 压 治 疗

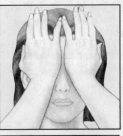

1. 试用手掌压迫法终止呃逆。将您的手掌放在双眼上，掌根位于颧骨部位，轻柔地按摩眼眶周围 1 分钟。方法是向内及向手掌方向按压拇指下方的区域。

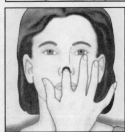

2. 手掌按压后，用指尖对素髎进行连接快速的轻压。素髎位于鼻尖，联用手掌及手指压迫法，可终止你的呃逆。

# 腹　痛

| 症　状 | 疾　病 | 应采取的措施 | 其他信息 |
|---|---|---|---|
| ◆腹痛；胸部烧灼感；胸痛，特别是在餐后或饮酒后；嗳气或打嗝；口中发酸感觉。 | ◆胃酸；消化不良；胃灼热。 | ◆看消化不良和胃灼热一节。调整你的饮食习惯或服用抗酸剂以减轻症状。 | ◆避免吸烟、咖啡因、禁食，和非甾体抗炎药（NSAIDs）如阿司匹林。 |
| ◆腹痛或腹部绞痛；恶心；腹泻；呕吐；发烧；不适；虚弱；肠胀气。 | ◆胃肠炎。 | ◆看胃肠炎一节。休息和多饮水。 | ◆胃肠炎是胃或肠道的炎症，常由病毒和食物中毒引起。如果病情严重或病人年龄很小、很大或衰弱时，需要住院治疗。 |
| ◆腹部不适，疼痛，或绞痛；胸骨下痛；可能还有恶心。 | ◆胃炎。 | ◆看胃炎一节。吃流质饮食一天，然后添加小量固体食物。 | ◆胃炎，一种与胃有关的炎症，可能是由日常生活中的各种因素如大量饮酒、吸烟，或过量进食，服用阿司匹林，异丁苯丙酸，处方药或细菌感染引起。 |
| ◆腹痛或胸骨下痛，常在夜间或餐后一小时出现，进食或呕吐通常可使疼痛缓解，可能伴有黑便。 | ◆消化性溃疡。 | ◆看胃溃疡一节。休息，少量多餐，服用抗酸剂，避免吸烟、饮酒、阿司匹林和咖啡因。医生可能给你服用 $H_2$ 受体阻断剂。如果出现黑便，溃疡可能正在出血，马上到医院去看病。 | ◆如果症状持续存在或复发，医生将检查你有无幽门螺杆菌，这种细菌被认为是引起消化性溃疡的原因。可用抗菌素进行治疗。 |
| ◆腹痛伴腹泻或便秘，特别是在进食后；排便后缓解。 | ◆肠易激综合征（IBS）。 | ◆看肠易激惹综合征一节。为减轻症状，通常所采取的第一步是服用含纤维的轻泻剂或抗腹泻药。 | ◆在食物中添加纤维和液体及进行锻炼很重要。由于紧张被认为是一激发因素，所以个别辅导，生物反馈，瑜伽术或沉思，可能有益。 |
| ◆腹绞痛或腹痛、发烧、食欲不振、体重减轻、腹泻、肠胀气、便血。 | ◆炎症性肠病：溃疡性结肠炎，克隆病。 | ◆马上去医院看病，为了诊断和治疗，需进行医学检查。看结肠炎或克隆病一节。 | ◆各种各样的替代治疗方法，如饮绿叶蔬菜汁以补充叶绿素，可缓解症状。对严重病例，需行外科手术切除全部或部分损伤的肠管。 |
| ◆腹股沟部位的急剧、持续性疼痛，站立或用力时腹部出现包块。 | ◆腹股沟疝。 | ◆看疝一节。 | ◆在这种疾病，肠管或膀胱通过腹壁膨出。 |
| ◆突发、剧烈的右上腹痛，特别是在脂餐后；疼痛可向右肩胛区放射，可持续数小时，继之扩展至全腹；伴恶心及呕吐。 | ◆胆石症。 | ◆马上去医院看病。为了诊断和治疗，需进行医学检查。可行外科手术切除胆囊或采用非外科手术方法溶解胆石。 | ◆减少脂肪和肉食摄入，及增加纤维摄入有助于预防新的结石形成。 |

腹腰前臀疾病

# 腹　痛

| 症　状 | 疾　病 | 应采取的措施 | 其他信息 |
|---|---|---|---|
| ◆急性、持续性腹痛，放射至右后背和胸部；伴恶心、呕吐、腹胀、皮肤湿冷。 | ◆胰腺炎。 | ◆马上去医院看病，以避免可能出现威胁生命的并发症。看胰腺炎一节。 | ◆本病通常由大量饮酒或胆囊疾病引起。为控制慢性胰腺炎，避免饮酒和脂肪食物。 |
| ◆严重绞痛，通常于左侧位加重；伴寒战、发烧、恶心及便秘病史。 | ◆憩室炎。 | ◆马上去医院去看病。严重病例可能需要住院治疗和外科手术。对病情较轻的病人，通常采取卧床休息、粪便软化剂、流质饮食、抗生素和可能使用抗痉挛药物进行治疗。 | ◆虽然在炎症期间应进食小容量的食物，但高纤维食物对本病有预防作用。 |
| ◆一侧剧痛，向腹股沟和或腹部放射，尿频、尿流中断、尿痛、尿浑浊或有难闻的气味、血尿、发烧、寒战、恶心、呕吐和多汗。 | ◆肾结石。 | ◆马上去医院去看病。为了诊断及治疗，需进行医学检查。通常所采取的第一步是大量饮水，并使用止痛剂直到结石排出。 | ◆感染、尿路梗阻或大结石可能需要外科手术治疗。一种新的不需外科手术的治疗方法是使用高能冲击波将结石击碎。 |
| ◆下腹痛伴尿痛、尿频、持续尿急，可能伴有血尿。 | ◆尿路感染。 | ◆如果你也有发烧、寒战、背痛，可能还有恶心和呕吐，你可能有肾脏感染。马上去医院看病。看膀胱感染和肾脏感染一节。 | ◆妊娠妇女、糖尿病患者和家庭护理病人罹患严重尿路感染并发症的危险性极大。 |
| ◆疼痛自胸骨下放射至颈部和上肢，伴胃灼热、呕吐、打嗝、膨胀感及吞咽困难。 | ◆裂孔疝。 | ◆看裂孔疝一节。 | ◆改变生活方式能减轻症状。具体措施包括避免吸烟和饮酒，不要吃得过饱，在餐后2小时内不要上床睡觉。 |
| ◆月经期间在盆腔区域出现绞痛。 | ◆痛经。 | ◆看月经问题一节。 | ◆脊柱指压疗法、针刺疗法或补充镁剂有助于缓解疼痛。对于严重绞痛，医生可能推荐使用处方抗炎药物。参看卵巢问题一节。 |
| ◆极端严重的腹痛，伴或不伴有其他急性症状。 | ◆急症情况：肠梗阻、腹膜炎、阑尾炎、肠闭塞、盆腔炎症性疾病、心脏病发作、腹主动脉瘤、肠缺血、异位妊娠破裂、卵巢囊肿破裂、消化性溃疡穿孔、过敏性休克、化学烧伤、糖尿病急症、中毒。 | ◆马上给急救中心打电话以迅速获得及时治疗。 | |

# 腹部胀气与胀痛

## 症 状

◆ 腹部胀气和疼痛。

◆ 嗳气、打嗝。

◆ 肛门排气。

## 出现以下情况应去就医

◆ 持续的无法解释的腹胀超过3天，说明你可能有较严重的腹部疾病。

◆ 伴有严重的腹痛，你可能患有阑尾炎。

◆ 伴有右上腹痛，你可能患有胆结石或是胃溃病。

◆ 胃肠胀气伴有下腹疼痛，疼痛在肛门排气或排便后减轻；你可能患有肠易激惹综合征。

◆ 胃肠胀气伴有体重减轻，及浅色恶臭的大便，你可能患有吸收障碍，即你的肠道无法消化脂肪。

腹部胀气与气胀痛是消化过程的正常情况，人们一天之内排气有10次之多，但你可以大大超过这个平均数依然是完全健康的。通常你能预防和处理腹部胀气及气胀疼，而不需要特殊的治疗。但是如果你有其他症状，那你应到医生处就诊检查是否有更严重的健康问题。

## 病 因

当空气进入你的胃时，你可以通过打嗝将气体排出。当你进食或喝饮料的时候会吞入空气，特别是进食过快时。通过吸管喝饮料、喝碳酸饮品、嚼口香糖、戴假牙，或者在精神紧张时有吞气的习惯都可引起进入胃内的气体增多。

如果你吃高纤维素的食物如豆类、蔬菜、水果或谷类，这些部分被消化的食物进入你的小肠，那里的细菌就会通过发酵产生大量气体，如果你有乳糖不耐受，你就不能产生足够的消化牛奶中糖类的乳糖酶，那么你进食牛奶后就会引起腹胀，胃肠道的感染也可引起肠道胀气。

## 治 疗

一般来说你不必通过保健专家就可治疗自己的胃肠胀气及气胀疼。传统医学认为，通过改变饮食结构和

应用非处方药物即可以减少胃肠内过多的气体，而其他的辅助治疗方法也很多。

### 常规治疗

医生会建议你通过合理改变饮食结构来治疗腹胀，避免进食高纤维素食物如豆类、奶制品、酒精及碳酸饮料。餐后适量运动也有助于将气体排出，你也可以使用一些治疗胀气的非处方药，如二甲基硅油是这类药中的活性成分，它有助大肠内的小气泡破坏。活性碳片也可以吸收肠内气体，但在使用之前，应咨询你的医生，因为它们同时还会吸收药物。如果你患有乳糖不耐受，补充乳糖酶能更有效帮助你消化奶制品。有一种含α-半乳糖苷酶的非处方药有助于减少消化大豆产生的气体。

### 辅助治疗

我们下面提到的许多辅助治疗方法都可以在家中自己实施，但最好事先咨询一下你的医生以确定哪种方法最适合你。

**指压治疗**

按摩以下穴位有助于减轻胃肠胀气；任脉气海穴，手阳明大肠经合谷穴，足太阴脾经三阴交穴，及足阳明胃经足三里穴。

**针灸治疗**

以上穴位按摩应用的穴位进行针刺也可减轻症状（神厥部除外），另外任脉穴位也可进行灸法治疗本病。

**生活方式**

有规律的运动可以刺激消化，促进气体的吸收和排出。

**生物反馈疗法**

生物反馈及气功可消除紧张，减少气体的产生。

**营养及饮食**

慢慢增加你饮食中的纤维量，避免进食大豆、豌豆及发酵食物，如奶酪、酸奶及酒类。另外，阿魏粉可以驱散肠道内的气体并可作为豆类食品的调料。少喝碳酸饮料，避免同时吃蛋白质及糖类混杂的饮食。不要过饱，并尽可能不要同时吃数种食品，对于乳糖不耐受者，可用豆奶代替牛奶。

## 反射治疗

你可通过刺激胃的反射区以促进胃消化，刺激肝区促进胆汁分泌，刺激胆囊区促进贮存胆汁分泌，刺激肠反射区促进肠道蠕动，刺激胰腺反射区促进消化酶的分泌。

## 家庭治疗

将 1~2 茶勺极细的白色、绿色或黄色法国粘土（可在保健食品店买到）溶于水中，每天至少饮用 1 次（不要在进餐同时饮用）。粘土可吸收不溶物及气体；事先你还应与你的医生联系以确定它是否会吸收你服用的药物。

## 预防

主要的预防胀气的方法之一也就是主要的治疗方法：避免摄入产生气体的食物，不要吞入过多的气体，例如不要狼吞虎咽。

## 症　状

腹绞痛不是一种疾病，但可致婴儿持续不停的哭闹。医生发现 3 个月以下健康婴儿产生如下表现时，认为是腹绞痛。

◆ 大声哭闹持续每周 3 天或更多，每天 3 小时或更多，持续 3 周以上。

◆ 下午 6 点左右或午夜婴儿吃饱后持续哭闹。

◆ 哭闹时，婴儿向腹部蜷腿，握紧手掌。弯曲肢体，他的脸随哭泣交替变红及变白。

◆ 有时随排便或排尿开始或结束时发生阵阵哭闹。

### 出现以下情况应去就医

◆ 你的小孩原来没有发生腹绞痛，但你认为他是腹部绞痛，你的医生会除外其他疾病。

◆ 多次腹部绞痛伴发热、腹泻、呕吐及便秘，可能是疾病表现。

◆ 你孩子的哭声是痛苦的，不是大惊小怪，提示有外伤及疾病引起痛苦。

◆ 你的孩子超过 3 个月仍有腹绞痛，行为问题及疾病可能是病因。

◆ 你的孩子患腹绞痛后不增加体重，不感到饥饿，这意味着存在疾病。

◆ 你在过度劳累后害怕紧张时，可能使小孩受伤。

大约有 20% 的婴儿患有腹绞痛，没有明显原因的持续数小时的原发哭泣。尽管对儿童可引起痛苦，对家长会带来疲惫及烦躁，但这种情况本身是良性的，通常在超过 4 个月之后会停止。

## 病　因

腹绞痛的病因不同，专家把它归结十几种情况，包括婴儿不成熟的消化系统、过敏、乳汁中的激素、过度喂养。

## 治　疗

腹部绞痛无治疗方法，但有许多家庭疗法对患病儿童缓解症状有帮助。书上列出的每一条都可能对你的孩子有帮助。重要的是保持平静，你自身的焦虑及

# 腹绞痛

沮丧可能导致患儿哭闹更凶。首先，不要惩罚患儿。如果你发觉自己的冲动即将爆发，请求别人与你的小孩呆在一起，而你去休息或离开平静一会儿。

## 常规治疗

如果你怀疑自己的小孩患的是腹绞痛，与你的儿科医生联系。在除外可能导致长时间哭闹的疾病如中耳炎及呼吸疾病之后，大多数医生提倡简单的家庭处理技术。一些医生鼓励家长与其他家长求助。如果你有其他大一些儿童的腹绞痛的经验，那只有在你认为小孩病了的时候，你才会去叫医生。

## 辅助治疗

### 指压治疗

指压特定的点会缓解孩子的哭闹。在患儿一只手的拇指及食指之间的区域施加压力于合谷穴，轻轻按摩任脉中脘穴，脐上及背柱附近的相应点，对足三里穴施压亦可使孩子平静。

### 家庭治疗

保持轻松，一般可以帮助你避免以后对小孩行为的粗暴，如果这些方法之一能使孩子放松，则应坚持之。

### 抚慰你的小孩

◆活动可减轻腹绞痛，同小孩一块散步。抱着他轻轻摇动或摆动；出去骑车，将他放在临近衣料干燥器的摇篮里，在那里可以感受到振动。

◆某些噪声可以使孩子缓和。开启吸尘器或电吹风，这些声音孩子均能听到。

◆将孩子紧紧裹在毛毯里，使他感到安全和舒适。

◆将孩子放于俯卧位，放一个热水瓶垫在你的膝上。用你的肘内侧来试验瓶子的温度。

◆如果你变得精疲力尽时，请求你的亲戚或朋友接过去。

### 预防

你无法预防腹绞痛，但如果与喂养有关，你可以通过以下方法来减少发作频率；喂时将孩子直立并经常拍背，少量多次，速度放慢，防止咽入气体。如果你用乳汁喂养，减少你自己饮食中的牛奶、含咖啡的饮料及甘蓝等其他白菜类蔬菜，这些都会增加小孩因胀气引起的疼痛，如果你是用人工喂养，应用非牛奶的配方。

## 抚慰腹痛的孩子

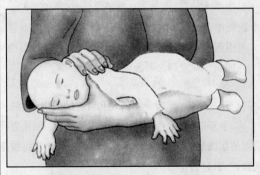

将腹痛的小孩抱在一个安全、舒适的姿势以起平静作用。将孩子腹部朝下躺在臂弯里，脸朝向外侧，两腿分别位于肘的两侧，用你剩下的一只手轻拍孩子的背部，当你在摇椅中摇动或轻轻踱步直至孩子入睡时，这种方法更加有效。

# 裂孔疝

## 症状

多数患有裂孔疝的病人并未意识到它。许多病人因为长期的烧心症状去看医生后才发现患有此病。裂孔疝的症状如下:

◆烧心,反酸。

◆吞咽困难。

◆胸骨后疼痛。

◆进食后胀感。

◆呼吸短促。

## 出现以下情况应去就医

◆服用抗酸剂后仍不能缓解的放射性胸痛,您可能发生了心绞痛或心肌梗塞。应立即去医院就诊。

◆当您在治疗烧心或裂孔疝的过程中,突然出现胸痛或胃痛,不能吞咽及呕吐。此为疝绞窄的表现,是医学及外科急症,需立即请求急救,不能延迟。

◆长期伴有烧心症状的裂孔疝。胃酸反复烧灼食管可引起食管炎(食道炎症或溃疡)、食管瘢痕、胃溃疡或癌。应立即去看医生。

**裂**孔是膈肌(此为分隔胸腔和腹腔的肌肉)上的一个开口,食管通过这一开口连接于胃。如果裂孔周围的肌肉薄弱,开口扩大,部分胃和/或食管将被压入胸腔,引起裂孔疝。

裂孔疝有三个基本类型。滑疝:下位食管及胃向上移动,使胃顶部分被拉入胸腔。食管周围疝:胃通过裂孔进入胸腔,定位于食道旁。混合疝:具有滑疝及食管周围疝的特征。

裂孔疝一般很小,但是当大部分胃组织被压通过裂孔后,使一些疝膨胀变大。来自受压胃或胃管炎的慢性出血,可导致贫血。有时疝发生绞窄,即流向受压胃及附近食管的血流被切断。这种情况在滑疝及混合疝中少见,多见于食管周围疝。滑疝及混合疝的症状较少,对生命无威胁。

## 病因

任何年龄的人都可发病,但随着年龄增大,发病率亦增加。半数以上的裂孔疝患者年龄超过50岁。到

目前为止,滑疝是最常见类型。与其他疝相同,裂孔疝也是由妊娠、肥胖、外伤或排便等使腹压过度增高的因素引起。危险因素包括:便秘、抬举重物、持续性咳嗽或呕吐。

裂孔疝通常没有症状,如果有的话,它们可因穿紧身衣服、吃一些可引起烧心的食物及进食后弯腰或平躺而加重。

---

### 裂孔疝的两种类型

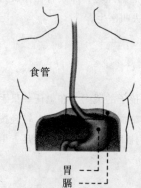

食管

胃
膈

滑疝

食道周围疝

食管穿过横膈(此为分隔胸腔和腹腔的肌肉)的开口——裂孔(左图)。当下位食管和小部分胃穿过裂孔被推入胸腔时出现滑疝(左下图)。部分胃气球样突出在食道旁边,称为食管周围疝(右下图)。

---

### 诊断与检查

裂孔疝的诊断方法与诊断烧心类似。两个辅助手段是利用X线检查显示疝的外形以及取血进行红细胞计数帮助确定有无贫血。

## 治疗

常规治疗及替代治疗皆可用于治疗滑疝和混合疝引起的烧心及其他症状。由于食管周围疝发生绞窄的危险性高,常需行修补手术治疗。

# 裂孔疝

## 常规治疗

通常减轻烧心症状即可。如果是食管周围疝或当滑疝及混合疝出现出血、变大、绞窄及发炎时，应行外科手术治疗。手术可使裂孔得以加固，并将胃复位。目前通常用腹腔镜（一种用来观察腹腔内部的小巧的电镜样器械）进行手术。一般只需在医院内住 2 天，日常活动可在 2 周内恢复。

## 辅助治疗

与治疗烧心类似。

**针灸治疗**

用拇指深压并按摩颊车穴、三阴交穴，至少 1 分钟，可帮助减轻疼痛。

**草药疗法**

红榆茶可有助减轻疼痛，并有强力抗炎作用。将 1 份粉状的金鸡钠树皮放入 8 份水中炖 10 分钟，每次喝半杯，每日 3 次。

**生活方式**

不要暴饮暴食，可每日吃 4 ~ 5 顿小餐，进食时应细嚼慢咽。保持体重与身高相称，这样可降低腹压，减轻烧心症状。减少饮食中的脂肪摄入也有助于减轻症状。吸烟可引起明显的烧心症状，必须戒掉。

**预防**

症状的预防

◆ 穿着宽松的衣服。任何使腹内压升高的因素都可加重裂孔疝症状。

◆ 当胃内充满食物时，不要弯腰或平躺。这会使腹压增加，并因重力作用，引起烧心症状。

裂孔疝的预防

◆ 保持适宜的体重。

◆ 不要吸烟。

# 胃 炎

## 症 状

胃炎的症状可以很轻也可以很重。最常见的有：

◆ 上腹部不适或疼痛。

◆ 恶心。◆ 呕吐。◆ 腹泻。◆ 食欲下降。

### 出现以下情况应去就医

◆ 你出现吐血或大便带血或黑色柏油样大便，说明你有内出血，应马上就医。

◆ 严重的胃痛说明你可能有胃或十二指肠溃疡。

◆ 你有极度口渴或者是尿少，说明有脱水，应进行补液治疗。

胃炎是胃粘膜炎症的统称，急性胃炎以腹部不适、恶心、呕吐、腹泻为特征，通常持续 1 ~ 2 天。"急性"是指病程较短，而不是指症状一定很严重。患有慢性胃炎者可能没有腹痛，但是可能有食欲下降或者恶心。慢性胃炎可引起恶性贫血，即由于维生素 $B_{12}$ 缺乏引起的贫血。

胃炎最常见于成人，但也可在任何年龄发病，自我保健是治疗轻度胃炎的最好的方法。而较严重的胃炎治疗应由医生针对炎症的病因进行治疗。

## 病 因

许多病因可刺激你的胃，并引起急性或慢性胃炎，阿司匹林及其他非处方药及处方药可以引起胃粘膜的糜烂。病毒或细菌感染及咽下的食物，也可引起胃部炎症。

## 诊断与检查

根据你的症状你的医生会怀疑你患急性胃炎，从而安排作一些检查以证实诊断。例如钡餐检查，可以显示胃部的病灶，另一种可能的检查是胃镜，肉眼观察胃的内部，证实慢性胃炎诊断需要作活组织检查。

## 治 疗

无论是常规治疗还是辅助治疗，胃炎的治疗取决于你胃炎类型，常规治疗采用非处方抗酸药、处方药及抗生素，在少见病例中可能还需手术治疗胃炎。无论常

腹腰前臂疾病

规治疗还是辅助治疗，都提倡改变生活方式，如戒烟可以减少你患胃炎的可能。

### 常规治疗

对于轻度的胃炎，建议使用非处方抗酸药。如果这些药无效，你的医生可能会开西咪替丁、雷尼替丁或法莫替丁这些药减少胃酸的分泌，由细菌引起的胃炎可应用抗生素和含次水杨酸非处方药，慢性胃炎通常可应用非处方抗酸药治疗。如果你的胃粘膜受过度胃酸严重侵蚀和有内出血，你可能需要输血或者是其他静脉补液治疗，如果你有胃壁溃疡或是胃穿孔且其他治疗无效，你可能还需要外科手术控制出血。

### 辅助治疗

辅助治疗包括药物治疗和精神疗法两种手段治疗胃炎。有些需要专科医生的指导，但有时你也可以在家中进行。

指压与针灸治疗

根据症状，针灸师会应用许多穴位治疗胃炎，你也可以自己按压与消化系统疾病有关的穴位，如任脉的气海穴和中脘穴，手厥阴心包经间使穴，及足阳明胃经足三里穴。

营养及饮食

限量或不饮酒、咖啡及碳酸饮料。与一般人看法相反的是你不必特别避免辛辣食物，多吃一些非柑橘类的水果、煮熟的蔬菜及易消化的食物，少吃精制的碳水化合物如白米饭及白面包。补充锌及维生素 A 的摄入，可有助胃粘膜愈合。

家庭治疗

非处方的抗酸药及醋氨酚可缓解不适。在胃炎发作的第一天不要吃干硬的食物；多喝水及其他液体，但不包括牛奶，因牛奶可增加胃酸分泌，预防脱水。

---

### 附：药物与胃炎

用于治疗关节炎及其他疾病的抗炎药可以刺激胃粘膜而发生胃炎和其他胃疾病。阿司匹林及许多非甾体消炎药 (NSAI DS) 如布洛芬、萘普生、消炎痛、托美丁都是其中的药物，都可能对你的胃有害。如果你患有胃炎，应避免应用该类药物。

## 症　状

◆ 上腹部烧灼痛，特别在两顿饭之间，早晨或在饮用橘子汁、咖啡、酒或服用阿司匹林之后发生。通常在服用抗酸药后缓解。

◆ 柏油便、黑便或血便。

### 出现以下情况应去就医

◆ 你曾被诊断患胃溃疡并有贫血症状，如有虚弱及面无血色等症状，则说明溃疡可能正在出血。

◆ 你有胃溃疡的症状并发展为背痛，说明你的溃疡可能已经穿透胃壁。立刻找你的大夫。

◆ 你有胃溃疡症状并有呕血或咖啡样物质，或你排出了暗红色血样或黑色便，大便呈胶样。这些症状提示内脏正在出血，立刻打你的急救电话。

◆ 你已有溃疡，并感到寒冷、冷湿，或感到虚弱，这些都是休克症状，通常是过多失血的结果，需立刻得到医疗处理。

没有明确证据可以证实现代生活压力或快餐替代膳食会引起胃溃疡，但胃溃疡在我们的社会中极为常见：大约 1/10 的美国人在有生之年将经历胃溃疡症状。胃或消化性溃疡是在胃的保护层上的洞或破损，也发生在食道或十二指肠——十二指肠为小肠的上部。最常见的是十二指肠溃疡。第二常见的是胃溃疡，在胃部发生，随后的是比较罕见的食道溃疡，在食道内形成，常为过量饮食的结果。

十二指肠溃疡，典型症状是反复上腹部痛，餐后腹胀感，男性比女性常见，经常发生于 40～50 岁之间，在60～70 岁之间的人首先易出现胃溃疡，其症状与十二指肠溃疡相似。

幸运的是，消化性溃疡相对较易治疗，在多数情况时可用抗生素治愈。然而，消化性溃疡仍伴随有以下危险——贫血、出血、胰腺问题及胃癌，所以溃疡应由大夫经常监测。然而，仍有一些溃疡可以自愈，并且一些辅助治疗可以有助于减轻疼痛和治愈溃疡。

## 病　因

直到本世纪 80 年代中期，传统观念在描述溃疡形

# 胃十二指肠溃疡

成时着重强调有过多胃酸分泌的遗传倾向，不良的生活习惯（包括过度嗜好高脂食物、酒、咖啡因和烟草）。这些影响因素导致胃酸过度分泌而破坏胃、十二指肠或食管的保护层。

当过多的胃酸分泌在溃疡形成中扮演重要角色的同时，相对现代的理论认为细菌感染是消化性溃疡的首要病因。事实上，从80年代中期的研究成果表明幽门螺杆菌在92%的十二指肠溃疡的病例和73%的胃溃疡病例中可以检测到。

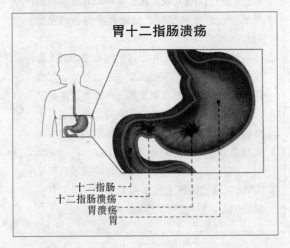

**胃十二指肠溃疡**

十二指肠
十二指肠溃疡
胃溃疡
胃

其他因素也可导致溃疡形成。过度使用非处方药（如阿司匹林、布洛芬和萘普生），过度饮酒、吸烟，都能促进溃疡的发展。研究表明吸烟者比不吸烟者更易患十二指肠溃疡，饮酒者更易患食管溃疡，长期经常服用阿司匹林的病人比不服的人更有可能得胃溃疡。

其他研究显示消化性溃疡更易在老年人中发生。由于老年人易患关节炎，为减轻关节炎造成的疼痛可能经常使用日常用量的阿司匹林或布洛芬。另一个诱发因素可能是肠管老化引起胆汁过多返流入胃，并腐蚀胃粘膜。另外，由于不为人知的原因，A型血的人更易发生癌性消化性溃疡。十二指肠溃疡倾向于O型血的病人发生，可能是由于这些人不产生保护胃肠粘膜的物质。

## 诊断与检查

注意把你认为可疑的消化性溃疡的症状告诉你的大夫，但这对确诊分型也许没有帮助，因为胃溃疡和十二指肠溃疡的症状非常相似。为进行特异性诊断，你的

大夫可以做一些检查。

最普通的检查是钡剂X线，它可使你的大夫发现溃疡，并确定它的类型和严重程度，这项检查需要你喝下一种称为"钡奶造影剂"的造影剂，它可以使胃肠道在X线下显高密度影。在检查前两三天内你可能被要求只吃温和的易消化的食物，在喝完造影剂的液体后，你被安排在一个倾斜的检查台上，当钡剂通过上消化道的时候，此检查台可以使X线从各个不同角度摄取影像。

如果你对治疗无反应或你又有了新的症状，你的大夫可为你做胃镜或内镜检查，用一个可以变形的管子从你的喉咙放入消化道，你的大夫可以直接观察到你的食管、胃和十二指肠。它可使大夫诊断出病变情况和出血的原因，并可检查有无细菌。在此检查中大夫取病理活检，以检查有无肿瘤。

# 治 疗

药物治疗通常用于轻中度溃疡。若病因为细菌，抗生素可以用来治愈溃疡。对于复发病例，有些情况药物治疗无效，这时外科手术是应当考虑的。

虽然，辅助治疗对于减轻症状和治愈溃疡而言显示出有效，但它通常只作为常规治疗的补充。

## 常规治疗

因为长期使用抗酸药物能影响对营养物质的吸收，你的大夫可以开一类叫组胺拮抗剂的药物作为替换（这类药物包括西咪替丁、雷尼替丁和法英替丁等基本药物）。组胺拮抗剂可减少胃酸并治疗消化性溃疡，持续使用4~6周后可以在80%的病人中起效。

因为抗酸剂可以减少组胺抑制剂的吸收，你的大夫可能建议你在此期间不使用抗酸剂。

如果你的溃疡由细菌感染引起，你的大夫可以开一个抗菌的联合处方，如阿莫西林或四环素、甲唑、合用铋剂并可能用组胺拮抗剂。

如果这些治疗都不能成功，或你的溃疡已发展成严重的溃疡病，外科手术成为必需。如果你的溃疡持续出血，外科医生将先找到出血的部位（通常是一支在溃疡基底的小动脉），并修补好它。溃疡穿孔——在胃或十二指肠壁上的一个完全贯通的洞——必须用外科方法缝

合。这是一个急诊手术。

有些情况，减少胃酸分泌的外科手术也有必要。然而消化性溃疡多用于紧急情况，因为手术有许多潜在的合并症包括溃疡复发、低血糖、血液综合症和倾倒综合症（慢性腹痛、腹泻、呕吐和／或饭后1小时出汗虚脱）。

## 辅助治疗

尽管你的溃疡病有大夫监测，但辅助治疗仍可以有助于减轻症状。

针灸治疗

针灸针刺有关按压焦虑和胃／胃肠不适的穴位可以有助于消化性溃疡的治疗。向有执照的针灸医生求助。

身心医学

生物反馈、冥想、推拿疗法，以及瑜伽可以帮助你了解如何有效地面对压力，此压力增加胃酸产生并刺激溃疡病灶。

营养及饮食

一些营养学家推荐增加维生素A、E及锌的摄入，这些可以增加粘蛋白的产生，这种由肌体产生的物质可以保护胃粘膜。另一种建议是日常饮用卷心菜汁，其中富含被认为具有促进产粘蛋白细胞生长的谷氨酰胺。

家庭治疗

◆不饮牛奶。虽然看上去牛奶好像由于具有覆盖特性可以减轻溃疡，实际上牛奶可以刺激胃酸分泌，从而加重溃疡。

◆适当使用抗酸剂。像牛奶一样含钙的抗酸剂同样可以刺激胃酸分泌，所以需在医生的指导下使用。同样，不要变得依赖于含有三硅酸镁和氧化铝等化合物的抗酸剂。这些化合物可以消减碱的水平，导致骨质疏松。研究建议使用铋剂，这是一些非处方胃药的成分，可以有助于杀死导致一些消化性溃疡的细菌。

◆在使用非处方止痛药时应引起注意，阿司匹林和其他非甾体抗炎药（NSAIDS）如布洛芬不仅可以刺激溃疡形成，也可以阻止出血性溃疡愈合。最佳选择是醋氨酚，这种药并不会导致或促进溃疡形成。

◆不要过量使用铁剂。虽然溃疡出血的病人可能合并有贫血并需要铁剂治疗，但过多的使用可以刺激胃粘膜，从而患上溃疡。向你的大夫询问你需要使用多少铁剂。

## 常规治疗

治疗的主要目的是减少胃中酸液的量并加强直接与胃酸接触的保护性粘膜层。这里通常是用含有三硅酸镁和氢氯化铝的非处方抗酸药，在用餐和入睡前服用。

你能发现溃疡吗？

在1982年，两位澳大利亚医生发现幽门螺杆菌（HP）在消化性溃疡的发病中扮演重要角色，进一步研究表明抗生素可以有效地控制由细菌引起的溃疡病。这表明溃疡是感染的吗？

答案是含混的，并非每个感染细菌的人都发生溃疡，一定有其他因素——如遗传，过度使用阿司匹林、烟草和饮酒——提高了患病的机会。还有，研究表明已感染的儿童比成人更有可能传播细菌，在发展中国家有大约80%的儿童感染了HP，此感染率在升高。

然而，这并不是说当你或你的孩子感染了HP就应该使用抗生素来作为一个预防工具。最好的办法就是求助于你的大夫。

◆学会如何处理压力，虽然还没有证据表明压力导致溃疡，但它可以加重已存在的溃疡。练习放松的技巧——包括深呼吸，引导想像，并适当的锻炼，可有助于减轻压力。

预防

◆不食用对胃有刺激性的食物。凭借用通常的感觉：当你食用某些食品时，如果食物使胃感觉不适，就不应再吃它。人各不同，但辣味食物或高脂食物通常是有刺激性的。

◆食用富含纤维的食物。纤维被认为是抗癌成分，食用高纤维饮食同样可以减少十二指肠溃疡发生机会。纤维被认为能促进粘蛋白分泌，粘蛋白可以保护十二指肠粘膜。

◆戒烟。大量吸烟者更有可能发生十二指肠溃疡，主要是因为尼古丁被认为可以阻止胰腺分泌胰酶。

◆轻度锻炼。大量酒精或阿司匹林的积累使用可导致溃疡病发生，故应保持最小摄入量。

# 胃 癌

## 症 状

胃癌的早期症状通常无非是轻度消化不良、或体重减轻和食欲下降。这些症状很平常，甚至被大多数人忽视。随着疾病的进展，症状变得更加显著。胃癌的警告信号可能包括：

◆ 消化不良、烧心、腹痛，或进食加重。

◆ 食欲减退，少量进食后脘腹胀满。

◆ 腹泻或便秘，餐后恶心或呕吐。

◆ 肌体消瘦、疲劳。

◆ 黑便，或便中带血。

◆ 呕血。

## 出现以下情况应去就医

◆ 持续超过几周的消化不良或腹部不适感，或有黑便的经历，这都指示胃肠道有过出血。你需要进行一次完整的医学检查，可以是由你的医生或胃肠病专科医师来检查。目的在于确定你的不适来自于胃溃疡、肿瘤或其他疾病。

在第二次世界大战以前，胃癌在美国是位居前列的癌症杀手。现在美国的胃癌已不如以前流行，但在日本、韩国、拉丁美洲和东欧，它仍是一种最为普遍和流行的肿瘤。

几乎所有胃癌都发生于胃内的腺组织。肿瘤可以通过胃壁或直接穿过胃壁生长散落细胞进入血流或淋巴系统。一旦远离胃肿瘤可以播散到其他器官，如果在其转移前治疗，胃癌是可以治愈的。胃癌已完全转移的病人最多可以活到 5 年。不幸的是，多数情况下胃癌一经诊断，早已播散到了其他器官，使得治疗十分困难。少于 1/5 的病人在诊断胃癌并已播散到其他器官可能活过 5 年。

## 病 因

胃癌常发生于原有溃疡的部位，虽然溃疡本身并不导致这种癌症。有些胃溃疡可能癌变，但多数并非如此。为导致胃癌发生，有些因素引起正常细胞恶变，或异常增生。一定的饮食因素是和胃癌密切联系的，这种疾病通常发生经常食用熏制、腌制、盐泡或

烧烤过的食物的人群中，所有具有致癌作用的食物都包含有亚硝酸盐或其他含氮化合物。黄曲霉素——由一种生长在花生、种子、玉米和其他贮存于潮湿环境的干燥食物中的真菌所产生的致癌物质也可诱发胃癌（参见食物中毒，肝癌）。吸烟和饮酒也可轻度提高发生胃癌的危险。另一种可能的提高胃癌发病的因素是幽门螺杆菌，超过 50 岁的美国人当中有过半数的人感染，在亚洲和拉丁美洲的贫穷地区的大多数人都有感染。长期 HP 感染导致慢性胃部刺激和溃疡并可部分引起胃癌。一些其他可治愈的疾病，包括胃炎、胃息肉、恶性贫血也与胃癌有关。广泛证实胃癌明显高发于煤矿和炼铁工人，他们吸入一些含有一氧化碳的粉尘和烟雾。在美国，男性是女性发生胃癌的两倍，在非洲裔美国人当中发病更高，胃癌很少发生于 50 岁以前。

### 诊断与检查

当症状需要全面的检查时，大夫通常 X 线或 CT 扫描或通过经口胃镜来观察胃的情况。如果检查到可疑的肿物，通过观察穿刺取标本，在显微镜下寻找肿瘤细胞。如果肿瘤确诊，其他的检查可以进行，以发现是否肿瘤已扩散。

## 治 疗

### 常规治疗

如果早期发现，胃癌可以通过外科治疗，有时放化疗可以减小肿瘤的大小、部分或全部，胃被切除，包括周围组织和邻近淋巴结。术后病人典型地发生消化不良或腹泻，但这些副作用可以通过药物治疗而缓解。全胃切除术后的病人需要经常摄入维生素 $B_{12}$。因为病人在适当从小肠吸收食物营养之前，不能自然吸收营养物质。

多数情况下，胃癌诊断时已发展到不能进行外科手术治疗，但是放疗、化疗和有限的外科治疗可以减轻症状，减缓病情发展，延长存活期。参见肿瘤，以获取更多有关治疗的信息。

**腹腰前臀疾病**

## 辅助治疗

进展期胃癌的患者有典型疼痛的经历。当治疗可以部分缓解疼痛,各种其他治疗也对止痛有所帮助。可考虑针灸或其他有助于放松的活动如瑜伽、推拿按摩或沉思冥想等(参见肿瘤)。

### 预防

研究建议饮绿茶和食用足量的新鲜水果、蔬菜和大蒜,可有助于预防胃癌。然而,什么也比不过不食用熏制、腌制、盐泡制和烧烤食物。

### 胃部肿瘤

在强大的肌肉和胃液的帮助下,胃混合并液化经咀嚼后的食物,并在小肠吸收。肿瘤典型攻击胃的腺体层(下面插图的上图),经常在溃疡发生的部位。虽然肿瘤可能在胃中的任何部位发生,但更倾向于直接发生于食管与胃的结合部(下图)。

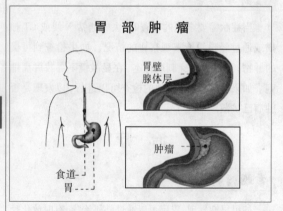

**胃部肿瘤**

胃壁腺体层

肿瘤

食道-胃

## 症 状

胃肠炎也常称为胃"流感"或肠"流感",它的症状一般不超过48小时,包括:

◆ 恶心与呕吐。
◆ 腹泻。
◆ 腹部绞痛。
◆ 发热。
◆ 虚弱。

### 出现以下情况应去就医

◆ 症状持续超过2天,体温达到或超过39℃,或你的症状治疗后复发,说明你可能有更严重的消化系统疾病。
◆ 大便中有粘液或血,或是呕吐物中有血,这些表明有内出血(应立即去看急诊)。
◆ 极度口渴、尿少、口干、精神萎靡,你可能是脱水,需要补液。
◆ 严重的腹痛和腹胀,你可能患有阑尾炎或其他腹部疾病。

胃肠炎是指消化道受到多种原因刺激或感染的总称。除非在严重的病例或是出现了并发症,它不需要特殊的诊断和治疗,然而,儿童、老年人及有慢性疾病患者则需要密切观察,以了解有无诸如脱水等并发症的出现。

## 病 因

胃肠炎可由多种病因引起,最常见的原因是可以在学校、办公室、托儿所迅速传播的病菌。食物中毒、细菌和寄生虫感染也可引起胃肠炎消化道的细菌感染是旅行者腹泻的主要病因。有时服用某些药物或是饮用过量酒可以刺激你的消化道引起胃肠炎。

### 诊断与检查

通常,医生可以只根据你的症状诊断胃肠炎,大便的实验室检查可以了解你是否有细菌或寄生虫感染。

# 胃 肠 炎

## 治 疗

除非是由于细菌感染引起的胃肠炎，或者产生并发症，你可能并不需要特别的治疗。可以应用一些辅助治疗方法治疗恶心、呕吐、腹泻及其他症状。

### 常规治疗

如果你仅是简单胃肠炎，你的医生将可能会建议你休息，多饮水，吃易消化的食物，假如你能耐受的话，

含有次水杨酸铋或有吸附作用的粘土的非处方药可以控制腹泻。还有一些药可用来治疗严重腹泻。如果呕吐严重，你的医生可能会给你用普鲁氯哌嗪或是三甲氧苯扎胺，如果胃肠炎是由细菌感染引起的，也可使用抗生素；它们虽然有可能加重腹泻，但对杀死致病菌是必要的。如果你因为呕吐和腹泻导致脱水，就应到医院接受静脉补液治疗。这种情况多见于婴儿、老人及患有如糖尿病等慢性病的患者。

### 辅助治疗

如同大多数常规治疗一样，辅助治疗主要提供自我治疗以缓解胃肠炎的症状。

**营养及饮食**

大量饮水。在胃肠炎症状消失后多吃含乳酸杆菌的新鲜酸奶、香蕉、全谷类及蔬菜，这些食物均可以缓解胃部不适并保存对人体有益的在你的消化系统内的细菌，在腹泻治愈后，2周内不要吃奶制品。因为如果你的肌体未能调整到可吸收牛奶，则会使腹泻复发。

**反射治疗**

刺激肾上腺反射区以抵抗感染，刺激胃反射区以促使其恢复正常功能（见足底穴位反射区的具体分布）。

**预防**

◆经常洗手，以免食入引起胃肠炎的微生物。

◆见食物中毒部分以便在制作及贮存食物时确保卫生。

---

### 指 压 法

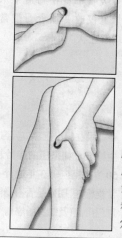

按摩手厥阴心包经间使穴及足阳明胃经足三里穴可以缓解恶心、上腹不适及消化不良。手厥阴心包经内关穴位于前臂内侧腕部第二横纹以上2指，两根骨头之间。足阳明胃经足三里穴位于膝髌骨下四横指，于胫骨前缘。大拇指按压在每一穴位上持续1分钟，然后在对侧臂和腿上重复1次；每一穴位各按压3~5次。

# 腹　泻

| 症　状　疾　病 | | 应采取的措施 | 其他信息 |
|---|---|---|---|
| ◆频繁或水样便；在吃或喝咖啡后可能出现腹部绞痛。 | ◆进食过量的纤维丰富的食品，例如完整谷类，蔬菜和(或)水果，或喝咖啡太多。 | ◆饮用足够的水，继续进食普通饮食，避免咖啡。 | ◆腹泻可在48小时内自行缓解。 |
| ◆开始服用某新药时出现肠蠕动过频或水样便。 | ◆药物副作用，例如抗生素、抗酸药、西咪替丁、喹宁及其他药物。 | ◆请教您的主管医生，换药或停药。 | |
| ◆在紧张或抑郁的时候出现便次增多或水样便。 | ◆情绪诱发的腹泻。 | ◆试一试各种缓解精神紧张的方法，直至找到一种适合你日常生活并能很好起效的方法，积极治疗抑郁症。 | |
| ◆反复大便带粘液；下腹痛，并在进食或紧张时加重。 | ◆肠易激惹综合征。 | ◆任何缓解精神紧张的方法，例如规律用药或适度锻炼，常常能缓解这种腹泻。 | ◆饮薄荷(Mentha piperita)或甘菊(Matricuria recatita)茶，每日3次，可缓解肠痉挛绞痛。 |
| ◆反复水样便带恶臭味，呈白色或黄色；胃肠胀气；胃绞痛；乏力。 | ◆吸收不良，是肠道对脂肪及营养素吸收不良所致的消化性疾病。 | ◆立即去看你的医生；是否患有贫血、腹部疾患、乳糖不耐受、胰脉疾患等。 | ◆吸收不良在肠道手术后常见仅改变饮食习惯常可缓解症状。 |
| ◆剧烈肠蠕动；焦躁不安；失眠；大量出汗。 | ◆甲状腺功能亢进、糖尿病或肾上腺功能低下。 | ◆请去看你的医生进行治疗，看看是否患有糖尿病、甲状腺疾患。引起肛门出血的原因很多，包括良性和恶性的。 | |
| ◆解稀便，可能出现大便带血。 | ◆很多可能性，包括结直肠癌。 | | ◆如果肛门出血，均应经过医生检查。如果您的年龄超过50岁，则应每3年进行一次常规检查，明确是否有隐匿的肛门出血(及结直肠癌)。 |
| ◆突然出现频繁水样便，可能为血性；恶心；发热；腹部绞痛。 | ◆胃肠炎，例如肠道"流感"、旅行者腹泻、食物中毒或胃炎。 | ◆通过喝足够多的水、果汁和(或)备好的电解质溶液（在各药店有售），以防肌体脱水。 | |
| ◆频繁水样便(可能带血或脓)；腹痛；乏力；食欲不振；可能呕吐，低热，关节痛。 | ◆结肠炎或克隆病。 | ◆避免精神紧张及不适合于您的食物。 | |
| ◆反复发作性频繁水样便；咳嗽；喘息；颜面潮红。 | ◆类癌性肿瘤（生长于肠道内，可为良性或恶性）。 | ◆去看你的医生进行诊断和治疗，可能包括使用抗癌药和(或)手术治疗，立刻去看你的医生，以明确诊断。 | ◆避免刺激性高脂饮食，因为它们可加重结肠引起的腹泻症状。 |
| ◆水样便，可呈黑色；脐周或左侧腹痛；可能伴有鲜红色肛门出血。 | ◆憩室炎。 | ◆见憩室炎一节。 | ◆类癌性肿瘤进展非常快，因此不能被忽视。 |

# 便 秘

## 症 状

◆ 大便硬结，以至排便困难、疼痛。

◆ 成人 3 天未解大便，儿童 4 天。

## 出现以下情况应去就医

◆ 便秘伴发热、下腹痛，大便为稀薄便，揭示憩室炎。

◆ 便中带血，可能由肛裂或痔引起，亦有可能为大肠癌引起。当伴有排便习惯改变时，如大便变得细如铅笔时，大肠癌可能性更大。

◆ 服用新药或维生素、微量元素等药物后出现便秘，可能需停药或改变剂量。

◆ 和家人先后出现便秘，时间在 2 周左右伴有反复发作的腹痛，提示可能铅中毒或其他严重的疾病（参见环境中毒）。

◆ 年老、活动不便的人一周以上的便秘，可能由粪块梗阻所致。

消化系统功能是十分强大的：在进食、饮水后数小时内将营养物质吸收入血，同时将残渣进行处理，以备排泄。食物在经过 6 米或更长的小肠时逐渐变成残渣，在结肠中暂存，在这里水分被吸收，一般在 1～2 天内食物残渣排出体外。

有些人，包括许多健康顾问，认为一天解 1～3 次大便有利于健康。这种观念缺乏科学依据。根据各人饮食习惯、年龄、日常生活的不同，1 天 3 次或 3 天 1 次大便均是正常的。然而，粪便在结肠中存留的时间越长，就越坚硬，越难以排出。正常的大便性质既不过硬也不很软，无需过分用力即可排出。

## 病 因

绝大多数便秘是由快节奏的现代生活方式造成的，如纤维素摄食不足、饮水量过少、没有足够的锻炼、有便意时没有时间去排便。精神、心理因素亦可导致便秘。持续慢性便秘常为许多严重疾病的症状，包括肠易激惹综合征、憩室炎（参见《憩室炎》）、大肠癌、糖尿病、帕金森病、多发性硬化症、抑郁症等。

排便习惯随年龄、环境不同而有所差别。例如：人

工喂养的婴儿比母乳喂养的婴儿更易出现便秘、粪块坚硬。有些儿童在刚入学或参加其他活动时出现便秘，因为他们对提出去厕所的要求感到困窘。还有一些患有肛裂的儿童因惧痛而导致便秘。

因为各种原因，便秘在妇女中更为多见，尤其是孕妇。老年人由于摄食纤维素少，缺乏锻炼而易便秘。有些药物、维生素剂等也可引起便秘，鸦片制剂如吗啡、可待因，抗酸剂中的铝盐，可吸收铁剂、钙剂、抗组胺药、利尿剂、抗抑郁药、精神抑制药、控制血压的制剂等也可致便秘。对于容易便秘的患者，尤其要注意药物可能存在的副作用，应在专业人员指导下用药。

### 诊断与检查

偶尔出现的便秘无需诊治。但若持续便秘则需进行检查。首先应进行腹部检查以发现可能存在的包块，必要时需行肛查，为检查系统性疾病，可能会取血样。乙状结肠镜在某些情况下也是必需的，即从肛门插入一根纤维管从而直接观察结肠情况。还可能行钡灌肠，在肠壁覆盖一层钡剂，从而在 X 线下观察。

## 治 疗

常规治疗对绝大多数病例有效，如改变饮食结构，服用缓泻剂。少数严重、慢性腹泻的病人应行系统检查，以明确是否存在系统性疾病或其他原因。

### 常规治疗

开始治疗时可以增加纤维素摄取量或食用膨胀性食物。除了纤维素或可膨胀的成分，尽量避免服用非处方类缓泻剂。同时，应鼓励患者促进肠蠕动，不抑制便意。

对于老年人、残疾人，粪块梗阻是便秘的一种严重后果。医护人员需用戴手套的手指人为地弄碎结肠内坚硬的粪石，从而缓解直肠梗阻。温水、矿物油灌肠亦有效。

### 辅助治疗

和医生一样，大多数康复工作者将便秘归为生活方式不当引起的疾病。治疗方法包括提高纤维素在膳

腹腰前臂疾病

食中所占的比例,经常锻炼、按时排便。

### 锻炼

步行锻炼 20～30 分钟,其速度以能使心跳加快为宜,或采取其他锻炼方式,都可以刺激肠蠕动。经常锻炼,一方面可以增强心脏功能,另一方面也是治疗慢性便秘的好方法。年轻人应习惯于经常锻炼,这是保持健康、长寿的好习惯。

### 生活方式

单纯意识到排便的规律性就可以缓解许多病人的便秘。应鼓励儿童去厕所按时排便,并且应在很小的时候就开始培养这种习惯。

对于认识到按时排便重要性的患者,治疗是很简单的,每天在相同的时间在厕所里待 10 分钟,即使没有便意也如此。最好选择餐后,因为胃中的食物可促进结肠蠕动。培养新的排便习惯需要几个月的时间,所以一定要有耐心。同时在其他时间有便意也不要强行抑制。

### 营养及饮食

几乎所有的美国人都需要增加纤维素摄取量。美国膳食协会规定一天至少摄取 30 克纤维素,而许多人甚至达不到此值的一半。增加纤维素摄取很容易,多吃生的水果、蔬菜,尤其是豌豆、菜豆、甘蓝、麸皮、谷类、全麦主食;干果,如无花果、桃、李,这些食物中均富含维生素和微量元素,其热量却很低。

采用健康的饮食结构永远正确,6 个月的婴儿即可喂粗粮。与经过加工的谷物相比,粗粮含有更多的纤维素和其他营养物质。即使是嗜食快餐的人也可以吃一些生的水果和蔬菜。另外,适当食用一些含有可溶性或不溶性纤维素的成分,如车前子,当它与水结合后形成凝胶从而增大粪块的体积。剂量是一天服用 1～2 满匙车前子粉,冲入 1 杯冷水或果汁中。还可加入同等剂量的亚麻子。上面两种药在保健食品店就可以买到。车前子的作用可持续 2 天,每天服用也不会造成依赖性。

不溶性纤维素包括小麦、燕麦麸。它们与车前子效力相同,但在最初服用的几周内会增加排气,直到消化系统适应这些食品为止。可以将麦麸加到果汁、罐头水果或主食中,也可以做成三明治。开始可以一

天 1 匙,以后逐渐增加到 1 天 3～4 满匙。

最后,一种古老的治疗便秘的秘方是:每天清晨醒来时饮用 1 杯用 1 个柠檬挤出的汁兑成的热水一杯。

## 指　压　法

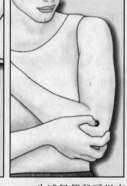

**1** 持续按压膝盖下 4 指胫骨外侧的足三里穴,可以促进消化,按压持续 1 分钟然后换到对侧腿。为证实位置可将足屈曲。在该点你可以感到肌肉隆起。

**2** 为减轻便秘可以在肘窝里的皱折外缘处的曲池穴加压。屈臂用拇指除压该点 1 分钟,然后在对侧臂上重复。

**3** 对拇指及示指之间的合谷穴加压可以减轻便秘,它同你右手的拇指或食指来挤压你左手的穴位 1 分钟,然后交换。如果你在怀孕,不要使用该点。

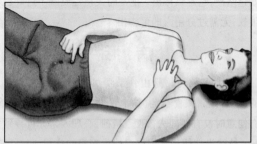

**4** 压迫气海穴可以减轻由便秘导致的腹痛,该点在脐下 3 指。

同一手的食指尽力向内按压,然后缓慢的深吸气放松并呼气。

腹腰前臂疾病

# 便 秘

瑜伽

眼镜蛇姿式是调节消化功能的一个姿式。俯卧位,头平放在地板上,双腿并拢。双手手心向下,放在肩下,双肘紧贴身体两侧。吸气,同时抬头、抬胸,脸与地面垂直。尽量向上看。注意,只能抬起上身,脐部紧贴地面。保持这个姿式 3～6 秒钟。呼气,慢慢放下头、胸部。一天做 4 次即可。

膝胸位可以促进胃肠功能和排气。直立位,为双手下垂。抬起右膝靠近胸部。用右手抓住右踝,左手抱住右膝,尽量靠近胸部,保持 6～8 秒。然后换另一腿。每天做 3 次。

家庭治疗

每天食用 30 克纤维素。富食纤维素的食物包括麸、粗加工的谷类、生的或炒制的干果如洋李、炒豆、坚果。

除正常就餐时的饮料外,每天再饮 6～8 杯水。

每天在固定的时间去厕所,最好在进餐后,在里面待足够长的时间以使肠道充分排空。同时如果其他时间有便意,也不要抑制。

预防

预防便秘很简单:每天饮用足量的水——6～8杯即可。摄取足够的纤维素、水果、蔬菜、谷物。纤维素在其中起很重要的作用,因为粪便大部分成分是细菌,纤维素可为其提供生长的支架。适度的细菌生长可以改善胃肠功能,产生大量的粪便。

## 打破对缓泻剂的依赖性

便秘,无论是病理的或心理的,是临床常见的主诉。在美国,每年要消耗价值数亿美元的缓泻剂。事实上,许多病人无需用药。

若规律使用缓泻剂,肌体会产生依赖性,而使便秘加重。必需使用时,最好使用纤维素类药,其起效时间较泻药要长,但不会损害消化系统功能。

任何人连续服用缓泻剂都不要超过数天。若同时存在腹痛、恶心、呕吐等症状或孕妇,不要服用泻剂。

# 便 血

| 症 状 | 疾 病 | 应采取的措施 | 其他信息 |
|---|---|---|---|
| ◆大便表面或手纸上有鲜血,并可有肛门疼痛。 | ◆出血来自消化道较低部位,可能是因痔疮、肛裂、憩室或血管扩张（结肠同血管扭曲,缠结并出血）。 | ◆进食高纤维素含量的饮食每天至少喝8杯水,以使大便变软,这样可减轻疼痛和出血。 | ◆每天温水坐浴3次,每次15分钟,可缓解疼痛。 |
| ◆肛门痛并瘙痒,自肛门排出鲜血,排便困难,便急,便后不尽感。 | ◆直肠肛门狭窄（肛管狭窄和缩紧）,可因炎症、外科手术后瘢痕挛缩或泻药滥用引起。 | ◆使用非处方用的镇痛药可缓解疼痛。医生也可能建议扩张或手术切除瘢痕组织（或狭窄部位)来治疗。 | |
| ◆反复水样便或便频,也可能带血（血量可能较多。下腹痛,乏力,恶心,呕吐,可能有关节痛,肛周皮肤痛或发热）。 | ◆结肠炎、克隆病或胃肠炎。 | ◆胃肠炎者需治疗脱水（每天饮8～10杯水)并充分休息。结肠炎和克隆病患者应避免应激状态和饮食不当。 | ◆结肠炎者每天吃1头生蒜,可以减轻肠痉挛,根据需要常饮热的洋甘菊菜有助于腹泻的治疗。 |
| ◆经肛门排出鲜红色或暗红色血,脐周疼痛。 | ◆麦克尔憩室（小肠壁的1个突出于腔外的囊袋）,可导致腹膜炎或肠套叠（此种情况下,小肠折入自身内部,引起梗阻）。 | ◆立即就医,不得延误,可能需要手术切除憩室及消化道内有溃疡的部分。 | ◆如果症状像阑尾炎,可做手术切除阑尾。 |
| ◆便频或水样便,便鲜红色或暗红色血,直肠胀满感、下腹痛,可有呕吐。 | ◆直肠脱垂（直肠的一部分经肛门脱落出来）。 | ◆应立即就医,直肠脱垂者有时需外科治疗。 | |
| ◆便次少,大便硬结,大便中带鲜血及粘液,直肠充满感,左下腹痉挛痛。 | ◆直肠炎,通常是因为有感染。 | ◆应就医,细菌性感染可用抗生素治愈。如为病毒感染则症状可自行缓解。 | ◆可能的病因还包括性传播疾病（特别是淋病、衣原体感染、梅毒、单纯疱疹）、泻药滥用、直肠损伤及过敏。 |
| ◆腹部或肛门隐痛。肛门瘙痒或失禁。可伴有无痛性的肛门出血或鲜血便,肛门排粘液,或在肛门附近有肿块。 | ◆息肉（向消化道内生长的组织）或结直肠癌。 | ◆应立即就医,因为有可能是癌症。良性息肉可经手术切除。 | ◆较为严重的便血是"隐血"或隐匿性出血。如年龄在50岁以上,应每3年查1次隐血试验。 |
| ◆便中有血,呕血,皮肤易出现血肿,或有蜘蛛样血管,易疲倦,皮肤或眼睛黄染。 | ◆肝硬化。 | ◆应立即就医,出血可能危及生命。 | ◆戒酒并避免使用任何不必要的药物。 |
| ◆婴儿,解果酱样暗红色血便,肠痉挛,呼吸短促,呕吐物中含黄绿色胆汁。 | ◆婴儿肠套叠（见上述麦克尔憩室内容）。 | ◆应立即就医,以防止休克,甚至死亡。 | ◆大多发生于4～11个月间的婴儿。肠套叠可反复发生。在13岁以下的儿童中,其发病率仅次于阑尾炎。 |

# 肠蠕动异常

| 症 状 | 疾 病 | 应采取的措施 | 其他信息 |
|---|---|---|---|
| ◆大便不通畅和（或）次数少或大便费力。 | ◆便秘。 | ◆改成高纤维饮食，且每天至少喝 8 杯水。 | ◆有 30 余种可能的原因，如肠道易激惹综合征、肛裂、抑郁症和不活动等。 |
| ◆水样便和 /或频繁大便。 | ◆腹泻。 | ◆大量饮水以补充失去的水分,如果腹泻持续超过 48 小时,则找医生。 | ◆超过 12 种的原因，包括流感和食物中毒。 |
| ◆大便中有寄生虫，看起来像白色的线;可能有肛门搔痒。 | ◆蛲虫、蛔虫或绦虫感染。 | ◆看医生，开药治疗可治愈感染。 | ◆据报道，每天服用 3 次苦艾药丸或茶（1 杯煮开的水中灌入 1/2 汤匙若艾浸泡 10 分钟),可治疗许多寄生虫感染。 |
| ◆交替出现大便困难或次数少及水样便或频繁大便等。 | ◆肠道易激惹综合征；大肠肿瘤；糖尿病；轻泻药和止泻药的交替应用。 | ◆如果你经常使用轻泻药和止泻药，则应逐渐减少直至到停止使用;另外，让医生尽快得出恰当的诊断。 | ◆轻泻药所致的腹痛很像肠易激若综合征或结肠肿瘤病（参看直肠结肠癌）。 |
| ◆非常难闻的臭味，大量大便;即使饮食良好体重还是下降;腹痛。 | ◆胰腺问题，可能与腹腔疾病有关。 | ◆尽快看医生。你需将含有谷胶的食物从你的食谱中去除。 | ◆如果腹腔疾患妨碍了铁、维生素 $B_{12}$ 或叶酸的吸收，可补充之。 |
| ◆大便中可见带血。 | ◆许多可能性，包括痔疮、肛裂和结直肠癌。 | ◆现在就通知医生，任何早期和快速的诊断是必需的。 | ◆早期治疗，结直肠癌可治愈，否则是致命的。 |
| ◆栗酱色或黑色,焦油状,金属味大便;可能有腹痛。 | ◆上或中消化道出血可由一些疾病或用药所致。 | ◆现在就通知你的医生，做出恰当的诊断，说明之前你服用过的任何药物。 | ◆家庭检查工具箱可确立大便中是否有血，栗色大便可能因食用红色食物如甜菜所致。 |
| ◆大便困难或呈水样，腹痛,胃肠胀气,恶心,呕吐,发热。 | ◆阑尾炎。 | ◆马上通知医生或看急诊。 | |
| ◆黑色或暗红色便，呕吐伴呕血，易皮下出血，皮肤上蜘蛛样血管，疲劳，皮肤和眼睛黄染，体重减轻或增加,腹胀。 | ◆肝硬化。 | ◆马上通知医生或急诊，肝硬化可致命。 | ◆避免酒精、高脂肪食物和所有药物（除医生开的增强肝功的药物）。 |
| ◆苍白或白垩大便，深桔色至茶色尿，皮肤和眼睛黄染，腹部胀痛，发热，寒战，发冷。 | ◆胆管因结石梗阻，胆囊病变,肝病。 | ◆采取低脂饮食。若腹痛较严重或存在发热，立即看医生,看胆石科或肝病科。 | ◆补充维生素 K 可帮助减轻症状。 |

# 肠易激惹综合征

## 症　状

◆ 进食后便秘或腹泻持续数月之久，常伴有腹部绞痛、腹胀及胃肠胀气。

◆ 排便习惯及大便性状与你平时不同。

## 出现以下情况应去就医

◆ 左下腹痛、发热及排便次数的改变，你可能患有憩室炎。

◆ 大便中有血，你可能有结肠息肉或结直肠癌。

◆ 发热或不明原因的体重减轻，可能意味着溃疡性结肠炎或克隆病。

◆ 排便的次数和性状与平时不同，并可能带有粘液，这可能是结肠癌的警告。

**你**的消化系统好像完全失去了控制，你可能根本不能离开厕所或者你的胃像扭成了一个结，你的大便又稀又带有粘液或不一般的硬，最可能的解释是你患上了肠易激惹综合征，有时也称为痉挛性结肠或痉挛性结肠炎。

肠易激惹综合征(IBS)是最常见的一种消化系统疾病，其最常见的症状是腹痛、腹泻或稀软的频繁的大便，在有的病例，IBS可表现为腹部绞痛及疼痛性便秘，并常常在餐后出现。无论出现何种症状，你的消化看来是正常的，只是排便异常，并可以持续数周之久或更长。

女性患肠易激惹综合征者是男性的2倍，但许多病人并未意识到他们患有本病，也并不寻求治疗，只有一小部分人有慢性的症状，但估计有10%到15%的成人在其一生中曾得过本病，特别在精神紧张的时候，发病多在青年，有时也可能是儿童。

## 病　因

作为消化过程的一部分，小肠通过同步和谐收缩（称之为蠕动），将食物向前推动，当蠕动不规则、不协调时就会发生肠易激惹综合征。破坏了正常的消化过程，本病常在没有任何先兆的情况下发病，绝大多数患者的排便次数超过平时，虽然有的人会出现便秘。

IBS的病因未明，许多权威认为是由应激所引起

的，也有的人认为与食物过敏（特别是老年人易出现）有关，已知进食过量、暴饮暴食及高脂饮食会加重肠易激惹综合征。乳糖不耐受、进食不规律或过快及吸烟也能促使发病。糖的替代物甘露醇对于某些人也可引起腹泻，某些抗生素可改变肠道内的细菌菌群，从而引起腹泻、发热及腹痛。吗啡与可待因、抗酸剂的铝盐及处方药氨甲喋呤可引起便秘及肠胃不适，三环类抗抑郁药也可引起便秘，但新一代五羟色胺没有这种副作用，有些抗组织胺药、矿物质添加剂、利尿剂、抗精神病药物及镇静剂在某些人也可引起便秘。

### 诊断与检查

没有一种用于IBS的特殊检查，但你的医生可能会对你的粪便进行实验室检查以排除其他较严重疾病。由于应激可能与IBS有关，医生会询问你的个人史，包括可能引起心理与精神疾病的因素。另外还可能进行乙状结肠镜检查：在该检查中医生会将一根柔软的细管插入你的直肠，以便观察你的结肠内部。其他还有钡灌肠检查，将钡覆盖在肠粘膜表面以便行X线造影检查。

## 治　疗

由于肠易激惹综合征没有特定的病因，因此治疗的主要目的是缓解症状。

### 常规治疗

常规治疗的第一步是评估你饮食的性质，特别是脂肪和纤维的摄入量，你的医生会建议你采用适当的平衡营养食谱。应减少脂肪摄入，而吃大量可溶的纤维素饮食如车前子。如果无效，你的医生会给你开易蒙停以减慢食物通过肠道，或者是盐酸双环胺以缓释胃肠道，阿托品或颠茄以减轻肠道蠕动及胃部痉挛。

肠易激惹综合征是一种由精神因素引起的躯体疾病，了解这一点可以有助于减轻许多症状并减少精神压力。无论是根据过去还是现在的经验，如果你精神抑郁或压力太大，你都应当找一位心理医生作进一步咨询，心理咨询或心理治疗可有助你缓解导致病情加重的心理因素。

# 肠易激惹综合征

许多草药及饮食治疗可以预防及治疗腹泻及便秘。放松技术对于紧张引起的症状特别有效。

### 针灸治疗

针灸师通过了解你有关生活中的精神压力方面问题来明确你病情的根本原因，从而确立适宜的方法。肠易激惹综合征的治疗需要 10 到 12 次，每次治疗针灸师将针刺你的足厥阴肝经、足太阴脾经及足少阴肾经的穴位。为了缓解腹泻症状，还可能针刺你肚脐旁及左膝附近的穴位，如果腹泻较严重，针灸师还可能使用灸法，应用热作用于穴位，这样做效果较明显。

### 运动治疗

在空气清新的地方散步 20 到 30 分钟直到心跳较前明显加快，这样可以刺激消化过程并放松肌体，较大量的运动对于控制应激也很有效。瑜伽不仅使肌肉及结缔组织处于良好状态，并可以强壮内部脏器，包括消化系统在内。

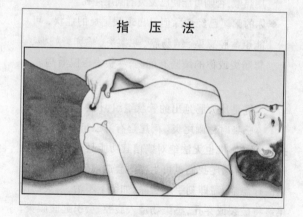

指 压 法

有时当你服用某种抗生素后会杀死肠道内的细菌，或者是正常的肠道菌群被异常的菌群所代替。为了确保你消化道内含有正常的细菌，可以每天喝一杯酸奶或者要求你的医生给你开乳酸菌添加剂。

### 生活方式

已经发现有几种方法对肠易激惹综合征有效，包括肌肉松弛训练，经过 4 到 6 周每天的练习，你将学会如何松弛以前紧张的肌肉和缓解应激所致的症状。

生物反馈训练是一种越来越被医学界所接受的治疗技术，生物反馈的一种方法是无疼电极固定在病人前额来监测肌肉紧张程度，作为应激的指示器病人在声音或视觉信号的指导下学会如何使他们的肌肉放松。

在所有的放松治疗中，人们最熟悉的是催眠术，通过暗示使病人在催眠状态中学会如何放松肠道的平滑肌，默想是一种常常由瑜伽师指导的放松方法，也有一定效果。

### 营养及饮食

有些食物可刺激你的胃肠道从而成为 IBS 的病因。其中包括一些人们认为很好吃的食物：从汉堡包和油炸食物一直到冰激淋和巧克力，它们都含有大量脂肪，无论是植物油还是动物油，是饱和脂肪还是不饱和脂肪，无论它们有多可口，许多人都不能耐受大量的脂肪。其他可刺激病人消化道的有鸡蛋和奶制品、辛辣食品及咖啡。特别是含咖啡因的饮食。为了检查你对何种食物敏感，可以将可疑的食物从食谱中去除 10 ~ 30 天，然后再食用，如果你出现了不良反应，请以后不要再吃该食物。

如果你的生活习惯与大多数美国人一致，那你肯定纤维素摄入不足，为了弥补这一缺陷：

在你的饮食中逐步增加新鲜水果及蔬菜，粗粮及麦麸。

瑜 伽 功

或者将1勺麦麸与1杯水果汁或水混合后每天饮用1杯。

或者摄入可溶的纤维素，如车前子，将1勺车前子与1杯凉水混合后每日饮用1杯。

当你在饮食中添加了纤维素后，注意每天多饮用几杯白开水。开始的几天你可能会有轻度的肠胀气，但几天之后肌体就会适应。

为了制止腹泻，可以每天3~4次，每次服用2粒活性碳胶囊，但要注意的是活性碳会影响肌体吸收你正在服用的其他药物。

### 预防

无论你的肠易激惹综合征的表现是腹泻还是便秘，一定要确保每日摄入足够的纤维素。在美国成年人每日平均摄入不到20克纤维素，但我们建议是每日30克，不论是从食品中获得纤维素还是从保健药品中获得，其作用是一样的。如果你吸烟，请戒烟，同时减少过量的咖啡因摄入。

为了缓解应激，你有很多治疗选择，如果练瑜伽，无论是眼镜蛇式还是膝胸式都对腹腔脏器及全身放松有帮助(见便秘部分)。另外你还可以买或自己制作一盘诱导沉思的录音带，以便在家中收听练习。有规律的锻炼，如可以散步20分钟、打高尔夫球、网球或游泳也有助缓解紧张的情绪，这对许多胃肠道疾病(包括肠易激惹综合征)是很好的预防方法。

## 症 状

阑尾炎的典型症状包括：

◆脐周或上腹部钝痛，转移至右下腹时呈锐痛。这常是首发征象。

◆食欲减退。

◆腹痛开始时即感恶心和/或呕吐。

◆体温在37~39℃。

◆便秘或腹泻伴排气。

发病半程时出现其他症状包括：

◆上或下腹、后背或直肠区钝或锐痛。

◆排尿痛。

◆腹痛前出现呕吐。

## 出现以下情况应去就医

◆你感到如上述症状一样的腹痛。急性阑尾炎可能危及生命，是医疗急症，常常必须马上手术。不要进餐、或饮用任何止痛剂、抗酸剂、缓泻剂或用热敷，否则可能使已发炎的阑尾穿孔。

◆你的阑尾已经切除但又出现阑尾炎的症状，可能患盆腔感染、结肠癌、憩室炎、输卵管妊娠、胃肠炎或你的结肠有问题，尽快去医院看病。

阑尾是从大肠延出的管状组织，长3~5厘米，其感染时称阑尾炎。阑尾含有淋巴组织可以产生抗体，不过，谁也无法绝对确信其功能是什么，我们仅知道，没有阑尾我们也可生存不会造成什么。阑尾炎属医疗急症，需即刻手术切除。如留下不治，发炎的阑尾终将破裂或穿孔，感染物溢入腹腔，会引起腹膜炎，这是腹腔被膜(腹膜)的严重感染，如不尽快用强效抗生素治疗会危及生命。

有时发炎的阑尾周围会形成充满脓汁的脓肿，由纤维瘢痕组织将阑尾与腹腔其他部位分隔开，以阻止感染的蔓延。阑尾脓肿并非急症，但遗憾的是非经手术无法确诊，故此，所有阑尾炎病例均应做急症处理。

在美国每15人中有1人患阑尾炎，虽然任何年龄均可发病，但2岁前极少发病，最常见于10~30岁间发病。

# 阑 尾 炎

## 病 因

当管状的阑尾发生堵塞，常被排泄物、异物或癌肿堵塞时会发生阑尾炎，感染也可引发堵塞。与淋巴组织一样，体内任何感染均可至阑尾肿胀，当其增粗时，其开口常会堵塞。

诊断与检查

诊断阑尾炎可能并不容易。时机是关键，更何况阑尾炎症状常常不典型，或与其他疾病表现极相像，缺少急性发病表现 (诸如膀胱感染、结肠炎、克隆病、胃炎、胃肠炎

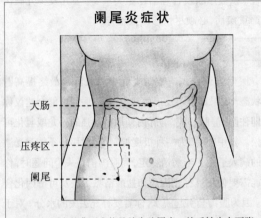

### 阑尾炎症状

大肠

压疼区

阑尾

阑尾炎的典型症状是首先脐周痛，然后转为右下腹痛，压痛区在脐与髂前上脊连线的外 1/3 处，比较局限。

或卵巢病变)。医生轻压你的右下腹，可触到硬的发炎的阑尾。阑尾炎可能会表现直肠痛而非腹痛，因此医生还要戴上手套涂上润滑油查一下你的直肠。血液化验可发现你的血白细胞增多，表明肌体在同感染做斗争。CT 扫描

及超声检查可快而准地发现阑尾炎，尽管并不完美。

## 治 疗

手术切除阑尾，即阑尾切除术，是治疗阑尾炎的标准疗法。

### 常规治疗

即使是疑诊阑尾炎，医生也主张快速安全地将阑尾切除以避免发生穿孔。如果阑尾周围形成脓肿，你可能要分两步来治疗，先将脓肿内的脓液引流，过后再切除阑尾。

阑尾切除术前要用抗生素以治疗可能存在的腹膜炎。术中要全麻，经 4 寸长的切口切除阑尾。如已有腹膜炎，腹腔积脓也要引流。术后 12 小时你就可以起床，下地活动，2～3 周内就可恢复正常生活。如在腹腔镜下做手术 (一套纤细内镜样器械可直视腹腔)，切口会更小，恢复会更快。

### 辅助治疗

你患了阑尾炎后应请医生治疗，不过替代疗法也会有助于术前准备及术后恢复健康。

指压治疗

每天按摩以下穴位将有助于加速术后复原。欲改善食欲及肠道功能，按摩足三里和大肠俞，增加按合谷可缓解疼痛，太冲可减轻腹胀，三阴交可促进愈合。

家庭治疗

◆保持伤口清洁，促进愈合，防止感染。

◆当伤口闭合后，打开维生素 E 胶囊，将其胶剂直接涂在伤口上，以缩小伤口。

腹腰前
臂疾病

# 结肠炎

## 症状

◆反复或持续的腹泻，便中有血或脓。

◆腹痛。

◆夜间排便或腹泻。

◆发热、疲乏、虚弱、体重下降、关节酸痛。

## 出现以下情况应去就医

◆你腹泻很重且持续，你可能有脱水的危险。

◆你有直肠出血，大便中出现血凝块，你的肠炎病情很重。

◆你持续发热及疼痛，你可能有中毒性结肠炎，出现严重的结肠炎症状，你应马上就诊。

结肠炎是一般意义上的低位肠道炎症性疾病，包括克隆病及慢性溃疡性直肠炎。缺血性结肠炎是主要累及老年人的一种肠道疾病。最严重的类型之一是溃疡性结肠炎，是一种需医生严密观察的慢性疾病。

在溃疡性结肠炎中，结肠周期性暴发微小的溃疡及其他炎症，可致血性大便及疼痛性腹泻。它通常在青年人中出现症状，但可以在任何年龄发作，可能伴有各种其他疾病如眼病及胳膊和腿的关节炎。溃疡性结肠炎有再发倾向，发病后8～10年结肠直肠癌的发病率迅速增加，用正规西医治疗后，这种疾病很少是致命的，大多数患者可以维持正常的生命。医生将病情严重性分为几类：

◆轻度：每天大便4次以下，可能是血性，便后腹疼临时缓解。

◆中度：腹痛，每日大便4～8次，同时体重下降及低热。

◆重度：每天6次或6次以上血性大便或腹泻，体温37.8℃或更高。同时有便血症状。

## 病因

尽管对结肠炎的病因已经提出几种意见，但证明没有一种是有定论的。细菌及寄生虫感染也可引起结肠炎样症状，如沙门菌属中毒。在一些人服用抗生素，如阿莫西林、氨必林及头孢菌属、氯霉素、克林霉素、青霉素、四环素后可引起结肠炎症状，当药停了以后，症状逐渐消失。

### 诊断与检查

医生通过乙状结肠镜（一种由直肠插入的弯曲的管子）来检查结肠内部。诊断通常依靠活检，从结肠粘膜上切除小标本在显微镜下观察。

## 治疗

溃疡性结肠炎是最严重的症状性疾病之一，如果未经治疗，可导致身体其他系统的合并症，并有潜在致命性。积极诊断及合理治疗至关重要。婴儿及少儿腹泻是严重疾病，必须尽快诊断及治疗。

### 常规治疗

医生强调首先应控制炎症中的腹泻，最终提高营养状态。如果你腹泻及出血都很厉害，医生可能会建议你立即住院，静脉补液，静脉内使用甲基强的松龙或氢化可的松。氨甲喋呤，为一种极度抑制剂，对那些不能耐受激素的病人适用。当病情稳定，而腹泻仍是一个问题时，你可能需要使用一种止泻药如盐酸洛哌丁胺及可待因化合物。因为腹泻会引起脱水，你需要补充丢失的水分。对于严重病例，可能需要手术切除直肠。当结肠炎的即时症状得以控制后，你的医生会建议你食用高纤维素不含乳糖的食物，并鼓励你经常运动，停止吸烟。

### 辅助治疗

因为溃疡性结肠炎是一个严重的、有潜在生命危险的疾病，你如果有腹泻伴血便，应立即就诊。但如果诊断已排除溃疡性结肠炎及其他感染性结肠炎，你可能发现辅助疗法能帮助减轻症状。

针灸治疗

为减轻腹泻及结肠炎样症状，针灸医生会向你提些专门问题来决定刺激哪一点。最可能针刺点在足阴明胃经及任脉，脐周及左膝。

营养及饮食

天然的鱼油及亚麻酸中可以找到。

Ω－3脂肪酸制成胶囊后作为健康饮食补充，可以减少小肠炎症，向博学的健康医学专家咨询对你合适的剂量。

*放松疗法*

为减轻小肠疾病的不适，可按摩足底的结肠、肝脏、肾脏、低位脊柱、横膈、胆囊相应的区域。

## 症 状

◆早期，直肠结肠癌通常没有症状，最可能提示危险的症状包括：

◆排便习惯改变，包括持续便秘或腹泻，排不尽感，或直肠出血。

◆黑色血液与大便相混或附着在大便表面或呈细长条状"铅笔样大便"。

◆胃部不适，间接性刺痛，经常性腹胀疼痛、烧心、恶心、呕吐或咽下困难。

◆无法解释的疲乏，食欲及体重下降。

### 出现以下情况应去就医

◆注意排便习惯改变，直肠出血。便中混有血或大便表面覆盖有血。不能简单认为是痔疮，必要时应做进一步精细检查。

◆感觉持续腹痛，不正常的体重下降或疲劳感。

◆你被诊为贫血。为探明病因，医生会检查有无因结肠直肠癌所致的消化道出血。

消化道呈管状盘曲在腹腔之内，大肠是消化管的一部分。它包括结肠及直肠。结肠及直肠共同形成肠道废物处理器。已经消化的食物进入结肠，身体吸收其中的剩余水分，然后废物被推向直肠，由肛门以大便形式排出。

结肠直肠管的粘膜对于小肿瘤（如息肉）是生长的"沃土"。40岁以上的成年人中多数都会有数个直肠结肠息肉。大多数是良性的，但也有些是癌前病变。十分之九的恶性直肠结肠肿瘤由肠粘膜腺组织产生，但也有大肠癌的一些少见类型由非腺组织产生。

如果大肠癌在肿瘤仍处于局限化的阶段被诊断及治疗，这种疾病是可以高度治愈的，5年生存率超过90%。如果肿瘤继续生长，癌可以通过肠壁扩散到周围器官和组织，以及血流及淋巴组织。一旦肿瘤转移到淋巴结或其他器官，治疗成功变得非常困难。依赖疾病进展的情况，5年生存率范围由7%到5%。

大肠癌在美国的恶性肿瘤中占12%，每年大约有15万病例。同许多肿瘤一样，大肠癌为老年好发。尽管在早期就可能被发现，但许多人因为羞于或害怕提及

腹腰前臀疾病

# 结肠直肠癌

大肠的症状而延误就诊。50岁之后，发病率显著增加，并继续随年龄而增加，大肠癌是一种特征性的城市疾病，城市居民较农村居民更多累及，堪萨斯人较美国的非洲后裔多。

## 病 因

大肠癌与某些指定疾病有很强相关性。发病率高的人群包括：有个人或家族结肠息肉史，结肠的炎性疾病如溃疡性结肠炎、克隆病，以及胰腺、乳房、卵巢、结肠及直肠癌史——特别是父母及兄弟姐妹中。如果你患有溃疡性结肠炎，那么大肠癌的发生率高于平均水平20倍。与任何癌症一样，大肠癌潜在可能至少部分是由基因成分决定的。一些人遗传一种疾病称为家族性息肉病，这些人年轻时即可产生结肠息肉，除非经过治疗，这些人几乎一定会产生结肠癌。

饮食对发病率也有影响，但病因及结果的关系还不明确。进食水果、蔬菜及谷物不足的人，饮食中的纤维含量低，这是好发因素。许多研究提示动物脂肪及蛋白质是结肠癌的好发因素，但在取得任何确切结论之前，研究者还是很慎重的。一些研究显示经常食用含饱和脂肪酸及蛋白质的人，发病率升高，而另一些人则认为没有联系。一些科学家认为脂肪是罪魁祸首，但另一些人则认为是蛋白质。还有一些人认为并非脂肪和蛋白质本身，而是人们的烹调方式。他们提出脂肪及蛋白质高温烹调时——特别是烧烤时，能产生一种潜在致癌物与大肠癌有关。

大量接触某些化学物质，包括氯气——通常以小剂量存在于饮用净水，可以提高大肠癌发病率。接触石棉有潜在危险，因为它可以导致结肠息肉的形成。

### 诊断与检查

50岁之后，每人都应定期进行大肠癌检查。每年大夫都应进行直肠括诊及检查你的腹部及淋巴结，以发现肿瘤及包块。大便标本进行便潜血检查应作为你每年检查的一部分。它可以发现消化道出血的蛛丝马迹。每3到5年，你应进行乙状结肠镜检查。这种检查是利用一种称为乙状结肠镜的可屈曲照亮的管子，来进行你的直肠、低位或乙状结肠的检查。尽管这些检查

并非尽人意，但它最大价值在于发现早期癌症及其他胃肠道疾病。（参阅结肠炎及克隆病）。

一种非侵入性显形检查称为可视结肠镜检查，利用一种管子在清洁结肠中特别是充气后形成结肠的三维影像。

任何可疑症状或异常现象发生后都应提醒你的大夫进行结肠镜检查，这种检查非常类似于乙状结肠镜，可以对结肠内粘膜进行更接近的观察。如果大夫发现一个息肉或肿瘤，须活检决定其良恶性。你可能还需进行结肠及直肠X线检查来显示潜在包块，以及血象检查发现特征性化学变化。如果活检证实为癌症，需进行其他检查，来发现它是否已经向可能的地方，如肝脏转移，可使用X线、超声及CT扫描。还需进行血的进一步检查：检查肝脏功能如何及测量血中一种称为癌症抗原（CEA）的物质的水平。这种物质在大肠癌，尤其是已经转移的病人的滴度较正常人高。

## 治 疗

癌症治疗不仅包括治愈及控制等特殊治疗，还包括满足病人情感及体力上的需要的阶段。恢复及保持生命质量对医生及家庭成员及朋友是至关重要的。许多癌症的辅助治疗是标准治疗时很有价值的辅助，它可以使癌症的痛苦及治疗过程容易耐受。辅助治疗不能代替常规治疗。

### 常规治疗

对局限性大肠癌最有效的治疗是手术。非常小的肿瘤可以通过结肠镜去除，但即使对于小的肿瘤，外科大夫也宁愿通过开腹去除部分可疑结肠及周围淋巴结。外科大夫经常重新利用结肠及直肠的健康部分。当这些不能用时外科大夫会在腹部形成开口——称为造瘘术，将剩余结肠与之相通，废物被收集在袋子里，悬吊在造口外。这种称为结肠造口术的过程只是暂时的。一旦肠道有时间修复后，行二期手术将结肠及直肠再连接起来。需要永久性造口的更常见于直肠癌，因为保留肛门很困难（参阅克隆病）。

对于直肠癌的治疗，建议在术前行放疗、化疗，这样可以使肿瘤缩小，防止局部复发，并延长存活时间。但结肠癌对放疗不敏感。对于结肠周围已有淋巴结转

# 结肠直肠癌

移的患者,联合应用化疗、免疫疗法可提高其生存率。尽管化疗不能彻底治愈那些已有远处器官转移的大肠癌患者,但仍有一定的积极意义。

在术后早期,不用止痛药和其他药物来缓解暂时性的腹泻和便秘。并应鼓励病人进食高营养,尤其是高热量和富含蛋白质的饮食,以增强体力,促进愈合。

病情缓解后,定期随访是十分必要的,可以及时发现病变复发,使病人在接受直结肠手术甚至结肠切除术后生活正常而舒适。当然,术后适应需要时间以及旁人的支持和理解。对造瘘病人的饮食、娱乐和工作也不会有太大的影响。

## 辅助治疗

70年代以来,高纤维素膳食可降低大肠癌发病率已得到了肯定。因为纤维素可以加快粪便排出,抑制某些致癌物生成,从而减少结肠与致癌物质的接触。大多数研究亦证实多吃蔬菜、水果可以降低大肠癌发病率,这与其富含纤维素和其他营养物质有关。

叶酸、钙、维生素D、抗氧化性维生素(维生素C、E、A)是否可降低大肠癌发病率,目前争论较大,各家报道不一。目前,值得提倡的膳食结构包括各种菜类,至少一半的膳食为新鲜水果、蔬菜,尤其是十字花科植物如花椰菜、甘蓝,既可以预防大肠癌,又保证了营养。

## 预防

食用足够的新鲜水果、蔬菜、谷物类、限制白肉和其他高脂饮食如蛋类、奶制品的摄入。从脱脂奶制品、坚果、蚕豆、扁豆、大豆中摄取必需的蛋白质。避免过度烹调及食用烤鱼、烤肉等。可在早餐主食中加入糖和麦芽以增加纤维素的摄食。

可与医生讨论有关阿司匹林与大肠癌关系的新进展。一些研究认为规律服用阿司匹林,可以显著降低大肠癌发生率。而另外一些研究则未发现二者之间的关系。切记不可自行服用阿司匹林。在没有医生指导的情况下,可能会发生副作用而影响健康。

年龄超过50岁,尤其是有高危因素的人应接受适当的防癌检查。检查便潜血的家用试剂盒在许多药店均可购到,若发现便潜血阳性,应及时到医院检查。若发现息肉,应将其切除。

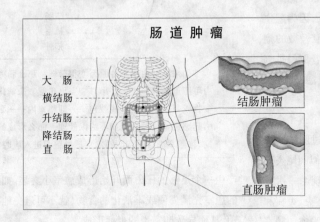

## 肠道肿瘤

大肠
横结肠
升结肠
降结肠
直肠

结肠肿瘤

直肠肿瘤

下消化道或大肠(左图)包括结肠和直肠,肠由三个主要部分组成:升结肠、横结肠及降结肠,横结肠肿瘤(见右上图)能引起腹痛,不规期排便及便潜血。直肠肿瘤(左下图)可以产生便中带血。

# 憩 室 炎

## 症 状

◆ 严重腹部绞痛,并且左侧常较重。
◆ 恶心。
◆ 发热。
◆ 便秘,大便细,腹泻。
◆ 左下腹疼痛触之加重。

### 出现以下情况应去就医

◆ 出现发热寒颤及腹围增大,或出现呕吐,您可能患有腹膜炎,即腹腔内膜的感染。请立刻就诊。
◆ 大便带血,这表明有肠内出血。
◆ 出现发热,您可能有感染,需要药物治疗。
◆ 尽管给予治疗处理,但剧烈疼痛仍持续不缓解,您可能患有其他腹部疾患。

**憩**室炎是沿肠壁形成的小囊袋即憩室所发生的炎症或感染。形成的小囊袋本身是一个相对良性的病变,称为憩室病。这些小囊袋可出现于消化道的任何部位,但最常见于降结肠的末端,亦常发生在第一组小肠(尽管此处病变很少出问题)。如果您患有憩室病,您甚至可能并不能意识到这一点,因为憩室通常是无痛性的,如果有痛感也是一些很轻微的症状。你可能会感到左侧腹有些绞痛,但随着肛门排气或肠蠕动之后,疼痛缓解。并且,由于有时憩室出血,大便中会出现鲜红色血。

较严重的病例,出现憩室炎,可能是1个或1个以上的小囊袋形成小脓肿到感染扩散甚至穿过肠壁。除疼痛位于左下腹而不是右下腹外,其症状类似阑尾炎。

憩室炎可为急性或慢性。急性者可表现为一次或多次发作严重的感染和炎症。对于慢性憩室炎、炎症和感染可能比较隐匿,但是它们可能难以彻底治愈。憩室炎的炎症可最终导致肠梗阻,表现为便秘、大便变细、腹泻、腹胀及腹痛。如果梗阻持续下去,腹痛及腹部压痛会加剧,并可能出现恶心和呕吐。

如果不予处理,憩室炎可导致严重并发症而需要广泛手术治疗。脓肿可在感染的憩室周围形成,如穿透肠壁,则可发展为腹膜炎,这种潜在的致命性的感染需要立刻给予治疗。感染的憩室可穿通邻近的器官,在两者之间形成一个通道,即瘘道。这种情况最常见于大肠与膀胱之间,它还可引起邻近肾脏感染。另一潜在并发症是严重的内出血及结肠出血。

## 病 因

年龄及遗传因素是形成憩室及憩室炎的基本因素,但饮食亦起了一定作用,食用大量低纤维、精制食品可显著增加发生本病的危险性。事实上,在西方国家,估计50岁以上有20% ~ 50%的人最终会发展至憩室疾患;在美国,这个数字可达50%以上。

如果你经常便秘并常有排便困难,这样就会对肠壁

**憩 室**

结肠
憩室
脓肿

如果肠壁由于某种原因变得薄弱,那么肠内压力可压迫肠壁形成一些小口袋突出肌壁。未消化的食物或粪便阻碍了这些鼓包——即憩室内——则可引起感染。这种情况如不给以处理,那么形成的炎症,称憩室炎,可引起脓肿,穿透肠壁而进入腹腔。

产生一个足够的压力而开始形成憩室小囊袋。如果形成的憩室充满粪便或不消化的食物,就不可避免地感染细菌,从而导致憩室炎的炎症形成。

### 诊断与检查

如果你认为你可能患有憩室病或憩室炎,那么医生可能会同时化验你的血液及大便,以帮助诊断可能发生的感染。由于癌症、肠易激惹综合征与憩室炎的症状类似,所以医生需对你的肠道进行彻底全面的检查。钡灌肠,即将钡剂灌入结肠后拍X线摄片而显示出肠道内

的结构,这是有助于明确憩室炎的诊断的。还可以采用一根柔软的带光源的管子对您的肠内情况进行检查,称为乙状结肠镜检查。有时会取少量组织进行活检,以明确有无恶性肿瘤生长。如果你的憩室炎处于急性期,那么钡灌肠及活检均可能损伤肠道,所以医生可能会选择CT扫描作为替代,这种检查可显示肠壁及结肠外的情况,亦有助于明确诊断。

## 治 疗

憩室病可在家进行治疗,但如果你患有憩室炎,则应该去看内科医生,以确保你完全治愈,避免发生可能威胁生命的并发症,治疗憩室炎的常规方法包括调整饮食、抗生素,也可能手术治疗。其他疗法可与常规疗法结合以减轻症状,改善消化道功能。

### 常规治疗

如果你患的憩室病程度较轻,你的主管医生可能会让你吃高纤维饮食以确保排便规律,并减少患憩室炎的可能性。如果你的病情继续发展形成憩室炎,但感染仅为轻度,那么你仅需要卧床休息,大便软化剂、流食、抗生素对抗炎症,及可能服用抗结肠痉挛药。

但是,如果感染为穿透性或形成更为严重的感染,那么你可能需要静脉点滴抗生素治疗而住院。你可能还需要静脉营养以利结肠休息恢复一段时间。在一些病例中,你的主管医生可能会采用暂时结肠造瘘术以吸引干净感染的脓肿并利于消化道休息。结肠造瘘术即开一个口使肠内容物直接排入与腹壁相贴的口袋内。根据病情恢复的情况,可在二期手术中关闭瘘口(详见"结直肠癌")。

如果你有多次急性憩室炎发作,那么医生会在症状缓解期建议你切除感染的肠段。在静脉疗法治疗急性发作的憩室炎无效时,亦需要进行手术治疗。无论采用何种方法,如果您能迅速及时地接受治疗,那么完全恢复的机会是非常大的。

### 辅助治疗

对于一些轻度憩室炎病例可以采用其他一些疗法,但对于较严重的病例,则需要常规治疗以防止影响

健康的危险并发症。

#### 针灸治疗

治疗憩室炎,针灸专家会选择一些靶点,用以缓解疼痛及腹胀,减轻炎症,调整肠蠕动,并改善肠壁的张力。根据病情轻重,每周进行 1～2 次治疗,一个疗程需10次。在进行针灸疗法时,注意良好的饮食习惯是非常重要的。

#### 芳香疗法

每日 3 次吸入 2 滴海索草,可作为腹部松弛剂。

#### 按摩

每天早上躺下的时候,用轻植物药顺时针用力按摩下腹部 5 分钟。按摩后,喝一些草药茶,例如春黄菊,这样有助于促进腹部放松。

#### 身心医学

放松锻炼可帮助你治疗憩室炎引起的紧张及疼痛。

#### 营养及饮食

每日至少饮 6 杯水以预防便秘。如果您已经便秘,洋李、洋李汁或治疗便秘的特殊配方的草药茶可作为天然轻泻剂。保持低脂饮食,脂肪可减慢食物通过肠道的时间。进行一些食物敏感方面的检查,以找到那些对你的消化系统有刺激的食物,并应避免食用。

在憩室炎急性发作期,试用每日 1～3 次水或菜汁,节制饮食。在憩室仍有炎症及敏感的时候,食用低容积的食物(肉汤及低纤维饮食)。在急性憩室炎发作期,应增加下列食物在你的饮食中所占的比例:如煮熟的蔬菜、煮熟的水果和苹果,上述食品均可润滑肠道。避免牛奶及奶制品(酸乳酪和奶酪),这会加重本病,尤其是当你有腹泻的时候。

#### 反射治疗

为刺激去甲肾上腺素和氢化可的松(有助于肌体治疗紧张和减轻感染)的分泌,维持肠壁肌肉张力,专家会按摩足上的一些肾上腺腺体区域。刺激肠道区域可帮助肠道规律收缩及排泄废物,刺激炎症的憩室所在肠段(降结肠区域)相应的区域亦可收此效果。

#### 家庭治疗

◆ 使用一个热垫可缓解腹部轻度疼痛及痉挛。但是,不要温度太高,时间过长;而且千万不要抱着热垫睡觉,你有可能会烫伤自己。

◆为形成规律性，可在每天同一时间试着排大便（餐后通常比较容易）。

◆如出现发热或疼痛严重，请卧床休息，并立刻寻求医疗帮助。

预防

预防憩室炎的最佳保护措施，当然，是防止称为憩室的肠壁小囊袋形成。做到这一点可以很简单地通过调整饮食和生活方式。食用五谷杂粮、燕麦、糠谷、含纤维丰富的新鲜水果、蔬菜，或试用市售含车前子(Planlago psyl lium)的产品以增加饮食中的容积。您还可以试用欧车前种子：加1杯至任何冷液体中，每日饮用1次，必须在配好后几分钟之内、混合物变成胶状前喝下。当增加纤维摄入时，注意保证足够的液体入量，并且注意逐渐增加纤维摄入，如果突然换成高纤维饮食，可引起腹部满胀不适并产生大量令人不适的肠气。调整饮食，去掉那些不易消化的食品。

避免精制食品，例如白面、白米和其他加工食品。但是，与通常观点相反，并不必要避开坚果及种子一类的食品；与其他食品相比，它们堵塞憩室的机会并不多。

试用市售大便软化剂以治疗便秘。如果你有便意，不要耽搁或不予理睬。规律的锻炼可有助于肠壁肌肉恢复其正常张力，这样有助于形成规律的肠蠕动。不要使用栓剂治疗便秘，因为你的系统可能会对其产生依赖性。洋李、洋李汁及欧车前果实均是很好的天然缓泻剂。治疗便秘的特殊配方茶在健康食品店里有售，但有些产品作用很强，因此只能在指导下使用；避免含番泻叶的产品，因为这是一种作用很强的泻剂。

## 症 状

由于本病可能被误诊为流感，或者由于一些病人没有任何症状，致使许多肝炎病例没能被诊断出来。常见的肝炎症状有：

◆食欲下降。

◆乏力。

◆低烧。

◆肌肉或关节痛。

◆恶心、呕吐。

◆腹痛。

## 出现以下情况应去就医

◆持续的流感样症状或者其他更为严重的表现。慢性肝炎可导致肝硬化甚至死亡。

◆朋友或家庭成员发生了肝炎，那么你也可能被致病原感染。

◆你的症状出现在去过一个肝炎高发国家后；在你旅行期间，也可能感染此病。

肝炎是肝脏炎症的统称。可指一组病毒性疾病，即通常所说的甲、乙、丙、丁、戊型肝炎；也包括由于酒精滥用、使用药物或摄入了环境中毒物引起的肝炎。

肝炎是常见的严重传染病之一。疾病控制与预防中心大约每年可收到7万份病例报道。研究人员估计，在美国明确患有此病的人数接近50万。许多肝炎病例没有被诊断出来，是由于被误诊为流感。肝炎之所以严重是由于它扰乱了肝脏的许多功能。其中包括产生胆汁帮助消化、调节血液化学成分、清除血流中潜在毒物的作用。

五种肝炎病毒通过不同途径传播，其共同特征是感染肝脏并引起肝脏发炎。通常急性肝炎持续2～3周；完全恢复需要9周。尽管多数病人可以恢复，并终身具有对此病的免疫力，仍有少数人死于急性期（不足1%）。另外，一些病例发展为慢性肝炎，即肝脏病变持续6个月或6个月以上。慢性肝炎可导致肝硬化或死亡。

# 肝　炎

## 病　因

尽管各型病毒对肝脏的影响及引起的肝炎症状相似，但不同肝炎的传染途径不同。病毒性肝炎的严重程度和持续时间主要取决于病原体。

◆甲型肝炎：通常是通过粪便污染的食物或水经口传播的。它不引起肝脏的慢性病变，危险性相对较小。甲型肝炎病毒的传播与不正确的食品加工、接触患病家庭成员、在日托中心共享玩具、生食在污染水中生长的贝类有关。

◆乙型肝炎：是传播最为广泛的病毒性肝炎。在美国，每年大约有30万人感染此病。病毒可由母亲在婴儿出生时及出生后的一段时间传给孩子。病原体也可在成人和孩子间相互传播而感染整个家庭。乙肝病毒也可以通过性接触、输血及静脉吸毒者共同注射针传播。大约有1/3的乙肝病例不能确定感染来源。

多数乙肝病人可以完全恢复，只有少数病人不能摆脱疾病，并发展为慢性肝炎及肝硬化。慢性肝炎病人可能是病毒携带者，也就是说，即使他们的自觉症状已经完全消失，仍可将病毒传播给其他人。只有1%或2%的病人死于此病。

◆丙型肝炎：一般通过血液或污染针管传播。尽管丙肝引起的症状很轻或根本没有症状，20%～30%的慢性携带者在10年内进展为肝硬化。本病可以通过输血传播，但新近开展的检查方法已使这类病例大为减少。约1/3病人的感染途径不详。

---

**注意**

谨防隐藏的危险：

由于肝脏在药物、酒精及毒物代谢过程中起了关键作用，肝炎病人可能会发现通常可以耐受的一些药物、酒精饮料也能使病情加重。如果你患有肝炎，不要试着自行治疗，应请医生或有执照的行医人员会诊。不要饮用酒精饮料，并且当你服用避孕药、抗生素或非处方药时，都应询问医生这样做是否恰当。将你的全部用药情况告诉医生，包括那些看起来无害的非处方药，如阿司匹林或醋氨酚。

---

◆丁型肝炎：只出现在已感染乙型肝炎的病人中，并有使病情加重的趋势。它可以通过母婴传播或通过性接触传播。丁型肝炎在五型病毒性肝炎中最为少见，但也最危险，因为同时有两种疾病在起作用。

◆戊型肝炎：主要发生在亚洲、墨西哥和非洲；在美国只有少数病例报告，并且多为从戊肝高发国家回来的人群发病。与甲肝类似，本病常通过粪便污染传播，并且不会导致慢性肝炎。此型肝炎的危险程度比甲肝略高，特别是对妊娠妇女。

◆酒精、中毒及药物相关性肝炎：可以引起与病毒性肝炎相同的症状及肝损害。这类肝炎并非由入侵的微生物所致，而是由长期过量饮酒（参见酒精滥用），摄入环境中的毒物或误用某些药物如醋氨酚引起。

### 诊断与检查

当病人出现肝炎症状时，医生通常采取血样进行有关病原微生物检查。即使症状已经消失，病人仍需接受多次血液化验，以确定是否出现合并症以及是否为病原携带者。

医生有时需靠肝脏活检或组织取样检查，帮助确定损伤程度。活检一般是指用穿刺针穿入肝脏，吸取少量组织进行实验室分析的技术。

## 治　疗

多数肝炎没有特异性治疗。常规措施包括休息、适当的饮食调整及努力控制传播。在一些训练有素的专业人员的帮助下进行替代治疗，是对医生治疗方案的有益补充，有助于减轻症状。

### 常规治疗

尽管医生建议卧床休息，但是你会发现略微限制一下体力活动，就可使你的感觉好多了。一般规律是：如果你感觉良好就起来活动，如果感觉不好就躺下休息。避免接触其他人，以免病毒传播。

良好的营养是治疗各型肝炎的重要因素。对于多数病例，营养均衡并能提供适当热量的简单饮食足矣。许多病人在早餐时胃口较好，而随后的一天内食欲渐差，恶心也逐渐加重。对于一次不能吃太多食物的病人，更喜欢少食多餐。

# 肝 炎

酒精、毒物及药物相关性肝炎的治疗，通常与病毒性肝炎相同，但病人多被收入院治疗，因为一些严重病例常可威胁生命。简单地排除酒精、毒物或药物治疗。对病人从非病毒性肝炎中恢复大有益处，常被采用。

如果你处于肝炎急性期，无论是病毒性肝炎还是非病毒性肝炎，都应避免饮用酒精性饮料。因为肌体代谢酒精的过程使本已受损的肝脏负担加重。另外，值得注意的是：如果你的性伙伴是肝炎患者，尤其是乙型肝炎患者时，您感染此病的危险性增加。

初诊医生都会对肝炎病人进行适当治疗，但是严重病例则需要肝病专家或消化病专家进行治疗。除非病人不能进食或不停地呕吐，一般不必住院。

多数病人可以完全恢复。在疾病恢复的最初几个月内，病情会有轻度反复，但是每一次发作的严重程度都较前减轻，复发并不意味着你不能完全恢复。

妊娠妇女发生肝炎，一般不增加新生儿畸形或其他妊娠疾病的危险性。婴儿在子宫内感染的机会较少，但是在出生时很容易传染上此病。如果在婴儿娩出后立即给予乙肝疫苗，则明显减低感染机会。如果你是孕妇，医生要确定您是否患有乙型肝炎。如果你已被病毒感染，那么你的孩子将接受免疫血清球蛋白和肝炎疫苗治疗。

对于慢性乙型或丙型肝炎患者，医生有时建议使用药物治疗。药物有助于15%～20%的肝炎患者排除病毒、减轻炎症及损伤、降低肝硬化的危险性。医生有时使用皮质类固醇激素抑制炎症反应。但是这类药物也有不利影响，它们削弱免疫系统的功能。

几乎所有已知药物都可以造成肝损伤。如果你目前正患有肝炎或者曾经有过肝炎史及其他肝脏疾病，在使用任何药物前都应征得医生的同意。

---

### 吃什么最好

正确的饮食习惯对治疗肝炎起了非常重要的作用。如果你患有急性或慢性肝炎，应该吃些含纤维素多的食物，如全谷类食物、水果和蔬菜、煮熟的干豆和豌豆。这些食物有助于消除聚积在肝脏及胆囊中的胆汁酸和毒物。

---

无论你患有哪型肝炎，接受何种治疗，都应该连续就诊，直到血液检查证明病毒已被完全清除。即使所有肝炎症状都已经消失，只要血中尚存有病毒，就是乙型肝炎或丙型肝炎的病毒携带者。

一些营养学家认为，摄入大剂量维生素C(通常经静脉注射输入)，可减轻肝脏炎症，使病情得以改善。研究提示：大剂量维生素 $B_{12}$ 及叶酸，可以缩短疾病的恢复时间。向医生及有执照的营养师询问适合于你的维生素及其剂量。

### 辅助治疗

采用适当的替代治疗有助于减轻肝脏炎症，缓解肝炎症状。然而不正确的治疗可使肝脏损伤加重并导致其他合并症出现。通常，肝炎不适于自我治疗。对这种疾病不要存在侥幸心理。如果你想采用替代治疗作为医生治疗措施的补充，那么请有执照的医生会诊，帮助选择正确的药物并确定正确的使用剂量。

#### 预防

预防肝炎的关键是接受预防免疫、保持良好的卫生习惯及了解有关常识。适当的污水排放设施和良好的个人卫生习惯，有助于减少甲型及戊型肝炎的传播。在污水排放设施不完备的地区，应教育人们饮用开水。应将所有食物煮熟后食用，吃水果时应剥皮。

看护乙型、丙型或戊型肝炎病人的卫生保健人员应该经常洗手，用肥皂及热水清洗病人的生活用具、床具和衣服，特别是在发病最初两周内，病人的传染性很强。

建议去肝炎高发地区旅游的人，在出发前接受免疫血清球蛋白或疫苗注射。在接触肝炎病毒后的48小时内，接受免疫血清球蛋白治疗，可以预防感染。

避免接触病人的血液或体液，可预防乙型肝炎的传播。不要与病人亲密接触，共用剃刀、剪刀、指甲刀、牙刷或针管。如果你怀疑自己被感染，那么你应该尽早接受甲型或乙型肝炎的免疫血清球蛋白或疫苗治疗。

# 肝 硬 化

肝硬化是一种严重的变性疾病。在肝细胞中健康细胞破坏,瘢痕组织取代时发生。但肝细胞被坚硬的瘢痕组织取代,肝脏即失去其正常功能、严重损害可导致肝功能衰竭甚至死亡。肝硬化可造成其他危害,稠密的瘢痕能减慢通过肝脏的正常血流,引起供应血管的压力升高。在有的病例中压力可很高并导致食道静脉破裂。

每年美国大约有26000人死于肝硬化。这种疾病不可能逆转或治愈,除非一些病例可进行肝移植。但如果疾病在早期被发现,则可以中止或延缓发展,故认为患有肝硬化的病人,应马上就诊,切勿耽搁。

因为肝硬化受损的器官十分重要,故它是严重的疾病。肝脏重约3磅,大小似橄榄球,是人体最大的器官。在众多作用中,肝脏通过产生胆汁在消化系统中起着至关重要的作用,胆汁储藏在胆囊中,然后释放进入

小肠,在此将脂类物质分解,肝脏同时通过控制脂肪、蛋白质、糖进入的流量来保持血液中正常成分。肝脏是体内基本的血液滤过器官,它可分解毒物、酒精、药物和其他有潜在危害的化学物质。肝脏还同脾脏一起捕获处理衰老的红细胞。因为它能帮助去除血流中的细菌及病毒,故它是免疫系统中的重要成分,如果你的肝脏功能异常,你会更易感染。

肝脏对疾病及损伤的耐受性很好,甚至当其表面积的70%被破坏或去除,它仍能产生作用。尽管有效性会降低,如果导致破坏的条件被去除或纠正,肝脏还会恢复功能。产生瘢痕组织的肝脏部分的功能无法恢复,但如果疾病能得到及时控制,你仍能靠剩余下来的部分肝功能而健康生存。但是,肝硬化以后没有逆转可能。因为许多细胞被瘢痕组织取代,剩余的健康细胞太少,不能完成肝脏的众多功能。最终,肝功能衰竭产生。这就是及早确定潜在病因,及早设法清除病因的重要性。

## 病 因

肝硬化发生是长期肝脏损伤的结果。可能病因包括病毒、遗传缺陷、长期淤胆及长期接触药物及其他毒物。但大多数病人的病因是酗酒。

饮酒与肝硬化的关系的报道已经很多。研究显示适量饮酒实际上可以有助于防止中风及心脏病,但大量饮酒对肝脏有害。例如,法国以酒的消费量著称,心脏病的发病率相对较低,而法国肝硬化的发病率相当高,许多医生认为嗜酒者死于肝硬化者高于其中心脏病者。

简而言之,饮酒越多,饮酒次数越频繁,产生肝硬化的可能性越大。因为男性和女性体内对酒精的处理是不同的,因此你饮酒的安全剂量很大程度上取决于你的性别。通常,男性1天喝2~3次酒精性饮料而不会产生肝损害,而女性每天饮用1~2次是安全的。

上述指标并不是总能站得住脚,强调酒精的耐受性人与人不同是重要的,对一些人来说,每天只喝一次就可以在肝脏形成瘢痕。如果你饮酒,特别是量大、频繁,应请求医生检查肝硬化的表现。即便是你感觉健康,这也是有必要的,因为肝硬化症状直到无法限制其发展或延缓其进程时,才表现出来。

酗酒几乎不可避免的可导致一些肝损害,但并不

腹腰前臂疾病

总是能导致肝硬化。一些人大量饮酒会导致酒精性肝炎，一种持续 1~2 周的肝脏的炎症，产生的症状如恶心、呕吐、发热、食欲下降、黄疸及意识障碍。超过一定时间，这种情况也会导致肝硬化。甚至轻度饮酒者，偶尔纵饮者，可以产生脂肪肝，当肝细胞因聚集的脂肪和水肿胀时形成，这种情况会导致肝区疼痛及压痛，临时的黄疸，肝功异常（脂肪肝也可以由糖尿病、肥胖及严重营养不良引起）。

仅次于饮酒的肝硬化，常见病因是肝炎，即一般意义肝脏的炎症。在此类疾病的各种类型中，只有两类即乙肝及丙肝，可能导致肝硬化，瘢痕通常在肝炎转成慢性后产生。起先症状相当轻微，患有慢性肝炎的病人几乎意识不到自己的肝脏正在瘢痕化。同时，损伤还在继续，也许在后期会导致肝硬化的严重情形。因此，对肝炎病人经常进行医学检查是重要的。因为肝炎是传染性的，因此受感染病人的家庭成员也应检查。

有时尽管相当少见，肝硬化是遗传的肝脏疾病的产物，例如，铜中毒病，是一种肌体对铜代谢的遗传缺陷。结果，过多的铜聚积在身体不同的器官中，特别是肝脏，能破坏组织。同样，血色病使肌体吸收过多的铁，引起肝脏损害，瘢痕形成，这种疾病主要侵害 40~60 岁的男性，女性因为月经中丢失铁而不受累。

天生患有半乳糖血症的儿童缺乏一种消化乳糖的酶。正常情况下，乳糖无损害地通过消化道排出体外。但患有半乳糖血症的人，乳糖在肝脏聚积达毒性剂量，在未经正确治疗时有潜在致命性，患有这种疾病的婴儿应该去除牛奶，而使用代用食物。

有些婴儿天生没有胆道，或胆道畸形。因为胆汁无法从体内排出，它在肝内积聚并最终毒害肝脏。尽管有时这种疾病可以通过手术纠正，但大部分患病儿童在 2 岁之前死于肝硬化。

当胆囊结石阻塞胆汁流动，使其逆流入肝脏，也会导致肝硬化。长期接触一定药物，包括氨甲喋呤及异烟肼和环境中一些有毒物质，如杀虫剂。

腹腰前
臂疾病

## 诊断与检查

病人的病史及症状，加上体检结果，通常就足以诊断肝硬化，一旦确定诊断，医生会开出一项或多项肝功能检查，这些检查使用于将来识别特殊的肝脏疾病并估价器官的整个健康状况，有的还可能要做肝活检或组织标本来确定肝硬化的病因，这项检查通过将针插入肝脏吸取一小块组织并送实验室作病理检查。

# 治 疗

治疗肝硬化的最佳方法是纠正潜在病因，这里包括戒酒、寻找肝炎及遗传疾病的治疗方法，从你的饮食及环境中清除特定物质等。

## 常规治疗

针对肝硬化的特点进行治疗，根据潜在病因及其发展阶段，除了企图阻止病变发展之外，常规治疗还致力于纠正任何并发症，如内出血，其本身即严重的或有生命危险的。

如果你是因酗酒引起的肝硬化，最简单的是马上彻底戒酒，如果在诊断肝硬化后你还继续饮酒，你的 5 年生存率低于 40%，如果你停止饮酒，则 5 年生存率增至 60%~70%。

戒酒同样是治疗酒精性肝炎及酒精诱导性脂肪肝的最好办法。当病人戒酒时间足够长，肝脏得以恢复时，这种疾病通常都能清除，传统对慢性肝炎所导致的肝硬化的治疗强调休息、合理营养，及可能情况下使用干扰素，但有些类型肝炎无法治愈。

对铜中毒病，医生会开出能去除体内蓄积铜的药物，这些药物可能需要经常服用。对于血色病，最佳的去除体内铁的方式是让病人每月抽血 1~2 次，这种治疗可持续长达 2 年，直至达正常范围，则可减至 2~4 个月治疗 1 次。

严重肝硬化需要肝移植，这是关键性最后一着。移植并非对每人都合适，一些太大太小，病情太重的病人都无法手术。同酗酒所致肝硬化病人在术前必须长期戒酒。对于还在继续饮酒的病人，医生通常不愿意行肝移植。

与任何大手术一样，肝移植存在风险，术后的肝脏可能不能正常工作，或肌体排斥移植肝脏，术后还有感染入侵的危险。尽管如此，手术总体来说还是有希望成功的。在美国，60%~75% 的成人及 90% 的儿童完全可渡过手术。手术病人可生存 3 年左右。

## 辅助治疗

肝硬化的辅助疗法的目的是试图支持健康肝细胞功能，减少一些痛苦及与疾病有关的功能异常的改善。

营养及饮食

良好的营养在肝硬化治疗中起关键作用。尽管部分肝脏被瘢痕组织取代不会恢复，但均衡的营养，包括充足的水果、蔬菜、谷物、牛奶及蛋白质，可以促进受损部分肝细胞再生。患病的成年人应控制蛋白的摄入量，蛋白质少会延缓细胞再生，摄入太多会增加氨含量，可能导致意识障碍，向医生或营养师咨询，决定你合适的蛋白摄入量。

因为肝脏必须过滤及精炼摄入体内的物质，肝硬化病人摄入大量维生素及饮食在补充之前，应征求医生的意见。肝硬化病人应避免食用未熟的贝类，因为这类贝类有时是在污染的海湾里生存的，因此可能携带导致肝炎或其他疾病的有机物。

预防

◆如果你饮酒，应限制自己的酒量，不要过量。通常来说，男性 1 天喝 2～3 次，每次量不大，不会导致肝脏损害。女性的安全剂量每天 1～2 次。但应记住，对酒精耐量人与人差别很大。医生通常建议 1 天喝 1～2 次，避免天天喝酒。

◆避免食用贝类。

◆不要将药与酒相混，一些药物包括对乙酰氨基酚与酒精反应会损坏肝脏。

◆避免接触工业有毒物质，这些物质可进入血流损害肝脏。

◆保持健康均衡的饮食。

◆小心避免接触各型肝炎患者。并在使用静注药物时特别注意避免污染针头。如果去疾病流行的国家旅行，向医生咨询注射肝炎疫苗及血浆免疫球蛋白的使用法（血浆免疫球蛋白注射可以提供已经制成的保护性蛋白称为抗体，而疫苗则促进肌体自行产生抗体）。

## 症　状

◆皮肤淡黄或淡绿。

◆眼白发黄，这比皮肤发黄更能证明患有黄疸。

◆深色尿。

◆有些病例出现全身发痒。

### 出现以下情况应去就医

◆发现婴儿黄疸，尽管黄疸在新生儿是常见的，但它可能预示存在严重的疾病。

◆发现自己，其他成年人或学龄儿童黄疸，黄疸可能是胆石相关疾病或肝脏衰竭的征象，如果不经治疗可能预后不良。

黄疸本身不是一种病，而是一种潜在疾病的表现症状，表现为皮肤和眼白发黄。当体内过量的胆红素聚集在血液中就会出现这种症状，胆红素是在肝脏中破坏的红细胞的副产品，通常情况下与消化作用的胆汁混合后通过消化的方式自然排出身外，对人身无害。但是，如果不能正常工作，胆汁的排出受到影响，如胆结石的情形下，胆红素就回流至血液。对于新生儿和婴儿来说，大多情形下，黄疸是良性的。但对于较大的婴儿和成人，就比较严重了。

## 病　因

新生儿刚一出生，肝脏就开始独立工作，因此，过半的新生儿都要经历这种生理性黄疸。早在母体子宫中时，幼儿的过量胆红素是通过母体，由母亲的肝脏代之排出的，一经出生，幼小的肝脏马上就独立工作，这就需要一个适应过程。过多的胆红素还会伤害婴儿大脑，不过这种情况很少。有鉴于此，黄疸作为一种较为严重的表现症状是不应忽视的。

比起母乳喂养的婴儿，早产儿和家庭有黄疸病史的婴儿更容易发病。但内科医生还不能预测哪种情况就会得黄疸，哪种不能。

母亲与幼儿血型不符也会导致黄疸病的发作。母体的免疫系统影响婴儿的血细胞就会导致婴儿出生后黄疸的发作。患有其他疾病或不正常，如胆汁输送受

# 黄疸

阻,消化受阻,肝炎、单核血球增多症、疱疹,甚至在出生时持续性的淤伤等也会导致黄疸(见"排便异常"和"生殖器疱疹"两章)。

较大的婴儿和成人病理性的黄疸是最令人关注的。这种情况下潜在的病因是肝细胞受损由结疤组织代替而形成肝硬化导致的。受损的肝脏无法有效地生理排出胆红素,使胆红素又回流至血液。

其他一些因素和条件包括肝炎、特种药和毒素、怀孕、心脏充血性心衰等也会影响肝脏工作,从而导致黄疸。在某种情况下,胆石阻塞在从胆道到小肠的导管内,胆汁输送受阻,回流灌入至血液。

## 诊断与检查

如果怀疑婴儿患有黄疸,可做如下检查:用手指轻压婴儿的鼻子或额头,手指移开后,若皮肤发白,则为健康(各个人种都是如此)。若按点发黄,则表明婴儿正患有黄疸。最好在自然光线下做这样的检查,因为人为光线会或多或少影响检查效果。注意如果婴儿的尿液呈暗黄色或茶色,即便皮肤表现为正常,也表明婴儿患有黄疸。

# 治疗

通常治疗黄疸最好的办法就是医治潜在病因。是采取精细疗法还是常规疗法要视病情而定。

## 常规治疗

多数情况下,只要婴儿定期在早上或傍晚晒晒太阳,或者用不直接的阳光照晒,就可避免生理性黄疸。因为光线能模仿肝脏的部分功能,把婴儿体内的胆红素转化,通过液化渠道排泄掉。

如果婴儿血液测试表明体内含有过高的胆红素,内科医生可建议其进行光疗。光疗就是把婴儿放置于一种高强度的灯光下,使婴儿体内的胆红素下降。此种灯是专门设计在婴儿的摇篮上,让光线能照射并穿透婴儿的皮肤。

由于病理性或其他原因引起的黄疸应住院治疗,以便大夫进一步了解其潜在病因。对成人和较大婴儿黄疸的治疗要依具体的病因而定(见"肝硬化"、"胆结石"、"肝炎"三章)。

## 辅助治疗

黄疸本身不是一种病,而是一种症状,在疗程确立之前要诊断其内在病因。所选的治疗方案只能是常规治疗的一种补充。

### 中药治疗

中医的开业医生会用各种各样的草药配合来治疗黄疸。但这必须由训练有素的人来操作才行。

腹腰前臂疾病

# 肝 癌

## 症 状

肝癌起初无任何症状,到晚期,最终导致:

◆ 疼痛、肿胀,腹部右上顶部易触痛。

◆ 如黄疸症状表现一样,眼白及皮肤发黄。

◆ 全身搔痒。

◆ 腿部浮肿。

### 出现以下情况应去就医

◆ 你出现了提示肝癌的症状。即使这些症状与其他肝脏疾病有关或因其他疾病引起,最好也不要让它们不经诊断地持续几个星期。早期诊断癌症保证了治疗的良好反应。

严重时,发烧,食欲下降,体重减轻,恶心,呕吐,全身虚弱。

肝脏不停地将体内循环的血液进行过滤,将从消化系统吸收的营养与药物转化成为备用物质,并将血液中产生的毒素和其他化学性废物做好排泄准备。体内的全部血液都要流通肝脏,因此,肝脏通常不易接受血液中癌细胞的感染。富有讽刺意味的是,肝脏清除着人体从外摄取的或体内产生的有毒物质,但却对自己的癌变无能为力。

多数的肝癌都是继发性的,也就是说体内其他器官如结肠、肺或乳房等器官已经出现了恶性肿瘤。原发性肝癌的癌变起源于肝脏。在美国原发性肝癌占所有癌症 2%,而在其他一些发达国家由于肝炎的传播使其占到所有癌病的一半。世界范围内,年过 50 的人较容易患原发性肝癌,且男性的患病率是女性的两倍。

## 病 因

肝脏先天性不足或 B 型肝炎、C 型肝炎或肝硬化等疾病都有可能导致原发性肝癌。过半的肝癌患者都因血色素沉着、铁负量过重等原因,同时患有肝硬化。一些致癌物质如低胆固醇药物、某些除草剂和一些化学物质如氯乙烯和砒霜等都有可能导致肝癌。一些运动员服用的男性荷尔蒙和类固醇药物会导致良性肝肿瘤,但也有可能发展为肝癌。黄曲霉毒素是一种植物霉菌,也和肝癌有关。

## 诊断与检查

要诊断肝癌,大夫必须排除其他可能导致同样症状的原因。进行血液研究以确定肿瘤的形成,确定是由什么物质形成的块团。超声波和 CT 检查可详细展示肿瘤的情况,要把良性肿瘤与恶性肿瘤分开还要进行活组织检查。

## 治 疗

任何肝癌都是很难治愈的。原发性肝癌在其早期比较容易治疗,而却不易被发现。继发性肝癌由于其已经扩散,就很难治愈了。另外,肝脏的血管组织比较复杂,外科手术存在一定的困难。大多数的治疗只是设法减轻患者的痛苦或设法使其生存的时间延长些。

### 常规治疗

早期的肿瘤可通过外科手术去除,治疗的效果比较好。然而不幸的是,多数的肝癌患者在确诊时都无法进行手术了,不是因为病情已相当严重,就是因为肝功能已十分衰弱,无法进行手术。对某些病人,可通过辐射治疗或化学治疗把肿瘤减小到可手术治疗的大小。手术后,化学治疗和微辐射治疗可帮助杀死残存的癌细胞。患者在缓愈期间,一定要得到严密的监控以防复发。有些患者还可进行肝脏移植,尽管存在一定的危险性,但至少它给患者提供了一个生存的希望。

对于严重的肝癌患者,不必进行标准的治疗。采用化学疗法和微辐射治疗就可以减轻患者的痛苦和控制癌扩散。多数患者服用强止痛药以减轻恶心和浮肿,提高食欲。严重的肝癌患者还可选择临床实验,以尝试新的治疗方法。这方面的研究包括通过冷冻癌细胞来彻底去除,或通过使用生物药剂如干扰素、白介素 II 来增强人体的免疫细胞来更有效地杀死癌细胞,或通过针对某种癌细胞合成某种蛋白质,直接对其适用致命因子来杀死癌细胞。

预防

◆ 增强免疫以抵抗染有 B 型肝炎的危险。

◆ 只能在适合的时候饮用白酒。

◆ 如果工作环境中的一些化学物质易导致肝癌,

注意避免不必要的接触。

◆在服用补铁药物时，要咨询大夫，看是否真的必要。

◆除非在医疗必需的情况下，一般不要服用合成代谢的类固醇。

## 辅助治疗

疼痛是肝癌晚期一个常见的，可控制的症状，补充疗法可以证明按摩、松弛技术、肌体运行、生物反馈、催眠和针灸是有益的。

### 清洁你的饮食

研究显示食物中的黄曲霉毒素与原发性肝癌的发生有明显的联系。生长在非洲某些地方的食物隐藏有黄曲霉毒素，这是由土壤中一种真菌产生的潜在致癌物。但黄曲霉毒素不是仅在非洲，他们可能潜伏在你的搁板上存放 5 年的花生奶油里。黄曲霉毒素也可出现在许多食物中——成熟的种子、谷物、稻米和果核，特别是潮湿时。避免污染、保持密闭容器中的食物干燥并贮存在凉处。丢弃任何变软、发霉、酸败、干瘪或包装期已过的食物。

## 症　状

一般而言，只有当胆结石阻塞胆道时，病人才会知道自己已经患有胆结石，当出现这种梗阻时，你可能会有以下症状。

◆严重的突发的右上腹疼痛，有时疼痛可放射到右上背部。

◆反复发作的消化不良症状。

◆发热与寒颤。

◆严重的恶心与呕吐。

◆黄疸。

### 出现以下情况应去就医

◆突发的腹痛，持续超过 3 小时，疼痛发作缓解之后仍伴有右上腹痛，此时你可能患有胆结石或是胆道的感染。

◆出现黄疸症状，说明胆总管存在梗阻，导致胆汁返流入肝并进入血流。

胆结石是沉积在胆囊中的结晶状物，胆囊是一个小的犁形器官，其作用是贮存由肝脏分泌的胆汁。这些沉积物可以小到沙粒大小也可大到核桃大小；可以是坚硬的也可较柔软，可以是光滑的也可粗糙不平，可能有数个也可只有 1 个胆结石。

在美国大约每 10 个人中有 1 个在其一生中患胆结石——然而他们中的大多数并不知道。在这种情况下，不了解自己的病情并不会引起什么问题；胆结石可能只是漂浮于胆囊中而不引起症状也不对你造成危害。这种"静止型"结石常常不为人所知，直到 B 超检查时才被发现。然而，胆囊中结石存在的时间越长，引起症状的可能性就越大。胆结石可以在长达 25 年之后才引起不适。

出现症状原因常常是结石位置移动并阻塞胆囊管所致，胆囊管是连接胆囊与胆总管的管道。胆石症典型的症状是腹痛，可伴有恶心，消化不良和发热。疼痛是由于胆囊收缩引起的，常常出现在进餐 1 小时之内或是在半夜。结石也可梗阻在将胆汁引流入小肠的胆总管。

# 胆 结 石

胆道的梗阻可引起炎症或感染。如果这种情况持续几年，就可能出现肝脏损害或肝功能衰竭。由于胆总管与胰总管共同开口于小肠，如果它发生梗阻还可能引起胰腺的炎症(见胰腺疾病部分)。

在老年妇女有时会出现一种少见而危险的情况，结石进入小肠并阻塞到大肠的通路，此时病人可出现严重而频繁的呕吐。结石还可引起胆囊或胆管的癌症。

在美国大约每年有 100 万新病例被诊断为胆结石。由于某种未知的原因，该病女性的发病率是男性的 4 倍，同时胆结石还常见于 40 岁以上肥胖者，或近期内减肥者，以及多次怀孕的妇女。

## 病 因

胆囊的主要功能是贮存胆汁。当你进餐后，胆囊将其贮存的胆汁通过胆囊管及胆总管排汁到小肠。

胆汁中的主要成分是胆固醇和胆汁酸。正常情况下，胆汁酸的浓度足以使胆固醇溶解并保持液体状态。然而，食物中脂肪含量过高可以破坏这种平衡，其结果是导致肝脏分泌的胆固醇量超过胆汁酸所能溶解的量，于是过量的胆固醇析出形成结晶，这种结晶就是胆结石。大约 80% 的结石是通过这种途径产生的，剩下的 20% 是由钙与胆红素结合产生。

如果肝脏不能分泌足量的胆汁酸，那么即使是低脂肪的饮食也可产生胆结石。科学家们已发现，只含有极低脂肪含量的饮食也可促进结石形成，这是由于几乎没有脂肪可以消化，胆囊就很少收缩，导致其中的胆固醇更易浓缩形成结石，其他减少胆囊收缩的因素也可促进结石的形成，如肝硬化，口服避孕药及怀孕。

### 诊断与检查

如果你的症状提示可能有胆石梗阻胆道，医生可能会首先检查你的皮肤是否有黄染，然后检查腹部是否有压痛，血清肝功能检查也可了解有无梗阻存在。

由于其他消化系统疾病，如胆道的感染，也可产生与结石发作相类似的症状，医生会进行其他检查以确定胆结石是否是真正的元凶。最常作的检查是超声，这种检查快速，无痛苦。

当结石梗阻胆道时，可能还会建议患者进行进一步的检查，叫做 ERCP 检查(经内窥镜逆行性胰胆管造影)，医生通过一根细的可弯曲的称之为内窥镜的管子观察病人的胆道。检查前医生先在病人的喉部喷上一点麻药，以防止病人因呕吐而窒息，然后将内窥镜插入口腔，再到胃，最后进入胆总管开口部位的小肠，将造影剂通过胆总管开口注入到胆道内，然后再拍摄 X 光片。全部的检查过程大约需要 1 小时，并且可以在门诊进行。

## 治 疗

大多数情况下，病人有症状时才有必要治疗胆结石，在各种治疗胆结石的常规方法中，手术切除胆囊是最常见的，其他的辅助疗法可能也有效，特别是在缓解症状方面。

### 常规治疗

当医生决定治疗方案时，通常有 3 种选择：观察，非手术治疗，及手术切除胆囊。

观察等待——虽然结石病发作的时候可引起十分剧烈疼痛，但几乎有三分之一的病人从此不再复发。在有些病例，结石会自行溶解或排出而恢复"静止"。因此，许多医生对初次发病的患者采取观察等待的策略。

即使是胆结石反复发作的病人，由于某些原因，医生也可能不会立即施行手术。在这种情况下，病人也应处于医生的严密监护下，症状一旦复发，应立即就诊。

非手术治疗——如果你不愿意或是不能进行手术治疗，你的医生可能会建议一种非创伤性的治疗方法。但要注意的是：这些方法可以解决引起症状的结石，但是不能阻止它再次形成。

有的胆结石可通过使用胆盐进行溶解，但这仅限于胆固醇结石而不适用于胆色素结石。通过服用片剂的胆盐可以增加胆囊中的胆汁酸含量从而溶解结石。根据结石的大小不同，可能需要数月甚至数年结石才会消失。另外一种非手术治疗方法是冲击波碎石，使用音频声波将结石击碎，同时还可以服用一些胆盐以促进小的结石碎片溶解。

还有一种称为接触溶石的治疗方法，严格来说它不是一种真正的非手术治疗，因为它需要一个小小的

腹腰前臂疾病

手术切口,但比常规的剖腹手术要小得多。医生通过一个小切口将导管插入腹腔,将一种特殊的药物直接注入胆囊。在大多数情况下,结石在几小时内消失。

手术切除胆囊——虽然胆囊对于人体来说有着重要的功能,但对于正常健康的生活并不是必需的。当胆结石反复引起症状时,医生会建议将其完整切除。这个手术是安全的外科手术之一。它也是预防结石再次形成的惟一方法。

胆囊切除后,胆汁直接从肝脏流入小肠,从而引起一些消化系统症状。由于胆汁不会在胆囊内贮存,因此当你突然一次进食大量脂肪后就会导致消化液分泌相对不足。可以通过限制饮食中的脂肪加以控制。

直到目前,外科医生仍通过传统的"开腹"手术进行胆囊切除,这需要外科医生在腹部做一个大的切口。病人需要在医院住院并在家中恢复数周。

然而今天,最常用的手段是通过腹腔镜进行胆囊切除术,医生在腹部作一个1.5厘米的切口,然后使用特制的只有铅笔粗细的器械将胆囊切除。显微镜和摄像机通过切口插入腹腔以便医生观察手术过程。

腹腔镜手术安全而有效,它可以将住院日缩短到1~2天,病人痛苦小并可以很快恢复正常生活。但是过于肥胖或是胆囊有严重感染或炎症的病人还是应当考虑作传统的开腹手术。

### 辅助治疗

某些辅助治疗手段可以有效地减轻症状,但是如同大多数常规的非手术治疗一样,它并不能防止日后的复发,如针灸、中草药等。

营养及饮食

根据症状的严重程度,可通过改善饮食来缓解胆石症状。胆结石常发生于肥胖患者,虽然减少脂肪摄入可预防结石,但是减轻体重是防止结石形成预防发作的最佳方法。如果你体重超重,那么合理的饮食和适量运动可使你变得苗条,同时减少胆结石形成的可能。

预防

合理的饮食是预防结石的最佳途径。摄入定量的

纤维素如生的水果和蔬菜,煮熟大豆和豌豆,全麦片及麦麸,避免摄入过多的脂肪。高纤维低脂肪饮食有助于胆汁中的胆固醇溶解。但也不要完全不吃任何脂肪,因为脂肪太低同样也容易促进胆结石的形成。

最近的研究发现,服用适量的橄榄油(大约每日2茶勺)可真正降低胆结石的形成机会。因为橄榄油可减少血中及胆囊中的胆固醇水平。研究还发现橄榄油消费量高的地区,胆结石的发病率相对较低。

研究还发现卵磷脂可以通过阻止胆汁中胆固醇结晶析出来预防胆结石。卵磷脂存在于多种食物中,如大豆、燕麦、鸡蛋、牛奶、花生、卷心菜和巧克力,虽然大多数人每天都摄入充足的卵磷脂,但还是有必要额外补充。卵磷脂可以在保健食品店或药店买到,你可以在每餐前口服1片(片剂)或1茶勺(液剂),或者根据标签上的说明服用。

---

## 警告

长期大量的胆碱——卵磷脂中所含的化学成分——可引起肝病或其他并发症。因此,在服用卵磷脂前最好向你的医生或营养学家咨询。

---

### 胆道系统断面图

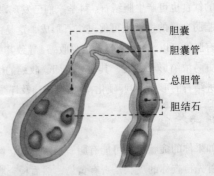

胆囊
胆囊管
总胆管
胆结石

胆结石如停留在胆囊内,常不引人注意,但如果位于胆囊管或总胆管内时,就会引起疼痛与炎症。如梗阻得不到解除还可导致感染、肝损害和严重的胰腺疾病。

# 胰 腺 炎

## 症 状

急性胰腺炎：
- ◆ 常在餐后或大量饮酒后 12～24 小时突发中腹部疼痛，可以向背部放散。
- ◆ 发热。
- ◆ 恶心或呕吐。
- ◆ 皮肤湿冷。
- ◆ 腹胀，压痛。
- ◆ 脉搏加快。

慢性胰腺炎：
- ◆ 长时间腹痛，腹痛可以向背部胸部放散，疼痛可以是持续或间断的。
- ◆ 恶臭大便。
- ◆ 恶心，呕吐。
- ◆ 体重下降。
- ◆ 腹胀。

## 出现以下情况应去就医

- ◆ 你患了急性胰腺炎，必须有专业人员治疗，来避免严重的可能危及生命的并发症，慢性胰腺炎也要求专业医生去治疗。
- ◆ 在胰腺炎治疗后出现持续体重下降，可能患有影响食物正常消化的并发症。
- ◆ 有皮肤苍白、湿冷、心悸、呼吸加快，可能为休克，需急诊治疗。

慢性和急性胰腺炎是胰腺发炎。胰腺产生消化酶和胰岛素，肌体应用酶和胰岛素对碳水化合物和脂肪进行代谢。急性胰腺炎症状是严重的，需要处理，如果没有及时治疗，可能出现胰腺囊肿、脓肿，胰液渗入腹腔，可能导致其他疾病。休克可能是急性胰腺炎一个致命并发症。

通常在急性胰腺炎反复发作数年后发展成为慢性胰腺炎，慢性胰腺炎可以引起胰腺分泌消化酶能力丧失，称为外分泌不足，此是慢性胰腺炎的特征。可致体重下降（逐渐的或复发的），恶臭大便。慢性胰腺炎可致糖尿病和胰腺钙化，硬沉淀物可致胰腺变小。

## 病 因

急性胰腺炎与过量饮酒、胆结石、病毒和细菌感染、药物、胰管阻塞有关。这些因素可以引起胰酶对胰腺自身消化，引起胰腺肿胀、出血，损伤胰腺血管。约有一半慢性胰腺炎患者是大量饮酒者，在成人中，大量饮酒是胰腺外分泌功能不全的常见原因。

### 诊断与检查

医生通常按压腹部，检查是否有压痛，同时检查多发现有低血压、低热和脉速。血液化验可了解胰酶异常水平，检查白细胞、血糖、血钙。腹部 X 线检查可以提示胰腺是否有钙化。超声和 CT 检查可以显示胆道疾病。

对慢性胰腺炎的诊断，医生将化验血、大便，了解是否有过量脂肪，表示胰腺不再合成足够胰液去代谢脂类。还可能进行一个刺激性检查，了解胰腺释放消化酶到十二指肠情况如何，还对你是否有糖尿病进行检查。

## 治 疗

常用治疗方法：药物、饮食疗法和手术，另外还有对症治疗和支持疗法。

### 常规治疗

如果你患了急性胰腺炎，医生将通过静脉补充营养尽力抑制胰酶分泌，有时对疼痛应用强止痛药杜冷丁。还必须通过鼻孔放置一个管引流胃内食物，如胰腺炎是由胆结石、胰管阻塞引起，一旦症状消退，需要手术治疗。

如果患有慢性胰腺炎，医生主要是治疗疼痛，指导你应用一些不成瘾的药物，治疗影响消化能力的并发症，可以应用胰酶替代疗法，维持消化道功能。你要避免摄入脂肪，还要忌酒，如果疼痛的治疗没有效果，受损胰腺可能需要切除，但这仅是最后的一种方法。

### 辅助治疗

这些治疗要和常规治疗配合应用，有助加强对症疗效，因急、慢性胰腺炎都需要常规治疗，在应用其他治疗前应和医生商讨。

### 中医治疗

中医应用调节肌体不平衡来治疗胰腺炎。

### 营养及饮食

每天补充 300 ug 铬,有助于维持正常血糖,可以补充维生素 C,含有 $B_3$ 和 $B_5$ 的复合维生素 B 有助减轻紧张和抗炎,不要饮酒。

### 反射疗法

按压肾上腺区域有助于肌体抗炎,按压胃和胰腺区改善消化,指压太阳穴可以减轻精神紧张。

### 预防

忌酒可能明显减少患胰腺炎机会,一旦患有胰腺炎更不要饮酒,饮酒可能带来严重危险。

控制你的体重,保持健康饮食和生活方式,可能会预防胆结石的发生。

## 症 状

胰腺癌常到进展期才出现症状。按症状出现先后包括:

◆ 明显的体重下降伴腹疼——最主要的信号。

◆ 原因不明的逐渐加重腹疼常夜间加重,并向下背部放射。

◆ 消化道症状如腹泻、便秘、腹胀、嗳气。

◆ 恶心,呕吐,食欲不振和消瘦。

◆ 黄染,表现皮肤巩膜黄染。

◆ 突发的糖尿病。

◆ 黑便或血便:表明消化道出血。

有少数胰腺癌可以引起内分泌失衡,产生的症状包括:

◆ 间断性乏力,出汗,心跳,烦躁,低血糖引起皮肤潮红。

◆ 重症溃疡症状,如:胃疼,水样泻,对治溃疡药物无反应。

## 出现以下情况应去就医

◆ 上述症状超过两项。

**胰** 腺是位于腹腔深部一个小胰体,有两个重要功能,其一向肠道输送消化液,其二分泌激素——包括胰岛素——调节肌体糖和淀粉代谢,胰腺内分泌细胞规律分泌激素。它们形成了一群小岛,主要位于胰体和胰尾。外分泌细胞在数量上超过内分泌细胞为99:1,分布于整个胰腺,执行消化功能。

至少有 90% 胰腺癌是外分泌细胞癌,常发于胰头,内分泌细胞癌——或小岛细胞肿瘤——生长缓慢,通常可以治疗,特别少见。因为胰腺癌早期很少出现症状,而大多数胰腺癌表现并不都是从消化功能紊乱开始,这种疾病在通过血液或淋巴系统转移至邻近或远隔脏器前,很少能发现。仅有少数内分泌细胞癌容易在早期发现,因为它们产生异常数量激素并引起明显的代谢失衡。

# 胰腺癌

## 病　因

除了年龄增长，吸烟是胰腺癌的一个重要的危险因素，吸烟者患胰腺癌是不吸烟的 3 倍，人们经常接触某些石油产物可能也是一个危险因素。过分摄入脂肪和蛋白，可以增加患癌可能。糖尿病也与胰腺癌有关：10%～20% 胰腺癌者患有糖尿病，另外与胰腺癌有关的疾病包括遗传性胰腺炎、炎症性胰腺疾病、Gardner综合征、神经纤维瘤、多发性内分泌肿瘤、良性胰岛细胞肿瘤，这些都是遗传性。

### 诊断与检查

为了诊断胰腺肿瘤，医生依靠胰腺影像学，多数是声像图和腹部 CT，如果有必要可以通过口腔向胰腺插入一个内镜，注射染料，拍 X 线片，而获得清晰图像，在病变范围内可以活检取样，如组织活检能确定癌症，进一步检查就确定肿瘤转移距离有多远。有时外科探查是必要的，外科医师能直接看到肿瘤，决定附近淋巴结是否有转移，并可以取样镜检。

## 治　疗

通过如下内容你可以了解更多关于肿瘤治疗知识。

### 常规治疗

因大多数的胰腺癌在明确诊断时已到了进展期，治疗仅仅是个现实目的，然而治疗目的通常是延长生命，减轻痛苦症状。外科可以治疗癌症，但只在没有胰腺外转移，如果可能，外科医生可以切除恶性肿瘤，尽可能多地保留胰腺维持正常功能，然而更常见的是全部胰腺被切除，病人需要医生补充激素包括胰岛素。

依据肿瘤类型，病人也可以进行放疗和化疗，可以是术后为延长生存时间也可以作为一种减轻症状方法，外分泌肿瘤，对治疗较好，有时也结合化疗，而内分泌肿瘤对化疗敏感。药物，通常包括麻醉剂，有助于疼痛缓解，常用于进展期胰腺癌患者。

### 辅助治疗

对许多进展期胰腺癌患者，疼痛是很严重的，除常规治疗外，病人可以通过按摩、针灸、生物反馈等方法控制疼痛。

预防

胰腺癌是不易预防的，但可以采取一些措施降低患病的危险因素。如你在接触石油环境工作，应尽量避免不必要接触有害物。如果吸烟，应戒掉。

**胰腺肿瘤**

胆总管
肿瘤
胰腺

胰腺癌多见于胰头，可以影响消化过程。如果共同胆管由癌肿生长而梗阻胆汁则不能排入小肠，影响消化；其次是黄染，黄疸是胰腺癌常见症状。

# 糖 尿 病

## 症　状

◆ 极度口渴和食欲旺盛。

◆ 尿量增加(有时频繁至每小时 1 次)。

◆ 体重减轻。

◆ 疲劳。

◆ 恶心,可能伴呕吐。

◆ 视物模糊。

◆ 对于妇女,出现反复阴道感染,并可能出现闭经。

◆ 对于男子,出现阳痿。

◆ 对于男子和女子,出现真菌感染。

## 出现以下情况应去就医

◆ 你感到恶心、乏力和极度口渴,排尿频繁,有腹痛,并比正常人呼吸深、快,可能呼气带有甜味,闻起来类似指甲油洗剂。你可能需要立刻就诊,以明确有无酮症酸中毒。

◆ 你感到乏力或虚弱,觉得心跳加速、颤抖、并出汗过多;感到易激惹、饥饿,或突然出现倦睡。你可能存在有低血糖,需要赶快吃或喝一些糖水,以免出现更为严重的并发症。

腹腰前
臂疾病

糖尿病是最常见的内分泌系统疾病,仅仅在美国受累的患者就达 1000 万 ~2000 万人之多。这种疾病原因在于血胰岛素水平失调。胰岛素是一种胰腺激素,它帮助肌体将血葡萄糖或血糖转化为能量。I 型糖尿病——有时称为胰岛素依赖型糖尿病(IDDM)或青少年发病糖尿病——是由于胰岛素不足所致。II 型糖尿病——亦称为非胰岛素依赖型糖尿病(NIDDM)或成人发病或稳定型糖尿病——是由于肌体对胰岛素反应性下降所致。所有糖尿病患者中大约 90% 属于此型。

不论你患的是哪一型糖尿病,你都需要与医生密切配合调整饮食、药物及活动量,并一天一天坚持下去。你对自我保健监测的能力将会明显影响到你是否能够控制住病情,并避免其潜在的严重后果。

糖尿病造成的短期和远期并发症亦需要引起与该病本身同样的注意。有一点很重要,你需要每天都注意你的血糖水平,以免突然发生低血糖。在这种情况下,可利用的血糖水平太低以致不能满足肌体对热卡的需求。但是,一旦你掌握了它的症状特点,低血糖是很容易治疗的。

高葡萄糖血症,或称高血糖,可以引起一种糖尿病严重状态,即酮症酸中毒。在这种情况下,由于肌体分解脂肪供能,而引起血中一种称为酮体的毒性产物蓄积而致血液酸度增加。I 型糖尿病患者在未给予补充适当胰岛素时即可出现酮症酸中毒,此时肌体因缺乏能量来源而处于饥饿状态。酮症酸中毒亦可以出现于葡萄糖和胰岛素水平平衡失调的糖尿病患者,也可以在肌体处于一个突然生理应激情况下,可能是一个意外事件或疾病(任何一种疾病都会增加肌体对胰岛素的需求量,使血葡萄糖转化为能量提供肌体对抗疾病或感染)。

如果你患有糖尿病,尤其要警惕可能是酮症酸中毒的一些危险预兆:恶心、极度口渴、小便频繁、极度乏力、腹痛及快速深大呼吸。如果没有及时给予注射胰岛素和静脉盐溶液(以补充体内液体丢失)将会导致昏迷或死亡。

糖尿病的远期并发症可损害眼睛、神经系统、肾脏和心血管循环系统,并且降低肌体全面抵抗感染的能力。

对于糖尿病患者,切口和溃疡愈合速度减慢,而且也容易出现牙龈问题、尿路感染和口腔感染,例如鹅口疮,即由于口腔内酵母真菌过度繁殖所致(详见"泌尿系问题和霉菌感染")。

在美国,糖尿病并发症是引起成年人失明的主要原因。在诊断糖尿病 10 年之内,大约半数患者出现眼部疾患称糖尿病视网膜病变,它可减少毛细血管供血给视网膜,并最终影响到视力。几乎所有患本病至少 30 年的患者均存在不同程度的糖尿病视网膜病变。糖尿病患者还容易出现白内障和青光眼。

患有糖尿病的人比一般人患心脏病和循环问题的机会高得多,例如高血压、动脉硬化(详见"动脉粥样硬化"章节)、心脏猝死和中风。循环差亦会引起糖尿病患者易于出现皮肤溃疡、痉挛及坏疽性(组织坏死性)感染。由于糖尿病引起的肾脏血管损伤将会导致肾衰。

# 糖尿病

许多糖尿病患者常会患有糖尿病神经病变,这种病变会引起神经系统逐渐变性。本病在Ⅱ型糖尿病早期即可开始出现,并且可以累及运动神经,也可以累及感觉神经。结果是糖尿病患者通常会表现有各种疼痛症状。部分可发展成反射减慢、感觉丧失、下肢麻木和针刺感、阳痿及循环问题。

## 病　因

对于Ⅰ型糖尿病,是由于胰腺分泌胰岛素不足或缺乏所致。由于不能利用血液中葡萄糖,所以肌体通过消耗脂肪和肌肉提供能量。Ⅰ型糖尿病进展相当快,并且常在30岁以下发病。近来研究表明,很多Ⅰ型糖尿病患者可能存在对本病的遗传易患因素,可能是由于病毒感染所致。

Ⅱ型糖尿病通常在40岁以上发病,而且发现肥胖与其发病关系密切。尽管这一类糖尿病患者,其系统分泌的胰岛素水平正常,甚至升高,但他们的肌体不能有效利用这些激素。过量摄食引起血葡萄糖水平突然升高,而胰腺不能分泌足够胰岛素从而将那些多余的糖分转化为能量。有时类似本病的情况,暂时出现在怀孕的妇女中,称为妊娠期糖尿病。

### 诊断与检查

如果常规生理化验检查显示你体内过量糖由尿液中排出,那么医生就会怀疑你可能患有糖尿病。而确诊需要化验血中葡萄糖水平,在清晨空腹时抽取血样,如果胰腺分泌胰岛素很少或缺乏(Ⅰ型),或者肌体不能分泌足够胰岛素来代谢血糖(Ⅱ型),那么血糖水平就会升高。糖尿病其他检查包括糖耐量试验,这个检查是测试肌体转化葡萄糖为热卡的能力。空腹一段时间后,饮1杯含葡萄糖的非常甜的饮料,然后检测血葡萄糖水平。

## 治　疗

治疗Ⅱ型糖尿病均需要调整肌体胰岛素水平及严格控制饮食和活动。密切注意饮食量及时间,这样你可以减少或避免由于血糖水平迅速变化而引起的"跷跷板作用",在这种情况下,需要胰岛素剂量作相应的迅速变化。

### 常规治疗

如果你患有Ⅰ型糖尿病,必须每天补充胰岛素,至少1天2次,以促进肌体利用血葡萄糖。由于胰岛素是一种蛋白质而且会被消化酶破坏,因此不能口服补充胰岛素。而且,它必须在预定期间直接注射入肌体。部分糖尿病患者使用一种计算机化的泵,可根据设定程序释放胰岛素,但大多数医生仍建议直接注射给药。治疗Ⅰ型糖尿病最开始的一步是学会给自己或你的孩子注射胰岛素,但这个过程很快就会成为常规操作。

尽管部分胰岛素仍提取自动物激素,目前使用的大多数胰岛素是人工合成的,该药物分为三类:短效胰岛素(30~40分钟起效,维持6小时);中效胰岛素(2~4小时起作用,维持至24小时);长效胰岛素(6~8小时起作用,维持至32小时)。每个注射计划均应根据每一个糖尿病患者具体情况制定,而且根据不同的情况而作相应调整,例如应激期、青少年生长发育期以及妇女月经周期中的月经来潮期等。

通过监测你自己的血葡萄糖水平,你可以得知相应波动的胰岛素需要量而帮助你的医生计算出最准确的胰岛素剂量,自我监测技术需要一部特殊测定仪器,它可通过滴在试纸条的血样读出血葡萄糖水平。另一方法是通过试纸条沾染一滴血后出现颜色改变而指示葡萄糖水平。

对于部分Ⅱ型糖尿病患者,控制饮食和活动即可控制住病情;而另一些人则需要药物治疗,包括胰岛素或口服降糖药,例如甲苯磺丁脲、醋磺己脲、格列吡嗪、优降糖或氯磺丙脲。如果服用任何一种上述降糖药治疗Ⅱ型糖尿病,注意问一下你的医生该药与其他药物可能的相互作用,包括氯霉素、保泰松、羟基保泰松和氯贝特。

维持饮食平衡对Ⅰ型和Ⅱ型糖尿病患者均是很重要的,因此与你的医生合作制定一项饮食计划。如果你患的是Ⅰ型糖尿病并根据活动和饮食决定何时给予胰岛素剂量,那么何时进食及进食多少与进食什么同等重要。通常,医生叮嘱患者每日进食3小餐及3~4次零食以维持血中葡萄糖和胰岛素的正确平衡。碳水化合物——尤其是一些淀粉和其他复合碳水化合物,可以相对缓慢地释放葡萄糖入血流——应占总热卡摄入的50%

~60%；蛋白质占 20%～25%，而脂肪占 20%～30%。

对于Ⅱ型糖尿病患者，碳水化合物、蛋白质和脂肪的比例要求基本相同，尽管对于超重患者鼓励其减少摄入脂肪而多吃复合碳水化合物和纤维。由于Ⅱ型糖尿病患者通常并不需要定时给予胰岛素，因此他们并不需要严格定点饮食。

糖尿病日常治疗中的另一重要部分是锻炼，这尤其适用于Ⅱ型糖尿病患者减轻超重部分的体重。对于任何一型的糖尿病患者，锻炼均有助于减轻本病引起的心血管并发症的严重程度，同时可以缓解精神紧张。但是，Ⅰ型糖尿病患者必须记住，锻炼可降低血葡萄糖水平。为预防低糖血症发生，可在锻炼开始前半小时临时增加一次碳水化合物零食，并且随身准备一些可以吃或喝的东西，以便一旦开始感到有低血糖症症状时随时享用。对于任何一型糖尿病，在开始一次锻炼计划时均应先征求你的医生的意见。

配戴"医疗警告"手环或标签注明你患有糖尿病也是一个很好的主意，这样一旦突然发生严重低血糖而你又不能够让别人理解你时，或者如果你出现意外或其他处境而需要紧急医疗照顾时，可以让其他人了解到你的情况。标明自己是糖尿病患者是重要的，因为低血糖反应可能被误诊为醉酒，而且牺牲者常常是不能照顾好他们自己的。如果没有得到迅速处理，低血糖将会导致昏迷或抽搐发作。而且当你生病或受伤时，肌体处于应激状态下，因此为了给予及时处理，医生将会随时监测你的血葡萄糖水平。

## 辅助治疗

糖尿病如果没有得到正确治疗将会威胁到患者生命，因此你绝对不能在没有医生的指导下来治疗本病，而且你应该一直同医生讨论任何可能的治疗措施。一些辅助治疗措施是调整糖尿病饮食，其他治疗则强调补充维生素和矿物质，给予草药处方以恢复血糖水平，或治疗一些继发疾患。减轻紧张状态的锻炼也可以有助于降低血葡萄糖水平。

### 针灸治疗

对某些穴位进行针灸刺激可缓解由于糖尿病神经病变引起的疼痛症状、增强免疫系统功能，并且减少循环系统并发症。请向有行医执照的医生咨询。

### 中药治疗

中药，包括人参根，常常用于减轻一些糖尿病症状，请与医生协商制定详细治疗计划。

### 生活方式

实验室进行的试验表明，锻炼可增加组织中铬元素水平，而其被肌体用来调整血葡萄糖和胆固醇水平。对于Ⅰ型糖尿病患者，亦发现锻炼可提高肌体利用现有的胰岛素的能力，这样就减少了外源注射胰岛素量。注意：如果您是Ⅰ型糖尿病患者，一定要记住锻炼会降低血葡萄糖，在锻炼前吃一点碳水化合物零食，并且如果您感到有出现低血糖发作的危险征兆时，再吃或喝一点东西。

Ⅱ型糖尿病患者因需要减轻体重而可以从中等量的锻炼中获益。但是，如果你是Ⅱ型糖尿病患者，你应该避免举重和涉及推、拉重物的其他锻炼形式，这些运动方式可增加血压，并可能加重糖尿病引起的眼睛问题。

如果你是糖尿病患者，注意加强口腔牙齿的护理，糖尿病可加重牙龈疾病。

### 身心医学

任何形式的锻炼活动均可减轻精神紧张，例如生物反馈疗法、冥想疗法、催眠疗法或其他放松疗法，均可以有助于减少胰岛素需求量。

### 营养及饮食

一些研究人员宣称糖尿病常常是由生活习惯所致，指出当其他种族的人们放弃本族饮食习惯而改食精制、加工过的食品时，糖尿病发生率开始上升。对于糖尿病患者，应以低碳水化合物、高植物纤维饮食（HCF 饮食）取代传统饮食。

HCF 饮食要求糖尿病患者在制定饮食计划时根据下列日常准则：70%～75%复合碳水化合物、15%～20%蛋白质，及 5%～10%脂肪。据报道，HCF 饮食可提高胰岛素促葡萄糖转化作为能源的能力，增加胆固醇水平，减少高血糖和低血糖的发生率，并有助于Ⅱ型糖尿病患者减轻体重。

对 HCF 饮食修正后，进一步限制饮食量，但尽可能增加了复合碳水化合物的量。一次大学研究表明，高碳水化合物、高纤维饮食能够减少Ⅰ型糖尿病患者所需胰

# 糖 尿 病

岛素的 30%～40%；而减少Ⅱ型糖尿病患者对胰岛素的需要量达 75%～100%。

糖尿病患者应避免食糖，因为它可降低肌体对葡萄糖的耐受性而使循环问题恶化。营养学家还同时强调了进食某些食品、维生素和矿物质的重要性，包括下列各次：

补充铬元素是对患有糖尿病的人非常有好处的，铬不仅可以降低血葡萄糖水平，增加葡萄糖耐受性，还能够降低胰岛素水平并抑制血胆固醇浓度。

肌醇、复合维生素 B 则通过缓解手足四肢的麻木、针刺感而达到为可以防止糖尿病患者出现周围神经病。但是，由于肌醇可能会改变血糖水平，所以在开始治疗前，应先同你的主管医生商量一下。生物素，亦称为维生素 H，可改善糖尿病患者对葡萄糖的代谢。

维生素 $B_6$ 可有助于减轻糖尿病神经病变的严重程度，并减少Ⅱ型糖尿病患者的胰岛素用量。维生素 $B_{12}$ 可有助于治疗糖尿病神经病变；而注射给药比口服给药疗效更佳。

糖尿病患者可能需要补充维生素 C 以弥补血胰岛素不足引起的维生素缺乏，因为胰岛素可以帮助细胞吸收维生素。正常的维生素 C 含量有助于肌体维持正常胆固醇水平，协助免疫系统抗感染，并且预防发生白内障。尽管一些学者认为饮食中每日补充维生素 C 可达 1 克，但你应同你的主管医生协商，服用该剂量对于你是否安全。维生素 E 有助于限制对血管系统的损害并改善血胆固醇水平。

元素锰有助于肌体对葡萄糖的代谢；而糖尿病患者常常严重缺锰。补充元素镁则有助于控制糖尿病视网膜病变，并减少对心血管损害的可能性。

锌元素可有助于增加葡萄糖耐多性，而钾元素则可以改善糖尿病患者利用胰岛素的能力。补充铜元素可有助于改善心血管适应性。

秋葵和桃子可有助于稳定血糖水平，并在高复合碳水化合物饮食中提供纤维。一些研究表明，桂皮可减少Ⅱ型糖尿病患者的胰岛素需要量，尽可能每次进餐时都食用 1/4 杯桂皮煎剂，以帮助控制血糖水平。

### 预防

由于肥胖与Ⅱ型糖尿病之间存在着明显联系，所以

如果你的体重超重了，那么减轻体重将可以很显著地降低发生糖尿病的机会。如果您的家里有人患有糖尿病，那么这一点就更为确切。

---

**注意！**

潜在危险性

一些市场上出售的药品对于非糖尿病患者是安全的，但可能含有某些成分对糖尿病患者不利。例如，服用大量阿司匹林可改变血葡萄糖水平。糖尿病患者患呼吸系统疾患，在使用去氧肾上腺素、肾上腺素或麻黄素时，必须小心，因为它们都可以升高血糖水平。Ⅱ型糖尿病患者在试图服用食欲抑制剂来控制体重的时候需要知道，这些药物通常含有咖啡因，他可以升高血糖。鱼肝油，通常服用用于升高胆固醇水平，同时也可以升高血糖。为了了解非处方药物的潜在危险性，你应该告诉你的主管医生及药剂师，并且要仔细阅读非处方药物的使用说明。

---

良好的锻炼计划及营养平衡饮食均可显著减少Ⅰ型和Ⅱ型糖尿病所造成的不良后果。如果你吸烟，请戒烟，因为吸烟可显著增加发生心脏疾患的危险性，尤其是对于糖尿病患者。

### 对糖尿病患者的紧急救助措施

在紧急情况下，你可采取下列救助步骤以帮助某位糖尿病患者，首先，检查一下患者是否配戴或携带了一张医疗警告标签。如果这个人患有糖尿病，那么标签上应该注明这一点，可能还包括糖尿病的类型。而糖血症（血糖升高）可出现于Ⅰ型或Ⅱ型糖尿患者。低糖血症亦可出现于两型糖尿病患者中，而且在某些情况下，还可能出现于未患此病的人群中。

高糖血症的症状包括快速的深大呼吸，腹痛，呼气带甜味，尿频，呕吐，嗜睡，并可能出现意识丧失。你应该做的是：如果患者清醒并能吞咽，那么给他一些无糖的饮料喝（以预防脱水），然后送他去医院。如果患者意识不清，则立刻拨打电话给 120 急救系统。

低糖血症的症状包括皮肤苍白、湿冷，极度饥饿，定向力障碍，易激行为，并可能出现意识丧失。你应该

做的是：如果患者清醒并能吞咽，那么给他一些含糖的东西吃或喝，例如果汁、糖果、软饮料、或干糖，然后送他去医院。如果患者意识不清，则立刻拨打电话给120急救系统。

如果患者意识清醒，而你对他是高血糖或低血糖不能确定，那么给他一些含糖的东西吃或喝，例如果汁，糖果，软饮食，甚或干糖，然后送他去医院(即使患者是高血糖，给他补充一些糖分也是没有坏处的)。如果患者意识不清，请拨电话120。

### 必要的双足保护措施

如果你是糖尿病患者，那么可以说你的脚是你的弱点。这是因为糖尿病神经病变引起的神经损害会麻痹你对疼痛的感觉，这样可导致一些小的损伤例如水疱，在你意识到出问题之前，已发展到严重的感染。因此，糖尿病患者应每天仔细检查一下他们的双足，看一看有没有红点、擦伤、割伤、水疱、水肿或其他感染表现。应警惕皮肤干燥，它可引起皮肤干裂而容易使细菌和真菌入侵。将趾甲剪平以免趾甲内生。穿舒适的鞋子，不要打赤脚或穿平底凉鞋，因为这可能使脚受伤。

## 症 状

◆严重的腹痛、腹泻。

◆餐后出现痉挛性疼痛，尤其是右下腹。

◆慢性低热、纳差、乏力、体重减轻，尤其是伴有持续性恶心、呕吐。

◆上述症状伴有关节炎。

◆在年幼的儿童出现上述症状，可造成生长发育停滞。而年长儿童可减慢发育速度。

## 出现以下情况应去就医

◆突发腹痛、发热、排气、排便，提示阑尾炎或结肠炎早期。

◆持续性腹泻，尤其是回肠造瘘术后，可能会存在致命性脱水。

◆上述症状伴呕吐，提示完全性或不全性肠梗阻。

克隆病，是肠道的慢性疾病，胃肠道出现炎症、狭窄，造成消化功能减退，进而影响全身营养状况。克隆病的症状与溃疡性结肠炎相同，但肠组织活检可鉴别两种疾病。克隆病可累及全胃肠道，最易侵犯的部位是小肠末段和结肠。

克隆病的好发年龄为20～30岁，婴儿和儿童亦可发病。女性比男性多见。在亚洲和非洲血统的人群中本病罕见。克隆病为终生患病，目前只能缓解症状，不能治愈。往往呈周期性表现为腹痛、腹泻、症状缓解数周或数月，再次发作。

克隆病最常见的并发症为形成肠瘘、皮瘘，通常发生在肛门附近，往往需要手术闭合瘘管。还有一部分患者可出现胃肠外表现如眼炎，皮疹，肾结石，膝、踝、腕关节炎。超过20年病史的克隆病有癌变可能。因此年龄超过30岁的克隆病患者，应定期检查。

## 病 因

克隆病的病因不明，目前认为是一种自身免疫性疾病。该病的炎症反应是由于肌体免疫系统侵犯自身肠道所致，但机制尚不清楚(参见免疫性疾病)。一些学者对病毒是否可以致病进行了研究，但迄今为止，尚未

# 克隆病

分离到特异性病毒颗粒。另外还有人怀疑下列物质可能与发病有关，包括食品添加剂如碲剂、牙科用填充剂、某些膳食成分，还有琼脂，一种从海洋生物中提取出的物质广泛用于冰激淋和日常用品中。目前认为上述因素致病的可能性很小，已经明确的是，吸烟是克隆病的高危因素。而且患者若继续吸烟，往往预后不佳。

有些抗生素可引起发热、腹痛、腹泻等与克隆病相似的症状。寄生虫病，如通过饮用不洁的井水、河水而传播的蓝氏贾第鞭毛虫病，其症状与克隆病相似。

## 诊断与检查

通常根据小肠和结肠造影诊断克隆病，还需行乙状结肠镜检查直接观察肠道粘膜，并取活检做病理诊断。

# 治 疗

目前，对于克隆病无特效治疗。现行的治疗为三步曲：以控制症状为原则。根据病情轻重，早期控制饮食，药物治疗为主。继而住院治疗。必要时手术治疗。

## 常规治疗

为减轻病变，患者、医生应密切合作，寻找能缓解症状的最佳药物和最小剂量。一些专家认为长期服用维持量，无论是否有症状，都有利于病情的缓解。另一些人则只在有症状时给药。患有克隆病的儿童应给予高蛋白、高热量的流食，以保证其正常的生长发育。

磺胺柳氮吡啶，一种胃肠道抗炎药，是治疗克隆病的首选药。根据症状的严重程度，给予不同的剂量，可维持数年。类固醇激素如强的松可与磺胺柳氮吡啶联合应用，可减轻肠道炎症。大多数医生对激素的使用都很慎重，一般不超过数月，因为激素可造成严重的副作用。免疫抑制剂如硫唑嘌呤的联合用药可减少激素的用量，为缓解腹泻，可服用含有可待因的止泻剂。同时，患者应进清淡的平衡饮食。

当出现严重腹泻伴体重减轻时，应住院进行激素静脉点滴。必要时可给予静脉营养以保证胃肠道充分休息。病情缓解后，有些患者仍需院外静脉高营养，这需要有专业人员指导。

手术适于药物和饮食治疗无效的病人。部分结肠

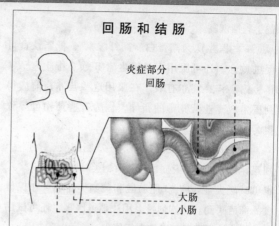

## 回肠和结肠

炎症部分
回肠

大肠
小肠

从上到下：有炎症的肠段，回肠、大肠、小肠。克隆病可累及回肠（小肠末段）或结肠（大肠）。溃疡首先侵犯肠粘膜，最终累及整个肠壁，受累肠段形成瘢痕并增厚，导致肠腔狭窄，营养物质吸收障碍，从而损害胃肠道功能。

切除术只切除病变结肠，尽可能保留肠道。全结肠切除术切除整个结肠，通过皮肤造瘘口将小肠末段的废物排到粪袋中（这种术式又称回肠造瘘术）。尽管术后仍可复发，但复发时的症状和对全身的影响均较术前为轻。

为缓解患病后的压力，可参加由克隆病、溃疡性结肠炎基金会或当地医院组织的群体治疗。回肠造瘘术后的患者可向联邦造瘘术联合会在当地的分会寻找支持与指导。

## 辅助治疗

由于克隆病是无法治愈的，许多轻症患者或有克隆病样症状的患者，选用非药物、手术的方法缓解病情。

### 针灸治疗

专业针灸师需根据患者体质和腹痛、腹泻的具体表现来选穴。针刺足胃阳明经，在脐旁的穴位可治疗急性腹泻。治疗慢性肠道不适，可选用肝经、脾经、肾经穴位。

### 营养及饮食

在病变活动期，服用绿叶菜的菜汁可促进病情缓解。例如富含叶绿素的洋白菜，一种名为小球藻的淡水藻片。饮用从海藻（如大型褐藻）中提取的汤汁亦有

腹腰前臂疾病

益于病情恢复。

一些医生认为高蛋白、高纤维素、低脂饮食可促进愈合。还可服用大量维生素 B 族、维生素 A、镁、钙、锌、铜亦有效。在服用这些营养药前应得到医生或专业营养师的指导，因为有些药物可导致腹泻或便秘。

有人认为从鱼中提取出的 Ω－3 脂肪酸和亚麻籽油可减轻炎症反应。黄酮类 (Flavonoids) 也可减轻炎症。Ω－3 脂肪酸和黄酮类药物可在保健食品商店买到。具体剂量、用法请遵医嘱。还可试用一种可溶性纤维素可增加大便体积。

### 反射治疗

刺激结肠、肝脏、肾上腺、下脊椎、膈、胆囊等在足底的反射区，可调节胃肠道功能紊乱。

### 瑜伽

调节胃肠道功能的最好的姿式为眼镜蛇姿式。俯卧位，额头着地，双腿并拢。双手手心向下，放在肩下，双肘紧贴身体两侧。吸气，同时依次抬起头部、胸部。面孔向前，尽量向上看。坚持 3～6 秒。呼气，缓慢放下头部、胸部。1 天做 4 次。

膝胸姿式可激活胃肠器官，促进排气。身体站直，双手下垂。抬起右膝贴近胸部。用右手抓住踝部，左手握住膝部，尽量将右腿拉向胸部。尽量站直，坚持 6～8 秒。然后左腿重复同样的动作，1 天3 次。

### 家庭治疗

每天至少喝 1 杯从洋白菜或其他绿叶蔬菜中挤出的菜汁。另一种快速摄取大量纤维素的方法是食用芹菜梗。

### 回肠造瘘术后的生活

手术切除病变部位的结肠或大肠后，小肠末段（回肠）的切口通过位于下腹部的人工"粪瘘"与外界相通，用来排泄粪便。需要一个小的塑料袋来封住瘘口，同时装排出的粪便。由于这些粪便是半消化的食物，因此要

有一点酸味液体物质。医护人员应教会患者如何更换、护理粪袋。有些病人需每天更换粪袋，而有些病人只需每周更换 1 次。

肌体会很快适应缩短的肠道，最终将排出成形的粪便。为消除异味，可在粪袋中加入一片阿司匹林或少量小苏打。瘘口最终将缩到一个五分硬币大小，但周围皮肤仍很敏感，因此应尽量减少刺激。

行回肠造瘘术的患者会发现粪袋并不影响正常生活。当患者从手术打击中恢复后，可以做任何力所能及的事，包括游泳、性生活。还可以享受正常饮食，但注意尽量少食爆米花及含有过多纤维素的蔬菜，以防止其阻塞瘘口。

### 预防

目前没有证据表明对食物过敏可导致克隆病。但可增加结肠的易感性。可用下述方法检查是否对食物过敏，在 10～30 天内避免食用怀疑过敏的食物，然后试餐，若症状复发，说明肌体对该食物敏感，应禁食。常见的过敏源有奶制品、蛋类和小麦。

### 回肠与结肠

克隆病可以累及回肠和小肠的低位部分或结肠（大肠），溃疡在肠道黏膜层形成并沿肠壁扩散。当受累部分肠道形成瘢痕并增厚时，肠道变得狭窄，妨碍营养物质的吸收和肠道正常的功能。

---

### 注意：脱水的危险

反复腹泻时应特别注意防止脱水。尽管水泻时大量饮水看起来毫无意义，但实际上可补充损失量。快速防止脱水的方法为饮用数杯每杯加有小量盐或小苏打的水。

婴儿和年幼儿童腹泻超过 2 次时，应让医生尽快检查。小儿极易脱水，从而导致对消化道的严重损伤，甚至可致命，老年人严重脱水可导致一般性痴呆。

# 肾脏疾病

## 症状

- ◆ 频繁口渴并想小便。
- ◆ 小便量很少。
- ◆ 手脚浮肿，眼部周围胖肿。
- ◆ 嘴里有怪味，并且呼吸时有股尿味。
- ◆ 持续性疲劳或呼吸时气短。
- ◆ 无食欲。
- ◆ 血压逐渐升高。
- ◆ 皮肤苍白。
- ◆ 皮肤干燥，持续性搔痒。
- ◆ 小孩呈现身体虚弱、贪睡、食欲减退及生长迟缓。

## 出现以下情况应去就医

- ◆ 你有上述所列症状中的任何一项，尽管可能预示着有其他疾病，但主要是肾脏疾患的一种征象。肾脏疾病是一种有致命危险的疾病，此时应立即向你的医生咨询。

**肾** 是一对拳头大小的器官，位于腰上部脊柱两侧，对维持生命起着重要的作用。肾可通过排除废物和过多液体来净化血液，对维持体内化学元素平衡、调节血压高低、维持人体健康发挥着重要的作用。

然而，肾一旦发生病变或受损就会突然或逐渐失去以上功能，废物和多余的液体就会在体内堆积，人体就会表现出各种症状，最为明显的是手脚出汗、呼吸短促、小便频繁等。如果不及时加以治疗，肾功能就会最终丧失。

肾病可分为急性肾病（突然丧失肾功能）和慢性肾病（肾功能逐渐恶化，一年或更长时间）。慢性肾病多为隐性的，在未发生病变之前不显示任何症状，一旦发生便不可挽救。

## 病　因

慢性肾病的病因一般很难准确找出。多数是由其他病变所引起的，如糖尿病、高血压、动脉硬化等，所有这些病变都可直接影响肾脏内部的血液流动。狼疮及其他免疫系统疾病都可影响血管，一旦发炎，就可能导

致肾脏疾病。

有些慢性肾病，尤其是多胞囊肾病（在肾体上形成囊肿），具有遗传性。还有些先天性疾病，像先天性泌尿系统障碍或畸形，上述情况是注定要发展为肾炎或其他肾病的。

长期接触有毒的化学药品或使用毒品，包括吸食非法毒品如海洛因，都可能导致慢性肾病。科研人员推断，食用过量的维生素 D 和蛋白质，尤其是人在老年或生病时期食用，都会对肾脏造成危害。然而，在许多的慢性肾病中，准确的病因还无法知道。

急性肾病是由于短时期药物的作用而突然使回流肾部的血液减少造成的。例如心脏病发作、交通事故造成的外伤、严重感染、药品中毒等。

吸人或吞下某种毒素，如甲醇、酒精、四氯化物、防冻剂、有毒的蘑菇等，都有可能使肾功能突然失常。在诸如马拉松比赛等耐力竞争运动中，如果运动员没有喝足够的水，就有可能使肌肉组织受损，受损时会自然产生一种叫肌血红素的物质，这种物质也会对肾产生危害。

### 诊断与检查

内科医生一般会对患者进行血液和尿样检查。在允许的情况下，可使用 X 光拍摄静脉注射肾盂 X 线照片（IVP），以更直观地观察肾脏。如果还诊断不清，医生会采用针刺活组织检查，就是用一种特殊的针，取下一小部分肾组织的样本，在显微镜下进行检查。

## 治　疗

肾病严重时可危及生命，因此平时就要进行医疗护理，必要时可进行辅助治疗，在进行辅助治疗之前，必须先与医生进行商讨。

治疗糖尿病和高血压的药物有时对慢性肾病的发展有一定的抑制作用。研究人员发现，对于肾病尤其是早期发现的肾病，采用节食、限食的办法是很有帮助的。如果以上治疗办法都不起作用，病情继续恶化，那就只有两种治疗办法选择了：一是透析，通过专门的设备，人为地清除血液中的废物，二是肾移植。

### 常规治疗

如果你确诊为患有较严重的肾脏疾病中的一种，

医生就会给你开出多种药物的治疗方案来，因为高血压病不仅是导致肾病的原因，而且表现的症状也差不多，所以，同时还有可能开有血管紧张素转化酶抑制剂（angiotensinconverting enzyme inhibitors, A-CEI）以减轻对肾的损伤程度，或者再开上利尿剂以降低血压，因为肾功能失常可导致体内化学元素失衡，所以医生还会给你开出磺酰聚苯乙烯钠（sodium polystyrene sulfonate），用于降低体内钾浓度和柠檬酸钙（防止胃吸收磷）。

如果血液检测结果表明体内红细胞数量下降，医生会开出补血药，以增强身体红细胞成熟素的储存能力。红细胞成熟素是一种自然生成血液的物质。另外，肾病的负面影响会使骨骼变得脆弱，医生还会开出一些补钙药品来。因为所有的这些药都是通过肾来排泄的，所以在服药之前必须先向医生咨询。

尽管治疗肾病在传统医药界仍存在许多争议，不过目前越来越多的内科医生主张通过改变饮食来调节慢性肾病（见营养及饮食）。研究表明，坚持食用不含蛋白质的食物可以延缓或防止肾病继续恶化。有一点可以肯定，不少人的糖尿病是可以直接导致肾病的。研究还表明，糖尿病患者只要严格控制饮食，把血葡萄糖的含量保持在一定范围内，是可以延缓肾病进一步发展的。

透析治疗，是通过一种人为的设备来模仿肾功能。主要用于肾病严重的阶段。目前使用的透析方法有两种。一种是血液透析，是通过一种机械过滤器来净化血液。外科医生会在患者上肢或下肢动脉血管的一处内植一个分流管，通过分流管泵出的血液流经血液透析器净化后再送回体内。一星期几次，每次3~4个小时。另一种叫腹膜透析，利用腹部内层或腹膜来净化血液，这些组织具有许多和肾功能相近的过滤功能。首先通过外科手术将一塑料导管内植于患者腹腔，然后，每次治疗时，将透析液通过导管注入腹腔，血液中的废物循环到腹膜中的毛细血管渗透到透析液中，几个小时就能排除干净。一天要进行3~5次透析。腹腔中注入液体后，患者可进行一般的日常活动。

以上两种治疗都显得很复杂并有一定的危险性，

容易造成感染，尤其是对病人的思想产生很大的压力。有鉴于此，对于肾病严重的患者一般选择肾移植。随着新的抗排斥药物的出现和术后护理水平的改善，大大提高了肾脏移植手术的成功率。目前，对于接受从有亲缘关系的活人身上移植的肾，其3年存活率在75%；对于从无亲缘关系的已故者身上移植的肾脏，其3年存活率在60%。

并非所有的肾病患者都能进行肾脏移植手术。由于一些病人的内在因素和其他医疗因素就不能进行此种手术。

## 辅助治疗

因为肾病是比较严重的疾病之一，所以，患者在内科医生准许的情况下，可采用其他辅助疗法。

### 营养及饮食

特别规定的饮食，即能减轻肾脏的工作负担、保持体内体液和化学元素的平衡，又能避免废物的堆积。尽管针对每个患者情况不同，制定的饮食方案各不相同，但在制订定方案时，都依照以下的规则：

◆蛋白质：每天每公斤体重摄取量不超过1克。

◆钾：每天摄取总量不超过2克。

◆磷：每天不超过1克。

◆钠：对生病患者，每天不超过2克。

要及时补钙，随着肾功能减弱，骨质也变得比较脆弱，每次要补1500毫克。

### 有损肾脏的化学元素

已经在一般家庭用品中发现一些化学元素与急性和慢性肾病有关联，只要仔细阅读产品的说明，多采取一些预防措施，是可以避免这些有害物质的。

镉：这种稀有金属用于生产杀虫剂、橡皮轮胎以及塑料、涂料和其他产品。由于镉的工业用途很广，已经大范围地在一些食品和水中发现。以下几点应引起注意：

◆限制摄入含镉量高的食物，如由动物肝和肾制成的食物、比目鱼、蚌类、扇贝、牡蛎以及在污泥中长成的蔬菜。

◆确保用来喷涂和工艺用涂料、染料，瓷釉不含镉。

◆不要使用古董的烹调用具，因为这些器具上涂有

腹腰前臀疾病

含镉制成的色素。

◆避免吸烟。

四氯化碳：又称四氯化甲烷、四氯乙烯和高氯乙烯，四氯化碳是一种无色、有乙醚气味的透明液体，是一种家庭常用溶剂，使用时应注意：

◆处理掉废旧清洗剂瓶或桶。

◆对于食用水，在水龙头上安装碳过滤器，去除水中化学杂质。

氯仿：又称三氯化甲烷、氯化甲烷和甲烷三氯化物，存在于饮用水中，是水氯化的副产品，从味觉和嗅觉上都具有甜味；空气中的氯仿是由汽车尾气和工业污染所造成。氯仿在生活中还是一些止咳药、牙膏、敷涂药粘合剂、杀虫剂以及其他常用消费品的组成成分。使用时应注意：

◆淋浴时，确保淋浴间空气畅通，否则，氯仿极易从热水中蒸发出来充满淋浴间。

◆为避免淋浴时氯仿溢出，可在冷水加热之前，在淋浴器冷水进水管上加装活性碳过滤网。

◆要仔细阅读一些产品的使用说明书，尤其应注意有些产品已明确标明其组成成分中含有氯仿。

乙烯乙二醇：是一种透明、有甜味的化学物质，主要存在于汽车防冻液、制动液以及化妆品中，尤其是油性化妆品。使用时应注意：

◆仔细阅读化妆品说明书，避免使用包含此种化学物质的化妆品。

◆防止小孩在垃圾堆或保存汽车用品的场所玩时吞食有甜味的含乙烯乙二醇物质。及时擦洗掉从汽车泄漏的液体。

乙二酸：有粉状的，也有液体状的乙二酸，主要存在于一些耐用家庭清洁剂和一些化妆品中如去皱霜、增白霜之类都含有此种化学物质。一些植物的叶子中也含有该种物质。使用时应注意：

◆在使用家庭清洁剂和擦亮剂之前，先仔细阅读说明书，避免使用含有乙二酸的产品。

◆不要在皮肤上涂擦含有乙二酸的增白剂。

◆不要食用大黄叶柄，其中含有高浓度的乙二酸。

四氯乙烯：是这种无色的重液体，在美国广泛用于干洗化学制剂中。使用时应注意：

◆将干洗的衣服从干洗店取出放入车中时，应打开车窗。

◆将干洗的衣服晾在户外或走廊至少6小时然后才能带回家中。

◆对于睡袋要在户外晾晒几天方可使用。

◆防止使用含有四氯乙烯的斑点剥离剂、地毯和装潢用清洁剂以及条色喷涂剂等。

# 肾 结 石

## 症 状

◆ 阵阵刺疼，从侧部开始向腹股沟移动。

◆ 反胃并呕吐。

◆ 多汗。

◆ 尿中带血。

如果同时伴有感染会有以下附加症状：

◆ 发烧并感到寒冷。

◆ 频繁小便。

◆ 排尿痛苦，尿液混浊，有异味。

## 出现以下情况应去就医

◆ 你认为你患肾结石，医学评估对诊断和治疗是必要的。

◆ 腰部或腹部的阵发性锐痛，这种疼痛也可能是其他严重疾病的征象，如胆石症，盆腔炎性疾病或肠梗阻。

◆ 你正在经历排尿痛或排尿困难，这也可能预示着胆囊炎、性传播疾病、阴道疾病（如阴道炎、前列腺肥大）（见前列腺疾患）、或胆囊或前列腺肿瘤，应立即就医。

◆ 你发现肉眼血尿，这可能也预示着肾脏疾病、膀胱或胃肿瘤、或泌尿系或前列腺炎症（见前列腺疾患），应立即就医。

◆ 小便发灰并带有恶臭。

**肾** 结石通常形成于肾脏的中心，尿液在还没有通过输尿管流入膀胱便聚集在这里。当尿液中的钙和尿酸结晶后堆积起来，便形成了结石。微小的石块完全可以通过尿液排出体外，一般注意不到。但较大的石块在往膀胱移动过程中，就会扩张输尿管，使其发炎，并堵塞尿流，令人疼痛难忍。有时候，结石会聚积得像高尔夫球一样大小，就停留在肾脏中，这时就比较严重了。

青年和中年人比老年人患肾结石的比例高，男性比女性患肾结石的比例又高。生活在炎热气候中的人更容易患肾结石，因为那里的人们血液易脱水，集在尿液中矿物质的含量就高。

对曾经患有肾结石的人来说，很容易再次患有。

所以搞清导致结石的原因对预防再次复发是非常重要的。

## 病 因

同样生活在同一地区的人为什么有些人患有肾结石而其他的人却没有，至今还不太清楚，至少有 90% 的病例的病因还搞不清楚。有一种趋向，同一家庭的成员患有痛风、肠炎疾病、慢性泌尿系统感染的容易患有此病。临床观察证明，饮水严重不足会导致肾结石，同时也会使卧床休息的时间延长。

用于治疗慢性病的含钙抗酸剂与肾结石有着直接的原因。饮食不足，特别是维生素 $B_6$ 和镁摄取的不足以及过量的维生素 D，也是导致肾结石形成的主要原因。这些维生素和矿物质的失衡，会导致尿液中草酸钙的含量升高，当升高至一定水平时，过量的草酸钙无法被溶解掉就形成了结晶体。从遗传学上讲，情绪易激动的人喜欢吃的一些食物本身就含有大量的草酸钙，例如巧克力、葡萄、菠菜、草莓等，这些都极易导致结石的形成。

### 诊断与检查

因为肾结石所表现的症状与其他的症状不同，所以医生必须对结石进行确诊。要确诊就要进行血液和尿样检测，以及静脉内肾盂 X 线拍照(IVP)或进行超声波扫描以显示结石的大小及位置。

## 治 疗

### 常规治疗

由于 90% 的肾结石都能在 3～6 个星期排出体外，所以大夫起初都让患者饮用大量的水（至少 3 升/天）和开一些诸如阿司匹林、扑热息痛与盐酸羟考酮等止痛药，热开水也能缓解痛疼。要对患者的小便通过过滤器查看结石。一旦化验出结石的组成成分，医生便可开出治疗药物来，并应建议患者对饮食结构进行改变，以防继续使结石增大。大多数的肾结石是由草酸钙组成，使用噻嗪类利尿剂可阻止。

如果病情复杂，如出现感染或输尿管阻塞，就要进

# 肾 结 石

行外科手术来移走结石。根据结石的大小、类型、位置，治疗结石有时采用常规的外科手术或采用一种叫做内诊镜的细微的显微设备治疗。外科大夫把内诊镜通过尿道送至膀胱或输尿管，找准结石，或者直接拖出结石，或者用声波或激光击碎结石。如果结石停滞于肾脏，就通过在侧部开口，将内诊镜送入肾脏。还有一种新的治疗方法叫做体外波震碎石术，（extracorporeal shock wave lithotripsy）就是不通过外科手术，而使用一种高能量的震荡波把结石击碎。

## 辅助治疗

除了以下提到的中国草药治疗外，针灸和理疗都能帮助患者减轻痛苦，而且针灸还能促进排石。所有以上治疗必须有专家在健康方面进行有关指导。

### 中药治疗

为减轻患者痛苦，增加排尿量，中医开业医生采用阳桃（Averrhoe carembole，产于台湾、福建及两广等省区）来治疗。取三个阳桃置于平锅，加蜜两匙，把阳桃煮软，然后连汁服下，每天坚持，直至结石排完，疼痛消失。

### 预 防

防止结石复发，可在多方面预防，主要是饮食。结石的形成与采用的预防步骤有很大关系。
- 每天至少饮用 3 升水，天热适当加量。
- 避免或食用含草酸钙少的食品。在医生的允许下，可减少对含钙食物的摄入。
- 每天平均摄入维生素 $B_6$ 10 毫克，镁 300 毫克，二者都可减少草酸的形成。
- 避免食用能提高尿酸的食物如鱼类、沙丁鱼、脏器肉制品、酒毒。
- 低蛋白食物能降低尿酸。
- 抗酸剂一般含钙量很高。
- 对食盐的摄入量每天不超过 3 克，过高的摄入量会提高尿液中草酸钙的含量。
- 维生素 D 会使草酸钙的含量增加。

# 肾 癌

## 症 状

- 小便颜色发灰略带微红色，小便颜色变化之前可进行例行的血液检查和尿样检测。小便中带血通常是肾脏感染的征兆，也有可能与肾癌有关。
- 腹部、腰后下部及边侧慢性疼痛。
- 可觉察到后下部滑而硬的块状物，无柔和感。
- 肾癌严重时，身体虚弱、间歇性低烧、恶心呕吐、食欲降低、体重下降。

## 出现以下情况应去就医

- 你存在肾癌的症状吗？最常见的症状是尿色改变、腰背部疼痛，有时可能有肾区肿块。

**肾** 是一对蚕豆状的器官，位于腰上部脊柱两侧。肾的外部其实是由网状的微细血管和细管组成，其主要功能就是净化血液和产生尿液。良性囊肿就像充满液体的囊，通常可发展成为肾质网状结构，只是在为数极少的情况下发展为恶性肿瘤。

肾细胞癌是成年人最常见的一种肾脏癌症，起源于肾脏的外部。第二种常见的是变迁细胞癌，起源于尿液聚集的肾脏内部。癌细胞会最终扩散到血管、淋巴结、脂肪以及附近肝脏或肾上腺，最终扩散及肺部或骨骼。

在美国，成年人肾癌发病率约占所有癌发病率的2%，目前仍呈上升趋势。一般肾癌是年过 40 岁后才开始发病，通常男性的发病率高出女性的 1 倍，有 60% ~ 80% 的病人还有机会再活 5 年多。5 年中的存活时间长短还要依癌扩散的程度而定。对于小孩患有肾癌，95% 都是威尔姆肿瘤，如果及早医治，是完全可以治愈的。

## 病 因

肾癌发病一般都与其他的健康问题紧密相联系的，如先天肾脏缺陷或膀胱缺陷、频繁的泌尿系统感染等。肾病是长时间病变的结果，只有极少的情况才会影响大脑的微细血管。人们已经发现，威尔姆肿瘤是由特定的遗传因素引起的。

# 肾 癌

*威尔姆肿瘤*

吸烟者肾癌发病率是非吸烟者肾癌发病率的2倍多。另外，长期与工业药品接触也是发病的主要原因，如接触石棉、臭樟脑、苯胺染料，或服用镇痛剂（此种止痛药已在美国禁产禁用）。暴食高脂肪、高蛋白以及肥胖者都有发病的危险。在牛奶、谷物、坚果、瓜子中生存有一种叫黄曲霉毒素的霉，可直接导致肾癌。

## 诊断与检查

如果在腹部或肾周围检测到块状物或用听诊器检测肾动脉有不正常的杂音，就应进一步进行肾癌检测。少数情况下，血压升高，肝功能异常，血红细胞数上升，血液中钙含量提高，就应怀疑是否患有肾癌。医生将使用超声波、CT机或X光机做静脉内肾盂X线检查，以确定肾肿瘤位置，叫做IVP。如果发现肿瘤为恶性，则应进一步透视、拍片以确定癌是否扩散。

## 治 疗

如若早期发现，可通过外科手术除去肿瘤。外科手术在切除癌变部分的同时，有可能将整个肾脏以及周围脂肪、淋巴结、肾上腺等全都切除掉。放射疗法和化学疗法可以减小肿瘤的大小，但不能有效阻止癌细胞的扩散。对威尔姆肿瘤外科手术后的化学治疗，其治愈率一般在90%左右。

### 植物治疗

美国国家癌症学院的研究员们已进行了上千次植物样本试验，以期能分离出一种特殊的化学物质来治疗或预防癌症，已取得了不少成绩。例如试验从某种无毒草药中发现有一种叫氧杂萘邻酮的物质（香豆素），能增加化学治疗药剂西咪替叮的疗效。氧杂萘邻酮与西咪替叮相结合，能明显减轻病情。

无论是放射治疗还是化学治疗在对晚期肾癌的治疗中都不是很成功的。为提高肾癌治愈率，新的治疗方法正在实验之中，激素治疗就是一例。一种新的治疗方法，采用干扰素或白细胞介素II来增强体内自然杀除癌细胞能力的免疫治疗法已取得显著的成果。病情减轻后，病人要定期检查以免复发使病情复杂化（有关治疗见癌一章）。

*预 防*

吸烟者应尽早戒烟。少吃高脂肪食物，限制吃红肉，保持身材。拒绝吃发霉变质的食物包括一些坚果、瓜子、米制品等。

然而，试验中植物的有效成分之间的相互作用是非常复杂的，整个作用过程还不能完全为人们所理解，且结果也无法预言。草药专家反对那些急于治病而滥用草药。

未经肿瘤医生的明确批准，任何癌病患者都不能服用草药。任何情况下服用有毒性的草药都是危险的，有经验的内科医生会建议服用草药以通过刺激免疫系统来改善健康状况，还没有发现能治愈癌症的草药。

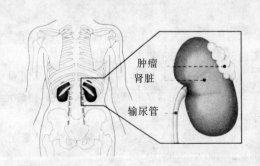

## 肾脏肿瘤

肿瘤
肾脏
输尿管

肾脏是一对拳头大小的器官，它以每分钟1/2的惊人速度过滤血中的废物，因为小的肾脏肿瘤很少产生症状，因此早期发现肾癌很困难。肿瘤易始于肾脏顶部生长，仅在疾病晚期肾脏的排泄废物能力才受影响。

腹腰前臂疾病

# 肾脏感染

## 症　状

◆ 持续的疼痛，首先从腰后上部开始，传至下部甚至下体穹窿区。

◆ 突发高烧，至 38℃。

◆ 即使膀胱已经排空，也有频繁排尿的感觉。

◆ 小便颜色浑浊，甚至带血。

◆ 严重反胃，想呕吐。

### 出现以下情况应去就医

◆ 你存在使你想到可能患肾脏感染的症状，它可能是一个严重的疾患需要立即治疗。

◆ 你发现肉眼血尿，这也可能预示存在肾脏疾病，如肾结石、膀胱或肾脏结核、膀胱炎或前列腺炎（见前列腺疾病），应立即就医。

◆ 你存在排尿痛或排尿困难，这也可能是存在性传播疾病、阴道疾病、肾结石，或是膀胱、前列腺肿瘤的征象。应立即就医。

感染性病菌进入人体后，循环至肾部引起发炎和浮肿就会形成肾感染。肾脏感染又分为急性肾感染和慢性肾感染。

肾感染是比较严重的疾病之一，如果不及时治疗可导致永久性肾脏受损，发展为慢性肾病。这种感染还可传至血液导致血液中毒。每个人都有患肾感染的可能性，但比较而言，怀孕期妇女由于膀胱受胎儿压迫，每次排尿都不能完全排空，膀胱中的余尿就为细菌繁殖提供了很好的条件。

## 病　因

与膀胱炎一样，肾感染通常是由一种叫埃（舍利）希菌属（Escherichia cdi, E. coli）的细菌和其他常居肠中的无害细菌引起的。其实，真正的感染源是膀胱，通过尿道传染到肾部。

另外，使用导尿管，也会导致肾感染。导尿管使用于其外科手术的恢复期或由于神经性膀胱失控。

### 诊断与检查

要确定是否为肾感染以及引起感染的因素，就要进行彻底的医学检查。包括血液检查和尿样检测。如果是频繁感染或还有更深层次的结构性病理存在，还要进行进一步的检查。要进行静脉注射肾盂 X 线摄片（IVP），一种可视肾脏结构的 X 线照射技术。还可进行膀胱镜检查，是一种带有光缆的导管通过尿道对膀胱进行检查的技术。或进行超声波扫描，超声检查可以得到一个肾脏的详细图像。

## 治　疗

肾感染需要及时治疗，否则将使病情复杂化。辅助治疗只作为常规治疗的补充。

### 常规治疗

对于 48 小时便可控制的急性肾感染，通常使用抗生素并卧床休息。建议多饮水，平均 3 夸脱／天，以帮助冲洗掉泌尿系统的细菌。对于较大的小孩或因病过度虚弱的人就需要住院治疗，以确保足够液体和抗生素供应。

慢性肾感染同样也需要使用抗生素和大量饮水。有时慢性肾感染是由于结构性原因而使尿液回流肾脏所造成的，所以还要进行必要的外科手术。

肾感染再次复发时并无任何明显的症状，因此，还要进行进一步的血液检测和检查。

### 辅助治疗

因为肾感染也是较严重的疾病之一，所以大多数开业医生会建议患者住院治疗。如果患者坚持进行辅助治疗作为对常规治疗的补充，则必须同时负责治疗的两个医生之间应相互联系。感染消除后，辅助治疗对肾感染的复发有很好的预防作用。

#### 营养及饮食

确诊为肾感染后，饮食上，应注意避免一些会刺激泌尿系统和会对肾脏产生不良的食物和饮料。例如酒精、咖啡、盐、红茶、巧克力、碳酸盐饮料、柑橘类水果、西红柿、辛辣食物、醋、人造甜料以及糖等。

腹腰前臀疾病

预防

多数肾病起源于膀胱，因此得保持整个排尿系统不受细菌感染。

◆养成良好的卫生习惯，便后要擦洗干净，尤其是妇女，应从前向后擦干净，以防某些排泄物细菌从张开的尿道口进入体内。

◆有尿意时就应尽快排空。

◆穿宽松的棉质内裤，以防在两腿交叉处热量散失不出而出汗变湿。

◆大量饮水。

◆每天饮用大量桔汁。实验表明，桔汁对清除排尿系统感染有很大帮助（见膀胱感染一章）。

对于妇女：

◆性交之后要排空膀胱，以冲去带进来的细菌。

◆如果已经带环，确保环的大小合适，不要在体内留的时间过长。

◆避免使用带香味的肥皂、阴道防臭剂或进行泡泡浴，因以上都含有一些化学物质，会刺激影响排尿系统，使细菌更容易侵入。

## 症　状

脊柱侧凸是脊柱的异常侧弯。从后部看，有下列情况可以诊断：

◆整体躯干及手向一侧倾斜。

◆双肩不平、一侧肩胛骨较另一侧突出。

◆双腿及手不等长。

◆双髋似乎不在同一高度或看起来左右摇摆。

◆前屈时背部呈弯曲形。

◆从前面看，一侧胸壁凸起，比另一侧更宽阔。

### 出现以下情况应去就医

◆如果有上述任何症状，尤其有脊柱侧凸家族史者更应警惕。情况会日趋严重，必须由医师评价并且治疗，以阻止其进展。

脊柱侧凸是脊柱进行性向一侧弯曲，患者的脊柱背离了其正常的垂直排列而呈 C 型或 S 型（如图所示），尽管其常见于 10 至 14 岁儿童，但有出生就存在者，并随年龄增长进行性加重。男性和女性均可发生，但女性常更为严重，发展也更为迅速。

脊柱侧凸不引起疼痛，故有时被认为处于"静止"状态，但如果不予治疗，最终可引起继发性疼痛性疾病，如：椎间盘疼痛、坐骨神经痛和关节炎。严重病例，由于躯干严重扭曲而影响心肺，导致特性疲劳和气短。

## 病　因

关于脊柱侧凸的病因，人们知之甚少，虽然大部分病例的病因不明，但医生认为可能与遗传因素有关。患有肌肉骨骼和神经系统疾病，诸如骨髓灰质炎，脑瘫儿童亦可发生脊柱侧凸，不论儿童或成人，脊柱骨折，影响神经系统的外伤均可引起脊柱侧凸。

## 治　疗

脊柱侧凸的标准治疗是锻炼，使用矫正支架，严重者需要手术。一般来说，支架只能阻止疾病进展，而对已发生的弯曲无效。因此，早期治疗极为重要。脊柱侧

# 脊柱侧凸

凸在青少年期发展最快,此时,骨骼生长速度最快,如果不治疗,脊柱侧凸发生越早,弯曲程度也就越严重。

## 常规治疗

对脊柱侧弯病人,医生依其弯曲程度施治,对小于25°的轻度弯曲,通过加强躯干力量的锻炼加以控制。

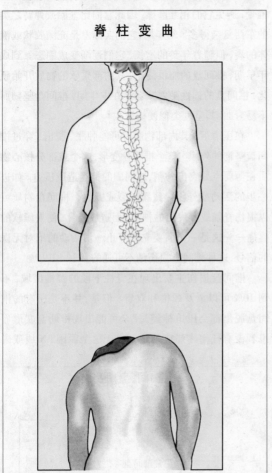

**脊柱变曲**

对于25°至30°或更大弯曲的病人,在躯干安装矫形支架或模具,以保持躯体直立。在儿童和青少年,支架应随年龄增长加以调整,支架一直带到骨骼停止生长时——女孩大约16岁,男孩大约17至18岁。

40°或更大的弯曲可寻求外科治疗。典型术式,是将金属针植入一侧脊柱,内固定以矫正弯曲,外科医生也可能将几个脊椎固定在一起,以加强或固定脊柱。

## 辅助治疗

治疗脊柱侧凸唯一被证明有效的方法是常规疗法,尚无可信的证据表明其他疗法诸如指压法、针刺法或推拿法会控制进行性脊柱弯曲,然而,这些治疗可减轻肌肉痛或椎间盘突出引起的不适感。

### 家庭治疗

不断的长期护理对治疗脊柱侧凸是必要的,病人必须坚持锻炼,穿支架的病人必须坚持按疗程治疗,一般支架每天穿着23小时,仅在洗浴或理疗时脱去,所以,该装置对幼童是特别麻烦的,为帮助小孩适应支架,可试用如下方法:

◆动员家庭成员、朋友及老师给小孩以情感上的支持。

◆寻求内科医师、骨外科医师和理疗师的帮助,以建立一套合适的锻炼方案,努力使患孩从事诸如跑步、快步行走或跳舞等运动,所有这些运动在穿着支架时都可进行,这将改善小孩的全面健康状况和肌肉弹性。

◆仔细留意皮肤擦伤和破损的征象,可在支架内面穿一件贴身T恤衫,并用酒精擦洗紧贴支架处的皮肤。

腹腰前臂疾病

# 椎间盘病变

## 症 状

许多椎间盘损伤病例常常缺乏生理症状。但是，如果椎间盘疾患直接影响了脊髓神经，那么你可能出现一种或多个下列症状：

◆后背锐痛，有时在用力或外伤时或其后短时间内出现疼痛，向一侧或两侧下肢后方放射。

◆伴随剧烈疼痛，你不能弯腰或直腰。

◆逐渐加重的颈痛或腰痛，可能在起来或打喷嚏、咳嗽时加重。

◆一侧上肢或下肢的麻木或针刺感，可能出现一侧或双侧下肢进行性乏力。

## 出现以下情况应去就医

◆脊柱上段或下段持续性疼痛，那么你可能患有强直性脊柱炎或某种关节炎。

◆背痛伴发热，你可能患病毒性或细菌性感染。

◆突然出现的四肢感觉丧失或乏力，可能是脊髓损伤。

只有经历过的人才能体会到椎间盘损伤引起的极大的痛苦和无助感。这种疼痛剧烈，而且稍活动就会加重。但是，与大多数疼痛一样，它实际上是一种有价值的危险信号。如果你注意到这个危险信号并采取了正确的措施或者更准确地说，即不要活动，这种不适通常会停止，使问题得到纠正。如果你忽视了这个信号，那么就可能导致永久生理性和神经性损伤。

还是孩子的时候，我们中的一些人可能就听过父母或亲戚们抱怨椎间盘滑动引起的疼痛。我们可能有这样一个印象：一堆硬币垒起来摇摇晃晃，中间有一个往外突出于是把剩下的硬币掀翻。同其他儿时的童话和秘密一样，这种印象有一点真实性，但并不完全。椎间盘实际上是连接在椎骨之间的具有弹性的垫子。椎骨是一种特殊的骨头，构成了脊柱（参见"背部疾患"）。每一个椎间盘是一个平坦的环状囊袋，直经大约3厘米，而厚度可能为1厘米，它是由坚韧的纤维外膜称纤维环及其包绕的一个弹性核心称髓核组成。

椎间盘牢固地附在椎骨之间，并连接脊椎骨头的韧带及其周围的肌肉鞘进行固定。实际上几乎没有多

余的空间能让它们滑动或移动。椎骨实际转动的支点称为面关节，它像弓形的翅膀一样突出于椎骨的两侧，并且防止椎骨过度弯曲和伸展而损伤脊髓，脊髓是重要的神经中枢，位于每块椎骨的中央。

椎间盘有时被称为脊体的吸震器，它可使震动变得比实际上更有弹性或柔。椎间盘同时还能够隔离椎骨，避免它们相互磨擦，因此它比气胎或弹簧之类的东西复杂得多。幼年期，它们实际上是充满胶状或液体的囊，但随着年龄的增长，它们逐渐变成固态。到成年早期，椎间盘的血供终止，其内部柔软的物质开始硬化，椎间盘的弹性随之减弱。在中年期，椎间盘坚韧而不易弯曲，其坚度类似硬橡胶。

在压力下，其内部物质有可能肿胀、脱出，穿过椎间盘坚韧的外膜。整个椎间盘变形，整个或部分核心物质在薄弱点处突出外鞘，对周围的神经造成压迫。如进一步的活动或外伤导致膜破裂或撕裂，椎间盘物质可以损伤脊髓或其发出的神经，而造成极度、使人瘫软的疼痛——这是一个需要立刻停止一切活动的绝对无误的信号，这种椎间盘损伤是不可逆的。

椎间盘损伤主要出现在脊柱下段的腰椎区域，不到10%可以累及颈椎和双肩。但是，并不是所有的椎间盘脱出都会压迫神经，完全可能出现椎间盘变形而患者没有任何疼痛或不适。由于这个原因，X线或磁

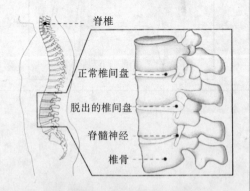

### 椎间盘脱出

脊椎

正常椎间盘

脱出的椎间盘

脊髓神经

椎骨

正常椎间盘在脊椎骨与骨之间起着垫子的作用。当其内部柔软的核心穿过薄弱的或破裂的外层时，称为椎间盘脱出或突出。如其压迫神经，则立刻引起剧烈的疼痛。

# 椎间盘病变

共振扫描发现的椎间盘变形有时可能并不是引起疼痛的原因，疼痛可能是一个完全不同的其他原因造成的。

椎间盘脱出最常见于 50 岁以上的男性，当然也可以出现于活动的儿童及年轻人。老年人，由于椎间盘不再含有液体核心，出现这种疾患的可能性显著减小。那些从事规律、中等强度锻炼的人发生本疾患的可能性要比那些不活动的同龄人小得多。他们的椎间盘保持弹性的时间也显著延长，而不会出现令人烦恼的很多人认为是其老化过程中必然出现的僵化。

## 病 因

尽管暴力外伤可引起椎间盘损伤，但引起椎间盘疾患的更常见原因是日常活动——搬重物时不正确的姿势，在网球截击时拉伸过度，或在光滑的路面上滑倒。上述原因可引起椎间盘的纤维外膜破裂或变形，而在某点上影响到脊髓神经。但是有时候，椎间盘肿胀、撕裂或变性而没有明显原因。

有时候，椎间盘问题伴随着变性性椎间盘疾患。椎间盘性质的改变是年龄增长的自然过程，并且是在我们变老的过程中引起弹性逐渐丧失的部分原因。但是椎间盘变性在一些人中比其他人要远远严重得多。那些严重病例可能是由于胶原缺乏的结果，胶原是组成软骨的物质。肌张力低下和肥胖亦可以对脊柱及固定间盘在其原位的韧带组织造成过重负担。

### 诊断与检查

诊断椎间盘脱出的经典方法是直腿抬高试验。患者背朝下平卧位，医生推住足踝，缓慢抬高下肢，出现下肢背侧疼痛，提示脊柱下段的椎间盘脱出，尽管并不是百分之百灵验。医生还将检查下肢及双足有无肌力减弱及反射丧失。对疼痛定位可能就足够判断出脱出的间盘位置。

脊柱 X 线片可以除外其他潜在的病因，但由于 X 线对软组织显影不清，因此可能需要进行磁共振成像（MRI）、计算机断层像（CT）扫描或脊髓造影（一种显示脊髓的放射学技术）等检查，以诊断和确定椎间盘脱出的程度。

## 治 疗

常规和其他治疗方法的目的均在于缓解疼痛，如休息，采取减轻炎症的方法，及恢复肌力和正常活动的方法。除严重病例，椎间盘变性影响到支配肌肉活动的神经，通常情况下脱出的椎间盘可以自愈而极少需要手术治疗。

### 常规治疗

医生们常用的处方是卧床休息及止痛药，例如阿司匹林、布洛芬或其他非甾体类消炎药（NSAID），有些病例还有可能使用皮质类固醇激素及肌松药。由于脱出的椎间盘，脊柱的任何活动都有可能加重疼痛及潜在加重损伤，因此，必须绝对卧床休息，至少在发病的前几天之内应该如此。一旦患者病情改善可以开始活动，医生可能会给患者戴一个脊柱支架或颈部领圈以便在椎间盘愈合的过程中限制活动而减轻对敏感神经的压力。在严重病例，可能需要完全或部分牵引治疗。

如果椎间盘变形是暂时的，那么完全恢复的可能性是非常大的。但是，如果椎间盘的外膜已破裂或撕裂，并且其胶状核心已部分丧失，那么这种损伤可能是永久性的，除非采用比较积极的办法。

当脱出的椎间盘引起乏力或支配脊部及肢体的神经麻痹时，医生们可能会建议采用硬膜外注射或外科手术治疗。硬膜注射液含有麻醉药及皮质类固醇激素，通过一根长针注入受累间盘与神经及脊髓外膜之间的腔隙内。进行外科手术是用一根空心针去掉肿胀间盘的部分柔软的核心组织，这样间盘就不再影响到神经。其他显微外科手术方法可以去除穿过纤维外壁的核心物质的碎片。间盘切除术是通过外科手术去除部分脱出的椎间盘，从而缓解其对神经的压迫。在这种手术中，椎间盘核心被切除，而留下坚韧的外层膜在原位椎骨之间。与硬膜外注射方法一样，这种方法有时可以达到长期缓解的目的，但是并不能保证永久恢复。由于任何接近脊髓的侵入性治疗方法均有潜在危险性，所以仅在严重病例，当其脱出的椎间盘引起乏力或支配肌肉的神经麻痹时，才采用外科手术。

注射秋水仙碱可有助于缓解急性疼痛及破裂椎间

腹腰前臂疾病

盘的炎症。一个有一定争议性的疗法，即化学溶核法，目前已很少采用了，这种方法是通过注射木瓜凝乳蛋白酶而将脱出的椎间盘中的物质溶解掉。

同在身体其他部位进行的以人造代替物取代损伤或破坏部分的外科移植手术一样，椎间盘移植术已通过试验阶段，并在其他国家开始临床应用。椎间盘移植

术的安全性及远期成功率还需进一步的观察，但是像不锈钢髋关节及塑料心脏瓣膜一样，在不久的将来，椎间盘成形术仍可能提供另外一种治疗方法。

## 辅助治疗

除缓解疼痛及出现椎间盘脱出后立刻休息等方法，其他疗法的目的在于放松及温和的锻炼，以恢复正常的活动能力。

### 指压治疗

由于指压法可以很有效地治疗腰痛，指压治疗专家们在治疗椎间盘引起的疼痛时很小心地采用本方法。除了在脊柱或脊柱旁边的纵行线上的点进行指压治疗外，指压治疗专家们可能还会在出现问题前采用一些放松后脊肌肉的预防性疗法。其中之一是睡觉时采用类似虾的姿势，即侧卧，后背蜷曲起来；并用温暖的垫压物或水气加热以改善循环。

### 针灸治疗

针灸专家先对受脱出的椎间盘影响的神经进行准确定位，然后常取一些沿支配血管径线分布的点进行治疗。

### 身心医学

其他一些专家们研究了可对椎间盘造成压力的躯体机制。反射学控制着双手及双足的特定区域。为缓解脊柱下段的疼痛及张力，提倡反射学的拥护者们认为在踝骨后面、足方的外侧缘给予一个强压力可以产生阳性效果。

在初发症状得到控制后，进行 Alexander 技术或 Feldenkrais 方法训练可以帮助那些有慢性疾患的人们重建良好的姿势及躯体控制，最终将有助于预防椎间盘疾患的复发。

### 按摩

今天，按摩治疗慢性椎间盘疾患可能需要物理检查或 X 线诊断来定位受累的椎骨。用手按摩纠正肌肉及关节功能障碍——应小心不要加重椎间盘张力——可能随后进行按摩和锻炼措施，以安抚并加强周围的肌肉。

### 预防

瑜伽功是一种很好的、具有长期疗效的放松和改善躯体及精神状态的方法。左图所示练习方法可用于加强脊柱及颈部功能，同时可以缓解全身的躯体紧张度。

## 瑜伽功练习

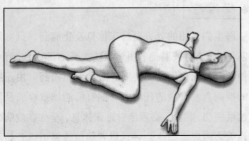

**1** 可伸展腰部肌肉。背朝下平卧，双臂水平伸展开，吸气，将右足放在左膝上。呼气，将头转向右侧，把右膝朝左侧的地面靠近。保持这个姿势 15～20 秒。重复对侧。

**2** 可恢复弹性，站立位，缓慢向前屈髋关节，头朝下，尽可能屈至最大程度而不要拉伸背柱或变腿，保持这个姿势 15～20 秒，缓慢呼吸，吸气，然后回到直立位置。

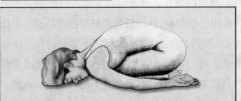

**3** 可伸展腰部肌肉。手在足跟上，双膝并拢。呼气并屈髋关节，伸展上半身靠在膝上，双臂放在身体两侧，掌心朝上，将前额贴在地面，缓慢，保持这个姿势 15～20 秒，然后再抬起。

# 网 球 肘

## 症 状

◆上臂外侧肘部屈曲的正下方，反复疼痛，偶尔疼痛手臂向下放射到手腕部。

◆在上举或屈曲胳膊时，或甚至在拿很轻的物体如茶杯时引起疼痛。

◆难以完全伸直前臂（由于肌肉，肌腱和韧带发炎）。

◆疼痛一般持续 6～12 周，不适可持续短至 3 周，长至数年。

## 出现以下情况应去就医

◆疼痛持续超过几天，慢性肌腱炎可引起永久性功能丧失。

◆肘关节开始肿胀，网球肘很少引起肿胀，所以可能有关节炎、痛风、感染或者肿瘤等疾病。

医生首次证实网球肘（或外侧上髁炎）是在 100 多年前。今天，几乎一半的网球运动员在某一个阶段患有这一疾病，但他们仅占整个病例的不足 5%，因而使这一命名名不符实。所有年龄及种族的人都可患网球肘。30～60 岁手工劳作的高加索人，如木匠和房屋粉刷工都很易患此病。在服装行业做纺织工的中年妇女的发病率也很高。

近年来，网球肘的病例也出现在长期玩手持电子游戏的儿童身上，和一些办公室工作人员身上，这些人可能很少用电脑，但一旦应用却很长时间紧张操作（参见腕管综合征）。

## 病 因

懒散、反掌慢的网球运动员容易通过突然反腕击球来弥补他们脚力弱和反应慢的弱点。这就使得相对薄弱的位于肘外侧伸侧肌腱承受很大压力，帮忙控制手腕的伸侧腕桡短肌也受到很大压力。当你用扳手或其他设备使腕部用力或肘部不动伸直上臂向上提重物时，可引起同样的压力。年轻人由于关节灵活在这种情况下常可避免拉伤组织，但 30 岁以上的人的肌肉和肌腱很容易引起损伤。

这种损伤包括肌腱和肌肉筋膜的小撕裂，当初发的损伤愈合后，这一部分常可再次撕裂，引起出血，粗糙的肉芽组织和钙在周围组织内沉着。从损伤部位周围渗出的蛋白—— 胶原蛋白可引起炎症。炎症等引起的压力可切断血流供应和刺激控制手臂肌肉运动的桡神经，而桡神经是控制上肢和手的主要神经。

肌腱连接肌肉与骨骼，其与肌肉接受的氧和血液量不同，所以，愈合很慢。事实上，某些网球肘可持续多年，尽管炎症在 6～12 周常消退。

许多医学教科书均把网球肘作为肌腱炎的一种而治疗，但如果侵及肘关节的肌肉和骨骼，称上髁炎。然而，如果你感肘关节后部疼而不是胳臂外侧，可能是滑囊炎，是由于关节内的滑囊发炎引起。如果出现水肿，而网球肘并不常出现水肿，你应检查有无其他可能的疾病如关节炎、感染、痛风或肿瘤。

## 治 疗

减轻网球肘最好的方法，是停止做刺激胳膊的任何活动，对于业余网球运动员很简单，但对手工劳动者、办公室工作人员或职业运动员并非易事。

最有效的常规和辅助治疗方法的目的是相同的，休息受伤的手臂直至疼痛消失，然后按摩减轻肌肉压力和紧张，进行锻炼增加受伤部位功能，预防再损伤。如果你必须回到最初引起受伤的状态，那么在开始任何活动前，保证至少做 5～10 分钟的热身轻微伸展胳膊的活动，并经常休息。

### 常规治疗

常规治疗可提出一系列治疗网球肘的方法：从药物注射到手术。但是除非你停止活动，否则疼痛将一直不会完全消失。没有充分休养，再损伤也在所难免。

对大多数轻度至中度的网球肘病人，阿司匹林或布洛芬有助于消除炎症和疼痛；同时应使伤处休息，然后再进行锻炼或按摩以加速愈合。

在某些病人，肌体为防止进一步损伤肘部而收缩肱二头肌，使胳臂难以伸展，整个区域会变得相当紧。轻轻按摩并小心伸展每周 2~4 次,连续几周,将解除病痛。

对顽固性网球肘病人,医生可能建议注射皮质类固醇,其将有效地减轻炎症,但由于潜在的有害副作用不能长期应用。

如果休息,抗炎药和其他疗法治疗无效,则可考虑实行外科手术治疗,尽管这种治疗方式很少应用,一般少于 3% 的病人。一种方式是以松弛上髁部肌腱(上髁是骨末端的一圆形隆起),这样可以减轻对肌腱的压力但可导致肌肉失用。另一手术方法是去除所谓的肌腱肉芽组织和修复撕裂。

每当你感觉已战胜网球肘时,确保继续呵护你的上臂。在有肘部参与的运动中,应做 5~10 分钟的准备活动。无论怎样发生的肘部严重疼痛,均应用冰袋敷 15~20 分钟,并呼叫医生。

## 辅助治疗

网球肘对许多辅助疗法反应良好。有些,可以自己试着应用,但你也可从脊柱科医师、骨科医师或中医师那里得到专业帮忙。

### 指压治疗
大拇指深压大肠经曲池穴于肘内侧,可以帮忙减轻疼痛。

### 针灸治疗
针灸疗法用于治疗网球肘病人,估计有 60% ~

70% 的成功率,即使在非常保守的医疗单位,该疗法也被广泛接受。

有许多针灸穴位是有效的,所以应看针灸师,根据具体的病情选用适当的穴位治疗。

### 体 疗
为了预防网球肘复发,你需提高身体素质,正确的姿势和平衡对于网球肘来说比药物治疗更重要。咨询运动专家或骨科专家有关技巧,如 Rolfing、Feldenkrais 方法和 Alexander 技术等。

### 脊柱疗法
脊柱按摩师、理疗师和职业病治疗专家都常用电刺激仪、超声波和按摩等法治疗网球肘。电和声流可增加循环和引流,使易于伸展并按摩受伤部位。偶尔,脊柱治疗师会用夹板或硼带解除肌腱或肌肉的压力,但要注意不适当的小夹板或硼带的时间过长都可减少局部血流。

### 水疗法
如果患复发性网球肘,在运动前用温水浸泡上臂 30 分钟。在运动或工作后经常将受伤关节放于冰中。

### 身心医学
一些研究表明,水疗可有效缓解与网球肘有关的疼痛,可请教有经验的使用者。

### 骨疗法
一种相对十分简单的骨疗,在家即可做,该技术叫拮抗拉伤技术。让一个人以与引起上臂疼痛相反的方向旋转你的胳臂,该姿势保持 90 秒,然后松开,一日重复几次。该疗法对轻至中度网球肘特别有效,但对慢性无效。也可咨询正骨医生有关该技术的特殊手法。

### 家庭治疗
◆服用布洛芬或阿司匹林,用桉树油和熏衣草油按摩关节。

◆如有可能,可抬高上肢减轻炎症。

◆冷热敷交替进行或用山奈和花椒可使受影响部位增加血循环,加速愈合。

◆让一同事用勺的凸面按摩肘部最疼痛的部位,保证操作手肘用力。

这一疗法起初损伤很厉害,但最后可麻木神经末梢和减轻炎症。

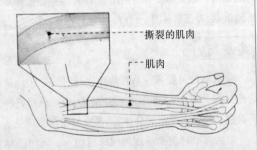

**肌腱损伤**

— 撕裂的肌肉

— 肌肉

手腕部运动部分由伸侧腕桡短肌控制,如伸展的手腕遇到阻力时,如当用网球拍击球时,过大的压力可引起肌肉撕裂,损伤后会出现典型疼痛和炎症。

# 网 球 肘

预 防

可用以下方法预防网球肘：

◆让掌心面对身体提取物体。

◆试图增加手的负重锻炼。让肘部竖起然后手掌向下反复弯屈手腕，如觉得疼痛停止活动。

◆当开始一可能有压力的活动时，伸展相关肌肉；抓紧你手指的顶端，慢慢地但用力向后拉手指接近身体，让上肢完全伸直和保持手掌朝外。

预防复发措施如下：

◆停止或调整一下引起肘部损伤的活动。如必须继续下去，保证运动前准备 10 分钟，运动后用冰敷。应经常休息。

◆在你前臂肘下包上一绷带。如果这样做对你提重物有用，继续使用。注意这种绷带可阻断血循环，延缓愈合，所以最好在网球肘消失时应用。

## 你应该绑扎吗？

许多医生建议用皮带或绷带绑肘下以增加该部肌肉力量，解除肌腱压力，但研究显示其可减少血循环，如用的时间过长可延缓愈合。对发炎的上肢持续施压可引发纤维化，因过多的结缔组织形成，所以看起来像瘢痕组织。随后的损伤可影响血循环，导致你上肢持久的力量微弱。

**注意!** 适当的网球技术，如果由于打网球患有网球肘，应考虑向专业球员咨询。他们将纠正你的姿势，应大多是脚运动而不是上肢的运动。大多数专业球员在球过网前让球向后一些，而业余击球者通常在球触网反弹回来后，才开始摆动手臂。应避免试图为弥补错过的时间，用扭动作手腕的动作向后转动球拍接球。因而，扭伤后应用冰袋镇痛，赢得宝贵机会，立即看医生。

腹腰前
臂疾病

# 髋部疼痛

## 症　状

◆ 当你想行走或坐下时，感到一侧或两侧的髋部疼痛和僵硬，可以伴有肿胀和紫黑色。

## 出现以下情况应去就医

◆ 沿你的大腿和腹部之间的皱折处，即腹股沟处鼓起或摸到一个肿物，特别在你体重超重或正在从事体力劳动时出现，这说明你可能有疝气。

◆ 高热寒战伴腹股沟部疼痛，你可能有骨或肾的感染。

◆ 疼痛向腰背部扩散，无论你是否发热，都说明你可能有肾结石或前列腺疾病。

◆ 疼痛扩散到下腹部：你可能患有消化系统或妇科疾病（如果你是女性），也可能是病毒感染。如果在月经期间出现疼痛，应与你的妇科医生联系。

从概念上来说，髋部（腹股沟部位）是躯干与腿相连接的部位，可以使你的躯干和腿能向前、后及侧面自主运动。由于髋部是一系列机体运动的中心，因而易潜在劳损。尤其是运动员、舞蹈演员和从事体力工作者。但活动不多的人髋部也会受到损伤。通常举重物、伸展、跑步及周末锻炼身体均会引起髋部骨与肌肉处于极度紧张状态。

髋部周围的肌肉及肌腱的损伤，有时也称髋部拉伤，常很快发生并导致不能活动，强烈疼痛，以至不能行走、坐、或将全身重量放在没有太大不适的腿上，作为一种保护性反射，你将不得不一瘸一拐地行走，以免受伤的髋部受力，有时你不得不卧床一段时间，以便缓解疼痛，放松肌肉。

## 病　因

髋部拉伤的直接病因是由于从骨盆到大腿的肌肉被挫伤或撕裂伤，也可能涉及连接肌肉与骨的肌腱撕裂。它多是由于运动过量，不正确地举重物，或剧烈运动前准备活动做得不够所引起，有时髋部扭伤也可由外因造成，如无意中摔倒在硬物上，或受到外力猛烈的撞击，例如车祸。

## 治　疗

轻度的髋部扭伤在休息数小时或数天后，可自行恢复。假如肌肉组织真的撕裂，愈合过程则需1周或更长时间。在严重或复发的病例可能还需要手术修复损伤的肌肉和肌腱。

### 常规治疗

为了减轻髋部的肿胀和炎症，可在受伤后尽快用一个冰袋进行冷敷治疗、也可以服用阿司匹林或非甾体类抗炎药（NSAID）以缓解疼痛，同时应休息，直到肿胀和炎症消退。过一段时间后可改为热敷以放松损伤的肌肉组织，并促进肌体的自然修复过程。

如果你的髋部扭伤是由于运动所产生的，你也可以找一位运动医学方面的专家，他不仅会帮你解除疼痛，还会教你如何防止再次受伤。在喜爱运动的年轻人中，髋部扭伤是很常见的，但它也较容易痊愈，只要他坚持休息，不再继续运动，而老年人和有髋部损伤（特别是那些不是由于运动造成的），则需要更多的时间才能痊愈。

### 辅助治疗

与常规治疗一样，辅助治疗的重点，也是止痛和休息，直到肌肉和肌腱自行恢复其正常功能状态。

指压治疗

为了缓解大腿和腹股沟部位的疼痛，可按摩足厥阴肝经曲泉穴或是足太阴脾经地机穴。

按摩

在早期经过冷敷和休息，髋部疼痛缓解后，然后再使用按摩油按摩相应的部位是放松肌肉的极好方法。

反射治疗

按摩踝部的前方，即是与小腿相连的部位据说可刺激血液循环和淋巴系统，有助于髋部的肌肉放松。

家庭治疗

如果你发生了髋部扭伤，应立即躺下取一舒服位置，并放松全身，将装有冰块的冰袋包在毛巾内，放在患处10分钟，间断10分钟后可再冷敷10分钟，直到疼痛缓解，随后的几天内不要运动，直到肌肉可以毫无疼痛地活动。

预防

预防肌肉扭伤的一个最重要因素（无论是在髋部位或者是肌体任何部位）就是在开始任何剧烈运动前作充分的肢体活动。如果不能进行准备活动，那就应当逐渐增加活动量，使肌肉及肌腱充分伸展和变得更有弹性。

为了减轻髋部附近的肌肉紧张，可以按摩腹股沟及肾上腺反射区，握住伸直的脚背，用左手食指按摩腹股沟反射区从一侧到另一侧，然后用右手食指按相反方向按摩，重复几次。然后将大拇趾压向背面沿脚底主要肌腱内侧用拇指按压，从腰部反射区到肾上腺区。

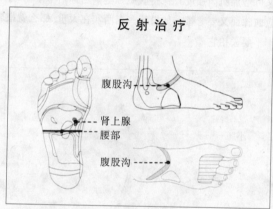

### 反射治疗

腹股沟
肾上腺
腰部
腹股沟

## 症 状

◆腹部或腹股沟皮下明显隆起，它可以在你平卧时消失，伴或不伴有触痛。

◆腹部沉重感，有时伴有便秘。

◆当你举重物或弯腰时，感到腹部或腹股沟区不适。

### 出现以下情况应去就医

◆你怀疑自己发生了疝，有时疝需要急诊治疗，明确诊断非常重要。

◆你已知道自己患有疝，但当出现恶心、呕吐，不能排便或排气时，你应去看医生。你可能出现了较窄疝或肠梗阻，两者都是急症。（参见急救治疗）

**疝** 是指脏器或组织受压后通过肌体正常孔洞或周围肌肉的薄弱区进入另一部位。最常见的疝为腹股沟疝、切口疝、股疝及脐疝。

腹股沟疝是肠管或膀胱突入腹股沟部位的薄弱腹壁或进入腹股沟管。80%的疝为腹股沟疝，大部分患者为男性，因为这一部位是男性的生理薄弱区。

切口疝是指肠管突入既往手术部位的腹壁。多见于腹部手术后不活动的老年人及肥胖病人。

股疝是指膀胱或肠管突入到股动脉进入大腿上部的管道中。多见于妇女，特别是妊娠或肥胖妇女。

脐疝是指部分小肠突入脐弯腹壁。多见于新生儿，也可见于肥胖或生过多个孩子的妇女。

## 病 因

本质上说，所有疝都是由于肌肉薄弱和腹压过高综合作用的结果。肌肉的薄弱点在压力作用下撕裂，内脏器官或组织被推入撕裂部位。有时肌肉的薄弱处在出生时即已存在，但多数情况，它发生在出生以后。营养状况差，吸烟及过度劳累都可使肌肉薄弱，使肌体更易出现疝。任何引起腹压增加的因素都可以诱发疝，如肥胖，举重物，腹泻或便秘以及持续性咳嗽。

骨盆部疾病

# 疝

## 诊断与检查

疝的诊断主要依据医生对病人的体格检查。有时当你直立时,突出的疝可以被看到。当你把手直接放在上面并压迫它时,可以感觉到疝的存在。超声用于观察股疝。腹部 X 线检查可用于确诊肠梗阻。

## 治 疗

婴儿的脐疝多在出生后 4 年内自愈,不必行外科手术。其他类型的疝主要靠传统的疝修补手术治疗。如果不治,突入的脏器可能发生绞窄(即脏器的血液供应被切断)、感染及坏死。绞窄性肠疝可以导致肠梗阻,引发感染、坏疽、肠穿孔、休克甚至死亡。

## 常规治疗

医生首先用手将你的疝推回原位,并建议你穿上特殊的束带,即所谓的疝带,它能使疝固定在原位直至外科手术治疗。非处方止痛药可帮助你减轻不适。

疝手术通常在局部或全身麻醉下完成。医生将疝组织复位。如果已发生绞窄,则需切除缺血的脏器,然后修补受损的腹壁。目前已逐步开展使用腹腔镜修补腹股沟疝,即用一种小巧的电镜样器械进行手术,可使手术切口更小,恢复期更短。

病人在术后第一天即可下地行走。通常没有饮食限制。工作及常规活动可在 1 周内恢复。完全恢复需要 4 至 6 周。在最初 3 个月内不要抬举重物。疝在手术后常会复发,故采取预防性措施对避免疝复发特别重要。

## 辅助治疗

如果你患有——或者你认为自己患有疝,你都需要请医生进行治疗。替代治疗不能使疝治愈,但可用于减轻疼痛。

### 中药治疗

制作一个草药敷布有助于减轻脐疝疼痛,敷布内装有 1/3 汤匙的酢浆草,1/4 汤匙的破铜钱草以及半杯温热的煮熟稻米。将敷布置于脐上 3 至 4 小时,重复 2 至 3 次。

### 生活方式

经常进行腹肌练习,可使肌肉强壮。一个最佳的练习方法是:面向上平躺,曲膝,脚放在地上。用肩膀着地,并试着抬起臀部及下半身,再轻柔地放平。重复 10 次。

### 预防

避免肥胖及躯体过劳,加强营养(即可避免便秘,又可增加肌肉强度),保持腹肌强健。当你抬举重物时,应曲膝而又要弯腰。如果某些东西实在太重,那么就根本不要去拾它。

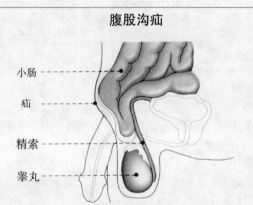

### 腹股沟疝

小肠
疝
精索
睾丸

腹股沟疝发生于位于腹股沟管的肌肉环内,来自睾丸的精索通过此环,穿出腹壁。如果疝环处的肌肉薄弱,部分小肠可以突入环内,产生腹股沟隆起(见图)。腹股沟疝可使突入肠管的血流受阻或引起肠梗阻。这些皆是医学急症。

# 肛 裂

## 症 状

◆ 排便时，卫生纸和衣物上有淡红色血滴，偶而出血比较多。

◆ 排便时肛门区撕裂痛或灼痛，钝痛可持续几个小时。

◆ 可能在肛门外侧显示的裂口端有一小块皮肤(叫作哨状堆)。

◆ 大便坚硬或次数少，通常由于排便时疼痛而故意保留大便。

## 出现以下情况应去就医

◆ 你注意到任何肛门出血。你可能有严重的疾病，例如结直肠癌，美克尔憩室或肝硬化。对肛门出血，决不应当忽略。

◆ 当医师已经证明你有肛裂，但治疗1个月后肛裂没有愈合，可能有其他原因造成肛裂或使肛裂愈合差，例如结直肠癌。

肛裂也叫做肛门溃疡，是在肛缘的一个孤立性线状裂隙正好是肛门开放的内侧，并沿着肛壁扩展1~2厘米。

肛裂可能是剧痛。通过大便的刺激和主管肛门开放的括约肌痉挛反应，这些综合作用引起剧痛，如果大便坚硬或水样便可使疼痛加重。尽管有疼痛，但肛裂无危险性，简单的治疗可以愈合。然而，不要轻视这种疾病，如果肛裂变为慢性，可能形成疤痕组织并且妨碍排便，可能需要外科手术进行治疗。

## 病 因

发生肛裂的原因常常不明确，沿着肛壁后方的后方肛裂可能是便秘用力的结果，在大而坚硬的大便通过时，肛缘过度拉紧而破裂。沿着肛壁前方的前侧肛裂常常与手术后的疤痕组织形成有关或与在儿童期肛门区域忍受过度的压力有关。

肛裂也可能是其他情况的副作用，例如直肠炎(直肠感染)，克罗思病或结直肠癌。

### 诊断与检查

因为任何触及敏感区域都可能引起剧烈疼痛，医生尽可能少的检查而诊断肛裂并除外严重的疾病，例如结直肠癌，梅毒，结核，克罗思病和艾滋病，并常需要一种贴近肛门区的直观的检查。你的医生可能将一个润滑的，带套的手指插入肛门用手进行检查，或也许将一个小而细的叫做肛门镜的仪器插入肛门以得到比较清楚的接近的视域(如果需要用局部麻醉)。

## 治 疗

为了避免感染并保持大便松软以减少疼痛和痉挛，保持良好的肛门卫生将有利于肛裂本身的愈合。

但是肛裂常常复发，已知外科手术是唯一能打破这种循环的治疗方法，所以手术是治疗顽固性肛裂的最佳治疗选择。

### 常规治疗

将麻醉膏直接涂到肛裂上是第一道防线。热水坐浴和饮食的改变均可避免便秘。如果早期肛裂用这两种方法治疗通常是有用的，如果用这些方法治疗肛裂无效或肛裂还不太严重，内科医生可能进行局部麻醉并将带指套的手指插入肛门扩张肛门括约肌。这样可减轻肛管内的压力，造成一个有助于愈合的环境。

如果肛裂特别疼，治疗方法无效，或为了达到长期治疗的目的，手术是最好的治疗方法。手术方法包括分离肛门下括约肌，使其不能拉紧而潜在地引起肛裂。外科手术也可以去除肛裂，如果存在哨状痔，也可一起切除，并用皮肤包绕肛裂，这种手术在局麻或腰麻下在门诊就可进行，一般手术过程需要20分钟，而且非常有效。

肛裂通常可以愈合，如果术后能保持高纤维饮食，未必发生复发。90%以上已经手术的病人没有再发肛裂。手术后3~4天即可恢复，手术后你也许感到胃肠胀气。

### 辅助治疗

通过调节你的排便(见便秘下腹泻)和减少紧张及忧虑情绪，常可使肛裂愈合。如果你能保持这种生活方式的改变，未必发生肛裂。

骨盆部疾病

草药疗法

蒲公英(药用蒲公英)茶 1 天 3 次有助于保持大便松软,用一杯水配制 2 或 3tsp 蒲公英根,并且用文火慢慢煮 10 分钟。

家庭治疗

◆让别人用一个带胶手套的手指将含有 1% 氢化可的松或维生素 A 和维生素 D 的软膏插入肛门。氢化可的松能减轻水肿和疼痛,维生素软膏能缓解疼痛促进愈合。栓剂太远到达直肠对肛裂没有帮助。

◆一天几次热水坐浴,每次 20 分钟,可以松弛肛门括约肌,减少痉挛和伴发的疼痛。

◆更多的建议请看"痔"的章节。

预防

预防包括通过饮食和锻炼避免便秘和腹泻。其中包括有益健康的饮食和有规律的锻炼以促进良好的肠道卫生,常可预防肛裂。

## 症　状

◆肛门出血,可将大便或卫生纸染红。

◆大便时触痛或疼痛。

◆肛门周围痛性肿胀或肿块。

◆肛门瘙痒。◆肛门粘膜脱出。

### 出现以下情况应去就医

◆即使你认为自己患有痔疮,但当第一次肛门出血时,你还是应该去看医生。结肠息肉、结肠炎、克隆病、结肠直肠炎皆可引起肛门出血。必须进行准确诊断。

◆即使你已被确诊患有痔疮,但当出现慢性肛门出血（每天或每周出现）或出血量较以往增多时,你还是应该去看医生。尽管少见,大量痔出血仍可引起贫血。

**痔** 本质上是曲张的直肠静脉。痔静脉位于直肠最下部和肛门区。这些部位出现水肿,使痔静脉牵张变薄;排便也会刺激痔静脉。当水肿静脉引起出血、瘙痒或疼痛时,称为痔。痔通常分为两类:内痔和外痔。

内痔:位于直肠深部,你不能看见或感觉到它们。由于直肠内的痛觉神经很少,故内痔通常不引起刺痛。出血可能是唯一表现。有时内痔粘膜脱垂涨大并伸出到肛门括约肌外。这时你就会看到或感觉到潮湿、粉红色的皮肤赘物暴露在肛门口,它比周围的皮肤更粉红。脱垂的痔常可引起疼痛,这是因为肛门处存在丰富的痛觉神经。内痔通常会自行回缩到直肠内,如果不能自行缩回,可被轻柔地推进直肠内。

外痔:位于肛门内,通常很痛。如果外痔脱垂出来(一般出现在排便过程中)你能看到并感觉到它。脱垂外痔内有时会形成血凝块引起剧烈疼痛,称为血栓形成。有血栓形成的外痔看起来相当可怕,其外观呈紫色或蓝色,并可能引起出血。血栓性痔通常并不严重,可在 1 周左右消除。如果疼痛难以忍受,医生会通过去除血栓帮助你解除痛苦。

任何肛门出血和疼痛都是一个警报,应找到明确病因,因为它可能提示你患有威胁生命的疾病,如结肠直肠癌。痔是引起肛门出血的最常见原因，而且危险性不大，但是明确诊断必须由你的医生做出。

# 病　因

　　大约有半数的美国人在其一生的某个阶段发生痔，且多出现在 20 至 50 岁间。研究人员尚不能确定引发痔的明确原因，痔可能与遗传有关，也可能是由于腹压很高引起静脉水肿并使其对刺激非常敏感。引起腹压升高的原因包括：肥胖、妊娠、长时间站立或坐着、肝病、便秘或腹泻时的腹肌用力动作、咳嗽、喷嚏、呕吐以及进行体力劳动时的憋气动作。

　　饮食习惯在引发及预防痔方面起了重要作用。经

## 痔的形成部位

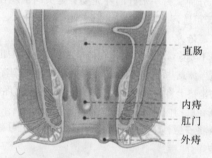

直肠

内痔
肛门
外痔

排便时，直肠和肛门静脉受到很大压力。牵动或扭曲可引起直肠内静脉壁膨出，形成水肿扩张的静脉簇，称为痔。内痔可以在肛门管内的任何部位发生，而外痔出现在肛门口下方，可以被看到。

常食用高纤维素饮食的人不易出现痔，相反偏好精制食品的人易发生痔。低纤维素饮食或摄入水果不足可引起便秘，而便秘引起病人排便困难，并进一步刺激水肿静脉使痔加重。

## 诊断与检查

　　你的医生将首先对肛门区进行查看，可插入润滑的手指或通过肛门镜（一种轻巧的空管，有以观察直肠下部几英寸的病变）、直肠镜（原理类似于肛门镜，但能更全面地观察直肠）进行检查。为了确诊内痔或排除其他常引起肛门出血的疾病如肛门瘘、结肠炎、克隆病以及结肠直肠炎，有时需要进行更多检查。为了进一步看

清肛门管（进入下部结肠或乙状结肠），可使用乙状结肠镜检查，当需要观察全结肠时，则需使用结肠镜。这两种检查方法都是将轻巧可弯的窥视管插入肠内进行观察。钡剂 X 线检查可以显示全部结肠内腔。方法是先进行钡灌肠，然后对下消化道进行 X 线检查。

# 治　疗

　　除非采用下列措施，痔一般不会完全消失，但症状可能会有所缓解，而并不妨碍生活。常规及替代治疗医师皆认为饮食调节是治疗痔的最好方法。食用富含纤维素、粗制、低麻醉作用的食品是其治疗要点。约半数病人仅通过改变饮食习惯就可减轻痔的症状。

　　治疗痔的主要目的是减轻疼痛和瘙痒。温水（注意不是热水）坐浴是久经考验并最常被推荐使用的治疗方法。坐在大约 3 英寸深的温水中 15 分钟，1 天数次，尤其是在排便后。如果你是孕妇，那么在使用任何治病方法（包括饮食调节）前都应征得医生的同意。

## 常规治疗

　　高纤维素饮食结合坐浴以及使用醋氨酚可使痔症状在 2 周内缓解。如果症状持续存在，医生会建议你采取下列措施。除了激光凝固及手术治疗，所有操作都可在医生的诊室内完成。

　　注射治疗：

　　在痔内注射酚油、奎宁及尿毒或鱼肝油酸盐，可引起瘢痕反应使痔关闭。像所有注射操作一样，痔注射的损伤很小。由于成功率达 90%，许多医生首选此法治疗。但是不能长期维持疗效，每 2 至 3 年需要重复注射 1 次。

　　结扎治疗：

　　常可使用橡皮套圈结扎去除脱垂的痔。方法是用一种安全特殊的细橡胶环套住痔，直接阻断痔的血供。一星期内痔皱缩脱落。目前这一无痛方法的成功率为 75%。凝固或烧灼治疗

　　使用电极、激光束或红外光对痔末端进行轻微、无痛烧灼，使之封闭，与周围组织脱离并收缩。这是治疗脱垂痔最有用的方法。

骨盆部疾病

## 外科手术治疗

对于大的内痔或令人极度痛苦的外痔（如血栓痔，非常疼痛使病人难以忍受），你的医生会选择传统手术治疗，即所谓的痔切除术。在医院里常规麻醉下切除痔。手术后卧床休息1周，可使用止痛剂止痛。

痔切除术的成功率接近95%，但你同时应进行饮食习惯及生活方式的调整，不然痔很容易复发。

### 缓解痔的非处方药物疗法

关于药物治疗痔的有效性一直争议不断。在美国，人们每年大约花费2亿美元用于购买乳膏、软膏和栓剂来减轻痔的炎症和疼痛。

这些药物的基本成分是润滑剂，如羊毛脂、可可脂、菜油或其他什么物质。一些药物含有麻醉剂如苯佐卡因或利多卡因；一些药物含有收敛剂如鞣酸或锌制剂，它们通过收缩毛细血管减轻组织水肿。但是痔不是毛细血管而是静脉，收敛剂对静脉无影响。麻醉剂可以起到短暂的止痛作用，只能放在乳膏或软膏中使用。栓剂常被塞入肛门道深部，对肛门下部的痔无效。

润滑剂是多数非处方药中最有益的成分。普通的石油凝胶作用良好，可用手指涂布。醋氨酚和坐浴有助于减轻疼痛。

## 辅助治疗

替代治疗可以减轻痔引起的不适症状。如果你已试用了多种方法，症状仍持续存在，那么你需要与医生联系。

### 针灸治疗

最有助于减轻痔疼痛的穴位在督脉百会穴，其他起扩大疗效作用的穴位在胃天枢穴和足三里穴，督脉大椎穴和大肠曲地穴。可请有执照的针灸医师进行治疗。

### 草药疗法

每天使用2次马里兰玄参软膏可以减轻外痔疼痛。制备方法是将两大汤匙新鲜或干的马里兰玄参放入7英两石油凝胶中炖10分钟。放凉后使用，剩余的药物放在密闭容器中保存。马里兰玄参也可当茶饮。

### 按摩

这一疗法可以帮助食物通过肠道，有助于预防便秘出现，后者在痔的形成中起重要作用。平卧，用手指或手掌进行长距离水平抚摸，可重复3～4次。从左侧开始，由肋骨向下，朝脚的方向抚摸。然后在胸廓下缘，从右向左抚摸。最后，将指尖指向脚，在腹右侧将手从骨盆方向拉向肋骨。

### 营养及饮食

高纤维饮食可预防便秘发生。正餐和快餐都应以蔬菜、水果、果仁及全谷物饮食为主，少吃精制粮食及肉类。如果这样会使你的饮食习惯明显改变，那么就逐步引入新食物，以免这一计划不能完成。如果你不能吃富含纤维素的食物，那么就在饮食中添加车前子软化大便或加入扩充粪便容积的制剂。不要使用轻泻药，它们引起腹泻，可近一步刺激水肿静脉。每天至少喝8杯水。如果你每天的运动量很大或生活在很热的环境中，那么你需要喝更多的水。喝太多的水几乎是不可能的。

调整盐的摄入量。饮食中含盐量过高可引起肌体液体潴留，也就是说所有静脉包括痔水肿。

### 瑜伽

瑜伽功有助于减轻痔充血，缓解疼痛、炎症和出血。可采用半肩站立、肩站立、犁姿和桥姿，每天每种姿势做几分钟。另一个好的补充姿势是头向下躺在斜板上，每天可练习15分钟。

### 家庭治疗

◆不要连续几个小时坐在椅子上。即便必须如此，你也应适当休息。每1小时至少起立活动5分钟。坐在面包圈样的坐垫上将非常舒服，它可以减轻痔压及痔疼痛。

◆在肛门内塞入石油栓，可减轻排便疼痛。

◆将安慰性的抗炎药轻敷在敏感的痔上可减轻疼痛及瘙痒。

◆不要搔抓痔，这样会使病情加重：发炎的静脉会更加敏感，周围的皮肤也容易破损，使瘙痒加重。可将0.5%氢化可的松乳膏涂在皮肤上（只能在肛门外，不能涂于肛门内）或采用冷敷方法减轻痔瘙痒。

◆如果你需要用止痛剂，可试用醋氨酚。不要用布洛芬和阿司匹林，它们可加重出血。

◆定期洗浴，使肛门区保持干净。注意动作要轻柔：过度的擦洗，特别是用肥皂擦洗会加重肛门烧灼感及敏感性。

◆每次坐在马桶上的时间不要超过5分钟，擦试时动作要轻柔。如果卫生纸很硬，可先弄湿它再用。

◆从事需要用力的劳动时，要保持呼吸均匀。通常人们在使劲时会自动憋气，这样引起腹压升高，导致痔疼痛或出血。

### 预防

无论你是否已经出现了痔的症状，健康的饮食习惯和生活方式都是预防痔的最佳保证。定期运动也很重要，特别是当你从事需要久坐的工作时。运动有助于保持体重，减少便秘，增强肌肉强度，起到预防痔的作用。

# 尿道感染

| 症　状 | 疾　病 | 应采取的措施 | 其他信息 |
|---|---|---|---|
| ◆粉红或红色(血)尿。 | ◆许多疾病均可引起，包括前列腺病、肾结石、肾癌或者肾疾病；对药物或食物的反应。 | ◆立即看医生，尽管血尿并不能找出疾病的原因，但这预示着有潜在严重疾病，参见左栏列出的各种疾病。 | ◆咽喉痛或者上呼吸道感染后血尿可能预示有严重的肾病。 |
| ◆尿痛。 | ◆许多疾病及状态均可引起，包括膀胱炎、肾结石，或膀胱、前列腺癌、尿路梗阻。 | ◆看医生，为了解治疗方面信息，可参见列于左侧的各种疾病说明。 | ◆小便时无烧灼痛，预示着膀胱和尿道的不正常阻塞，有烧灼痛提示尿路感染。 |
| ◆尿频或伴尿急。 | ◆许多疾病和情况均可见到包括淋病、尿道炎、膀胱炎、前列腺炎、肾结石或膀胱癌。 | ◆看医生，为了解更多关于治疗的信息，参见左侧列出疾病的章节。 | ◆每天排尿次数与个人习惯、饮用液体量和膀胱肌肉强度有关。 |
| ◆尿少或无尿。 | ◆脱水或肾脏疾病。 | ◆饮液体补充身体水分，但不要饮用酒水或者咖啡因，如果你不脱水的尿量排出不足，可能出现肾衰，需急诊看医生。 | ◆为避免脱水，即使你并不感渴，也需饮大量液体，尤其炎热天气时。 |
| ◆口渴和排尿量不正常。 | ◆许多疾病或情况均可出现，包括化学失衡、糖尿病，或心理疾病如为治疗躁狂、抑郁症长期使用锂剂。 | ◆看医生，根据其病因，有的可自身解决或需药物治疗。 | ◆某种类型药物尤其是利尿药可引起尿量增加。 |
| ◆脓尿或伴有臭味。 | ◆膀胱炎。 | ◆看医生，膀胱炎常用抗生素治疗。 | ◆脓是由大量白细胞引起，提示感染。 |
| ◆尿漏、尿滴或尿失控。 | ◆尿失禁。 | ◆看医生，尿失禁是衰老的不正常但可避免的症状，但可成功治疗。 | ◆尿失禁的病因包括感染、药物、抑郁活动受限和激素缺乏，药物治疗可解决大部分问题，有时需外科手术。 |
| ◆尿潴留。 | ◆许多情况均可引起，包括尿道狭窄、前列腺肥大、膀胱或尿路结石、精神疲劳，儿童可由于尿道扩约肌损伤。 | ◆立即看医生，当感尿急但排尿不能时是医疗急症。 | |

骨盆部疾病

# 膀胱感染

## 症 状

◆ 排尿时烧灼感，这是膀胱感染的最常见症状，但排尿疼痛或困难也揭示可能是此病。

◆ 尿频。

◆ 尿有强烈的恶臭味。

◆ 老年人表现为嗜睡、尿失禁，神志不清。

◆ 有些严重病例，这些症状可同时伴随发热和寒战、腹痛或血尿。

## 出现以下情况应去就医

◆ 在你开始自我治疗后烧灼感仍持续超过 24 小时。如果不治疗，膀胱感染可导致更严重的问题。

◆ 尿痛随有呕吐、发热、寒战、血尿或腹痛、背痛；它揭示可能有潜在的威胁生命的肾脏疾患，膀胱或肾脏肿瘤，或前列腺感染。应立即找医生看病。

◆ 烧灼感伴随阴道或阴茎排液，这是性传播疾病、盆腔炎症疾病或其他严重感染的症状，应立即找你的医生看病，别耽误。

◆ 你有持续性尿痛或排尿困难的症状，这可能提示性传播疾病，阴道感染、肾结石、前列腺肿大（参看前列腺问题），或膀胱、前列腺肿瘤。应立即找你的医生看病。

膀胱感染，通常又称为膀胱炎，意味着膀胱有炎症，此病女性多见，男性少见。实际上，大约一半的女性在她们的一生中都至少得一次膀胱感染。虽然医生们还不能确立为什么女性比男性更多地易患膀胱感染，但他们推断可能因为女性的尿道短，此管道流过从膀胱排出的尿液，相对短的通道（只有 5 厘米长）使得细菌很易侵入膀胱。而且，女性尿道开口与阴道口和肛门都很近，使得细菌得以从那些区域进入尿道。

如果治疗及时，膀胱感染并不严重。但易感人群通常会复发，并可导致肾脏感染，此病更严重时可导致永久的肾脏损害。所以针对膀胱感染的原因进行治疗非常重要，并采取预防措施防止复发。

老年人的膀胱感染通常很难诊断，因为症状缺少，并经常归罪于衰老。老年人突然出现尿失禁或嗜睡或意识不清应立即由医生检查有无膀胱感染。

## 病 因

大多数膀胱感染的病原是不同菌株的大肠杆菌，此菌通常可于肠道发现。女性有时患膀胱感染是性交直接导致的，细菌可通过尿道被送入膀胱。有些女性得此病，被称为"蜜月膀胱炎"，几乎每次性生活后都可患病。女性应用阴道隔膜做为避孕的基本措施也是膀胱感染的易患因素，可能因为此器具压迫膀胱使膀胱不能完全排空。细菌停滞在尿液中迅速繁殖并留在膀胱中。孕妇当胎儿生长时膀胱开始受压，也因为同样的原因易于感染。有些人没有感染存在，但表现为膀胱感染的症状。这些疾患通常是良性的，但很难治疗。

如果出现并发症可能很痛苦，且潜在着严重的情况，大多数女性患的膀胱感染可很快治愈，相对是无害的。然而，男性的膀胱感染大多是一个基础疾患的一个表现，并能常被当作多汗疾病的原因，通常感染是从前列腺或身体的其他部分而来，说明那些区域有问题。或它可能提示存在肿瘤或其他尿道阻塞。一些研究显示，未切除包皮的男孩在 1 岁前患膀胱感染的危险性更大，因为细菌可在包皮下聚集。

近年来，男性和女性的膀胱感染，数量均增多并与两性传播菌相关，如衣原体和支原体。家庭或医院导尿管的应用也可导致感染。

### 诊断与检查

膀胱感染通常可很容易地通过尿检诊断。如果你患有持续或频率的感染，或怀疑有解剖缺陷导致，你的医生也可能希望你接受膀胱镜检查，此诊断方式是将一根带光缆的管道通过尿道插入膀胱来检查膀胱的内部。以确定你的肾脏是否受损，医生也可能要求你做静脉肾盂造影检查（IVP），是检查肾脏的专门的 X 线技术，或行超声扫描，扫出整个泌尿系统的图像。

## 治 疗

较轻的膀胱感染通常经过简单的家庭治疗即可迅

# 膀胱感染

速治愈。但如果 24 小时内无好转，你就应该找医生检查并进一步治疗。耽误感染的治疗可导致更严重的疾患。

## 常规治疗

膀胱感染需用广谱抗生素治疗，合用盐酸非那吡啶安替比林，常用来缓解疼痛和烧灼感，并通过增加液体摄入来冲刷尿道。医生所开的抗生素及需要使用的时间应依据感染细菌的种类来定，虽然一些研究表明非复合性感染只需治疗 13 天，但医生可能让你进行更长一段时间的治疗，以保证细菌被清除。老年人或合并有慢性基础疾病的患者通常需要应用更长时间的抗生素，治疗过程有时可达到 14 天。

如果治疗已经完成，你可能要求复查尿液以确定没有膀胱感染的指征。反复膀胱感染的患者通常应给予 6 个月或 6 个月以上每日小剂量的抗生素治疗。与性活动相关的感染可在每次性交时服用小剂量抗生素。一些医生给绝经后的妇女使用雌激素，可做成乳剂或药丸的形式来预防复发，对于因梗阻或完全梗阻所致的感染，如肾结石或前列腺肥大，可能需要外科手术。

## 辅助治疗

如果在出现排尿烧灼感的早期就马上进行辅助治疗，可以成功地清除膀胱感染。但如果这些方法不能在 24 小时内缓解症状，你就应该找医生进行抗生素治疗。如果你希望在应用抗生素的同时继续辅助治疗加快恢复过程则应找医生咨询。

针灸治疗

针刺治疗法可帮助预防膀胱感染的复发。找一个专职的针灸医生进行治疗。

按摩疗法

活动骨盆周围的骨和关节可锻炼加强膀胱的肌肉，帮助预防感染的复发。按骨术医师可提供这种治疗。

水疗法和芳香疗法

热水浴可帮助缓解膀胱感染的症状，在洗浴水中加入一定量的有刺激味道的草药油制成有镇静作用的芳香乳剂，芳香治疗学家相信这会对治疗起到独特的效果。可尝试在其中加入几滴杜松、桉木、檀香、松木、欧芹、杉木的精油。

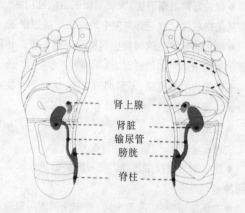

**反 射 学**

肾上腺
肾脏
输尿管
膀胱
脊柱

为缓解与排尿相关的疼痛，用你的左手拇指按压右脚肾上腺、肾脏、输尿管、膀胱和脊柱下部的反射区域，重复按压左脚。

你也可以用蔬菜油和上述草药混合物各 5 滴制成按摩油。每日按摩，将油涂在你的下背部、腹部、胃部和髋部。

营养及饮食

常规治疗与辅助疗法的医师都同意大量饮水以保持经常排尿并彻底冲刷你的泌尿道，这是对抗膀胱感染的最有效的方法之一，不论感染的原因是什么。你都应该避免饮用可刺激泌尿道并增加烧灼感的饮料，可能包括酒精、咖啡、浓茶、巧克力奶、碳酸盐饮料和柑桔汁等。直到感染清除，你都应该避免食用可能有刺激性的食物如柑桔、番茄、醋、糖、巧克力、人造甜食，和有浓烈香味的菜肴。待烧灼感消失后再等 10 天才可将这些食物和饮料重新列入你的食谱。

维生素 C（每 2 小时 500 毫克）和维生素 A（每天 25000 单位）的供给对恢复也有帮助，但在服用这些营养素之前需由医生检查。维生素 C 可增加尿液的酸度，从而阻止细菌的生长，但也可影响一些抗生素的作用，减低疗效。

家庭治疗

◆服用阿司匹林或氨基乙酚，消除烧灼感。

◆每天饮用酸果汁。

骨盆部疾病

# 膀胱感染

预防

◆保持好的浴室卫生。大便后彻底清洁肛门区。女性应从前向后擦拭以免将粪便中的细菌传播进尿道。

◆当你感觉尿意的时候应尽可能快地小便，并每次都确实完全排空你的膀胱。

◆穿棉内衣和宽松、不紧绷的衣服，这样不致使两腿分叉处受热、潮湿。

◆大量饮水。

女性：

◆性交后尽快排空膀胱。将可能将已进入尿道的细菌冲走。

◆避免使用香皂、起泡浴液、香味洗剂和阴道除臭剂。这些都含有刺激尿道的物质，易促使感染。

◆如果你使用阴道隔膜避孕，则要确立放的合适，且不要留太长时间。

## 酸果汁：一个被证实的常用方法

几个世纪来，美国土著人应用碾碎的酸果做为膀胱和其他阴道感染的治疗方法，现在对照研究给了这种古老的方法以科学的依据。研究表明，酸果可成功地对抗感染是因为它们含有高浓度的马尿酸，可阻止大肠杆菌的生长并阻止细菌粘附于膀胱内部。

为治疗存在的感染并预防将来再发，每天喝酸果汁。或者如果你喜欢，可服用酸果蔓的蒴果，也按照此原则服用。你也可轮流服用酸果蔓汁和蓝浆果汁，两者有同样的抗感染的性能。

骨盆部
疾病

## 症 状

在早期阶段，膀胱癌可能没有明显的症状，晚期症状包括有：

◆血尿，颜色从锈色到深红色，有时含有血丝，肉眼看不见的血迹，可通过尿样化验显示出来。

◆频繁的尿道感觉、尿痛和尿频。

◆体重减轻和食欲减退。

◆腹部或背部疼痛、持续低热、贫血。

### 出现以下情况应去就医

◆你存在上述的一些症状，即便可能与癌症无关，也应该做膀胱癌的检查。

膀胱在泌尿道中是一个囊，贮存由肾脏产生的尿液。膀胱被衬特殊的过渡细胞，当它受刺激时，外层的过渡细胞增生。这种过程增加了过渡细胞转化成肿瘤的可能，然后繁殖发展成一个恶性肿瘤。恶性肿瘤开始是很小的，浅的肿块长在膀胱的内壁。癌扩散通过整个膀胱肌，浸润到周围的脂肪和组织，并且如果不治疗，最终将侵入血流和淋巴系统。

癌发现得越早，就越局限，治疗效果就越好。应感谢早期诊断手段的改进，此病的 5 年存活率从 1960 年的 50% 增加到 1990 年的 70%，因为膀胱肿瘤经常复发，故快速的发现意味着它可以在还很表浅时被遏止。患膀胱癌的平均年龄是 68 岁。男性比女性更易得病，并且高加索人比非洲、美洲人更易罹患。膀胱癌在美国约占癌的 5%，每年约有 5 万病例。

## 病 因

慢性的膀胱刺激增加了癌的危险性。患有先天膀胱疾患、慢性膀胱感染或持续的膀胱的炎症更易患此病，同样有膀胱良性肿瘤病史的人也易患膀胱癌。

比大多数癌更多见的是，膀胱癌与接触化学性促癌物或致癌因子有关。比如，吸烟者比不吸烟者患膀胱癌的危险性大 3 倍，因为烟草中含有特殊的致癌因子。油漆工人、扫垃圾工人、皮革工人、机工和冶金工人、橡胶和纺织工人，以及暴露在工业染料下的人患此

# 膀 胱 癌

病的危险性增加。曾做过放疗或烷化物化疗的人也有较高的危险性。腌制和熏制的肉的消耗量也可能与膀胱癌相关，同样咖啡因和糖的消耗量也与之相关，但这种联系非常微弱，以致于一些研究者一开始就怀疑这种危险性。

## 诊断与检查

膀胱可通过一种称为纤维光学管道的膀胱镜观察。如果医生发现肿瘤，就可通过此管取一小块组织样本，并进行实验室检查。如果肿瘤是恶性的，治疗将依据它的深度来进行，如果完全浸润，则肿瘤已扩散了。血、尿化验，膀胱、输尿管、肾脏以及其他□□的 X 线检查，可获得一些阳性指标，包括肿瘤的大小 □位和扩散的程度或数量。

# 治 疗

由资深的肿瘤学家制订全面的治疗方案是对癌症最适合的基本治疗。附加的替代治疗主要是药物，它可帮助缓解病痛和减轻常规治疗的副作用，但至今尚没有被证实的癌症治愈方法。参看肿瘤一章可获得有关治疗方面更多的信息。

## 常规治疗

如果发现得早，浅表的恶性肿瘤通过尿道切除术 (TUR) 通常可治愈。在此手术过程中，外科医生将一根细管插入膀胱将肿瘤手术切除或用热或激光烧掉。TUR 或结合化疗或放疗，也可成功地治疗较重的（进展较深的）膀胱癌。用卡介苗 (BCG) 进行免疫治疗对 6% 的病例有效。在肿瘤被切除后在膀胱内注射 BCG 对减低癌症复发率有一定意义。

进展的癌症可能需要行膀胱切除术，或切除膀胱。然后外科医生改置泌尿道并建造一个通路，或开口，通过此口排尿。病人不得不带上外置的尿袋，但新的技术可通过内部组织合成内部的囊袋。膀胱的切除也意味着女性生殖器官的切除及男性前列腺和精囊的切除。即使这种手术造成男性阳萎、女性不育，但男性有阴茎移植物来恢复性功能，女性可保持性功能。

手术后，联合放疗和化疗对遏止复发非常重要。任何曾患膀胱癌的病人都应定期做随访检查，因为肿瘤经常复发，如果肿瘤已经转移，或扩散到泌尿道以外，通常不建议行手术治疗。化疗是治疗复发和转移癌的基本方法。

## 辅助治疗

几项科学研究表明，一定量的维生素和矿物质对膀胱癌的治疗和预防均有好处。接受卡介苗免疫治疗的患者，给予大量的维生素 A、$B_6$、C 和 E，以及锌可能有更好的效果。研究也表明，在人们的食谱中加入足够的维生素 $B_6$、β - 胡萝卜素和硒可降低膀胱癌的发病率。

### 预防

预防膀胱癌，你最好的方法是避开可能的致癌因子。开始戒烟。偶尔吃熏制或腌制的肉食，多准备新鲜而不是过期的食物。如果你工作在化学制剂周围，则要按照安全规则，避免过度暴露。如果你认为自己有患膀胱癌的危险时，则应由你的医生进行常规检查，确保早期发现。

# 前列腺疾病

## 症 状

◆ 前列腺肿大，排尿困难，包括无力和排尿间断，尿频(尤其是夜间)，劳损，滴尿，或不能排空膀胱。

◆ 急性前列腺炎：①尿频、排尿困难；②排尿时烧灼感；③寒战发烧；④腰部和阴囊后部的疼痛；⑤尿中带血。

◆ 慢性前列腺炎：①尿频，排尿困难；②盆腔和生殖器疼痛；③射精疼痛、白性精液、性功能障碍。

## 出现以下情况应去就医

◆ 如有以下症状，则怀疑你患有前列腺肿大或感染性疾病；如继续加重会出现膀胱结石，全身感染，肾衰。除此之外，前列腺肿大也是癌症的一个表现。

◆ 前列腺是核桃大小的一个腺体，包绕男性尿道，把尿液从膀胱运到阴茎。它的功能是产生精液的必需部分，输送精子，也能控制尿液从膀胱外流，因为这个双重的作用，前列腺疾病症状是包括排尿和性功能障碍。

前列腺疾病有个基本类型：前列腺肿大 (称为良性前列腺增生，BPH) 和前列腺炎。但易感染可能复发的严重症 (男性前列腺炎) 或者是轻的、反复发作的(慢性前列腺炎)，急性感染可能发展为慢性。

前列腺肿大通常发生在 45 岁以后，典型症状是夜间排尿次数逐渐增加，其他的排尿症状为：开始排尿时困难或停顿，不能将膀胱完全排空，在排尿时出现滴尿，所有这些表现有一个共同的原因：由于包绕尿道的腺体组织增生使尿道狭窄，尿道狭窄的严重秩序不等，但很少有人完全没有狭窄，前列腺肿大在 50 岁以上年龄的人有 50% ，而在 80 岁以上者可高达90% 。

前列腺炎较少见，可发于年轻的男子、没有前列腺肿大的男子，其他一些表现和良性前列腺增生相似，另外一些症状则是典型的感染症状。急性前列腺炎可有发烧、寒战、腰痛，慢性前列腺炎的这些症状较轻，也可

以引起射精、排尿时疼痛，或性功能障碍。

许多男性不愿意接受对良性前列炎增生或前列腺炎的治疗，特别是症状轻微时，如果症状逐渐加重，危险性也明显增加，而前列腺炎的炎症可波及睾丸和附睾，也可以引起性伙伴的感染。良性前列腺增生，最终会导致膀胱不能排空、尿潴留，导致感染或结石形成，尿潴留非常疼痛，需积极治疗。如排尿受阻，膀胱压力增加，尿液逆流到肾脏，最终导致肾脏永久损害。

因为在美国人口中平均患病年龄提前，寻求治疗的人也增多，但是对良性前列腺增生恶变的机会仍不十分清楚，因此对何时进行治疗，外科手术相对增多和新的治疗方法仍在争论中。

## 病 因

尽管前列腺肥大的分子学机制还不肯定，但疾病可能源于 40 岁开始出现的与年龄有关的激素平衡的改变，血睾酮水平下降，而其他激素水平升高，能刺激前列腺细胞增生的睾酮衍生物的副作用增加，这样导致前列腺肥大，和随之出现前列腺内尿道狭窄，前列腺炎通常是由于尿道或膀胱感染扩散到前列腺所致，感染也可能是性传播的。

### 诊断与检查

如果症状提示有前列腺肥大，医生则要明确腺体增生是良性的，还是恶性的，医生则要进行直肠指诊了解前列腺的硬度或有无小节结，质硬有节结提示为恶性。尿样检查可以明确有无感染和 (或) 有无癌细胞的化学标记。还可以作膀胱、前列腺超声影像学检查及膀胱镜检查。如果症状提示前列腺炎，尿检查可以明确感染源，直肠指诊可以发现前列腺有压痛，敏感，还可以发现并存的疾病。

## 治 疗

对前列腺肥大的治疗，首先要明确选择何种治疗。仅在几年以前，许多内科医生认为外科治疗是唯一的办法，今天，研究人员提供了一系列的治疗措施，可供选择，从激素阻滞剂到激光治疗都能消除前列腺组织，而不需要住院。

# 前列腺疾病

## 常规治疗

◆前列腺肥大：当良性前列腺肥大症状是轻、中度时，可以用药物适当治疗，两种最近问世配合物为哌唑嗪、特拉唑嗪，可以松弛膀胱颈和尿道的平滑肌，促进排尿，另一种新的药物是 Finasteride，可以逐渐使前列腺缩小或减轻症状，但症状得到明显改善，也需要 3～6 个月。

如症状严重或者有癌症迹象，则需要外科治疗，约 80% 的病人症状明显减轻，外科治疗多在麻醉下进行，但不需作切口，一种小的切除器称为电切膀胱镜，是通过尿道进入前列腺，在膀胱镜末端用一个电子仪器，医生可以切除内部的腺体，留下一个中空的外壳，通过这个中空的外壳尿可以排除，这个过程称为经尿道切除术（TUR）。

TUR 使 15% 的病人出现合并症，包括阳痿、排尿间断，一些病人有感染式出血，且有些病人需要二次手术重新开放尿道，由于此因，患者应尽量避免外科手术，积极寻求非外科手术的方法。一些激光切除方法表明有很好的效果，可用于门诊病人，像 TUR 一样，激光治疗仪器经尿道进入，然后发射激光、经前列腺组织快速凝结、蒸发。

近 20 年来，在欧洲、加拿大微波治疗被广泛采用，而在美国，这种方法还没有被 FDA 认可，它仅于某试验中心，而激光治疗则可用于门诊的病人。

如果前列腺肿大明显，不能采用 TVR 或其他方法治疗，外科医生则建议施行前列腺切除术，经过外科手术切除前列腺。

◆前列腺炎：在治疗感染上延长抗生素疗程通常是有效的，用大便软化剂，坐浴、NSADS 都可以减轻症状，如果感染的时间太长，抗生素可能无效，即使没有并发症，经外科治疗感染也很难去除。

## 辅助治疗

医生可以给你些草药治疗，锻炼可以增加前列腺的血循环，减轻充血。

中药治疗

前列腺炎和尿道炎被认为是湿热，可以辨证治疗

营养及饮食

前列腺肥大时营养支持疗法有反应，外科术后，良好营养将加速康复，与激素代谢有关的锌被认为有加强前列腺健康和减轻炎症的作用，富含锌的食物有麦麸、牡蛎、燕麦、南瓜子、向日葵子、甘氨酸、丙氨酸可以减轻症状，对前列腺有益，在亚麻油、核桃油、葵花子油、大豆油中有较高含量。

预防

为了预防慢性前列腺炎发生和增强后的健康，要做到：

◆浴水坐浴。

◆多饮水，脱水会损害前列腺。

◆避免长期骑车、骑马，这些锻炼会刺激前列腺。

◆补充锌、维生素 C。

### 自我监测：

前列腺肥大治疗的基本目标是逆转前列腺生长以使膀胱排空及减少排尿次数，为了检测治疗是否有效，你的医生会建议你监测相同基础的尿流率。尿流率减少提示前列腺生长进一步压迫尿道，而其增加则是治疗有效的证据。

流率监测是一件简单的工作，需要一块表和一个标有立方厘米刻度的容器，计算尿流率需测量尿量和排空膀胱所需时间（用秒计算），例如，如果排尿 200 毫升，而排空膀胱需 10 秒，那么流率为 20 毫升/秒，一个 50 岁以上的男性的正常尿流率应不少于 15 毫升/秒。

# 前列腺疾病

## 瑜　伽

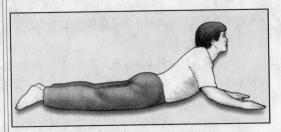

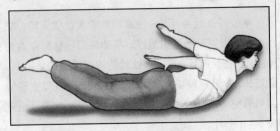

1. 尝试"眼镜蛇姿势"，将双手放于地上，双肘在肩正下方，深吸气并将胸部推起同时将骨盆抵住地(如上图)，持续15秒钟，深呼吸然后慢慢放松。

2. 俯卧做"小船"姿势，深吸气同时将头、胸、双手，双腿举于空中，伸展双臂向后并维持此姿势15到20秒钟；然后，边呼气边放松卧到地上，1天做1~2次。

## 前 列 腺 解 剖 图

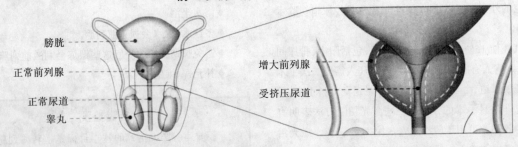

膀胱

正常前列腺

正常尿道

睾丸

增大前列腺

受挤压尿道

前列腺，一个胡桃大小的腺体，位于男性下腹部，在膀胱的基部，围绕着一段尿道，尿道将尿液及精液排出身体。如下图所示，增大的前列腺不断增加对尿道压力，导致进行性的排尿困难和疼痛。

骨盆部
疾病

# 前列腺癌

## 症状

早期的前列腺癌很少出现症状,一旦恶性肿瘤引起前列腺明显肿胀,一旦癌症扩散到前列腺外,则可出现如下症状:

◆ 尿濒,特别是晚上。

◆ 排尿开始和停止均感困难。

◆ 排尿乏力或中断。

◆ 在排尿时有疼痛或烧灼感。

在进展期前列腺癌症状有:

◆ 在盆腔、腰、大腿上部出现持续疼痛或僵硬,这一区域会有骨关节的疼痛。

◆ 体重减轻、纳差、乏力、恶心、呕吐。

## 出现以下情况应去就医

◆ 如果你有排尿困难,或有尿痛和尿道不适,医生将检查你的前列腺明确是否有前列腺肿胀。如果有,要明确是恶性肿瘤,还是由其他疾病引起的。

◆ 如果有腰、盆腔、大腿、甚至是骨骼持续性的疼痛,这种疼痛无法解释及引起医生注意。疼痛有多种疾病引起,但也可来源于进展期前列腺癌的转移。

前列腺是男性生殖系统的一个腺体,有助于精液产生,粘稠的分泌液可以运输精子细胞。胡桃大小腺体位于膀胱的下面,有上尿道包绕,前列腺的功能受睾酮调节,睾酮是一种主要由睾丸产生的男性激素。

在美国男性,前列腺癌是一常见的疾病。该病虽然较少发生于50岁以前,但是专家们推测,大部分老年男者可能患此病。在美国每年有200000新病人,已有30000人死于前列腺癌,原因尚不明白。在世界上美国男性有很高的发病率和死亡率,在世界的其他地区,亚洲、非洲、拉丁美洲前列腺癌少见。

与其它癌症相比,前列腺癌发病过程非常奇特,常在数年内处"休眠"状态,无症状,且不影响健康。许多患者死于其他疾病,有许多人没有发现患有此病。但是前列腺癌一旦开始"活动",如果转移,则很危险。该病

进展缓慢,但一旦扩散到其他器官,则是致命的。

约半数以上的患者首发于前列腺后部,常靠近直肠的部位,有少数病例首发于靠近尿道的前部,恶性肿瘤可以直接穿过前列腺生长,癌细胞扩散到周围组织,包括直肠和膀胱,癌细胞可以通过淋巴系统或血流运动,转移到附近淋巴结,进而转移到骨骼、肝脏、肺和其它器官。

治疗前列腺癌的医生长时间因不知道哪种前列腺癌保持"休眠"、哪种前列腺癌危及生命而受挫。一种称为KAI-1的识别蛋白使这种困境结束。这种蛋白的表达可以作为前列腺癌散物,播散的标记如在癌组织中KAI-1高表达则表示前列腺癌不易转移或播散;如蛋白缺乏,则表示癌症易播散。

没有前列腺外转移的癌症是可以治愈的,可喜的是在美国约一半的前列腺癌患者在疾病的早期得到诊断,已转移到前列腺周围组织的癌很少可以治愈。但治疗可使疾病在数年内得到控制。一旦癌广泛转移,只能生存2~3年。随着30年来诊断和治疗的改进,前列腺癌的5年生存率,由50%增加到近80%。

一项基本的血液试验:血肿瘤标记物试验是指检测一种特异的化学物质,这种物质经常与一种特异的癌症的存在相关。在本病中,这种特异的化学物质是一种蛋白,叫做前列腺特异抗原(PSA)。而恶性肿瘤是前列腺癌,虽然大多数肿瘤标记物试验仅能用于检测癌症治疗效果,PSA检测被认为可以可靠地用于诊断。

虽然PSA检测很有用,但它亦不是一贯正确的,因此它不能作为诊断的唯一指标,只要前列腺增大,PSA水平就会升高,无论这种增大是否由癌症造成。这意味着一个高于正常的检测结果可造成不必要的惊慌——可称之为假阳性结果。一项PSA检测结果也可以揭示肿瘤并不存在而实际上存在。由于这些不确定因素,医生们参考PSA结果,同时要做传统的直肠指诊以明确诊断。

PSA检测容易进行,而且相对比较便宜,它大大地提高了前列腺癌的早期诊断率,与直肠指诊及新开发的KAI—1肿瘤标记物试验结合,PSA试验可以使医生诊断和治疗具威胁性的前列腺癌在非常早的时期。美国癌症协会提出所有50岁以上男性均应每年

# 前列腺癌

接受 PSA 检测。

## 病　因

前列腺癌主要影响老年人，约 4/5 的病人年龄在 65 岁以上，但也有不足 1% 的患者年龄在 50 岁以下，有前列腺癌家族史的人死于前列腺癌人数是普通人的 2 倍。医生尚不能明确地说明引起前列腺癌的病因，但专家们普遍认为饮食是一个危险因素。食用大量脂肪的男性，特别是来源红色肉中的动物脂肪，最易发展成进展期前列腺癌，在以肉、奶制品为主食的国家前列腺癌发生比以米、菜为主食的国家更常见。

饮食与前列腺癌相关的基本因素可能是激素，脂肪可以刺激睾丸素和其他三激素的产生，而睾酮的作用可加快前列腺癌的生长，在理论上，高水平的睾酮可以刺激休眠的前列腺癌细胞进入活动期。有资料表明，高水平睾酮也可影响前列腺癌最初的发展。食肉危险性可能是另外的原因。肉在高压下制作可以产生致癌物，直接影响前列腺。其他的一些危险因素已众所周知：焊接工、电池制造工、橡胶工和经常接触金属镉的工人，似乎更容易患前列腺癌。

研究人员对什么可以引起前列腺癌，什么不会，了解得更多。还没有证据说明前列腺癌与性生活、手淫、饮酒、吸烟、包皮环切术、不育症、前列腺感染、良性前列腺增生有关。许多老年男性有不同程度的前列腺增生，在理论上提出，有输精管切除术的人易患前列腺癌，但尚未得到证实。

### 诊断与检查

因为大部分恶性前列腺肿瘤首发于靠近直肠部位，许多癌症通过常规的直肠检查可以发现，所以 50 岁以上的男性应每年作一次直肠检查。许多医生认为直肠检查可以作血前列腺特异抗原（PSA）检测的补充，PSA 是一种蛋白质，有前列腺癌时浓度增加。可以检查两次和直肠检查诊断早期前列腺癌有同样价值，两种方法相结合是诊断可治的早期前列腺癌最好的方法，前列腺癌有时在治疗泌尿系疾病偶然发现。

如常规检查有可疑表现，医生将通过直肠超声尿道的 X 线检查前列腺及尿和血液化验，作为辅助诊断的

常规检查，经检查可以明确癌症的诊断。方法是在超声的引导下，医生将针插入前列腺，抽吸一些肿瘤组织，病理专家可在显微镜下明确是否是癌症。KAI - 1 蛋白水和其他指示剂，可以明确癌症是否已转移，如果诊断的癌被认是易扩散的，医生则通过 CT、胸 X 线和其他影像学检查，明确癌症是否已扩散。

## 治　疗

现在比以前有更多的方法，医生可以得到必要信息决定哪一种前列腺癌需要立即治疗。病人的年龄、健康状况等因素都影响着治疗方式的选择，要做出决定：如果肿瘤是复杂的，病人应从主要的癌症中心得到另一种建议，共同参与治疗方案的制定。

### 常规治疗

根据诊断的情况，治疗包括放疗、手术、激素联合治疗，局限性前列腺癌经外科放疗或冷冻外科（用液氮冷冻肿瘤细胞）方法通常可以治愈。治疗方法根据病变情况和多种因素来选择。

标准术式是前列腺半径切除术，包括前列腺和附近淋巴结的切除。这许多病例中，外科医生是切除前列腺，而不切断控制阴茎勃起或膀胱收缩的神经，这使阳痿、尿失禁这样并发症比以前减少。术后大多数患者都有不同程度的尿失禁，但最终都可以完全好转。由于外科术式不同，术后病人可有阳痿或尿失禁。阳痿通过阴茎植入物或其他器械克服，失禁可用经特殊处理的、避孕套导管、阴茎夹来解决，有 3/4 的失禁患者可以通过外科植入尿道括约肌来彻底治疗。

放疗是一种可选择的方法，或作为没有扩散肿瘤术前的辅助治疗。如果癌症已扩散到周围组织，放疗则是一种较好的治疗方法，也可以用于进展期肿瘤，减轻由于骨转移而引发的疼痛。甚至对不能治愈的进展期癌，经激素治疗在数年内可以得到控制。激素也可作为其他治疗的一种辅助治疗，激素通过阻断睾酮的释放可以减慢肿瘤的生长。通过外科切除睾丸或通过应用能阻断睾酮产生的女性激素如雌激素或其他药物清除血液内睾酮，因为这种治疗有效，副作用比外科治疗和激素少，男性普遍能接受睾丸阻断药物的治疗，如果睾丸被切除，

剩余的完整的阴囊,可通过植入法防止其变形。

如果治疗有效,前列腺癌可以得到缓解,也可能不复发。此后前列腺癌的生存者都要定期检查和对 PSA 水平进行密切的监测。和其它肿瘤一样,对进展期前列腺癌治疗的一些新方法不断进展。研究人员正在对放疗和激素治疗进行创新,并正在对其它治疗无反应的患者试验应用有效的化疗。

为了解关于癌症治疗的更多的常识,如放疗、化疗知识,可以参阅癌症书刊。

## 辅助治疗

因为过量摄入脂肪会加重前列腺癌,减少脂肪可以减慢疾病进程,对患有早期前列腺癌患者应坚持低脂、高纤维素、中等热量的饮食。如果说高脂饮食对最初的前列腺发生作用的话,那么对中老年和青年男性来说,减少食入脂肪则是一个可取的预防措施,尤其是对有前列腺癌家族史的人们。

研究表明,有持续的维生素 A 或硒缺乏的人,更易发展到进展期前列腺癌,二者摄入过量还可中毒,所以在补充前应向医生咨询,维生素 A 自然来源包括绿色、黄色水果和蔬菜,如肝、火鸡、羔羊。

### 家庭治疗

对治疗局限性前列腺癌使用化疗,通常有良好耐受性,但一些患者也会出现乏力、腹泻、排尿不适、皮肤干燥、恶心和其他不良的副作用,医生可以从用量和其他方法来减少副作用,包括你自己可以做的事情,如休息、少吃多餐,避免衣服刺激皮肤。若了解更多知识,可参阅癌症有关书刊。

### 预防

减少脂肪饮食,多食鱼、家畜、新鲜蔬菜、水果和低脂奶制品。总之,少吃红色肉,在烹调家畜前应先去掉皮,少吃黄油和人造黄油,在烹调肉时要避免致癌物的产生。

# 睾丸疾病

| 症　状 | 疾　病 | 应采取的措施 | 其他信息 |
|---|---|---|---|
| ◆疼痛逐渐加重，压痛，睾丸后面肿胀有时伴尿痛。 | ◆附睾炎——即附睾发炎，附睾是精子成熟及精子从睾丸到阴茎的器官。 | ◆看医生，医生建议你卧床休息，应用抗炎药。如果有细菌感染，应用抗生素。 | ◆可从伴有前列腺炎及尿道炎或与举重物或久坐有关，常发生在20～40岁。 |
| ◆一侧睾丸突然出现急性疼痛和肿胀，无发热及尿痛，但有时恶心呕吐，常常发生于剧烈体力劳动之后，通常与损伤无关。 | ◆睾丸扭转——精索的扭曲。 | ◆立即急诊，扭曲的精索减少对睾丸的血供，可引起永久性损伤。 | ◆这是医疗急症，常多发于青少年，预先常有不太严重的但相似的疼痛发作，精索必须回复，可能需手术治疗以防复发。 |
| ◆肿胀的静脉或阴囊静脉，几乎总在左侧常无或轻微疼痛，躺下时肿胀消失。 | ◆阴囊静脉曲张症。 | ◆如果伴疼痛，请医生进一步检查。 | ◆体力劳动或长久站立后出现疼痛，大约15%的成人患静脉曲张，这也是不育的原因。 |
| ◆在跌倒或击伤睾丸后，出现疼痛，肿胀，有时伴有恶心呕吐。 | ◆睾丸外伤——击伤或其他损伤。 | ◆去看医生，充血肿胀可能提示睾丸破裂或者出现其他损伤应该手术探查和修补。 | ◆破裂的睾丸可经B超诊断。如无破裂，原因可能是血管渗血，坐浴和卧床休息抬高阴囊可阻止内出血。 |
| ◆有或者不伴有疼痛的睾丸肿块当出现疼痛时，躺下时加重。 | ◆可能是睾丸癌的征兆。 | ◆请去看睾丸癌门诊。 | ◆睾丸癌主要发生于35岁以下的男人。该病进展迅速，治疗主要依靠癌肿类型来定。如治疗及时，愈后良好。 |
| ◆无明原因的阴囊疼痛。 | ◆所谓的来自身体其他部位的牵引疼。 | ◆请去看医生，治疗主要依赖疼痛发生的原发部位，该部位可能是远离阴囊的部位牵涉痛通常难以准确定位，因人与人的疼痛敏感性相差甚远（参见慢性疼痛一节）。 | ◆来自于结肠、肾脏或者其他器官的疼痛波及到阴囊。 |
| ◆阳痿，性欲缺乏、不育，到15岁时仍未进入青春期。 | ◆性腺功能低下——睾丸不能产生足够量的雄性激素睾酮。 | ◆看医生，检测激素水平和精子数，性腺功能低下有时可用激素替代治疗。 | ◆不育可有遗传原因，青春期后的男性功能丧失，可能因药物滥用、放射治疗或化学毒物损伤或其他损伤所致。 |

骨盆部
疾病

# 睾丸癌

## 症　状

睾丸癌的早期先兆通常包括：

◆ 睾丸大小和形态的变化；

◆ 睾丸的肿胀和变厚；

◆ 变硬早期光滑无疼痛，缓慢形成肿块；

◆ 感有睾丸下坠感。

其他睾丸癌的症状包括：

◆ 尿道问题；

◆ 腹部肿块或者腹疼；

◆ 持续性咳嗽可能痰中带血；

◆ 气短；

◆ 体重减轻或者食欲下降、疲劳、下背部疼痛、乳头压痛或乳房增大；

◆ 不育非常罕见。

### 出现以下情况应去就医

◆ 感觉阴囊内有不正常的肿块或肿胀，应尽快进行全面的体检。这种不正常由癌肿引起的机会很小。

睾丸是产生男性激素和精子的腺体，位于阴茎的下方，被包裹在阴囊内。精索、输精管、神经和血管把睾丸与人体相连，尽管睾丸癌很少见，但是对于15～35岁的男人来说，它也是较为常见的癌肿，高加索籍美国人比非洲籍美国人这种癌更常见，通常男人在35岁左右被确诊。

几乎所有的睾丸癌都是原发的，很少类型的睾丸癌起源于胸部和腹部的胚胎组织，因为睾丸在胎儿时期从这些组织分化而来。睾丸癌的播散快慢依赖于其组织类型，但是它的播散途径是一致的，一旦恶性瘤穿破精索，癌细胞可自由侵犯周围的淋巴或血管，亦可扩散到腹部淋巴结，然后到肺，扩散到肝、骨和脑。

由于诊断和治疗技术的进步，睾丸癌大部分是可治愈的，即使是进展期也很少死亡，大约85%的病人被诊为局限性恶性肿瘤。该瘤治愈率很高，检测和治疗手段的改善，使总的5年生存率超过90%，即使确诊时癌肿已播散到附近器官，病人至少仍有存活5年的机会。

## 病　因

引起睾丸癌的原因尚不清楚，在10%睾丸癌发生在出生时有隐睾的男人中已有许多父子都患癌的报道，有生育问题的男人更容易患良性睾丸瘤，并有轻微患睾丸癌倾向。一些研究提示，行输精管切除术可增加患病率，但是其他研究不支持这一结论（参见睾丸问题一章）。其他被怀疑但没证明的危险因素包括：久坐办公的人，青春发育早，既往患过腮腺炎、睾丸损伤，长期接触杀虫剂或放射线，和与母亲有关的产前情况包括异常出血，在孕期服用雌激素或乙烯雌酚。乙烯雌酚为预防流产而被孕妇服用，但在美国已不再销售此药。

### 诊断与检查

每个男人都应该让医生说明自我检查睾丸的步骤，该步骤简单但非常重要，一旦出现不正常症状时，自己应该每月检查1次。任何阴囊无疼痛性肿块或肿胀可能是癌的信号，为了排除其他病的可能性，医生可能应用一个疗程的抗生素，看肿块是否消失，如不消失，应做超声检查和血尿化验，如果怀疑癌，则行睾丸切除，并行活检，确定是否是癌及其类型。如确诊为癌，应检查是否有转移，另外一侧睾丸是否切除无一定标准，因为在大多数情况下，对侧并无癌肿发生，切除一侧睾丸并不引起不育，但是如需要进一步治疗时，治疗前可建议病人先行精子保存。

## 治　疗

### 常规治疗

为了进一步诊断，手术切除睾丸是不可避免的。如果确诊为癌，第二次手术通常行腹部淋巴结清扫，这两次手术通常足以治愈局限性睾丸癌。除了手术治疗外，进展期病人有时需要放疗和化疗，几乎所有睾丸癌病人都能缓解，但是病人需要定期随访。如果癌肿复发，再次治疗也能得到缓解，如常规化疗不能治愈，医生应建议病人做骨髓移植，以便行大剂量化疗（参见淋巴瘤一章）。为了了解放、化疗的更多知识可参见癌症一章。

# 睾丸癌

## 危险症状

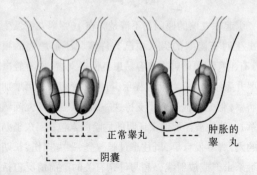

正常睾丸

肿胀的
睾丸

阴囊

睾丸悬于阴囊中，男性性腺或睾丸产生精子和男性激素。睾丸癌通常累及一侧睾丸，典型的始发于产生精子的细胞，周期性自我检查可以发现硬块、肿胀或者睾丸大小形态的变化（上图右侧）——所有这些都是早期睾丸癌的表现。

### 辅助治疗

尽管常规治疗能取得明显效果，但当病人得知自己患癌时精神压力很重，许多病人发现在处理精神压抑这个问题时，精神病学咨询和相关治疗是大有裨益的。

预防

一些研究表明，经常锻炼的年轻人很少患睾丸癌。另一研究表明，儿童 10 岁以前行隐睾矫正术能减少癌症发病危险，然而最重要的是经常自我检查睾丸。

骨盆部
疾病

# 阴茎痛

| 症 状 | 疾 病 | 应采取的措施 | 其他信息 |
|---|---|---|---|
| ◆在阴茎勃起时，阴茎弯曲部疼痛。 | ◆佩罗尼病：阴茎纤维增加。 | ◆看医生，虽然大多数病人不需治疗，有些则需外科治疗，每餐补充维生素E200克，对疾病有帮助。 | ◆多发于中年男性。由于反复损伤所致斑痕阻障性交时阴茎皮肤的滑动。 |
| ◆与性欲无关的持续性痛性阴茎勃起。 | ◆阴茎异常勃起——常为疾病或其他异常所致。 | ◆看医生：不治疗可能引起阳痿，需检查是否有其他疾病，为了临时减轻可应用扑热息痛，或用冰袋冷敷。 | ◆阴茎异常勃起有各种原因：如异常细胞性贫血，治疗突发病后，可恢复正常的勃起。 |
| ◆排尿疼和清亮稀薄的液体从阴茎排出。 | ◆衣原体：由微生物引起的性传播疾病。 | ◆看医生或到诊所化验血液，应用抗生素后，可以很好治疗。 | ◆性伙伴也需要治疗。 |
| ◆排尿痛和阴茎有脓样排泄物。 | ◆淋病：由性传播引起的细菌感染。 | ◆看医生：在未治疗前，中断性生活。 | ◆可经阴道、肛门、口传染，也可导致身体其他部分感染。 |
| ◆阴茎周出现痛性水泡、使皮肤破损。 | ◆生殖器疱疹——性传播病毒感染。 | ◆看医生：定时清洗，保持干燥，两周内避免性交。 | ◆一般只在疾病活动阶段有传染性，无环鸟昔洗液，可减轻疼痛缩短病程。 |
| ◆使阴茎出现，硬的痒的肉色的疣，有出血和轻微疼痛。 | ◆生殖器疣——性传播的病毒感染。 | ◆看医生：在疣消失前避免性接触，常用治疣的药不能治疗生殖器疣。 | ◆生殖器疣可自行消失，但常复发。 |
| ◆阴茎前皮肤出现红肿痛。 | ◆龟头炎——阴茎感染或炎症。 | ◆在洗澡时向下冲洗龟头，如为慢性可行包皮环切术，是有效的。 | ◆可能由于包皮内分泌物或刺激性衣物所致。 |
| ◆为治疗阴茎勃起功能障碍和阳痿在注射后出现疼痛。 | ◆药物性疼痛。 | ◆看医生，医生可在药物中加碳酸氢盐或止痛药普鲁卡因。 | ◆碳酸氢盐可中和注射药中的酸。 |
| ◆阴茎前皮肤缩卷困难、疼痛。 | ◆包茎。 | ◆看医生，如有持续性疼痛，包皮环切是必要的。 | ◆病因是炎症或生殖器问题，包括对性功能和性生活没有明显影响。 |
| ◆阴茎出现疼痛，肿胀，肿块。 | ◆可能为阴茎癌的征象。 | ◆立即看医生，即使没有疼痛、快速诊断可增加成功治疗机会。 | ◆阴茎癌在开始常是阴茎前皮肤下面的一个小瘤，无包皮过长的男性很少发生癌。 |

骨盆部疾病

# 尿 失 禁

## 症 状

◆ 不能控制排尿。
◆ 在咳嗽、大笑、打喷嚏、跑步或作其他体力活动时不自主地排尿。

## 出现以下情况应去就医

◆ 当你在一次患病之后如膀胱炎或服一种新的药品后变得不能控制排尿。突然不能控制排尿可能意味着神经系统的病变。
◆ 用于控制排尿的自助疗法无效。

虽然尿失禁一般与患者密切相关，但它并不像普通人想的那样，是衰老的必然结果。这种病常反映了其他潜在的疾病，并且是可以治疗的，哪怕是在老年人。经过合理的治疗，大约70%的病例可以缓解或完全治愈。

如果不予治疗，该病不会缓解并有可能加重。尿失禁可引起膀胱与尿道的感染，并且漏出的尿液可引起皮肤不适、皮疹或其他皮肤病。对于那些治疗无效的病人可通过使用特殊的有吸收能力的尿垫或其他用于解决尿失禁的辅助装置来吸收尿液，以避免以上并发症和不适。

大约有1千万美国成年人患有尿失禁，妇女比男性更易患此病，这是由于女性的骨盆底（一群组织和肌肉）较男性薄弱，并且随着年龄的增长或在分娩以后会变得更松弛。

## 病 因

正常尿的控制要依靠整个泌尿系统，即肾、输尿管、膀胱、尿道及骨盆肌肉，还有中枢神经系统。当膀胱充盈之后，它就会向脊髓神经中枢发出信号，并激发排尿反射，随后膀胱肌肉收缩将尿液经尿道排出体外，尿失禁会因为以上任一过程发生障碍而产生。

医学家将尿失禁分成三类，当然许多人，特别是妇女，可以同时存在一种以上尿失禁的干扰。应力性尿禁，是由于尿道周围的肌肉力量过于薄弱不能抵挡膀胱压力突然升高导致尿液外溢。咳嗽、大笑、运动、打喷嚏及其他可引起膀胱压力突然上升的活动都可引起尿失漏，但通常只有几滴。

张力性尿失禁：此种病人的膀胱如同婴儿或学步小孩一样，一旦膀胱充盈之后，膀胱就会简单收缩而排尿，病人不能控制突然的排尿的迫切要求，这是健康人中常见的一种尿失禁，但也可见于中枢神经系统病变的病人，如中风患者、早老性痴呆、帕金森病、多发性硬化。病人常由于膀胱会完全排空，一次排出大量的尿液。

充盈性尿失禁：当病人无法再憋住尿时就会出现充盈性尿失禁，但膀胱不会完全排空而致少会有部分充盈；过量的尿液只是少量的被排出，充盈性尿失禁常见于糖尿病患者或在男性前列腺肥大导致尿路梗阻者（见前列腺疾病部分）；在女性也可见于纤维瘤或卵巢肿瘤者，药物或膀胱神经的病变也可能是病因。

尿道或者其附近的手术有时可引起瘢痕或其他损伤而导致尿失禁，甚至腰椎间盘突出也可压迫支配膀胱的神经从而引起尿失禁。

妇女由于妊娠与分娩，会引起许多支配控制尿道的肌肉组织扩张及无力从而导致尿失禁。研究证实，妇女经阴道分娩的次数越多，她以后在运动的时候越容易有尿液漏出，在绝经后，由于血中雌激素水平的下降，会引起尿道周围组织变薄，骨盆底变得无力，导致尿失禁。

尿失禁也是许多利尿药、镇静剂、抗抑郁药、抗组胺药以及许多其他药物潜在的副作用。有时治疗本病简单到只需换用其他药物。请向你的医生咨询。

### 诊断与检查

为了明确造成你尿失禁的病因，你的医生会详细地了解你的病史，包括你的症状在内，例如：你排尿的次数及每次排尿的量，另外还会让你留尿样进行检查，以了解有无泌尿系感染。医生还会检查你的直肠、生殖器和腹部以排除如肿瘤及前列腺疾病等可能，医生还会让你咳嗽看是否有尿液流出，有无张力性尿失禁的症状。为了检查充盈性尿失禁，医生会让你排尿，然后将一根导尿管插入膀胱，看有无尿潴留存在。

如果标准的治疗不能解决你的尿失禁问题，或者

# 尿 失 禁

你的医生认为手术可能有所帮助，你应当向一位专家咨询，特别是泌尿科医生，以进行进一步检查。通常是尿流量试验，你会被要求喝一定量的水使膀胱充盈，然后将尿排入一个特制的记录你排尿流速时仪器，另一种有用的检查是测膀胱内在量。它可能有点不舒服，将细管插入到膀胱和直肠内，以测定膀胱内的肌肉产生多少压力。

## 治 疗

绝大多数尿失禁都可以治愈或至少明显改善症状。无论是常规治疗还是辅助治疗都可以有效减轻症状。事实上，对于张力性尿失禁患者，许多医生都建议采用非药物治疗方法，即缩肛运动和生物反馈疗法。如果你愿意，也可首先运用辅助治疗法，然而如果你的症状持续甚至在不断加重，还是应该让医生为你作充分的检查和诊断。

### 常规治疗

许多医生都认为在药物治疗之前，病人应先尝试行为的治疗技术。它主要是肌肉锻炼方法包括缩肛运动和生物反馈疗法。

憋尿也是另一种有效的治疗方法，首先你应用 7 天的时间记录下你每天的饮水量、排尿间隔的时间及每次排多少尿。然后你应按照制定的间隔计划开始排尿，开始是每 30 到 60 分钟 1 次，然后不断延长上厕所的时间间隔，这一过程应在数周内完成。

如果你的医生决定你需要进行药物治疗，他会根据你尿失禁的病因给你开药，如果尿液检查发现有感染迹象，可以使用抗生素治疗。如果你是绝经后的妇女，也可使用激素替代治疗以提高你体内的雌激素水平（虽然这种治疗方法的疗效还未得到明确的证实）。如果你患有张力性尿失禁，也可使用伪麻黄碱、麻黄绒、盐酸去甲麻黄素，以增强括约肌和尿道周围肌肉的张力从而控制排尿。为了减少张力性尿失禁时膀胱的不自主收缩，可以使用普鲁本辛、丙咪嗪或氧化奥昔布宁，这些药可以帮助松弛控制排尿的肌肉。

有一种人工子宫托的特殊装置，可以放在阴道内支撑骨盆的肌肉，它可能对某些张力性尿失禁的病人有所帮助，但子宫托必须由医生为你配定合适的尺寸。

一种较新的治疗张力性尿失禁的方法是使用一种小的锥形的阴道重物，它可以让你通过锻炼的方法使松弛的骨盆肌肉得到增强，方法是先将最轻的锥形物尖端向下插入阴道，然后通过收缩肌肉尽量使重物不要脱出。然后逐渐将时间延长到 20 到 30 分钟，再换一个较重的锥形物，不断地锻炼上几周，会使你的骨盆肌肉力量得到加强。

如果以上治疗方法均无效，你的医生可能会建议手术。在妇女对于那些因妊娠与分娩所引起的尿失禁，通过手术修复受损的肌肉与韧带或是将膀胱复位可能会很有效，特别是对张力性尿失禁者。另外，还可以植入一个人造的括约肌装置，通过手法控制它的开和关，你可以控制你的排尿并防止尿外漏。

如果所有以上方面均无效，你还可以学习应用一些特别设计的辅助物，如可以吸收尿液及气味的装置或尿布，有的装置可将尿液吸干并将其转入到一个隐藏的塑料袋中。关于这方面的选择可以与你的医生商量。

### 辅助治疗

大多数辅助治疗的目的都是增强骨盆底肌肉的收缩力，从而改善控制排尿的能力。

#### 针灸治疗

针灸医师认为尿失禁是由于肾气及脾气虚造成的。为了恢复体内气的平衡，可以通过刺激与相应脏器相关的特定穴位而实现，你可向这方面的专家咨询有关情况。

#### 生物反馈

研究证实生物反馈技术可控制 25% 尿失禁患者的全部症状，并对另外的 30% ～ 50% 患者的症状可有明显的改善，治疗的主要过程是通过一根插入膀胱的导尿管向膀胱内注水，同时病人通过生物反馈技术控制排尿的念头。

#### 按摩治疗

骨盆周围的肌肉和关节的调整可以增强尿道的肌肉力量，增加膀胱贮存尿液的能力。

#### 营养及饮食

注意控制体重，超重会增加膀胱肌肉的压力。

骨盆部
疾病

便秘时用力排便也会减弱膀胱肌肉的力量，可以通过增加食物中的粗纤维量，多吃粗粮及新鲜水果蔬菜，以防止便秘。

避免喝酒、咖啡及辛辣食物，以及酸的水果与水果汁，这些都会刺激膀胱并引起尿外漏。

反射治疗

反射治疗学家认为，按摩足部一些部位，可刺激输尿管、膀胱、肾、肾上腺及下段脊髓（见膀胱感染部分）。

家庭治疗

◆避免便秘：多吃粗粮、水果、蔬菜。

◆每日进行缩肛运动。

◆尽量延长排尿的间隔时间，最好能达到6小时。

◆不吸烟，尼古丁会刺激膀胱。

◆二次排空。排尿后等待几秒钟，试图再排一次。

◆如果你是患有张力性尿失禁的妇女，在打喷嚏或咳嗽前应夹紧双腿。最近研究表明，这一简单方法在减少尿外漏方面很有效。

◆如果治疗无效，可试用尿布或尿垫，　高效吸味剂及其他装置，你可以多用几种牌子的直到找到适合自己的为止。

## 缩 肛 运 动

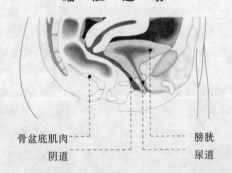

骨盆底肌肉　　　　　　　　膀胱
阴道　　　　　　　　　　　尿道

患有张力性尿失禁的妇女可运用缩肛运动来加强支持子宫、膀胱和控制阴道和尿道收缩的骨盆底肌肉的力量。方法是在排尿时，慢慢收缩骨盆底肌肉，使排尿中断。保持10秒钟、然后再重复几次，你也可以在其他时候站着、坐着或躺着的时候进行这种锻炼。

## 症 状

不到6岁的幼儿，夜间尿床是很常见的，只有在出现以下情况才应该加以注意：

◆你的孩子已超过6岁，但夜间仍尿床，或持续每月尿床两次或更多。

◆你的孩子在很长时间夜间不尿床后又突然开始尿床。

## 出现以下情况应去就医

◆你努力帮助你的孩子学习夜间不尿床但又无效果，或你的孩子需要更多的帮助来控制这种情况。

◆你的孩子频繁尿床或排尿时疼痛，排黑褐色尿（出血的征象），腹痛或发热，这些症状可能提示泌尿道或膀胱感染。

◆你的孩子开始服用一疗程的处方药治疗遗尿后出现副作用，影响他的习性或睡眠。许多治疗药物都有这方面副作用。

对于遗尿，非常重要的是要记住它是良性疾患、并且不是故意的行为。惩罚不是解决的办法。每年都有500万~700万儿童患有遗尿现象，且主要是男孩。

不要过分担心遗尿，除非你的孩子已超过6岁。6岁以前，小孩的身体可能未完全发展成熟，不能控制膀胱夜间的工作。时间可以解决问题，大多数儿童到7岁以后可自己解决一些难题。

## 病 因

虽然大多数病例看来是因为某种发育迟缓，但为什么遗尿并未完全阐明。一些专家认为遗尿纯粹是一种行为问题，其他人确认它的起因是生理学原因，另一些人认为同时有生理学原因和行为因素，只有2%的病例显示有神经学问题（通常由异常的脊柱结构所致）或特殊的疾病，如多尿症或膀胱感染。

替代治疗学家确信骨盆周围肌肉和关节的疾病，可影响控制排尿括约机的功能。

一些新的观点认为，紧张的环境可导致儿童重新出现遗尿。当你的孩子适应了环境,问题可自然解决。如果你的孩子仍不能改善情况,则下面所列举的治疗方法应该有帮助。另外,你应让你的孩子说出他的恐惧。

# 治 疗

## 常规治疗

为除外有关疾病的存在,你的儿科医生会做血、尿检查。若检查提示多尿症或感染,医生会首先治疗此病,同时也会检查你的孩子,排除神经系统问题。

对于其他方面健康的儿童,治疗遗尿有三个基本方法:等待自行解决,应用行为控制和服用药物治疗。

等待,当然是通常喜欢用的方式,但可能使你的孩子感到紧张。然而,如果他已经足够大,则可利用诱导劝告得到效果——学习并参与控制这种情况,他和其他家人会很容易掌握。一种诱导方式是让你的孩子把一个星贴在图表或日历上,以标志那个晚上没有尿床。

行为控制——利用一个有传感器的设备来监测潮湿并可报警,已证明非常有效。孩子开始将膀胱的胀感与被叫醒联系起来,而最终将"学会"在失控前自己醒来。

药物治疗被认为效果很低,因为大多数儿童在停药后复发。然而对短期效果有一定帮助。比如,当你的孩子睡在朋友家,desmopression(去氨加压素,一种抗利尿药)制尿药会很有效。因为丙米嗪有副作用,医生已将此药从抗抑郁药中去掉。

## 辅助治疗

### 指压治疗

按照针压法的支持者所示,每天用拇指向上深压下面几点可能有效:太溪穴、三阴交穴。同时,按住神门穴,此点在孩子手腕的凹陷处、小指的下方,持续1分钟以上,然后换另一侧。

### 体疗

反射学可能对神经因素造成的遗尿有效。向资深的治疗学家咨询,以得到帮助。

### 锻炼

膀胱收缩练习可帮助你孩子增加膀胱的容量。总会有一天你孩子会尽可能多地保存尿超过初始膀胱充满的指标。你和孩子可每天测量排尿量看是否有增加。让你孩子坚持练习3个月以上,看看这种方法的效果。

### 身心医学

催眠疗法对于有高度诱导性的儿童可能有效。在有经验的专家帮助下,你的孩子将掌握一系列动作,在他上床前会对你说,如"当我要小便时,我会自己叫醒自己并去盥洗室"。

### 营养及饮食

有时,遗尿与食物过敏有关。尽量将与过敏最密切相关的食物——奶制品、柑桔水果和巧克力,从孩子的食谱中去除。

### 整骨术

如果锻炼或以行为为基础的治疗无效,则咨询一位整骨术医师,对你孩子的下背部和骨盆区进行推拿,以修复可能存在的结构问题。

### 克服的方式

◆教大孩子怎样更换他自己的床褥。每晚将干净宽大的睡衣裤和被单放在他的房间。你可以帮助他避免窘迫,若他不再依赖你,可给他一个可控制的传感器。

◆如果你正应用一个报警器来实施行为控制治疗,不要用尼龙床单和睡衣裤,尼龙可诱发遗尿,抵消报警的功能。

◆若想避免床垫引起尿床,就不要用塑料制品(可导致儿童遗尿),可给他一个小的橡胶的垫子,当发生意外时,他可以将湿的地方移开。

骨盆部疾病

# 尿布疹

## 症状

◆ 尿布区皮肤发红——外生殖器周围、臀部及大腿，但不出现在腹部。

◆ 皮肤发紧、纸样或皮肤发亮、呈鲜红色。

◆ 很强烈的氨味。

◆ 在男孩，阴茎发炎。

## 出现以下情况应去就医

◆ 在家治疗4天后病情仍无改善，或者你在口腔中发现一些白色的小斑块，用干净的布擦拭后变成红色，那么你的孩子可能患有真菌感染（称为念珠菌病），或在有些时候称为"鹅口疮"。

◆ 皮疹有脱屑并呈黄色，而且不仅出现在尿布区皮肤，还出现在身体其他部位，例如耳后或胳膊下面，那么你的孩子可能患有脂溢性皮炎。

◆ 尿布疹在几天内没有消失或进一步恶化，那么你的孩子可能合并有链球菌或葡萄球菌感染，或者是对某个特殊洗剂、肥皂或清洗去污剂出现的局限反应。

◆ 尿布疹呈水疱样，破溃后形成红色浅表溃疡，那么你的孩子可能患有脓疱病，需要用抗生素治疗。

◆ 你儿子的阴茎出现水肿、发红、且包皮不能缩回；或你注意到阴茎有绿色分泌物流出，那么你的孩子可能患有一种比较疼痛的疾病，称为龟头炎，需要抗生素治疗。

几乎所有的婴儿都可能出现过尿布疹——在臀部、外生殖器及大腿的皮肤出现的炎症。尽管尿布疹可能引起婴儿不适，甚至有些疼痛，但它很少是严重的。大多数病例病程都很短，仅持续3～4天。但某些时候皮疹很顽固，这表明皮肤有继发病变或继发了感染。

不论你使用哪种（或布的）尿布，孩子均可能出现尿布疹；潮湿，而不是尿布本身，是引起尿布疹的罪魁祸首。保持婴儿干净，并在尿湿后马上更换尿布，是防治尿布疹的关键。

## 病因

任何对孩子敏感肌肤有刺激性的东西均可以引起尿布疹。本病的最常见原因是尿液与大便接触皮肤时间过长，但皮疹还可由于洗浴后没有正确擦干婴儿的皮肤，或由于对直接用于婴儿皮肤的洗剂、肥皂，或尿布织物的清洗去污剂中化学物质的过敏反应而引起。脂溢性皮炎是由于影响皮脂腺而出现的皮肤炎症疾病，同鹅口疮（一种真菌感染）一样可以诱发尿布疹。那些由于其他疾患而服用抗生素治疗的婴儿，尤其容易出现与鹅口疮相关性尿布疹，这是因为抗生素可利于真菌生长。湿疹，一种过敏性皮肤疾患，亦可由于对食物或其他致敏原的过敏而表现为尿布疹。

## 治疗

大多数尿布疹对家庭治疗方法反应良好，而不需要去医院治疗。如果你孩子的皮疹在3～4天之后没有改善，请看一下儿科医生。注意诊断尿布疹必须除外严重的皮肤感染情况。

### 常规治疗

对于寻常尿布疹，医生可能会给予一些市售的含氧化锌成分的软膏，以保护皮肤。如果你孩子的皮疹已发展至细菌感染，可能会处以外用或口服抗生素。治疗鹅口疮，儿科医生会用抗真菌霜剂涂在皮疹上，并可能处以抗真菌漱口液以除掉孩子口腔中鹅口疮斑片。对于涉及脂溢性皮炎或湿疹的尿布疹，医生有时会处以氢化可的松霜剂。市售的抗真菌和氢化可的松霜剂均可起作用，但在代替处方霜剂使用时，应先同你孩子的儿科医生商量一下。

### 辅助治疗

其他疗法在治疗和预防普通尿布疹方面可以非常有效。但是，如果几天内你孩子的皮疹没有改善，那么你还是应该去寻求专业医疗照顾。

#### 家庭疗法

◆ 一旦看到皮肤发红，用温水清洗婴儿的下身，并充分擦干。然后使用抗生素霜剂或隔离软膏，例如氧化锌，以保护皮肤。

◆一旦尿布浸润，应立刻更换，尽可能让孩子不带尿布活动一下。

◆使用任何一种尿布衬里，这样尿液可渗入尿布而保持孩子的皮肤干燥。

◆除非皮疹消退，否则应避免使用塑料裤或尿布盖，这样会阻碍湿气出来。

预防

你可能无法预防尿布疹，但通过保持婴儿皮肤干燥、清洁，并在尿布浸润后立刻更换等方法，可以限制尿布疹出现的时间期限或严重程度。用热水洗布尿片，在清洗液中加入适当漂白剂或醋，并多冲洗几遍，以帮助杀菌、冲净残留肥皂。如果整个尿布区均受刺激而发红，那么可能是你孩子对去污剂过敏，试用另一个牌子，看看皮疹是否消退。预防尿布疹的最好方法，就是尽可能让你的孩子不要带尿布。

### 注意事项

当婴儿粉或滑石粉接触到暴露的皮肤时，可引起一种炎症反应，称为肉芽。如果吸入这些细粉末，可能导致肺损伤。为保持尿布区皮肤干燥，现在大多数儿科医生会给予隔离霜或玉米淀粉，这比粉末要粗糙、重。但是，如果你孩子患有真菌感染，请勿用玉米淀粉，因为真菌在玉米淀粉上易于生长。

## 症　状

不能或不能保持阴茎的勃起状态是阳痿的定义，这种疾病可以有多种表现形式，阳痿可有以下症状表现。

◆如果你只是偶尔出现阳痿，问题并不严重，几乎所有男人都曾经有过一过性阳痿。

◆症状不断进展并持续存在，那可能为器质性病变，可能是慢性阳痿。

◆突然发生阳痿，但在清晨时及手淫时仍可勃起，那么症状可能是由于心理因素引起的。

### 出现以下情况应去就医

◆阳痿与焦虑有关，且可能会破坏夫妻关系。你的医生至少应该消除你的一些可能会加重你性功能障碍的错误观点。

◆阳痿持续存在时。它有可能意味着其他一些较危险的疾病，如阴茎动脉狭窄，可能意味着冠心病（见动脉粥样硬化、心脏病部分），而对于阳痿本身，如果阳痿无法治疗的话，医生可能会建议一些治疗方法以缓解症状，或使用机械器具。

阳痿即不能或不能保持阴茎勃起状态，以保证男女间能进行满意的性交，它可以对男人及其性伴侣的自尊心造成极大伤害。持续型的阳痿大约影响了约2千万的美国男人，而大约全部的男性成年人都经历过一过性阳痿，而几乎所有试图进行治疗的人都会发现他们的症状有所缓解。

## 病　因

大约20年前，医生们倾向于认为阳痿是一种心理疾病或者是一种正常的衰老过程，然而今天医生已不再坚持以上观点，虽然随着年龄增大，勃起所需要的时间会延长，但慢性的阳痿还应得到治疗。今天，泌尿科专家认为约90%的50岁以上持续阳痿患者是由于器质性病因造成的。

由于阴茎勃起主要是血管充血引起的，因此就不奇怪在这样的年龄组血流受阻是阳痿最常见的病因，

骨盆部
疾病

例如动脉粥样硬化或糖尿病。另一种血管病因是静脉病变，它可引起血液过快地从阴茎流走。其他的器质性病因，和激素水平失衡或某些手术也可导致阳痿。

支配阴茎勃起的血管受神经系统的支配，某些药物可以影响神经信息的传递从而影响勃起。这些可能引起阳痿的药有某些兴奋剂、镇静剂、利尿剂、抗组胺药，以及某些治疗高血压药物、抗癌药或抗抑郁症的药物。另外，酒精、烟草及非法麻醉剂也可促使阳痿的发生。

对于年轻人，心理因素是引起阳痿的最常见病因，与性伴侣的交流不充分或性行为习惯的不同可以导致紧张与焦虑。另外性功能障碍还可能与抑郁、性恐惧(害怕性交)、遭到性伴侣拒绝或儿童期性习惯不良有关。

# 治 疗

如果你因为偶尔阳痿而苦恼，应当记住，随年龄的增长，勃起需要更长时间，需要更多的努力才会得到性满足。如果你的阳痿持续而严重，你应当得到治疗，而治疗的方法近几年来有多种可供选择。

## 常规治疗

作为一种安全而有效的治疗，许多泌尿科医生近几年推荐的治疗慢性严重阳痿的方法是真空抽吸装置，它特别适用于老人，它通过在阴茎附近产生负压，从而使血流流入到阴茎内，然后用橡胶圈套在阴茎的根部使血液停留在阴茎内保持勃起，但橡胶圈应在30分钟后拿走以恢复血液循环。

也可以在性交前自行注射罂粟碱或前列腺素以引起勃起，这些药也有助于改善阴茎长期的血流供应。睾丸酮对某些病人可能有效，但血中激素水平的变化并不能保证性功能的改善。

在性交前1～2小时服用己酮可可碱或育亨宾可能对血流不足的病人有帮助，其他性功能兴奋剂可能对某些病人有心理作用。

对于由血管因素引起的阳痿，通过外科手术改善阴茎血管的血供情况，可使一半的病人的症状得到改善。这种手术在本世纪70年代刚刚问世时，其效果被过分地夸大了，但是近年来该技术已经有了很大的改进。

如果以上方法都无效，还可考虑阴茎假体植入术。其中最简单的是一种半硬型阴茎假体可产生永久性的勃起，而较复杂和昂贵的植入物则可通过埋在阴囊皮下的一个泵装置进行阴茎勃起。

如果阳痿是由于心理因素造成的，那就应当仔细分析你与你的性伴侣之间的关系或有无其他可引起精神紧张的原因。这时专家可以在解决潜意识的问题如负罪感、过度紧张，以及在童年时对性形成的不良印象等方面有所帮助。

## 辅助治疗

许多辅助治疗方法都可以在促进健康和满足性生活的需要方面有所帮助。但在采用下面所提到的方法之前，你最好向有关的专家如针灸师或治疗师进行咨询。

### 香疗法

檀香油或其他香料可使你感到放松并增加性欲，可将2滴油放入到4勺按摩油或热水浴中使用。

### 中药治疗

中医认为过度焦虑可以引起肝气郁结，有一些方剂可治疗这种病症，有时还可与狗脊根合用。

### 家庭治疗

◆尝试各种爱抚方式，不要只把注意力集中在勃起上。那些较有耐心并且学会如何通过各种方式满足性生活的夫妇，其阳痿治疗的效果常常较好(参见性功能障碍部分)。

◆适量（而不是过量）的体育活动可以使肌体放松，增强体力，并增强性功能。

◆紧张和焦虑会减少性器官的血流，你应学会各种放松技术，包括瑜伽、冥想及按摩术。夫妻间相互按摩可延长性交时间并增加双方的感情交流。

# 不育及不孕症

## 症 状

◆不育（孕）的定义是指在正常的、未采用避孕措施的性生活 1 年后仍未能使女方怀孕，其原因可以是女方、男方，或是双方的。

## 出现以下情况应去就医

◆你想有个孩子，但经过 1 年的"努力"（努力是指未采用避孕措施的性生活，平均 1 周 3 次）后仍未怀孕，在找专家就诊前可以先看你的家庭医生，其病因可能很简单，比如没有在排卵期进行性生活。

对于许多夫妇来说，不育会引起危机，常常会有一种负罪感。但诊断为不育症并不意味着绝对不育，大约有 15% 的夫妇有不育（指在 1 年的正常性生活后仍未怀孕），只有 1%～2% 是绝对不育的（有缺陷或其他原因而绝对不可能怀孕）。对于那些想获得帮助的夫妇，通过自己的努力或药物的帮助，大约有一半最终会怀孕。

对于不育症，约 40% 是由男方造成的，另 40% 由女方因素造成的，20% 是由男、女双方共同造成的。

## 病 因

对于男性，不育最常见的原因是精子异常，如数量少（精子在精液中的数目）、活动力低下（精子游动的能力不足），或精子畸形及输精管阻塞。精子输出数量暂时性的下降也可能由于产生精子的部位——睾丸的温度过高所致，如洗浴时水温过高，或穿的内裤过紧。局部温度过高也可能由于器官异常所致，如睾丸周围静脉缠绕——一种十分普通的病称为精索静脉曲张，由于血液减少，睾丸发凉。

对于女性，不孕常常是由于不排卵或卵子由卵巢通过输卵管进入子宫的过程受阻所致。不排卵可能是由于激素水平失衡或卵巢囊肿所致。卵子不能由输卵管进入子宫，可能是由子宫内膜异位症、肿瘤、粘连、感染，或既往手术的影响所引起。在子宫内，受精卵不能着床植入，可能是由子宫肌瘤、子宫内膜异位症、肿瘤、子宫颈疾病，或子宫畸形所致。另外，如果子宫颈的粘液破坏精子或阻止精子进入，卵子也不能受精。

年龄也是个因素。在女性，35 岁后受孕的能力就会下降，45 岁后怀孕就很少见了。体重过重或过轻，都会影响生育。

对于男性和女性，心理因素可降低生育力，如焦虑、抑郁。而一些环境因素，如放射线、杀虫剂及其他化学物品也会减低生育能力（见环境毒物节）。

### 诊断与检查

为了明确不育的原因，医生一般会仔细地询问夫妻两人的健康史、用药史及生活的情况。男子首先进行体格检查，因为男性不育常常是由于精子异常，这很容易检查。

对于女性，应先进行全身体格检查及宫颈的涂片检查，然后医生还会检查卵巢产生及排出卵子的过程是否正常。还可通过血液检查，了解血中激素水平。

卵巢及子宫可以通过 B 超进行检查，还有一种特殊检查可了解输卵管是否有阻塞或子宫是否有异常。在性交后 2～5 个小时可以行性交后试验，了解精子与子宫颈粘液能否相容。

## 治 疗

许多被宣称为不育的夫妇都最终有了自己的孩子，有的不育病人可通过一些简单方法增加怀孕机会（见家庭治疗部分）。

夫妇会被建议在将要排卵前性交，这一时间大约是月经来潮前 13～15 天，它可通过排卵时体温轻度升高，或应用非处方的检查即试纸检测尿液化学变化来确定。还有一种新技术，可通过 1 滴唾液发现排卵。

进一步的治疗可以使用激素或某些药物促进排卵，这些药有较好疗效，但会增加多胎妊娠的机会。

在男性，前列腺及精囊、睾丸或尿道的疾病，都应予以治疗。精索静脉曲张也可结扎，从而使睾丸的温度恢复正常。

有一小部分无法通过以上方法治疗的不育夫妇，可以进行人工授精或者试管婴儿，即将卵子在体外授精，然后再植入妇女的体内。还有一种方法是将卵子和精子直接放置到输卵管内。这两种方法难度较大且不

骨盆部疾病

容易成功,同时费用也很昂贵。

### 辅助治疗

各种辅助治疗方法可以提高受孕能力,你可以咨询针灸医生。

**身心医学**

放松技术可以减轻心理压力(有时是不育的原因)。行为疗法,如按摩、瑜伽、或沉思也会有所帮助。

**营养及饮食**

无论男女,锌对于生育来说都是很重要的,每天补充 15 毫克锌(同时应服用 2 毫克铜)可能有助。维生素 C 对于精子活力差及数量少也可能有帮助,精氨酸也有这方面的作用。

**家庭治疗**

对于女性:

◆不要冲洗阴道,这样不利于精子生存。

◆性生活后,保持仰卧位几分钟,这样有利于精子进入子宫颈。

对于男性:

◆不要过量饮酒。

◆注意身体健康,一场重感冒就会使精子数目在 3 个月内受到抑制。

◆不要让睾丸的温度过高,不要洗桑拿、过热的盆浴,并且要穿合适的内裤。

## 症　状

尤其是女性,你可以无任何症状直至发展到严重合并症,或者你可以注意到:

◆阴道、肛门、尿道分泌物:颜色可以是白色、黄色、绿色或灰色,或分泌物混有血丝,可以有强烈的气味。

◆外生殖器和/或肛门烧灼感。

◆外生殖器上或周围有皮疹、疱疹、疣、肿块、破溃。

◆排尿时灼烧感。

◆腹股沟淋巴结肿大。

◆腹股沟或下腹部疼痛。

◆阴道出血。

◆睾丸肿胀。

◆"感冒"样症状。

◆性交痛。

参看艾滋病、衣原体感染、生殖器疱疹、生殖器疣、淋病、肝炎、梅毒、滴虫病。

## 出现以下情况应去就医

◆你有上述任何症状。

**性**传播疾病 (STD) 是传染病,而且可导致严重并发症,如果不治疗甚至会死亡。

性传播疾病,曾称作生殖器疾病,是最常见的传染性疾病,每 4 个美国成人中就有 1 个患有性传播疾病,每年有 1200 万新病例报告。

正如这组疾病名称所表示的,这些感染可通过阴道,肛交或口交传播,如果你有不仅一个性伙伴或/和在发生性关系时不应用避孕套,那么你会有很大危险性。

如果你在静脉注射药物时共用针头,你同样有很大危险,会感染上某些这类疾病,主要为艾滋病及乙型肝炎。

除了艾滋病及乙型肝炎,只要及时治疗,性传播疾病可以被治愈或控制,但是你可能未认识到自己患有 STD,直至生殖系统、视力、心脏或其他器官受到损害。同样,STD 可以削弱免疫系统功能,并使你更容易感染,盆腔炎症疾病是许多 STD 的合并症,它可使女性不能生育,甚至危及生命。如果你把 STD 传给你的小孩,可以造成失明,及脏器损伤,甚至死亡。

# 性传播疾病

## 病　因

细菌性 STD 包括衣原体性病、淋病及梅毒，病毒性 STD 包括艾滋病、生殖器疱疹、生殖器疣和乙型肝炎。滴虫病是由一种寄生虫引起的，这些引起 STD 的微生物体可以在精液、血液、阴道分泌物，有时在唾液中发现，大多微生物有肌体通过阴道、肛交、口交传播，但有时可通过皮肤接触传播，比如那些引起生殖器疱疹及疣的病原体，通过与患有乙型肝炎病毒的人共用个人用品，你会感染上乙型肝炎。

### 诊断与检查

如果你是高危人群一员，即使没有症状，也要请求你的医生在每年体检中进行 STD 检测，你如果检测阳性，你的性伙伴同样需要治疗，STD 可以经过体检、PaP 染色、血、尿、生殖器及肛门分泌物化验检测出来。

## 治　疗

不要试图自己治疗 STD。这些疾病是有很强的传染性的，这是严重的疾病，你必须去看医生。

### 常规治疗

如果开始治疗时间及时，抗生素可以治愈细菌性 STD。

病毒性 STD 不能被治愈，但可应用药物控制症状。

现在有乙肝病毒疫苗，但如果你已患这种疾病，疫苗将毫无用处。

### 辅助治疗

家庭治疗

◆服用锌及维生素 A、C、E 增强免疫，可帮助治疗某些皮肤感染，如疱疹。

◆练习松弛技巧，减轻紧张，加速愈合。

◆行热水浴及服用止痛药，如阿司匹林、布洛芬或乙酸氨芬。

◆向你的医生或药剂师要一些自制药

预防

避免与任何有生殖器破溃、皮疹、分泌物或其他症状的人发生性关系

如果你属于高危人群，那么你应该：

◆应用避孕套与水性润滑剂，记住避孕套不能百分之百有效预防疾病。

◆避免共用手纸或衣服。

◆性交前后冲洗。

◆注射乙型肝炎疫苗。

骨盆部
疾病

# 淋 病

## 症 状

◆尿道口分泌出黄色、混浊、绿色、白色或血色的脓性分泌物。

◆尿频。

◆排尿时有尿道烧灼感。

◆严重的盆腔和下腹疼痛。

◆经常有便意(直肠淋病)。

◆恶心,呕吐,发热,寒战。

◆性交时疼痛。

◆龟头红肿。

◆严重的咽痛,吞咽痛(咽部淋病)。

### 出现以下情况应去就医

◆出现以上任何症状时都应就诊。淋病是严重的传染病,可引起严重的并发症。

淋病是一种泌尿生殖道的细菌感染性疾病(有时还会导致直肠、咽部和眼的感染),其发病率在美国处于不断上升过程中。特别是在青少年中,每年约有250万名新的淋病患者。

如果你是一名妇女并且患有淋病,在很大的情况下你可能并不知道。常常直到淋病已产生了严重的破坏时才出现症状。另一方面,95%的男性在感染后几天到数周内出现症状。如果你的伴侣有症状,那么你们两人都应同时就医并进行治疗。由于本病传染性很强,医生必须向当地卫生部门官员报告病例,你应当准备回答一些问题,主要是关于你近期的性活动。

如果不进行治疗,淋病会进一步扩展并可损害心脏或引起淋球菌性关节炎。在男性可引起前列腺炎和尿道炎(见前列腺疾病和泌尿系疾病部分)、附睾炎——一种附睾的炎症。在妇女,感染可扩散到子宫和输卵管,引起盆腔炎,导致输卵管瘢痕形成及不孕。

即使你没有淋病症状,也最好请你的医生每年对你进行一次淋病的检查。这对于孕妇或打算怀孕的妇女特别重要。新生儿如出生时接触了淋病球菌可能导致永久的失明。

## 病 因

淋病是由一种称之为淋球菌的细菌所引起的,它通过性交传播。

### 诊断与检查

妇科医生在作常规盆腔检查时如发现宫颈充血,或中心有分泌物排出可能就会发现淋病。医生应对感染部位任何分泌物进行培养,对标本经过特殊的染色后并在显微镜下直接检查。

## 治 疗

由于淋病是一种可引起严重后果的传染病,你必须首先进行常规治疗。

### 常规治疗

医生会给你开止痛药止痛,另外还有一些抗生素如:头孢曲松钠、强力霉素、氨苄青霉素或红霉素以杀死细菌。由于存在一些新的抗药的细菌株,医生还会给你服用丙磺舒,一种可以使抗生素在你体内持续时间延长的药物。如果感染已扩散到了其他器官,你可以用阿莫西林治疗。

### 辅助治疗

除了常规治疗,一些辅助治疗可加速病变的愈合。

#### 指压治疗

根据中医理论,白色的分泌物被认为是由于气虚所致。为了清除体内毒素同时补气,可以按摩足厥阴肝经太冲穴位,位于足背大拇趾与第2脚趾之间;及足厥阴肝经曲泉穴位,位于膝盖以上大腿内侧,另外还有足少阴肾经太溪穴位,位于足内侧踝骨与跟腱之间腱内侧。(见穴位图)

#### 中药治疗

为了清除病菌,中医师可能会根据你的病情开含有龙胆、当归、柴胡及甘草的处方。黄连被认为可以加强泌尿系统和生殖系统的抵抗力,特别是伴有盆腔炎时。

**营养及饮食**

如果你的医生同意,可禁食 1 到 3 天以清除体内毒素。喝一些石榴汁、酸果蔓果汁或芹菜、欧芹、黄瓜汁的混合物有助于将有毒物质从尿中排出。因为抗生素在杀死病菌的同时也杀死了肠道中的有益细菌,可以吃一些含有活乳酸菌的酸奶等食品。

**家庭治疗**

◆洗个热水澡以缓解疼痛和炎症。

◆吃平衡的饮食,包括含活菌的酸奶。

◆在服用抗生素时再用一些以上的中草药。

◆用冰袋来减轻腹痛。

◆感染关节处应用蒸汽浴来减轻淋病性关节炎所引起的疼痛。

**预防**

使用避孕套,如果你的性伴侣有淋病症状,那么你们两个人均应找医生检查并进行治疗。

## 症　状

梅毒分三期:

◆一期梅毒,发生在暴露后 10 天至 6 周,出现生殖器、直肠、口腔无痛性病,腹股沟附近淋巴结肿大。

◆二期梅毒,发生于 1 周到 6 个月后,全身各处出现红色皮疹,可有流感样症状,如头痛、发热、乏力,食欲减退和骨、关节痛、疾病潜伏,但细菌仍留在体内。

◆三期梅毒,可出现于 1 年至数十年后,关节可能受罹,导致关节炎,大约 10% 的患者发展为心血管梅毒、引发心脏病。神经梅毒引起麻痹、失明、衰竭、精神错乱,以及腿部感觉丧失,大约发生在 8% 的患者。

## 出现以下情况应去就医

◆有灼伤水疱,伴有寒战,发热或恶心。严重灼伤需专业护理以限制感染的危险,预防脱水。

◆你的眼睛感到特别疼和发湿,应由眼科医生检查,以确定是否角膜受损。

**有**上述任何症状,在梅毒威胁生命,造成各系统严重损害前,必须予以治疗。

梅毒是最严重的性传播疾病,1990 年美国报告 10 万病历,在 15 至 39 岁的城市人群中发病率最高,流行病学家把发病率增加归咎于在大多数妓女对该病及其危险无知,因而性行为没有保护措施。这种增长在同性恋和两性关系中并没有反映出来,猜测可能因为在那些人群中多数人常常使用避孕套。

## 病　因

梅毒是由螺旋体引起的,它们通过皮肤或粘膜的微小损伤进入人体,最多发生于性交时。该病也可在分娩时由母亲传给小孩。

**诊断与检查**

医生通过检查血中该病的抗体而检查你是否患

# 梅 毒

梅毒。

## 治 疗

如果早期发现，梅毒可由抗生素治愈，但如果让疾病进展到三期。就不可避免地罹患心脏和神经系统损伤。如果患有梅毒，应在治疗后 1 周定期跟踪检查血液。

### 常规治疗

在治疗早期梅毒时，青霉素极其有效，在治疗晚期梅毒时，疗效一般，如果对青霉素过敏，医生会给予四环素或红霉素。

### 辅助治疗

因为梅毒是潜在威胁生命的严重的疾病，一旦认为自己感染梅毒，一定要去看医生。除用青霉素及其衍生物外，还可用几种其他疗法以加速痊愈。

**指压治疗**

为治疗性病，针灸专家应用据说有助于排除体内梅毒病菌的方法，每天数次，按摩太冲穴（位于第 1、2 趾间的脚尖）和曲泉穴（在膝上的腿内侧），然后按压太溪穴。

**中药治疗**

中医师会开一副独特的草药方以帮助清除体内毒素，用草药包括毛地黄和当归治疗梅毒是有益的。

**草药疗法**

牛仔饮菝葜只为一个原因：美味的流行软饮料的草药曾被认为是唯一可治愈梅毒的方法，梅毒在古代西部妓院十分猖獗。菝葜也广泛地在欧洲应用，从 19 世纪中叶的贸易记录上显示，仅仅英国每年进口 15000 磅。

为治疗梅毒，一些草药师提出下列方剂：每份中加 2 茶匙菝葜和 Sourdock 根，加到 1 杯开水中温闷 5 分钟、加 3 匙麝香草，每天饮 1 至 3 杯，妇女可用此茶灌洗阴道。

**营养及饮食**

为减轻病痛，促进痊愈，你自己能做的一件事情就是留意你的饮食。一些营养师推荐，通过禁食 1~3 天来清除体内的毒素，在禁食开始前要由内科医生检查。为刺激肾脏并灌注各系统，饮用石榴和酸果蔓的果汁以及芹菜、欧芹和黄瓜混合制成的鲜汁，平衡膳食，避免高盐高脂及加工食品。

**家庭治疗**

◆洗热水浴后紧接冷水浴，可减轻疼痛。

◆指压按摩，帮助排毒。

◆平衡膳食，建立免疫系统。

**预防**

如果你不是长期的一夫一妻关系，性交时要用避孕套。

骨盆部
疾病

# 生殖器疱疹

## 症 状

◆外生殖器麻木、刺痛，或烧灼感。

◆排尿或性生活时有烧灼感。

◆尿痛或尿频。

◆外生殖器有水泡。

◆类似于感冒的症状。

### 出现以下情况应去就医

◆当出现以上所列任何症状，你的病需要适当的检查与诊断。

**在**美国，生殖器疱疹是最常见的性传播疾病，感染人数超过2000万。这种疾病传染性强且不易治愈，但它并不是致命的，你可以学会与其共存。

一般情况下，这种疾病的传播必须在接触患者的水疱破裂后的分泌物时才会发生。但有时在没有出现任何症状时，该病患者也能传播；另外，如果你的性伴侣有口或生殖器疱疹，口交也会传染本病。

初次发病时，通常是病变广泛且疼痛可持续5天到3周。大约有30%患者在初次发病以后就再也不会发病。许多人在发病前数小时有一些征兆：沿臀下或膝部疼痛，和外生殖器搔痒。

## 病 因

生殖器疱疹是由通过皮肤微小破口侵入的病毒所引起的，在症状缓解后，病毒会潜入到臀部附近的脊髓基底的深部神经中枢。当条件许可时，病毒还会沿神经移出造成新的蔓延。

患有慢性病及严重应激状态者易引起本病发作，另外各种刺激或应激都可再激活病毒，如日光浴、性生活及来月经。某些食物或药物也可引起本病发作。

## 治 疗

没有方法可以治愈生殖器疱疹，但有一些方法可减轻症状，加速愈合。

### 常规治疗

医生可能会开口服和外用的无环鸟苷，这种药可以使90%的本病患者症状缓解，或预防复发。如果正在怀孕，医生会建议使用别的药物，因为无环鸟苷对胎儿有影响。止痛药如阿司匹林可以减轻疼痛，收敛药炉甘石洗剂可以促进愈合。

### 辅助治疗

自己可以作一些事以减轻症状并预防复发。例如，生殖器疱疹多由于精神紧张诱发，所以松弛可预防复发。改变饮食及补充维生素对症状会有所帮助。

**指压治疗**

穴位按摩可消除诱发本病的疲劳与紧张。可以按摩肩部与脊柱连线中点的肩部肌肉最高点。可以1天作几次。

**中药治疗**

中医可能会根据你的需要给你开出一张方子，其中可能会有龙胆和当归等中药。

**身心医学**

减轻精神压力，可以预防疱疹发作，减轻其严重程度。具体方法可见前文的介绍，如沉思有助减轻紧张。

**营养及饮食**

疱疹病毒复制时需要精氨酸，相反赖氨酸可以防止发作。应避免富含精氨酸的食物，如花生、坚果及巧克力。富含赖氨酸的食物有：牛肉、羊肉、鱼、牛奶及奶酪。你也可每日服1粒500毫克的赖氨酸胶囊，以预防发作。一旦出现症状，可每4小时服用1000毫克。另外，维生素E可减轻疼痛并加速病变愈合。

**家庭治疗**

◆可用稀释的柠檬汁、维生素E，或茶树油局部使用，使病变干燥。

◆可用冰块局部敷10分钟，再休息5分钟，可以止痛。

◆用硫化锌软膏局部使用，使病变愈合。

◆可在局部用苏打粉外敷。

◆在水中放3勺盐洗个热水澡，再洗个冷水澡，各洗15分钟。

# 生殖器疱疹

## 生殖器疣

### 预防

如果你的性伴侣正在患疱疹,不要进行性生活,即使是使用避孕套也不安全。如果他或她的症状消失了,那也应使用避孕套,因为此时他或她仍有传染性,患咽炎时不要口交。

### 警告

如果你怀孕时患上疱疹,应仔细听从医生的意见。因为分娩时可能会将本病传染给婴儿。此时医生可能会建议你行剖宫产。

## 症 状

◆外阴、肛门附近及阴茎上出现无痒性肉色或灰白色的增生物,有时可呈茶花样改变。

◆增生物可伴有瘙痒或轻度疼痛。

### 出现以下情况应去就医

◆当有上述症状时都应去就医,虽然生殖器疣是无害的,但它有传染性并且需要治疗。

大约有 1000 万到 2000 万的美国人感染生殖器疣(也称尖锐湿疣),每年有多达 100 万的新感染者。怀孕中的妇女和免疫系统受到损害的人较正常人更易感染此病。

有时候某些人生殖器看似尖锐湿疣的病变,实际是正常皮肤角质层的堆积,而无临床意义。大约有百分之一的人有这种情况。但是,因为生殖器疣有传染性,所以如果你发现自己身上有类似的增生物,还是应请医生看一看。

虽然生殖器疣本身是无害的,但本病与妇女宫颈癌之间有一定联系。一些研究表明,90% 患宫颈癌的妇女同时患有生殖器疣。这并不意味生殖器疣一定会引起癌,但如果你已患有生殖器疣,最好还是密切观察,每 6 个月进行 1 次巴氏涂片检查。

## 病 因

生殖器疣是由人乳头瘤病毒引起的。这种病毒也是引起手、足及面部疣的病毒。该病毒寄居在人体细胞内,不断复制,最终破坏原来宿主细胞去传染其他细胞。

### 诊断与检查

医生会进行培养来确定你的生殖器疣是否有传染性。如果你是妇女并且患有本病,那么肯定需在妇科体检时就应检查子宫颈的异常情况,医生可能会给你做巴氏涂片或者用阴道镜进行检查,这是一种可以观察阴道壁及宫颈有无异常细胞的显微镜。

骨盆部
疾病

# 生殖器疣

## 治 疗

虽然对生殖器疣没有根治的方法亦无疫苗，但该病还是较容易控制并不影响你的生活。大约有五分之一患者的疣会在 6 个月内自行消失，三分之二在 2 年后消失。但无论如何，生殖器疣不同于其他部位的疣，它有较强的传染性，因此应积极地进行治疗。虽然常规的治疗可以将疣去除，但病毒仍留在体内，并且可以在日后成为复发的根源。

### 常规治疗

不要试图通过非处方药去消除疣。外阴对这些药是很敏感的，这些药可能会损伤你的皮肤。相反地，你应让你的医生对你进行治疗，他会用一种化学"染料"叫鬼臼脂的去除你的疣。一般情况下，鬼臼脂需几周内才见效。如果你正在怀孕，你的医生可能会使用其他方法，以避免鬼臼脂吸收进血流引起胎儿畸形。疣也可通过液氮或固态二氧化碳（干冰）冷冻治疗，也可用激光或外科手术切除，另一种方法是注射 γ - 干扰素，有研究证明这种药可清除一半患者体内的病毒。

### 辅助治疗

因为生殖器疣具传染性，因此在应用以下（替代）方法减轻症状及预防复发之前应征得医生的同意。

**中药治疗**

中医师会给你开一些中药以清肝并帮助免疫系统恢复正常。这些药包括洋地黄根及龙胆。

**身心医学**

一些研究证实，催眠疗法在减少或清除外生殖器疣方面有效。这方面可向有关医生咨询。精神紧张可导致复发，因此要找到能适合自己放松的方法，可试一试各种沉思及自我催眠疗法。

**营养及饮食**

为防止本病复发，可以多吃富含维生素 A 和 C 的食物，它们有助肌体抗御感染，而叶酸则可以加强免疫系统。卷心菜和菠菜含有丰富的上述营养物质。

**家庭治疗**

◆局部使用茶树油促进愈合。

◆多吃水果和蔬菜，平衡饮食。

◆定期进行冥想锻炼，可试听一些这方面的诱导冥想录音带。

**预防**

预防生殖器疣的最好方法是使用避孕套。如果你的性伴侣发现有疣，你应坚持让他或她去看医生，如果该疣证实是性病，那你自己也应进行检查——即使你尚无症状。

# 月经问题

## 症状

◆没有月经叫闭经,这是因为怀孕、锻炼过度或厌食引起的。

◆月经时痛,并有血块凝结叫痛经,这可能为完全正常,但也可能是子宫内膜异位、子宫肌瘤或其他损害、子宫或子宫内的异物(子宫内避孕器)引起的。

◆月经流量大叫月经过多,这种情况是因为压力大,子宫内膜异位或其他一些骨盆损伤、盆腔感染或子宫内避孕器造成的结果。

## 出现以下情况应去就医

◆你大量流血,使用止血塞或卫生巾只能维持不到一个小时。大量出血会引起贫血。

◆你曾错过经期并认为是怀孕,接着是不正常的大量出血,表明是流产。

◆在月经前或性交时你感觉腹部尖锐痛,你可能患子宫内膜异位症。

◆绝经后又出现月经。

月经是生殖分泌期妇女的正常生理现象。当卵巢排出一个卵子,也同时分泌雌激素,激素刺激子宫内膜使其充血。如果卵子未受精,卵巢就分泌孕酮,孕酮使子宫内膜脱落,形成月经,而且月经主要由一汤匙量的血和组织碎片组成。这一系列变化大约每28天重复1次,直至怀孕或绝经。

不适应与疼痛程度以及月经多少,在成年妇女中各有不同,而且你的月经偶尔特别多或特别痛,这些问题虽令人不愉快,一般也不是潜在疾病的信号,但你应了解一些同样的不适,有时是严重疾病的表现,比如子宫内膜异位或卵巢囊肿。

月经不正常有三种表现形式:闭经、痛经、月经过多。下文将解释这些问题及对策。

### 一、闭经

尽管经常发生且不受注意,但闭经可能是下列疾病的迹象。它表明,比如你体内雌激素分泌低于正常水平,则有可能发展为骨质疏松症或是缺少孕酮的信号,那你

有可能因此患子宫内膜疾病,包括子宫内膜癌(看子宫疾病)。当然,如果你不来月经,你就不能怀孕。

## 病 因

妇女闭经大部分主要是还没有来过月经,比如原始闭经;一些暂时闭经的妇女,称为二次闭经。主要原因如下:很像一个少女尚未到达青春期(正常月经应发生在青春期,年龄为17岁),但有的女孩子初潮推迟是因为太瘦或运动过度及焦虑过度,因为可能表现为厌食。妇女体内脂肪太少也不来月经。

通常闭经也表明其他一些问题,极少数病例,比如一个女孩可能卵巢与子宫发育不全而闭经。或者一个肿块,一次损伤或结构缺陷阻碍了月经周期,产生激素的器官与组织受到影响。

二次闭经也可查出是因受伤害或结构畸形,一般是因为卵巢囊肿。但实际上比如压力大,也可以干扰身体内激素平衡并打扰正常周期。同样,在青春期,体重太轻也可使月经停止。如你正在节食或在进行体操训练时闭经,你有可能是过度了,而且闭经也可能是绝经或怀孕的信号。

## 治 疗

**常规治疗**

治疗原始闭经应等一段时间,看是否能来月经。因为一个女孩运动紧张或太瘦,医生可能只是建议她参加轻度训练和增加体重。患厌食的应抓紧治疗。如果医生怀疑是因为激素不正常,应注射激素。有极特别的情况,如手术切除良性或恶性肿瘤时,或对一些调整结构本身问题就需治疗。

对二次闭经如你认为是紧张造成的,应减轻生活压力,这样就有可能使月经恢复;如果你体重太轻,医生会建议你增加并保持体重;如果你被确诊为其他情况的闭经引起,比如子宫内膜异位、卵巢囊肿应治疗。告诉你的医生你的月经是否到来,或者你的闭经是绝经的开始,医生给你开出药方,补充雌激素或建议你补钙,以防骨质疏松症(看绝经综合征和卵巢综合征)。

骨盆部疾病

# 月经问题

### 辅助治疗

营养及饮食

营养缺乏可引起闭经，应服用或食用富含锌（鱼、家禽、瘦肉）和维生素 B 合成物（布鲁尔酵母和小麦胚）

二、痛经

月经痛或痛经，大多数都是完全正常的，但对一些迹象需要医生诊断。如果你的疼痛影响了正常活动，你应考虑一些可以帮你恢复的治疗方案。

## 病　因

如果你总是痛经，可能是月经期激素变化的结果，引起疼痛最可能的原因是体内产生了过多的前列腺素，引起月经时或妇女分娩时的子宫收缩，这些收缩促使月经血和组织排出体外。但过多的前列腺素可引起重复收缩或可引起痉挛，表现为痉挛性痛。在你的生育期内持续出现痛经很平常，一些妇女的痛经在生育小孩后症状减轻。

痛经也有可能由下列原因引起，比如子宫内膜异位、感染，或子宫内的肿瘤，（参看子宫疾病和子宫癌）

## 治　疗

除下列建议外，详细看与下列疾病相关的治疗建议。

### 常规治疗

止痛法，比如服用阿司匹林和退热净，可减轻症状；但如果你的疼痛更剧烈，试着应用止痛药，如布洛芬、甲芬对酸、荼普生，所有这些药物都干扰前列腺素的释

## 瑜　伽

1. 经常使用骆驼式对闭经有帮助。首先第一步跪下。后仰时呼气，双手掌放在身后地上时头向后仰，收缩臀部并压迫你的骨盆向前时吸气。双手平放在足底上，慢慢地呼吸并保持姿势20秒钟。

放松，当坐回后脚跟时呼气。然后身体起来时吸气，最后抬起头，慢慢地呼吸放松20秒钟，1天做1～2次。

2. 狗蹲式，帮助放松骨盆，手和膝伏地身体成桌子样开始，抬高你的骨盆时吸气使身体成倒V字，膝可略弯曲。

手掌和脚后跟着地时深呼吸，保持胳膊肩膀打开和你的背、腿伸直，坚持20～30秒钟。

放松，当你恢复到桌子样时呼气，然后坐回到脚后跟上，抬起头，在站起来前放松。

放。医生也可以给予控制生育的药物或者孕酮，所有这些均可以影响你的激素平衡，这些激素可以由多种途径减轻疼痛。

### 辅助治疗

大部分对于每月 1 次月经所造成的痉挛，选择治疗集中在促进肌肉紧张度的放松和肌体紧张程度的

# 月经问题

下降。

## 月经问题指压法

 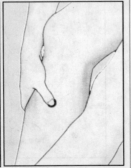

**1** 月经期的水潴留可以使你感到不舒服，在你的腿内侧、胫骨内侧缘、踝骨上四横指宽处为三阴交穴，并紧压1分钟。重复上述，在另一条腿上。在怀孕期不要应用这个治疗。

**2** 为了帮助加强月经期的周围循环，可以在腿内侧、膝下4横指宽的地方给予压力，并在腿骨和腓肠肌之间紧紧压住，并持续1分钟。在另一条腿上重复上述操作。

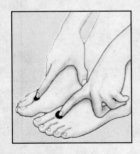

**3** 对太冲穴施压可以帮助消除阵发性痉挛。把你的食指放在如图所示的大拇趾与第二趾之间，按照一定的角度压向第二趾的骨头，并用力摩擦，坚持1分钟。

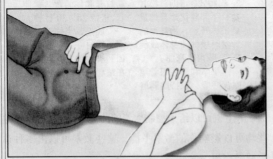

**4** 对关元穴进行指压，你可能会有一个正确、规律的月经周期，从脐向下量4指宽，用食指紧紧压住你的腹部并坚持1~2分钟，每天做1~2次。

### 指压治疗

指压疗法可以减轻每月1次月经疼痛的影响。图解资料见下面。

### 按摩

按摩技术有时可以帮助减轻每月1次的月经痉挛性疼痛，可以去看按摩医生。

心理紧张、焦虑和痉挛性疼痛的减轻可以用黑山楂、黄芩和黑升麻类药物治疗，服用这些药物制成相同部分5毫升是必需的。

### 月经周期的同步化

那些生活在一个密闭场合的妇女，她们将具有相同的月经周期。这就是熟知的月经周期的同步化。这种现象经常发生在像女修道院、监狱和集体宿舍等密闭场合，是什么原因导致了这种现象，目前尚不清楚，但是它可能与空气中的生物信息从一个人传给另一个人（或者从一个动物传给另一个动物）有关。虽然人们目前对这种生物信息尚没有认识到，但是对肌体功能和行为产生强有力的影响。

### 营养及饮食

每天少量进食营养均衡的食物，而不是每日三餐大量进食，并且避免糖、盐、咖啡因可能有利于减轻和阻止痉挛。你可以通过服用含有复合维生素B、钙和镁的复合维生素、复合矿物质而减轻病痛。你还可以试着服用维生素B$_6$50毫克，每天2次。因为你的最终目的是使肌体放松，故应避免咖啡因或其他刺激性物质

### 瑜伽

瑜伽能减轻和放松痉挛的困惑，见相应的图解说明。

## 三、月经过多

月经过多是指月经血流持续超过8天，或者是1小时内湿透棉垫，或者包括大的血凝块。

## 病 因

月经过多可以由激素失衡、子宫内膜异位、盆腔感染（盆腔感染疾病），或者子宫纤维瘤样生长（见子宫问题）时引起。额外出血可以在你的月经周期中出现不规则信号，如排卵缺乏，孕激素水平低下，过量的前列腺

骨盆部疾病

素。月经过多也可引起缺铁性贫血症。

# 治 疗

### 常规治疗

月经过多的治疗可给予铁和叶酸,治疗和预防贫血症。抗前列腺素类止痛药如布洛芬、萘普生和纠正你的激素失衡的激素。医生将建议你减少体力活动水平,并观察这些是否有影响。

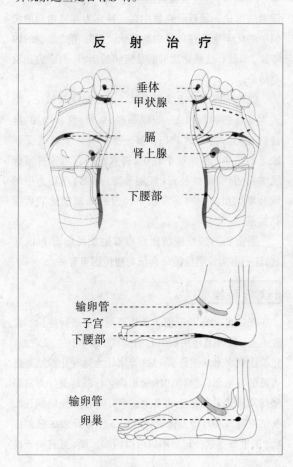

反 射 治 疗

垂体
甲状腺

膈
肾上腺

下腰部

输卵管
子宫
下腰部

输卵管
卵巢

达那唑是一种男性激素,可以暂时阻止月经周期,它的副作用包括绝经症状、潮热、痤疮、体重增加、加重脱发。医生将选择其他激素如孕激素,控制生育的药物,来维持你的激素平衡。

扩张和刮宫这些小的外科手术,可以减轻月经过多。医生扩张子宫颈,然后使用一种勺状仪器并轻柔地吸引,以便清洁子宫内部。在有些病例,医生可能建议行子宫和其他相关的生殖器官切除术。患者在不幸遭受外科手术之前应采纳其他方法。

### 辅助治疗

指压法和针灸治疗。

应用这两项治疗技术的训练,帮助控制流血,应依据医师的技术和意见而决定。

芳香疗法

应用芳香疗法的医生发现草叶油,桧松属植物油,摩擦腹部可以减轻月经过多的痛苦。

家庭治疗

◆服用外源性的钙和镁,以阻止子宫肌肉的痉挛并减少出血。

◆轻松地洗一个温水澡。

◆服用像布洛芬、萘普生这一类的抗前列腺素类止痛药。

◆在腹部放一个蓖麻油袋,以放松肌肉减轻出血。

预防

保持肌体正常重量,对防止过量脂肪和雌激素在体内形成有帮助。超重的女人有不正常月经周期的趋向,可能是因为增加了雌激素的分泌细胞。

增加复合维生素、复合矿物质,包括维生素 A、C、E,复合维生素 B,还有钙和铁。

骨盆部
疾病

# 经前综合征

## 症状

经前综合征症状出现在月经周期相同的时间，通常在经前 7~10 天，有如下症状：

◆肿胀和液体滞留。

◆乳房肿胀和疼痛。

◆粉刺，易患疱疹。

◆体重增加。

◆头痛、腰痛，关节或肌肉痛。

◆情绪不佳，焦虑，抑郁，易怒。

◆喜欢甜、咸食物。

◆失眠、恶心。

◆乏力、欲睡或相反。

◆便秘、腹泻或排尿异常。

少数人经前综合征症状非常严重，如恐怖、自杀、哭闹、暴力行为等。

### 出现以下情况应去就医

◆症状严重会影响正常生活，医生可以提供一些治疗措施减轻症状。

**经**前综合症通常称为 PMS，是一种有各种各样症状为特点的疾病，发生于月经周期中特殊的阶段，通常在经前 7~10 天。实际上每个妇女在一生中至少出现过一种 PMS 症状。在美国有 10%~50% 的妇女有 PMS。约 5%~10% 的人症状较重而求助于医学帮助。PMS 在青春期少见，但也有少数人的确有症状。大数妇女主要发生在 20 多岁以后。

经常受经前综合症影响的妇女，主要有激素水平改变。如多发生于分娩、流产、死产、输卵管结扎后，中断服用节育药的妇女，有 PMS 症状的人增加，直到激素平衡后恢复。

自从 1930 年，在医学杂志上报道了 PMS 后，作为一种医学中的疾病，其正确性仍是热烈争论的课题，许多人担心这样会证明妇女太感情化、自然化，不能对某工作或责任预见。专家指出：虽然有时感到不适，但很少有衰弱表现。

## 病因

有许多理论对 PMS 的某些或全部症状进行了解释。许多研究人员认为，PMS 是激素失衡的结果，但激素失衡的确切性质还不能明确。虽然，过量雌激素产生有时得到引证，但大多数妇女在月经周期中间，雌激素水平达高峰时并没有 PMS 症状。

也有人指出 PMS 可能是特殊激素的不足，如雌激素、孕酮、睾丸素、催乳素，但相关的研究已除外了单一激素的理论。最近研究集中在一种称为神经递质的大脑中的化学物质在每月中的起伏，包括情绪改变的内啡肽、单胺。这些物质可能是疾病的病因，但研究还没有结论。

饮食不足，包括维生素 $B_6$、必需脂脂酸缺乏，也认为是可能的原因之一。以头痛、头晕、食欲增加，异食巧克力为特点的 PMS，被一些研究人员认为是镁缺乏的结果。根据这个理论，喜欢吃巧克力这种富含镁的食物，有助镁补充，恢复平衡。然而，巧克力中的糖会增加血液中胰岛素水平，而胰岛素能使其后症状加重。

完全相同的双胞胎比异卵双胞胎易患有 PMS 症状，这一事实说明经前综合征与遗传因素有关。

### 诊断与检查

在做出 PMS 诊断前，医生要对患者进行体检和盆腔检查，除外其他疾病引起的症状。有些医生要取血，化验激素水平，但许多 PMS 专家认为这种化验结果是可疑的，他们认为对 PMS 做出确切诊断的最好方法是坚持每天记录你的症状至少 2 个月。当月经周期开始和结束时，在日历上记录，并记下你每天 PMS 任何症状，医生根据这些记录不仅可以明确诊断，且有助于确定治疗计划。

## 治疗

患者自己不能决定如何治疗 PMS 症状，但如症状严重，需要治疗时，要明白一些治疗方法是有争议的。对 PMS 治疗基本上可分两类：激素治疗和营养、生活方式改变，因为激素治疗对人的健康有害，所以许多妇女

# 经前综合征

喜欢选择后一种治疗方法。

## 常规治疗

一些医生用各种激素治疗，主要是雌激素或孕酮来减轻症状。激素的使用方式是多样的，包括注射、阴道或直肠栓剂。但激素治疗会有副作用，且有些是严重的。有些医生使用含激素避孕药，尽管有些患者称这种药物可以减轻症状，但研究表明，这种药对多数患者无效，且有时会加重症状。

因为激素治疗对人体有害，许多医生则强调良好营养、规律锻炼及生活方式的改变，这些在下面将提到。

## 辅助治疗

有许多治疗方法可选择，能减轻 PMS 的症状，因 PMS 患者不相同，在找到有效方法前，可以用几种方法或结合使用。

### 芳香疗法

为了减轻焦虑和易激动，在洗浴时加上几滴薰衣草、菊花油是有效的。为了减轻乳房胀痛，可在洗浴时加上 6 ~ 8 滴老鹳草油。

### 中医治疗

为了减轻 PMS 症状，中医药专家们有时应用当归，认为当归有助于平衡肌体内激素，对子宫和其他女性器官有滋补作用，可以制成茶或酊剂，每天服 3 次。

### 营养及饮食

饮食变化已表明能有效减轻一些妇女的 PMS 症状，尽量减少摄入咖啡、糖、盐、奶制品和白面粉，研究表明这些食物有时会加重症状，许多妇女也发现每日少吃多餐替代三餐能缓解症状，可能与保持胰岛素水平更加稳定有关。

一些 PMS 症状，如情绪波动、体液潴留、肿胀、乳房胀痛、厌食、乏力，都与维生素 $B_6$ 和镁缺乏有关。营养师建议补充这些营养：每天 50 ~ 100 毫克维生素 $B_6$、250 毫克镁，如有必要可逐渐加量。有时也需补充钙、锌、铜、维生素 A 和 E 及各种氨基酸和钙，但要在有经验的营养师指导下服用。

一些研究表明，饮食中缺乏脂肪酸也导致 PMS，许多妇女称每天服樱草花油有效，因为它含有必需脂肪酸，可以在 1 个月内每天服 500 毫克（1 粒）。如果这个剂量不能减轻症状，可以增加到每天 4 粒。

### 中药治疗

中医师认为有多种中草药有助于减轻 PMS 的许多症状，例如认为蔓荆子有助于肌体激素平衡，减轻焦虑、抑郁症状。蒲公英可以减轻由经前体液潴留引起的肿胀和乳房胀痛，黄芩有安神作用。至于哪种中药有减轻你个别症状作用，应与有经验的医生商量。

### 生活方式

研究表明，规律锻炼可以减轻 PMS 症状，可能是通过刺激内啡肽和其他大脑化物质释放，从而减轻紧张的情绪。充足的睡眠对有效治疗 PMS 是很重要的，睡眠缺乏会加重乏力、易怒和其他情感症状。专家指出，对不能得到足够休息的人要坚持定时睡眠，即使在周末每天要按时睡觉和起床，这样会得到所需要的睡眠。

### 身心医学

各种各样的放松方法如瑜伽、沉思都有助减轻焦虑、易怒和其他情感症状，瑜伽是针对 PMS 的。

### 家庭治疗

◆尽量吃低脂、高纤维食物，在月经周期前避免食盐、糖、咖啡和奶制品。

◆规律的锻炼。

◆在这段时间里尽力减轻紧张，增加睡眠。

◆补充必要的维生素。

◆当接近周期时，多洗热浴可以减轻紧张。

◆用热水瓶、热水袋可以减轻与 PMS 相关的腰痛、肌肉痛。

◆禁酒。饮酒会加重 PMS 的抑郁、头痛、乏力等症状，且会触发食欲过盛。

◆参加一些由 PMS 患者自动组织的社团，相互支持，交流信息。

# 绝经综合征

## 症状

并不是每个妇女绝经时都出现症状，如果有症状，大概如下：

◆ 潮红——面部(脖子或背上面)突然发红、发烧，有时还出汗。潮红大约持续几分钟。

◆ 晚上出汗，可干扰睡眠并引起失眠。

◆ 性交时疼痛，因为阴道组织分泌的起润滑作用的粘液稀少。

◆ 紧张、焦虑、易怒情形增多。

◆ 排尿次数比以前多，特别在晚上。

### 出现以下情况应去就医

◆ 绝经后仍出血，也有其他可能，比如子宫癌，所以你应让医生检查。

**绝**经简单说就是月经停止，但这一时期也被习惯认为是妇女一生中年龄分界线——这一时期妇女可能发生身体上和性格上的改变。

大多数妇女于50岁左右绝经，有一些最早在40岁，有极少部分在60岁。大多数妇女都注意到月经的变化。比如经期不准或经量少——都在停经几年前就发生。

一些症状——包括红斑和情绪周期性变化，虽是暂时的且随身体调整而消失，但会出现一些持久的问题。比如雌激素减少，影响了骨对钙的吸收，使血液中钙浓度增加；绝经后妇女面临骨质疏松和心血管病的危险，比如动脉粥样硬化。

## 病因

原因是妇女40多岁时，卵巢活动迟缓，功能减退，包括排卵。更为重要的是它产生的雌激素和孕酮减少。当这些激素特别是雌激素减少后，引起了全身特别是再造系统的变化，最明显的变化发生在绝经后。雌激素减少直接与绝经后的卵巢状况有关。

## 治疗

无论常规疗法和辅助疗法，最一般的治疗绝经综合征的方法是针对不能产生足够雌激素的人提供雌激素。激素替代疗法是常规疗法之一。对此技术尚有争议，因为它确有副作用，所以你应考虑其危险与利益，最好与你大夫商量。

### 常规治疗

激素替代疗法(HRT)用药由雌激素和孕激素组成，一般口服或贴膏药。大多数HRT病人同时使用雌激素和孕激素，因为单独使用雌激素有可能存在极为严重的副作用，比如子宫内膜癌和子宫癌。孕激素可引起不规律出血、头痛、浮肿、乳房胀疼等副作用，你可能发展为假月经，这全来自你的用药方法。如果你做过子宫切除术而没有子宫，你就不需要孕激素。

你的医生会建议你进行激素替代疗法，以防止心血管疾病和骨质疏松症，特别当你家中有人患这些病时。

你的医生还会开一个阴道雌激素膏，以帮助停止阴道内粘液稀少并促进产生润滑剂的处方。

如果你患有乳腺癌、子宫内膜癌、肝病，或有血块凝结，你不应用雌激素，因为这样可以增加疾病复发的机会。但孕激素单独使用可减少面部潮红。

### 辅助治疗

一些中药——包括当归(当归属植物)和亚洲人

---

### 有关绝经的传说和事实

**传说**：绝经使妇女情绪不稳定。

**事实**：大多数妇女没有经历情绪问题，即使发生也可治愈。

**传说**：绝经意味性欲消失。

**事实**：阴道干涩使得性交时疼痛，降低性欲，但很容易通过阴道润滑剂或雌激素软膏治疗。绝经本身可影响性欲，既不是正面也不是反面的。一些妇女实际上绝经后增加了性欲。

**传说**：绝经破坏了妇女的生活。

**事实**：大多数妇女很少出现绝经综合征，25%有可减轻和能治愈的症状。在农村绝经年龄的妇女中很少有绝经期病症的报告。

参,含有一种叫植物雌激素的雌激素或植物雌激素。实际比例很重要,一些药剂有毒,找一个中医商量。

**营养与饮食**

吃富含雌激素的食品,比如大豆、利马豆可使症状减轻,其他一些包括坚果类和种籽类、茴香、芹菜、欧芹和亚麻籽油。

**家庭治疗**

1. 补钙并进行负重运动,防止骨质疏松,保持健康体质。

2. 每天服维生素 E 400 到 800 单位治疗热红斑,并可减少心血管疾病。

## 症 状

对正常怀孕妇女可以有如下一些表现:

◆怀孕头 3 个月:停经,体重稍增,排尿增多,乳房增大、疼痛,恶心。

◆第二个 3 个月:明显体重增加(约每周 1 磅),腹部和盆腔增大,腰痛,便秘,烧心,胎动。

◆第三个 3 个月:由于体液潴留引起下肢水肿,溢乳,便秘,痔疮,失眠,胁下不适,直到胎儿娩出。

## 出现以下情况应去就医

◆出现严重的恶心、呕吐、脱水、心跳、皮肤干燥、妊娠剧吐,是怀孕初期的严重反应。

◆出现阴道感染或出血,流产或严重的胎盘并发症。

◆几天内体重突然增加,严重头痛,视物不清,可能为先兆子痫——高血压的一种形式。

◆高热超过 38℃,发冷、腰痛、尿有血,可能有肾盂肾炎。

◆出现胎动后,感到胎动减少或没有胎动,可能有胎儿窒息。

大部分的怀孕不是医学上的疾病,随着顺利分娩——健康婴儿的诞生而结束。但在怀孕 10 个月中,你仍要知道,某些肉体和情感的严重不适,需要医学救助,一些轻微不适需要你自己处理。

最重的第一步是报名参加有专职产科医生举办的产前保健知识学习,你获得这些知识,有利于妊娠正常进行。如有异常能得到及时适当处理。你和你丈夫还能得到包括分娩、对新生儿的照顾和喂养的知识。

孕妇都有一些轻的疾患,当你怀孕时应经常看医生,以便得到适当的治疗。你主要的责任就是保证你和婴儿的良好营养和健康,这就意味着你需要平衡饮食,适当锻炼,充分休息,且有一个轻松的环境。不要吸烟、饮酒,且要避免服用医生不让你服用的药物。

记住:在怀孕时有不适或疾病,应毫不犹豫地去看医生。

骨盆部疾病

# 怀孕期问题

## 有益的锻炼

**1** 为了增强子宫肌，可双手和膝着地，保持背部平坦，随着腰部向下弯曲呼吸，保持头和臂部向上，先保持这种位置10秒钟，然后放松呼吸。

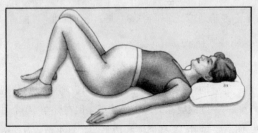

**2** 第二步，随着腰部向上弯曲呼气，使两肩集拢，脊柱向上弯曲，保持10秒钟然后放松，呼吸，慢慢重复这种方法10次。

**3** 仰卧位平躺，双膝向上，绷紧臀部，降低腹肌，迫使背部有很小部分接触地板，保持20秒钟，然后放松，休息1分钟，再重复5次。且有一个轻松的环境。此外，不要吸烟、饮酒，且要避免服用除医生让你服用的药物。
记住：在怀孕时有不适或疾病，应毫不犹豫地去看医生。

### 腹痛

为了减轻由腹肌、韧带伸展引起疼痛和痉挛，特别是坐下或躺下时，可用热水袋、规律的锻炼，可伸展和调节你的腹肌。

### 腰痛

在适当饮食和锻炼情况下控制体重的增加。避免应用止痛药，可用热水袋减轻疼痛；专项锻炼伸展腹肌也能减轻腰痛，也可以应用孕妇腰带或有弹性系带去支撑你的腹部。要穿专为孕妇设计的鞋子，不要穿高跟鞋，不要站立过久和登高，要坐直，不要没精打采，不论什么情况，坐位时要把下肢抬高，要睡在硬垫子上；在负重时要小心，弯膝时要尽可能保持后背直立；拿重物抱小孩时要慢慢站起。

**针灸治疗**

沿腰部刺激膀胱膻中、水泉穴位，用力按摩手背直到发热。也可以指压膀胱太溪穴位。按摩为了治疗由于怀孕压迫引起的椎体排列紊乱，可以看有营业执照的按摩师。背靠支背椅坐下，让按摩师向上、向外按摩，要避免按压椎体。

### 乳房不适

戴乳罩可支撑胀大的乳房，如乳房有少量溢乳，可用护理瓶。

### 呼吸喘憋

保持合适体重和良好姿势，特别是坐位时，睡眠时，应侧卧位，不要平卧。

### 便秘

为了保持大便通畅和肠道规律运动，可以从新鲜水果、蔬菜、面包和干果中摄取足量的纤维素，避免应用常用导泻药，可以服用车前子中药。

### 孕妇注意

◆婴儿生长能使你平衡失衡，所以你要小心行走，不要淋浴和盆浴。

◆在开始锻炼前要接受医生检查，其他正常活动在怀孕期间也不能进行。

◆避免吸入或皮肤接触化学清洗剂、油漆、杀虫剂。

◆因为最危险时间是怀孕前3个月，这时胎儿发育快，最易受损伤，服用任何药物要经医生同意，包括怀孕前服用的药物。

◆怀孕期间吸烟会增加阴道出血、流产、早产、死胎、低体重儿及许多潜在疾病的危险。被动吸烟、汽车尾气、工业废气，对孕妇有害，最好避免长期接触有污染的环境。

◆有几种疾病可以危及孕妇和未出生的婴儿。有风疹、水痘、红斑、流行性腮腺炎、巨细胞病感染、衣原体败血症、淋病、生殖器疱疹和疣、梅毒和艾滋病。如

骨盆部疾病

和这些患者有接触,应立即找医生检查。如有可能,在怀孕前应对风疹、流行性腮腺炎等作预防接种,预防染上此类疾病。

◆ 大部分妇女能进行性生活,直到临产前。如果有流产、早产史,有感染和出血史,有胎盘异位,或怀有多胎的最后 3 个月,都要看医生,指导适当的性生活。在羊膜破裂或有羊水漏出后,要避免性生活。如在性生活后一个多小时出现腹痛,逐渐加重,要看医生,可能是宫颈扩张。

◆ 避免接触 X 线,如果必须要做 X 线检查,一定要告诉医生或技师,你已怀孕。

◆ 不要过热。避免在热或潮湿的天气锻炼,不要在浴盆、蒸汽中洗浴。

### 子宫收缩

轻度无痛性子宫收缩,常在孕后 20 周出现,如果引起不适,可以改变体位。如果是间断规律收缩,则要告诉医生。

### 膀胱炎

如果有膀胱感染或尿道感染,要看医生进行适当的治疗。把热水袋放下腹部,将有助于减轻不适症状。

### 营养及饮食

每天喝几杯酸果汁,据说可以预防尿道感染。

### 头晕和晕厥

要慢慢站立或起床,从坐位站起过快时头晕,称为体位性低血压。如果在人群中感到头晕,则要离开呼吸一些新鲜空气。如果可能,可以躺下把下肢抬高,或坐下把头放两膝中间。

### 水肿

在整个怀孕过程中,要监控体重增加。为了控制下肢水肿,穿柔软衣服,避免站立过久,穿合适或专为孕妇设计的鞋。

### 乏力

保证充足的夜间睡眠,把脚抬高休息 15 分钟,每天几次,通过按摩腰部刺激膀胱穴位 23、47,也可以压迫膀胱 10 穴位。

### 头痛

每天要充分休息,规律的饮食,多饮水。避免服用阿司匹林或除对乙酰氨基酚外的解热止痛药。可以采用减轻紧张方法如瑜伽或沉思,或把冷毛巾放在前额。为了减轻头痛,可压迫控制血管的穴位,也可以用冷水浸泡的手帕或浴巾加上几滴熏衣草油,放在前额。

### 烧心

避免过饱,避免吃调味的、油腻的、含糖的、硬的食物,坚持食用少刺激的高纤维食物,多饮水,每天锻炼,把床头抬高 10 厘米,并用木板稳固支撑。压迫内庭穴位和腹衰穴位,可以减轻烧心不适。饭后可以喝一些用菊花、姜、茴香制成的茶。

### 痔疮

当盆腔伸展后可能出现痔,但常在分娩后消失。高纤维素饮食可以保持大便通畅,多饮水,大便不要用力。为了减轻痔疮痒和疼痛,可以温热水坐浴,为加强盆腔肌而设计 kegel 锻炼法,能改善这一区域的血循环。

### 腿痛,抽筋

在怀孕期间尽可能穿柔软宽松衣服,休息时把下肢抬高。用热水袋或轻按摩大腿的后部以减轻坐骨神经痛。当腿部抽筋时可伸直或轻打你的下肢,缓慢屈曲踝部和脚趾,按摩小腿或用热水泡下肢。可以穿短袜睡觉,或对床板压你脚,可以预防夜间抽筋。如果疼痛和抽筋持续,则应看医生,是否应补充钙、镁。

### 早孕反应

在怀孕期间任何时候都可以感到恶心,主要在头 3 个月。应少吃多餐,保持高蛋白、高碳水化合物、低脂、低糖饮食。多喝果汁,多吃新鲜水果、蔬菜,这些食物含水量高。不要用抗酸药,服维生素 $B_6$50 毫克,每天 3 次。总之,要尽量减轻紧张活动。

#### 指压治疗

用右拇指反复按压位于左腕内侧的心包经的间使穴,并深呼吸,每次 1 分钟;同样方法按压右侧。也可用晕船膏药贴压在相同的穴位。

#### 芳香疗法

洗浴时加些熏衣草和橙子油,或在手帕上滴 2 滴薄荷和檀香油,吸入它气味。也可用 2 勺杏仁、橄榄、向日葵油和 2 滴薄荷、檀香油混合,按摩腹部。

#### 中药治疗

可以饮用由大茴香子、芷茴香、茴香或新鲜的磨碎生姜制成的茶。饮干菊花和薄荷浸泡茶可以减轻症状。杏仁和番木瓜汁据说也可以减轻早孕反应。

### 口腔、牙床不适

孕妇要注意牙齿，在怀孕期间为了检查和清洁牙齿，应尽早看医生。每天至少刷牙两次。并经常牙缝拉线。如果刷牙行不通，无糖口香糖有助饭后清洁牙齿。补充维生素、钙、辅酶 $Q_{10}$，将增强你和婴儿的牙齿。或用叶酸冲洗，但不要咽下。

### 鼻充血、鼻衄

晚上用雾化器湿化你的卧室，用石油胶冻湿块润滑鼻道，可以预防鼻出血。避免鼻腔喷雾，它可使血管收缩。为了控制鼻充血，可用手指压膀胱经天柱穴。

### 麻木

睡眠时不要躺在上肢上，睡醒时如感到上肢麻木，可在床边活动活动。在水中浸泡手或用热水袋热敷，都有助于减轻麻木，或带个手腕夹板。如麻木持续，可以补充维生素 $B_6 50mg$，每日 3 次。

### 皮肤改变

在怀孕期间，由于激素改变而出皮疹，通常在分娩后消失。为了预防面部出现雀斑或黄褐斑，可戴宽边帽子。用潮湿膏润湿腹周干燥皮肤，可使腹部瘢痕在分娩后消失或减轻。对热疹来说，则要尽量住在凉爽的地方，或把玉蜀米淀粉洒在乳房下、大腿上或皮肤摩擦的地方。

### 味觉改变

你会觉得一些食物不可口，而想吃一些其他食物，特别是甜食。经常应用漱口药、口香糖、薄荷糖、硬糖块，也感觉无味。补铁可以减轻口腔异味。如严重，要看医生。

### 排尿问题

锻炼有助于应激克制打喷嚏、咳嗽、大笑时的少量尿液排出，也可以使用卫生巾，排尿时前倾有助于膀胱完全排空。

### 阴道疾病

在怀孕期间有少量稀薄的异味物排出是正常的，可以使用卫生巾，没有医生同意不要冲洗。如有红色、褐色排出物，都要立即看医生。阴道瘙痒和疼痛表示有感染，需要医生治疗。在孕妇阴道中有酵母菌感染是常见的，且在分娩后不需治疗就可消失。

### 静脉曲张

在孕妇中下肢有静脉淤血，穿有弹性长裤，躺下后不会使体液滞留下肢，可以减轻静脉曲张。经常锻炼，但不要长久站立，坐位时尽可能把下肢抬高在臀部水平。应侧卧于床上，或把枕头垫在腿下，可以请教医生或专业营养师，补充维生素以增强血管弹性。

# 子宫内膜异位症

## 症 状

◆ 月经期前、经期、或经期刚过时出现的锐利腹痛。

◆ 在经期之间出现的锐利腹痛。

◆ 月经期下腹沉坠感，尤其是排大血块、经期持续超过 7 天。

◆ 不孕。

## 出现以下情况应去就医

◆ 如果你怀疑你患有子宫内膜异位症，那么明确诊断对于治疗是必要的。

通常，位于妇女子宫内的组织，即子宫内膜，只存在于子宫内。但是，患了宫内膜异位症的妇女，有少量的内膜组织移行出子宫，异位植入其他器官和组织，并在那儿生长。这些病变或异常组织区域常位于腹腔内，常侵犯生殖系统的其他部分，如卵巢或子宫肌层；但在极少见病例中，它们亦可侵犯其他器官，如肺脏。

同原位子宫内膜本身一样，这些异位生长的组织亦会对雌激素和黄体酮等激素产生反应，发生每月增厚而后出血。但是，由于这些异位移植的组织生长在其他组织中，其产生的血液无法排泄出来，于是对周围组织产生刺激，从而造成囊肿、瘢痕和粘连形成。最终结果是将生殖器官粘连在一起，医生在触诊时可以摸到一个包块。

## 子宫内膜组织

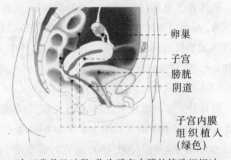

卵巢
子宫
膀胱
阴道

子宫内膜
组织植入
(绿色)

在正常月经过程，称为子宫内膜的特殊组织冲出子宫。如果子宫内膜组织碎片植入盆腔其他脏器，它们可以生长，受到刺激而引起疼痛和异常出血。如不治疗，异位组织生长最终形成囊肿而破坏生殖器官的功能。

子宫内膜异位症根据病变范围及侵犯宿主器官的深度，分为微小、轻度、中度和重度，症状差异很大，大约 10% 的患者根本没有明显症状。其他人则可以有腹坠、痛经及间期锐利深部腹痛等症状。子宫内膜异位症是造成 30%～40% 的妇女不孕的原因。对于能够受孕的妇女，在妊娠期间症状可以减轻甚至消失，但可能在 1～2 年后再发。

子宫内膜异位症最易在妇女 30～40 多岁发病，而在绝经后由于雌激素水平显著下降，本症常停止发展。

## 病 因

研究人员还没有确切地弄清楚子宫内膜组织是怎样到达肌体的其他部位的。一个可能假说称为经期逆流或反流。通常在月经期，脱落的子宫内膜碎片通过宫颈和阴道排出子宫。但是经期逆流时，子宫内膜碎片逆流入输卵管，并可能因此进入腹腔而形成子宫内膜异位。事实上，医生们发现子宫内膜异位症在妇女患有可增加经期逆流现象的生理情况下，如阴道或宫颈梗阻时，发生率增加。

使用止血塞是否会造成经血逆流，还存在着一些争议。有证据表明，似乎并不会出现这种情况，但为安全起见，一些患子宫内膜异位症的妇女，还是应避免使用止血塞。(亦可参见"毒性休克综合征"使用止血塞规则)

一些罕见病例，子宫内膜异位症影响到肺或其他远离子宫的组织。研究人员推测，可能是脱落的内膜碎片通过血流或淋巴系统到达异位部位，尽管没有人确切知道这是如何发生的。

另一个学说认为内膜组织在常规情况下可移行出子宫，但只有在患免疫系统疾患的妇女，由于防碍机体清除异位组织碎片的能力，才发展为子宫内膜异位症。

尽管尚未确定子宫内膜异位症发生的特殊机制，研究人员还是能够指出一些相关因素。本病具有家庭倾向的事实，提示遗传影响可能起一定作用。研究还表明，月经周期短或经期延长的妇女，更容易患子宫内膜异位症：月经周期少于 25 天或经期超过 7 天的妇女，发生子宫内膜异位症的机会是正常人的 2 倍。最近有证据指出，接触二 恶英一种工业化学物质，亦

骨盆部疾病

可能是一个病因。

病变范围的大小与盆腔疼痛的严重程度似乎并不存在直接关系。一些病变很小的妇女疼痛剧烈，而另外一些病变广泛的患者则可能没有任何症状。疼痛可能是由于出血引起的瘢痕和刺激造成的，亦可能是由于内膜组织侵入并生长在神经造成。

本症如何造成不孕还不是很清楚，但其与病情轻重似乎并不相关。很多病变很轻的妇女可以出现不孕。一些研究人员认为，内膜植入抑制了排卵过程。由于干涉纤毛移动卵子，植入内膜亦可妨碍卵子通过输卵管的过程。其他研究提示，内膜植入分泌一些化学物质而造成不利受精的环境。

## 治 疗

传统及其他疗法均可对子宫内膜异位症有效，包括激素药物和外科手术治疗等。但是，病情只能得到控制，而不能治愈；一旦停止治疗，症状常复发。一般绝经后症状消失，但绝经期间和绝经期后服用雌激素的妇女，症状可持续下去。

由于子宫内膜异位症常反复发作并常造成不孕，所以你可能希望参加一个子宫内膜异位症支持组织，以获得治疗本病的帮助。很多医院均能向你提供这样的支持组织。

### 常规治疗

你的医生常先进行盆腔检查，以除外引起你的症状的其他可能病因。但是，确诊只能依靠腹腔镜——通过一个小切口将一根细长、带光源的仪器插入腹腔直视检查。这项操作常在全麻下进行；很多医生亦常同时做活检以明确诊断。

对于能够妊娠并想要孩子的妇女，很多医生认为妊娠是一个很好的治疗方法。妊娠可缓解症状，可能由于其暂时抑制了月经周期。一些妇女分娩之后，子宫内膜异位症便未再复发。此外，医生还可能给你服用生育控制丸（避孕丸），连续9个月或更长时间，制造一个假孕过程，以抑制月经周期、制止异位内膜病变出血。这种疗法可以起效，但不如实际妊娠效果好，症状常复发。

如果连续服用避孕丸疗程未起作用，医生可能建议采用雄激素治疗——一种男性激素。有激素作用的药物如达那唑和 nafarelin（那法瑞林）亦可抑制月经周期，这样就抑制了子宫组织出血。但是，达那唑具有男性化的副作用，可能是不可逆的，例如体毛增多和少见的声音粗哑等，因此不能服用很长时间。事实上，使用所有上述药物治疗，达到完全治愈是不常见的，因为植入的异位内膜组织仍在器官内，停止治疗仍可以继续周期性地出血。

消炎药如布洛芬和 naproxen（萘普生，消痛灵）可以缓解绞痛等不适，但并不能影响植入组织的周期性变化，因此它们仍是对症治疗而不是对因治疗。

如异位组织生长迅速而药物治疗无效时，医生可能建议手术治疗。如果切除所有植入组织，那么你的症状应消失。但是，甚至在子宫切除术后，仍可能残留一些组织碎片而再生，于是症状可能再发。因此，你的主管医生可能在手术治疗后继续给予药物治疗。

### 辅助治疗

大多数其他疗法目的在于改善症状，但是由于它们并不是直接影响病变，因此同传统方法相比，作用效果常较差。

#### 三阴交穴针压法

你可通过按压位于内踝上方的三阴交穴而减轻腹绞痛症状。如果你正怀孕，不要按压这个穴位点。

#### 营养及饮食

肌体在其他物质中含有一些激素样物质，称为前列腺素，起肌肉收缩作用，这样可能加重经期绞痛。进食富含天然抗前列腺素食物，包括青花鱼、沙丁鱼、鲑鱼和金枪鱼，可有助于减轻症状。你可以选择补充鱼油和鳕鱼肝油的方式摄入上述营养成分。

每月补充多种维生素、多种微量元素，包括维生素B复合物（50~100毫克）、维生素E（400~600单位）、钙（1 000毫克）和镁（400~600毫克），可帮助平衡雌激素和前列腺素水平，从而减轻经期绞痛。

#### 家庭治疗

◆除服用止痛药缓解疼痛，还可用热垫或湿垫敷，以及饮用热饮料，以帮助缓解肌肉痉挛。适当的锻炼可

骨盆部疾病

# 子宫内膜异位症

增加内啡呔水平,它是肌体自身分泌的内源性天然止痛剂。

预防

◆避免接触二恶英,因为近来有证据显示本品可能在一些子宫内膜异位症病例中起一定致病作用。

◆如果你使用止血塞,注意经常更换,尤其是当经量较多时,并且使用卫生垫替代止血塞。上述措施可有助于预防经血逆流——这是引起子宫内膜异位症病因的一个理论。

危险因素

有几个因素与增加子宫内膜异位症发生的危险性相关。如有下列情况,请注意你极可能患有本病。

◆你的近亲中有人患子宫内膜异位症,尤其是母亲或姐妹中。

◆你的月经周期持续缩短——小于 25 天。

◆你的经期时间延长——超过 1 周。

◆经期经量多。

◆你使用止血塞,但更换不勤,常超过 8 小时。

◆你使用宫内避孕器。

◆你患有宫颈或阴道阻塞或狭窄等。

◆你患有先天子宫畸形,如双子宫或双宫颈。

◆接触二恶英(具有致畸性质)。

## 瑜 伽

**1** "船姿"可加强脊柱、固定盆腔脏器。腹朝下卧位,吸气,同时抬头、胸、双臂及下肢离开地面。向后伸展双臂,保持这个姿势 15～20 秒,然后呼气,放松回到原地。每天做 1～2 次。

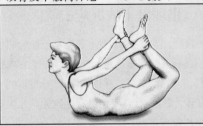

**2** "弓姿"可增加脊柱的弹性。腹朝下卧位,抓住双脚踝。吸气时,收臀,同时慢抬头、胸及大腿离开地面。保持 15 秒钟,缓慢呼吸。呼气,然后放松。每天做 1～2 次。

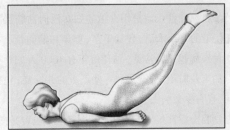

**3** "蝗虫姿"可调整盆腔肌肉的紧张性。腹卧位,两臂放于两侧。收臂同时双臂向下用力。吸气时,抬高下肢,保持下肢伸直,包括膝关节和脚趾。保持 15 秒钟,然后呼气、放松。每天做 1～2 次。

# 盆腔感染症

## 症　状

急性盆腔炎症性疾病：

◆有阴道分泌物时下腹严重疼痛，常伴发热。

慢性盆腔炎症性疾病：

◆下腹部反复发作的轻微疼痛，有时伴背痛和月经不调。

◆性交时疼痛。

◆不育症。

◆月经不调。

◆大量异味阴道分泌物。

## 出现以下情况应去就医

◆突然腹痛，伴或不伴发热，表明有急性盆腔炎症性疾病或其他严重疾患，如阑尾炎、子宫内膜异位症、卵巢囊肿破裂、异位妊娠应立刻就医。

◆如有异常月经出血，可能患有盆腔炎症性疾病或其他严重疾病，如子宫内膜异位症、宫颈癌。

◆如果阴道分泌物量多或有恶臭味时，可能患有盆腔炎症性疾病或其他情况，如阴道、宫颈、子宫疾病，或性传播疾病。

盆腔炎症性疾病是用来描述妇女任何盆腔器官感染的一个术语，包括子宫、卵巢和输卵管。在美国这种疾病越来越常见，估计每年有1000万妇女有此病。如未及时治疗，会导致一些严重的并发症，包括不育症，且有少数病人死亡。

盆腔炎症性疾病（PID）可以是急性，也可是慢性，急性的发病突然，易恶化；慢性的可反复发作，轻微疼痛，有时为背部。但一些患有此病的妇女没有易觉察的症状，只有当他们想怀孕而发现不能生育时，才知道她们患有盆腔炎症。

## 病　因

盆腔炎症性疾病是由于污染精液从阴道上升到子宫引起的，大部分患者常常是由性传播的淋病或衣原体引起的。最近，研究人员发现PID与常在阴道或身体其他地方发现病原体有关：在分娩、流产、宫内节育器放置后，患盆腔炎症性疾病的机会增加。其他还有扩张

术、刮宫术、冲洗，所有这些都要临时扩大宫颈口，可能引起感染。

### 诊断与检查

医生将给你做一些盆腔检查，如果有感染证据，医生将用棉签在阴道内取些脓样，然后对取样进行分析，确定是哪种微生物引起的感染。腹腔镜检查——是一种插入腹腔内的一种特殊设备，对得到明确诊断是必要的。医生也可以应用超声帮助诊断。

## 治　疗

因为盆腔感染性疾病会导致严重并发症，如不育，必须应用常规抗炎治疗，其他治疗只是作为抗炎治疗的补充和康复，有助预防。

### 常规治疗

医生将给你一或两种口服抗菌药，如四环素、红霉素、强力霉素消除感染。你可以在门诊治疗，但是如果你已怀孕或有严重症状，则要住院，通过静脉给药。如果你子宫内有节育器，医生将给你取出，到彻底治愈后再放入。你应避免性交，因可引起盆腔器官运动，使脓液扩散。如果病症是慢性的或者重复发作时，口服抗菌药无效，医生则要静脉给药。当盆腔化脓加重时，即便静脉给药也是无效的。需要手术清除脓肿。如果疼痛是持续性的，医生将进行盆腔手术清除或修复感染组织，有时保留一个卵巢（预防提早绝经），仍然可以减轻疼痛，但这些可能性需要与医生商讨。

### 辅助治疗

在应用抗菌药治疗加速康复预防复发的前提下，可以用一些其他方法治疗，例如为减轻疼痛可以应用蓖麻油，或请有经验的针灸师治疗。

中药治疗

为了治疗盆腔感染性疾病，中医专家们常使用活血化瘀及清热解毒的中药治疗，有很好的抗微生物作用。

营养及饮食

为了增强肌体免疫系统和加速康复，应吃一些没有

骨盆部疾病

加工的食物,特别是新鲜水果和蔬菜,补充维生素,也可以加强你的免疫系统,每天服维生素 A(1 万单位)维生素 C500～1200 毫克,复合维生素 B 50 毫克,每天 3 次。

预防

◆ 使用屏障式节育器。

◆ 在流产 2～3 周后,避免把任何东西放入阴道。分娩 6 周不能作扩张术或刮宫术。在这段时间内也不能性交、冲洗、游泳。

◆ 不要使用宫内节育器。使用置入式宫内节育器的妇女,患病率是不用宫内节育器妇女的 5 倍多。

◆ 如有盆腔感染史,要用屏障式节育方法,避免在月经期性交。

◆ 对任何性传播疾病都要进行治疗。

## 症 状

妇女可能完全没有临床症状或有下列感觉:

◆黄绿色、有明显臭味的泡沫状阴道分泌物。

◆阴道痒感或刺痛感。

◆性交痛。◆下腹部疼痛。

◆阴道出血。

男性则可能没有症状或仅有小便不适。

### 出现以下情况应去就医

◆出现上述症状。毛滴虫病是一种传染病且能引起多种并发症,尤其是妇女,不应认为仅仅是阴道炎而忽略其严重性(参见阴道疾病一节)。

**毛**滴虫病是一种主要通过性交传播的寄生虫疾病,具有传染性,70% 的病例无症状,所以很难诊断。妇女有不适的感觉可能持续 1 周或几个月,然后会因月经或怀孕而明显好转,如果不予治疗,寄生虫会感染包括尿路和生殖系统。在妇女,易感染的部位包括阴道、尿道、宫颈、膀胱和其他腺体,男性可能波及尿道、前列腺、精囊及附睾。毛滴虫适宜于碱性环境,当女性使用口服避孕药,怀孕或使用一般冲洗筒时,患病率会提高,因为上述做法均能增加肌体的碱性。

## 病 因

毛滴虫病的元凶是一种叫做阴道毛滴虫的原生动物,通常由性交传播,亦可通过厕所坐垫,更衣室长凳、浴巾、游泳池及洗涤设施传播。

### 诊断与检查

医生会通过显微镜来观察你阴道或尿道的分泌物或化验你的尿液,无症状妇女偶尔通过刷片病理检查找到滴虫。如果你觉得自己有感染的危险,最好的办法是在常规体检时加做此类检查。

## 治 疗

十分之九以上的患者都对单一疗程抗菌药有效,顽固者需要超过常量的药物及周期来治疗。

骨盆部
疾病

# 毛滴虫病

## 常规治疗

最常用的抗毛滴虫药是甲硝唑片剂，还有一些药物也有效。据某些学者研究，甲硝唑在动物实验中有致畸和致癌的副作用，但在人类尚无此副作用。当你服用甲硝唑时，可能会有恶心、呕吐及口中金属气味等不适，你可餐后服药来减少此类反应。切记在服药24小时内勿饮酒，否则会产生严重的腹痛和呕吐。

## 辅助治疗

除了服用抗菌药外，你还可以试用其他方法来加快愈合。

指压治疗

中医推荐通过按压太冲穴来驱除毒素，该穴位位于大拇趾与第二趾间；肝经曲泉穴位于膝关节上方的大腿内侧；也可以按摩太溪穴，位于脚踝与跟腱的内侧面。可在家中任选以上方法，一天数次治疗。

芳香疗法

某些学者认为薄荷油有助于使刺激性分泌物干燥，浸泡患处或洗澡时应用。

营养及饮食

抗生素能破坏肌体正常的或致病细菌，服用有活性的乳酪制品或喝一杯含一茶匙乳酸菌液与半茶匙双歧杆菌液，每日3次，可补充身体内的有益菌群。为了加快愈合和提高免疫力，营养学家建议你选择富含维生素A、C、E的平衡膳食。

家庭治疗

经常使用出售的化学用品冲洗的妇女，会增加滴虫感染率。一旦感染，选择以下配方盆浴，每日1次。醋浴，加1茶匙醋于温水中。有活性的乳酪或乳酸菌（半茶匙加入一杯水中）。

为增加酸度提高杀寄生虫效力，可加入柠檬汁于冲洗液中。

切记：怀孕时禁用。

预防

◆性交时使用避孕套。

◆不共用浴巾或其他洗浴用品。

◆公共浴池游泳后立即淋浴冲洗。

◆性交前后冲洗。

骨盆部
疾病

## 症 状

◆腹股沟区或外生殖器部位痒，起肿块。

◆皮疹会扩及臀部和大腿内侧。

### 出现以下情况应去就医

◆非处方药治疗1～2周后无效。

◆皮疹扩散或加重。

◆转为慢性过程，皮疹经常发作。

下体瘙痒是指下体的腹股沟由于菌类感染而引起的发痒。对于男性来说，一生中患此病的可能性多些，但女性也得此病。尽管菌类不同，但其症状一样。妇女外阴瘙痒的元凶是一种真菌感染，叫做念珠菌病，它起源于女性的阴道，如果不加以治疗就会传至外阴及周围。出汗多的男女或者肥胖者容易使皮肤打皱，皮肤相互摩擦就极易形成皮疹。

## 病 因

下体瘙痒是由一种叫深红色发癣菌引起的，它极易在潮湿、温暖的区域繁殖。体育运动时，运动员穿上护膝和护身三角绷带，都容易导致菌类的繁殖。你也许怀疑自己就患有下身瘙痒，若果真如此，只需让医生眼观一下就可确定是否患有此病。

## 治 疗

除非皮疹非常严重或大面积传染，一般情况下不必要专门去治疗。大多情况下，只需自己到药店买点药进行药物处理就行了。

只要治疗用药得当，治愈率还是很高的，但还有近20%的患者难以治愈，这时就应找专门的医生开出有效的药方来。

### 常规治疗

通常用来治瘙痒的药膏都含有抗生素，例如：这些药膏在药店都是不经医生开药方就可以买到的。如果你一点也不知该开什么药，就向药店负责人咨询。

按照要求涂于感染部位，直到皮疹消失。继续保持用药1个月，以确保去除癣菌。患病期间要穿宽松的裤子，以保持感染部位干爽。

为防止皮疹加重或重新感染，每天要勤换内裤，并将内裤在热水中清洗。如若皮疹重现或者感染，就去看你的医生，他会给你开出抗生素药方。

## 辅助治疗

除了请医生治疗和在药店买药自己医治外，为加快治愈过程，还有许多可供选择的医治方法。

### 芳香疗法

通常的芳香疗法是采用茶树油（Melaleuca SPP）可适用多种皮肤情况，再用媒介油如杏仁油稀释，然后每天涂于皮疹处即可。

芳香疗法医师还会建议其他的止痒油，如：杉木油和茉莉花油。同样的道理每天擦用。

### 治疗要点

◆ 保持腹股沟区清洁和干燥。

◆ 每日更换护身弹性织物和内衣，并用热水清洗。

◆ 在下体护身里穿干净棉织短裤。

◆ 如果你过去易患运动员疥疮，并经常穿三角裤，则最好换为这样可以保持腹股沟区干燥，保证空气流通。

◆ 用婴儿粉防止潮湿，潮湿易导致运动员疥疮。

◆ 用抗菌肥皂洗浴，并冲洗干净，防止残存有刺激的肥皂存留。

◆ 不要在体育馆内使用他人的毛巾，运动员疥疮是轻度传染的。

◆ 用毛巾或用低吹风机保持你的腹股沟区干燥。

◆ 工作一结束就更换衣服。

◆ 用抗菌液清洗患处。

◆ 沐浴后将电吹风设置至最低档，尽可能将患处吹干。

◆ 每天坚持涂擦抗菌药膏或爽身粉2至3次。

◆ 洗个热水澡，以减轻痒势。

◆ 涂擦稀释的柠檬汁。

◆ 适用茶树油、杉木油、茉莉花油。

## 症 状

◆ 外阴发炎和痒，可能患有外阴炎。

◆ 外阴皮肤增厚和发展为白斑，这可能预示苔癣样硬化症或外阴癌，为弄清诊断请去看医生。

◆ 伴有异味的阴道分泌物增加，有烧灼感、瘙痒和疼痛，这提示可能有阴道炎。

◆ 若性生活时感阴道肌肉收缩和疼痛，则可能患有阴道痉挛症。

◆ 不正常的阴道分泌物、出血和（或）在阴道任何部位有坚硬的损害，则可能患有阴道癌。（参看癌、宫颈癌或子宫癌）

## 出现以下情况应去就医

◆ 阴道出血不是月经。如果服用口服避孕药，它可能导致出血，否则可能有功能失调性子宫出血（看子宫疾病一节）。如果系妊娠，则可能有妊娠并发症。绝经后出血，有时提示子宫癌。

◆ 有长时间的下腹痛伴发热、月经失调、异常分泌物和（或）性交痛，则可能患有盆腔炎。

◆ 使用止血塞、隔膜或避孕棉球后出现高热或其他情况，提示有中毒性休克综合征。

阴道是女性生殖系统的一部分，连接宫颈与外阴。外阴皮肤合拢，使尿道口和阴道口关闭。这一通道由有弹性的肌肉壁组成，由它自己的分泌物和宫颈的粘液腺所润滑。

阴道有自净作用，当阴道分泌物向下流动时，死亡的细胞和其他物质也被排出。阴道分泌物的数量和性质将随着月经周期的变化而有不同的变化，但是有些分泌物几乎总是存在。正常的阴道分泌物是清洁的或白色的。

阴道炎意味着阴道发炎。真菌引起阴道真菌感染，是最常见的。其他阴道感染包括细菌性阴道病和性传播疾病，例如淋病、滴虫性阴道炎和沙眼衣原体感染。有瘙痒、刺疼、异常分泌物等症状。

阴道感染是很常见的和可治疗的。

细菌性阴道病常发生在生育年龄，原因不明，使阴道内自然平衡变化，在阴道内产生细菌，导致由细菌控

骨盆部
疾病

制的疾病。这种情况最突出的征象是有鱼腥味的分泌物，但是伴有感染的许多妇女无症状。对于沙眼衣原体感染和淋病也确是这种情况。为了保护自己，在定期妇科检查时应该常规检查阴道。

有真菌特征的真菌细胞过度繁殖，也会干扰阴道的化学平衡，结果是阴道真菌感染，特征是痒，痛，也能产生一种白色干酪样分泌物。真菌感染更多的在有糖尿病，服避孕药丸或抗生素，或妊娠妇女中发病。但是估计75%妇女在她们的一生中至少有一次真菌感染，许多妇女将多次患真菌感染，他们最常见的发病年龄是16～35岁。阴道真菌感染可引起尿痛或性交痛，或两者同时有。

阴道感染一般不严重。阴道真菌感染时，起初引起不适和烦恼。性传播感染，如淋病和沙眼衣原体感染被发现，与增加盆腔炎性疾病或其他并发症有关。外阴炎经常伴随有阴道炎，炎症通常由相同生物病原体引起。

阴道癌，仅占所有妇科癌症的2%。多发生在年龄超过50岁的妇女。阴道癌的严重程度依赖于它的组织类型和部位，包括鳞状细胞癌和透明细胞腺癌。可以扩散到周围组织，包括膀胱、直肠、外阴和耻骨。

下阴道肌肉的不随意收缩叫阴道痉挛症。

阴道痉挛症是与性相关的心理失调，这些肌肉痉挛可以是有痛感的，它妨碍阴茎插入或其他物体插入，如窥器或止血塞。这种功能失调的患者常常害怕性交，且把它和疼痛联系在一起。

## 病 因

细菌性阴道病最初由支配阴道的菌群引起，但是几种其他细菌也可引起疾病。紧张或新的性伙伴也可引起阴道菌群的改变，这些很容易导致感染。

阴道真菌感染由四种真菌中的一种引起，几乎80%阴道真菌感染由白色念珠菌过度生长所致。这些真菌无限制地生长，是由重大的饮食变化、皮质类固醇或抗生素的应用治疗或其他失调而引起。

外阴炎是由化学刺激或对如肥皂、冲洗等物品的过敏反应而引起的。病毒、细菌或真菌感染，在绝经期妇女雌激素水平降低或癌，也可导致失调。

阴道痉挛症有心理原因，它最常发生于性创伤后，

如乱伦或强奸。消极的看法认为性过度也可引起失调。

在1940～1970年，乙烯雌酚（合成的雌激素）有引起流产的高风险（此药后来发现对预防流产无效）。妊娠期服用乙烯雌酚有增加透明细胞腺癌的发生率。

## 诊断与检查

各种检查可以用于诊断外阴炎，大多数病例通过盆腔检查证实。但是如果怀疑，也可做血液检查或性传播疾病的检查。如果外阴炎持续不愈，应做组织检查，以排除恶性病变。

**女性生殖系统**

子宫　宫颈　阴道　卵巢　输卵管

女性生殖系统是由卵巢、输卵管、子宫、宫颈和阴道组成。肌性、有弹性的阴道壁形成一个位于内生殖器官和外生殖器官的通道。阴道易患各种感染，这些感染很少是严重的。然而，一些阴道感染能导致值得注意的并发症。

如怀疑阴道痉挛症，医生将考虑性生活史，特别是要注意心理因素。盆腔检查以排除心理失调的可能性和证实环绕阴道的肌肉的不随意收缩。

阴道炎类型的诊断，通过证实是哪种生物病原体引起的感染而定。即取阴道分泌物样品在显微镜下观察，一旦诊断为阴道真菌感染，应常意识到它再发的症状。

阴道癌的诊断常常基于通过阴道镜全面检查和可疑部位的活组织检查。

## 治 疗

对于大多数阴道失调，无论常规或者其他治疗，目的都是帮助恢复适当的细菌平衡，减轻疼痛和不适。

# 阴道疾病

对于绝经后患有外阴炎或阴道炎的病例，医生则给抗生素或雌激素栓，或局部乳膏，使阴道组织增厚和润滑。对其他细菌性阴道炎的病例，医生将给抗生素乳膏，例如甲硝唑或克林霉素，或口服甲硝唑，因为感染在性伙伴之间常反复传染，所以性伙伴也同时需要治疗。

一旦医生诊为真菌性阴道炎，抗真菌药如制霉菌素、咪康唑或克雷唑作为阴道栓或乳膏之一被使用。如果患有复发性阴道真菌感染，许多治疗是便利的，这些放入阴道的药物（乳剂和栓剂），类似于医生开的克霉唑或者咪康唑。

由于阴道痉挛症是心理因素自然形成的，因此最好的治疗方法是夫妻的性治疗。

癌是威胁生命的疾病。熟悉阴道癌的特定病例，有利于给予适当治疗。对于早期病例，通常需要行局部化疗和激光外科治疗，这些治疗有助于保存和维持阴道功能，但仅用于早期病例。当肿瘤扩散时，首先需要外科手术。进展型阴道癌通常需要放射治疗。大多数阴道癌病例，由在癌症的诊断和治疗方面受过专门训练的妇科医生治疗。（参见癌症的治疗一节）

辅助治疗

随着各种补充治疗，可以减轻疾病的复发。

生活方式

如果经常发生阴道感染，止血塞的使用不要超过6个月。另外，当有阴道真菌感染或细菌性阴道炎的明显症状时，避免性交。

穿棉织衣裤，避免穿紧身裤和衣服，将有助于保持阴道凉爽和干燥，这将帮助预防外阴炎和阴道炎。

营养及饮食

如果有阴道真菌感染，应低糖饮食。如果对这些感染敏感，吃酸乳酪保持活性细菌培养，有助于维持阴道内正常菌群。

家庭治疗

饮食中，混合乳酸杆菌，可以帮助治疗阴道真菌感染。由冷冻胶囊制成的膏剂，在健康食品和营养食品店可买到。手掌中放些乳酸杆菌粉，加水制成面糊状物后，用阴道装置或手指置入阴道内。

绝经后妇女有规律的性生活，可以帮助预防阴道干燥和阴道壁变薄。因这些情况有可能导致阴道炎，刺激血液流动，保持阴道组织柔软。

与性训练治疗家探讨性抑制，有助于治疗阴道痉挛症患者。

经常便后清除来自于粪便中任何生物病原体，避免感染。

预防

平衡饮食经常有助于保持好身体。当其他情况极少影响时，许多妇女似有阴道感染的倾向。保持好的卫生习惯和经常用避孕套，是防止阴道炎的最好办法。如果疑有阴道感染，去看医生前24小时内不要冲洗，因这样做可以冲走有助于诊断的分泌物。

真正的阴道痉挛症是由于恐惧心理引起，而不是身体不正常；最好的预防是健康的家庭环境。不要认为性行为脏，适当的条件下在开放、诚实、实际行动中探讨。如果患有性虐待或创伤，应该去寻找专业医生帮助。

---

## 注意有刺激的产品

许多妇女没有意识到，她们的瘙痒和烧灼感，是由于用肥皂、洗澡油和洗澡精液、游泳池中的氯气、女性个人卫生喷雾、香水冲洗、有异味或有色的厕所纸、有香味的月经垫和止血塞等产品刺激而引起；如果医生不能确定引起刺激的，则可能是对质量低劣的产品过敏所致，应停止使用可疑物品。如果需要，可在浴盆中浸泡和加用硫酸镁。

骨盆部疾病

# 宫颈疾病

## 症状

◆阴道分泌物呈绿色、灰色、黄色或白色。

◆性交痛。

◆性交中或性交后阴道出血。

◆月经期经量异常增多。

◆骨盆紧缩性疼痛或下坠感。

## 出现以下情况应去就医

◆阴道分泌物有气味或着色，你可能感染。

◆月经间期或绝经后阴道出血，你可能感染或是激素问题。宫颈息肉、宫颈糜烂、子宫肌瘤或子宫癌症(参阅子宫疾病)，你必须尽快就诊。

子宫颈位于宫体下部，呈柱状，连接阴道和子宫。在它的中心，有小的开口，称为子宫颈口，供子宫组织、经血及精子通过。子宫颈中有一条狭窄的3厘米长的通道通向子宫，称为子宫颈管。分娩时子宫颈口逐渐扩张，以便胎儿娩出。

宫颈延伸到阴道口部分覆盖着部分红色组织称为鳞状上皮细胞；延伸到宫颈管的部分覆盖着红色产生粘液的组织称为柱状上皮。这两部分的交界处称为鳞柱交界。

宫颈的炎症，包括急性与慢性，通常称为宫颈炎。其主要症状是大量阴道分泌物，因感染类型不同，可以是灰色、绿色、白色及黄色。其他症状包括性交痛。一些患有盆腔炎的妇女有后背痛，小腹下坠感，这是由子宫后方支持它的韧带上的淋巴结引流所致。

宫颈常见的两种情况是宫颈外翻及宫颈糜烂。宫颈外翻是由于宫颈管内缘的红色柱状上皮突出在宫颈的外面形成的。这种情况在青春期及孕妇或服用避孕药物的妇女常见。宫颈糜烂是由粉色的鳞状上皮组织被破坏，在其表面有红色外露的溃疡。许多患宫颈外翻及糜烂的妇女无症状，但偶尔产生白色或少量血性阴道分泌物。

其他累及宫颈的疾病包括宫颈狭窄——宫颈全部或部分缩窄，会导致梗阻和宫颈无能，孕期宫颈提前开放，这会引起流产率升高。

宫颈还可能产生囊肿及息肉。宫颈囊肿无症状，亦无需治疗。宫颈息肉尽管可引起不规则出血及排泄物，但一般无害。由于宫颈息肉可引起上述不适，且有时影响生产，所以经常通过手术切除。

生殖性疣可影响宫颈，形成扁平、良性息肉。这些疣由人类乳头瘤病毒引起，其中包含许多亚型，有几种与宫颈癌的发病率升高有关。

其他宫颈潜在的严重疾病是异型增生，即宫颈细胞的异常形成。异型增生如果未经治疗，约30%～50%的病例会导致宫颈癌，故被当作癌前病变。异型增生可累及各年龄段妇女，但最常见为25～35岁。异型增生无明显症状，只有通过巴氏试验来监测(参阅诊断及实验过程)。

## 病因

宫颈疾病的病因不同，宫颈炎通常由性传播疾病，例如生殖性疱疹、沙眼衣原体及淋病引起的阴道内的其他感染所致。有时，分娩时阴道撕裂伤亦引起感染。

引起宫颈外翻及糜烂的原因尚不清楚，但约有20%的女性未生育即有宫颈外翻。性交时的摩擦是导致糜烂的一个因素。一些医生认为避孕药内的激素及宫内避孕环可以导致宫颈外翻、糜烂及宫颈炎。据估计，尽管没有任何症状，约95%的妇女一生中某些时间会患宫颈糜烂。

宫颈狭窄病因各种各样，一些妇女天生即有阻塞。另外炎症、异常的生长如子宫息肉，可致宫颈狭窄。一些宫颈的手术和宫颈管的活检及刮宫术也可致阻塞。

宫颈松弛可由怀孕导致，病因尚不清楚，但它与外科手术过程如治疗性流产、宫颈扩张及刮宫术有关。人工合成的孕激素、乙烯雌酚曾用于防止孕期流产，一些妇女母亲服用该药后，这些妇女易产生子宫和阴道畸形。

纳氏囊肿是宫颈最常见的一种囊肿，为宫颈粉液腺梗阻后产生。子宫内膜异位症也能形成囊肿，在宫颈上形成子宫内膜瘤。

宫颈息肉常在感染后产生，为肌体通过自身修复在原先发炎的地方长出新的细胞来覆盖。息肉也可在孕期妇女及服用避孕药的妇女中形成，是激素变化刺激组织过度生长的结果。

宫颈疣，是由人类乳头状瘤病毒通过性接触传播的。

宫颈异型化是人类乳头状瘤病毒的一种恶型引起，这种疾病也可引起宫颈癌，但并非所有接触病毒的人都产生异型化或癌症，提示其他因素亦起作用。

## 诊断与检查

检查宫颈疾病的第一项检查是巴氏涂片。用木刷子或木制刮刀从宫颈上刮取细胞在显微镜下观察，如果巴氏试验提示癌前病变或癌性病变，则宫颈活检切取宫颈组织即进行检查是必要的。手术是通过一种专业的检查仪器——阴道镜进行的。如果异常的组织扩展到宫颈管，可能要施行锥切术，即从宫颈的中心切除一锥形组织来分析。锥切术在医院中经一般麻醉后进行。

## 治 疗

一些无害无症状的宫颈疾病，如糜烂及纳氏囊肿经常无需治疗。其他情况即可通过替代疗法也可进行传统疗法。对于严重的宫颈疾病，比如增生或癌症，你只能进行传统治疗。

### 宫 颈 息 肉

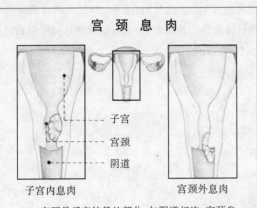

子宫

宫颈

阴道

子宫内息肉　　　　宫颈外息肉

宫颈是子宫较低的部分，与阴道相连。宫颈息肉是宫颈的良性赘生物。两种常见的息肉类型是宫颈内息肉(上左)，即息肉在宫颈内发现；宫颈外息肉(上右)即在宫颈口的外部发现。通常息肉是无害的，但有些病例息肉可以用外科小手术切除。

## 常规治疗

宫颈疾病的治疗，取决于病情。

宫颈炎通常用抗生素或磺胺类治疗，医生会建议你停止房事直至炎症消除以防止其扩散。慢性宫颈炎抗生素常不能奏效，医生会建议用电熨锥切或冷冻来破坏感染组织。冷冻法可通过液氢冷冻来去除感染组织，这些处理仅会引起轻微刺痛，无需麻醉，可在医生诊室里进行。

如有必要，宫颈囊肿和息肉可以在局麻下在医院医生诊室里经手术切除。

### 指 压 治 疗

1. 压迫小肠可以减轻有时伴随宫颈疾病产生的后背僵硬。将你的拇指按在手的一侧小指节的下方，骨与肌肉之间处，按压1分钟。

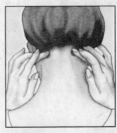

2. 为了减轻可能与宫颈疾病有关的颈肌紧张，可试着按压胆囊经，将中指尖置于头颅底部的凹陷处，分别位于脊柱两旁，相距约6厘米，紧压约1分钟。

3. 对膀胱加压可以减轻由宫颈疾病引起的紧张与压力，按压头颅下1.5厘米的绳状肌1分钟。

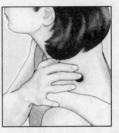

4. 为减轻紧张及易激，可以按压胆囊经。用你的中指按压肩部最高点，距离颈根部3～6厘米处1分钟。对孕妇按压此点时应轻柔。

骨盆部
疾病

去除因宫颈狭窄引起的梗阻,通常要住院手术。如果术后宫颈开始关闭,那么必须进行保持宫颈开放的进一步手术。

宫颈松弛的孕妇在整个孕期应严格卧床。现在,这种情况通常用环扎法,一般在孕 12~16 周,用针将宫颈缝合。在孕期 9 个月后拆除缝线。手术后绝大多数妇女可经阴道分娩。

轻度宫颈异型增生可通过锥切、冷冻或激光治疗。激光治疗是用高能量激光束将坏死组织碳化,对于发展更坏的病例可进行锥切。一般医生提倡对于严重的子宫颈异型化进行子宫切除。但是,这常常是没有必要的。如果你反复发作异型化,对治疗效果没有反应,你应接受 HIV 感染检查(参阅 AIDS)。

## 辅助治疗

替代疗法能辅助治愈轻微的子宫颈病变。

### 水疗法

应用冷热坐浴交替来刺激宫颈血流,促进宫颈糜烂愈合。将一个浴缸或者大的浴盆内充满热水,另一个则充满冷水,在热水中坐 3 分钟,然后再在冷水中坐 1 分钟,重复 3 次,以冷水坐浴结束。然后马上穿上暖和的衣服,隔天坐浴 1 次,直至宫颈糜烂愈合。

### 家庭治疗

为宫颈糜烂的辅助治疗,可用浴液浸浴。通过改变阴道内 pH 值,能阻止子宫的常见的红色柱状上皮在宫颈口外形成。将少量白醋分到 1 升热水中混合制成浸浴液,每天使用直至症状好转。

### 预防

◆节制房事或使用避孕套。研究证实,妇女接触精子机会越多,越易患异型增生及其他宫颈疾病。

◆当性交时使用工具避孕、如避孕套、膜及宫颈隔膜。这些方法对防止可导致宫颈疾病的性传播疾病有帮助。

◆为防止宫颈炎,进食足够的新鲜水果与蔬菜,这些食物富含维生素 C 与胡萝卜素(维生素 A)、叶酸和其他一些能为增强肌体免疫力并对抗感染的营养。

◆你如果吸烟则应戒烟。吸烟的妇女患异型增生和宫颈癌的机会增加。

◆患有宫颈糜烂及宫颈炎的妇女应观察不孕的情况。

宫颈是子宫较低部分与阴道相连,宫颈息肉是宫颈的良性赘生物。两种常见的息肉(上左,即息肉在宫颈内发现)宫颈外息肉(上右,即在宫颈口的外部发现)。通常息肉是无害的,但有些病例息肉可以通过外科小手术切除。

骨盆部疾病

# 子宫颈癌

## 症 状

早期，宫颈癌无疼痛及其他症状，可能发现该病的首发症状包括：

◆水性或血性阴道分泌物，有时气味很强或恶臭。

◆性交后，月经期后或绝经期阴道出血，经期时较正常量大，时间长。如果肿瘤扩散到临近组织，症状包括：

◆排尿困难及可能肾衰。

◆小便疼痛，有时伴有血尿。

◆后背钝痛及腿肿。

◆腹泻、排便疼痛或便中直肠中出血。

◆疲劳、体重及食欲下降，通常患病的感觉。

### 出现以下情况应去就医

◆异常血性阴道分泌物及其他症状持续 2 周以上无法解释，应该接受妇科检查，包括巴氏试验。

◆注意：出现经期之后的阴道出血，应马上引起医生注意。原因可能仅仅是阴道干燥或良性子宫息肉，但也是子宫颈及宫体癌最常见的症状。

宫颈是子宫狭窄的颈部，位于阴道之上。超过 9/10 的宫颈癌起源于近宫颈的表皮细胞，在一些女性中，健康细胞进入异常相，称为异型增生，尽管这些细胞不是癌性的，但他们能变成癌性。当异型增生细胞变成恶性时，能被发现的最早的阶段称为原位癌。当癌细胞复制后，一些会侵入子宫颈自身的界限，传播到邻近组织，进入血流中或淋巴组织中。

正是由于异型增生转变成原位癌需要许多年，所以宫颈癌变得有侵害性需要许多年。这种原因及巴氏试验的广泛应用，宫颈癌是危害性最小的一种，早期发现，是可以治愈的；甚至在进展期病例，近于痊愈的至少 5 年生存率可达 60%，只有当肿瘤转移到远隔器官，5 年生存率才下降到 20%。

异型增生最可能在 25～35 岁的女性中发生，原位癌多发生在 30～40 岁，而转移癌于 40～60 岁的女性中易发生。在影响美国女性的肿瘤中，宫颈癌占 25%。每年诊断原位癌的约有 55000 人，而诊断侵袭性癌的有 15000 人。

## 病 因

4/5 的癌症病例与性传播病毒有关，如生殖器疱疹病毒及经常引起生殖器疣的人乳头状疣病毒。但许多患有性传播病毒感染的妇女未患宫颈癌，同时一些宫颈癌患者从未感染过。妇女在 15 岁之前性交，或有多个性伴侣，数次全程怀孕，或有性传播疾病史者更易产生异型增生或宫颈癌。遗传因素及其他因素也作为复杂的相互作用的一部分引起宫颈癌。

抽烟的妇女中，宫颈癌也较常见。许多研究者怀疑吸烟本身导致宫颈癌，认为它会提高人们对其他疾病如病毒感染的易感性。妇女的免疫系统，因其他疾病如治疗或器官移植严重抑制，其母亲孕期非同乙烯雌酚（曾一度用于预防流产，但已不再受重视时，更易患宫颈癌。应用避孕药及肥胖的妇女，也会增加发病率。

### 诊断与检查

每个妇女每年都应进行一次盆腔检查及巴氏涂片，可以检查宫颈细胞标本，发现异常，这些步骤结合后可以发现占当时 95% 的宫颈癌，经常早于疾病产生症状。如果涂片结果异常，由于一个微小的感染会影响结果，医生会开出抗生素，再重新检查；若第二次检查仍为异常，医生会肉眼检查宫颈并切除任何明显异常的部位作为活检的组织标本。如果活检证实为癌症，还需进一步检查以确定是否扩散。这些检查包括膀胱、直肠、肠道及腹腔的 X 线检查，血、尿及肝肾功能检查。如果你曾感染过性传播病毒，医生需要弄清你的感染种类，并决定宫颈癌的最佳治疗。

## 治 疗

通过手术、化疗、放疗的联合应用，绝大多数宫颈癌病例可以治愈或控制，各种其他治疗对减轻副作用及提高整体健康有用。（参阅癌症一节，可以得到更多信息）。

# 子宫颈癌

## 子宫疾病

### 常规治疗

患生殖器疣及轻度异型增生的妇女，应严密观察癌的表现而无需立即治疗。原位癌、严重异型增生及轻度转移癌，一般通过手术治疗，浅表的肿瘤可以放疗，更经常用手术、激光、控制性冷冻或电熨去除。

如果癌症已经深入发展到宫颈内部并转移到临近器官，去除宫颈、子宫及其他可能累及的器官的根治至关重要。如果癌症扩散超过骨盆，则放疗和化疗可能会减轻症状并抑制扩散，但几乎无法治愈。任何患异型增生或宫颈癌的妇女，都应在治疗后 5 年内经常复诊，防止复发。

### 辅助治疗

一项防止癌症研究的最有希望的领域是营养及饮食，有证据证实叶酸及 β- 胡萝卜素可以防止宫颈的癌前及癌情况。实施放疗的病人补充维生素 $B_6$ 有益。向你的医生咨询其他饮食及补充的建议。

预防

如果你是 18 岁以上或 18 岁以下，但性生活频繁的女性，应经常做一次盆腔检查及巴氏涂片检查，如果连续数年巴氏检验为正常，医生可能是提议间隔时间延长。

如果你在避孕，可考虑隔膜方案、杀精避孕法。一项研究表明，前者较激素避孕患宫颈癌的风险小。

## 症　状

◆ 伴有下腹或腰背痛的月经量多、出血时间延长或不规则出血，这些症状提示子宫肌瘤（良性子宫肌瘤）。

◆ 大小便困难，当大笑、咳嗽、腰背痛时出现尿外溢，这可能提示有子宫脱垂。

◆ 月经周期间出血或者绝经后出血，这些症状有时提示有子宫癌。

◆ 慢性、不正常的绝经前出血，被称为功能失调性子宫出血。

### 出现以下情况应去就医

◆ 感下腹急性或慢性疼痛，有子宫肌瘤或者另外严重的盆腔疾病。例如急性盆腔炎或子宫内膜异位症，即应去看医生。

◆ 月经量过多，导致贫血，这也可能是子宫肌瘤、功能失调性子宫出血、子宫癌或其他子宫疾病的症状。

子宫在盆腔中位于膀胱后面，直肠前面，是一个肌性空腔呈梨形的器官。子宫下部分变狭窄形成宫颈口，通向阴道，输卵管位于子宫上部分两边。子宫内有一层粘液膜称为子宫内膜，它随着月经周期的变化而变化。在正常生殖过程中，受精卵着床在子宫壁，在此胚胎发育形成胎儿，胎儿生长发育直到出生。

正常情况下，子宫稍微向前倾斜，但是 20% 的妇女子宫后倾（向后倾斜）。在生育期，子宫位置的正常变化是存在的，但这种变化可被肿瘤、盆腔炎或子宫内膜异位症引起。后位子宫通常是无害的。

不正常的子宫内膜出血被称为功能失调性子宫出血。如此出血作为月经过多（经量多或经期间超过 8 天）、子宫不规则出血（月经周期间出血或者慢性月经频发）（月经周期的间隔小于 18 天）都可引起缺铁性贫血。

子宫脱垂是子宫从下腹的正常位置下降。在严重病例，子宫可脱出阴道外。新生儿体重超过 8 英磅的中年妇女，这种情况最常见，但也可发生于无生育的妇女中。近几年子宫脱垂的发病很罕见，因为妇女生育少了。

# 子宫疾病

## 子宫脱垂

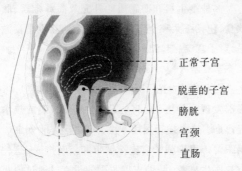

正常子宫
脱垂的子宫
膀胱
宫颈
直肠

衰老、肥胖、生育多，能使女性盆腔的肌肉和韧带张力减弱，使子宫下垂或脱出来。Ⅲ度子宫脱垂使子宫颈脱出阴道口。上述严重脱垂的病例，子宫可随膀胱脱出阴道口。

尤其发生在子宫内或表面的肌瘤是良性肿瘤，或者肌瘤在肌肉和纤维组织中生长。肌瘤的大小是变化的，通常生长缓慢，它可发生在子宫腔内、子宫壁或子宫表面。20%以上的妇女发病年龄在35岁以上。在美洲籍美国妇女中，原因不明的肌瘤是普遍存在的。

尽管肌瘤常常无疑难问题，它们可以使子宫增大和子宫变形，引起不孕。有时位于子宫壁间的肌瘤会变性，或肌瘤生长速度超过血液供应，因缺血缺氧引起肌瘤坏死，发生这种情况时会突然感到下腹剧痛，请立即去看医生，切除肌瘤。

肌瘤也可压迫膀胱或直肠，或引起性交痛。如果肌瘤引起月经量过多，能导致贫血。然而，肌瘤经常无任何症状。因为肌瘤受激素影响，在孕期有增大的倾向；绝经后如果未行雌激素替代治疗，则肌瘤可萎缩。

## 病　因

尽管肌瘤的原因不清楚，它们的生长与激素有关，因为口服避孕药、雌激素替代治疗和妊娠，都可引起肌瘤生长和增大。

功能失调性子宫出血发生在未抑制雌激素而刺激子宫内膜引起。由高雌激素水平引起的严重失调，包括卵巢肿瘤、肥胖。在30～40岁的妇女中，无排卵（抑制排卵）可引起功能失调性子宫出血。

子宫脱垂的最常见原因是维持子宫的支持韧带拉长，这样的情况常发生在生育时。负重起一定作用，而且进一步加重这种情况。

### 诊断与检查

仅仅在医生做常规盆腔检查时发现肌瘤才引起患者注意。为了证实肌瘤存在，需要做超声检查。

要进行子宫内膜活检（或者在严重出血、扩宫和刮宫术情况下），也还要依据患者的病史，以证实或排除功能失调性子宫出血。

子宫脱垂通常经医生检查容易诊断，肿胀的阴道壁是指示脱垂的征象。在行盆腔检查插入窥器时，让患者咳嗽，医生能看到子宫脱垂。

## 治　疗

以前，对子宫失调医生的彻底治疗是实行子宫切除术，但是随着医学的发展和对妇女健康问题的不断关心，有许多其他治疗选择，既有常规的，又有可选择的，可实施的。

### 常规治疗

对肌瘤的治疗应根据患者情况来决定，这是很重要的，因为子宫切除（通常被推荐给患有肌瘤的妇女）可能没必要。如果肌瘤没有症状（甚至大的纤维瘤也可无任何症状）。可以考虑不管它，也不是所有的肌瘤都生长，大部分肌瘤在绝经后萎缩，但是应该每6个月检查1次，监视其生长。

为了预防肌瘤进一步生长，医生也建议停服避孕药或放弃任何激素替代治疗计划，因这两种情况都能提供给机体合成的雌激素。促性腺激素释放激素促进剂作为术前应用，缩小肌瘤，但是这些药物价格昂贵，服用不能超过6个月，以避免发生骨质疏松症的危险，促性腺激素释放激素促进剂也可引起早绝经症状，一旦停药，肌瘤很容易继续生长。

肌瘤经外科去除，称为肌瘤切除术。除非瘤生长引起严重的下腹痛或还想生育，这个大手术通常是不建议做的。在10%～30%病例中，纤维瘤切除术后5年内复发。

# 子宫疾病

在患有功能失调性子宫出血的大多数妇女，含有激素的避孕丸可以控制月经周期，这种治疗不能治愈生理失调，但它是消除症状的安慰剂，医生谨慎使用直到绝经。孕激素或促性腺激素释放激素也可控制出血，但是服用超过30天起效果，并有许多副作用。

子宫切除用以治疗严重的子宫疾病，包括无法控制的过量出血和不断的疼痛，或肌瘤推压膀胱而引起的尿频。

通过用激光破坏子宫内膜的过程称为子宫内膜部分切除。子宫内膜部分切除可供选择，因为它有很少的侵入性。

阴式子宫切除术（经阴道去除子宫的手术）也是必要的，如果脱垂的子宫移出阴道口。

如果不愿行外科手术，医生也可插入阴道一个塑料装置称为子宫托，它在阴道内像一个隔膜托起子宫。尽管子宫托将帮助支撑子宫，但每3~6个月必须被替换，它不是长久的办法。

## 辅助治疗

可选择的许多治疗将减轻子宫失调的症状，但使用它们仅仅作为常规治疗的补充。

### 指压治疗

有时伴随月经的急性腹痛和肌瘤，可用按压治疗暂时减轻疼痛，这种按压集中在特定的按压点。按压点包括三阴交、地机、太冲等穴位和督脉的穴位。

### 体疗

按摩和气功疗法可以增加盆腔血流，有助于肌瘤缩小。

### 生活方式

如果出血多是肌瘤的症状，在月经期应该尽量减轻日常工作和更好地休息。

### 营养与饮食

增加纤维素的摄取和减少脂肪的摄取，将减少雌激素的产生，恢复激素平衡，这可有效地抑制肌瘤的生长。结合更多的维生素C、生物类黄酮（在柠檬水果、红洋葱和叶茂的蔬菜中发现）和维生素A及维生素E，也可有效地抑制肌瘤的生长。在子宫脱垂或肌瘤的病例中，高纤维素饮食将减轻大便困难。

多种维生素和矿物质的补充及高纤维素、低脂肪饮食，包括蔬菜和全部谷物类产品，将帮助平衡激素水平，对子宫疾病起到一定作用。

### 家庭治疗

当肌瘤发生在子宫外面时（浆膜下肌瘤），可在下腹部发现一肿块，躺下在下腹放置热水袋或热水瓶减轻疼痛。热水袋每周用3次，每次至少60分钟。盆底组织锻炼可增强子宫支撑韧带和控制排尿，这种锻炼常被医生推荐，帮助支撑脱垂的子宫。通过停止和开始小便，能学会锻炼这些肌肉，即练习收缩和放松。开始要求一天10次5套练习，依自己的进度，可以逐渐增加到10套，每天10次。

### 预防

通常情况下，子宫失调不被任何尤其能避免的事情引起，然而它们与雌激素水平及月经周期或失调密切相关。当保持低脂高纤维素饮食，充分休息和避免紧张，虽不能完全避免子宫失调，但它们是正确方面的一步。

### 子宫切除的替代疗法

对于子宫疾病，子宫切除曾是传统的治疗方法，但仅对于极其严重的病例才采用。下面是需要和医生协商的替代疗法的选择。

对于肌瘤：

◆ 促性腺激素释放激素促进剂治疗，可以缩小肌瘤。

◆ 外科治疗去除肌瘤，将控制出血和症状。

对于脱垂的子宫：

◆ 锻炼支撑盆底组织，以增强支撑子宫肌肉的张力。

◆ 子宫托，一个塑料装置插入阴道内以支撑子宫在正常位置上。

对于功能失调性子宫出血：

◆ 促性腺激素释放激素和孕激素可以控制出血。

◆ 子宫内膜部分切除，是应用激光破坏子宫内膜，以控制出血。

# 子宫癌

## 症 状

子宫癌起初没有任何症状，当恶性肿物开始生长时症状可能出现，但是5%的子宫癌妇女直到癌肿扩散到其他器官还没有自觉症状。最常见的症状是：

◆ 不规则的阴道出血。绝经前月经量多或月经间期出血，绝经后妇女，可于任何时间的阴道出血，行激素替代治疗者除外。行激素替代治疗的绝经后妇女也可每月出血，类似于月经，也可预示着子宫癌的症状。任何不正常的出血或出血多的情况应告诉医生。

◆ 阴道分泌物，从粉色、水样到粘稠，呈褐色，有异味。

◆ 经盆腔检查发现子宫增大。

◆ 体重下降、虚弱，下腹、背部及腿疼痛。这种情况发生在癌肿有转移或扩散到其他器官。

## 出现以下情况应去就医

◆ 有不规则阴道出血或阴道分泌物。不规则出血不是月经的表现，也不能被认为是月经，应立即引起医生的注意。子宫癌在绝经前常不出现，常在绝经开始时发生。

在生育期妇女，子宫内膜每个月都增厚，准备接受一个受精卵，如果卵子未受精，子宫内膜的外层组织和血管剥脱，通过月经排出。良恶性肿瘤都能影响子宫，子宫壁肌瘤是良性瘤，非癌前病变，有肌瘤的妇女不增加子宫癌的发病风险。子宫内膜增殖是最严重的良性病，在一些妇女，它可以发展为子宫癌。（参看子宫内膜炎）

大多数子宫癌在子宫内膜出现，叫子宫内膜癌。恶性度更高的子宫肉瘤发生在子宫壁肌层，发病总数在所有病例（仅为子宫内膜癌）中不足5%。如不治疗，子宫内膜癌能穿透子宫壁侵犯膀胱或直肠，或扩散到阴道、输卵管、卵巢或更远的器官。幸运的是子宫内膜癌生长缓慢，常在远处扩散前被确诊。每年约有32000的美国人被诊为内膜癌，约80%以上的病人被治愈。

## 病 因

子宫癌的高发者包括初潮早、晚绝经的绝经后妇女；患有肥胖症、糖尿病或者高血压者；生育少或未生育、不育、月经不规则，或子宫内膜增殖者。为治疗乳腺癌而服用三苯氧胺的妇女，发病的危险很小。但是服用避孕药的妇女比不服药的绝经后妇女，几乎有一半的人易发展为子宫癌。

子宫内膜癌的敏感性与子宫内膜中未被孕激素拮抗的雌激素水平有关，理由是简单的：随着细胞快速分裂，癌细胞突变的机会增加，当雌激素刺激细胞分裂时，孕激素抑制细胞分裂。对绝经后妇女用激素替代疗法，采用剂量雌孕激素结合的剂型，这样减少子宫内膜癌的发病风险。然而，采用激素替代疗法的妇女，应定期检查，以发现子宫内膜癌的征兆。

### 诊断与检查

宫颈涂片筛选宫颈癌，在症状出现前检查出子宫癌，否则，子宫癌通常在症状出现时被确诊，如果组织活检证实了诊断，影像检查，血液化验和最后的外科手术确定了癌的分期。

## 治 疗

常规治疗成功治愈了大多数子宫癌妇女。依赖于癌症的分期、病人的年龄和一般健康情况，决定治疗方案。

### 常规治疗

外科手术治疗对没有转移或扩散的子宫癌是首选治疗。对早期子宫内膜癌的首选治疗是全子宫切除，包括子宫、宫颈、卵巢和输卵管切除。广泛的外科手术足以治愈早期子宫癌和最大可能地阻止复发。如果癌肿已经扩散超出子宫，手术后补充放疗，以消灭残留的癌细胞。当癌肿还未扩散，对病灶大的病人，一些医生也建议放疗。

子宫癌广泛转移扩散的病人，通常接受激素治疗，以减慢癌生长；给予化疗或放疗来减小转移瘤的大小和数目。如此治疗很难治愈，但能延长生命，减轻症状。如

骨盆部疾病

## 癌发生的部位

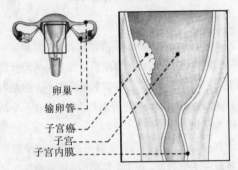

卵巢
输卵管
子宫癌
子宫
子宫内膜

在生育年龄中，每月子宫内膜增生成一层稠密的组织准备接受受精卵，如果卵子未受精，则这层组织随月经被排出，绝经后子宫内膜细胞有变成癌的风险(上图)幸运的是，大多数子宫癌生长缓慢和有高的治愈率。

果能成功控制远处肿瘤，癌被局限在泌尿生殖器官，则可实施外科手术。

缓解的病人在几年内需要隔几个月检查1次。如果癌肿复发，通常发生在3年内。复发癌治疗早，则能经过侵入性的放疗或进一步手术治愈。(参见有关癌治疗的信息一节)

### 辅助治疗

为了帮助减轻患有子宫癌病人的思想负担，病人应考虑加入支持组织。对于知道子宫切除后不能再生育而有思想压力的绝经前妇女,忠告是特别有益的。

### 预防

每年行宫颈涂片和盆腔检查。如果你是在生育年龄，考虑服用医生给的避孕药丸的利害，在任何年龄，通过锻炼和低脂饮食控制体重保持健康。

## 症状

◆腹部的一侧感到胀满感或压痛。

◆性交过程中腹痛。

◆尖锐的腹痛。

◆不正常的轻度充血或缺乏月经期。

◆面部或身体发生毛发生长。

◆不正常的大便或排尿。

一些小的卵巢囊肿或肿瘤早期不产生症状。

## 出现以下情况应去就医

◆你经历突然的尖锐或剧烈的腹痛,伴有或不伴有发热,这可能为卵巢囊肿破裂或扭转,或其他问题,如阑尾炎。这要求立即住院治疗。

◆你发现面部或体部的毛发生长,表明你可能患有改变你体内激素平衡的卵巢疾病,需尽快看医生,尽可能治疗。

◆你的月经期变得不正常或完全停经,你可能患有改变你体内激素产生的卵巢疾病或其他疾病,或要求药物治疗的情况,如糖尿病,尽可能看医生。

卵巢是一对杏仁状的器官,位于骨盆内深部,分别位于子宫两侧,每一个卵巢有数千个卵子,一个妇女每月一次月经,一个卵子(有时更多)开始发育成一个小囊样结构,称为卵泡。一个卵子成熟时,卵泡破裂并释放出一个卵子,这个过程称为排卵。这个卵子通过输卵管漂浮至子宫,被管内头发样的纤毛推动,从卵巢到子宫需要3天。

卵巢也产生激素,雌激素和孕酮。卵子成熟时,卵泡释放雌激素使子宫内膜变厚有利于其受精并生长成胚胎,卵泡破裂后发展成的结构称为黄体,其产生孕酮帮助子宫为受精卵作准备。如果没有妊娠发生,则孕酮水平下降,月经发生,这个循环再重复。

一些问题发生在卵巢,它可能被感染,有时是单独的,但更多的是骨盆内其他器官感染的累及。囊肿或肿瘤能在卵巢形成,开始常常是非癌性的,不产生症状,仅通过骨盆检查被发现,有时一些小的囊肿在卵巢上形成,这种情况被称为卵巢综合征。

尽管许多开始的卵巢囊肿或肿瘤,在几个月经期循环后消失,但有一些生长到了足够大,引起不舒服或破坏卵巢激素的产生,引起不正规的出血或体毛生长,或者它压迫膀胱引起尿频。卵巢囊肿或肿瘤发生破裂或扭转,可引起腹痛,导致感染。

## 病　因

卵巢感染多数是由于性传播疾病引起的。一些卵巢囊肿是由于在卵子已经释放后很长时间,卵泡或黄体继续生长并充满液体的结果。卵巢多发囊肿综合征是由于卵泡肿的被浮获在卵巢表面之下,而卵子又不能释放并形成了多发小囊肿。

### 诊断与检查

你的医生将给你做综合的体格检查及骨盆检查,如果他发现你患有卵巢囊肿或肿瘤,你需要做超声检查,即利用超声波对盆腔内器官扫描,显示一详细的影像。使器官直接显像的方法是通过腹腔镜检查,其过程是在全麻下将一个特殊的观察仪器插入腹腔内。

## 治　疗

卵巢疾病的治疗由其病变的性质决定,卵巢囊肿没有必要治疗,趋向于自行消失。因为卵巢上的生长物有癌变的可能性,你应该找一位医生对你的卵巢疾病作出诊断,可选择的治疗方法可帮助减轻任何不舒服的症状。

### 常规治疗

如果诊断试验证实为卵巢感染。你的医生将会给你用些抗生素。如果是被诊断为卵巢囊肿或肿瘤,你的医生会建议你迅速外科手术以除外癌的可能。如果你在 40 岁以下且囊肿软而直径小于 6 厘米,医生会建议你延迟手术 1 ~ 2 个月经周期,看其是否自发消失。

一些医生给妇女开的避孕药,其中的激素被怀疑有助于囊肿再生长,导致最终需行外科手术。

对于多囊卵巢综合征,医生给予激素治疗,再制造一个正常月经周期。无论是孕酮还是避孕药,两者均含有孕酮和雄激素。调节生育力的药物有时被用于多囊卵巢以诱发排卵。

### 辅助治疗

对于卵巢疾病的可选择的治疗,仅作为常规治疗方法的补充。

营养及饮食

帮助预防和治疗卵巢囊肿,一些传统医生推荐有助于肝脏的丰富的素食,特别是甜菜、胡萝卜、深绿叶蔬菜和柠檬,补充锌和维生素 A、E 和 C,这可帮助调整肌体的激素水平,如何配方,怎样吃,与医生商量决定。

骨盆部
疾病

# 卵 巢 癌

## 症 状

尽管卵巢癌的早期极少产生症状，但可能发生的警告信号包括：

◆不明原因的消化障碍，如轻度的消化不良、腹胀、饱胀感或食欲差。

◆腹泻、便秘或尿频。

◆腹痛或腹部包块，或有下背部疼痛。

◆在月经间期或绝经后有轻度出血。

以上症状伴有剧烈恶心、呕吐、疼痛、体重减轻，这说明卵巢癌有进一步发展。

## 出现以下情况应去就医

◆你有额外的不能解释的腹痛或轻度的出血，特别是如果这些条件伴有以上所列的综合症状。这些症状连续2周以上不诊断是不允许的。

两个卵巢位于子宫的两侧，形似杏仁，产生卵子和雌激素。在一生中，卵巢可能发生不正常的生长，但是非癌性的，例如充满液体的卵巢囊肿，总是开始为非癌性的，因为4个有3个除外卵巢肿瘤。尽管是少数，在美国约每70名妇女中的一名将发展为卵巢癌。它可以发生在任何年龄，甚至是少年，但更多的发生在绝经以后。在美国每年约有2万例新病例和12500例死亡病例。

如果卵巢癌在早期迅速被查出，则有更多的妇女被治疗。但常常是已经发生转移后才被诊断出来。早期检查和清除癌是非常重要的。卵巢癌早期检查，其5年生存率为88%，而这个生存率在整个病例中仅约占40%。

## 病 因

许多卵巢癌的妇女没有家族史，然而，如果一个妇女的妈妈或姐姐患有卵巢、乳腺或膀胱癌，则她更易患这些疾病，患病机率大，属高危患者。一个妇女在30年的育龄期中，如果很少或没有孩子，或怀孕困难，都是卵巢癌的高危发病者，那些有数个孩子并且用母乳喂养婴儿、避免使用避孕药者，则患病率降低。这种不同，可能与不经常排卵有关。一些证据证明，如果一个妇女进食更多的脂肪，则卵巢癌的发病机率高，一些高脂肪食

物含雄性激素并刺激正常雄激素的产生，因为一些卵巢癌在雄激素参与下生长更加迅速。一些专家认为，在一个妇女体内雄激素不正常升高，有助于卵巢癌的发生。一些个别病例，接触石棉是一个发病因素。

### 诊断与检查

每年的骨盆检查，可以帮助早期发现卵巢癌，检查者又发展了帮助早期诊断的血液试验，但对于综合普查，此试验未达到足够的准确。如果怀疑卵巢有生长物，做卵巢的声纳图象，任何不正常将在医院的进一步检查中证实。血液研究和设想其他的试验可以做，但最终还要通过组织活检来进一步证实或排除此诊断。

## 治 疗

看下面一些关于癌的一般治疗观点的资料。

### 常规治疗

外科手术是卵巢癌的标准治疗，通常两个卵巢和其他生殖器官是远离的，一个年轻的妇女在一侧卵巢有一个较小的肿瘤，并且她一直想要孩子，则仅切除有病的卵巢，第二个较迟被切除，以预防癌的复发。在许多病人中，外科手术后仍有癌残留。一个病人的预后是由癌残留多少和对术后治疗的反应如何来决定的，更多的病人接受化疗，能延长存活期；放疗可以被用作手术后预防复发治疗，或治疗进展期或复发的病例。一旦减缓其发展，随后要检查是否原发性，因为已患此病的妇女，其患乳腺癌、结肠直肠癌的危险极大。

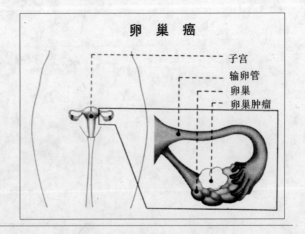

卵 巢 癌

子宫
输卵管
卵巢
卵巢肿瘤

**辅助治疗**

拥有一个健康的免疫系统对癌症患者非常重要。应有正规的锻炼、充足的睡眠、必需的维生素和矿物质（通过吃新鲜水果和蔬菜获得），去除乳制品、肥肉和其他高脂肪食物。

预　防

根据你生活中不同的阶段，应与你的医生讨论避孕药和激素替代疗法应用的正反两方面作用。减少避孕药物的应用被认为是一种保护作用，激素替代疗法可能增加卵巢癌的发病危险。对于有此病家族史的妇女，两种疗法均不实行是恰当的。如果你被认为是卵巢癌高危患者，去问你的医生关于当前的常规血液检查，如果一个妇女有极高的发病危险，医生可以建议行卵巢切除术，作为一种预防的手段。

## 症　状

性功能障碍广义上指不能充分享受性交快乐。

对于男性，你可能有性疾病：

◆ 在你或你的性伙伴渴望性交前射精（早泄）。

◆ 不射精，或射精延迟。

◆ 不能充分勃起以达到性交快乐，参看阳痿。

◆ 在性交过程中感疼痛。

◆ 缺乏或失去性欲。

对于女性，你可能有性问题：

◆ 缺乏或失去性欲。

◆ 不能达到性高潮。

◆ 性交中感到焦虑。

◆ 性交中疼痛。

◆ 在性交中或性交前感到阴道或其他肌肉不自主收缩。

◆ 润滑不充分。

## 出现以下情况应去就医

◆ 关注你们的性生活。

◆ 有性交痛，这提示性缺陷或疾病。

◆ 接触化学物品或有性传播疾病。

◆ 有滥交或性攻击。

◆ 不伴性欲的长时间的勃起，这种阴茎异常勃起是十分严重的情况，需要立即引起医疗重视。

骨盆部疾病

对于任何年龄的夫妇，性功能障碍（每个配偶都不能充分享受性交）不仅会成为生育的障碍，也会成为维持良好愉快相互关系的障碍，这种问题很普遍。根据一些研究，有时会影响一多半的夫妇。尽管性功能障碍很少危及肌体（生理）健康，但它能导致严重的心理障碍，带来抑郁、焦虑，不恰当的衰弱感觉，没有专业医师帮助问题很难解决，尤其因为误解是性功能障碍主要原因之一。

错误观念的一个例子就是认为阳痿是年龄增大不可避免的一个结果，实际上一个健康男人可很好享受性生活直至老年。

另一个错误观念是为女性切除子宫后不再对性

# 性功能障碍

感兴趣，如果卵巢连同子宫一同切除，尽管阴道润滑度下降，但性欲不受影响，因为无怀孕担心，性欲甚至可能提高。

当人们活得越来越长以及观念改变，更多的老年夫妇渴望延长健康性生活的时间。老年人性生活曾被认为是不恰当的，甚至是不道德的，而现在无论是身体还是情感上的亲密被看作对健康完整生活十分重要。尽管性欲及性交次数随年龄增长而减低，但性享受及性满足不会因此减少。对于健康夫妇而言，性生活包括抚摸及受抚，可持续到80岁甚至90岁。

性功能障碍在男、女表现为不同形式。

**男性：**配偶中男性伙伴性功能障碍经常与焦虑相联系。

男性最常见的肌体功能障碍是早泄。早泄是指在阴茎进入阴道之前或刚刚进入之后立刻发生性高潮，这情况尤其在年轻男性中比较普遍，能引起在配偶面前的焦虑、挫败感，怀疑自己的男子本性，而阳萎本身就是一种常见的功能障碍。

一个更常见的问题就是射精延迟，在这种情况下高潮延迟到来以致不能满足任何一个配偶。一小部分男性经历了逆行射精——精子不是从阴茎头出现，而是在性高潮中向膀胱移动退出。更少见的还有阴茎异常勃起，不伴性欲的长时间勃起，这种情况具有潜在危险性，需要立即引起医生重视。

**女性：**不能体验性快乐，称作（唤醒）性刺激障碍，是女性一种最普遍的性功能障碍，治疗上很困难，需要专业人士连同配偶一起讨论。

一些女性能被激起兴奋但不能达到性高潮，事实上只有大约1/3的女性只需通过性交就能到达高潮，而不需要其他附加的刺激。大约10%的女性从来没有达到性高潮。但没有性高潮却享受愉快的性生活是可能的及普遍的，缺乏性高潮只有在它表明变化或引起焦虑时才被认为是一种功能障碍。

性交痛可因许多种原因而发生。从简单的畸形或阴道感染到复杂的"内心"恐惧，可在停经后加重，因为阴道润滑性减低，如果疼痛持续存在，就会引起阴道肌肉在性交前不自主地收缩，这种反应称为阴道痉挛。某些女性在进行性生活时就会触发这种收缩。

同性恋的男性和女性也会有性功能障碍的危险，关心了解艾滋病知识，寻求"安全性"是性功能障碍的原因，社会造成的心理影响也是引起焦虑、抑制性功能的因素。

## 病因

生理与心理的许多因素能影响性反应及性病，外伤、疾病和药物属于生理影响，另外，有越来越多的证据表明化学物及其他环境污染物可抑制性功能。至少心理因素造成性功能障碍的根源在于创伤事件，比如强奸、乱伦、罪恶感、抑郁、慢性乏力、较差的自我亲缘关系、某些宗教信仰或婚姻问题等。

**男性：**早泄的生理原因很少——尽管这种问题有时与神经紊乱及前列腺感染或尿道炎有关，可能的心理因素包括焦虑、性罪恶感及对女性的矛盾情绪。

当男性有性交痛，原因通常是生理的——前列腺、尿道、睾丸的感染，或杀精剂、避孕套的过敏反应。感染可由性传播疾病引起，如衣原体感染及生殖器疱疹，痛性勃起可由佩罗尼病（纤维性海绵体炎）引起，在阴茎上面的纤维斑块常在引起勃起的阴茎产生弯曲，阴茎或睾丸癌及下背部关节炎也能引起疼痛。

逆向射精发生在实施过前列腺或尿道手术，或服用保持膀胱开放的药物，有糖尿病（能损伤在射精过程中关闭膀胱的神经）的男性。

**女性：**唤醒及高潮障碍有相同的原因，可以是生理的（药物、疾病、激素缺乏，妇科因素，不恰当的刺激）或心理的（紧张、疲劳、抑郁）。最普遍的是与配偶日复一日的争吵及配偶不恰当的刺激。最后，性欲随年龄而衰退，尽管因人而有很大不同。

性交时疼痛可因任何一个原因而发生，部位有时是病因的线索，阴道区域疼痛可能由于感染，比如尿道炎。同样，在哺乳期及停经后阴道组织会变薄更易感，深部疼痛可能有骨盆的原因，比如子宫内膜异位症、骨盆粘连或泌尿系畸形。疼痛也可有心理方面的原因，比如害怕受伤害，性负罪感，担心怀孕或害怕损害妊娠的胎儿，或回忆先前痛苦经历。

阴道痉挛也可由这些心理原因诱发，或作为是疼痛反应的开始，疼痛消失后仍持续。配偶双方都应明白

骨盆部疾病

# 性功能障碍

阴道收缩是不自主的反应，是女方无法控制的。

同样，润滑不充分也是不随意的，可以是复杂循环中的一部分，低性欲反应可导致不充分润滑，继而引起不适及更差的反应。

## 治疗

无论哪一个配偶经历性功能障碍，最重要的是双方都要理解它，双方对这个问题及解决都负有责任。

### 常规治疗

男性：早泄通常用"压缩"技术治疗，这是一种生物反馈，这种方法有很高的成功率，反复实践导致更好的自然控制，当你感到高潮即将来临，马上从女性阴道撤出，并示意她停止刺激，你(或她)接下来轻轻用拇指及食指压迫阴茎头以阻止高潮，20或30秒后，再开始作爱，经过多少反复再进行射精。

记住早泄可表明更复杂的功能紊乱，心理方面需要探究在治疗中仅仅依靠生理控制会掩盖症状而无法解除原因。

减少焦虑及学习控制射精时间经常用于治疗延迟射精。你应抑制进入直至感到射精不可避免。

逆向射精，可以通过关闭膀胱底阀门的手术来纠正，但这基本上是一种无害的功能障碍，如果想要生小孩时才会引起问题，在这种情况下，从膀胱获取精子用于人工受精是可能的。

当男性缺乏性欲，原因可以是生理疾病、激素异常或服用影响性欲的药物，也有心理原因，包括抑郁或人格分裂疾病，治疗医师可以帮助鉴别。

女性：如果从来没有性满足的经历，那么很难解决性觉醒障碍，治疗的目的是帮助患者放松，认识性感受，消除罪恶感及恐惧感。

绝经后的女性，润滑不足可以通过各种阴道润滑剂（蛋清等）加以改善（但是请记住油类产品能引起感染）。一个健康的绝经前女性润滑不足反映了性反应减弱或性伙伴不充分的性刺激，认识性感受、寻求消除罪恶感及恐惧感，延长性前戏，手淫及放松技巧都会有帮助。

对于不能取得性高潮的女性，把你对性前戏及性交的渴望交流给你的性伙伴是十分重要的。这是获得满足的第一步，经验治疗、心理分析或行为调节等治疗会有一定益处，但你一定要认识到性高潮对于一个完美的性关系是必要的。

对于性交时疼痛，首先要肯定存在刺激及润滑的不充分，检查可以显示是否需要药物治疗感染，切除处女膜周围疤痕或扩大阴道开口处的痛性疤痕，激光可以治疗缓解由子宫内膜异位症及盆腔粘连引起的所谓深部疼痛，涉及停经改变的疾病可由激素替代治疗（参看绝经问题）。如果疼痛仍存在，心理治疗可以消除隐藏的性交恐惧，情感焦点练习能教你正确运用性前戏，强调在双方都准备好后进行性交，宣教可以减少妊娠恐惧及担心损害胎儿的恐惧。

阴道痉挛在无帮助情况下很难恢复。

如果你有性伙伴，可在一个安全舒适的环境下一起寻求治疗，为了使女方的身体适应习惯被进入的感觉，治疗人员建议插入一系列的阴道扩张器，每一个都比上一个稍大一点儿。

收缩与松弛练习可以教你控制阴道肌肉及提高性反应，心理治疗也可以增强性欲，提高勾通技巧，解决潜在的性冲突，有了治疗和理解自己的性伙伴，调节作爱速度是能得到性满意的。

### 辅助治疗

一些与性功能有关的问题是正常的，比如开始发生新的或第一次性关系时，女性会在性交后感到酸痛或有擦伤，可应用润滑剂或蛋清。在温浴水中浸泡，外加5滴熏衣草或克拉瑞原液，可以达到放松状态。

瑜伽术及沉思术对于有些情况可提供所需的心理及生理放松，比如阴道痉挛，松弛简便了治疗，消除了对功能障碍的焦虑，按摩对于减轻紧张极有效，尤其是由配偶实施按摩时。

# 运动损伤

## 症  状

◆疼痛、不适、活动受限、压痛、伴肿胀均提示肌肉、韧带某种形式的损伤。

◆疼痛、肿胀、压痛、变形提示骨折。

◆疼痛、活动受限、关节畸形、肿胀提示脱位。

◆膝盖下局限性疼痛提示髌腱炎，青春期出现上述症状伴肿胀，提示 Osgood - Schlater 病（胫骨粗隆骨软骨病）。

◆肘部疼痛，伴有肘前臂内侧或外侧压痛，握手无力或疼痛，提示上髁炎。

## 出现以下情况应去就医

◆无明显原因出现进行性肌无力，可能是由神经系统疾病或其他需尽快诊治的疾病所致。

◆慢性肌肉痉挛，多数情况下是良性表现，但也可能是某些严重疾病的征象，如血栓形成、血流受限、神经损伤。

◆肿胀是由骨折、脱位、韧带、肌肉撕裂、软骨损伤所致。若没有得到专业医务人员及时有效的治疗，可能会造成受累部位永久性损伤。

动，甚至体操都能造成损伤。多数情况下，运动损伤是施加在骨骼、肌肉上的压力造成的。软组织 肌肉、肌腱、韧带最易受损。

当骨骼在关节处猛然分开，常伴有关节韧带撕裂时可导致脱位。软组织的严重拉伤造成疼痛。

骨折分为两种：一种为单纯（闭合）骨折：骨断端在皮肤下，对周围组织损伤较小；另一种为复合（开放）骨折：断骨刺破皮肤，骨折的好发部位为踝、手、腕、锁骨。

在有投掷动作或剧烈打击的运动中，肩部损伤很常见。肩关节易发生脱位。当支持锁骨的韧带断裂时可发生肩峰锁骨关节分离，肩关节囊旋转套是四块肌肉会聚，附着在肱骨的部位。过度用肩可导致该部位肌腱炎症或撕裂，造成旋转套炎。

### 儿童运动损伤——家长必读

◆每年高中橄榄球赛季时都会有大约一百万人次发生运动损伤。摔跤、足球、篮球亦易造成损伤。

◆儿童比成年运动员更易发生运动损伤。因为在一个团队中，队员的体重、发育阶段、力量可能相差很远。所以必须确定队员的生长发育在同一水平。

上髁炎：需要经常使用肘部和旋转前臂的运动易出现上髁炎。多累及肘部，外侧受累者为网球肘。内上髁炎则累及肘内侧。

腰部损伤：如肌肉拉伤，多见于需经常弯腰的运动，高速度和剧烈撞击的曲棍球和橄榄球运动多造成颈和脊柱损伤。如椎间盘突出，即椎间盘从脊椎向椎管等部位突出（详见椎间盘疾病）。

剧烈的腿部运动，包括扭转、伸展，可损伤连接腿、耻骨的外展肌。

膝盖损伤是下身损伤中最常见的一种。持续跳跃可撕裂髌骨下韧带，造成髌腱炎或称跳跃者膝。膝关节也可受到其他损伤，如半月板破裂，半月板为膝关节中股骨和胫骨间的一片软骨。

过度运动可造成肌纤维突然断裂。肌肉中体液积聚导致疼痛、压痛、局部肿胀，即"四头肌僵痛"表现。

对散步和十字训练的热情高涨与腿部损伤发生率增加相平行。包括外踝炎、肌腱炎、疲劳性骨折，好发于胫腓骨。长时间站立、奔跑、行走所致的疲劳性骨折可导致更为严重的骨折。

由于双脚需支持全身的重量，因此，更易发生损伤。跖筋膜炎多表现于没有经验的慢跑者，表现为足跟内侧足弓疼痛，有时伴足跟僵硬、麻木。另一常见的疾病为行军者骨折，当高强度压力长期施加在足骨上时造成，包括奔跑、行走等。

## 病  因

突然撞击一侧肩部或过度伸展可造成肩峰锁骨关节分离。当偶尔参加带有过头动作的运动如网球肘，可导致旋转套腱炎。创伤、反复上臂动作如投篮球可导致内上髁炎。还可由突然剧烈的肘部扭转或持续伸拉前臂肌肉所致。

四头肌僵痛通常由突然伸拉腿部肌肉所致。亦可由轻微损伤、内分泌失衡、肌肉中钙质沉积、脱水等因素引起。肌肉力量不平衡、双腿不齐、在硬路面上奔跑、鞋不合适均可导致疲劳性骨折。腘绳肌的反复舒缩可诱发腰部疾病，紧绷的跟腱可导致足、踝部肌腱炎。

# 运动损伤

## 常见的运动损伤

下图中显示运动或其他活动中容易造成损伤的部位，最好的预防损伤的办法为保持肌体状态良好，并且在运动前和运动后活动数分钟。切记不要在出现疼痛时继续运动，这可能会加重损伤。延长痊愈的时间（下面依图示顺序）。

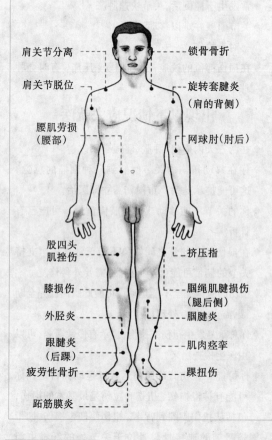

肩关节分离
肩关节脱位
腰肌劳损（腰部）
股四头肌挫伤
膝损伤
外胫炎
跟腱炎（后踝）
疲劳性骨折
跖筋膜炎

锁骨骨折
旋转套腱炎（肩的背侧）
网球肘（肘后）
挤压指
腘绳肌腱损伤（腿后侧）
腘腱炎
肌肉痉挛
踝扭伤

### 诊断与检查

运动损伤最基本的诊断依据为病史和物理检查。X线可协助诊断骨折、关节脱位或其他疾病。对于 X 线未发现的疲劳性骨折，骨扫描是一种敏感的方法。

关节镜、超声、磁共振检查可协助诊断关节疾病。关节镜，即在一个很细的管内装一个小镜头，这样可以观察关节腔内的情况。可用于关节损伤的诊断和治疗（例如关节内软骨碎片可通过关节镜取出）。超声显像为通过超声显像，显示在屏幕上，磁共振可较好地显示软骨组织，因此，对肌肉、韧带、肌腱损伤有较高的诊断

价值。

## 治疗

治疗原则为缓解疼痛、骨骼复位以及恢复运动能力。

### 常规治疗

治疗轻微软组织损伤最好的方法为：休息、冷敷、压迫和抬高(参见扭伤和拉伤)。

肌腱炎、跖筋膜炎的治疗方法包括：休息、康复治疗以保持弹性和力量。阿司匹林、布洛芬可缓解伴发的疼痛、炎症。

根据上髁炎的疼痛程度，可用皮质类固醇局部注射，同时用非甾体类抗炎药如布洛芬、阿司匹林。亦可用护肘、物理疗法治疗。

肩锁关节分离所致的急性疼痛可用可待因缓解。在疼痛转为慢性后，可用阿司匹林和其他非甾体类抗炎药治疗。此外，受伤部位应用绷带局部制动。

如果可能的话，关节脱位应复位，若手法复位不成功，则需手术，术后需关节制动，直至其稳定。

骨折应尽可能复位，即各种操作方法使骨断端恢复其原来的位置。复位方法包括手术及闭合复位两种。严重的骨折需用钢针、螺钉、钢板、钢杆等复位制动。

对于行军者骨折应打管形石膏或靴形石膏，且应休息 3～6 周。

### 生长痛

生长痛(胫骨粗隆骨软骨病)病多见于青少年(好发年龄为 10～14 岁)突发，以膝盖下髌骨肌腱附着于胫骨处突发疼痛、肿胀为特征。位于大腿前侧的股四头肌，持续牵拉病变肌腱为本病的病因。一般病程为半年～1年。无需治疗可完全缓解。注意只要儿童有症状，则应限制其跑、跳、蹲。

### 辅助治疗

### 针灸治疗

针灸有利于治疗运动性损伤，在紧张的训练后针灸可缓解肌体疲劳。针灸可缓解疼痛和肿胀。应在损伤发生后立即针灸。

**体疗**

按摩可缓解疼痛，对于肌腱炎、上髁炎尤其有效，而且还可缓解肌肉酸痛。还可在专业人员指导下试用的亚历山大术，Rolfling, Feldenkrais 法。

按摩缓解四头肌僵痛，应顺肌纤维生长方向按摩。

**水疗法**

水中是治疗运动损伤的一个很好的地方，在水中，无需拉紧关节即可提供肌肉阻力。

**生活方式**

运动前进行热身可放松关节和软组织，运动中使用各种型号的支架可保护关节和软组织，并可以稳定受伤关节和肌健。请在专业人员指导下选用支撑器。穿用合适的鞋，可提供合适的保护和支撑，可防止踝损伤。

**营养及饮食**

多数专家建议应选用高碳水化合物、低脂肪的高能量膳食，可增加肌肉力量。

口服或外用维生素 E 可防止肌肉损伤。镁离子可保持肌肉弹性，防止损伤。

维生素 B 复合物和锌有利于骨折愈合。

**家庭治疗**

◆用碳水化合物 – 电解质运动饮料补充出汗丧失的水分，可防止肌肉痉挛。

◆冰袋可减轻水肿，一袋冰冻的蔬菜就是一个很好的冰袋。注意不要用化学性冰袋，因为这种冰袋比水冰袋更冷，用湿毛巾包住冰袋，不要让其直接接触皮肤。

◆在按摩和牵引前热敷可缓解肌肉痛。

◆抬高痉挛的肢体，帮助血液回流可缓解症状。

◆剧烈活动后出现肌肉酸痛，可热浴以放松受累部位。

**预防**

年龄超过 40 岁的人，在开始投入一种新的运动项目以前应进行一次全面的检查。

当肌肉状态欠佳时运动易发生损伤。因此在运动前应做 10 分钟热身活动，如原地慢跑、跳跃，可提高体温，减少肌肉损伤机会。运动后做伸拉运动，防止第二天肌肉酸痛。

1 周至少 3 次锻炼，可保持良好的肌体状态。

## 症　状

扭伤多为关节损伤，而拉伤多为肌肉拉伤，常发生在摔倒或突然移动之后引起身体的一部分损伤。

**对于扭伤**

◆疼痛位于所损伤的关节。

◆常发生于撞倒后，关节快速肿胀。

◆关节僵硬并难以移动。

**对于拉伤**

◆在损伤部位的锐痛，继而僵硬、压痛，有时会肿胀。

## 出现以下情况应去就医

◆在两三天内疼痛、肿胀、僵强毫不改善。

◆你在移动扭伤的关节时感到一种剧痛的感觉，这可能提示此为严重损伤需立即医治。

◆你的关节不能移动或支持肢体重量，可能已有骨折。

◆在损伤关节的骨之间好象不能正常排列。支持关节的韧带可能已严重撕裂，需要外科修复。

◆损伤的肌肉完全不能运动，可能此肌肉已完全断裂，需立即医疗处理。

◆你总重复发生扭伤或拉伤，提示有慢性薄弱，可以由医生检查出来。

◆你可能在拉伤背部肌肉后难以运动和行走，你可能有神经损伤、扭伤和拉伤是最基本的损伤，包括从扭伤脚踝到背疼。扭伤使韧带损伤，韧带是坚韧的连接骨与骨位于关节处的纤维束组织。拉伤损伤肌肉组织，肌肉或使肌肉附着于骨的肌腱韧带被拉长了或撕裂。

经过充足时间的休息，多种扭伤的关节或拉伤的肌肉会自己愈合。但是严重的撕裂或损伤的组织完全断裂通常需要外科修复。扭伤引起的损伤可以使骨骼在受伤关节处呈不正常的排列，或韧带肌腱受牵拉而变得薄弱引起关节部分脆弱易在以后损伤。（参见肌肉痛、肌腱炎、腹股沟扭伤、腘绳肌腱损伤）

# 扭伤和拉伤

## 病 因

任何关节和肌肉突然移动或不适当的拉力均可以导致扭伤或拉伤。摔倒、提拉重物、过度不宜的运动是通常的原因。体重超重、不爱运动、或身体情况差常易于损伤。

### 诊断与检查

你的医生可以用X-线来排除骨折，或用MRI扫描去检查撕裂的组织。

## 治 疗

扭伤和拉伤的治疗首先是控制初始的疼痛和肿胀，继之以足量的休息就可以达到治愈。

### 常规治疗

通常扭伤和拉伤在2~3周内病愈。大夫在损伤后通常给予休息、冰镇、压迫、抬高治疗，并给予阿司匹林或布洛芬以减少炎症和疼痛。当损伤区域愈合的时候，弹力绷带通常被用于支持和固定。扭伤踝和膝关节经常需要使用拐杖，以避免关节受力。为加速愈合，你的医生也可能要求你在理疗医生处得到热疗或红外治疗。

### 辅助治疗

医生、物理治疗医师们都深信RICE疗法——休息、冷敷、压迫并抬高——是肌肉、韧带、肌腱损伤后的头48至72小时的基础治疗。立即局部休息以避免继续损害。冰敷10分钟进行10分钟停止的交替，可以减少肿胀和炎症。用石膏绷带局部压迫可减轻肿胀。提高受伤部位，以促进液体引流。

其他疗法也可以减轻由扭伤和拉伤导致的疼痛和肿胀。

### 家庭治疗

一旦肿胀开始消退，你不再有急性疼痛——通常在48至72小时以后——你可以使用热毛巾来减轻疼痛并促进受伤局部的血液循环。在局部用含有阿司匹林或其他止痛药的外用软膏，按摩也可以减轻余痛与压痛。

### 预防

预防扭伤和拉伤最好的方法是使你自己保持一个良好的体型，使得你的肌肉韧带、肌腱足够强健和柔韧而不易受创伤。为防止重复损伤，要求你的医生制定使受伤区域修复的锻炼计划。如果你过胖，则要求一份合适的食谱和正常体格恢复计划。

---

## 扭伤的解剖

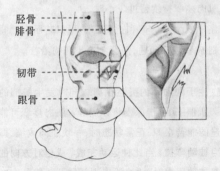

胫骨
腓骨

韧带

跟骨

被称为韧带的坚韧结缔组织来使骨保持正常排列。在踝关节，向上突然的快速运动使此关节超过了它的正常活动范围，导致扭伤。此韧带拉长（内侧）、撕裂，并且损伤周围的组织肿胀，皮肤颜色消失。多种情况下，扭伤的关节会仍保有功能但由于疼痛而不敢活动。

# 肌肉痉挛

## 症 状

一旦经历过肌肉痉挛，你可能永远记住他们所引起的疼痛性质。

普通症状包括：

◆ 一块肌肉特别是腿部的肌肉剧烈而突然发生的痉挛性或紧张性疼痛。

◆ 受累肌肉触硬。

◆ 有些病例中，可以见到肌肉于皮下变形或抽动。

◆ 另外一些上臂和大腿的极其严重的痉挛，开始前无预兆，有时同样可影响到腹肌，这些是典型的剧烈痉挛症状。

◆ 在背部疾病期、月经期可伴发持续的下腹部肌肉痉挛性疼痛。

### 出现以下情况应去就医

◆ 经常遭受肌肉痉挛之苦。

◆ 肌肉痉挛持续超过1小时。

◆ 痉挛发生于胸部和上臂，这可以暗示有严重心脏病和腹部问题，需紧急给予药物治疗。

**发**生于两肋部的突然剧痛，同时发生腓部的鱼际肌僵痛，可于深夜将你搅醒。肌肉痉挛可能是一种普遍的痛苦根源，正常状态时，一块肌肉收缩，即慢慢地用力被动牵拉，当此种运动完成，或相对方向的另一块肌肉被动用力时，此块肌肉则舒展开。但是有时一块肌肉行高强度收缩和持续收缩，不能再舒展开时，这就产生一种肌肉痉挛。

## 病 因

肌肉得到通过神经传来的电信号时可反应性产生收缩或舒展，像钠、钙和镁等无机物，它们环绕或渗透入肌细胞中，在这些信号传导中起着关键作用，如那些无机物失衡以及某些激素、体液和化学物质平衡失调或神经系统功能失常，自身就可干扰电信号的传导，并导致肌肉痉挛。

过度用力可减少体液和无机物数量，并能导致痉挛，特别易发生于消耗体力的环境下工作和训练的人们

中，酷暑季节在花园中工作，如果你不注意饮用足量的饮料，可能导致热痉挛。如果不休息，走几步以缓解症状，热痉挛会进行性加重，甚至产生热射病和热衰竭。

由糖尿病和甲状腺疾病引起的激素失衡也能导致痛性痉挛，正如血液供应肌肉的氧气量减少而引起的痉挛一样。吸烟者血液中的氧水平常常降低，它可引起肌肉痉挛，尤其当吸烟者从事剧烈体力劳动时。如果你在睡眠中移动自己的身体，可能触动一根神经，信号传导引起一块肌肉产生收缩或引起痉挛。假如你易发生夜间肌肉痉挛，可以在上床睡觉前作一些伸展运动。

## 治 疗

有一些简单的方法可减轻平日偶然发作的肌肉痉挛（参见"家庭治疗"），但是，如果你因频繁或严重的痉挛而痛苦时，应找医生诊治。频发的痉挛可能暗示一种更为严重的疾病的存在。发生于你胸部、肩膀或手臂的重度疼痛可能为心脏病发作的表现症状，此时应马上请求医生帮助。

### 常规治疗

普通的肌肉痉挛无需药物治疗，按摩痉挛肌肉或饮水，以减轻较剧的痉挛。已经较完善的处理，仍有频繁或重度痉挛，请你的主管医师确定诊断，而且应进行下述的病因治疗。

### 辅助治疗

指压治疗

如若肌肉痉挛发生于小腿，针灸专家建议于腓部肌肉突出部位最下方施压2~3次。

> **警 惕！**
>
> 发生于前胸和上肢的痉挛痛可能暗示一种心脏病，马上请你的医生或采用医疗辅助措施，如果你患有循环系统疾病、糖尿病、心脏病或静脉曲张，或者如果你有中暑或被警告怀疑患有上面的某种疾病，则在向你的医生诉说前应避免按摩。

# 肌肉痉挛

## 营养及饮食

营养学家建议采用补充维生素 E 的方法来预防夜间痉挛发作，你也可以增加钙的摄入量来减少痉挛发作，这些营养主要来源于牛奶、干酪、酸乳、绿叶植物以及罐装鱼。

## 家庭治疗

为缓解一种典型痉挛，你需要用物理方法如伸展肌肉或按摩肌肉或两种方法均用，以使其停止收缩。伸展腓部肌肉简单地用先脚趾站立而后慢慢下降并使足跟着地的方法完成。为完成一种大幅度伸展，可将你的双手或双侧前臂倚靠墙面，并且保持双足平放于地板上，向后滑行直至你正好倾靠在距足部数尺远的墙上。甚至为了更进一步伸展，可持续将你的双脚向后侧移。

## 按摩疗法

采取坐位，伸展你的脚趾向下，脚跟指向上方(向你的头部)，并且用力用手挤压你的腓部；用轻柔的压力从痉挛部边缘开始移向中心。对于顽固性痉挛，可将此块肌肉浸于热水中，或者同时行伸展动作或按摩。处理剧烈痉挛，可饮用足够的温水。下面方法也是预防剧烈痉挛的最好方法：锻炼的开始及结束时，及锻炼中每隔 15 分钟饮 1 杯温水。如果你用运动饮料代替温水，则饮用低糖饮料。于过热的躯体中糖能引起胃痉挛，可用 3 份水稀释饮料。

## 预　防

每日饮水 6～8 杯。决定使你适应训练规程和运动，尤其在初夏季节，常规做伸展运动，特别在睡前。如果你吸烟，则应制订戒烟方案。

# 关节疼痛

| 症　状 | 疾　病 | 应采取的措施 | 其他信息 |
|---|---|---|---|
| ◆损伤后疼痛，关节变形，不能活动。 | ◆关节脱位。 | ◆请找医生或立即去急诊（详见"急救/急症""骨折和脱位"节）。 | ◆如果存在关节变形，除非必需，请勿移动病人或关节。 |
| ◆关节和肌肉疼痛、发热、寒战、头痛、乏力、周身不适、鼻塞、咳嗽，可能伴有呕吐和腹泻。 | ◆流感。 | | |
| ◆慢性关节疼痛和僵硬，活动受限，在坐或卧后症状加重，常见于 50 岁以上者和重体力劳动者。 | ◆骨关节炎。 | ◆见"关节炎"节。医生可能建议你服用止痛药，锻炼，热疗和物理治疗。 | |
| ◆一个以上的关节红、肿、热、痛、僵硬。 | ◆类风湿关节炎。 | | |
| ◆一个关节的剧烈锐痛，红、肿、热和僵硬，通常影响拇趾关节基底部，有时影响踝关节或膝关节。 | ◆痛风。 | ◆常规治疗是用非甾体类抗炎药和(或)秋水仙碱。 | ◆低嘌呤食物、素食可能有助于防止发作，食用樱桃、草莓可能减轻疼痛。 |
| ◆一个或多个关节的痛、热和僵硬，可能伴有红、肿，特别当关节屈或伸时，活动受限。 | ◆滑囊炎。 | | |
| ◆红、肿、热、痛和僵硬，可能伴有寒战、发热、乏力、咽痛、皮疹。 | ◆感染性关节炎。 | ◆立即就诊。通常治疗是应用抗炎药，如为细菌感染所致，应静脉给药抗生素，并排出关节腔内过多积液。 | ◆这种类型的关节炎通常是近期损伤或疾病的并发症。 |
| ◆关节红、肿、热、痛，腹痛和腹泻，痉挛性疼痛或进食后疼痛，慢性低热，食欲减退，乏力，消瘦。 | ◆炎症性肠病(克隆病或溃疡性结肠炎)。 | | |
| ◆关节肌肉疼痛、头痛、乏力、周身不适、发热，凡目前被蜱叮咬后出现环形或卵圆形红斑，中心发白。 | ◆莱姆病。 | ◆立即就诊，通常治疗是应用抗生素。 | ◆这种疾病通常是被蜱叮咬后所致。关节疼痛发生在疾病后期，在叮咬后数月或更长时间。 |

# 关 节 炎

## 症  状

- ◆ 正常运动时出现疼痛和进行性僵硬感不伴显著的肿胀、寒冷或发热，可能预示渐发骨关节炎。
- ◆ 身体双侧臂、腿、腕或手指同类关节出现肿胀性疼痛、发炎和僵硬，特别是当睡醒时，可能是类风湿关节炎的征象。
- ◆ 发热、关节发炎、压痛和锐痛，有时伴发冷，并与创伤或其他疾病有关，预示为感染性关节炎。
- ◆ 儿童如出现间断发热、食欲减退、体重下降、贫血或臂、腿出现斑疹，可能是幼年性类风湿关节炎的征象。

## 出现以下情况应去就医

- ◆ 无论是由于创伤或未知原因，疼痛和僵硬感发展迅速，或许你正体验着类风湿关节炎发作。
- ◆ 疼痛伴发热，你可能患了感染性关节炎。
- ◆ 经短暂坐立或一夜睡眠感到臂、腿或后背疼痛、僵硬，你可能出现骨关节炎或其他关节病变。
- ◆ 小儿臂凹、膝、腕、踝处出现疼痛或皮疹，或出现波动热、食欲不佳，体重下降，可能患上了幼年性类风湿关节炎。

美国人因关节痛损失的时间比其他疾病多。当我们坐着工作和休闲活动更多的时候，这类疾病发病的可能性更增加了。幸运的是，许多关节炎的疾病易于治愈或控制，较之我们的父辈、祖辈，其引起人们生活能力下降的并发症远少得多。

虽然名词上关节炎包含一大类疾病，但其含义是指关节发炎，无论是因疾病、感染还是遗传缺陷或其他病因所致。不过许多人把它理解为伴身体活动时的各种疼痛或不适，包括局限病变，如后前下部痛、滑囊炎、肌腱炎或所有关节的僵硬或疼痛（参见背痛和关节痛）。

虽非所有，但许多人关节炎的发生似为年龄增加的一种必然表现，在直觉上看没有真正治愈的迹象。从积极意义上讲，无论常规疗法或辅助疗法的发展都会使关节炎变得更易忍受。

关节炎的主要类型：

类风湿关节炎：有时又称风湿症或滑囊炎。更多累及 40 岁以上人群，女性发病是男性的 2～3 倍。可以侵及儿童，尤以 2～5 岁的女孩。以手部发炎及疼痛为特征，特别是指间关节及第二指关节，可累及臂、腿或足部，伴周身乏力、睡眠不良，也可引起身体其他部位的系统性损害，如心脏、肺、眼、神经和肌肉。数周或数月内类风湿关节炎的症状发展，睡醒时变得最严重。

类风湿关节炎最终可使老年人手、足成瘤样变形、肌肉萎缩、肌腱卷缩、骨端异常膨大。由于不能彻底治愈，疼痛发作时开始治疗以使大多数病人缓解症状，症状可以忍受 5 年或更久，终将趋于稳定或恶化。治疗早能使 5%～10% 的患者避免发生永久性致残的可能。

关节退变

在正常关节内，有一种坚韧的像橡胶一样的组织称做软膏，它在骨端相接处形成垫子，另一种称做滑膜的薄膜被覆整个关节腔，分泌滑液以润滑关节腔。

在类风湿关节炎中，滑膜增厚、发炎，炎症引起软骨在关节支点处断裂，而超量的滑液也可引起关节肿胀。

骨关节炎，也称磨损性关节炎，它由于长年使关节软骨逐渐发生退行性变所致。失去了保护性软骨，骨骼会相碰，相互摩擦，从而出现破损和疼痛。

幼年性类风湿关节炎，或称 Still 病，以慢性发热、贫血为特征。本病可继发性累及心脏、肺、眼和神经系统。5 岁以前出现关节病变的患儿可持续数周，症状可复发，不过复发期症状常很轻，如同成人一样也需治疗，重点是做理疗及加强运动，以保持身体的发育。幼年性类风湿关节炎发生永久性损伤的比较罕见，几乎全部患儿最终都能恢复健康，未见任何长久致残的病例。

- ◆ 感染性关节炎：意味着各种累及臂、腿大关节或指、趾关节的种种疾病。关节感染常是创伤或其他疾病的并发症，与因年龄相关的关节疾病相比极少见。不过，因原发创伤或疾病的症状突出可能会忽略感染性关节炎。而如未及治疗，结果会永久致残。
- ◆ 骨关节炎或退行性关节病，意味着因关节中骨组织的系统性丢失引起的疼痛和发炎。这是一种最常见的关节炎，尤其见于老年人。骨关节炎中，关节中骨端的保护性软骨，尤其是椎骨和下肢骨，会渐渐地退变，内层骨面暴露，黏结在一起。某些病例关节边缘骨刺形

# 关 节 炎

成可引起肌肉神经损伤、疼痛、变形及运动困难（参见骨刺）。

尽管骨关节炎的机制尚不清楚，但一些病人有退行性骨病的遗传性病因，极少病例年轻时出现原发性骨骼变形。滥用抗代谢固醇类药，在一些运动员中为数不少，早期发生骨关节退行性变。

许多人是渐渐发生骨关节炎的，虽然确有骨骼形态、大小的改变，但无严重功能减退。另一些病人骨质增生及关节成瘤变会引起肌肉炎症或神经损伤，随之出现显著的姿态及机动性的变化。

其他关节疾病包括强直性脊柱炎（脊柱的关节炎）、骨刺（椎骨或其他部位骨质增生）、痛风（晶体性关节炎）和系统性红斑狼疮（结缔组织炎症性病变）（参见背部病变、滑囊炎、肌腱炎），均因拉伸、创伤或其他因素诱发。

## 病 因

以下三种主要类型关节疾病的每一种都有其各自的病因：

◆类风湿性关节炎：引起类风湿性关节炎的病因尚不完全清楚。一些研究者认为可能是因为几类自身免疫紊乱引起（参见免疫性疾病），其他理论认为是体内某些部位的病毒感染引发的免疫反应所致。

◆感染性关节炎：这类关节炎是因细菌或病毒侵袭关节引起，典型的是发生于另一种疾病之后，如链球菌感染、结核、淋病、莱姆病。

◆骨关节炎：关节普遍退行性疾病是年纪增大的一种表现。本病可伴有骨折，年轻人如有负重关节的磨损也会发生，常见于大运动量活动者。骨关节炎患者中，骨与软骨不能充分自我修复以适应损伤的要求。

### 诊断与检查

除了分析症状外，血液化验常用于确诊类风湿关节炎，绝大多数患者血中有称为类风湿因子（RF）的抗体，当然，RF也可能存在于其他疾病中。

常用X线照相来诊断骨关节炎，典型的表现有关节皱缩、骨端钙化等。如医生怀疑你因其他病可能并发感染性关节炎，从受累关节液中取样常可明确诊断。

## 治 疗

有时关节损害可能减慢或停止，但大多数病例无论是否用药或用其他疗法缓解了症状，随病情发展损害会持续存在。可以预见，疼痛和不适的时间和程度与关节炎类型及严重度相关。对在其他方面健康而仅有关节小问题的人来讲病程也许仅几天，但非此则可延至数月或数年。如老年人患风湿或退行性病变，也许损害终身。

### 常规治疗

对局限性疼痛、僵硬和运动障碍的病例，典型的三期疗法包括用药缓解疼痛及炎症，休息以利受损的组织自我修复，活动以重建运动及伸展功能。

对类风湿关节炎和骨关节炎的轻症病例，为减轻疼痛和炎症，医生可能开给你阿司匹林或其他非甾体类抗炎药（NSAID），如医生可能合用药物，及热疗、休息、运动、理疗，及辅助器械如手杖或行步器，控制性使用深部热疗和超声也可安抚受累关节。

对进展期病人，医生可能建议注射皮质类固醇，以减轻受累关节疼痛、僵硬。依个体不同，效果可能会从暂时控制到长期抑制症状不一。

本世纪初，研究者发现一些含金的化合物经口或注射，可使一些病人症状减轻或完全缓解。不过要注意，由于金制剂治疗有副作用，包括轻者有皮疹，重者出现血液及肾脏损害，使用此类药应慎重。

对因损伤或感染引起关节合并症的病人，特异性治疗要看基础疾病的性质及严重度。主要的治疗目的是在更严重的并发症发生前治愈受累病灶。典型地对感染性关节炎的治疗包括静脉内大剂量用抗生素以及关节腔内积液的引流。

**警告！谨防庸医治病**

由于常规治疗或辅助治疗都不能将类风湿关节炎或骨关节炎治愈，出现了各种不被确认的疗法。多年来，有用铜手镯直到激光疗法等各种偏方使关节炎患者好转的报道。当这类疗法仅在个别病例施用据称成功时，你在考虑选择哪些是正确的时候要采取警觉和一定程度的怀疑精神。

双下肢双手部疾病

# 关 节 炎

一般，未经检测或验证的药物如不是注射用或服用，可能并无危害，但如在体内治疗则可能发生严重副作用或引起其他系统损害。有时即使产生效果也物非所值。关节炎基金会估计每年各收入阶层和各种受教育程度的人花在可疑的关节炎治疗中的钱都在10亿以上。

你对付那些庸医的治疗的最好办法是尽可能多地去了解自己的病情，并对建议性的在治疗期望益处和危害方面深入了解。明白了潜在的发病原因，对宣称的马上见效的疗法保持怀疑态度有助于避免将自己的健康和财力陷入危险中。

可能需用各种类型手术来减轻关节炎的不适或运动重建。滑膜切除术是去掉连接关节腔的受伤结缔组织，以便身体能在此再生新的健康组织，本术式常用于膝关节。对颈或足部关节严重受损的病例，通过手术可将骨质去除或融合。尽管术后运动受限，但能减轻剧痛并有助于预防对神经或血管的进一步损伤。

如关节疼痛或炎症实在无法忍受，或关节完全丧失功能，只能做关节置换手术。当今，髋和肩关节，以及肘、膝、指的小关节，均可用由不锈钢和塑料制成的可靠的人工关节予以置换。

对关节炎患者来讲，由于最主要的治疗目标是学会在疼痛中生活，许多医生建议在对疾病治疗中进行训练，包括认知疗法，这些疗法着重通过教病人如何放松并引导他们每日在真正平静状态下活动以改善其情感和精神方面的耐受力，学会克服精神紧张和焦虑是对付慢性类风湿关节炎和骨关节炎带来的体能限制的关键。认知疗法包括活动日程、想像力、松弛力、分散力及解决问题的创造力等各种技能。

## 辅助治疗

医学科学尚未找到能使各种关节炎都能治愈的疗法。许多人转而用辅助疗法以减轻疼痛，改善运动能力。在效果对照研究中，少数替代疗法有确定性潜能。研究者认为其中一部分对关节疼痛有明显作用如冥想、自我催眠、引导性想象及松弛术对控制慢性关节痛有积极效果。不过，关节炎患者应高度警惕那些标榜能"治愈"疾病的技能。此外，在特定情况下适用于某一个体的疗法可能并不适于所有的人。

## 瑜 伽 功

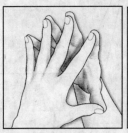

**1** 为放松手关节，取十字俯状撑法。将手指端紧压在一起，手掌间分开6～10厘米。保持指端紧触下推向手掌，做20次。

**2** 为松弛僵硬的指关节，取压拇指法。弯手指握拳将拇指包住，轻柔挤压，再缓慢放松。每只手做10次。

**3** 可帮助伸展你的髋和背。将手和膝撑在平板上，下趴背部并抬头和臀部时吸气（再于弓背并低头和臀时呼气），重复做9次。

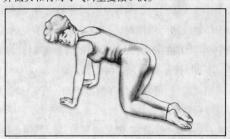

**4** 在手和膝上做运动。呼气并尽可能向左甩头和臀，保持这一体位10秒时深吸气。慢慢伸展背部时再呼气。向右侧重复做，共做10次。

指压及针灸治疗

这些疗法如由训练有素的医生实施，有些关节炎患者感到对类风湿关节炎或骨关节炎持续数周或数月的疼痛症状有缓解作用。

体疗

合用其他疗法，由医生或其他行医者触压按摩受累关节周围软组织可能对关节炎患者起舒服、安定作用。

# 关节炎

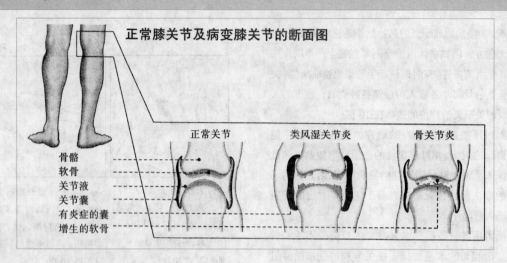

**正常膝关节及病变膝关节的断面图**

正常关节　类风湿关节炎　骨关节炎

骨骼
软骨
关节液
关节囊
有炎症的囊
增生的软骨

由有经验的医生手法操作可使不能做剧烈运动的病人被动运动，除能让病人在体质上感觉更好外，富于同情心地触摩按压疗法也可帮助慢性病患者调整精神，研究证实紧张和压力的减轻能有效调解人的内分泌平衡。

**按摩**

在诊断性检查，测试和适宜的常规治疗之后，手法医生可按摩脊柱和其他关节以缓解症状和重建正常功用。

**年龄增加相伴的疾病**

关节炎以一种或另一种形式存在已有很长时间了。一些埃及木乃伊准确无误地显现骨关节炎的症状，而于1991年在TyroleanAlps发现的青铜器时代冰尸也同样。不过，按一些官方资料所言，类风湿关节炎侵及人类则相对较晚，可能是仅在两世纪前由于一种新的病毒株引发所致。

*水疗法*

最好在热水池中游泳或其他水中运动，这能让关节炎患者活动其患病关节，改善肌肉伸展性。水可支撑身体和有减少重力的作用。

*营养及饮食*

避免食用能引起过敏的特殊食物，可使关节症状消失。特别指谷物、豆类、肉类、蛋类和奶制品。这方面你可不断探索，也可由变态反应科医生指导。

有些医生主张弃掉茄属植物，如马铃薯、蕃茄、茄子和胡椒，他们认为这些食物中所含生物碱能抑制形成软骨的胶原物质合成。

低脂、低蛋白的素食可缓解类风湿关节炎的疼痛和炎症。有食用部分去除水解脂肪和不饱和植物油而补充了亚麻油、沙丁鱼油或其他含ω-3脂肪酸的鱼油的食品有效的报告。

维生素可能缓解一定的关节症状。β胡萝卜素(维生素A)对细胞有抗氧化作用，能中和称做基的损伤分子。维生素C、B、E包括锌，据认为有助于强化胶原合成及修复结缔组织。还建议服用阿司匹林的人加服维生素C，因前者能破坏维生素C的平衡。烟酸(维生素B)也有作用，不过超量用能引起肝损害。补充维生素永远要在医生指导下，因超量服用某些维生素复合剂会引起副作用或不良的药物相互作用。

一些医生主张食樱桃或黑红色浆果，可刺激胶原合成，这对软骨修复是必需的。

*瑜伽*

瑜伽功锻炼，对关节炎有益。

*家庭治疗*

保温和休息是一种常规的治疗关节痛的方法，这对大多数这类病人短时间内有效。超重患者要开始减体重，特别是在关节炎发生于骨盆下部和下肢时。

如意外性关节痛，可服用非处方药并用干热敷疗法或热浴湿热疗法。保持关节活动的重要办法是规律运动。患类风湿关节炎的病人手指严重变形、无力，使用特殊设计的器皿、门把手有益。因关节炎而导致腿或臂无力的病人，可使用特制的浴室固定器具，特别是浴缸扶手和升降坐便器。

# 膝部疼痛

| 症 状 | 疾 病 | 应采取的措施 | 其他信息 |
|---|---|---|---|
| ◆损伤后膝疼痛，无变形。 | ◆软组织损伤。 | ◆尝试 RICE：休息；冰冻（用一块窄的布包裹立方体；压迫（绷带不要太紧）；隆起（用垫子）。看到扭伤和劳损时。服一种消炎止痛药如布洛芬。 | ◆肿胀消退时用硫酸镁洗热浴并选择一种锻炼，它既可加强靠近损伤区的肌肉又不加重损伤。 |
| ◆损伤后膝痛；膝可能不能负重或运动；膝可能突然制动、屈曲或变形。 | ◆韧带或软骨损伤。 | ◆尝试 RICE：休息；冰冻（用一块窄的布包裹立方体；压迫（绷带不要太紧）；隆起（用垫子）。看到扭伤和劳损时。服一种消炎止痛药如布洛芬。 | ◆也需要外科手术，特别是年轻人，但通常是物理疗法。损伤后的严重膝痛也表明是脱位或骨折。（参见急诊和急救"骨折和脱位"章） |
| ◆运动员或活动的人膝痛，或者突然扭伤了膝；可能伴有肿胀。 | ◆使用过度损伤，譬如跑步或骑车人的膝，膝关节水肿（滑膜炎），跳跃病患者的膝（髌骨腱炎）。 | ◆看到运动员损伤。尝试 RICE：休息；冰冻（用一块窄布包裹立方体）；压迫（绷带不要太紧）；隆起（用垫子），叫你的医生，可能需要支架。 | ◆按摩对肌腱炎尤其有帮助。运动员应在柔软的地面上跑步并穿质量好的跑鞋，以防止使用过度而损伤。锻炼项目应逐渐开始。 |
| ◆一个经历短时间成长的活动的青少年，膝盖骨下的疼痛和肿胀。 | ◆生长痛（奥斯古德—施莱特病）。 | ◆扭伤膝的人避免锻炼，譬如跳和蹲，直到 6～12 个月时症状消失，肌肉伸展锻炼、冰冻和消炎止痛药如布洛芬可能有帮助。 | ◆在孩子的膝盖骨下可能摸到一个有触痛的肿块。如果疼痛严重，医生应该穿刺放液或用膝固定器。 |
| ◆膝和其他关节痛、肿、红、热和僵硬。 | ◆类风湿性关节炎。 | ◆看到关节炎，应口服一种消炎止痛剂如布洛芬。 | |
| ◆膝疼痛、发热和僵硬，尤其是经常跪在坚硬的表面，在弯曲膝关节时感到疼痛。 | ◆滑囊炎。 | ◆口服一种消炎止痛剂譬如布洛芬。医生也可膝内注射消炎药和局麻药。 | ◆针灸可减轻疼痛。按摩对恢复活动范围有帮助。 |
| ◆膝的慢性疼痛和僵硬，活动受限，休息可改善，较多见于 50 岁以上的人和过度劳累的人。 | ◆骨关节炎。 | ◆看到关节炎，医生可开止痛药和建议锻炼。 | ◆原因可能是随着变老关节组织磨损和撕裂、过度负重或可能是工作和运动中过度使用。 |
| ◆膝痛伴发红、发热和肿胀。发热一般表示经常患病或新近患病。 | ◆骨或关节感染。 | ◆看到感染立即叫你的医生。通常用抗生素治疗。 | ◆假如不治疗关节感染和骨感染均可导致永久损害。 |

# 坐骨神经痛

## 症 状

◆疼痛从臀部放射至大腿、小腿，经常能放射至足，可以是锐痛也可以是钝痛，可以是刺痛也可以是灼痛，可以是间断的也可以是持续的。经常只累及身体一侧，并且可由咳嗽、喷嚏、弯腰和举重物而加重。

◆有些病人可感到麻木和无力。

## 出现以下情况应去就医

◆疼痛剧烈，非处方止痛药无效。医生会给以更强的止痛药和其他治疗。

◆疼痛持续3~4天，并伴有足无力，这常提示可能有较严重的神经问题。

坐骨神经痛的疼痛放射至一侧或双侧臀部，大腿后侧为特征，它是由于坐骨神经根受压所致。坐骨神经(身体两侧各一条)，是周围神经中最长的神经，从臀部一直延伸到脚，疼痛可以发生在这条神经的任何部位。

## 病 因

体姿不当，肌肉拉伤，妊娠、肥胖、穿高跟鞋，或床垫过软都可造成坐骨神经压迫，它还可以由椎间盘突出、坐骨神经炎等引起，在有些病例，是由骨关节炎所致。

### 诊断与检查

医生会给你做所谓的"直腿抬高"检查，即将腿举至45°角，以确定疼痛点。其他检查包括照X线片、CT以及MRI。

## 治 疗

### 常规治疗

医生会给你开一些肌松剂、非甾体类抗炎药(NSAIDS)、全身止痛药、麻醉剂或皮质激素。在急性炎症和疼痛消退后，建议进行理疗。营养专家建议每隔1周服用一定量的DL苯丙氨酸，以辅助止痛。

### 辅助治疗

#### 体疗

亚历山大技术是一套体姿训练方案，教病人正确的坐、立和行走方法，以预防以后发病。

#### 按摩脊柱疗法

按摩疏松组织和脊柱可以减轻对坐骨神经的压力。

#### 草药疗法

饮用白柳皮和绣线菊茶可减轻关节痛，肌肉痉挛也可试用草药。

#### 营养疗法

在就寝前服用大剂量钙(1000mg)，镁(400mg)及维生素C(500mg)可能是有益的，服用维生素$B_6$每日3次用1周。也可能有所裨益，在服用补充物上向营养师征寻进一步的指导。

#### 整骨术

对软组织按摩可能对椎间盘脱出有益。整骨术用于缓解姿势所致的对坐骨神经的压力，如果坐骨神经痛与牵拉和肌肉损伤有关，要请教整骨专家，通过锻炼缓解坐骨神经痛，单纯休息是无助的。

#### 家庭治疗

下列疗法可减轻疼痛：

◆一旦疼痛发作，用冰敷患处30至60分钟，每天数次，连续2~3天，然后以同样的间隔用热水袋敷患处。

◆试用下列自我按摩技术：躺平曲膝，放松几分钟，将一个装有2个软橡皮球的短袜放在背部脊柱的两侧，使身体压向地板，放在球上，然后撤除橡皮球，放松数分钟，在臀部重复同样步骤。若你有椎间盘问题，请让医生检查，否则不宜应用该技术。

◆在急性疼痛期，不要抬起超过10磅的重物和不要用腿、臂和背部用力上举重物，可以推而不要拉重物。

#### 预防

◆睡在软床垫上或曲膝侧卧，避免低卧位。在急性疼痛期，用一个枕头放在膝下或两膝之间入睡。

◆调整椅子的高度，以便双脚掌着地，双膝比臀部略高一点，养成双足掌着地的坐姿习惯，而不要翘二郎腿。

确保椅背结实，后背伸直后靠坐在上面。

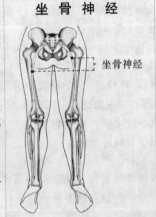

坐骨神经

坐骨神经

# 腿 痛

| 症 状 | 疾 病 | 应采取的措施 | 其他信息 |
|---|---|---|---|
| ◆损伤后腿痛,腿能活动。 | ◆软组织损伤。 | ◆如是扭伤和劳损,尝试 RICE 法:休息;用一块薄布包裹住;冷冻;用绷带压迫,但不要太紧;用垫子隆起。 | ◆应避免使受影响的肌肉紧张直到疼痛消失。 |
| ◆损伤后腿痛,并且腿不能活动或行走,甚至休息时有严重疼痛。 | ◆骨折或脱位。 | ◆如是运动损伤和紧急意外立即叫你的医生。骨折和脱位需要急救。 | ◆常规治疗和辅助治疗有助于减轻肿胀和挫伤。 |
| ◆过度运动或其他体力活动后疼痛和肿胀。 | ◆过度使用损伤。 | ◆如是运动损伤,缩短或停止引起损伤的活动。 | ◆腿的过度使用损伤,包括外胫炎和腱炎。 |
| ◆腿痛合并踝或足肿胀,尤其在长时间站立之后,腿和足可能有突起的暗蓝色血管。 | ◆静脉曲张。 | ◆穿弹性长袜和口服消炎止痛剂如布洛芬。医疗选择包括激光疗法、药物注射和外科手术。 | ◆静脉瓣的损害导致腿循环不良。深静脉曲张一般较少,但可引起严重的循环障碍。 |
| ◆行走或锻炼时腓腩肌、大腿、足或髋部的痉挛性疼痛,休息时停止,肌疲劳。 | ◆周围血管病(动脉阻塞和其他的静脉或动脉疾患)。 | ◆如是循环障碍、动脉粥样硬化和心脏病时找你的医生。治疗主要针对病因,它包括改善血流的药物和外科分流术。 | ◆停止抽烟、改善饮食和定期锻炼可能有帮助。 |
| ◆臀部和一条腿后面的突发烧灼样疼痛,因咳嗽、打喷嚏、弯腰或提腿而加重。 | ◆坐骨神经痛。 | ◆看医生。治疗可能包括肌肉松弛药、止痛药和(或)物理疗法。 | ◆针灸治疗可能减轻轻度的或严重的坐骨神经痛。按摩、推拿术可能减少对神经的压力。 |
| ◆腿皮肤下有搏动或烧灼感,可见一条发红、发热、有触痛的细绳状静脉。 | ◆浅静脉炎。 | ◆如是静脉炎,躺下并支撑腿超过心脏水平 20 厘米可缓解疼痛。对肿胀区应用加热垫或温湿裹法。 | ◆医生可能建议你穿长袜压迫、口服阿司匹林减轻炎症并在有感染时应用抗生素。 |
| ◆全腿疼痛和肿胀,尤其脚屈曲时。 | ◆深静脉炎。 | ◆如是静脉炎,立即叫医生。你可能需要住院检查和抗凝治疗。 | ◆危险在于深静脉内的血块可以脱落并留宿在肺形成肺栓塞,它是一个致命的潜在并发症。 |
| ◆腿一个区域的持久、严重的疼痛,伴有 38℃ 以上的发热和不适感,触痛或发红区超过一个腿骨。 | ◆骨感染。 | ◆如是感染立即叫医生。典型治疗包括抗生素。 | ◆感染可能发生在创伤骨折或其他损伤之后。 |

双下肢双手部疾病

# 踝关节肿胀

| 症 状 | 疾 病 | 应采取的措施 | 其他信息 |
|---|---|---|---|
| ◆损伤后出现肿胀，踝关节无变形并可活动和负重，而不感到剧痛。 | ◆软组织损伤，如扭伤，拉伤或撕裂伤。 | ◆冷敷压迫至肿胀消退，然后热敷。如果感到剧痛，你可能扭伤严重或有骨折，需治疗，请去看医生。 | ◆轻微扭伤通常可用弹力绷带压迫以减轻肿胀。严重扭伤则需石膏固定或手术。 |
| ◆踝关节和(或)其他关节自发的 红、肿、热、痛和僵硬。 | ◆关节炎。 | ◆使踝关节休息，保温，并服用抗炎药物。 | ◆水疗、针灸、营养治疗和顺势疗法可以减轻某些病人的症状。 |
| ◆站立一定时间后出现肿胀、小腿疼痛，尤其是小腿肚，在傍晚加重，腿部静脉肿胀及变色。 | ◆静脉曲张。 | ◆休息并抬高足部。如果腿部肿胀严重或疼痛，或皮肤溃疡形成，请去看医生。 | ◆治疗包括去痛药物、弹力袜和注射可使血管壁塌陷的药物。 |
| ◆肿胀伴随虚弱、乏力、和(或) 头晕、严重气短、咳嗽。 | ◆充血性心力衰竭。 | ◆立即去看医生。如果感到气短，去看急诊。除了各种心脏病药物治疗外，治疗通常包括抬高腿休息和穿抗栓袜。(详见心脏疾病) | ◆常规治疗之后 ，采用营养和草药治疗可能有助于防止心脏疾病恶化。 |
| ◆踝关节肿胀伴同侧小腿静脉硬、红、索条状隆起。 | ◆静脉炎。 | ◆去看医生，必须经医生诊断和治疗。治疗通常包括休息、抬高患肢、抗炎药物，必要时应用抗生素。如果有血栓形成，需要住院治疗以防止血栓脱落至肺部。 | ◆热敷压迫可减轻表浅静脉炎的炎症反应；弹力袜或绷带可以减轻肿胀。吸烟者应戒烟。 |
| ◆口服避孕药或皮质类固醇药物时出现肿胀。 | ◆药物副作用。 | ◆去看医生。尽可能更换药物治疗。 | |
| ◆妇女月经期内的肿胀；不伴疼痛。 | ◆经前期综合征(PMS)。 | ◆改变饮食和进行锻炼。 | ◆经前期综合征被认为是激素水平失衡所致。改变饮食营养，辅助治疗可以减轻症状。 |
| ◆怀孕 3 个月以上妇女踝关节的无痛性肿胀，面部和手指也出现肿胀，体重在前一周增长超过 4 磅。 | ◆妊娠所致的先兆子痫。 | ◆立即去看医生。你可能患有先兆子痫，需立即治疗。(详见怀孕期问题) | ◆避免长时间站立并抬高脚休息，先兆子痫的治疗包括休息、利尿药和降压药。重症患者需要住院治疗，引产或行剖腹产术。 |

双下肢双手部疾病

# 不安腿综合征

## 症状

◆腿的深部明确的刺痛和爬行感，伴随着急不可待地移动双腿以减轻这种感觉。

◆最长发生于夜间，干扰睡眠，在白天，这种感觉会阻止你坐下，而长时期站立。

◆通常累及30岁以上的人，随年龄增长而变得更普遍。

### 出现以下情况应去就医

◆你首次经历上述症状，医生要排除更严重疾病的可能性，如肾病、糖尿病、帕金森病、深部静脉血栓形成、坐骨神经痛及其他神经系统疾病。

不安腿综合征是一种神经系统疾病，因为其治疗仍不明确，故长期困扰着医生们。患此综合征的人在腿的深部有刺痛或爬行感。并强烈需要移动双腿以减轻不适感，有时上肢也可受累，症状常在夜间加重，使有些专家将该病列为失眠及其他睡眠障碍的主要原因。

## 病 因

研究表明，不安腿综合征是一种由脑内化学物质失衡所致的遗传性神经系统疾病。研究显示咖啡因可增加症状，该综合征也可能与叶酸缺乏有关，特别是在肾病患者。

## 治 疗

药物疗法对许多患者有帮助，所以请教内科医生是治疗的重要方面。

### 常规治疗

医生会做些检查，以除外引起该病的其他疾病，如果你健康状况良好，可能会一开始就用药，减轻症状的主要药物是氯硝安定。其可稳定神经冲动传导，其他用于缓解的药物包括卡比多巴和左旋多巴复合物——用于治疗帕金森病的药物；镇静剂美沙酮和可待因的复合物，由于有成瘾性，通常在最后才会给予。因为所有这

### 腿 部 按 摩

1. 坐在地上屈一膝，使脚放平，双手抓住你的小腿并用大拇指沿着膝盖下方的胫骨寻找肌肉，用大拇指沿路按摩肌肉至踝骨处。

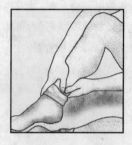

2. 将双手拇指放于踝骨内侧，用于环绕小腿以支撑，用拇指按摩腿内侧，从踝向上至膝。

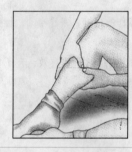

3. 最后，用双手拇指和其他手指按摩腓肌后面和侧面，从膝部向下至踝部，当你按摩完一腿时，在另一腿重复此过程，按摩双腿数次。

些药都会产生讨厌的副作用，并且因为最终人们对其耐受而无疗效，当你接受药物疗法时，医生会对进展情况予以严密的监测。

### 辅助治疗

有些患者发现其他疗法可能有助于减轻或缓解与疾病相关的身体不适。

*指压治疗*

连续在承山穴和足三里穴位加压有助于缓解不安腿综合征的刺痛感，也可试试三阴交和悬钟穴位。

*草药疗法*

具有强镇静特性的草药在降低肌肉张力和缓解疼痛方面可能有效。这些草药包括两香莲、缬草和升麻、金鸡纳树皮——一种解痉剂——也可松弛肌肉，向草药师寻求帮助，以应用适当的疗法和剂量。

# 不安腿综合征

### 芳香疗法

芳香医生常常用 Rhus 野葛叶和 Canstficum 治疗不安腿综合征和与其相关的失眠。请教有经验的芳香医师。

### 营养及饮食

帮助纠正营养缺乏可能对缓解症状有益，以标准剂量补充维生素 E、含铁的多种维生素、复合维生素 B。为纠正叶酸缺乏，营养师建议服用叶酸补充物（400 至 1000 毫克），有些营养师也推荐用一般食物，如深绿色藻补充饮食，其可纠正不明性质的营养缺乏，你可能发现避免用咖啡因及减轻充血剂等刺激可能有益。

### 家庭治疗

◆睡前避免 3 小时以上的刺激性活动。包括锻炼及过饱进食。

◆保持卧室安静、凉爽，过暖的房间会加剧不安腿综合征。

◆为减轻可触发症状发作的压抑，练习瑜伽，生物反馈及沉思等放松技术。

◆把脚浸在凉水中，据说对缓解症状有效，千万不要用冰水，因为它可引起神经损害。

# 腘绳肌损伤

## 症　状

◆当你在运动或其他紧张性活动的过程中或结束后立即感到大腿背面尖锐性疼痛。

◆大腿肿胀或失去张力。

◆行走或坐下困难，并且不能曲腿。

## 出现以下情况应去就医

◆当你咳嗽时感到疼痛放射到大腿背侧，提示你可能患有坐骨神经痛。

◆肌肉疼痛与寒颤、发热伴随出现，这可能是细菌或病毒感染的症状。

◆行走时腿部刺痛，而休息时疼痛消失，提示你可能患有循环系统疾病。

腘绳肌负责曲膝和弯腿动作，与你做的每一个动作有关。腘绳肌是从臀部到膝部走行于大腿背侧的三条肌肉束，在膝部它们与小腿骨相连。腘绳肌与强有力的股四头肌相对应（后者位于大腿前面）受到极大的拉力。职业运动员和舞蹈演员特别容易出现腘绳肌腱扭伤，其实任何人都可以出现这种损伤，尤其是在周末过于急切的运动时，腘绳肌扭伤的危险在于在"刻苦磨练"的诱惑下置疾病而不顾，使病情加重并可导致其他损伤。注意！疼痛是终止过分运动的警报，让肌体休息是促进恢复的最重要步骤。

## 病　因

腘绳肌扭伤不是肌纤维牵拉过度而撕裂的结果，一般是由于大腿突然扭动、伸直或伸展所致。轻度腘绳肌扭伤多因过度牵拉肌肉所致，但是严重的肌肉痉挛亦可引起。肌肉束带撕裂或者肌腱断裂是非常严重的损伤。

### 诊断与检查

当你出现明显的腘绳肌扭伤的症状时，你应该去看医生或者运动医学专家以确定损伤的性质及程度。肌肉和关节疼痛有时掩盖了更为严重疾病如病毒感染，这必须由专家进行精确诊断。

# 腘绳肌损伤

## 腘绳肌牵拉治疗

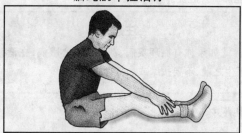

**1** 伸腿坐于地板上,轻轻地弯曲膝部,尽可能保持背部伸直,然后从髋部起将上 身向前弯,尽量靠近大腿。不要强迫牵拉,保持这一姿势 15 秒钟。

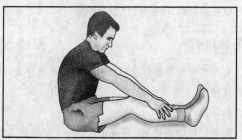

**2** 保持上述姿势不变,向前触你的脚,试用你的指尖触及脚趾,保持这一姿势 15 秒钟,然后放松坐正。休息 10 秒钟,再重复上述练习,共训练 8~10 次。

## 治 疗

与其他拉伤类似,腘绳肌扭伤通常可以自愈。一般在几天或几周内完全恢复正常,这决定于你的身体状况以及损伤的程度。

### 常规治疗

已被公认的治疗肌肉拉伤的方法是 RICE 法:R 是指休息(rest),I 是指冷敷(ice),C 是热敷患处(compression),E 是指抬高肢体(eev ation)(参见运动损伤一节)。医生会建议你服用阿司匹林或布洛芬等止痛药治疗,它们同时也是抗炎剂。与所有止痛药一样,它们只是来减轻疼痛症状,而不是用来止痛再继续运动。

在最初的疼痛缓解后,热敷患处 10 分钟,然后休息 10 分钟,有助于放松肌肉。用弹性绷带包扎你的大腿,可使受伤的肌肉固定。使用拐杖也有助于减轻大腿负荷。

### 辅助治疗

#### 体疗

如果你的肢体过度紧张或肌肉僵硬、收缩,医生会为你按摩帮助放松并调节肌肉的紧张性。常规的治疗措施是医师在放松及按摩受伤肌肉前用温油或凉凝胶,有时在放松之后用超声刺激肌肉的血液循环。

#### 营养及饮食

维生素 C 是组织构建的必需品,柑桔类水果及西红柿中含有大量维生素 C,香蕉、绿叶蔬菜及低脂乳制品中含有丰富的钾和钙,对骨骼生长有益。

在锻炼前后饮用充足的水或运动饮料有助于使肌肉保持最佳的运动状态。

#### 预防

避免肌肉拉伤的最好途径是使肌体保持最佳状态,在工作或娱乐时不要运动过急。

在开始做你喜爱的运动和活动身体时,特别是做那些需要腿部用力的活动时,你最好先进行几分钟的热身运动,使肌肉逐渐拉长放松,这样活动起来会更安全。当肌肉运动已达满负荷时,会提醒你放松,只有傻瓜才会让肌肉超负荷工作,这是很危险的。当运动结束后,应适当缓慢地牵拉肌肉,使它们不会变紧、收缩,甚至出现痛性痉挛,此为类似于肌肉扭伤样的疼痛,一般持续时间不长。特别推荐你进行图示中的练习,使你的腘绳肌更为强健。

# 外 胫 炎

## 症 状

外胫炎以小腿的任何部位的疼痛，偶尔肿胀为特征,然而,疼痛常位于下列所述部位:

◆小腿前内侧。

◆小腿内后方。

## 出现以下情况应去就医

◆小腿严重肿胀、麻木、刺痛及严重剧痛，你可能撕裂跟腱,需立即就医。

◆你感到疼痛集中于小腿内侧某一小范围内,该地方对触摸很敏感,似乎不能随着运动而变得温暖起来,这可能意味着发生骨折,需要医生诊断。

◆在 3 至 7 天后症状持续存在或越来越重，可能有肌肉或肌腱损伤,需要就医。

外胫炎是运动员的一种最常见的疾病,一般称作小腿疼痛,在解释确切的情况时,专家们意见不一致。大多数专家认为,外胫炎累及两块由膝至踝和足内侧部的肌肉,这些肌肉附着于足的上下,支撑足弓和足前部,以避免跑步或行走时脚掌拍击着地,导致这些肌肉纤维微小撕裂的损伤可引起外胫炎。

外胫炎也与所谓的胫隙综合征有关,胫隙综合征时肌肉长得过大,超出外鞘。胫骨骨折和胫神经兴奋也与外胫炎有关。

## 病 因

任何不寻常的或反复的对小腿造成压力都可能引起外胫炎,季节性运动员和新手常患该病,长跑运动员,自行车运动员,滑冰运动员和特技飞行运动员特别易患外胫炎。平足、膝外翻、膝内翻的人由于对腿部施加不正常的压力而可能患外胫炎。穿不适当的鞋垫,在坚硬的地面如水泥地上锻炼,不良的站姿均可造成外胫炎。

## 治 疗

多数可行的疗法是确保充足的休息以利痊愈,紧接着是一套强化训练计划,当疾病最初出现征象时,开始的治疗是重要的。忽视早期不断的疾病,试图挺过去,

可能加重外胫炎。

### 注意:

如果你有循环疾病、糖尿病或心脏病,在请教医生之前,不要按摩或局部冷、热敷。

### 常规治疗

医生通常推荐运动医疗疗法(休息,冷敷,压迫,抬腿)作为最初的治疗方法,医生常建议使用手杖,以免伤腿持重,并开一些阿司匹林或布洛芬,以消炎止痛,也可能建议看理疗专家,寻求一套锻炼方案,或建议做超声治疗以松弛肌肉,改善循环,促进痊愈。

### 辅助治疗

有很多可选择的疗法可以补充上述常规疗法,许多人选择按摩。

#### 指压治疗

在轻轻按摩患处后,逐渐加压,持续按压足三里穴位,四指置于膝盖下方,一指放在胫骨外侧、压力不应引起疼痛,每次 3 分钟,每日 3 次。

#### 中药治疗

中医师可能用栀子面粉和黄酒制成的敷泥敷于患处,以减轻肿胀,促进愈合。也可能推荐用艾蒿叶的

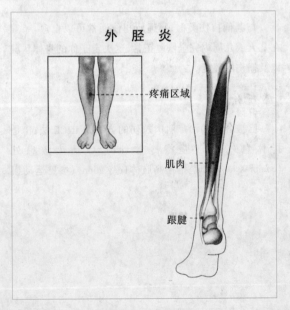

### 外 胫 炎

- - - 疼痛区域

肌肉 - - -

跟腱 - - -

熏块在患处上3厘米做艾灸。这种方法可增加循环、促进愈合。按摩技术也可能有帮助,这种方法是在疼痛部位以拇指交替地按压和轻轻地擦搓。

### 家庭治疗

除了理疗师治疗外,你可在家中应用所有标准的常规疗法和其他疗法,双脚抬起,使腿得到休息。交替地用冰敷局部10分钟,撒开10分钟。用弹性运动绷带包扎,压迫组织,消除肿胀,抬起双腿,降低炎症组织的血压。

### 预防

预防外胫炎的关键是找到尽可能多的办法以降低引起损伤的腿部压力。穿弹力鞋,以帮助矫正引起外胫炎的姿式。在脚趾,足跟膝部,小腿肌肉作伸展练习可加强肌肉强度,更耐损伤。注意在诸如木板地或土地等有弹性的地面训练,不要在无弹性的水泥地上训练。

## 症 状

◆ **硬鸡眼**:是在趾尖、小趾外侧脚掌上的一块坚硬的皮肤,有硬栓。

◆ **软鸡眼**:在脚趾侧面生长的突起于皮面的红斑,直径1.5厘米,有一光滑的细栓。

◆ **种子鸡眼**:位于足跟、脚底的环形栓样化。

◆ **胼胝**:位于脚掌、手掌或其他易受到摩擦的部位,约3厘米大小的,坚硬增厚的角化层。

◆ **足底胼胝**、位于脚掌的约1英寸大小的致密角化,中心为白色。

◆ **遗传性胼胝**:在无明显摩擦或受压胸部位,如足底、手掌出现的,3厘米大小的角化区域。呈家族性发病,儿童多见。

## 出现以下情况应去就医

◆ 擅自切开鸡眼或胼胝,皮肤破损处出现感染征象。

◆ 鸡眼分泌脓性或清亮液体。这是由感染或溃疡所致,任何一种情况均需就医。

◆ 糖尿病、动脉粥样硬化或患有其他循环障碍性疾病的患者合并鸡眼,因有继发感染的危险,而需诊治。

鸡眼和胼胝都令人头痛。形成原因是为了使骨骼不受压力或摩擦的损伤。鸡眼的好发部位为脚趾、足底,而胼胝可见于手脚或任何受到反复摩擦的部位——甚至见于小提琴手颌下。

硬鸡眼为一小块增厚的角化层,其中有一角化栓。软鸡眼的表面相对较薄多见于趾间。种子鸡眼甚为少见,其形状为一块堤样隆起的皮肤,围绕着一个胆固醇栓,只见于足底,多伴有无汗症或出汗障碍。

与鸡眼类似,胼胝也有多种类型。除了由于手、脚经常摩擦造成的普通胼胝外,还有位于足底的足底胼胝,位于手掌、足底的遗传性胼胝。各种类型的胼胝均较鸡眼大,直经约3厘米,而且中心无栓。

## 病 因

脚上的鸡眼和胼胝,一部分是由于走路姿式不当引

双下肢
双手部
疾病

# 鸡眼和胼胝

起的，而大部分是因为鞋不合脚造成的。高跟鞋将全身的压力集中到脚趾，从而造成妇女脚病的发病率高出男性4倍。摩擦、受压均可导致软鸡眼或足底胼胝的形成。若儿童无明显原因出现胼胝，多数是遗传性的。在大部分时间里，脚处于封闭、潮湿的环境中，为细菌繁殖提供了理想的条件。因此葡萄球菌通过皮肤破损侵入鸡眼，从而导致感染。其表现为鸡眼流水、流脓。

为鉴别胼胝和疣，需从患处皮肤表面刮下少许皮屑，出血的是疣，而胼胝只能见到更多的角化层。必须进行这种鉴别诊断。因为疣是由病毒感染所致，极为顽固，不易根治。而大多数胼胝(遗传性胼胝除外)可获得根治。

## 治 疗

当不再摩擦或受压后，鸡眼和胼胝会逐渐消失。因此，穿合适的鞋可"治疗"脚上的鸡眼和胼胝。

### 常规治疗

大多数专科医生不主张使用非处方类鸡眼制剂——水杨酸盐制剂。因为不适当地使用鸡眼膏，可损伤鸡眼周围的健康组织。将厚毛棉布贴贴到恰当的部位，可缓解鸡眼受到的压力。口服抗生素可治疗鸡眼感染，但有时需切开引流脓液。非处方药类抗生素软膏多数对感染性鸡眼无效，因为葡萄球菌对其已产生耐药。

氢化可的松软膏有利于消除已裂开胼胝。晚上临睡前敷上软膏，用塑料袋或袜包好，第二天早上用粗糙的毛巾或刷子尽量刮去松软的角质。若淋浴后用浮石粉磨去胼胝表面的角化层，然后敷上尿素类软膏，也是一种很有效的方法。不要用这种方法治疗鸡眼，因为刮磨只会使其更坚硬疼痛。

手术去除足底的胼胝后易复发。更好的办法是保持双脚干燥，尽量减少摩擦。应穿合适的鞋和棉袜，而不是易刺激皮肤的木纤维合成纤维织的袜子。如果专业人士认为鸡眼、胼胝是由于异常的脚位和髋旋转造成的，矫形鞋可用来纠正这些问题。

### 辅助治疗

体疗形体训练可纠正站立、行走时身体的不平衡。

水疗法浸泡在温泻盐水中可滋润受累皮肤。用柠檬汁擦脚可软化硬鸡眼。

#### 家庭治疗

最好的治疗方法是找到造成摩擦的原因并设法将其去除。同时，尽量保护双脚。

◆每天用泻盐泡脚可滋润、软化皮肤。

◆在已裂开的胼胝上敷氢氧化强的松软膏或金盏花软膏。芦荟软膏也可以促进皮肤润泽、愈合。

◆如果可能的话，抬高双脚并暴露在新鲜的空气中。

◆不要自行切开，撕开角化层，否则可能引起感染。

◆可以用浮石或胼胝锉，轻轻擦去胼胝的角化层，但不要去擦鸡眼。

#### 预 防

预防鸡眼和胼胝比治疗更重要。应让专业人员量好脚的尺寸，并且只穿合脚的鞋。包括鞋的宽度适中，在拇趾和鞋面间有1.5厘米的间隙。尽量少穿尖头、高跟鞋。对于职业女性，可在上班、下班时穿运动鞋来减轻时装鞋对脚的损伤。

注意要经常修鞋。在坚硬的地面上，旧鞋对脚的保护作用要小，而且可能损伤皮肤，孳生细菌。旧鞋跟可造成跟骨受力不平衡，而跟骨需支持全身重量的25%。若鞋掌和鞋跟不平，则需请矫形师设计矫正用的鞋或鞋垫。

# 脚气(运动脚)

## 症 状

◆趾间皮肤发痒、起鳞屑、充血疹。若不进行治疗,可出现皮肤裂口,出现感染时皮肤可起水泡。

◆足跖皮肤干燥,出现鳞屑。

◆脚臭。

◆趾甲变白,变脆,出现鳞屑。

### 出现以下情况应去就医

◆非处方类抗真菌药或偏方治疗4~6周无效,或病损无法控制。需医务人员对其做出诊断并使用处方药。

◆皮疹处变脆,充血加重。疼痛、肿胀、流脓,甚至出现发热等症状,均提示继发细菌感染,需口服抗生素治疗。

◆趾甲变脆或退色(通常是变白)。这种类型的运动脚很难根治,需要长期治疗防止复发。

运动脚是一种常见的真菌感染,并非只有运动员才会得病。男女老幼均可发病。事实上在古希腊和罗马时期,人们都赤足或穿拖鞋时,运动脚很罕见。这种病实际上是文明社会大部分时间穿鞋的一种副产物。

## 病 因

能致运动脚的各种真菌都属于表皮真菌。这些微生物还可以致导股癣。真菌生长在密闭、温暖、潮湿的环境中,以角蛋白(毛发、指甲、皮肤的结肠蛋白)为食。运动脚具轻微传染性,通过直接接触感染部位或残留在毛巾、鞋、淋浴分隔间、游泳池周围的皮肤碎屑感染。尽管淋浴或游泳时赤足可增加感染机会,但不洗袜子和鞋更易造成感染。运动脚的感染还与是否存在易感因素有关。例如服用抗生素超过两周可增加感染机会。因为抗生素不仅抑制致病菌,而且可杀灭有益菌群。这些细菌有利于防止真菌感染(参见真菌感染)。

## 治 疗

当趾间开始出现搔痒,充血时即应进行治疗。绝大多数病例通过使用非处方类抗真菌粉及改善个人卫生即可治

愈。每天早晚均应彻底清洗,干燥患足。每日更换袜子,并且不要长期穿同一双鞋。每天在脚和鞋里洒抗真菌药粉。

患足应接触空气,若不能赤足或穿拖鞋,则应尽量穿棉袜,用天然透气性强的材料如皮革,纤维制品制成的鞋,不要穿防水的合成材料做成的鞋。若没有及时适当的治疗,感染可以变得十分顽固。尽管使用抗真菌药物,治愈感染仍需数周的时间。

### 常规治疗

偏方治疗无效时,可使用1%特比萘芬膏。这种药物很昂贵。但可在1周之内完全治愈脚气。若外用药物治疗无效,可使用口服抗真菌药。口服药之所以不用做一线药,是因为它有严重的副作用,如肝毒性。最常用的药物有酮康唑和灰黄霉素。甲癣的治疗方法相同。

### 辅助治疗

#### 家庭治疗

每天用热盐水泡脚5~10分钟(1杯水放1匙盐),彻底把脚擦干,在趾间涂上苏打贴膏,用氯化铝溶液浸湿。这些药物在当地药店均可买到。也可以使用非处方类抗真菌药粉,油喷雾剂。最有效药物包括:十一碳烯酸或抗真菌药物,如克霉唑、咪康唑。在使用外用粉剂膏剂之前,只要皮肤没有裂口、变脆,就可以用软毛刷擦去表面的角质,切记不要用手撕去皮肤,因为这样可能会损伤周围健康的皮肤,使感染扩散。

用同样的方法治疗甲癣,但不要期望会很快奏效。将趾甲剪短,用光滑的木制牙签、火柴棍清除病甲下面和周围的碎屑。不要用指甲锉,以免损伤皮肤。

#### 预 防

穿公共拖鞋可导致感染,但易感性增加与直接接触真菌一样重要。可通过保持脚的清洁、干燥,使用杀真菌粉等方法来降低感染的风险。其他有效措施包括:

◆穿棉袜、透气的鞋。防水的鞋通常也不透汗。

◆不与他人共用鞋、袜、毛巾。

◆感染运动脚后,用最热的水洗袜子和毛巾或煮一下。

◆连续使用抗生素2周,则应高度警惕脚气的发生。因为抗生素可杀死能抑制真菌的有益菌群,从而导致运动脚。

双下肢双手部疾病

# 嵌甲

趾甲向组织内生长嵌甲而不是覆盖在组织上一常见于足趾,特别是大拇趾,趾甲过厚或弯曲的人常易出现这种情况,但正常人在趾甲受外伤或不恰当的修剪后也会发生。如果糖尿病患者有这种足部疾病,需要积极治疗,因为很可能会发展成很严重的疾病。

## 病　因

嵌甲的主要原因是把趾(指)甲剪得过短所致,或是穿过紧的鞋子使得趾甲受到压迫,或者是趾甲受到外伤如踢碰所致。

## 治　疗

绝大多数嵌甲可通过避免将趾甲剪得过短和穿合适的鞋子加以预防(见预防部分)。如果你经过以上处理症状仍未缓解,或者出现了感染,可以到医生那里就诊。

### 常规治疗

如果你的嵌甲因为感染而需要治疗,你的医生可能会给你开口服抗生素如红霉素以及外用的皮质类固醇或在炎症局部注射皮质类固醇。在有些情况下,医生会建议你将严重病变的趾甲部分剪掉,如果趾甲向内生,复发也可将整个趾甲去除。

### 辅助治疗

辅助治疗的目的是缓解症状及治疗感染。

家庭治疗

修剪完过长的趾甲后,将无菌的棉花垫在趾甲角下使它离开皮肤直到它长得超过皮肤表面。每天更换棉花, 如果你无法将趾甲垫起,可以将脚泡在温热盐水中,或使用非处方治疗,如含 10% 尿素的霜剂使趾甲软化后。柠檬据说是一种天然的软化剂,将新鲜的柠檬片包在趾甲上过一夜。趾甲软化后将其抬起,按以上所说把棉花垫在下面。

预防

正确的剪趾甲方法是预防本病的关键。老年人因为趾甲变得很厚不易修剪,同时视力下降,身体灵活性下降,不易够到自己的足部,因此最好在他人帮助下剪指甲,父母也应为小孩剪指(趾)甲。

剪甲前应先泡脚使趾甲软化,使用指甲钳剪甲,留下足够的趾甲能盖住皮肤以保护皮肤(不要用剪刀,因很难处理指甲角),用指甲锉刀将趾甲断面打磨光滑。

穿合适的鞋和袜子,妇女特别需注意所穿的又尖又紧的高跟鞋子和紧身袜易引起压迫导致嵌甲。

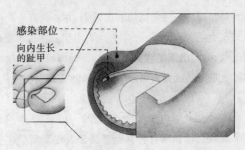

### 示　意　图

感染部位
向内生长的趾甲

外伤后或修剪不当的趾甲会向肉内生长,局部会变得疼痛受感染。直至将趾甲拔除才能治愈。如果出现趾甲向肉内生长,可用水或洗剂将局部泡软,然后把它的两端与皮肉抬起,然后再修剪掉向内生长部分,为了防止这种疾病,剪趾甲时应沿着趾甲前缘水平地剪,两侧不要剪得太短。

### 附:(错误观点)不要尝试!

决不要试图在趾甲前缘中点切一个 V 字型的切口来治疗嵌甲,这种错误想法认为嵌甲是因为趾甲过宽,这种切口可促使其向中间生长,使趾甲仅由下方的甲床自趾顶端生长。

# 拇囊炎

## 症 状

◆ 在大拇趾后面脚的内侧有一个三角形的前突，有时合并坚硬的皮肤或胼胝。

◆ 肿胀、发红、异常压痛或疼痛出现在大拇趾的起始部和脚球部，尤其有时此区域触摸时变得平滑和出现凉的感觉。

### 出现以下情况应去就医

◆ 行走时持续疼痛，一般穿舒适的平底鞋可缓解；那么你可能患滑囊炎或足部骨刺。

**拇**囊炎是一种由非自然的撞击或骨骼弯曲所致的疾病，在大拇趾的起始部形成隆起。结果导致肿胀，有时使大拇趾踇内翻垂直到另外的脚趾上，相似的情况如果发生在小趾称为小拇囊炎。

因为拇囊炎发生部位在走路时拇趾需要弯曲的关节，故在每一步行走时你的整个身体重量都压在它上面。然而大多数拇囊炎不影响正常行走，但它可导致极度疼痛。

## 病 因

脚的问题是在成熟期早期发展而来，随着年龄的增长变得越来越显著。在许多人中，拇囊炎是遗传及其他问题合并产生的，相关的因素如较差的脆弱的足结构、胼胝、骨刺和滑囊炎。拇囊炎有时合并产生关节炎，且可能和其他脚骨的进行性变形有关。

拇囊炎也可能由于长期穿紧小的、不合适的鞋引起，尤其是穿高跟鞋、尖头样式的鞋，它们不能提供舒适的良好的支撑。当骨逐渐形成非自然的形状，则压在其他脚骨的压力可导致滑囊炎。

### 诊断与检查

大多数时候，拇囊炎可从疼痛和脚趾的非自然形状明确诊断，故不需要进一步的诊断。即便如此，医生通常会做 X 线检查确立变形的程度，并看是否需要矫正鞋或外科手术。

## 治 疗

缓解拇囊炎的症状通常包括以下步骤：止痛、消炎，然后采取措施预防复发。

### 常规治疗

医生可能建议使用阿司匹林或其他止痛药，或给予特殊的治疗解除肿胀和炎症。热敷和温足浴也可帮助缓解急性的疼痛和不适，也可用止痛药膏，如辣椒素、辣椒和胡椒提取物。

如果你的拇囊炎不是持续疼痛且发现较早，则穿质量好的合脚的鞋是你需要的所有治疗。大多数医生不主张在鞋中加垫、夹板或其他填塞物，这些会增加脚上的压力从而加重足部问题。

在一些病例中，矫形专家将鞋设计成特殊的形状以解除受累关节上的压力并帮助脚恢复正常的形状。

大多数医生不主张对拇囊炎行手术治疗，因为许多病人仍可有持续不适的感觉。在局部麻醉下，拇囊炎切除术通过切除关节韧带将大拇趾后的趾骨分离。缝线可暂时留在里面保持骨头处在正常的位置，而多余的骨头处可被切除。

### 辅助治疗

各种减轻疼痛和炎症的疗法可有效地用于拇囊炎

**拇 囊 炎**

关节
拇囊炎
滑囊

足部结构的薄弱，尤其由于不合脚的鞋或一些运动所致，可导致大拇趾的大关节脱位，导致结性前突称为拇囊炎。当滑囊，一个充满液体的囊超越关节，发炎和肿胀时，可导致疼痛。

的治疗。

### 体疗

在有些病例,尤其如果骨头已经退化,则 Rolfing 和 Reiki 技术据报道可减轻不适。

### 按摩疗法

专业人员操作可帮助改变变形骨的位置。操作者也可帮助减轻拇囊炎的疼痛,可使患者改变行走的方式。

### 家庭治疗

◆当拇囊炎导致足部疼痛时,热敷或在温水中浸泡可减轻疼痛。

### 预防

因为拇囊炎发展缓慢,故应在童年和成熟早期脚在发育时进行预防,可对以后的人生有益。当你的脚发育时密切观察它的形状,尤其你的家族中出现过脚的问题。锻炼你的脚是有益的,尤其是学习用足趾捡小物品。女性应避免穿高跟或尖头鞋。

## 症 状

◆小的肿块状生长于足底,直径在约 0.5 厘米～6 厘米,有时表面有小的黑点。

◆被抓破时表面有轻微的出血。

◆站立或行走时足底感觉疼痛。

### 出现以下情况应去就医

◆足底疣治疗后,出现红、肿、热、痛,这可能有感染。

◆你不能确定是否有足底疣还是其他情况,如鸡眼、胼胝、痣或皮肤病变,大多数是无害的,但有一些可以癌变。

足底疣较硬,触角样生长于足底,正常行走、站立时因受压使足底感到非常疼痛,像所有疣一样,足底疣是良性的,即使不治疗,最终将消失,但在许多情况下因疼痛才受到注意,呈簇生长在一起的足底疣称为嵌合疣。

## 病 因

足底疣是由于病毒通过皮肤小伤口或磨损感染而引起的,像其他病毒感染一样,足底疣是传染的,而在公共浴池,或游泳池中,足底疣病毒有时在人群中暴发流行,如共享一个体育馆或体育器材,赤脚集体活动,足底疣在儿童中比成人更常见。

## 治 疗

决定如何治疗你的足底疣要根据你对疼痛耐受情况而定,民间的治疗方法是多种多样,但并不是每次只要用一种方法,常用的治疗方法是切除,而其他可选择的一些方法则强调逐渐减轻,不论选择那一种治疗,都不要自己切除,要让医生去治疗或让其自然发展。

### 常规治疗

医生可以首先应用水杨酸药膏去根除痣,大约需要几周才能起效,用液氮烧灼冷冻,外科切除,对严重病例都是非常有效的选择。

# 足底疣

**辅助治疗**

总之，其他可选择治疗则是强调适当营养，因为健康饮食不但可以增加对病毒的免疫力而且有助于肌体消除病毒。

芳香疗法

在10滴苹果汁中加上两滴柠檬油有助于足底疣的根除：每天使用，白天用绷带覆盖，晚上让足底疣暴露。或把一滴茶树油滴在疣的中央，然后用绷带覆盖，如此坚持治疗直到疣消除，大约需几周时间，也可以应用杜松、天竺葵、迷失香油按摩下肢，增强免疫系统。

中药治疗

各种中药治疗都是为了去除疣，无论采用那一种中药治疗，首先要注意保护周围皮肤，每天重复治疗直到疣消失：①早、晚应用蒲公英茎汁。②每天两次在痣滴1～2滴大蒜油。③应用几滴黄雪松——油或酊剂。

营养及饮食

营养不足是疣持续或再发因素之一，富含维生素A的食物，如蛋、鱼、洋葱、大蒜、黄色蔬菜，都有助维持免疫系统，你也可以向营养师咨询有关补充维生素A、复合维生素B、维生素C、维生素E、和锌对肌体的潜在的益处。

预防

避免接触能引起足底疣的病毒，如在公共游泳池、浴池穿的鞋、皮带等，要用消毒的肥皂水彻底清洗你的脚。

# 静脉曲张症

## 症 状

◆ 腿和脚部血管突出呈浅蓝色。

◆ 腿疼痛、触痛，发沉尤其伴踝部和脚部长时间立后肿胀。

◆ 隆起的绳索状，蓝色静脉提示浅表性静脉曲张。

◆ 肢体疼痛和发沉，有时伴肿胀但无突出可见的蓝静脉提示深部静脉曲张。

◆ 变色、脱皮；皮肤溃疡，持续的非间断性疼痛是严重静脉曲张的症状。

## 出现以下情况应去就医

◆ 肿胀变成不可耐受或者曲张静脉上的皮肤易剥落，溃疡形成褪色或者易于出血，可以切除曲张静脉避免进一步发展引起严重的循环系统疾病。

◆ 红色静脉曲张，这可能是静脉炎症状，一种严重的循环系统疾病。

◆ 切伤曲张的静脉。控制出血，积极治疗预防并发症。

**静**脉曲张通常表现为皮下隆起蓝色的条索状静脉，可出现在身体的任何部位，但常累及腿和脚部。可见的肿胀和扭曲的静脉周围有成片的毛细血管出血（称为蜘蛛状静脉），这种症状可见于浅表静脉曲张。尽管血管疼痛和变形，但通常无害。当感染时，出现触痛，并引起血循环障碍，出现踝部肿胀、皮肤瘙痒和感染肢体的疼痛(参见痔疮一节)。

除了表面静脉网外，腿部有一内部或深部静脉网。很少情况下，内部腿静脉曲张，这种深部静脉曲张通常看不到，但常引起肿胀或者整个腿疼痛。深部静脉曲张常是血栓形成的地方。在大腿或盆腔深静脉感染或栓塞性静脉炎可引起肺栓塞，这是一种死亡率很高的疾病。

静脉曲张十分常见，对许多人来说，可能是一种家族特征性疾病。女性的发生率是男性的两倍多。仅仅在美国，10%的成年男人和20%的成年妇女在某种程度上罹患此病，使总发病人数超过2000万人。

# 静脉曲张症

## 病　因

为了使富含氧的血液从肺部循环至身体所有部位，动脉血管具有厚的肌层或弹性组织。为了把血液压回心脏，静脉仅依靠周围肌肉和单向瓣的网络作用。当血流流经静脉时，杯状瓣膜开放允许血流通过，然后关闭防止回流。

曲张是由于血压的慢性增高引起，因而使静脉扩张。当静脉壁向外张开，瓣膜关闭不严，肌肉难以把血液向上推动。因此，血流不是从一个瓣膜到另一瓣膜，而是开始聚集于静脉中，引起静脉压增加和充血，从而引起血管隆起，扭曲变形。由于浅部静脉比深部静脉对其周围肌肉支持更少，更易形成静脉曲张。

任何使腿部或者腹部压力过高的情况均可引起静脉曲张。最常见的原因有怀孕、肥胖和长时间站立。很少情况下，慢性便秘和肿瘤亦可引起静脉曲张。坐办公室的人也易患静脉曲张，因为肌肉处于很差的泵血状态。随着年龄的增长，静脉弹性减退，发生曲张的可能性增加。与公众看法不同的是，交叉双腿坐并不引起静脉曲张，但可加重已曲张的静脉。

## 治　疗

轻微的静脉曲张并不需要医生监护治疗。基本的家庭治疗和其他治疗方法都能减轻静脉曲张引起的不适。

### 常规治疗

浅表性静脉曲张在正常情况下不需治疗，但也不能忽视它。为了减轻不适，医生会建议应用弹力袜，其作用是在踝关节处加压增加腿部肌肉的供血功能。在早晨起床后穿上它，应拉直使各部均匀，在小腿肚和腹股沟感觉不是太紧即可。全天应一直穿着。

为了减轻偶尔出现的肿胀和疼痛，医生会建议应用非处方抗炎药如阿司匹林或布洛芬。如果你注意到曲张静脉周围出现溃疡或褪色，或无明显外部症状的持续疼痛，立即与医生联系，以确定是否为深部静脉曲张。

曲张静脉可通过几种方法去除。蜘蛛状静脉可单用激光去除。轻微的浅静脉曲张可通过硬化剂治疗：硬化剂注射入静脉可使静脉塌陷，所以不再传输血液。较为严重的病例可行外科手术或剥脱术。不幸的是，没有任何疗法可预防新的静脉曲张。在行特殊的治疗前，同皮肤科或血管外科医生讨论所有的选择方案。

### 辅助治疗

在对付静脉曲张时，应双管齐下，既要治疗以解除不适症状又要采取预防措施保持身体健康和强壮。

#### 芳香疗法

可根据你的特殊需要，选择合适的各种油剂。迷迭香油在患处轻轻按摩可引起毛细管扩张增加血循环。鲤精蛋白和洋甘菊油可减轻肿胀和炎症，帮助减轻疼痛。

#### 体疗

规律按摩能明显减轻静脉曲张引起的不适，正规的按摩师会从脚部开始按摩，向上按摩腿部至腕部，并沿着淋巴系统使你的充血组织运动。其他疗法，如反射学和针压术在减轻曲张静脉症状时也很有帮助。

#### 脊柱按压疗法

为治疗静脉曲张，脊柱按摩法应同饮食和生活方式和骨骼系统的理疗一起进行。例如，缓解盆腔紧张的疗法可促进血流和其他液体的循环。

#### 草药疗法

许多中草药在治疗静脉曲张方面有相当长的历史，有些已经过广泛的科学研究。

据报道，中药可增加外周血流和增强血管功能。银杏、山楂和越桔的酊剂和乳膏剂可有益血管减轻炎症，粟子和金雀花可制成茶水饮用。

对与曲张静脉有关的皮肤刺激痛，可试用由榛仁制成的洗剂。为了去除由于纤维蛋白积累使曲张血管变硬和隆起，试着吃更多的辣椒、大蒜、洋葱、姜和菠萝，菠萝中含菠萝蛋白酶，该酶可促进纤维蛋白分解。

#### 水疗法

用冷水浇腿部可减轻浅表静脉曲张引起的疼痛。热水或冷水浴也可缓缓脚和踝部曲张静脉的发展。把脚放入温水中1至2分钟，然后放入冷水中半分钟，然后交替15分钟。也可加芳香油到水中。

# 静脉曲张症

## 静脉瓣膜

瓣膜正常开放　瓣膜正常关闭　瓣膜异常开放　瓣膜异常关闭

静脉瓣的正常开启让血流向心脏，并紧密关闭防止血液返还。当静脉减弱或过大的压力压迫时瓣膜不能正常关闭。血流返回静脉，引起肿胀扭曲。曲张静脉，常为蓝紫色，大多见于皮下，但也在深部组织发生。

### 生活方式

维持你营养和身体的全面健康是预防曲张静脉发生的最基本保证。每天共 30 分钟，每周几次的有氧锻炼可以保持你体重下降，同时滋补和增强静脉功能。如你可早晨慢跑或游泳、骑自行车均可。

### 身心医学

瑜伽功的伸展和放松技术尤其对静脉曲张治疗有益。一些姿式如扶犁式，或半肩着地式可促进血循环，以利腿部血液引流至心脏。深呼吸锻炼也可因使更多氧进入血流而减轻不适。

### 营养及饮食

饮食在静脉曲张的治疗中起着很重要作用。目的在于促进血循环和保持体重合适。过多的脂肪增加水潴留，使腿部和腹部压力增加而加重静脉曲张。为减少身体脂肪，吃含糖、脂肪、盐低而纤维素高的食品。为了促进营养成分吸收和代谢产物排除，应以水果、蔬菜和杂粮为主食，应饮用大量液体，特别是水。

一些维生素和生物类黄酮——在水果和蔬菜中含有的天然物质可以减轻静脉曲张；每天试用 500mg 维生素 C 和 400mg 维生素 E。生物类黄酮因可促进维生素 E 的吸收对静脉曲张也是有益的。在生物类黄酮中芦丁可用来常规治疗静脉曲张。在许多食物如柑橘类水果、杏仁、蓝草梅、黑草梅、樱桃、燕麦等中都富含芦丁。很少为人所知的生物类黄酮、槲斗皮酮在治疗静脉曲张中具有良好前景。你可买生物类黄酮作为营养添加剂。

### 家庭治疗

你可使你的腿部静脉曲张不适减轻。为了减轻痛性肿胀和炎症，要勤休息、穿弹性袜或每天服 1～2 片阿司匹林或安乃近。如你坐时喜欢交叉双腿，最好在踝部交叉而不要在膝部交叉以促进血液循环。最好的方法是休息时把脚抬高，休息时使你的脚高出心脏水平线几英寸以利于重力作用下帮助引流腿部血液至心脏。为了进一步促进循环，妇女应避免穿高跟鞋，代之以平底鞋，衣服也应宽松。

### 预防

◆经常锻炼身体! 健康的身体是保证腿部肌肉有力控制血流和体重保持良好状态的最佳途径。

◆吃低脂肪、低糖和低盐的食品，大量饮水，补充维生素 C 和 E，两者对血管健康很关键。

◆如果你需每天连续步行上班，勤伸展和锻炼腿部促进循环，减少压力。

◆如果吸烟，应戒掉。研究表明，吸烟可增加血压，反过来血压增加可加重静脉曲张。

◆如果身怀有孕，确保左侧卧位而不要平躺，以最大限度减轻子宫对盆腔静脉的压力，该体位也可促进对胎儿的供血。

### 改装你的床

静脉曲张患者在休息或者睡觉时应抬高脚部。你原来如用枕头或砖块抬高或者在床头建一个可调动的滑坡抬高患肢时，应考虑改变一下。通过改装你的床像医院中那种可调节的床后，你可整夜抬高你的脚，也可使你的背部疼痛减轻。另外一种或许更适合家庭的选择是设计良好的木床。木床可以调整大小以适合你的身体，尽可能减小由于与床垫接触引起的曲张血管的疼痛。

双下肢双手部疾病

# 静脉炎

## 症 状

浅静脉炎:

◆下肢可见红色，细胞样的静脉，静脉发硬有压痛，周围组织瘙痒，肿胀。

◆皮下搏动或烧灼感。

◆下垂下肢时有疼痛和沉重感。

深静脉炎:

◆整个受累肢体肿胀，疼痛。

◆发热，皮肤溃疡。

◆早期没有症状。

## 出现以下情况应去就医

◆怀疑你有静脉炎，则需要得到正确诊断和治疗。

◆浅静脉炎症状在 7～10 天内不能消失，可能会发展为更严重疾患。

◆在服用抗凝药时出现异常出血，应调节药物剂量。

◆要注意肿块、高热、整个肢体弥漫性疼痛或肿胀，所有这些都是深静脉炎的表现，可能伴有感染，需要立即医治。

◆如果患有静脉炎和相关感染，应去医院就医。

医生常用"静脉炎"(其意为静脉炎症)这个术语来指一种更特殊的疾病称血栓性静脉炎，包括有血凝块或血栓形成，这些凝块可引起痛疼和刺激，可以部分或完全阻塞病变静脉血流。最常见的静脉为浅静脉炎，发生在近皮肤静脉，特别是下肢静脉，尽管有些烦恼，但它相对来说没什么损害，通常在几天内可以自愈。深静脉炎:可以影响下肢内部静脉，尽管不常见但却很危险。因为较深的静脉比较粗，血凝块变大且更易破碎片到达肺。有深静脉炎患者常不明白这一点，而不进行正规治疗。

## 病 因

有静脉曲张的人易患静脉炎。如手术后，静止不动时间较长，就易受损害。因为血液不能很好流动，血凝块更易形成。老年人也易患此病是因为血流循环问题和血管疾患。

一些感染创伤也可以引起静脉炎，通常以静脉内注

射部位，特别在某一位置反复刺针发生静脉炎。

研究人员发现了一些其他的危险因素，大约 70%静脉炎患者是女性，孕妇和服用避孕药的人易患静脉炎，血液处于高凝状态的人有很高危险性，过度肥胖多坐少动，吸烟也可能与静脉炎有关。

## 治 疗

治疗应根据静脉炎类型来定，浅静脉炎在家中简单治疗即可，而深静脉炎常需要短期住院治疗。如果吸烟应戒掉，因为吸烟可以大大加重血液循环性疾病，用另外一种节育方法替代避孕药可能有助于预防复发。

### 常规治疗

如果你患有静脉炎，医生将通过 X 线检查去确定诊断和确定深静脉是否受累。为了减轻浅静脉炎的症状，医生让你服用阿司匹林减轻炎症，如果医生认为存在感染还要服用抗生素，如果有肿胀，疼痛，则需要穿有弹性长统袜，指别是加压的长统袜能够明显改善血流，对许多患者来说，可以立即和持续减轻症状。

如果患有深静脉炎，则需住院。医生常应用静脉内抗凝药肝素治疗 1 周，把下肢抬高休息。医生也可能让你应用另一种口服的抗凝药:华法令。华法令的作用很

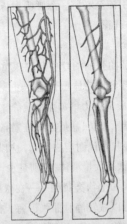

### 不同静脉炎的危险性

静脉炎可发于任何静脉，但常见于下肢静脉，严重性视病变静脉深浅而定。浅静脉炎，炎症和近皮肤静脉血栓，可以有红肿、痛，这种情况比较轻;深静脉炎常无症状，但可有致命并发症。

双下肢双手部疾病

强，你需要注意医生告诉你的那些副作用。

## 辅助治疗

一些其他可选择方法对浅静脉炎有帮助，咨询顺势治疗师或中医，他们将建议你使用针灸治疗或服用中药，这有助于减轻炎症。你也可以尽量增加维生素 E 和 C 的摄入，有助于保持血管良好形态。

### 家庭治疗

对浅静脉炎患者来说，可以在家中做些事情，以减轻不适和加速你的康复。

◆多休息。

◆躺下后，抬高下肢高出心脏水平约 6～12 天，这样有助于下肢静脉回流，或减轻病变对静脉负担。

◆用加热垫或热水袋热敷肿胀部位，如周围皮肤痒，用氧化锌轻拍。

### 注意!

按摩疼痛肌肉可以减轻疼痛这是很自然的，但如有静脉炎要小心。按摩可以使血栓分解，有可能到达肺部，引起危及生命的肺梗塞。如果你忘记了且按摩了疼痛区域，也不必担心，但要防止紧急情况。

## 症 状

◆关节或关节附近的触痛，尤其肩腕或脚后跟(此处称为 Achilles 跟腱炎)等周围或者肘外侧(此处病变称为网球肘)。

◆在一些病例，出现麻木或刺痛。

◆伴有疼痛的关节僵硬，限制了受累关节的运动。

◆偶尔关节轻微肿胀。

◆持续疼痛，肌腱从原来的损伤复发后持续疼痛或很久以后再发。

## 出现以下情况应去就医

◆疼痛 7～10 天无好转，若想避免转变为慢性肌腱炎，或合并其他疾病如滑囊炎，腕关节综合征或静脉炎，应看医生。

◆疼痛很严重并伴有肿胀，可能有肌腱断裂，需立即进行治疗。

肌腱炎是肌腱或肌腱周围组织的一种炎症，肌腱是一束连结肌肉和骨骼，传导肌肉产生的压力的纤维组织。肌腱具有耐受弯曲、伸展和扭曲的功能。但当过度疲劳，纤维撕裂或其他损伤时肌腱会发炎。如果关节的不断运动使损伤进一步发展的话，疼痛会很明显或加重。大多数肌腱炎在大约两周内可以愈合，但慢性肌腱炎可超过 6 周，通常由于患者未给肌腱充分愈合的时间。糖尿痛、关节炎和痛风等疾病均可减缓愈合。

## 病 因

当运动时肌腱过度受压，可引起肌腱发炎。偶尔而非经常运动的周末运动员很少被肌腱痛困扰。最常见的原因是同一关节受同一反复的动作的压迫而引起。不仅仅发生在体育运动，而且在许多类型的办公室工作或其他情况下也可发生。

## 诊断与检查

为排除有骨损伤，医生可能给做 X 线和骨扫描检查。磁共振可帮助确定肌腱损伤的严重程度。

双下肢双手部疾病

# 肌腱炎

## 治 疗

治疗的目的是无疼痛的情况下恢复关节运动，保持周围肌肉的功能，使组织有充分的愈合时间。充分休息是必要的，很快投入引起损伤的运动可引起慢性肌腱炎或肌腱撕裂。

### 常规治疗

对肌腱炎进行紧急治疗，医生和理疗师建议用RICE法 ICRE 步骤，即休息(rest)、冷敷(ice)、热敷患处(compression)和抬高患肢(elevation)。也可用阿司匹林和布洛芬帮助减轻炎症和疼痛。超声和桑那浴疗法可放松肌肉和肌腱，改善血循环，促进愈合。偶尔也可用皮质类固醇激素治疗。

理疗师也可能提出你的运动计划以帮忙在保持附近肌肉群的功能和总体肌力的前提下休息肌腱，只能慢慢地逐渐进行肌腱自身锻炼。你的训练计划可能包括有趣的练习，慢慢增加受伤区域的使用次数，当有疼痛时立即停止。你也可做一些很容易的伸展运动，一日几次。

#### 营养和饮食

补充维生素有益于肌腱炎愈合，每天补充维生素 C1000 毫克，β-胡萝卜素(维生素 A) 10000 国际单位，锌 22.5 毫克，维生素 E400 毫克和硒 50 微克。

#### 家庭治疗

用 RICE 疗法。休息主要是记住不要应用受伤关节，尤其不要做引起关节损伤的动作。如手头无冰袋，可用冷冻蔬菜袋代替。包扎最好用运动绷带包裹于受伤部位，但不要太紧，以免引起疼痛。抬高，是减轻受伤区的血压，是把踝关节放于板登上或抬高肘部放在椅背上。

#### 预防

包括运动前先作准备活动，做动作时要平静、舒展、经常变换运动方式。

---

### 与工作有关的肌腱炎

如果肌腱炎是由于工作时引起的，而又必须继续工作受伤区得不到休息，应向上级要求改变一下工种。你也可以让一位人类工程学专家现场观察，他可分析你工作时状况并提出变动意见。工作前后试着伸展一下身躯，每小时都用 5~10 分钟休息一下受伤的区域，工作时不要再累及受伤部位。

---

### 注意!

如果你曾有中风或患有循环系统病、糖尿病或心脏病，在你咨询医生前不要按摩和冷、热敷。

# 滑囊炎

## 症 状

- 肩、肘、髋、膝或手、足关节疼痛,发炎和肿胀,尤其在运动、提物时伸展、紧张或其他使关节超过正常局限时。
- 关节活动受限,伴或不伴即刻的疼痛。

### 出现以下情况应去就医

- 关节疼痛持续超过几天,你可能患肌腱炎,韧带或肌腱的损伤,或是关节炎的症状。

在服用处方的止痛或抗炎药后仍持续肿胀;你需要医生在受累关节作引流或接受肾上腺皮质激素治疗。

无论在哪当你的骨、肌腱和韧带相互碰撞时,尤其在关节附近,接触点都会被一个小的充满液体的囊,称为粘液囊所缓冲。通过减小摩擦,你身体中超过150个粘液囊每个都可帮助关节在整个自然运动范围内光滑地运动。

当关节使用过度,或当它在很长的一段时间内受压或紧张时,附近的粘液囊可能发炎。囊中充满过多的液体,给周围的组织造成压力。即刻出现的症状是疼痛,常伴有发炎、肿胀和局部压痛。

滑囊炎最常见累及的部位之一是肩,它是所有身体主要关节中活动范围最大的。疼痛一般感觉在肩周围的外上方。滑囊炎所引起的不适容易在一夜睡眠后加重,而在一些正常活动后症状消退。其他易患滑囊炎的部位是肘、髋和膝。

滑囊炎与剧烈活动有关,尤其易见于体力劳动者和运动员中,同样易见于其他做案头工作的人中,由于他们工作时身体受到活动的限制。如果你试图"去除"疼痛,这并不是个好主意。慢性滑囊炎不进行治疗,可导致正常软组织中形成钙沉积,有时可导致受累关节活动永久性挛缩。

## 病 因

滑囊炎的急性原因,典型的是关节扭伤或关节受压,导致粘液囊发炎、专业和业余运动员产生肩部滑囊炎的原因是相似的,均来自跑步、投掷、跳蹦、或打网球时手臂过度摇摆、棒球和保龄球。提重物、反复运动、或在非正常位置做过度伸展的活动也可导致滑囊炎的发作。

## 治 疗

即使滑囊炎一般可在数天或数周内消散,但你也必须采取措施以避免今后扭伤或损伤。

### 常规治疗

最初的典型治疗包括:阿司匹林或买到非甾体抗炎药。这些止痛药也可用于减轻炎症。热疗和超声可帮助放松关节和促进组织修复。

**透热疗法(深部热疗)**

在运动学医师的指导下,或在有许可行医证的内科治疗师、教师的指导下可行透热疗法,它不仅可以减轻滑囊炎所致的不适和炎症,而且可松弛紧张的肌肉、神经和肌腱。

滑囊炎可复发,尤其如果你经常从事剧烈运动或体力劳动。在这些病例中,医生可能给予肾上腺皮质激素疗法,应用的方式包括有口服、表面涂油或是受累关节内注射。在严重的病例,发炎和肿胀的滑囊引流可能是必要的。合并皮下注射药物以缓解压力。对于持续存在的疾病,粘液囊可行手术切除。

### 辅助治疗

滑囊炎经休息可望自愈,疼痛和炎症可通过各种治疗缓解。

**针灸治疗**

由受过培训的针刺治疗师进行治疗可很快使滑囊炎所致的疼痛缓解。

**体疗**

关节受损或扭伤需要休息和制动以帮助自愈。在短期内,受累区域的按摩可刺激血液循环并松弛周围的肌肉。在最初的治疗后,锻炼—如瑜伽—是一种长期的练习方法——可使受累关节松弛和强壮。

**按摩**

接着常规的止痛治疗,按摩疗法可运用松动术来恢复关节的活动范围。

# 滑囊炎

### 营养及饮食

维生素 C(抗坏血酸)、维生素 A 和锌可用来形成组织的胶原蛋白,并修复受损的肌腱和粘液囊组织。富含维生素 C 的食物是柑桔类水果和西红柿;鳕的肝油是富含维生素 A 的食品。另外,维生素被认为对促进受损组织的恢复非常有效。遵照营养医师的建议来决定服用维生素的剂量和时间。另有一种方法,据报道对复发病例有帮助,包括维生素 $B_{12}$ 的注射,此应由专业护理医师来操作。

### 预防

在剧烈运动前使身体热起来而过后冷却,是避免滑囊炎和其他骨、肌肉和韧带受损伤最有效的方法。

# 手腕疼痛

| 症　状 | 疾　病 | 应采取的措施 | 其他信息 |
|---|---|---|---|
| ◆腕部或指关节痛性肿胀、僵硬，可伴有寒颤或发热；腕或指很热。 | ◆关节本身发炎（关节炎或痛风）或滑膜囊（包绕关节周围并存在润滑液的囊性结构）发炎（滑膜囊炎）。 | ◆使用非甾体类抗炎药或阿司匹林，减轻疼痛及肿胀。经休息，滑膜囊炎可在几天内自愈。如果你患有痛风，应该请医生进行治疗，不治的话会造成肾脏损害。 | ◆如果你避免摄入酒精、咖啡因、咖啡（经常喝的含有咖啡因的饮料）以及含有嘌呤的食物，痛风症状可在1周内消失。 |
| ◆当你弯曲手指或进行某一方式的手部活动时，出现腕及手指的疼痛，无其他症状。 | ◆腱炎。 | ◆采用RZCE法治疗：即休息、冷敷、局部热敷及抬高肢体（参见肌腱炎一节）。必要时可服用阿司匹林或布洛芬止痛。如果疼痛在1周左右仍不缓解，你应该去看医生。 | ◆通常炎症是由反复紧张性活动或关节过度劳累所致。 |
| ◆手部麻木、麻刺感、无力或烧灼感。腕部疼痛，可扩展到前臂和（或）手掌。握拳困难等症状在夜间加重。 | ◆腕管综合征。 | ◆使用非甾体类抗炎药或阿司匹林，减轻疼痛。工作时，进行短暂休息：手部进行缓慢地环绕腕关节的旋转运动，约2分钟，然后进行握拳—伸指运动，重复20遍。 | ◆症状是由肿胀的肌腱压迫经腕进入手部的正中神经所致。在夜间带上软的腕部夹板，有助于减轻压力，缓解疼痛。 |
| ◆受伤后出现腕或手部的剧烈疼痛，可伴有肿胀、畸形、颜色发青或僵硬。 | ◆可能是韧带扭伤、肌肉或肌腱劳损或骨折。 | ◆损伤后48~78小时内，进行RZCE治疗：休息、冷敷、热敷及抬高肢体。参见"扭伤和拉伤"一节。如果疼痛严重，或不能活动腕及手部，或不能抬任何东西，你应立即去看医生。参见"骨折和脱位"一节。 | |
| ◆腕、指关节疼痛、红肿、体温很快升高达38℃，有一般生病的感觉。 | ◆骨感染（骨髓炎）或关节感染（感染性关节炎）。 | ◆你应该立即去看医生。如果不用抗生素治疗，感染性关节炎可能会导致永久性的关节僵硬。应对骨髓炎引起的关节疼痛采取制动措施（有时用简型石膏夹固定关节）。如果已形成脓肿，需进行手术排脓治疗。 | ◆骨髓炎在成长中的儿童（12岁以下）中最为多见。 |
| ◆链球菌感染（如链球菌感染性咽炎）后几天或6星期内出现关节（包括腕、指或其他关节）红肿、疼痛，可伴有发热，体温可高达38℃以上。 | ◆风湿热。 | ◆你应该立即去看医生。你至少需要卧床休息5星期，并使用抗生素治疗。早期治疗是避免出现致命性心脏损害的关键。 | ◆为了防止复发，医生会让你使用5年或5年以上的抗生素。你必需对自己出现的每一次咽喉痛或感染加以警惕，并给予及时治疗。 |

双下肢双手部疾病

# 腕管综合征

## 症 状

◆通常是拇指和前三指感到刺痛及麻木。

◆腕、前臂有时会延伸到肩、颈、胸或足的刺痛。

◆握举或持重物件困难。

◆有时皮肤干燥指甲变坏。

## 出现以下情况应去就医

◆摔伤或其他外伤之后，你感到腕、手或手指疼痛，你可能有骨折。

◆你的手或手指感觉疼痛、僵硬，特别是关节肿胀，你可能是患了某种关节炎。

◆你的手和手指的皮肤变得苍白，又变成浅红，尤其是在寒冷季节，你可能处于雷诺综合征的早期。

◆晚上，手和手指疼痛加重，这指示迟发糖尿病

**腕**管综合征是拇指和其他手指，有时累及腕、肘及其他关节的疼痛及功能障碍的一种疾病。医生又称它为累积损伤功能障碍，职业性神经炎，重复紧张性损伤或过度使用损伤。受累关节，较典型的是手指，尤其是发生在日常工作之后，或当你准备入睡或醒来时，出现刺痛、麻木，这是一种危险信号。

置之不理，症状会进展，出现持续性疼痛，及其他部位和手、臂的疼痛，腕管综合征最终会导致无法用手用正常方法握紧东西，如果你的双足、踝及小腿同样感到刺痛及麻木，此称为岂管综合征。

许多人认为腕管综合征随计算机键盘而产生，事实上，腕管及其他主要神经传导的损伤由来已久，但那么多手指在敲击键盘，致使问题更加广泛化。任何重复性手工操作均可产生同样症状。

腕管综合征和其他重复性紧张性损伤更多见于中年人，女人较男人更易受累，尤其是当女人过度肥胖、怀孕或绝经时，不管病因是系统性的或重复性紧张的结果，如果能尽早发现，腕管及岂管的多数损伤还是能避免及完全纠正的。对于重复性紧张导致损伤的患者来说，停止或更换这些导致不适的活动至关重要。否则会导致手腕及身体其他部位的神经及肌肉会永久的不可逆转地损伤。

## 病 因

重复紧张性损伤会发生于任何长期从事稳定的手头工作的人，他们的工作需要反复的握持、转换及弯曲，尤其是有的工作需要重复的弯曲或反复振动。如果指尖敲击或操纵一个力量大的工具，更可能发生。不管是伏案工作，长距离地驾驶或桌边扶持，紧张的手、臂、颈的姿势会加重潜在的损伤。

许多运动可引起重复紧张性损伤，如划船、高尔夫球、网球、高山滑雪、射箭、竞赛性射击及攀岩等一系列活动，均可使手及腕关节紧张。损伤和疾病如扭伤、白血病、风湿性关节炎会引起软组织肿胀或软组织压迫神经，会引起紧迫性损伤。糖尿病、甲状腺疾病和其他系统性功能异常，由于可致液体蓄积，并有时伴随妊娠，压迫神经可导致不适。一些权威人士认为吡哆醇（维生素$B_6$）的缺乏也可导致这些症状。

### 诊断与检查

医生检查可发现手及臂的肿胀、炎症、虚弱、反射降低及活动受限。拇指、食指、中指、环指内侧可能感到麻木，小指通常不受累，提纳试验包括敲打腕的前端，在重复性紧张损伤病人会导致前臂的麻木。

证明重复性紧张性损伤的典型试验是费伦腕柔韧性试验，有时也称反向祈祷者试验。将两手背靠背并拢，指甲相互接触会诱使患者出现刺痛，还可以通过在前臂用血压计袖带充气至收缩压水平，这样加压后会引起疼痛及麻木，为发现潜在的关节内畸形。医生会建议行 X 线、磁共振检查和神经传导速度试验及机电图检查。

## 治 疗

对麻木及刺痛本能的反应是将手下垂至体侧并振动腕和手指，这种自然而然的反应，通常马上能减轻症状，如果症状只能是偶然发生，可能这样做就足够了。但如果你继续进行那些可导致刺痛及麻木的活动，症状会进展，会导致受累神经永久性损伤，下面的治疗包括保守及积极治疗，会防止、对抗或治愈该损伤。

# 腕管综合征

医生会建议休息、冷浴、冷敷，教你如何使用夹板——特别使你的手腕在睡眠时避免打弯，你可以需要用1~2周的夹板。正常情况下，不会影响手的活动。有些情况下，医生建议你停止进行手或手指工作，直至症状消除。你在工作时应改变手的姿势，在计算机键盘使用腕的支撑，经常休息减少紧张，经常做手及臂的运动，医生也会建议你治疗关节炎、过度肥胖及其他相关疾病。

为减轻长期疼痛，医生会开出阿司匹林和其他非甾类抗炎药或布洛芬、可的松霜及其他可长期备用的镇痛药，可减轻疼痛，对有时伴随的皮肤干燥及指甲变坏有效。在严重的病例中，注射用可的松会减轻炎症。若症状发生在孕期或与过度肥胖有关，你会得到利尿剂以清除软组织中过多的液体。

为重塑健康及恢复正常运动，你需要进行理疗，包括深部软组织按摩、牵拉、轻度范围内的意向运动。为激活体内的自身疼痛消除系统，医生会建议你使用自我调控的通过电神经刺激的装置，它可发生低强度电脑冲刺激受累区域。

如果你的腕管综合征延续或间断发作持续1年以上，或你的神经刺痛并感觉异常，则需要更积极一些的医疗介入治疗。有些情况下，你的前臂及手需要石膏模型内制动几周，最后一招是用外科手术，为神经解除压迫，并去除瘢痕组织。尽管对于病人，手术通常是一个治疗过程，但恢复期长达几周或1个月以上。

该病非传统的治疗是消炎，休息患腕，并首先纠正导致该病的习惯动作。

### 针灸治疗

针灸可通过刺激健康循环，来缓和神经并释放肌体自身消除疼痛因子，以减轻疼痛症状。除了在疼痛的腕周围进针之外，有经验的针灸大夫可能会对后背、肩部及颈进行处理，中药可辅助针灸疗法。

### 体疗

理疗医生可能提供综合按摩、水疗、低水平电刺激和超声波的疗法来减轻炎症及水肿。按摩及超声可刺激

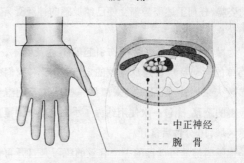

## 腕 部

中正神经
腕骨

手腕是一个复杂脆弱的连接部，正中神经——从前臂行至指端，控制手指及拇指的运动——从由腕骨及一层坚韧的韧带形成的管道中穿过，如果正中神经被压迫或刺激，那么你的手指会感到麻木或刺激痛，且你的手可能失去感觉。

血液循环，放松肌肉，减少紧张，不仅针对受累区域还影响到全身。

强壮手及腕部活动，对防止进一步紧张性损伤有用，如果损伤是由于重复性紧张所致，在工作开始之前，进行几分钟热身练习，整个工作日内经常进行放松练习，都会起正面保护作用。

### 捏脊

传统捏脊疗法超出腕关节本身，着眼于调整颈及背的脊柱，保持正常神经功能，一些捏脊者也纠正腕关节功能并建议进行超声波、按摩及营养疗法。

### 营养及饮食

据报道，每天服用800国际单位的维生素后可减轻组织炎症，补充维生素C1000毫克对组织修复有益，维生素 $B_6$ 或吡哆醇据报道可减轻组织炎症，加速血液循环，并轻度利尿，由于高蛋白饮食抑制维生素 $B_6$ 吸收，减少蛋白摄入，开始每天食用500毫克并试用复合维生素B，症状会在1个月内减轻。

应减少糖类及通常的甜食的摄入量，因为含有精加工糖类的饮食后减弱肌体抗炎能力。

### 整骨术

整骨医生操纵关节及周围软组织，以促进血循环及神经功能，可能同药物一样有效。

### 瑜伽

如果患上了腕管综合征及其他紧张相关疾病，帮助

# 腕管综合征

颈及后背休息的瑜伽功可行。避免手及颈直立及臂弯曲的姿势，任何上述姿势都会使已经敏感的神经受害。

### 家庭治疗

为减少重复性紧张性损伤引起的不适及麻木，一些简单的运动及冷敷是最有效的定点治疗。对我们中大多数人来说，冷敷最快的来源是一些冰块及用湿毛巾包裹的蔬菜。冷包一次使用约为 1 小时，10 分钟覆盖受累区域，10 分钟后拿开。

你随时随地可以做的一个有效的练习是打开再合拢你的双手，做几次或更多。其他快速的手操有：

◆将手掌相对，相互按压指压 20 次，放松后重复。

◆将手置于脑后，以肘关节为顺时针画圈 20 秒，然后逆时针重复。

◆用弹力或泡沫橡皮握力器加强手及前臂肌力。

有些发现赤足行走尽可能减手腕管综合征症状并有助于防止再发。

### 预防

在正常的活动中，手的自然姿势是直的，或腕部轻度弯曲。拇指多少与前臂成一条直线，手腕向前后方弯曲时间过长可压迫腕管，因此在工作中尽可能保持手腕直立。

如果你的工作要求手及手指反复工作，每小时都应休息片刻并活动手。如果你用键盘工作，使用一个腕托防止不自然的弯曲，使桌椅高度符合你的身材。

室内建筑及设计者现在认识到人类工程的质量水平不仅对家庭和工作地点的舒适至关重要，而且良好的居住条件能保持居住者良好的状态。幸运的是，人类工程学的设计和实施正在步入我们的生活。

最后，一旦出现腕管综合征症状，不要带病工作，应该得到职业的诊断并听从医生的建议。

# 指甲疾病

| 症 状 | 疾 病 | 应采取的措施 | 其他信息 |
|---|---|---|---|
| ◆过度洗手或修剪指甲引起裂、碎和/或弯曲。 | ◆可能是对肥皂的过敏反应,甲磨光或其他。 | ◆如过敏,停止使用甲紫胶漆、磨光或粘结剂(对假甲),如果问题清楚去看医生。 | ◆醋酸甲磨光去除器较丙酮甲磨光去除器对皮肤的刺激小。 |
| ◆甲变得苍白、匙形或形或一条暂时沟。 | ◆贫血;损害甲床(表皮下的甲形或区)。 | ◆同你的医生商量,你可能仅需要增加钙摄入,但需要其他医疗。 | ◆相信你的医生对维生素 $B_{12}$ 和铁缺乏的化验。 |
| ◆裂开的、加厚的和变色的指甲伴随通常开始于第四与第五趾之间的发痒的鳞屑疹。 | ◆脚气。 | ◆用非处方抗真菌药。洗后彻底晾干你的脚并定期更换袜子和鞋。 | ◆一个持续的或复发的病例为了更进一步的治疗需要去看医生。 |
| ◆黑下斑点,尤其是在指甲上;甲床上兰灰色点伴有手指或在末端弯曲的甲(也叫杆状指)。 | ◆可能有严重的细菌感染。 | ◆立即叫你的医生。 | ◆杆状指是心脏病的一个晚期的而不是一个早期的体征。 |
| ◆黑色斑点,尤其是在指甲上,甲床上兰灰色点伴有手指或在末端弯曲的甲(也叫杆状指)。 | ◆可能是心脏瓣膜或其他心脏问题。 | ◆看心脏病。如果你猜测有心脏病不要延误,叫你的医生。 | ◆在温盐水中或金盏花液中浸泡受侵袭的脚,使甲软化并易于从甲褶拔出。 |
| ◆甲长入甲床侧面引起炎症,最常见于大趾,尤其见于穿窄而紧鞋的妇女。 | ◆向内长的甲。 | ◆修剪额外的甲。放一条细的无菌棉线在甲的拐角下然后提离皮肤直至它长出。 | ◆偶然一个甲间炎的病例是由白色念珠菌引起,所以妇女应该检查有无阴道炎或真菌感染。 |
| ◆肿胀、发红、疼痛的表皮或甲褶(在甲的侧面);当按压时表皮可能从底部提起并分泌脓。 | ◆甲沟炎(靠近甲的组织感染)。 | ◆为了抗菌或抗真菌治疗,请看你的医生。 | ◆锌或维生素 $B_6$ 最可能缺乏。 |
| ◆轻微撞击后甲上的白点见于一个或更多甲。 | ◆不严重的身体创伤;维生素或矿物质缺乏。 | ◆对轻微甲挫伤无需治疗。若受侵袭的甲或正常甲无创伤,增加维生素和矿物质的摄入。 | |
| ◆难于剪的加厚的甲。 | ◆循环问题,可能与动脉粥样硬化或糖尿病有关。 | ◆看左边列举的登记。 | |

双下肢双手部疾病。

# 雷诺氏综合征

## 症 状

◆当温度轻度下降时，例如走入空调房间时出现手指、也可能是足趾突然发凉、麻木或针刺感，同样的症状也可由情绪紧张所诱发。

◆手指颜色戏剧性变化：最初变冷时，手指变白，然后变蓝；当温度升高时，又迅速变红，并可能不舒适地跳动。

## 出现以下情况应去就医

◆雷诺氏病发病期加重，手指或足趾不可逆损伤——例如感觉丧失——可见于严重病例。

◆你的手指或足趾皮肤溃疡，酸痛或颜色改变。这些征象暗示肢体缺血严重。在少见病例中，可导致坏疽。

诺氏综合征，累及 1/20 的美国人，是一种肢体血管循环障碍。当温度降低时，这些血管收缩是一种正常生理反应，以帮助肌体保温。雷诺氏综合征，命名于一个世纪前，首次描述这种病况的法国医生就是雷诺，此病是肢体神经受体对刺激过度敏感所致。甚至当轻度温度降低——也许仅仅相当当开冰箱门时的微冷——即可导致手指小动脉痉挛性关闭（有时在足趾）。典型的手指变白，然后变蓝，然后变红，表明从血液缺乏到局限少量血液到血管突然扩张所致氧合血液充盈的过程。发作期很短，通常仅持续几分钟。

这个综合征有两种类型。大约 90% 的病例属于雷诺氏病或原发性雷诺氏病——种独立的与其他疾病不相关的疾病。它多见于妇女，且于 40 岁以前发病。其余 10% 为雷诺氏现象或继发性雷诺氏病。这种现象，多见于老年，与其他疾病相关——例如一个潜在的疾病或长期使用震动的工具如电锯或手提钻。

对于大多数患者，雷诺氏综合征是一个轻微的但却令人厌烦的疾病。通常，它最严重的后果是受累肢体的感觉丧失。在很少见的情况下，严重病例可导致组织坏死和坏疽。

## 病 因

雷诺氏病的潜在病因不清。它大多影响女性，男性病例仅占 1/5，它不被认为是一种遗传疾病，但它多影响家庭中多个成员。

雷诺氏现象有多种原因，包括结缔组织疾病如硬皮病、类风湿性关节炎和红斑狼疮；接触特殊化学品和药物，如 β-受体阻断剂（常用于治疗高血压）或麦角胺（常用于治疗偏头痛）和使用震动工具。

## 治 疗

减轻雷诺氏病在于改善循环，某些锻炼可以帮助改善肢体血供，但是放松练习亦有帮助。当然避免诱因——如寒冷或尼古丁——将减少发病。

### 常规治疗

对于大多数人来说，雷诺氏综合征不需要长期治疗。如果发作频繁或发作严重，可试用钙拮抗剂或其他药物——例如转化酶抑制剂，但许多人发现药物无效。一种简单的锻炼——使你的手臂像风车一样旋转——可使血液流向肢体，可能与药物治疗同样有效。

### 辅助治疗

#### 中药治疗

最常用于治疗雷诺氏综合征的中草药是芍药、当归，可能对下肢发凉有效。请向专家请教服药剂量。

#### 营养及饮食

食谱的简单变换，服用更多的维生素 E、镁和鱼油可有助于减轻手指和足趾的血管痉挛。水果、蔬菜、食用种仁和坚果包含维生素 E，坚果、深绿叶蔬菜、鱼和豆类含有镁。

#### 家庭治疗

练习手指抵御寒冷。先在温暖的房间中，将手放入温水中 5 分钟，然后移入一寒冷的房间或到室外，再次将手放入温水中放置 10 分钟。每天重复这个过程数次。最终，这将形成一个与正常相反的反射：当接触冷环境时，手指血管扩张而不是收缩。

避免服用包括尼古丁、咖啡因、避孕药和大多数非处方抗凝剂，致冷药物或减肥药。

尽快治疗手指或足趾的感染。否则会有问题。

#### 预防

保持在家中和办公室中温暖。外出注意保暖。

双下肢双手部疾病

# 附录：人体各部解剖图

## 肌肉系统

肌肉是平行的交织纤维束。对来自神经的信号发生反应性收缩。被命名的 600 多块肌肉，长度可小至不足 1/4 英寸，长的可达 1 英寸。有三种主要类型肌肉。横纹肌，固定于骨骼、韧带、肌腱和其他肌肉完成随意运动。平滑肌，见于如膀胱、肠管和血管等中空器官，帮助消化、循环和完成其他不随意功能。心肌是一类的骨骼肌的横纹肌，但其收缩不受意识控制。一些肌肉，包括手部肌肉主管快速收缩和松弛。而其他的如背部和颈部主管姿势的肌肉，可完成在较长一段时间内收缩。

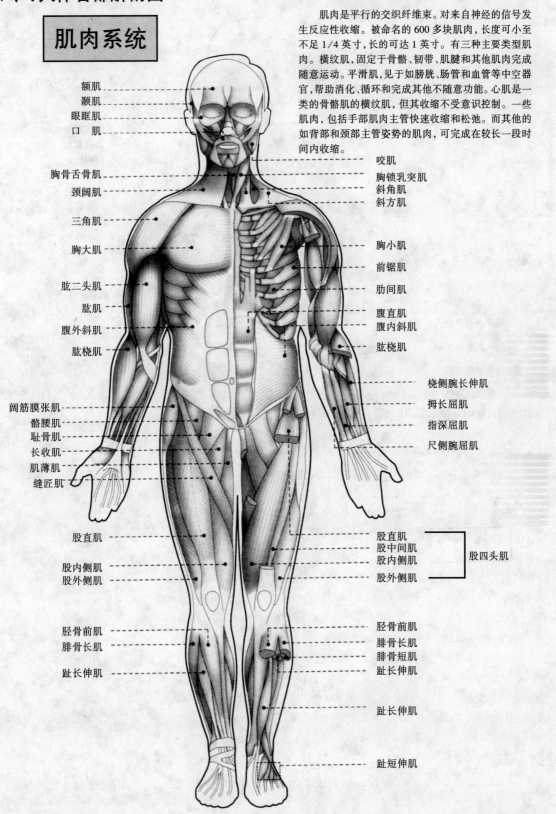

额肌
颞肌
眼眶肌
口肌

胸骨舌骨肌
颈阔肌

三角肌

胸大肌

肱二头肌
肱肌
腹外斜肌
肱桡肌

阔筋膜张肌
髂腰肌
耻骨肌
长收肌
肌薄肌
缝匠肌

股直肌

股内侧肌
股外侧肌

胫骨前肌
腓骨长肌

趾长伸肌

咬肌
胸锁乳突肌
斜角肌
斜方肌

胸小肌

前锯肌

肋间肌

腹直肌
腹内斜肌

肱桡肌

桡侧腕长伸肌
拇长屈肌

指深屈肌

尺侧腕屈肌

股直肌
股中间肌
股内侧肌
股外侧肌 | 股四头肌

胫骨前肌
腓骨长肌
腓骨短肌
趾长伸肌

趾长伸肌

趾短伸肌

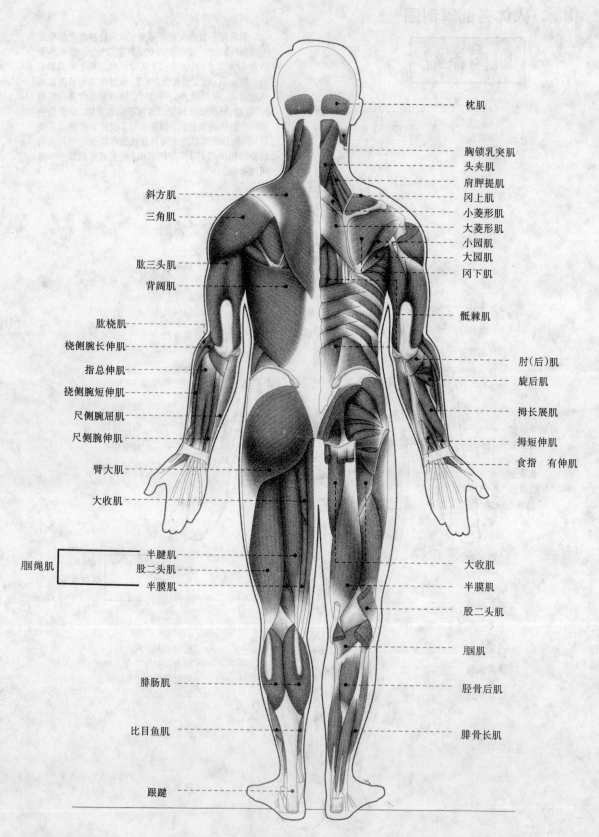

枕肌

胸锁乳突肌
头夹肌
肩胛提肌
冈上肌
小菱形肌
大菱形肌
小园肌
大园肌
冈下肌

骶棘肌

肘(后)肌
旋后肌

拇长展肌

拇短伸肌

食指 有伸肌

大收肌

半膜肌

股二头肌

腘肌

胫骨后肌

腓骨长肌

斜方肌
三角肌

肱三头肌
背阔肌

肱桡肌
桡侧腕长伸肌
指总伸肌
挠侧腕短伸肌
尺侧腕屈肌
尺侧腕伸肌
臂大肌
大收肌

腘绳肌

半腱肌
股二头肌
半膜肌

腓肠肌

比目鱼肌

跟踺

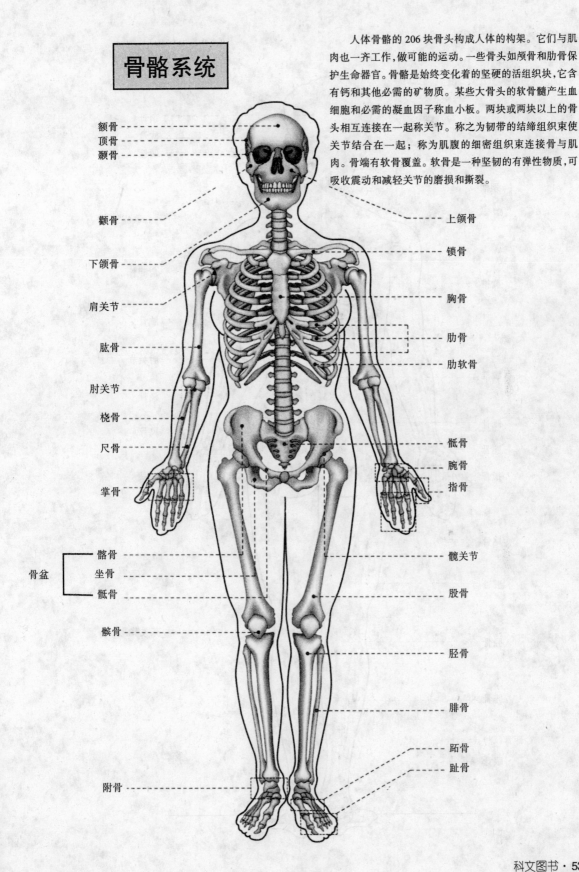

# 骨骼系统

人体骨骼的 206 块骨头构成人体的构架。它们与肌肉也一齐工作，做可能的运动。一些骨头如颅骨和肋骨保护生命器官。骨骼是始终变化着的坚硬的活组织块，它含有钙和其他必需的矿物质。某些大骨头的软骨髓产生血细胞和必需的凝血因子称血小板。两块或两块以上的骨头相互连接在一起称关节。称之为韧带的结缔组织束使关节结合在一起；称为肌腹的细密组织束连接骨与肌肉。骨端有软骨覆盖。软骨是一种坚韧的有弹性物质，可吸收震动和减轻关节的磨损和撕裂。

额骨
顶骨
颞骨

颧骨

下颌骨

肩关节

肱骨

肘关节

桡骨

尺骨

掌骨

上颌骨

锁骨

胸骨

肋骨

肋软骨

骶骨

腕骨

指骨

骨盆 — 髂骨
坐骨
骶骨

髋关节

股骨

髌骨

胫骨

腓骨

跗骨

跖骨

趾骨

附骨

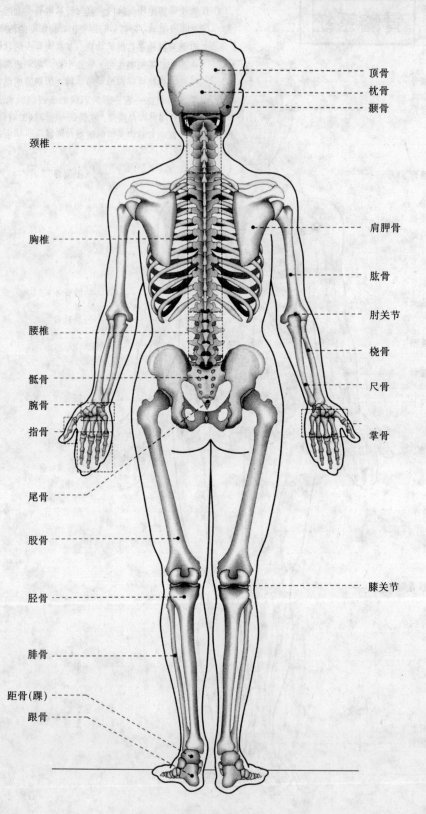

顶骨

枕骨

颞骨

颈椎

胸椎

腰椎

骶骨

腕骨

指骨

尾骨

股骨

胫骨

腓骨

距骨(踝)

跟骨

肩胛骨

肱骨

肘关节

桡骨

尺骨

掌骨

膝关节

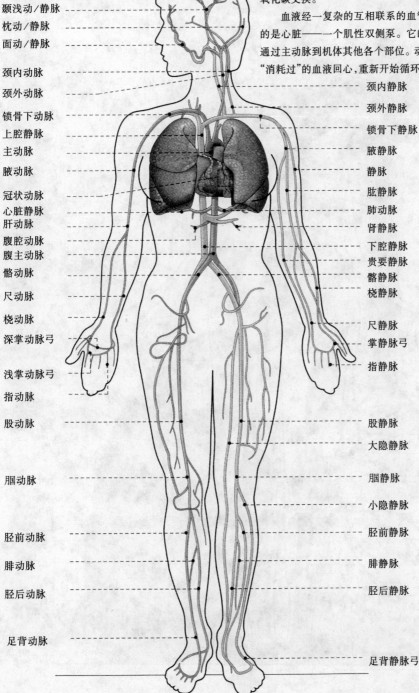

# 循环系统

为机体输送氧气燃料，运走 $CO_2$ 废物这一维持生命所必需的工作有赖呼吸和循环系统两者之间的紧密联系。两者之间真正接触点位于肺内深层，此处气道和微小血管相接。进入鼻和口腔的空气向下经喉部到气管，再经气管的分支称之为支气管小支气管到肺。气道进一步分支分成几百万个薄壁夹称为肺泡。在肺泡，吸入的空气与周围的毛细血管网密切接触，使血液通过弥散使氧与二氧化碳交换。

血液经一复杂的互相联系的血管网流经全身。驱动这一系统的是心脏——一个肌性双侧泵。它的节律性收缩推动血液到肺和通过主动脉到机体其他各个部位。动脉携带血液离开心脏；静脉将"消耗过"的血液回心，重新开始循环。

颞浅动/静脉

枕动/静脉

面动/静脉

颈内动脉

颈外动脉

锁骨下动脉

上腔静脉

主动脉

腋动脉

冠状动脉

心脏静脉

肝动脉

腹腔动脉

腹主动脉

髂动脉

尺动脉

桡动脉

深掌动脉弓

浅掌动脉弓

指动脉

股动脉

腘动脉

胫前动脉

腓动脉

胫后动脉

足背动脉

颈内静脉

颈外静脉

锁骨下静脉

腋静脉

静脉

肱静脉

肺动脉

肾静脉

下腔静脉

贵要静脉

髂静脉

桡静脉

尺静脉

掌静脉弓

指静脉

股静脉

大隐静脉

腘静脉

小隐静脉

胫前静脉

腓静脉

胫后静脉

足背静脉弓

# 呼吸系统

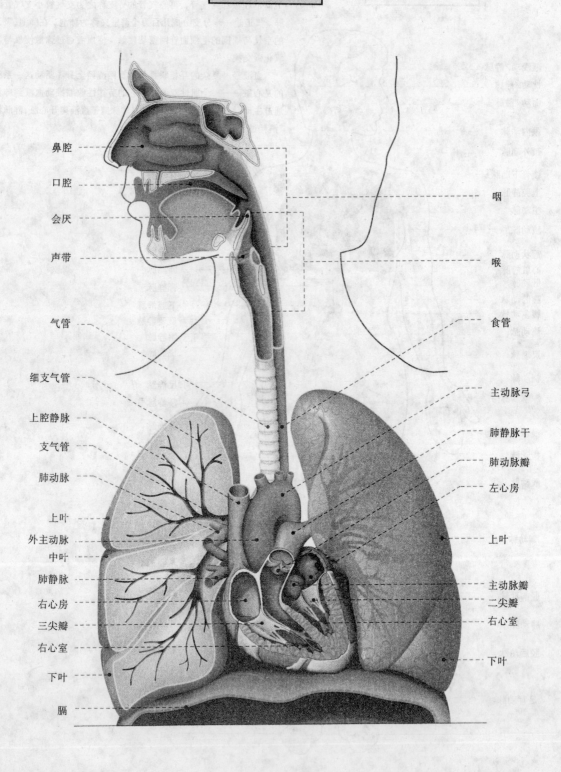

鼻腔

口腔

会厌

声带

气管

细支气管

上腔静脉

支气管

肺动脉

上叶

外主动脉

中叶

肺静脉

右心房

三尖瓣

右心室

下叶

膈

咽

喉

食管

主动脉弓

肺静脉干

肺动脉瓣

左心房

上叶

主动脉瓣

二尖瓣

右心室

下叶

# 泌尿生殖系统　女性

　　男性与女性的泌尿系统基本结构是相同的。肾脏起过滤作用,洁净血液和吸收必不可少的液体回到血流。废物通过输尿管排到膀胱暂时贮存,然后经尿道排出体外。

　　女性生殖系统,卵巢将成熟的卵排到输卵管。若一个卵子与精细胞结合受精,则被运送到子宫,在子宫着床,在那里发育成胎儿。阴道为精子进入的通道和分娩时婴儿产道。假如卵子没有受精,则子宫在称之为月经的过程中脱落其内膜。

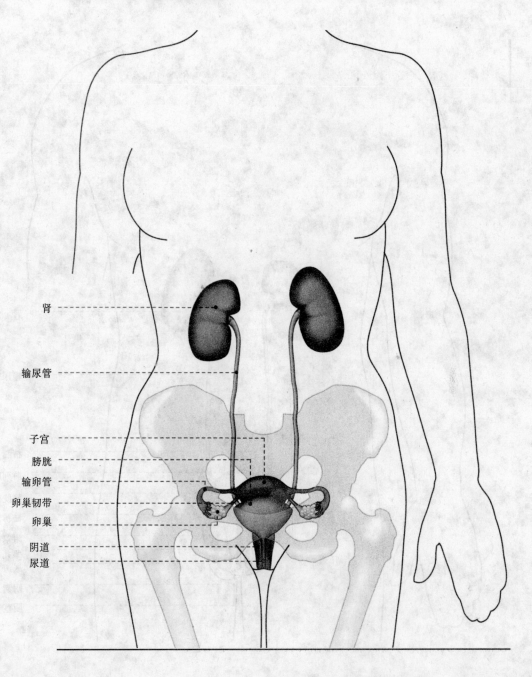

肾

输尿管

子宫
膀胱
输卵管
卵巢韧带
卵巢
阴道
尿道

# 泌尿生殖系统 男性

　　男性泌尿系统与女性唯一差别是尿道也起着生殖系统作用，提供精子的通道。精细胞在睾丸产生，睾丸悬在腹腔外侧，阴囊内（体内温度对精子产生来说太高）。从睾丸起，精子进入管道系统，并与一些附属腺体，最值得注意的是前列腺的分泌物混合而形成一种称之为精液的液体。当男子受性刺激后，血液急速流到阴茎，充满一排海绵体，使阴茎直立勃起。位于阴茎底部的肌肉收缩引起射精，经尿道，精液突然排出。

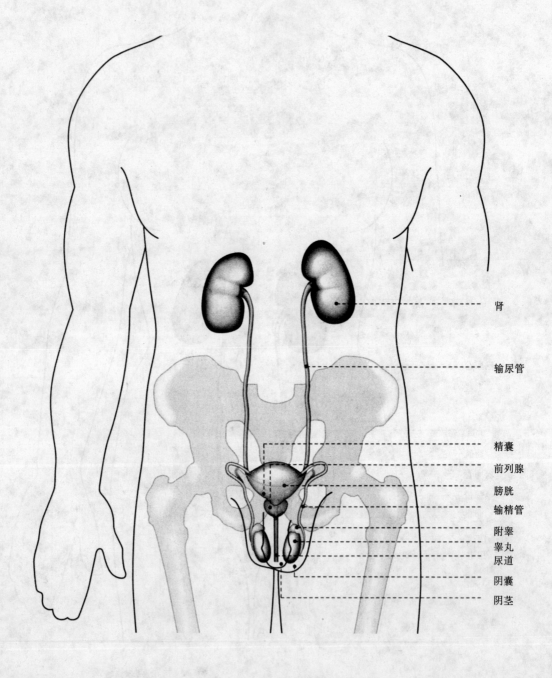

肾

输尿管

精囊
前列腺
膀胱
输精管
附睾
睾丸
尿道
阴囊
阴茎

# 神经系统

神经系统通过化学的和电脉冲的一种复杂"语言"调节运动、思维、情绪、感觉和许多关键的机体功能。信号在两个神经细胞或称为神经元之间传递。神经元常常端端连接形成纤维性结构称为神经。在周缘神经系统，神经从全身感觉的接受器接受冲动，然后将这些信息传到脊髓和脑。脑内神经元将这些大量信息进行加工，发布命令性信息作为反应，沿周缘神经快速传递，激发肌肉运动和使腺体分泌或抑制。

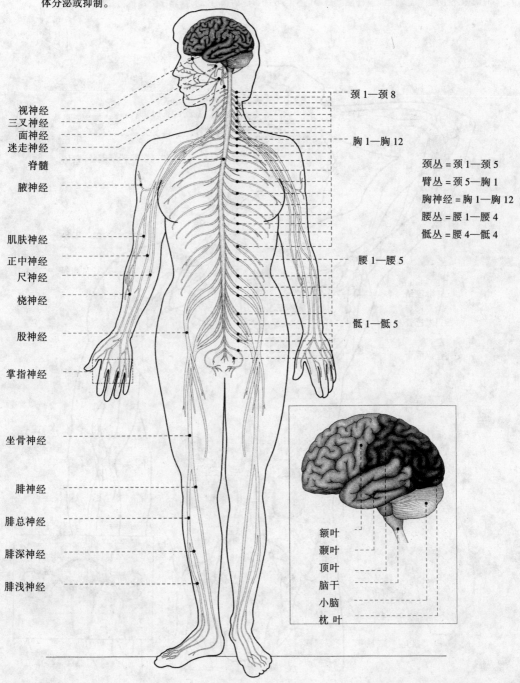

视神经
三叉神经
面神经
迷走神经
脊髓
腋神经

肌肤神经
正中神经
尺神经
桡神经
股神经
掌指神经

坐骨神经
腓神经
腓总神经
腓深神经
腓浅神经

颈 1—颈 8
胸 1—胸 12
腰 1—腰 5
骶 1—骶 5

颈丛 = 颈 1—颈 5
臂丛 = 颈 5—胸 1
胸神经 = 胸 1—胸 12
腰丛 = 腰 1—腰 4
骶丛 = 腰 4—骶 4

额叶
颞叶
顶叶
脑干
小脑
枕叶

# 内分泌/免疫系统

内分泌系统由一些腺体构成,完成特殊的使命,分泌化学"信息"称为激素。垂体起着关键性作用,刺激其他内分泌腺释放激素到血流,引起不同反应。例如甲状腺,控制代谢;其他如肾上腺分泌激素有助我们对应激作出反应。

免疫系统包括细胞、腺体和脉管等各种各样的聚合。保护机体免受细菌病毒和其他入侵者的侵袭。脾、胸腺和淋巴结、淋巴管产生贮存和运输免疫细胞和其他防卫因子,如抗体。

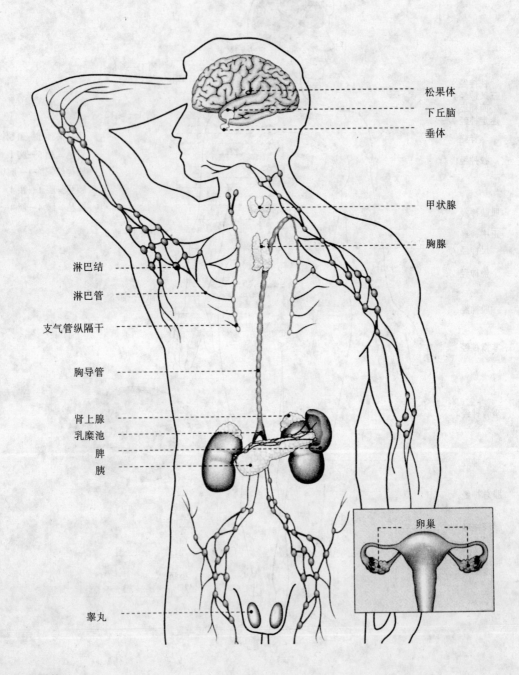

松果体

下丘脑

垂体

甲状腺

胸腺

淋巴结

淋巴管

支气管纵隔干

胸导管

肾上腺
乳糜池
脾
胰

卵巢

睾丸

# 视 觉

　　射在眼睛的光线首先通光角膜,朝向瞳孔,虹膜的环状结构开放,使我们眼睛感受到它们的颜色和调节瞳孔大小。角膜转换影像将其投影到眼球后侧视网膜。视网膜上特殊细胞将影象转变为电脉冲,通过视神经传送到大脑。

# 感 觉

　　五种独立系统起着机体感觉的配电盘作用。接受和处理来自外部世界刺激的沿神经传入到脑,在脑变成感觉,我们称之为视觉、嗅觉、听觉、触觉和味觉。

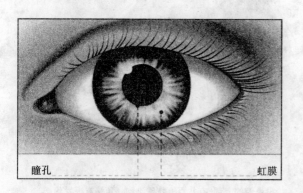

瞳孔　　　　　　　　　　　虹膜

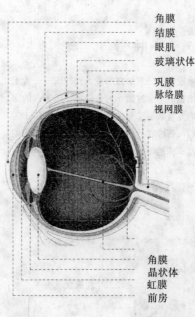

角膜
结膜
眼肌
玻璃状体

巩膜
脉络膜
视网膜

角膜
晶状体
虹膜
前房

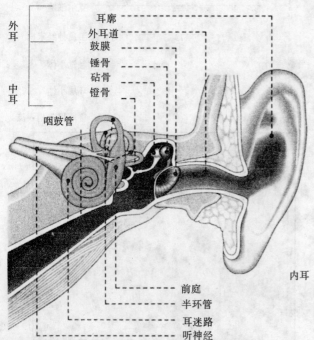

外耳

中耳

耳廓
外耳道
鼓膜
锤骨
砧骨
镫骨

咽鼓管

前庭
半环管
耳迷路
听神经

内耳

# 听 觉

　　灵活的外耳捕获到的声波直接通过外耳道到鼓膜——薄的可弯曲的膜。来自鼓膜的震动通过中耳的微小听骨到达称为迷路的螺旋形结构。耳迷路内小纤毛将震动转变成电信号,然后沿听神经传到大脑。

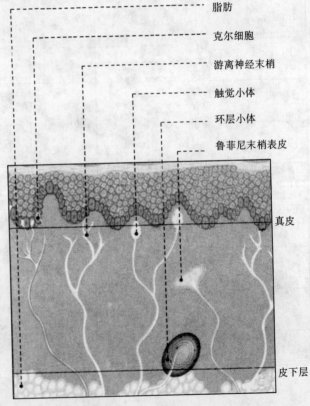

嗅球
鼻骨
嗅神经
嗅束

## 味觉

食物在唾液中部分溶解之后渗入到味蕾——舌上表面的特殊细胞——穿过微小的孔。每一味蕾内的深部是毛发似的专管某一味觉的受体。甜觉味蕾位于舌尖,咸味在前方,苦味在后部,酸味在边缘。所有口味均来自这四种基本味道。

## 嗅觉

沿鼻腔的上部,有几百万特殊细胞。顶端有毛发状的嗅觉受体。空气中某些分子进入鼻腔与特异性受体挂钩,刺激嗅神经,传导信号到嗅球,继之将信息传到大脑作解释。

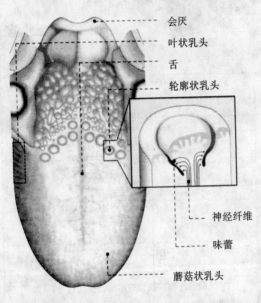

会厌
叶状乳头
舌
轮廓状乳头

神经纤维
味蕾

蘑菇状乳头

脂肪
克尔细胞
游离神经末梢
触觉小体
环层小体
鲁菲尼末梢表皮

真皮

皮下层

## 触觉

皮肤表面下层的特殊神经传导触觉。不同层次有着几套神经,与不同类型的触觉有关联。例如接近表面感受器感知轻微的压力和中度温度变化。而较深神经感觉震动。来自这些感受器的冲动沿神经系统的分支通道到脑。

# 婴幼儿生长发育检测表

| | 男 婴 | | | | | 女 婴 | | | | |
|---|---|---|---|---|---|---|---|---|---|---|
| | 体重<br>(千克) | 身长<br>(厘米) | 头围<br>(厘米) | 胸围<br>(厘米) | 坐高<br>(厘米) | 体重<br>(千克) | 身长<br>(厘米) | 头围<br>(厘米) | 胸围<br>(厘米) | 坐高<br>(厘米) |
| 新生儿 | 2.5~4 | 47~53 | 33~34 | 32 | 33 | 2.5~4 | 47~53 | 33~34 | 32 | 33 |
| 1个月 | 5.03 | 57.06 | 38.43 | 37.88 | 37.94 | 4.68 | 56.17 | 37.56 | 37 | 37.35 |
| 2个月 | 6.03 | 60.3 | 39.84 | 40.1 | 40 | 5.48 | 58.99 | 38.67 | 38.78 | 39.05 |
| 3个月 | 6.93 | 63.35 | 41.25 | 41.75 | 41.69 | 6.24 | 61.53 | 39.94 | 40.05 | 40.44 |
| 4个月 | 7.52 | 65.46 | 42.3 | 42.68 | 42.72 | 6.87 | 63.88 | 41.2 | 41.6 | 41.56 |
| 5个月 | 7.97 | 66.76 | 43.1 | 43.4 | 43.57 | 7.35 | 65.9 | 41.9 | 42.05 | 42.3 |
| 6个月 | 8.46 | 68.88 | 44.32 | 44.06 | 44.16 | 7.82 | 67.18 | 43.2 | 42.86 | 43.17 |
| 7个月 | 8.8 | 70 | 45 | 44.6 | 44.7 | 8 | 68 | 43.7 | 43.5 | 43.8 |
| 8个月 | 9.12 | 71.51 | 45.13 | 45.28 | 45.74 | 8.49 | 69.99 | 43.98 | 44.4 | 44.65 |
| 9个月 | 9.4 | 73 | 45.6 | 45.6 | 46 | 8.8 | 71 | 44.5 | 44.6 | 45.2 |
| 10个月 | 9.66 | 74.27 | 46.09 | 45.99 | 46.92 | 9.08 | 72.76 | 44.98 | 44.89 | 46.03 |
| 11个月 | 9.8 | 75.5 | 46.3 | 46.37 | 47.8 | 9.3 | 74 | 45.3 | 45.3 | 46.7 |
| 12个月 | 9.58 | 75.69 | 45.45 | 45.61 | 47.41 | 10.14 | 77.14 | 46.47 | 46.54 | 48.46 |
| 15个月 | 10.73 | 79.87 | 47.09 | 47.42 | 49.79 | 10.11 | 78.72 | 46.01 | 46.34 | 48.82 |
| 18个月 | 11.16 | 82.31 | 47.54 | 49.08 | 50.96 | 10.83 | 81.62 | 46.52 | 47.32 | 50.79 |
| 24个月 | 12.64 | 89.06 | 48.44 | 49.06 | 54.02 | 11.92 | 87.42 | 47.39 | 48.47 | 53.06 |

# 儿童智力发育表

| 项目 | 1个月 | 4个月 | 7个月 | 10个月 | 1周岁 |
|---|---|---|---|---|---|
| 大运动 | 俯卧抬头2秒 | 俯卧抬头90度 | 独坐10分钟以上 | 扶栏站起 | 独站10秒以上或独走几步 |
| 精细动作 | 紧握拳 | 摇动并注视拨浪鼓 | 拨弄小丸 | 拇及食指熟练捏起小丸 | 用蜡笔在纸上戳出点 |
| 言语 | 会发细小喉音 | 独自一人咿呀作语 | 发"ba-ba, ma-ma"音无所指 | 模仿发1~2个字音 | 索要东西知道给 |
| 认知能力 | 逗引时会微笑 | 头转向声源 | 积木在两手中传递 | 从盒子里取物放物 | 搭积木1~2块 |
| 情绪与社会行为 | 眼随人走 | 会大笑、认亲人 | 找当面藏起来的玩具 | 会听声指常见物品或人 | 穿衣知配合 |

| 项目 | 1岁半 | 2岁 |
|---|---|---|
| 大动作 | 自己扶拦上、下楼,两步一阶梯 | 两足跳离地面 |
| 精细动作 | 会说10个单词,会说自己名字 | 会一页页翻书 |
| 言语 | 会模仿画线(方向不限) | 会背2句5个字的儿歌 |
| 认知能力 | 搭方积木4块,指身体5个部位 | 会认2种颜色,懂得"1"与"许多" |
| 情绪与社会行为 | 会拿板凳让大人坐下,会告诉大人自己要大小便 | 能说出3种常见物(如床、椅、笔、碗)的用途 |

| 项目 | 2岁半 | 3岁 |
|---|---|---|
| 大动作 | 单足站立3秒,独立上楼交替一步一级,下楼两足踏一级 | 两脚原地交替跳起5厘米以上,会骑脚踏三轮车 |
| 精细动作 | 会砌积木造桥、门楼,每分钟穿4~6颗珠子,画圆封口 | 会画圆和正方形、折纸边角整齐、会用筷子夹枣 |
| 言语 | 会介绍自己和父母的姓名,背诵几首儿歌 | 能说简单故事,懂得反义词8~10种 |
| 认知能力 | 知道7~8种物品的用途,背数1~10,点数1~4,区分3以内多、少和一样多;懂得冷、饿、喝、困时怎么办 | 会将物品按用途分类,拼上切开4~6的拼图,背数到20点,数到8 |
| 情绪与社会行为 | 独立吃完一顿饭,来回用杯倒水不洒出,会洗手,穿脱裤子,能离开家长0.5~1小时 | 独立洗脚,穿衣扣扣子,对自己的成就感到自豪 |

# 常见食物成分表 （每100克食物中所含）

| 类别 | 食物项目 | 蛋白质（克） | 脂肪（克） | 碳水化合物（克） | 热能（千卡） | 钙（毫克） | 磷（毫克） | 铁（毫克） | 胡萝卜素（毫克） | 维生素 $B_1$（毫克） | 维生素 $B_2$（毫克） | 尼克酸（毫克） | 维生素 C（毫克） |
|---|---|---|---|---|---|---|---|---|---|---|---|---|---|
| 谷类 | 稻米(籼) | 7.8 | 1.3 | 76.6 | 349 | 9 | 203 | 2.4 | 0 | 0.19 | 0.06 | 1.6 | 0 |
| | 糯米(紫) | 8.2 | 1.7 | 75.7 | 351 | 17 | 179 | 2.6 | 0 | 0.21 | 0.15 | 2.3 | 0 |
| | 富强粉 | 9.4 | 1.4 | 75.0 | 350 | 25 | 162 | 2.6 | 0 | 0.24 | 0.07 | 2.0 | 0 |
| | 标准粉 | 9.9 | 1.8 | 74.6 | 354 | 38 | 268 | 4.2 | 0 | 0.46 | 0.06 | 2.5 | 0 |
| | 小米 | 9.7 | 3.5 | 72.8 | 362 | 29 | 240 | 4.7 | 0.19 | 0.57 | 0.12 | 1.6 | 0 |
| | 玉米(黄) | 8.5 | 4.3 | 72.2 | 362 | 22 | 210 | 1.6 | 0.10 | 0.34 | 0.10 | 2.3 | 0 |
| | 高粱米(红) | 8.4 | 2.7 | 75.6 | 360 | 7 | 188 | 4.1 | — | 0.26 | 0.09 | 15.0 | 0 |
| | 芝麻 | 21.9 | 61.7 | 4.3 | 660 | 564 | 363 | 50.0 | — | — | — | — | 0 |
| 干豆类 | 黄豆(大豆) | 36.3 | 18.4 | 25.3 | 412 | 367 | 571 | 11.0 | 0.40 | 0.79 | 0.25 | 2.1 | 0 |
| | 黄豆粉 | 40.0 | 19.2 | 28.3 | 146 | 437 | 680 | 13.0 | 0.48 | 0.94 | 0.30 | 2.5 | 0 |
| 鲜豆类 | 黄豆芽 | 11.5 | 2.0 | 7.1 | 92 | 68 | 102 | 1.8 | 0.03 | 0.17 | 0.11 | 0.8 | 4 |
| | 绿豆芽 | 3.2 | 0.1 | 3.7 | 29 | 23 | 23 | 0.9 | 0.04 | 0.07 | 0.06 | 0.7 | 6 |
| | 毛豆(青豆) | 13.6 | 5.7 | 7.1 | 134 | 100 | 100 | 6.4 | 0.28 | 0.33 | 0.16 | 1.7 | 25 |
| | 菜豆(芸豆、四季豆) | 1.5 | 0.2 | 4.7 | 27 | 44 | 39 | 1.1 | 0.24 | 0.08 | 0.12 | 0.6 | 9 |
| 豆类及其制品 | 红小豆 | 21.7 | 0.8 | 60.7 | 337 | 76 | 386 | 4.5 | — | 0.43 | 0.16 | 2.1 | 0 |
| | 绿豆 | 23.8 | 0.5 | 58.8 | 335 | 80 | 360 | 6.8 | 0.22 | 0.53 | 0.12 | 1.8 | 0 |
| | 蚕豆(去皮) | 29.4 | 1.8 | 47.5 | 324 | 93 | 225 | 6.2 | — | — | — | — | 0 |
| | 豌豆 | 24.6 | 1.0 | 57.0 | 335 | 84 | 400 | 5.7 | 0.04 | 1.02 | 0.12 | 2.7 | 0 |
| | 豆浆(1份豆加8份水) | 4.4 | 1.8 | 1.5 | 40 | 25 | 45 | 2.5 | | 0.03 | 0.01 | 0.1<br>0.1 | 0<br>0 |
| | 豆腐(南) | 4.7 | 1.3 | 2.8 | 60 | 240 | 64 | 1.4 | — | 0.06 | 0.03 | | 0 |
| | 豆腐(北) | 7.4 | 3.5 | 2.7 | 72 | 277 | 57 | 2.1 | — | 0.03 | 0.03 | 0.2 | 0 |
| | 豆腐干 | 19.2 | 6.7 | 6.7 | 164 | 117 | 204 | 4.6 | — | 0.05 | 0.05 | 0.1 | 0 |
| | 豆腐丝 | 21.6 | 7.9 | 6.7 | 184 | 284 | 291 | 0.7 | — | 0.05 | 0.03 | 0.1 | 0 |
| | 腐竹 | 50.5 | 23.7 | 15.3 | 477 | 280 | 298 | 15.1 | — | 0.21 | 0.12 | 0.7 | 0 |
| | 红腐乳 | 14.6 | 5.7 | 5.8 | 133 | 167 | 200 | 12.0 | — | 0.04 | 0.16 | 0.5 | 0 |
| | 粉条(干) | 3.1 | 0.2 | 96.0 | 398 | — | — | — | 0 | — | — | — | 0 |
| 乳和乳制品 | 人乳 | 1.5 | 3.7 | 6.9 | 67 | 34 | 15 | 0.1 | 250 | 0.01 | 0.04 | 0.1 | 6 |
| | 牛乳 | 3.3 | 4.0 | 5.0 | 69 | 120 | 93 | 0.2 | 140 | 0.04 | 0.13 | 0.2 | 1 |
| | 甜炼乳 | 8.2 | 9.2 | 52.7 | 326 | 290 | 228 | 0.2 | 400 | 0.1 | 0.36 | 0.2 | 1 |
| | 牛乳粉(全) | 26.2 | 30.6 | 35.5 | 522 | 1030 | 883 | 0.8 | 1400 | 1.05 | 0.69 | 0.7 | 微量 |
| | 羊乳 | 3.8 | 4.1 | 4.3 | 69 | 140 | 106 | 0.1 | 80 | 0.05 | 0.13 | 0.3 | — |

# 常见食物成分表 （续表）

| 类别 | 食物项目 | 蛋白质(克) | 脂肪(克) | 碳水化合物(克) | 热能(千卡) | 钙(毫克) | 磷(毫克) | 铁(毫克) | 胡萝卜素(毫克) | 维生素 $B_1$(毫克) | 维生素 $B_2$(毫克) | 尼克酸(毫克) | 维生素 C(毫克) |
|---|---|---|---|---|---|---|---|---|---|---|---|---|---|
| 叶菜类 | 大白菜 | 1.1 | 0.2 | 2.1 | 15 | 61 | 37 | 0.5 | 0.01 | 0.02 | 0.04 | 0.3 | 20 |
| | 大白菜 | 1.3 | 0.3 | 2.3 | 17 | 93 | 50 | 1.6 | 1.49 | 0.03 | 0.08 | 0.6 | 40 |
| | 太古菜 | 2.7 | 0.1 | 3.1 | 24 | 160 | 51 | 4.4 | 2.63 | 0.08 | 0.15 | 0.6 | 58 |
| | 圆白菜(甘蓝) | 1.1 | 0.2 | 3.4 | 20 | 32 | 24 | 0.3 | 0.02 | 0.04 | 0.04 | 0.3 | 38 |
| | 雪里蕻 | 2.8 | 0.6 | 2.9 | 28 | 253 | 64 | 3.4 | 1.46 | 0.07 | 0.14 | 0.8 | 83 |
| | 苋菜(绿) | 1.8 | 0.3 | 5.4 | 32 | 180 | 46 | 3.4 | 1.95 | 0.04 | 0.16 | 1.1 | 28 |
| | 菠菜 | 2.4 | 0.5 | 3.1 | 27 | 72 | 53 | 1.8 | 3.87 | 0.04 | 0.13 | 0.6 | 39 |
| | 莴苣笋 | 0.6 | 0.1 | 1.9 | 11 | 7 | 31 | 2.0 | 0.02 | 0.03 | 0.02 | 0.5 | 1 |
| | 香菜 | 2.0 | 0.3 | 6.9 | 38 | 170 | 49 | 5.6 | 3.77 | 0.14 | 0.15 | 1.0 | 41 |
| | 芹菜(茎) | 2.2 | 0.3 | 1.9 | 19 | 160 | 61 | 8.5 | 0.11 | 0.03 | 0.04 | 0.3 | 6 |
| | 韭菜 | 2.1 | 0.6 | 3.2 | 27 | 48 | 46 | 1.7 | 3.21 | 0.03 | 0.09 | 0.9 | 39 |
| | 韭黄 | 2.2 | 0.3 | 2.7 | 22 | 10 | 9 | 0.5 | 0.05 | 0.03 | 0.05 | 1.0 | 9 |
| | 青蒜 | 3.2 | 0.3 | 4.9 | 35 | 30 | 41 | 0.6 | 0.96 | 0.11 | 0.10 | 0.8 | 77 |
| | 蒜黄 | 3.1 | 0.2 | 2.0 | 22 | 37 | 75 | 1.6 | 0.03 | 0.12 | 0.07 | 0.4 | 16 |
| | 小葱 | 1.4 | 0.3 | 4.1 | 25 | 63 | 28 | 1.0 | 1.60 | 0.05 | 0.07 | 0.5 | 12 |
| | 葱头(洋葱) | 1.8 | 0 | 8.0 | 39 | 40 | 50 | 1.8 | 微量 | 0.03 | 0.02 | 0.2 | 8 |
| | 荠菜 | 5.3 | 0.4 | 6.0 | 49 | 420 | 73 | 6.3 | 3.20 | 0.14 | 0.19 | 0.7 | 55 |
| | 金针菜 | 4.2 | 0.4 | 4.2 | 37 | 168 | 68 | 4.8 | 3.48 | 0.10 | 0.22 | 1.0 | 85 |
| | 香椿 | 5.7 | 0.4 | 7.2 | 55 | 110 | 120 | 3.4 | 0.93 | 0.12 | 0.13 | 0.7 | 56 |
| | 菜花 | 2.4 | 0.4 | 3.0 | 5 | 18 | 53 | 0.7 | 0.08 | 0.06 | 0.03 | 0.8 | 88 |
| | 蒜苗 | 1.2 | 0.3 | 9.7 | 46 | 22 | 53 | 1.0 | 0.20 | 0.14 | 0.06 | 0.5 | 42 |
| 根茎类 | 甘薯(白薯) | 1.8 | 0.2 | 29.5 | 127 | 18 | 20 | 0.4 | 1.31 | 0.12 | 0.04 | 0.5 | 30 |
| | 马铃薯 | 2.3 | 0.1 | 16.6 | 77 | 11 | 64 | 1.2 | 0.01 | 0.10 | 0.03 | 0.4 | 16 |
| | 山药 | 1.5 | 0 | 14.4 | 64 | 14 | 42 | 0.3 | 0.02 | 0.08 | 0.02 | 0.3 | 4 |
| | 芋头(毛芋) | 2.2 | 0.1 | 17.5 | 80 | 19 | 51 | 0.6 | 0.02 | 0.06 | 0.03 | 0.07 | 4 |
| | 胡萝卜(黄) | 0.6 | 0.3 | 7.6 | 35 | 32 | 30 | 0.6 | 3.62 | 0.02 | 0.05 | 0.3 | 13 |
| | 胡萝卜(红) | 0.6 | 0.3 | 8.3 | 38 | 19 | 29 | 0.7 | 1.85 | 0.04 | 0.04 | 0.4 | 12 |
| | 白萝卜 | 0.6 | 0 | 5.7 | 25 | 49 | 34 | 0.5 | 0.02 | 0.02 | 0.04 | 0.5 | 30 |
| | 青萝卜 | 1.1 | 0.1 | 6.6 | 32 | 58 | 27 | 0.4 | 0.32 | 0.02 | 0.03 | 0.3 | … |
| | 红萝卜(小) | 0.9 | 0.2 | 3.8 | 21 | 23 | 24 | 0.6 | 0.01 | 0.03 | 0.03 | 0.4 | 27 |
| | 水萝卜(心里美) | 1.0 | 0 | 5.7 | 27 | 44 | 40 | 0.5 | 0.01 | 0.01 | 0.03 | 0.3 | 34 |
| | 苤蓝 | 1.6 | 0 | 2.7 | 17 | 22 | 33 | 0.3 | — | 0.05 | 0.02 | 0.4 | 41 |
| | 冬笋 | 4.1 | 0.1 | 5.7 | 40 | 22 | 56 | 0.1 | 0.08 | 0.08 | 0.08 | 0.6 | 1 |
| | 藕 | 1.0 | 0.1 | 19.8 | 84 | 19 | 51 | 0.5 | 0.02 | 0.11 | 0.04 | 0.04 | 25 |

# 常见食物成分表 （续表）

| 类别 | 食物项目 | 蛋白质（克） | 脂肪（克） | 碳水化合物（克） | 热能（千卡） | 钙（毫克） | 磷（毫克） | 铁（毫克） | 胡萝卜素（毫克） | 维生素 $B_1$（毫克） | 维生素 $B_2$（毫克） | 尼克酸（毫克） | 维生素 C（毫克） |
|---|---|---|---|---|---|---|---|---|---|---|---|---|---|
| 瓜茄类 | 倭瓜 | 0.6 | 0.1 | 5.7 | 26 | 10 | 32 | 0.5 | 0.57 | 0.04 | 0.03 | 0.7 | 5 |
| | 南瓜 | 0.3 | 0 | 1.3 | 6 | 11 | 9 | 0.1 | 2.40 | 0.05 | 0.06 | — | 4 |
| | 西葫芦 | 0.5 | 0.2 | 1.9 | 11 | 17 | 47 | 0.5 | — | — | — | — | — |
| | 冬瓜 | 0.4 | 0 | 2.4 | 11 | 19 | 12 | 0.3 | 0.01 | 0.01 | 0.02 | 0.3 | 16 |
| | 黄瓜 | 0.6 | 0.2 | 1.6 | 11 | 19 | 29 | 0.3 | 0.13 | 0.04 | 0.04 | 0.3 | 6 |
| | 丝瓜 | 1.5 | 0.1 | 4.5 | 25 | 28 | 45 | 0.8 | 0.32 | 0.04 | 0.06 | 0.5 | 8 |
| | 西瓜 | 1.2 | 0 | 4.2 | 22 | 6 | 10 | 0.2 | 0.17 | 0.02 | 0.02 | 0.2 | 3 |
| | 甜瓜 | 0.4 | 0.1 | 6.2 | 27 | 29 | 10 | 0.2 | 0.03 | 0.02 | 0.02 | 0.5 | 13 |
| | 茄子 | 2.3 | 0.1 | 3.1 | 23 | 22 | 31 | 0.4 | 0.04 | 0.03 | 0.04 | 0.5 | 3 |
| | 番茄(红) | 0.6 | 0.2 | 3.3 | 17 | — | 22 | 0.3 | 0.31 | — | — | — | 12 |
| | 番茄(黄) | 0.9 | 0.2 | 2.6 | 16 | 6 | 30 | 0.9 | 0.25 | 0.03 | 0.03 | 0.6 | 11 |
| | 柿子椒(青) | 0.9 | 0.2 | 3.8 | 21 | 11 | 27 | 0.7 | 0.36 | 0.04 | 0.04 | 0.7 | 89 |
| | 柿子椒(红) | 1.3 | 0.4 | 5.3 | 30 | 13 | 36 | 0.8 | 1.60 | 0.06 | 0.08 | 1.5 | 159 |
| 菌藻类 | 蘑菇(鲜) | 2.9 | 0.2 | 2.4 | 23 | 8 | 66 | 1.3 | — | 0.11 | 0.16 | 3.3 | 4 |
| | 蘑菇(干) | 38.0 | 1.5 | 24.5 | 264 | | | | | | | | |
| | 银耳(白木耳) | 5.0 | 0.6 | 78.3 | 339 | 380 | — | — | — | 0.002 | 0.14 | 1.5 | — |
| | 木耳(黑木耳) | 10.6 | 0.2 | 65.5 | 306 | 357 | 201 | 185.0 | 0.03 | 0.15 | 0.55 | 2.7 | — |
| | 海带 | 8.2 | 0.1 | 56.2 | 258 | 1177 | 216 | 150.0 | 0.57 | 0.09 | 0.36 | 1.6 | — |
| | 紫菜 | 28.2 | 0.2 | 48.5 | 309 | 343 | 457 | 33.2 | 1.23 | 0.44 | 2.07 | 5.1 | 1 |
| 鲜果类 | 葡萄 | 0.4 | 0.6 | 8.2 | 40 | 4 | 7 | 0.8 | 0.04 | 0.04 | 0.01 | 0.3 | 微量 |
| | 柑橘 | 0.9 | 0.1 | 12.3 | 139 | 129 | 60 | 1.0 | 0.16 | 0.28 | 0.06 | 0.9 | 117 |
| | 苹果 | 0.4 | 0.5 | 13.0 | 58 | 11 | 9 | 0.3 | 0.03 | 0.01 | 0.01 | 0.1 | 微量 |
| | 海棠 | 0.2 | 0.2 | 22.4 | 92 | 66 | 6 | 1.3 | 0.46 | 0.01 | 0.02 | 0.2 | 2 |
| | 鸭梨 | 0.1 | 0.1 | 9.0 | 37 | 5 | 6 | 0.01 | 0.02 | 0.01 | 0.1 | 4 | |
| | 桃 | 0.8 | 0.1 | 10.7 | 47 | 8 | 20 | 1.2 | 0.06 | 0.01 | 0.02 | 0.7 | 6 |
| | 杏 | 1.2 | 0 | 11.7 | 49 | 26 | 24 | 0.8 | 1.79 | 0.02 | 0.03 | 0.6 | 7 |
| | 李 | 0.5 | 0.2 | 8.8 | 39 | 17 | 20 | 0.5 | 0.11 | 0.01 | 0.02 | 0.3 | 1 |
| | 草莓 | 1.0 | 0.6 | 5.7 | 32 | 32 | 41 | 1.1 | 0.01 | 0.02 | 0.02 | 0.3 | 35 |
| | 柿 | 0.7 | 0.1 | 10.8 | 47 | 10 | 19 | 0.2 | 0.15 | 0.01 | 0.02 | 0.3 | 11 |
| | 石榴 | 1.5 | 1.6 | 16.8 | 88 | 11 | 105 | 0.4 | — | — | — | — | 11 |
| | 枣(鲜) | 1.2 | 0.2 | 23.3 | 99 | 14 | 23 | 0.5 | 0.01 | 0.06 | 0.04 | 0.6 | 540 |
| | 枣(干) | 3.3 | 0.4 | 72.8 | 308 | 61 | 55 | 1.6 | 0.01 | 0.06 | 0.15 | 1.2 | 12 |
| | 山楂 | 0.7 | 0.2 | 22.1 | 93 | 68 | 20 | 2.1 | 0.82 | 0.02 | 0.05 | 0.4 | 89 |
| | 枇杷 | 0.4 | 0.1 | 6.6 | 29 | — | | | | | | | |
| | 香蕉 | 1.2 | 0.6 | 19.5 | 88 | 31 | 31 | 0.6 | 0.25 | 0.02 | 0.05 | 0.05 | 6 |
| | 菠萝 | 0.4 | 0.2 | 9.3 | 42 | 28 | 28 | 0.5 | 0.08 | 0.08 | 0.02 | 0.02 | 24 |

# 常见食物成分表 （续表）

| 类别 | 食物项目 | 蛋白质（克） | 脂肪（克） | 碳水化合物（克） | 热能（千卡） | 钙（毫克） | 磷（毫克） | 铁（毫克） | 胡萝卜素（毫克） | 维生素B₁（毫克） | 维生素B₂（毫克） | 尼克酸（毫克） | 维生素C（毫克） |
|---|---|---|---|---|---|---|---|---|---|---|---|---|---|
| 兽肉类 | 猪肉(肥瘦) | 9.5 | 59.8 | 0.9 | 580 | 6 | 101 | 1.4 | — | 0.53 | 0.12 | 4.2 | — |
| | 火腿(热) | 16.5 | 38.8 | 0.2 | 416 | — | — | — | — | — | — | — | — |
| | 猪心 | 19.1 | 6.3 | 0 | 133 | — | — | — | 0 | 0.34 | 0.52 | 5.7 | 1 |
| | 猪肝 | 21.3 | 4.5 | 1.4 | 131 | 11 | 270 | 25.0 | 8700 | 0.40 | 2.11 | 16.2 | 18 |
| | 猪肾 | 15.5 | 4.8 | 0.7 | 108 | — | — | — | 微量 | 0.38 | 1.12 | 4.5 | 5 |
| | 猪肚(胃) | 14.6 | 2.9 | 1.4 | 90 | — | — | — | — | 0.05 | 0.18 | 2.5 | 0 |
| | 猪皮 | 26.4 | 22.7 | 4.1 | 326 | — | — | — | — | — | — | — | — |
| | 牛肉(瘦) | 20.1 | 10.2 | 0 | 172 | 7 | 170 | 0.9 | 0 | 0.07 | 0.15 | 6.0 | — |
| | 牛心 | 8.7 | 10.8 | — | 132 | 8 | 185 | 5.4 | — | 0.31 | 0.49 | 8.6 | 1 |
| | 牛肝 | 21.8 | 4.8 | 2.6 | 141 | 13 | 400 | 9.0 | 18300 | 0.39 | 2.30 | 16.2 | 18 |
| | 牛肾 | 12.8 | 3.7 | 1.0 | 89 | 17 | 198 | 11.4 | 340 | 0.34 | 1.75 | 5.0 | 6 |
| | 牛肚(胃) | 14.8 | 3.7 | 0.5 | 95 | 22 | 84 | 0.9 | — | 0.04 | 0.20 | 3.6 | 0 |
| | 羊肉(肥瘦) | 11.1 | 28.8 | 0.8 | 307 | — | — | — | 0 | 0.07 | 0.13 | 4.9 | 0 |
| | 羊心 | 11.5 | 8.6 | 0 | 123 | 11 | 102 | 4.5 | — | 0.41 | 0.56 | 7.3 | 2 |
| | 羊肝 | 18.5 | 7.2 | 3.9 | 154 | — | — | — | 29900 | 0.42 | 3.57 | 18.9 | 17 |
| | 羊肾 | 16.5 | 3.2 | 0.2 | 96 | 48 | 279 | 11.7 | 140 | 0.49 | 1.78 | 8.2 | 1 |
| | 羊肚(胃) | 7.1 | 7.2 | 0.9 | 97 | 34 | 98 | 1.4 | 0 | 0.03 | 0.21 | 1.8 | 0 |
| | 兔肉 | 21.2 | 0.4 | 0.2 | 89 | 16 | 175 | 2.0 | — | — | — | — | — |
| 菌藻类 | 鸡 | 21.5 | 2.5 | 0.7 | 111 | 11 | 190 | 1.5 | — | 0.03 | 9.09 | 8.0 | — |
| | 鸡肫 | 22.2 | 1.3 | 0 | 101 | 48 | 150 | 6.6 | — | 0.04 | 0.20 | 4.8 | — |
| | 鸡肝 | 18.2 | 3.4 | 1.9 | 111 | 21 | 260 | 8.2 | 5900 | 0.38 | 1.63 | 10.4 | 7 |
| | 鸡心 | 20.7 | 5.5 | 0.7 | 133 | 20 | 177 | 5.0 | — | 0.24 | 0.77 | 5.7 | — |
| | 鸭 | 16.5 | 7.5 | 0.5 | 136 | — | — | — | — | 0.07 | 0.15 | 4.7 | — |
| | 鸭肫 | 20.2 | 1.8 | 0 | 101 | 47 | 140 | 5.3 | — | — | — | — | — |
| | 鸭肝 | 17.1 | 4.7 | 6.9 | 138 | 17 | 177 | 0.8 | 8900 | 0.44 | 1.28 | 9.1 | 7 |
| | 鹅 | 10.8 | 11.2 | 0 | 144 | 13 | 23 | 3.7 | — | — | — | — | — |
| 蛋和蛋制品 | 鸡蛋 | 14.7 | 11.6 | 1.6 | 170 | 55 | 210 | 2.7 | 1440 | 0.16 | 0.31 | 0.1 | — |
| | 鸡蛋白 | 10.0 | 0.1 | 1.3 | 46 | 19 | 16 | 0.3 | 0 | 0 | 0.26 | 0.1 | 0 |
| | 鸡蛋黄 | 13.6 | 30.0 | 1.3 | 330 | 134 | 532 | 7.0 | 3500 | 0.27 | 0.35 | 微量 | 0 |
| | 鸭蛋 | 8.7 | 9.8 | 10.3 | 164 | 71 | 210 | 3.2 | 1380 | 0.15 | 0.37 | 0.1 | 0 |
| | 鹅蛋 | 12.3 | 14.0 | 3.7 | 190 | 75 | 243 | 3.2 | — | — | 0.35 | 0.1 | 0 |
| | 松花蛋 | 13.1 | 10.7 | 2.2 | 158 | 58 | 200 | 0.9 | 940 | 0.02 | 0.21 | 0.1 | — |

# 常见食物成分表 （续表）

| 类别 | 食物项目 | 蛋白质（克） | 脂肪（克） | 碳水化合物（克） | 热能（千卡） | 钙（毫克） | 磷（毫克） | 铁（毫克） | 胡萝卜素（毫克） | 维生素 $B_1$（毫克） | 维生素 $B_2$（毫克） | 尼克酸（毫克） | 维生素 C（毫克） |
|---|---|---|---|---|---|---|---|---|---|---|---|---|---|
| 鱼类 | 鳕鱼(大口鱼) | 16.5 | 0.4 | — | 70 | — | — | — | — | — | 0.01 | 0.8 | — |
| | 大黄鱼 | 17.6 | 0.8 | — | 78 | 33 | 135 | 1.0 | — | 0.01 | 0.01 | 0.8 | — |
| | 小黄鱼 | 16.7 | 3.6 | — | 99 | 43 | 127 | 1.2 | — | 0.01 | 0.14 | 0.7 | — |
| | 带鱼 | 18.1 | 7.4 | — | 139 | 24 | 160 | 1.1 | — | 0.01 | 0.09 | 1.9 | — |
| | 马面鲀 | 19.2 | 0.5 | 0 | 81 | 9 | 174 | 3.6 | — | — | — | — | — |
| | 银鱼 | 8.2 | 0.3 | 1.5 | 42 | 258 | 102 | 0.5 | — | 0.01 | 0.05 | 0.2 | — |
| 其他 | 蜂蜜 | 0.3 | 0 | 79.5 | 319 | 5 | 16 | 0.9 | 0 | 微量 | 0.04 | 0.2 | 0 |
| | 牛奶巧克力 | 10.0 | 38.8 | 41.3 | 554 | 323 | 280 | 0.4 | 567 | 0.06 | 0.24 | 0.2 | 0 |
| | 猪油 | 0 | 99.0 | 0 | 891 | 0 | 0 | 0 | 0 | 0 | 0.01 | 0.1 | 0 |
| | 植物油 | 0 | 100.0 | 0 | 900 | 0 | 0 | 0 | 0.03 | 0 | 0.04 | 0 | 0 |

# 常用化验值及相关临床意义

(本表中的正常值仅供参考,请读者了解就诊医院的正常值表)

| 项目及正常值 | 临床意义 |
| --- | --- |
| 白细胞(WBC)<br>4.0 ~ 10.0($10^9$/升) | 增加:生理性增加常见于初生儿、妊娠末期、疼痛、剧烈运动后;病理性增加见于细菌感染,尿毒症,传染性单核细胞增多症、急性出血、组织损伤、白血病等。<br>减少:病毒感染、伤寒、副伤寒、疟疾、再生障碍性贫血、X线及镭照射后,肿瘤化疗等。 |
| 中性粒细胞 (N)<br>50% ~ 70% | 增加:急性化脓感染、粒细胞白血病、急性出血、溶血、酸中毒、汞、铅急性中毒、尿毒症等。<br>减少:伤寒、副伤寒、疟疾、流感、化疗、极度严重感染、再障等。 |
| 嗜酸性粒细胞(E)<br>0.5% ~ 5% | 增加:变态反应,寄生虫病,某些皮肤病,某些血液病等。<br>减少:伤寒、副伤寒以及用肾上腺皮质激素后。 |
| 嗜碱性粒细胞(B)<br>0 ~ 1% | 增加:慢性粒细胞性白血病、何杰金病、癌转移、铅、铋中毒等。 |
| 淋巴细胞(L)<br>20% ~ 40% | 增加:百日咳、传单、慢性淋巴细胞性白血病、腮腺炎、结核等。<br>减少:多见于传染病急性期、放射病、细胞免疫缺陷等。 |
| 单核细胞(M)<br>3% ~ 8% | 增加:结核、伤寒、单核细胞白血病、黑热病、疟疾、急性传染病的恢复期等。 |
| 血红蛋白(Hb)<br>男 12 ~ 16 克/分升<br>女 11 ~ 15 克/分升<br>新生儿 17 ~ 20 克/分升 | 增加:生理增加见于新生儿、高原区居住者;病理性增加见于真红细胞增多症、代偿性红细胞增多症(如先心病、慢性肺病、脱水等)。 |
| 红细胞计数(RBC)<br>男(4 ~ 5.5) × $10^{12}$/升<br>女(3.5 ~ 5) × $10^{12}$/升<br>新生儿(6 ~ 7) × $10^{12}$/升) | 减少:见于各种贫血、白血病、大量失血等。 |
| 红细胞压积(HCT)<br>40% ~ 53% | 增加:大面积烧伤、脱水、各种原因引起的红细胞与血红蛋白增高等。<br>减少:各类贫血时随红细胞数目的减少降低。 |
| 血小板(PLT)<br>10万 ~ 40万/升 | 增加:见于慢性粒细胞白血病、真红细胞增多症等;急性感染、急性失血、急性溶血等;其他:脾切除术后。<br>减少:再障、急性白血病、急性放射病等;原发性血小板减少性紫癜(ITP)、"脾亢"等;弥漫性血管内凝血(DIC)、家族性血小板减少。 |

| 项目及正常值 | 临床意义 |
|---|---|
| 出血时间(BT)<br>DUKe 法 1～3 分钟 | 延长：见于血小板数量减少、血小板无力症；某些凝血因子缺乏，如 DIC、VWD 等；血管疾病如遗传性出血性毛细血管扩张症。<br>缩短：见于血栓形成、严重的血栓前状态。 |
| 尿蛋白(PrO)<br>阴性 | 尿蛋白阳性分功能性、体位性、病理性蛋白尿,后者见于肾炎、肾病综合征等。 |
| 尿潜血(BLO)<br>阴性 | 尿潜血阳性见于体内溶血、链球菌败血症、肾透析等。 |
| 尿葡萄糖(GLU)<br>阴性 | 尿葡萄糖阳性见于糖尿病、"甲亢"等。 |
| 尿酮体(KET)<br>阴性 | 尿酮体阳性见于严重饥饿、营养不良、剧烈呕吐、严重糖尿病酸中毒等。 |
| 尿胆原(URO)阴性<br>尿胆红素(BIL)阴性 | 正常人尿胆原为弱阳性反应,尿液 20 倍稀释后多为阴性,增加见于溶血性疾患及肝类质病变时,尿胆原阳性常见于完全阻塞性黄疸。 |
| 尿酸碱度 (pH) 值<br>5.4～8.4 | 正常尿液可呈弱酸性,因饮食种类不同可波动在 5.4～8.4 之间。肉食者多为酸性,食用蔬菜、水果者可呈碱性。 |
| 尿比重(SG)<br>1.003～1.030,晨尿> 1.020 | 增高：糖尿病,急性肾炎、高热、心功能不全、脱水等。<br>降低：慢性肾小球肾炎、尿崩症等。<br>〔注〕：连续测定尿比重更有价值,慢性肾功能不全呈现持续低比重尿。 |
| 绒毛膜促性腺激素(hCG) | 本试验主要用于妊娠的诊断。用敏感的方法,受孕 2～6 天即可呈现阳性。过期流产或不完全流产时仍呈阳性。宫外孕时 hCG 低于正常妊娠,仅有60% 阳性。 |
| 便潜血(BLO)<br>阴性 | 临床上常规检测便潜血,由于消化道有少量出血时,红细胞被消化而分解破坏,镜下不能发现便潜血阳性,见于消化道出血、消化道恶性肿瘤。 |
| 蛋白质测定<br>总蛋白(TP)<br>6.7～8.2 克/分升 | 增高：见于休克、急性失水、血清蛋白合成增加。<br>减少：见于水潴留、营养不良、长期消耗性疾病、肝脏疾病、大出血、严重烧伤、长期蛋白尿等。 |
| 白蛋白(ALB)<br>3.2～5.5 克/分升 | 增高：常由于严重脱水,血液浓缩所致。<br>减少：有极少数先天白蛋白缺乏病例外,其急性减少见于血浆大量丢失；慢性减少主要见于肝脏合成障碍、肾病严重丢失蛋白。 |

| 项目及正常值 | 临床意义 |
|---|---|
| 球蛋白(GLB)<br>2.5~4.0 克/分升 | 增高：临床上以 γ 球蛋白增高为主。除水分丢失的间接原因外，主要有下列因素：(1)感染性疾病，如结核等。(2)自身免疫病：如系统性红斑狼疮、硬皮病、肝硬化等。(3)多发性骨髓瘤。<br>减少：肾上腺皮质激素和其他免疫抑制剂有抑制免疫机能作用，会致其减少，低 γ 球蛋白血症有缺乏体液免疫机能，很易发生难以控制的感染。 |
| 白血球的比值(A/G)<br>1.5~2.5 | 临床常见其比值小于正常或倒置，是观察肝功能损坏程度的重要指标。 |
| 总胆固醇(TC)<br>140~230 毫克/分升 | 增高：TC 水平随年龄上升，70 岁或 80 岁后有所下降，高热量饮食、精神紧张可引起 TC 增高，高 TC 血症是冠心病的主要危险因素之一，还见于糖尿病、肾病综合征等。<br>减少：原发性减少与遗传有关，继发性减少如"甲亢"、营养不良、慢性消耗性疾病等。 |
| 甘油三酯(TG)<br>35~145 毫克/分升 | 增高：见于糖尿病、"甲亢"、肾病综合征、妊娠、高血压等。伴有以高 TC、高 LDL－C、低 HDL－C 等情况示冠心病危险因素。 |
| 高密度脂蛋白胆固醇(HDL－C)<br>40~65 毫克/分升 | 增高：HDL－C 与冠心病发病成负相关。<br>减少：多见于脑血管病、糖尿病、肝硬变等。高 TC 血症、肥胖者往往伴有低 HDL－C，吸烟者其指标可降低。 |
| 低密度脂蛋白胆固醇(LDL－C)<br>70~130 毫克/分升 | 增高：是动脉粥样硬化发生发展的主要危险因素。 |
| 门冬氨酸氨基转移酶(AST)<br>8~40 国际单位/升 | 增加：主要见于心肌梗塞、各种肝病、肌炎、胸膜炎、肾炎及肺炎等也可引起轻度增高。 |
| 丙氨酸氨基转移酶(ALT)<br>1~38 国际单位/升 | 下列疾病可见增高：肝炎、肝硬变、脂肪肝、胆管炎、胆囊炎等，心血管疾病、多发性肌炎等；药物，如氯丙嗪、奎宁、酒精、铅等。 |
| 肌酸肌酶(CK)<br>40~200 国际单位/升 | 增高见于各种类型进行性肌萎缩、皮肌炎、病毒性心肌炎、脑血管意外、脑膜炎。对诊断心肌梗死时特异性较 AST、LD 高。 |
| 乳酸脱氢酶(LD)<br>85~250 国际单位/升 | 增高主要见于心肌梗死、肝炎、肺梗塞、某些恶性肿瘤、白血病等。 |
| α—羟丁酸脱氢酶<br>(α—HBD)90~250 国际单位/升 | 增高对诊断心肌梗死有重要意义。 |

| 项目及正常值 | 临床意义 |
|---|---|
| 碱性磷酸酶(ALP)<br>20～110 国际单位/升 | 增高见于肝胆疾病：阻塞性黄疸、急性或慢性黄疸性肝炎、肝癌等；纤维性骨炎、成骨不全症、佝偻病、骨转移癌等。 |
| γ-谷氨酰转肽酶(GGT)<br>5～50 国际单位/升 | 主要用于诊断肝胆疾病。原发性肝癌、胰腺癌时血清 GGT 活力显著升高，特别在诊断肿瘤肝转移和肝癌术后有无复发时，阳性率可达 90%，嗜酒者、口服避孕药增高。 |
| 总胆红素(TBIL)<br>0.2～1.2 毫克/分升 | 肝细胞性黄疸和阻塞性黄疸时，主要直接胆红素增高，间接胆红素可稍增加，当总胆红素超过 (1.5～20 毫克/分升)，可见患者出现巩膜、皮肤黄染，表现黄疸体征。 |
| 直接胆红素(DBIL)<br>0～0.2 毫克/分升 | 增高见于肝细胞性黄疸、阻塞性黄疸。 |
| 尿素氮(BUN)<br>8.0～20.0 毫克/分升 | 肾脏病变如急或慢性肾炎、肾动脉硬化、肾结核、肾肿瘤、严重肾盂肾炎等均可引起血清尿素氮增高。另外，引起体内蛋白分解代谢增强的疾病如大面积烧伤、高热、"甲亢"等，上消化道出血患者因蛋白质吸收增多，也常见尿素氮增高。 |
| 肌酐(Cr)<br>0.6～1.3 毫克/分升 | 增高：血清肌酐浓度取决于肾的排泄功能，提示肾小球滤过能力下降一半或更多，预后严重。 |
| 尿酸(UA)<br>2.5～7.0 毫克/分升 | 痛风患者血清中尿酸增高，在核酸代谢增加的如白血病、多发性骨髓瘤等症亦可见增高，在肾功能减退时，常伴血清尿酸增高。 |
| 血钙(Ca)<br>8.4～11.0 毫克/分升 | 增高：甲状旁腺肌能亢进、代谢性酸中毒、肿瘤、维生素 D 过多症。<br>降低：原发性或继发性甲状旁腺肌能减退、慢性肾衰、维生素 D 缺乏症、呼吸性或代谢性碱中毒、新生儿低钙血症等。 |
| 磷(P)<br>2.5～4.6 毫克/分升 | 增高：甲状旁腺肌能减退症；慢性肾炎晚期；维生素 D 过多；多发性骨髓瘤及骨折愈合期。<br>减低：甲状旁腺肌能亢进；佝偻病、软骨病伴有继发性甲状旁腺增生；胰腺瘤伴胰岛素过多症；肾小管变性病变如范可尼综合征。 |

| 项目及正常值 | 临床意义 |
|---|---|
| 钠(Na)<br>135.0~145.0毫摩尔/升 | 增高：见于肾上腺皮质肌能亢进、严重脱水、中枢性尿崩症等。<br>减少：见于胃肠道失钠如呕吐等、严重肾盂肾炎、糖尿病等尿钠排出增多，大面积烧伤、抗利尿激素过多等。 |
| 钾(K)<br>3.6~5.0毫摩尔/升 | 增高：见于肾上腺皮质功能减退症，急、慢性肾衰，休克，重度溶血等。<br>降低：见于严重呕吐、腹泻、肾上腺皮质功能亢进等。 |
| 氯(Cl)<br>101.0~110.0毫摩尔/升 | 增高：见于高钠血症、失水大于失盐、高氯血性代谢性酸中毒等。<br>减少：见于严重呕吐、腹泻、胃液或胆汁大量丢失、阿狄森病等。 |
| 二氧化碳结合力($CO_2-cp$)<br>21.0~31.0毫摩尔/升 | 增高：见于代谢性碱中毒、呼吸性酸中毒。<br>减少：见于代谢性酸中毒、慢性呼吸性碱中毒。 |
| 阴离子间隙(AG)<br>0.0~14.0毫摩尔/升 | 增高：常见于固定酸(酮酸、乳酸、磷酸盐、硫酸盐)滞留，碳酸氢盐减少的代谢减少的代谢性酸中毒<br>减少：可见于低白蛋白血症、代谢性碱中毒、多发性骨髓瘤、高镁血症、高钙症等。 |
| 血糖(GLU)<br>60~110毫克/分升 | 增高：糖尿病、颅内压增高(如颅外伤、脑膜炎等)，脱水腹泻、呕吐、高热等也可轻度增多。<br>减低：见于胰岛素分泌过多、垂体前叶肌能减退、肾上腺皮质肌能减退和甲状腺机能减退，严重肝病患者。 |
| 循环免疫复合物(CIC) | 以50%溶血管作为终点判定某些自身免疫性疾病如全身性红斑狼疮、类风湿关节炎、等血清中都可检出CIC。 |
| 乙肝表面抗原(HBsAg)<br>阴性 | HBsAg在乙型肝炎病毒感染早期出现于患者血循环中，可持续数月、数年乃至终生、是诊断HBV感染最常用的指标。但在所谓"窗口期"HBsAg可以阴性。 |

| 项目及正常值 | 临床意义 |
| --- | --- |
| (抗 HBs)乙肝表面抗体(Anti－HBs)<br>阴性 | 抗 HBs 为乙型肝炎病毒的中和抗体，有清除乙型肝炎病毒、防止再感染的作用，一般出现在乙肝患者的恢复期，提示感染已终止。此外,注射过乙肝疫苗者也可呈阳性。 |
| 乙肝 e 抗原(HBeAg)乙肝<br>e 抗体(Anti－HBe)<br>阴性 | HBeAg 是乙型肝炎病毒的核心部分，认为 HBe 阳性是具有传染性的指标,在乙肝潜伏期乃至整个病程中,HBeAg 均可检出。抗 HBe 是 HBeAg 的相应抗体。一般认为 HBeAg 消失和抗 HBe 出现是病情趋向好转的征象。但并不意味着乙型肝炎病毒的 DNA 停止复制，或传染性消失。 |
| 乙肝核心抗体(Anti－HBC)阴性 | 抗 HBC 是 HBcAg 的相应抗体，也是乙型肝炎病毒感染后血清中最早出现的乙型肝炎病毒标志抗体，它是乙肝流行病学调查的良好指标。抗 HBC 有 IgG、IgM、IgA 三类,IgM 类和 IgA 类抗 HBC 在乙肝急性期、慢性肝点活动期出现。在乙型肝炎病毒感染的"窗口期"Anti－HBC 常常是唯一可测出的乙型肝炎病毒血清标志物。 |
| 甲肝抗体(Anti－HAV)<br>阴性 | 血清中抗 HAV－IgG 在亚临床期即已出现,其滴度在感染后 3 个月维持在 1000 以上,已被公认为早期诊断甲肝的依据。(HAV 表示甲型肝炎病毒) |
| 丙肝抗体(Anti－HCV)<br>阴性 | 抗 HCV－IgG,IgG 均为非特异性抗体,急性期多为 IgM,慢性期多为 IgG,是判定急、慢性重要标志。(HCV 表示丙型肝炎病毒) |
| 甲胎蛋白(AFP)<br>  <20 毫微克/毫升(EIA 法) | 肝癌标记物,对诊断是否肝癌有参考意义。 |
| 癌胚抗原(CEA)<br>  <4.5 毫微克/毫升(MEIA 法) | |

嗜异性凝集　　<1:40 阳性凝集
　　诊断传染性单核细胞增多症
寒冷凝集　　<1:40 阳性凝集
　　诊断非典型性肺炎
肥达与外裴氏试验
　　当大于 1:80"O"凝集,大于 1:160"H"
凝集有诊断价值,用于伤寒、副伤寒的诊断

# 健 康 问 题 指 南
## General Guidelines To health

本章将简单描述和总结人类一生不同时期的基本健康情况——从一个婴儿出生开始，经过儿童期和青春期，直到成年和进入老年。正确理解人类正常发育过程和不同性别在一生中各自可能面临的问题，是建立健康人生计划的关键之一。从小开始建立优良的习惯和选择合理的生活方式，能有助于你和你的家庭享受完整、健康的生活。

| 内容 | 儿童的健康 | 男性的健康 |
| --- | --- | --- |
| | 健康的成人 | 进入老年期 |
| | 妇女的健康 | |

## 儿童的健康

一个新出生的婴儿，对一个家庭来说可能是最令人兴奋和最具挑战性的事件。一个良好的围产保健计划将使你和你的爱人做好充分准备，迎接家庭新成员的到来。虽然大部分婴儿在长大成人的道路上还要遇到许多问题，但为保证你的宝宝能保持健康和幸福，预防保健措施则应尽早开始。

每一位儿童应定期进行体检，提供良好的卫生状况和营养，给予充分的休息和锻炼。在出生后头几年，家庭医师或儿科医生应对宝宝的生长发育进行评价、监测，在出现儿童时期常见的一些疾病时，应随叫随到。即使一个刚出生不久的婴儿患了肝炎，也应在 2 岁以前接受全程的预防注射。你所在的州或地区会规定接种一些疫苗，以预防某些儿童感染性疾病。儿童在上学前都应接受预防注射。

大多数儿童在相同年龄时，体格、身长和运动功能的发育大致相同，如果你孩子的某些发育情况与家庭中或邻居的其他孩子稍有不同，你也不必过分在意。但如果与同龄儿童相比，你孩子的发育有明显差别或始终落后，就应向儿科医生咨询。除了体格健康以外，儿童在精神和情感方面的健康也需不断发育和培养。来自家庭和朋友的影响与支持有助于增强自信心，而在与同龄人的交往过程中能够培养极其重要的社会能力。

### 婴儿期（出生到 1 岁）

尽管这时的婴儿看起来无依无靠，但生命的第一年是生长和发育非常惊人的时期。在这一时期，对孩子健康的关心应从出生时的全面体验开始，检查婴儿的心率、呼吸、反应。脐带残端一般在生后 2 周内脱落，在此以前应每天用酒精清洗残端并保持干燥。如婴儿做了包皮环切术，应保持阴茎干燥，每次换尿布时应盖上一块涂有凡士林的纱布垫，直到伤口完全愈合。

新生儿头部有两个较软的区域，即囟门，是由于颅骨尚未长到一起。后部小的囟门一般在生后 8～12 周闭合，前面大一点的囟门将在 6～18 个月闭合。尽管脑部被一层坚韧的硬脑膜覆盖，但对这些柔软的区域应注意保护避免受伤害。在宝宝呼吸和哭闹时，囟门可能上下起伏。但是如发现囟门出现异乎寻常的凸出或凹陷，应通知医生。

一般在生后头 6 个月内，母乳或婴儿配方奶粉即可满足宝宝营养的需求，也可以以母乳喂养为主，偶尔喂奶粉。母乳喂养的最大优点是有助于宝宝的免疫系统抵抗各种感染，并能预防以后发生的过敏。大约 6 个月时，宝宝就可以吃一些软饭，再过几个月就可用杯子喝水了。这时儿科医生就应给予指导如何断奶。大部分婴儿生后头 1 年内，体重增长 3 倍。

为了排出咽下的空气和气体，婴儿在进食后不久呕出少量的奶或食物是正常现象。但是呕吐频繁并有发烧和腹泻，或呕吐物有血液或绿色的胆汁，你就应请儿科医生看病了。在新生儿时期，孩子的大便较稀并呈浅绿色或黄色，母乳喂养的小儿一般比喂配方奶的孩子大便次数多。为防止尿布疹，喂奶前后、每次大便后、或宝宝每次睡醒后都应换尿布，如发现有皮肤刺激症状，可涂一些中性的油脂或护肤霜。

宝宝最基本的发声就是啼哭，当你抱他时或喂奶后就能止哭。生后 1 ~ 2 周，宝宝的眼睛就开始随着你的眼睛转动；4 ~ 6 周时就能对熟悉的面孔微笑，在这以前，看上去微笑的动作可能在打嗝以排出胃内的气体。到 12 周你就能听到宝宝的第一次笑声。在生后 5 ~ 10 个月，大部分婴儿会出第一颗牙，部分婴儿在周岁时有多达 8 颗牙。

大约 3 ~ 4 个月时，多数婴儿在俯卧时能抬头和肩；到了 6 个月，稍微帮助一下宝宝就能坐起来；8 个月时开始学爬，大约 1 岁时宝宝就能独自地迈出人生第一步，这时小儿就能用手指着人，并能说一两句意思清楚的话，包括妈妈、爸爸。

有些孩子的脸上或身上有色素脱失斑或胎迹。尽管日晒后颜色可能变黑变深，而且紫红色的胎迹可能终生存在，但大部分对身体无害，并能随着儿童年龄的增长而变浅消失。尽管有些胎迹影响外观，发生癌变的机会却很少，有关治疗事宜还应请教医生。

儿童天性好奇，应采取预防措施避免发生孩子自己造成的意外伤害。在孩子开始会爬前，房间内的保护装置应装好。例如，在楼梯的两头设置安全门、房门和柜子安装保护儿童插销；你还应在电源插销上安装防护装置等。如发生了意外事故，建议最好去看急诊，以得到妥善的处理。婴儿期还可能出现一些小的健康问题，包括肛裂、喉炎、便秘、湿疹、胃肠炎和黄疸等。

宝宝应睡在固定的床垫上。有些专家建议：为预防孩子在床上发生窒息，不应给孩子盖松软的鸭绒被或毯子，1 岁以前不应把枕头或软的动物玩具放在摇篮中。婴儿猝死综合征（SIDS）是指某些婴儿无明确原因在睡眠中发生的亡。在生后头 1 年，婴儿猝死综合征的发生率大约为 1/2000，男孩多于女孩，且寒冷季节更多见。婴儿仰卧或侧卧的睡眠姿势被确认能减少发生婴儿猝死综合征。

## 学龄前的儿童（1 ~ 5 岁）

在这以后的几年中是一个迅速成长发育的时期。孩子的个体特征变得更加明显，特别是语言能力有很大提高。到 18 个月就能搭积木、扔皮球、拉着玩具在房间里到处走。不久就开始跑、自己上下楼梯和用勺吃饭等。

部分儿童 1 岁时能使用简单的词，但要陈述由几个词组成的句子、理解自己所说的意思、而且能在行动上有所反应，尚需很长时间。1 岁多的孩子常常耍赖皮和发脾气，对这种吵闹家长可不予理会，而在表现优良时给予褒奖，这种对策可能是最佳的选择。

2 岁的儿童已能跑得很稳，并开始学习自己穿衣服。大部分儿童应在这个年龄开始学习自己大小便和避免尿裤子，尽管如此，还有部分儿童特别是男孩，到 5 ~ 6 岁以前还尿裤子。这个年龄的孩子，词汇量有惊人的增加。到 3 岁时，他已能讲简短的句子，渴望得到爱抚和夸奖，你不满意时他也能明白。从 18 个月到 3 岁，对家长的要求，孩子能有更积极的响应，但有时却故意不理睬。在这个时期，有时称为"可怕的两岁"，儿童的独立性和责任感正在出现。在他们做好事时应尽量多地给予表扬，当对你的要求他们偶尔说"不"时也不要感到意外。

3 岁时已学会用简单的句子，在大人的帮助下穿衣服和使用自己的便盆大小便。他们能玩更复杂的玩具，例如：秋千、滑梯和三轮车。这时，孩子更喜欢同小伙伴一起玩耍，而不像一两岁时那样独自一人玩了。在这个年龄，同胞之间的竞争和嫉妒是经常的。如果孩子已经不这么做了，在这一年就最可能停止咂手指头了。

到了 4 岁，儿童能说更复杂的句子。想象力使他害怕黑暗或幻想着有怪物，这种恐惧是正常的，一般一两年后就会消失。单腿跳和跳绳应是 5 岁儿童具有的运动能力。身体上的独立性和好奇心使得小儿特别容易发生意外伤害。大部分擦破的伤口能很快愈合，但有些需要医疗处理。你和家人应对一些儿童的冒险行为特别警惕，如火或没有栅栏的水池，这些可能造成严重的伤害。

学龄前儿童常患的疾病有感冒、流感、或化脓性扁桃体炎，特别是在集体活动中与其他儿童接触以后。但与成人不同的是,当体温高达41.1℃时,一个8岁以下儿童可能没有什么病重的迹象,虽然有的一两岁小儿在体温超过38.3℃时可能发生高热惊厥。这种惊厥能把家长吓一跳,但很少危及孩子的生命。

## 学龄期儿童(6~12岁)

到6岁时,大部分儿童开始上小学,上学前和幼儿园的那种自由自在的环境就被学校内更有秩序和约束的环境取代。通过课堂上的学习和有组织的体育活动,使学龄期儿童获得智力、身体和心理上不断磨炼成熟的机会。许多儿童有了自己的好朋友,一般是同一性别的儿童。这时孩子开始学习阅读和写作,对于一些学习特别困难的孩子,应检查是否有发育上的异常,这些异常包括:注意力缺陷或特异性的读写困难,如失读症。

一旦开始上学,小儿就很容易接触水痘和其他传染性疾病的病原体。这一时期,小儿开始换牙,一般无疼痛。除了智齿以外,恒牙将全部替换乳牙。这时应每6个月检查一次牙齿,如牙齿排列不整齐,就应咨询口腔矫形科医生是否需做牙齿矫形。

在3~9岁间,有些儿童可能发生四肢严重的、反复发生的"生长痛",大多数在晚间发生,持续数小时,一般不会严重影响健康。有些儿童还叙述有反复的头痛和肚子痛。当儿童的独立性越强和越爱冒险时,发生意外事故的可能性也就越大。为降低危险的发生,应教育儿童如何过马路、如何骑车注意安全、游泳时的注意事项和坐车时如何系好安全带等。应告知孩子:刀、枪支、各种工具不是玩具,未经家长同意不能使用!

你还应向孩子交代与陌生人接触的危险性,如何区分善意的和恶意的爱抚,什么时候说"不"及其他预防发生虐待儿童的办法。

对大多数女孩来说,从10岁就开始进入青春期,而男孩为11岁。女孩青春期开始的特征是出现阴毛、乳房发育及体形上的明显变化。男孩青春期开始的特征是睾丸、阴茎增大并出现阴毛。一两年后男孩在体重和身长等方面开始迅速增长。如你的孩子在8岁以前就出现上述特征,就应找医生咨询。虽然单纯的内分泌系统提前成熟可能就是早熟的原因,但进一步检查排除其他潜在性的疾病是明智的。在任何情况下都应牢记:尽管青春期的儿童在身体上已开始成熟,但在心理和情感上仍是个孩子,因此还应像孩子那样对待他们。

## 青春期(13~18岁)

在十几岁或青春期这一段时期内,您的孩子独立性更强,社会成熟度也更高,并表现出许多成年人的特征。对于女孩,11~14岁开始有月经,到14岁阴毛、乳房和大汗腺已经发育。从10~11岁开始,生长发育突然加速,一直到第一次月经来临后又缓慢下来。青春期女孩痛经十分普遍,直到17岁左右她们的月经周期才开始规律。如您的女儿已经15岁但还没有明显的身体发育,到17岁仍没有月经,就应与医生讨论青春期发育延迟的原因。如有必要请一位小儿妇科医生做盆腔检查;无论是否有异常,年满18岁的女孩都应做盆腔检查,如她们的性行为特别活跃,盆腔检查的时间就应更早。

在13~14岁,男孩的喉结开始出现,嗓音也开始变化。从13~15岁,外阴和阴毛、以及大汗腺也开始发育。同时到了这个年龄,大部分男孩子出现了遗精。从13~15岁开始男孩的体格发育迅速增快,直到17~18岁左右发育停止。如您的儿子到15岁还未出现明显的身体发育,或嗓音到16岁还没有出现变化,就应与医生讨论其为何出现青春期发育延迟。

对青春期少年来说,自我探索和体验性的活动是十分自然和正常的,最常见的是手淫。这时他(她)们开始喜欢同异性交往,建立关系。但也有部分青少年可能尝试同性间的性交往,然而只有很少部分人最终沦落为性放荡或同性恋。当孩子进入青春期时,你就应同他(她)讨论和解释他(她)身体上所经历的变化、如何区分性和爱、关于同性恋、没有预防措施性行为的可能结局——妊娠和性传播疾病等。

身体和内分泌迅速发育还可造成其他变化,例如:视力问题、缺铁性贫血和痤疮。单核细胞增多症是可发生在各年龄组儿童的一种常见的感染性疾病,但青春期儿童特别容易发生。饮食习惯的异常,包括神经性厌食和食欲过盛,有时在青少年和年轻妇女中发生,应引起注意的体征包括:体重极度下降、体重大幅度波动、或在饮食中有暴饮暴食——服泻药的规律等。有些青春期少年,特别是女孩,常易发生游走性的头痛。患脊柱侧凸的女孩也多于男孩,这是一种脊柱弯曲度异常的疾病,许多学校的常规体检就可发现。

青春期身体、智力、心理等方面的发育也伴随着在这一时期儿童情感和行为上的不稳定：青少年出现抑郁、焦虑和恐惧等发作并不少见。除了好奇以外，处于对抑郁或其他心理创伤的反应、和来自同伴们的压力，许多青少年在尝试用毒品、酒精和麻醉剂来解脱。与社会上和司法界的反应一样，你也应同孩子认真地讨论吸烟、饮酒和滥用药物对健康造成的伤害。

# 健 康 的 成 人

对大多数人来说，在青年时期身体健康情况良好。年轻人发生意外伤害的机率要远远高于患全身性疾病的机率，但有一少部分疾病，如睾丸肿瘤和多发性硬化，就很容易侵犯青年和中年人而不是老年人。

## 良好的健康习惯

为保持体形，你应做到有规律的锻炼、膳食保持平衡、维持体重在合理的范围、适量的饮酒、避免滥用违法药物及不吸烟等。如你患有慢性疾病或你怀疑自己具有某种疾病的遗传趋势，你就应听从医生的忠告或自己学习如何辨别这些疾病的表现。例如你体重过重或有糖尿病的家族史，当你到中年时，就有发生Ⅱ型糖尿病(非胰岛素依赖型)的某种危险。尽管此病尚不能治愈，但是能有效地控制，因此及早诊断十分关键。

## 健康保健的内容

应选择一名家庭医生或卫生保健人员并为自己投健康保险，这些能给你提供保护，防止发生难以预料的疾病和意外伤害对你的损害。为保证企业或单位的劳动生产率，多数雇主给予员工基本的健康保险项目。这是最起码的，是用一种花费较少的方式，来应付可能出现的重大疾病所需要的巨额医疗费用。

定期体检能在早期检查出健康中的问题，这时开始治疗是最有效的。尽管在儿童时期已经接种了破伤风和白喉疫苗，但成人也应每10年重新接种1次。应每6个月检查一次牙齿，这有助于及时发现牙和牙龈的问题，如有必要，每年做一次眼科检查，以监测视力的变化。(请见：妇女的健康，男性的健康)

## 情感和心理的健康

除了保持身体上的健康以外，不断调节心理和情感，使之处于健康状态同样是极为重要的。应学会如何适应各种变化及对付个人生活中的各种危机，这对你的身体健康有直接益处；当处于压力和忧虑状态，发生许多疾病的危险也就更大。到40岁以后，有些人将经历一次被称为"中年危机"的时期，这时他们对自己的年龄产生顾虑，对自己的才能发生怀疑。在人生的任何时期，如发现自己总是被自责和压抑弄得不知所措，就应请心理专家咨询。

# 妇 女 的 健 康

所有妇女应由医生、妇科保健医师和其他有资格的保健人员做定期检查。检查包括适当的血、尿、大便化验，盆腔检查以确定生殖器官是否正常，宫颈刮片和乳房检查以检查是否有宫颈癌和乳腺癌的早期征象。如果50岁以上或进入绝经期，您应每年做一次乳腺X-线检查，它能在患者有查觉前发现肿瘤(什么时候开始做乳腺X-线检查尚有争论，有些医生建议应从35岁就开始做此项检查)。如发现团块或你自己检查乳房时触及有团块，医生就应随访并做适当的检查，尽管大多数乳房肿物是良性的。(见乳腺肿瘤、乳腺疾病、宫颈疾病、卵巢疾病、子宫疾病和阴道疾病等章节)

## 生殖过程

从胎儿到成年女性的成熟过程中，能产生数以百万计的卵细胞并储存在女性的两个卵巢中。当进入青春期，卵巢开始排出卵子，这个过程被称为排卵。正常情况下，排卵为两个卵巢交替完成，大约每28天有一个卵子被排出，经输卵管被运送到子宫。如果在排卵前72小时或排卵后24小时有性交发生，将有数以百万计的精子游向卵子；如果有一个精子穿入卵子，受精就发生了。正常情况下，受精卵自行植入子宫内膜或称着床，在这里将发育成胚胎。如卵子未能受精,它将随着月经和混有血液的子宫内膜一起排出子宫。

如发生两个卵子同时排出而且分别受精,这两个受精卵将发育成双卵双胎妊娠;如受精卵在发育的早期分裂成两个,这就发生单卵双胎。在更少见的情况下,可能发生三胎或多胎妊娠,这种多胎妊娠可能是单卵或是双卵双胎妊娠,或者两者皆有。

## 月经周期

每个女性的月经周期差异很大,平均为 28 天,并持续 4 天。月经周期为 23 ~ 35 天,经期持续 2 ~ 7 天都是正常的。大部分妇女使用卫生栓或卫生巾来吸收流出的血液。卫生栓不应在阴道放置 8 小时以上,因为长时间使用同一个棉条易发生中毒性休克,特别是在小于 30 岁的妇女。

过重的精神压力或长距离的旅行可能打乱以前规律的月经周期。周期紊乱也常见于刚来月经的少女和已接近绝经期的中老年妇女。停经是怀孕的典型征象,但也可能是由于精神压力、激烈运动或竞技比赛、肥胖、神经性厌食或其他疾病引起。有些妇女在月经期中可出现腹痛、腹部痉挛、腰骶部痛。内分泌的变化能导致少见的经期延长——可持续 7 天以上——并出现周期紊乱。如果已经历了数年没有痛经的历史,而现在又出现痛经或出血量比平时明显增多,你就应找医生了。子宫肿瘤、子宫内膜增生症或盆腔感染性疾病也可引起明显疼痛和月经量明显增多。

有些妇女在月经到来前大约 1 周时出现不同程度的经前期紧张综合征(PMS)。这时因激素失衡引起暂时性的乳房变软、肿胀、水潴留、体重增加、进食增多、或情绪上喜怒无常。如妇女已过了 17 岁还没有月经出现,就应请医生检查是否有生殖系统或内分泌系统的疾病。

## 妊娠

停经是怀孕的最初征象之一。其他早期的表现有乳房变软或肿胀、小便次数增加,还有恶心、呕吐等。从大部分药房买到的妊娠诊断试剂盒是检测尿中的一种激素,这种激素只有在你妊娠时才出现。但在家中的化验并不总是十分准确,特别是在妊娠早期。一旦你怀疑自己可能怀孕,就应去看医生或去保健中心做更精确的检查。

一般来说,胎儿在受精后至少需要 266 天或 38 周才出生。虽然可能你讲不出准确的受精时间,但你还是能推算出相对准确的宝宝出生日期,特别是当你的经期是规律的:从末次月经的第一天开始,加 40 周或 280 天。为便于区分,医生常把整个妊娠分为三个阶段,每一阶段为 13 周,胎儿在宫内发育成熟过程中,第一阶段非常重要;这一阶段中胎儿从只能在显微镜下见到的胚胎,到大约 3 英寸长、全部重要器官都已发育完全。胎儿在子宫中被羊水包围,通过脐带与母体的循环系统相连。在第二、第三阶段中胎儿的器官和肢体继续发育。虽然婴儿的出生时的体重和身长差异很大,但一个标准的足月新生儿大约 20 英寸长、7.5 磅重。

如胎儿在妊娠 20 到 35 周出生就被认为是早产;有些婴儿在出生过程中有发生危险的可能,故需剖腹产。一般情况下,胎儿在宫内发育时间越长,存活的机会就越大。

然而约有 1/4 的孕妇在怀孕 13 周前发生流产,这种自然性的流产可能是由于胎儿先天性的畸形或发育缺陷造成。因摔交、受伤或精神打击造成的流产很少见。(请见:怀孕中的问题)

## 产前保健

从你一知道怀孕开始就应做合理的产前保健检查。医生将会告之使用麻醉品、饮酒和药物——不管是处方药或是非处方药、合法的或非法的——都将对你的胎儿发育有潜在的危害。合理的营养极为重要,而且怀孕期间膳食的质量比数量更重要。一个良好的膳食应包括大量的新鲜水果和蔬菜,糖和盐的摄入量应较低,维生素、矿物质、蛋白质和脂肪的平衡应合理。大部分孕妇在分娩前体重增加 20 ~ 30 磅。在增加的体重中,胎儿占 6 ~ 9 磅,其余重量是乳房和子宫的增大、血容量的增加、羊水和胎盘。

妊娠期间你还可能发生静脉曲张、痔疮、后背疼、贫血、便秘或上腹部灼热等。如果年龄超过 35 岁,发生糖尿病和高血压的危险就有所增加。上述问题在孩子出生后一般会缓解或消失。如果你的乳头内凹,那就应在怀孕 15 周后,在乳罩内加上一个塑料或橡胶垫,这些塑料或橡胶垫的吸力作用能在分娩以前能将乳头拉出,这样你可以保证母乳喂养的成功。

孕妇超过 35 岁,婴儿就有可能出现染色体的畸形,如 Down 氏综合征。如父、母家族中一系或两系中有任何染色体疾病的历史,你就应做遗传学的检查确定你的孩子发生这类遗传疾病的可能性有多大。产前检查中如进行羊水穿刺和超声波检查就有助于以上疾病在孕早期的诊断。

妊娠期如果你曾发生弓形体病或风疹感染,特别是在孕早期——你的宝宝就有发生明显畸形的危险。怀孕前的血液检查能确定你对这两种疾病是否有免疫力。接种疫苗可预防风疹感染,因此所有妇女都应做预防接种。如你还没有产生免疫力,就应接种疫苗,然后等 3 个月后再怀孕。生肉和猫的粪便携带有引起弓形体病的寄生虫。如果你对弓形体病缺乏免疫力,医生就应提出建议如何预防弓形体感染。

有一种相对少见的疾病是发生母子 Rh 血型不合,但这是可以预防的。疾病对母亲无影响,但能使婴儿发生严重的血液系统疾病,导致贫血甚至死亡。如果胎儿有发生 Rh 溶血病的危险,医生就能够发现,并能推荐预防性的治疗——通常在妊娠第三阶段的早期预防性注射 Rh 因子的免疫球蛋白,并且在分娩后再注射 1 次,以保护下一胎婴儿。有关其他并发症请阅读妊娠中的问题一章。

## 出生和分娩

在宝宝出生前,你应确定分娩的方式。你的私人医生和妇幼保健门诊能提供许多自然分娩优点,在分娩中也可应用药物和麻醉剂以减轻疼痛。硬膜外麻醉能减轻疼痛而又能在分娩中保持清醒和意识,比全身麻醉的副作用要少。

是否需要手术取决于几个周径,你可以同产科医生讨论不同的方案。在正常分娩中,外阴侧切术能使阴道口扩大。在剖腹产分娩中,婴儿通过手术从子宫取出。剖腹产应是有选择性的或当母亲或胎儿的生命处于危险时才应急诊做剖腹产术。

分娩可分为三个阶段。第一产程也是最长的一个阶段,子宫收缩使子宫颈开放,这样胎儿就可以自子宫娩出。初产妇大概需要 12 个小时或更长。在第二产程,子宫收缩将胎儿娩出子宫,对初产妇这个过程需几小时,而有些婴儿有时只需几分钟。分娩的最后阶段是胎盘的娩出,这个过程较短并且没有疼痛。妇女经过第一次生产后,由于子宫和阴道的肌肉变得更松弛,因此以后分娩时间就会缩短,平均为 4～8 小时。如果分娩过程进展太快超过预料的时间,而你来不及请产科医生、助产士或家庭医生,就应立即去急诊室,做急诊分娩。

## 母乳喂养和以后的喂养

尽管母乳喂养是一个完全自然的过程,但你和你的新宝宝不仅要学会如何喂养,并且还必须建立一种彼此舒适的喂奶方式。这一过程可能需要几天,在开始时可能有些困难,但这样做不会使母乳喂养失败,必要时,医生、护士、助产士将给予指导。在喂奶的最初 2～3 天,婴儿喝的是初乳,是一较稀的、但富含免疫性抗体的液体,然而不久初乳就被真正的母乳取代。部分母亲几周后就停止母乳改喂牛奶或奶粉。不管是哪一种情况,数月后你就应开始用奶瓶喂水和果汁,再以后开始喂固体食品。你和你的宝宝都清楚断奶的时间。

一些母乳喂养的母亲,她们的宝宝只吃母乳不吃其他食物或有叼奶头的毛病,应请有经验的保健人员给予指导和适当的处理。一位刚做母亲的妇女在婴儿出世后的几周内可能感到不同程度的抑郁,这种情况与劳累、激素水平的恢复、情感的变化有关。如你因这种"宝宝忧郁症"而感到不知所措,就应与医生一起讨论这种情况。

## 不孕症

如你想怀孕但过了 1 年或更长时间仍没有成功,你和你的配偶就应去检查不孕的原因。妇女不孕的原因包括卵巢不排卵、输卵管阻塞或其他畸形、子宫或子宫颈的疾病、性传播疾病(STD)。许多不孕的原因是可以解决的,可选择的方法包括:人工受精、精子库和领养孩子等。(有关男性不育症请见:男性的健康)

生育受年龄的影响,对男性和女性来说,二十几岁是生育能力的高峰。超过 37 岁的妇女生育力明显下降。而男性在一生大部分时间内都可以产生精子,但妇女在绝经期后就不能怀孕了。

## 家庭计划(计划生育)

每一位妇女都应考虑性生活的结果:一次性交即可能怀孕。有许多性交和避孕的方法。

安全期避孕是根据经验确定妇女的月经周期中受精期和非受精期,预测她什么时候最有可能排卵和最可能怀孕。排卵期有性生活能有利于怀孕,相反在接近排卵期停止性生活就能达到避孕的目的。

现代的安全期避孕法起源于规律法避孕,在本世纪30年代首次被介绍。那时妇女预测排卵期是依据以前的月经周期。这种预测方法不是十分有效,目前已不再使用。现在安全期避孕采用的方式为:根据观察宫颈粘液和根据基础体温或睡眠时体温的变化决定出一个2~3天的排卵期。提倡自然法避孕者建议为避免怀孕每月一般应禁欲10~14天。

阻止精子与非受精卵结合的方法被称为屏障法。这种方法包括男性避孕套和妇女用的隔膜、女性避孕套或宫颈杯。屏障法与破坏精子结合胶冻配合使用效果更好。宫内节育器(IUD)是植入子宫内防止受精卵植入子宫内膜;虽然IUD效果很好,但有部分妇女有不适感,并且少数有严重的副作用。30岁以下妇女使用体内节育器还能增加中毒性休克的危险。

依据激素的作用达到避孕的方法——通过口服避孕药或在皮下埋入缓释的避孕药囊,是一类最有效的避孕方式。激素能暂时抑制卵巢排卵,而不会影响月经周期。避孕药或避孕囊应在医生的指导下应用,医生能提出有关选择最适宜的药物类型、药物副作用和一些少见的不适症状等忠告。停止用药后大多数妇女能恢复正常的卵巢功能并能成功的怀孕。

绝育是一种永久的避孕方式。在治疗其他疾病时,如宫颈或泌尿系统肿瘤时需要做子宫切除术——通过手术切除子宫,通常还有卵巢、输卵管和子宫颈。有些有一个或数个孩子的妇女选择手术切断或结扎输卵管,这样也能有效地避免精子和卵细胞的接触。

有些偶然的情况,卵子在子宫外的输卵管受精并植入,这种情况就是宫外孕——能造成妇女的剧烈疼痛并会危及生命,这时应手术切除胎儿终止妊娠。人工流产一般选择在妊娠的头3个月,典型的方法是采用扩宫术和刮宫术。

## 其他有关性的问题

与多个性伴侣有过分活跃的性生活,能导致发生性病机会的增加。性交和口交使身体有直接接触和体液的彼此交换,使性伙伴暴露在有高度传染性的疾病面前如梅毒、淋病、生殖器疱疹、生殖器疣,同样还有传染人类免疫缺陷病毒(HIV)的可能,这可引起艾滋病。细菌性的性病一般可治愈,而病毒性的性病则不能,感染者可能终生受影响,艾滋病最终可致命。

合理地使用男性避孕套能预防某些性病感染,但不是100%的有效。如出现任何性病的症状,双方应立即看医生,而且一旦已知自己患有性病,就应完全避免性接触。每一位妇女有权利了解你性伙伴是否患性病,而且不应对这种要求有所顾虑。

## 性功能障碍

一个妇女的性要求或性欲实际上是有波动的,有时候女性对性根本不感性趣。这种情况有可能是由于疾病或某些药物的副作用,或是夫妻关系出现问题。如你的性要求在较长时间内降低,或性交始终使你感到不自在,或你不能达到高潮,你可能就应该与医生讨论这些问题。(请见:性功能障碍)

## 绝经期

在45~55岁之间,绝大部分妇女将失去排卵的功能,卵巢不再产生雌激素——女性激素——这是维持月经周期继续下去所必需的激素。在几年的时间内,有经期的间隔越来越长。最终,排卵和月经同时停止,妊娠也不再可能发生。这就是绝经期,妇女生育年龄的自然终点。

绝经期的其他症状包括:感觉以上半身为主的潮热;阴道壁变干变薄,可能引起性交时疼痛和其他情感方面的不适。年龄更大的妇女和多产的妇女,将丧失保持子宫和子宫颈的盆腔肌肉的张力。这种状况一般较轻,但如有明显的不适症状就有治疗的必要。骨质疏松症是绝经期妇女的一种严重疾病,是由于绝经期后雌激素量的减少导致骨钙迅速丧失。为了防止绝经期的这些反应,建议找医生咨询激素替代治疗(HPT)的指征及用药的内容。(请见:绝经综合征)

## 其他的健康问题

在可治愈的疾病中，妇女患泌尿系统感染特别常见(包括膀胱炎)，肠应激综合征和霉菌感染。一些妇女容易发生关节炎、糖尿病、肥胖症和饮食习惯的异常如食欲过盛和神经性厌食。

在全部有关妇女的健康问题中，最值得注意的是肿瘤。虽然只有较少比例的妇女发生肿瘤，但其他疾病已逐渐被控制的同时，各种类型肿瘤的发病率却在不断上升。每一位妇女应警惕身体各部位肿瘤的早期征象，一旦有可疑的症状出现应立即看病。如症状持续，或你仍感到怀疑，应请其他的医生再做一次结论。如发现肿瘤，应确定是良性或恶性，并同专家一起讨论治疗方案，以确保得到最合适的治疗。(请见:癌症)

# 男 性 的 健 康

青年人应建立一种基本的生活习惯，以确保在几十年内持续保持健康状况。首先和最重要的是优质平衡的饮食，适宜的营养摄入和保持体重在身高和体格容许的范围内，保持这种状态最好的方式是从年轻时开始锻炼，无论是采用体育运动还是有规律的健身计划。中年甚至老年的体育健身仍有重要意义。一种有活力的生活方式应包括有规律的锻炼，这有助于防止肥胖；并且，体育活动也能成为一种释放压力的方法，对保持精神和情感的健康有重要意义。

请医生或在健康服务机构定期体检以监测心脏、肺脏和循环系统的功能。定期检查血液、尿液和大便，项目应包括血糖、胆固醇和其他全身疾病的有关化验。50岁以后体检应包括前列腺的肛门指诊检查。根据你的全身健康状况和某些特殊疾病的家族史，你还应做其他一些检查，包括:心电图以评价心功能、乙状结肠镜检查有无结肠肿瘤、测血压以评价循环系统功能。

当出现疾病或身体不适的症状不要耽搁，及时看病始终是重要的，而且如果身体出现了任何不常见的表现、或身体上出现一些变化、或身体的机能出现功能障碍时，也应及时去看病。为防止发生各种类疾患，最关键的是如何预防疾病，并应早期诊断，及时、科学地治疗。

## 生殖系统

青春期过后，男性睾丸就可产生精子和男性激素即睾丸激素，并一直持续到老年。精子与精囊、前列腺分泌的液体一起组成了精液，在性高潮射精时从尿道排出。如在几天内无射精发生，精子就被再吸收和更新。一次射精中大约有500万个精子排出，但只有一个精子能与卵子发生受精。由于精子能在女性生殖道中存活达72小时，因此在性交后3天也有可能发生受精。

## 性功能障碍

阳痿——表现为不能勃起或保持勃起时间不够长而达不到高潮——有时使许多男性感到苦恼。如你饮酒太多、过度兴奋或情感压抑都可能发生暂时性的阳痿。早泄可发生在上述类似的情况下，但你和你的配偶可以一起改善和消除。这两种情况在去除原因后均可消失。如你尽了最大的努力但问题还经常出现或持续存在，就应与医生或性治疗专家讨论如何采取治疗了。

## 不育症

多数男人为人父没有问题，一对夫妻没有孩子产生的烦恼也许比一方被检查出有不育症更大。男性不育的两个主要原因是精子量过低和精子活动度差。另外还包括男性控制射精时机困难或没有精液。许多生殖器疾病也能造成不育，如:精索静脉曲张或静脉扩张和睾丸的炎症，后者有时是因腮腺炎引起。幸运的是这些疾病经适当治疗后可治愈。

## 性责任感

一个男人有义务对孩子承担父亲的责任，并应与妇女一起决定是否妊娠。在未采取有效的避孕措施情况下，性交时应采取体外射精。一种更有效的避孕方法是使用避孕套，它能阻止精子进入阴道。如女性同时使用杀精子胶冻，避孕套的效果更好。(请见:妇女的健康中有关受精和避孕的知识)

避孕套也能有效地预防性病(STD)，性病既能通过同性又能通过异性的性关系传播。性病有高度的传染性，性生活过于活跃和有多重性伴侣的男性感染和传播性病的可能性极大。一旦出现性病的首发症状就应去看病并做全面的体检。如已知或怀疑自己患有性病,应避免任何性接触,直到得到全面的诊断和必要的治疗。

## 全身疾病

许多疾病能在成年人生活中给男性予打击。男性似乎比女性更容易患心脏病,例如:动脉粥样硬化和心脏病发作。男性发生肺癌和胃肠道疾病的危险也更大。然而,当人们自觉地意识到合理膳食的重要性和吸烟的危害性时,这种情况就有可能改变。

你应同医生一起讨论发生在身体各部位的疼痛或炎症、肿物或颜色的变化,如出现排尿困难、性功能降低和身体出现其他症状时,去找医生是明智的。你清楚地了解家族中是否有任何遗传性的疾病是十分重要的,不管这种疾病是良性的,如脱发,或是有潜在致命的危险如糖尿病或癌症。应对这种遗传趋势保持清醒,并对这些疾病的早期征象提高警惕,使自己能区别出哪些是健康状态和哪些是早期的功能丧失。如有某些全身疾病的家族史,或自己认为有某些疾病的潜在征象,你应找医生咨询和讨论如何预防。在年轻时改变生活方式可能是保持长时间健康的关键。

## 其他男性的问题

泌尿系统感染和阴茎癌常与不良的卫生习惯有关,未做包皮环切术的男性比已做过的男性更容易发生上述疾病。未做包皮环切术的男性应每天清洗包皮内侧(见阴茎痛)。你同时应每月自我仔细检查睾丸有无肿物或肿胀。睾丸癌尽管少见,但特别好发于 40 岁以下的男性。如发现无法解释的睾丸和精索疼痛或肿胀应去看病。

膀胱和前列腺的疾病是在一定年龄后逐渐出现的,这就是为什么许多男性老年后发生排尿困难而射精却正常的原因。前列腺是一个胡桃样的腺体,它包围了尿道的一部分,尿道是尿液从膀胱排出的管道。在老年,前列腺发生肿大、阻塞尿道并引起尿频、尿痛。(请见:膀胱感染、前列腺疾病、泌尿系统疾病)

前列腺癌是男性常见的一种癌症,特别是在 50 岁以上。对所有的癌症来说,早期诊断是治疗成功的关键,因此定期体检和一旦出现症状就去检查是十分重要的。尽管在医疗干预方面还有争论,但也应同医生讨论出现的任何问题,因为医生能向你提供最新的有关研究发现,并推荐最适宜的治疗。

## 精神健康

男性和女性一样也将经受情感和心理危机的挑战,这种情况通常出现在经历个人危机的时期,但也有时是反复出现甚至是终身的难题。如你在生活中对压力的反应通常是易怒或压抑,或你应付意外的事变有困难,如:夫妻关系破裂、失业、失去家庭成员或朋友,你能从专家的咨询或治疗中受益,不管是吃药或不吃药。

有些人是 A 型人格,在行为上更富有进取心和紧迫感。尽管有些女性也可有此特点,但男性在这一点上更为突出。研究显示一些疾病如高血压、胃肠道疾病和某些癌症与进取的行为和紧张的生活方式有关。权威们确信,学会如何控制这种倾向能有助于全身心的健康。

良好的心理情感状态与生理上的健康同样重要。而且情感和心理状态对生理健康有极大的影响,当患病时这一点就特别突出。一个积极的、现实的心态,与对疾病的正确诊断一样,能在疾病的完全康复中起十分重要的作用。

# 进 入 老 年 期

由于医学科学和治疗技术的飞速进步,今天的大多数人期待着比他们的祖父辈活得更长、子女也更多。20 世纪下半叶出生的男性,平均预期寿命超过 70 岁,女性超过 75 岁。

充分的锻炼、适当的营养、而且在需要时能得到良好的医疗护理,这些都能帮助你从中年——40～60 岁之间——一直到老年保持生理和心理的健康。另一方面,营养不良、肥胖、全身性疾病和过量使用麻醉品、过量饮酒和吸毒都会加速无法抗拒的衰老过程。

## 人的老化过程

生理上的健康和心理上的活力一般在 25 岁左右达到高峰,并能稳定许多年,但最终人体各个系统的功能都要衰退。但直到你40～50岁以后，你才能开始感到身体上的变化，虽然有时衰老的来临没有事先的征象。对于许多人来说，衰老开始的表现是脱发和头发变白，而20多岁就开始脱发一般是遗传性的，但不管何时发生，脱发几乎是无法预防的。

身体脂肪的堆积和再分布也是衰老的表现，中年时，男性的脂肪多趋向于腹部，而女性则趋向于乳房、腹部和臀部。骨骼的密度在25～35岁之间最高，到70岁以后，由于骨质疏松的发生，会使身长降低几英寸，同时也使得体重减低。软骨还能发生钙化，使关节失去具有保护作用的软骨，或发展成其他类型的关节炎。

随着年龄的增长，你的皮肤也缓慢变薄、失去弹性并出现皱纹，特别是在面部和手上。出现在手背上的老年斑一般对身体无害，而且最终会消失。避免过度晒太阳是你对皮肤最应做的事。以前曾认为是健康色或年轻时将皮肤晒得很黑等做法，现在却认为是发生皮肤癌的危险因素。皮肤瘙痒、发红和其他类型的皮炎也与老化过程有关。整形术在一段时间内能拉紧松弛的皮肤、消除皱纹，但皮肤和原有的皮下脂肪会继续变薄，最终新的皱纹还将出现。

人类进入老年后，关节和骨骼系统的疾病就可能发生。引起关节疾患有些是更普遍的老年疾病。由于反射减慢加上平衡感的退化，使得老人更容易摔倒和发生意外事故。骨骼变脆、肌肉无力、皮肤变薄等意味着发生上述事故的后果会更严重。由于老年人的恢复要比青年人慢，一个轻微的伤害就可能变得很重，甚至危及生命。

锻炼和充分的营养能使你保持灵活和健壮，尽管最终仍会发生肌肉萎缩。牙龈组织的萎缩使牙齿变得稀疏，更易发生龋齿，因此应定期做口腔检查。如果牙齿和牙龈退化影响进食，或你开始掉牙，应请牙科医生给你安装一个牙托。(请见：牙龈疾病，牙疼)

## 感觉器官的变化

在衰老过程中，各种生理感觉器官将趋于退化，但变化的快慢每个人有所不同。当你首先发现视力有变化时，应请眼科医生配一副眼镜来矫正近视或远视。60岁以上的老人易患青光眼、白内障和黄斑退行性变，如未能及时治态，这些疾病最终将会导致部分、甚至完全失明。由于视力衰退发生得较慢，你可能不会察觉，因此你应每年定期检查视力，以发现上述疾病的出现。(请见：视力问题)

听力的减弱也是一个逐渐的过程，在40岁以后就可能察觉。有些人最终可能完全丧失听力，但另一些人可能什么也没有变化(请见听力问题，耳鸣)。你的嗅觉和味觉也将很快钝化，但常见的是逐渐缓慢的减退，而且只会对你的食欲有不利的影响。老年人比年轻人更容易受低体温、中暑和发热衰竭等情况的影响。这种对温度的敏感性可能与循环功能和甲状腺功能的疾患有关。

## 全身性疾病

在老化过程中，全身各系统功能都将衰退。心脏和血管的肌肉失去弹性，这使身体的血液循环更困难。心血管系统的退化最终使体内的生理活动出现困难，心脏完成本身的功能也更加困难，血压轻微增高尚能保持身体正常状态，当血压明显增高时，就意味着出现心脏病发作和中风的危险明显增加。吸烟的成人发生中风的危险更高。有规律的锻炼——散步、游泳、打高尔夫球、网球等，都能使你保持良好的心血管系统功能，但你要开始一种新的锻炼项目，就应找医生咨询。

随着年龄的增长，泌尿系统感染如肾脏和膀胱的感染越来越常见，并可能造成严重的后果。老年人也容易发生胃肠道疾病，如肠易激惹综合征和憩室炎。低质量的膳食能造成老年人贫血，年长者也更易发生大便失禁和便秘。

随着衰老的发生，肌体的免疫系统也开始失去作用。你发现自己更易患一些普通的疾病，而且一旦患病，恢复所需要的时间要比从前长得多。许多医生建议，65岁以上的老人应每年接种流感疫苗，预防流感病毒感染。有些人还需接种肺炎球菌疫苗预防肺炎。

有许多因素使得你在50岁以后，发生肿瘤的危险性更高。你应告诉医生家族中发生的任何癌症的病史，而且应自己掌握癌症早期症状的知识。女性应特别注意乳腺癌、子宫癌、宫颈癌、卵巢癌的早期征象。男性应警惕前列腺癌、睾丸癌，而且应该了解这方面的统计学分析，男性要比女性更易发生肺癌和结肠直肠癌。

老化还影响大脑和神经系统。老年人常有手和头的轻微震颤，这对大多数人是无害的，然而这也可能是帕金森病的一种表现。健忘、部分记忆丧失以及逐渐加重的慌乱和糊涂等是由许多原因造成的,包括轻微的感染、失眠、中风或早老性痴呆等。如你注意到自己或你家庭中其他老人有这些症状,应安排做检查以确定病因。

## 如何调整

由老化导致的生理改变也伴随着个人生活发生变化。退休和接受一种节奏较慢的生活方式会产生许多心理上的影响,有许多人对此难以接受。寻找新的消遣方式,如旅游、参加志愿活动或去追求自己一生的志趣等,这些都能较容易地调整自己在家庭和社会中角色的变化。

对于住房,应在安全方面给予适当的投资。如在浴盆或淋浴室加装扶手、加固楼梯栏杆、加固房顶等,这些都能有助于防止意外的发生。如在平衡或灵活性方面有问题,使用拐杖或步行器可能是一个明智的选择。有些情况下由于视力和反应能力的降低,大多数老人发现停止开车是明智的。

退休的生活给老人带来许多益处,但在很大的程度上也改变了一个人的生活方式,应清楚地认识到退休在经济上和社会上的影响,以及在情感上受伤害的可能性。朋友或配偶的去世不可避免地会引起悲痛,而且这也可能对自己在生活中的变化产生忧虑。如你对自己的这种感觉不知所措,或你和你周围的其他人感觉到你正处于压抑状态,你应从医生或律师那里寻找帮助。

## 年长老人的护理

家庭的年轻成员有照顾老人的敬老观念始终是正确的,但在今天,对许多人来说是不现实的或不可能的。在你给老人提供最基本的护理时,你能发现使老年人加入日常的护理工作,能够缓解长时间护理而带来的心理和生理上的压力。如你想在家中自己护理一个患慢性疾病或卧床不起的老人,你会发现这是不可取的或不可能接受的,不论只需半天还是全天时间,家中的护理应请一位受过训练的护士或其他有关人员完成。

有一天,你可能会把自己年迈的配偶或父母安置到养老院或类似的机构。做这项决定并不容易,但这可能是最好的解决问题的办法,特别是当一个人有病,或子女相距较远,或家庭中的设施已不适宜时。经过仔细的研究和周密计划,你会找到一种护理老年人的适宜的环境。

# 常规治疗和辅助治疗的说明

医学世界令人迷惑而又复杂。在通常被称为常规和辅助治疗这两大部分中有着许多专业领域。以下篇幅的定义和说明给该领域提供一张"地图",包含了本书引用的全部医学规定和治疗选择。

对医学而言,常规的和辅助的治疗方法的不同在有关健康的基本概念上得到充分体现。常规治疗,也称生物医学,是典型地将健康看成是没有疾病。疾病的主要原因被认为是病原体——细菌或病毒——或生物化学失衡。与此相反,辅助治疗倾向于将健康看成是机体各系统的平衡——精神的、心理的、心灵上的以及躯体的,一个人的所有各个方面都是相互关联的,称之为"机能整体性"或叫"整体状态"。任何失调被认为是给肌体增加负担和可能导致疾病。

# 常 规 治 疗

## 麻醉学

麻醉学家应用化学药物使病人手术时感觉丧失,并处理手术时间发生的任何心理或呼吸并发症。他们亦可在其他医疗过程如分娩时提供和监控不同类型的疼痛缓解。

## 牙科学

该领域包括与牙齿、牙龈和颌部医疗有关的各专业。牙外科医生需具备四年的牙科学位并强调家庭实践。正牙学家尚需另加 2 年整齿专业训练。口腔外科医生尚需另外 3 年的训练。完成诸如颞下颌关节综合征和颌重建的手术。

## 皮肤病学

皮肤病学家治疗皮肤、口、毛发和指甲等疾患——如痤疮、牛皮癣、变态反应和皮肤癌。

## 流行病学

流行病学在全体居民或人群中进行疾病的统计学研究。曾经致力于感染性疾病和流行病,这种特性已扩展到揭示非感染性疾病如癌和心脏病的调查。

## 家庭临床

家庭临床医生是综合科医生。他给大多数人提供广泛的医疗保证。通常特别强调关心家庭医疗、心理和社会的需要。他可将复杂的问题提交专家。

## 内 科

内科医生集中点在成人医疗,他们是研究内部器官和肌体系统方面的专家。他们治疗的疾病很广泛:从一般不适到严重疾病。内科的亚专业包括心内科,致力于心脏、肺和血管(例如心脏动脉粥样硬化);内分泌科解决内分泌腺疾病(例如糖尿病或甲状腺疾病);消化科以消化系统疾病为目标,包括胃溃疡或结肠炎;血液学科治疗血液、脾和淋巴结疾病(例如贫血和白血病);感染性疾病科集中于细菌和病毒性疾病如艾滋病或脑膜炎。肾内科处理肾脏疾病。肿瘤科涉及各种类型的癌肿;肺科治疗肺和呼吸道疾病如肺炎、胸膜炎或肺气肿。风湿病学科致力于关节、肌肉、骨骼和肌腱疾患(如关节炎)。

## 医学遗传学

医学遗传学家审查、指导有潜在可能的双亲,并就遗传性疾病传递的危险大小进行诊断,诸如儿童出生后的疾病。

## 神经病学

神经病学家集中点在脑、脊髓、周围神经和中枢神经系统其他部分的功能失调,他们常常起着其他内科医师在诊断诸如头晕或头痛等综合征的病因方面的顾问医师作用。他们治疗疾病范围从 Alzheimer's 病(早老性痴呆)到多发性硬化。

## 核医学

核医学专家管理内服的放射性物质,诊断和治疗肌体组织和血管疾病。例如甲状腺癌可利用甲状腺细胞吸收的放射性碘来诊断和治疗。

## 妇产科学

妇产科学家负责妊娠期和分娩期妇女保健,她们也解决妇女生殖系统疾病,如子宫内膜异位症以及由于激素分泌失衡引起的疾病。他们也作手术,包括剖腹产术、输卵管结扎术和子宫切除术等。

## 眼科学

眼科专家治疗眼和视力问题。如青光眼或白内障,常用药物或手术方法。他们有医学等级,与验光师不同,后者只有诊断视力问题和开眼镜处方和处理镜片方面的执照。

## 耳鼻喉科学

耳鼻喉科学家涉及耳鼻喉和头颈有关部位疾病。他们是检查和治疗听力问题和鼻塞疾病以及许多其他问题的专家。全是受过培训的手术医生,完成诸如扁桃体炎和鼻中隔弯曲疾患手术。

## 病理学

病理学家经培训来辨明疾病病因、影响和特点。他们的主要工作是对人体组织标本和体液进行检验分析。他们完成尸检。作活组织检查,常常是为了确定有无癌肿。他们传统地承担其他内外科医师的顾问医师作用。

## 儿科学

儿科学家专门研究儿童的医学问题,从出生到青春期。治疗诸如哮喘、尿布疹、水痘、异常生长发育和与运动有关的创伤。

## 物理治疗医学与康复医学

理疗医师的工作是处理受伤或运动障碍病人,特别是肌肉与骨骼的,神经病学的或心血管方面的问题。他们使病人缓解疼痛,帮助病人恢复或达到一种高水平的心理和躯体的功能。

## 市场医学

市场医学专家研究制定一些方案以帮助高危人群学习一些卫生习惯,避免疾病和创伤。他们的介绍可能集中于饮食,举止行为,职业或环境因素和保健方面公共常识。

## 精神病学

精神病学家是治疗精神上、情绪上或成瘾性疾病。其中有抑郁和神经性厌食。像心理学家和临床社会工作者一样,他们应用心理治疗,精神病学家有医学学位并能开药物处方。

## 放射科学

放射学家应用外源性各种形式辐射能来诊断治疗疾病,其中方法有 X 线(例如房 x 线照相),计算机扫描断扫描(CT),阳电子发射断层(PET),核磁共振(MRI)和血管造影术。

## 外科

普通外科完成包括肌体各个部位的手术。他们经过培训以能诊断一些应请更高度专业化外科医生处理的问题。专业化外科医生必须通过另外的训练并获得他们自己领域的执照。这些特殊的专业包括治疗下消化道的结直肠外科;集中在周缘神经和脑脊髓的神经外科;解决肌肉与骨骼系统问题的骨科;集中于头颈部的耳鼻喉科;成形外科是重建修复或改善肌体任何一部分外观和功能的专业。心胸外科集中于胸腔,特别是心肺。

## 泌尿外科学

泌尿外科学家专门治疗泌尿生殖系统的疾病, 例如应用手术治疗肾结石、慢性膀胱感染和前列腺疾患。

# 辅 助 治 疗

## 指压术

这种疗法就是用手指或手按压身体上的某些点(穴位),从而改变被称为生命所必需的力和能量(被称作"气"),增强、镇静或排除其淤滞。指压术是一种中国传统医学的治疗手法,这一治疗系统有数千年历史,现在在亚洲国家仍广泛被采用。

根据中国传统医学的理论,指压的穴位沿着身体体表的 14 条经络排列。其中 12 条经络位于身体两侧,即身体两侧是对称的。另外 2 条是不对称,沿着身体的中线运行。14 条经络与已知的体内生理过程或解剖结构如神经或血管不同,而某些严格的研究提示指压对一些症状有效,如恶心、疼痛、与中风有关的无力。指压单穴可减轻某些特殊的症状或增强整个肌体的状况,每组穴位都针对某种特定的疾病。

指压术可由某些受过技术训练的人施行或在家中操作。力度随穴位而不同,但一般情况下,大部分穴位使用稳固的向下的力量,持续 1~2 分钟,可间歇点按一个穴位几遍,先做身体的一侧,再做另一侧。

指压术的危险性极小,但仍应小心谨慎。如妊娠期不应点按三阴交穴和合谷穴,整个腹部尽可能不点压。不能点按开放性伤口、静脉曲张、肿瘤、皮肤感染或炎症及近期手术部位或怀疑骨折的区域。

## 针刺术

针刺术与指压术一样基于中医传统经络的理论,经络是能量的通道,被认为在周身运行携带着维护生命所必需的力和能(气)沿着它在体内运行。在这种疗法中,气的流动受在特殊的穴位经络插入细发一样的针的控制。穴位的分布排列图与指压术的经穴一样。与指压术不同,针刺术必须由经过训练的开业医生施行。

一般针刺治疗约刺入 5~15 根针,刺入的深度浅者可几分之一英寸,如手指部位,若在较厚脂肪或肌肉部位可以深刺 3~4 英寸,针刺几乎没有疼痛,仅有轻微针刺感或沉重感。除了针刺,针灸医师还可采用灸法,这种方法是将一种叫做艾叶的草药点燃而不冒火,直接置于穴位的上面,通过热起作用。

很多患者通过针刺缓解了疼痛,减轻疼痛的生理基础已经过动物实验证实,针刺可以释放内啡呔和其他形式的有体内自然镇痛剂作用的神经递质。然而,研究者仍不清楚针刺如何能长时间止痛。针刺不仅可控制疼痛,还发现对于休克的康复和减轻恶心也有效。针刺术已在美国 26 个州和哥伦比亚地区被批准使用。

## 芳香疗法

芳香疗法是用植物油的香气促进放松并帮助缓解某些疾病的症状,这种植物油是非常浓缩的芳香的提取物,通过冷压或蒸气蒸馏从植物的花、叶或根中获得,这种油再用所谓的载体油稀释,如:杏仁、大豆油,在按摩时应用,以水混合敷于皮肤上,加入洗浴水中或弥散于空气中吸入,这种油决不可吞食。一滴油相当于一盎司或整个植物。白香柏、艾草、艾叶、艾菊等植物的油内服是有毒的,甚至可以致命。

芳香疗法医师认为油的芳香只对大脑的边缘系统有镇静作用,这一系统涉及记忆力、情感和激素的控制。某些临床医师主张这些油可通过皮肤吸收并在体内直接发挥作用。但对芳香疗法持批评意见者认为放松的效果实际上是因按摩、热浴和其他一些令人愉快的方法达到的。

## 整体治疗

整体治疗是很多种技术的总称,包括古代和现代的,它可以促使放松并治疗疾病(特别是肌肉骨骼系统的疾病)。方法是通过适当的运动、姿势的调整、锻炼、按摩和其他不同形式。整体治疗包括:按摩、气功、反射、手技和太极,这些方法均能在家庭进行。其他一些方法需要受过训练的人员指导。整体治疗的形式如下:

◆亚历山大技术:其主要目的是矫正被认为对肌体功能有害的日常的不良姿势和运动方式。

◆阿斯通式技术:指导每位患者对其特殊的状况进行运动和姿势的调整。

◆菲尔丹克雷斯方法:由受过训练的专业人员进行单人授课,可通过口头指导锻炼,用触摸和运动的新方法以改善其姿势、运动和呼吸。

◆海乐渥克方法:是整体治疗的一个分支,结合接触和运动训练能解除紧张,每天进行。

◆按摩:即手法治疗身体的软组织以减轻张力和紧张,促进循环,并有助于肌肉和其他软组织损伤的愈合、镇痛和促进整体健康。

◆肌疗法:是一种深层的按摩以减轻来自身体特殊部位的肌层的张力和疼痛。

◆气功:中国古老的一种锻炼方法,强调呼吸、静默、静或动的锻炼以增进体内能量即气的运行。

◆反射疗法:即对足部或手部特殊区域进行手法治疗,旨在使体内环境稳定及平衡。反射疗法医师认为足部的一定的区域与身体内器官或系统有联系。对适当的区域进行刺激以达到清除淤滞。这种淤滞随着能量运行并在相关结构产生疼痛和疾病。足部反射区的分布反映了身体的结构,右足代表身体的右半边,左足代表身体的左半边。反射疗法的特点是应用较少的几个基本技术,即可由自己也可由同伴操作。拇指的基本手法即用拇指侧缘沿着反射区推动,慢慢地移动向前,推动的拇指第一关节弯曲或稍伸直。食指按压技术是用食指侧缘并使其紧靠拇指作同样的推动。当在足部某些区域操作时,一只手按压反射区,而另一只手固定足部使其保持足底平而足趾伸直的舒适的位置。

反射疗法的从业者声称此疗法可缓解很多种疾病,批评者称这种治疗不比足部按摩更有效。

◆罗尔佛因格技术:讲究结构的完整,其理论基于身体的不同的部位均有适当的排列,且对身心健康是必要的。应用深部按摩和运动锻炼来松解筋膜的粘连(筋膜是覆盖在肌肉上的结缔组织),尽量使身体结构正常有序。

◆手技:这种日本的方法与指压疗法一样,即应用拇指或其他指准确地按压身上的点以促进气的流动。气是一种至关重要的力或能,据信在周身流动。

◆太极:气功的一种形式,是武术艺术,方法包括入静和缓慢流畅的自我控制的运动,并需遵循某些套路。可促进气的流动并使身体更灵敏。

◆治疗性触摩:实际上没有身体接触,与其疗法的名称不同。术者的手距患者身体6~12厘米高度缓慢、有节奏地移动,从而感知身体何处能量淤滞,淤滞可导致疾病。此疗法是在几十年前吸收了古代人们的实践经验创立的,术者将意和力的能量直接传给受者,使其达到平衡并化瘀通络,治疗时间一般需要20分钟。据说受试者有松弛舒适的感觉且疼痛及其他症状随之减轻。

◆特拉格精神物理专家的综合治疗:轻轻触摩并使之作有节律地前后左右摇摆运动与一系列直接的肌体运动锻炼,以助于鉴别及矫正患者姿势和慢性肌紧张。研究表明,这种疗法对损伤、多发性硬化和肌营养不良引起的严重神经肌肉疾病有益。

## 中草药治疗

中草药的应用与指压术和针刺术一样是中国传统医学系统的重要组成部分。中医师一般是有行医资格的针灸师。他们根据复杂的诊断标准开据草药,有助于矫正体内能量的失衡。根据中医理论,疾病是体内能量(气)的流动紊乱或阴阳失衡引起的(阴以暗或静为特征,阳以明或动为特征)。

中草药和其他中药(矿物质、动物产品如皮或骨)一样可以用多种方法制备。将草药浸入热水中像沏茶一样,煮沸至浓的药液称作煎剂,也可制成粉剂、胶囊或糖浆(可内服)。也可制成膏药或泥罨剂贴于皮肤上。由受过训练的专业人员开据治疗处方和监测,因某些中草药大剂量时具有毒性,有一些药物如红花油孕妇慎用,复杂的合剂只能由受过训练的专业人员配制。

近年来,中草药受到中国、美国和其他国家的重视及认真的研究,证据表明尽管某些药物不像说明的那样神奇,但很多药物是有效的,现在中草药常与现代的生化治疗配合应用。

## 正脊术(按摩术:尤指按摩脊柱部位)

正脊术为一治疗系统,需在医学院校接受5年教育,按照正脊教育委员会和正脊执照委员会联合会的标准已能在美国50个州取得执照。其理论是基于人体具有先天的自我愈合及维持体内环境稳定和平衡的能力这个认识,神经系统在维持内环境稳定和增进健康方面起着重要的作用。发生在关节的疾病干扰了神经系统的正常的功能,结果肌体维持最佳健康状态的能力减弱。正脊师通过对脊柱和其他关节、肌肉施用手法,使神经肌肉骨骼系统正常发挥功能,肌体恢复平衡。

现在,正脊术主要分为两类,第一类较传统的,将半脱位看作大多数疾病的原因。另一类,被认为是激进一些的。其目的是正脊师为患者提供基本的医护,强调对腰背病及肌肉骨骼疾病的治疗,同时采用手法。

尽管正脊术被当作一种辅助方法,但它已获得一定程度的认可,部分原因是由于一些近期研究揭示其对治疗某些病诸如急性下腰痛这样的疾病是非常有效的。正脊治疗在很多州是有医疗保险的。

## 草药疗法

草药是由各种植物的叶、干、根、皮等制备的,具有很多生物活性成分,主要用来治疗较重的或较慢性的病。草药能在家中用很多方法制备,既可用新鲜的,也可用干的。草药可用沏茶的形式浸入热水来改变其浓度。根、皮和植物的其他部分采用煮沸制成较浓厚的溶液叫做煎剂。蜂蜜或糖可被放入"茶"或煎剂中成为糖浆,在药店可买到丸药、胶囊、粉剂或浓缩的溶液和酊剂。还可用乳剂或软膏用于局部,或浸入布中用于外敷,还可以制成膏药直接贴在皮肤上。

在美国,草药尚未进入管理,其用药浓度仍不能确定。活性成分的量又极不同,主要看是否一种以上的草药,且何时、如何采集和制备也不相同。因某些中草药有毒或致癌,所以全部草药应在熟悉草药的医务人员指导下应用。

水疗法

　　水疗法照字面意思是用水做治疗，应用冰、液体和蒸汽来减轻很多类感染、急慢性疼痛、循环疾患和其他一些疾病。治疗包括卷缠、喷雾、冲洗及蒸气房和桑拿，冷热浴包括旋涡浴、手足浴和 sitz 浴（即仅将骨盆浸入水中），其目的在于改变体温从而刺激身体的免疫反应和减毒，水疗法常被自然治疗应用。

身心医学

　　这一疗法是针对心理和躯体关系的治疗的总称。身心疗法的各种疗法的目的在于论述比较特殊的疾病，并通过精神和身体两条途径的结合促进全身的健康。例如：瑜伽既有身体的运动又有意识的入境。可以达到两个目的，既改善其身体状况，又能解除类似压抑或忧虑等精神问题。心理和身体两条途径的开发从很多方面可影响激素、神经和免疫系统。

　　◆生物反馈是应用电脑控制的仪器测量和显示肌体的功能和状态。如：心率、皮温、肌肉张力和大脑的活动。通过鉴别休息和活动期间的这些功能，患者能了解肌体的功能为什么和如何变化的，最终学会如何控制它们。

　　◆指导下的想象是教患者想象某种场景，它有助于影响某些生理状况，如癌症患者可以想象其肿瘤在免疫系统的"枪弹"进攻下崩解。虽然对"想象"治病尚无结论性的研究，但常有患者报告其对身心的有益的效果。

　　◆催眠疗法由专业人员施行，应用松弛和集中于某事物的意识状态，从而有助于改变其对疼痛、疾病状态的身体和心理反应。也可学习自我催眠并应用于某种情况。

　　◆静默有着亚洲和西方不同的实践。但均需静坐或卧、闭目、练意从而使身体松弛和意念集中。

　　◆松弛反应是一个身体和心理休息的状态，特征为低氧消耗和减少心率。这一状态可由不同的技术诱发，包括静默、瑜伽、太极、气功和催眠法，这种明显的松弛能缓解应激和很多症状。

　　◆心灵治疗使很多人松弛和舒适，无论其是信教去祷告还是与宗教无关的沉思。

　　◆支持群体将患相同疾病和类似创伤的人们聚集在一起从而使他们能交谈其经历和感觉。这具有心理的益处，可能会改善其自然防御的功能。

　　◆瑜伽包括一系列身体姿势和运动使意识沉静、身体松弛、精神安逸，其历史有数千年。静默和呼吸锻炼使之形成舒展和调整姿势的循环，一段时间与另一段时间可不同。在家中即可学习和锻炼瑜伽。但在妊娠期或有如心脏病这类疾患的情况下需改变其运动，瑜伽专家可建议做适当的更改。

自然疗法

　　自然疗法是指整体的保健，来源于很多传统的医疗体系。追溯到 20 世纪早期，自然疗法包括三项基本原则：医生应尽力增进身体的自然愈合能力，应找到疾病的根本原因而不单是它的症状，最重要的是仅使用无伤害的治疗（即尽可能避免应用有毒药物和手术）。

　　自然治疗医师相当重视患者的生活习性，因其理论认为生理的、心理的及精神因素均可导致疾病。他们应用一些辅助疗法，包括：顺势治疗、草药、中国传统医学、正脊、营养疗法、水疗、按摩和锻炼。

　　自然治疗医师需自然治疗学院培训 4 年方获行医资格，前两年与一般医学院校一样为核心学科，后两年集中学习自然治疗技术。现在，自然疗法医师在 9 个州可获行医执照。其他大多数州只允许有限制地行医。

营养和饮食

　　常规疗法和辅助疗法的专家们均认为有益于健康的饮食是重要的。然而辅助疗法专家更强调饮食对改变某些状况的作用，而常规医学则可能求助于药物甚或手术治疗。如对动脉粥样硬化的患者建议非常低脂肪的饮食再结合静默、锻炼和支持群体疗法。一些饮食，如传统的日本和地中海的某些食品含少量的动物脂肪，因其饱和脂肪酸低似乎减少了心脏病和某些癌症的发生。蔬菜已表明可降低血压，减少发生心血管病和某些癌症的危险性。一些特殊的食物是有益处的，如大蒜据说可以降低血流中的胆固醇并预防某些癌症的发生。很多疗法均建议饮食中补充维生素和矿物质。某些维生素，如 A 和 D 是脂溶性的，如滥用可在体内达到中毒的水平。其他一些，如维生素 C 是水溶性的不能在体内储存，体内多余的一般会被排出。一般地说，建议每天摄食维生素和矿物质用做疾病预防。常将它们制成片剂，剂量以重量表示，毫克、微克或国际单位。正分子医学是一种营养治疗方法，将维生素、矿物质和正常情况下存在于体内的氨基酸结合在一起用于治疗某些特殊的疾病如哮喘、心脏病、抑郁症和精神分裂症。这种疗法也用来保持全身健康。

## 正骨疗法

正骨疗法可通过矫正肌肉骨骼系统的结构异常从而改善整体的功能，恢复结构平衡使患者重获健康。正骨师综合运用关节手法治疗并教给患者适当的姿势。因为正骨是针对整体的，故正骨师也考虑其心理因素、生活方式和与疾病或维持健康有关的饮食。自从正骨疗法由美国医师创立，在19世纪晚期被命名以来，已融合了常规治疗的各个方面，包括肌体结构重要性的中心原则及克服疾病的身体素质。正骨师经4年医学院的培训，既可做西医师也可为正骨师。可在所有50个州取得执照，可开药方和实施手术。近一步可专攻医学亚分科，如心脏病学、神经学、产科学和妇科学。

他们除了强调肌肉骨骼的功能和顺列外，大多数正骨师的医疗工作更像一位常规西医医生。